Tableau d'assemblage

79	80

Pages de l'atlas au 1/200 000: voir également
pages VIII a XI

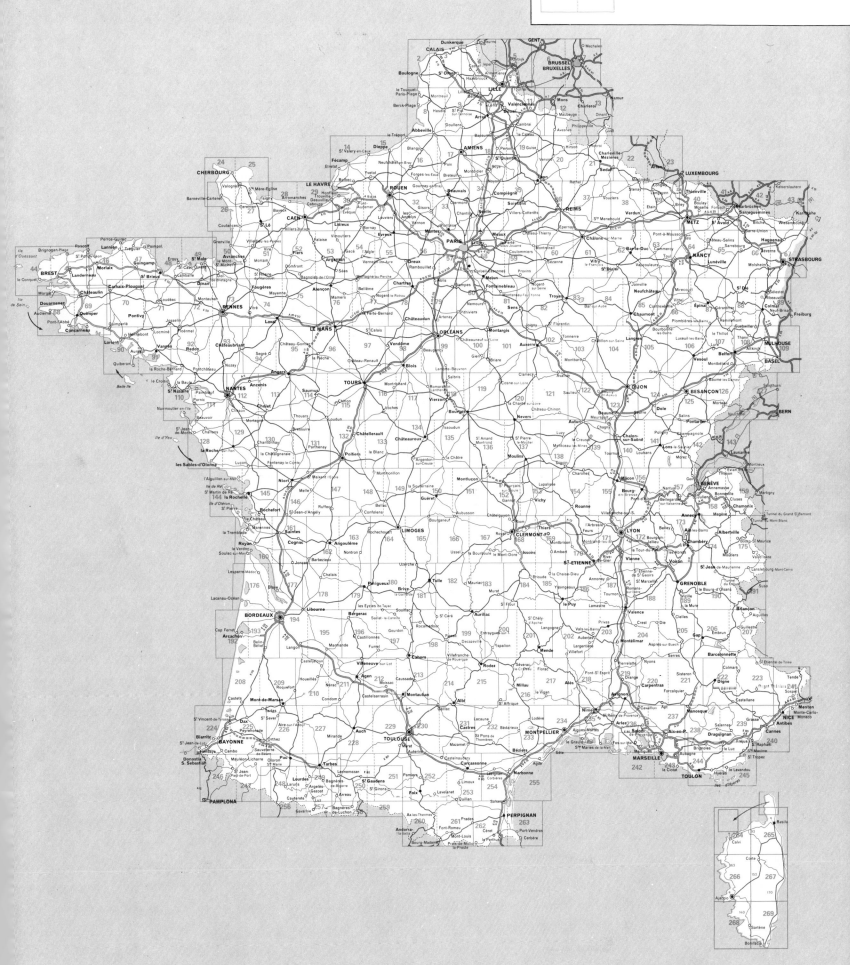

MICHELIN

Atlas Routier
France

MICHELIN
Atlas Routier
France

Services de Tourisme
MICHELIN

Diffusion
GRÜND

Première édition en 1987 par:
The Hamlyn Publishing Group Limited
now a Division of The Octopus Publishing Group plc
Michelin House, 81 Fulham Road, London SW3 6RB

Diffusion GRÜND
60, Rue Mazarine
75006 PARIS
Tél. (1) 43 29 87 40

Printed in Spain

Deuxième édition 1988

Dépôt légal: 2e trimestre 1988

ISBN: 2 7000 3000 1

Les Guides et les Cartes MICHELIN

MICHELIN, n° 1 mondial du pneumatique radial, est aussi l'un des grands de l'édition touristique avec plus de seize millions de cartes et guides vendus annuellement à travers quelque soixante-dix pays.

A partir d'une simple intuition, celle de l'avenir formidable de l'automobile, les frères Michelin choisissent au début de ce siècle d'apporter à l'usager de la route une aide encore inédite: des publications, gratuites ou à bon marché, destinées à l'informer, à l'aider, à le mettre en confiance.

Au volant, à l'étape, en vacances, trois facettes de l'art de voyager, mais un seul service pour y répondre. Par là même, trois types de publications, mais conçues pour être utilisées ensemble.

Chef de file de la collection, le Guide Rouge présente chaque printemps sa sélection d'hôtels et de restaurants. Tous les niveaux de prix et de confort y sont représentés, mais c'est probablement son fameux palmarès d'Etoiles de "Bonne Table" ainsi que son infinie richesse d'informations qui ont déterminé son succès international. Plusieurs volumes couvrent l'Europe, parmi lesquels le seul titre "France" dépasse les vingt millions d'exemplaires diffusés à ce jour. La relation confiante qu'il entretient avec ses lecteurs fait de lui aujourd'hui le Guide de référence par excellence.

Les cartes et guides MICHELIN sont complémentaires:

Sommaire

La découverte proprement touristique des régions de France ou des pays étrangers est le rôle spécifique dévolu aux Guides Verts. On y trouve donc des paysages, des itinéraires pittoresques, des monuments, des lieux de séjour, bien sûr, mais aussi une foule de renseignements pratiques, des plans, des illustrations, qui donnent déjà envie de prendre le chemin des vacances! Plus de soixante-dix titres, en français ou en langue étrangère, tous remis régulièrement à jour, couvrent surtout l'Europe et l'Amérique du Nord.

Quant à la Carte de France, à l'échelle 1/200 000 (1 cm pour 2 km), qui constitue la part essentielle de cet Atlas Routier, elle a vu le jour en 1910. A travers plusieurs générations graphiques successives, elle a su suivre les mutations du réseau et rester proche des besoins réels de l'automobiliste. C'est à son intention qu'ont été créés au fil des années bien des signes conventionnels routiers ou touristiques, qui simplifient tellement la "lecture" d'un itinéraire.

Pour mieux satisfaire leur client – touriste ou professionnel de la route – les guides et les cartes Michelin font aujourd'hui appel aux techniques d'information et de composition les plus modernes. Par leur sens pratique, leur souci d'actualité, leur complémentarité enfin, ils seront, demain encore, vos meilleurs compagnons de voyage.

utilisez-les ensemble!

Pages de garde
Légendes
Les plans   Les cartes au 1/200 000
Tableau d'assemblage

IV	Les Guides et les Cartes Michelin
VI	Introduction
	Information routière
	La signalisation
VIII	**Grands itinéraires**
X	Conduire en France
XII	**Environs de Paris** au 1/105 000
XVI	Routes enneigées

1	**Légende** des cartes au 1/200 000
2	**Cartes de France** au 1/200 000

270	**Index**
311	Plan de **Paris**

Pages de garde
Distances – France
Distances – Europe

Plans des principales villes

271 ● Aix-en-Provence	**14** ● Dieppe	**307** ● Orléans
268 ● Ajaccio	**287** ● Dijon	**308** ● Pau
272 ● Angers	**292** ● Grenoble	**263** ● Perpignan
273 ● Annecy	**29** ● Le Havre	**68** ● Quimper
273 ● Avignon	**296** ● Lille	**317** ● Reims
264 ● Bastia	**297** ● Limoges	**318** ● Rennes
276 ● Besançon	**90** ● Lorient	**144** ● La Rochelle
255 ● Béziers	**298** ● Lyon	**319** ● Rouen
224 ● Biarritz	**299** ● Le Mans	**48** ● St-Brieuc
192 ● Bordeaux	**242** ● Marseille	**322** ● St-Etienne
2 ● Boulogne	**301** ● Metz	**49** ● St-Malo
277 ● Bourges	**302** ● Monte Carlo	**330** ● Strasbourg
44 ● Brest	**303** ● Montpellier	**245** ● Toulon
28 ● Caen	**304** ● Mulhouse	**331** ● Toulouse
2 ● Calais	**305** ● Nancy	**332** ● Tours
282 ● Chartres	**110** ● Nantes	**333** ● Troyes
25 ● Cherbourg	**240** ● Nice	**335** ● Versailles
283 ● Clermont-Ferrand	**306** ● Nimes	

Introduction

La route en France

Couvrant une superficie de 551 000 km carrés, la France est le plus grand pays d'Europe occidentale. Comme le montrent les milliers de petits villages entourés de champs et de forêts, le paysage et la population y ont encore un caractère rural bien marqué. Seules les agglomérations de Paris, Lyon et Marseille dépassent le million d'habitants.

Il en résulte que le réseau routier de notre pays s'est beaucoup développé tout au long de l'histoire jusqu'à devenir d'une extrême densité.

A la fin de 1987, on compte en France:

675 0 km d'autoroutes
28 300 km de routes nationales
347 000 km de routes départementales
425 000 km de voies communales
700 000 km de chemins ruraux

Les voies romaines, puis les routes royales ont fait place aujourd'hui au deuxième système autoroutier d'Europe et à un réseau généralement moderne, rapide et pratique, grâce aux efforts suivis des pouvoirs publics, des collectivités régionales et des sociétés d'autoroutes. Plusieurs plans routiers, les aménagements en double-chaussée, les élargissements, les déviations de localités, l'élimination progressive des "points noirs", la signalisation ont permis au trafic de croître en volume et en sécurité.

Les liaisons les plus rapides sont les autoroutes. Elles sont généralement à péage, et le tarif moyen au kilomètre varie selon la région et le type de véhicule.

En attendant l'achèvement du contournement extérieur de Paris, le boulevard périphérique, point de convergence de nombreuses autoroutes, reste la voie la plus chargée de France. Il est préférable de l'éviter lorsque cela est possible.

Comme dans la plupart des pays voisins, les départs et retours de fin de semaine ou des vacances et les grandes manifestations (foires, épreuves sportives, fêtes régionales . . .) peuvent être l'occasion de "bouchons" plus ou moins importants. Des déviations sont mises en place par la Gendarmerie. Il est recommandé de se fier aux conseils des Centres Régionaux d'Information Routière (voir ci-contre).

La réglementation en vigueur concernant la circulation en France est résumée page X.

Au service de la route

Recueil de la couverture cartographique de la France à l'échelle du 1/200 000, le présent Atlas Routier condense toute l'expérience Michelin acquise sur le terrain et au contact de millions d'automobilistes et aussi son savoir-faire, dont

témoigne un scrupuleux suivi de l'actualité qui se concrétise par plus de 30 000 corrections annuelles.

Le conducteur désireux de préparer son itinéraire avant de prendre le volant trouvera toute l'information qu'il peut souhaiter: kilométrage, largeur et type de la chaussée, obstacles rencontrés, localités traversées ou contournées, caractère prioritaire ou secondaire de la liaison choisie, etc.

Les cadres rouges qui délimitent plusieurs centaines de villes renvoient aux plans détaillés inclus dans le Guide Rouge "France", tandis que les noms soulignés de rouge indiquent les localités ayant des hôtels ou des restaurants sélectionnés dans l'édition annuelle de ce même Guide.

Le long de certaines routes, un liseré vert signale une section particulièrement pittoresque. La plupart des curiosités signalées sur les cartes sont aussi décrites dans les Guides Verts.

Le lecteur attentif de la carte est toujours surpris de la densité d'informations qu'il y découvre: un château au bord d'un étang, une route forestière invitant au pique-nique, une ruine, un panorama, un monument qui rappelle quelque fait-d'armes. Cette inépuisable variété, c'est celle de la France.

En raison de sa densité, la région parisienne fait l'objet d'une représentation plus détaillée (pages XII–XV), qui permet d'y repérer sans difficulté un hippodrome, une piscine ou un sentier de randonnée, etc . . .

Lorsque la neige rend la circulation difficile dans les massifs montagneux, la page XVI indique l'itinéraire le plus dégagé, la fermeture des cols ou les numéros de téléphone des services d'informations locaux.

Il est facile de passer de la carte à l'un des cinquante plans de villes, puisque les numéros de sorties sont identiques sur les deux publications.

Au-delà de cet Atlas et des Guides qui peuvent le compléter, Michelin propose bien d'autres documents sur la France à l'automobiliste d'aujourd'hui. Au premier rang, bien sûr, la même cartographie en quarante cartes détaillées, faciles à utiliser sur la route et à glisser dans la boîte à gants.

L'Atlas des Autoroutes de France est un recueil spécialisé sur les ressources et les particularités du réseau autoroutier.

La toute récente carte France Grands Itinéraires introduit pour la première fois la notion précise de temps de parcours, d'une ville à une autre: une façon originale et moderne de préparer sa route . . . et de faire des économies!

La France routière bouge: les publications Michelin sont là pour accompagner cette évolution et répondre à tous les besoins.

Bonne route!

Information routière

Centre de Renseignements Autoroutes (9-12h, 14-18h)
Lundi-Vendredi (1) 47 05 90 01 **Minitel** 3614 Code ASFA
Centre National (0-24h) (1) 48 94 33 33 **Minitel** 3615 Code ROUTE
Centres Régionaux d'Information et de Coordination Routière

Bordeaux	56 96 33 33	Marseille	91 78 78 78
Ile de France/		Metz	87 63 33 33
Centre	(1) 48 99 33 33	Rennes	99 32 33 33
Lille	20 47 33 33		
Lyon	78 54 33 33		

21 Numéro de département – voir page 270

La signalisation

Les panneaux de priorité, de danger et d'interdiction sont généralement conforme à l'usage européen.

La signalisation de direction se compose en France de cinq familles de panneaux:

sur fond bleu: réseau autoroutier
sur fond vert: grands itinéraires
sur fond blanc: réseau national, régional ou local
sur fond orange: itinéraires de déviation (travaux, accidents...)
sur fond vert avec indication "Bis": itinéraires de délestage

Hors des agglomérations, le principe de la priorité à droite ne s'applique qu'en cas d'absence de signaux. C'est généralement la notion d'itinéraire principal qui l'emporte. Le respect du "Stop" doit être absolu. Un panneau spécial annonce les ronds-points dans lesquels les véhicules déjà engagés ont la priorité.

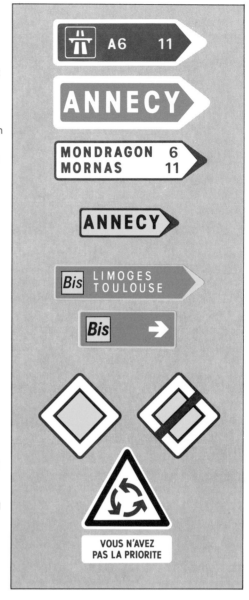

Sécurité d'abord!

Avant le départ

● contrôle des niveaux (radiateur, huile, liquide de freins, lave glace)

● contrôle de l'éclairage (prévoir ampoules et fusibles de rechange)

● contrôle à froid des pneumatiques (pression et degré d'usure) y compris la roue de secours; en cas de surcharge ou de conduite sur autoroute, il est recommandé de majorer la pression de 0,2 à 0,3 bar

● bien répartir les charges dans le véhicule et arrimer fermement les bagages sur le toît

● toujours asseoir à l'arrière les enfants de moins de dix ans

● pour connaître l'état des routes (brouillard, travaux, "bouchons") téléphoner au CRICR de la région à traverser (ci-dessus)

● un extincteur et le triangle de présignalisation sont recommandés

Sur la route

● la ceinture de sécurité est obligatoire, y compris en ville et pour les petits trajets; elle est conseillée aux passagers arrière

● boire ou conduire . . .: toute absorption d'alcool diminue les réflexes, accroît la fatigue et les risques d'accident

● fumer au volant n'est pas sans danger: brûlure, distraction, baisse d'oxygène, fatigue oculaire

● les trajets habituels, monotones, nocturnes, réduisent la vigilance; contre la somnolence, aérer la voiture, manger légèrement, prévoir des pauses

La panne

● bien dégager la chaussée et signaler sa présence (feux de détresse, triangle)

● des téléphones de secours, reliés à la Gendarmerie, jalonnent les autoroutes et certains grands axes (positionnés sur la carte); la Gendarmerie se charge alors d'alerter le dépanneur ou, en cas d'accident, les secours publics; sur les autres routes, le Guide Rouge "France" indique les dépanneurs

Grands itinéraires

Échelle 1/2 200 000

Autoroute
Double chaussée de type autoroutier
Route principale
itinéraire secondaire
N 4 Numéro d'autoroute ou de route
17 Distances partielles
◉ Préfecture de région
● Préfecture
○ Autre ville principale

Les rectangles bleus délimitent chaque page de la cartographie à 1/200 000. Les numéros bleus indiquent indiquent les pages.

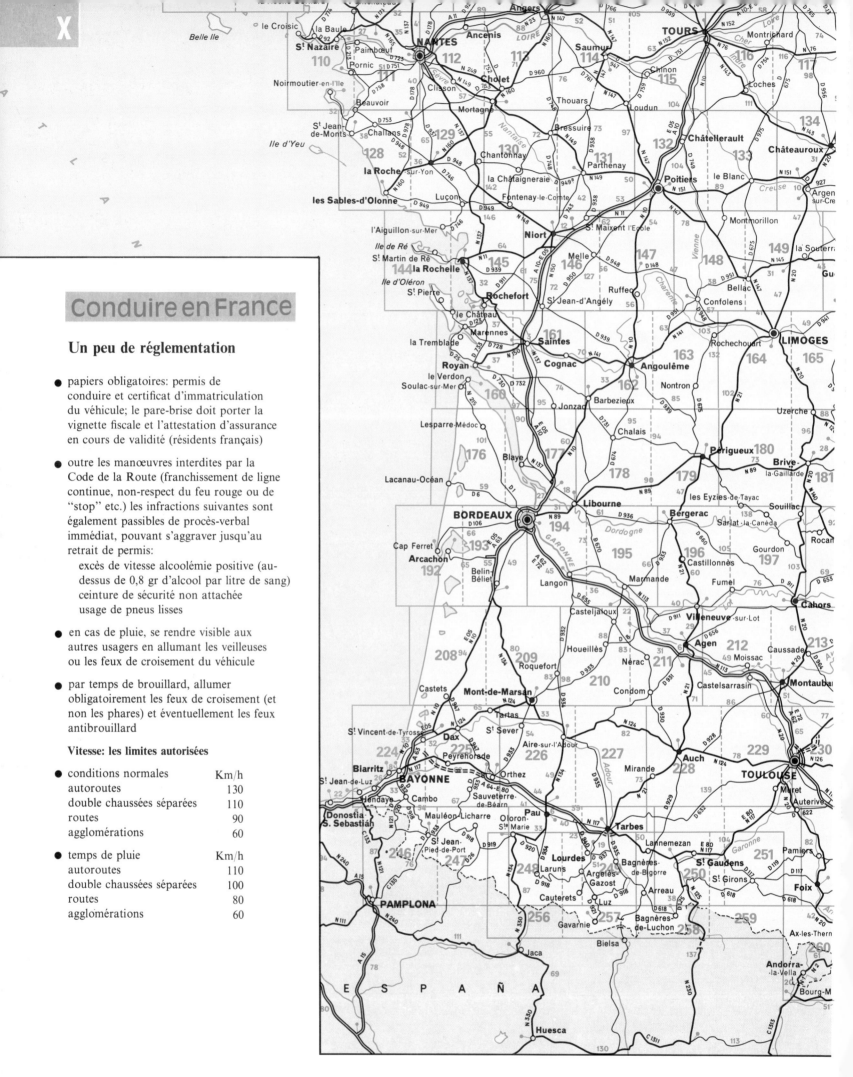

Conduire en France

Un peu de réglementation

- papiers obligatoires: permis de conduire et certificat d'immatriculation du véhicule; le pare-brise doit porter la vignette fiscale et l'attestation d'assurance en cours de validité (résidents français)

- outre les manœuvres interdites par la Code de la Route (franchissement de ligne continue, non-respect du feu rouge ou de "stop" etc.) les infractions suivantes sont également passibles de procès-verbal immédiat, pouvant s'aggraver jusqu'au retrait de permis:

  excès de vitesse alcoolémie positive (au-dessus de 0,8 gr d'alcool par litre de sang) ceinture de sécurité non attachée usage de pneus lisses

- en cas de pluie, se rendre visible aux autres usagers en allumant les veilleuses ou les feux de croisement du véhicule

- par temps de brouillard, allumer obligatoirement les feux de croisement (et non les phares) et éventuellement les feux antibrouillard

Vitesse: les limites autorisées

	Km/h
● conditions normales	
autoroutes	130
double chaussées séparées	110
routes	90
agglomérations	60
● temps de pluie	Km/h
autoroutes	110
double chaussées séparées	100
routes	80
agglomérations	60

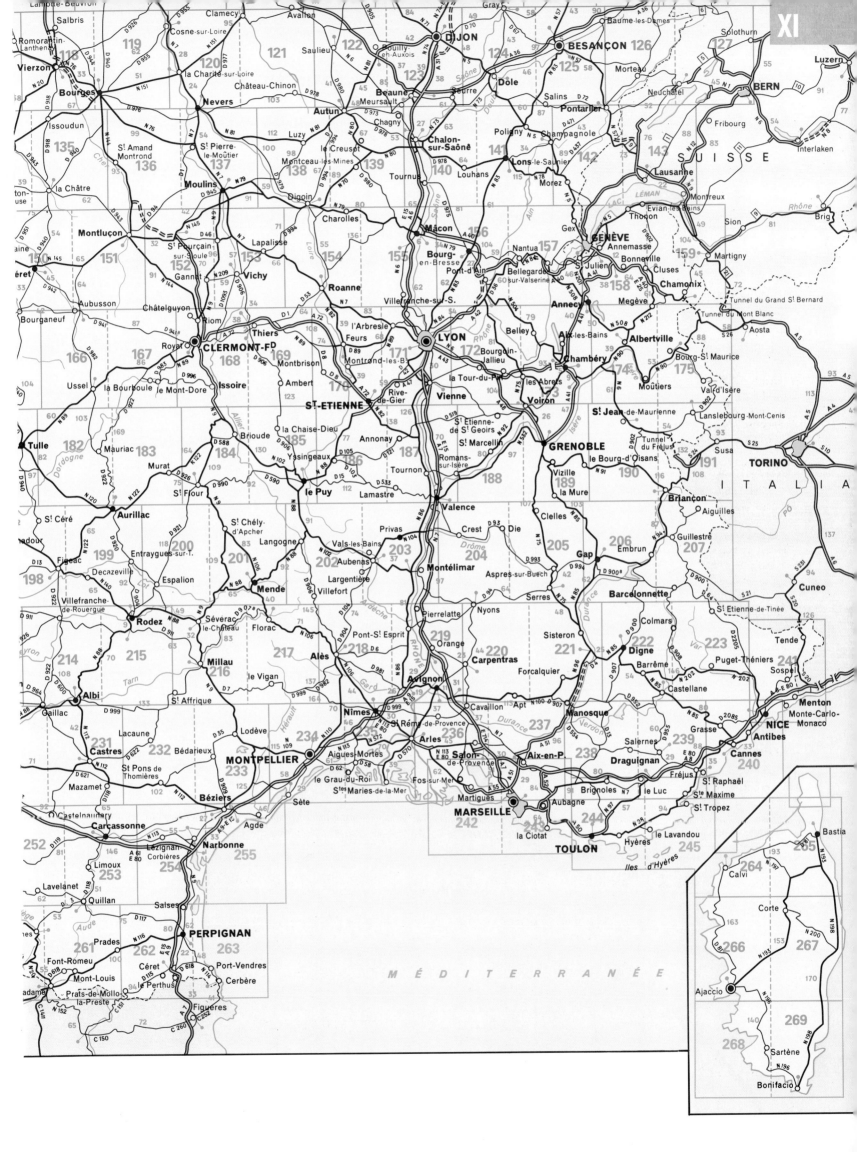

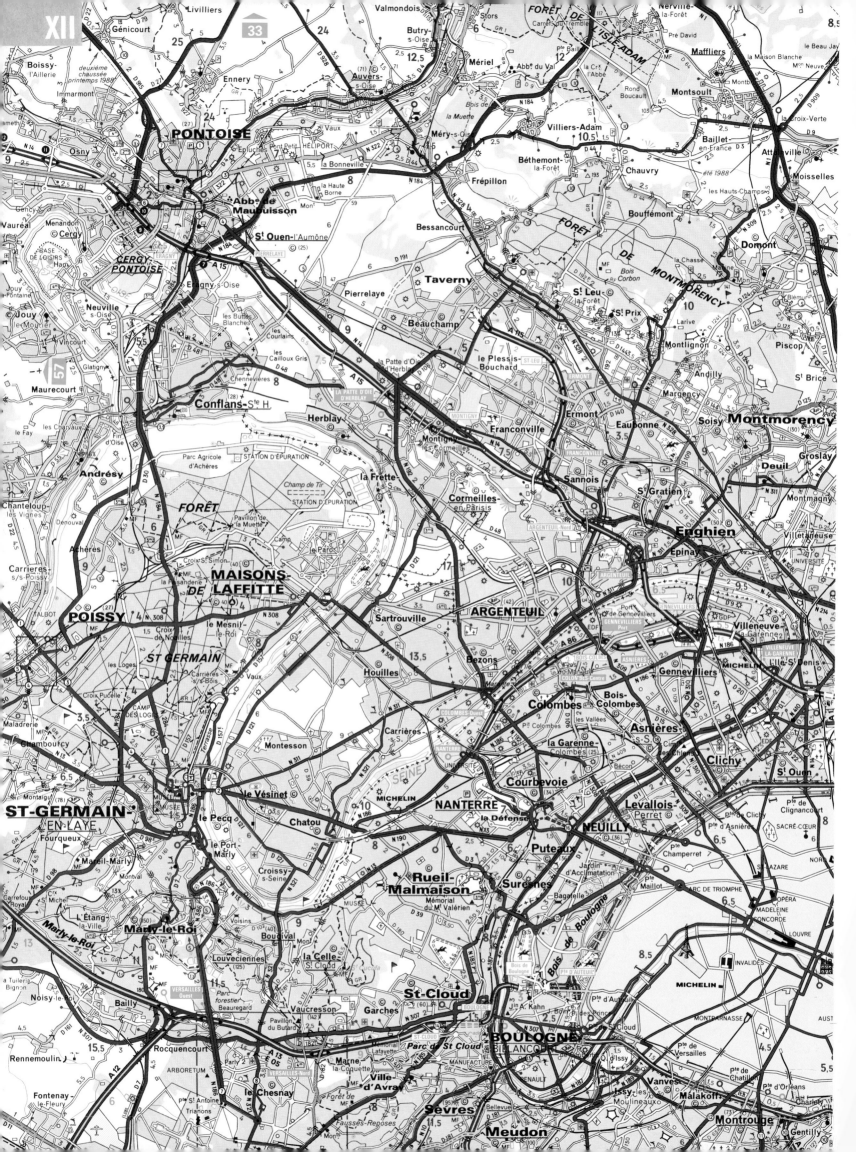

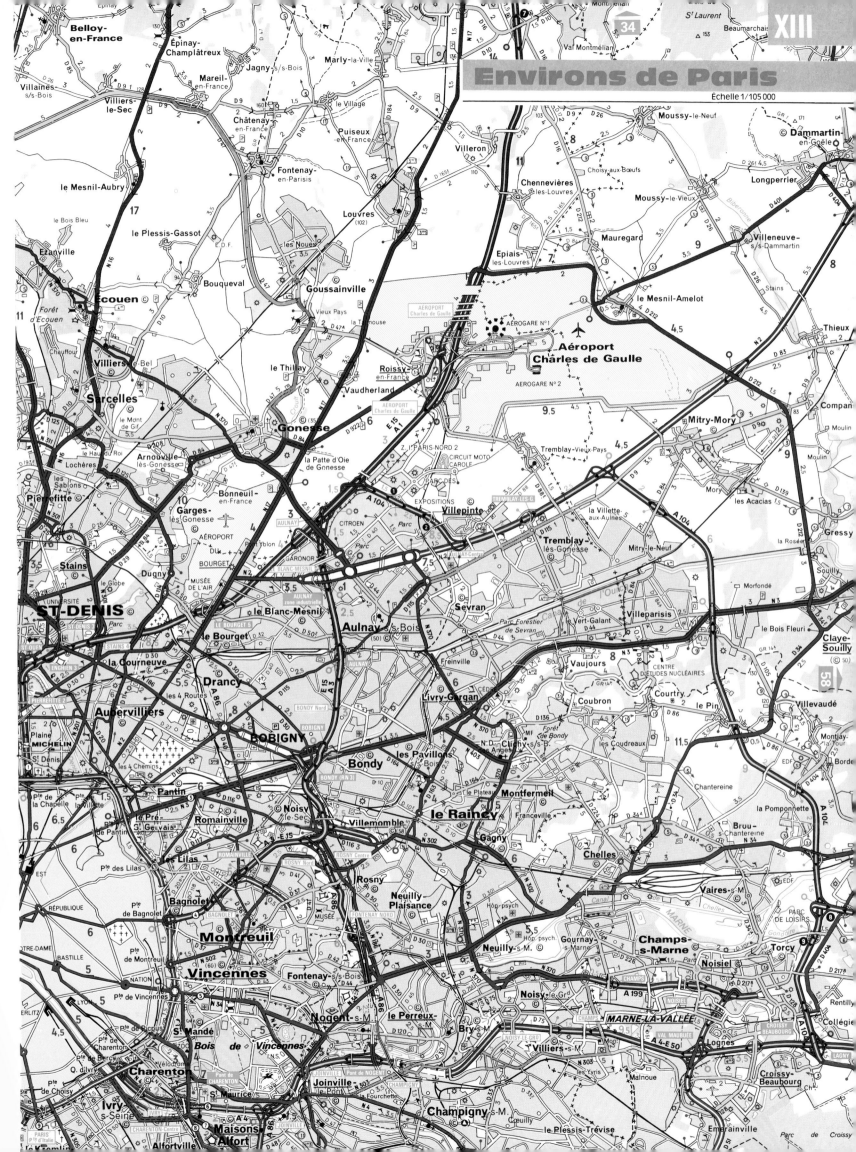

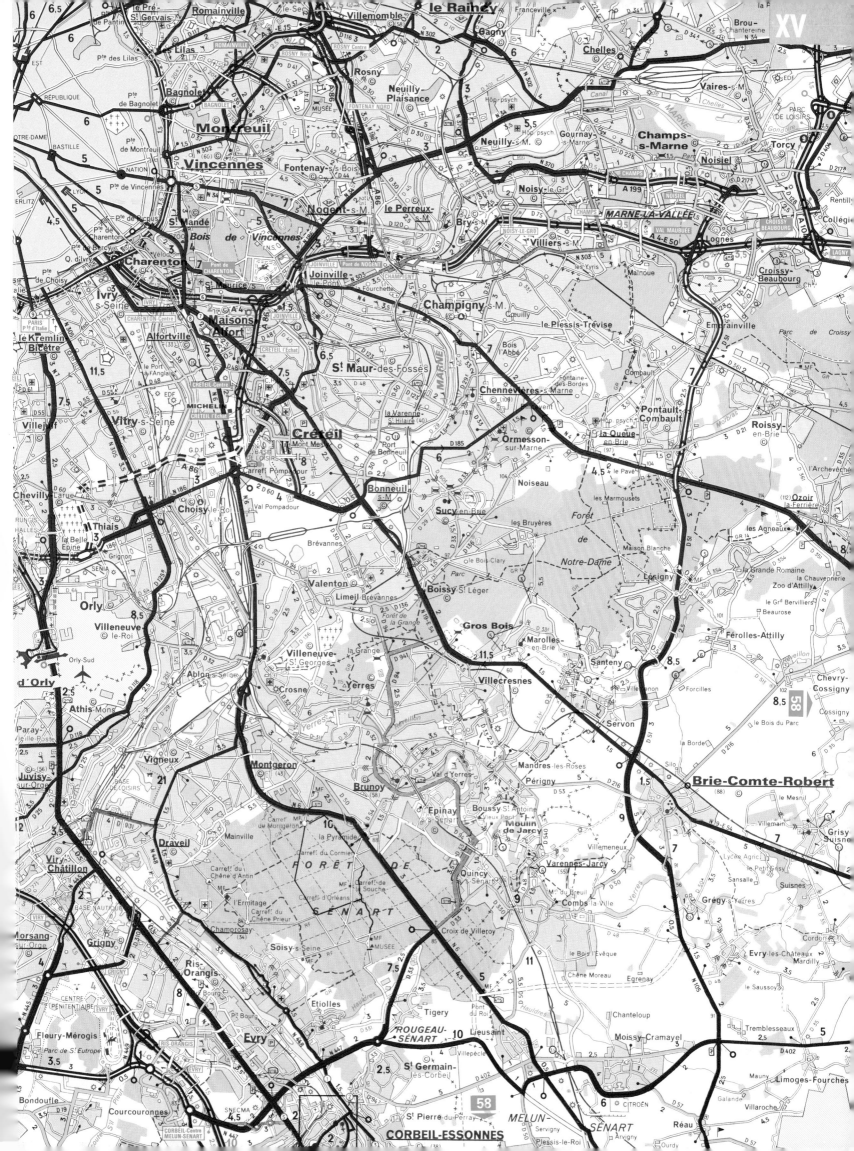

Routes enneigées

Déblaiement: moins de 24 heures
Déblaiement: indéterminé
Fermeture probable
• Die [75.22.02.56] Information locale: numéro de téléphone

L'utilisation des pneus à clous est autorisée de début novembre à fin mars, un disque spécial doit le signaler, vitesse limite autorisée: 90 km/h.

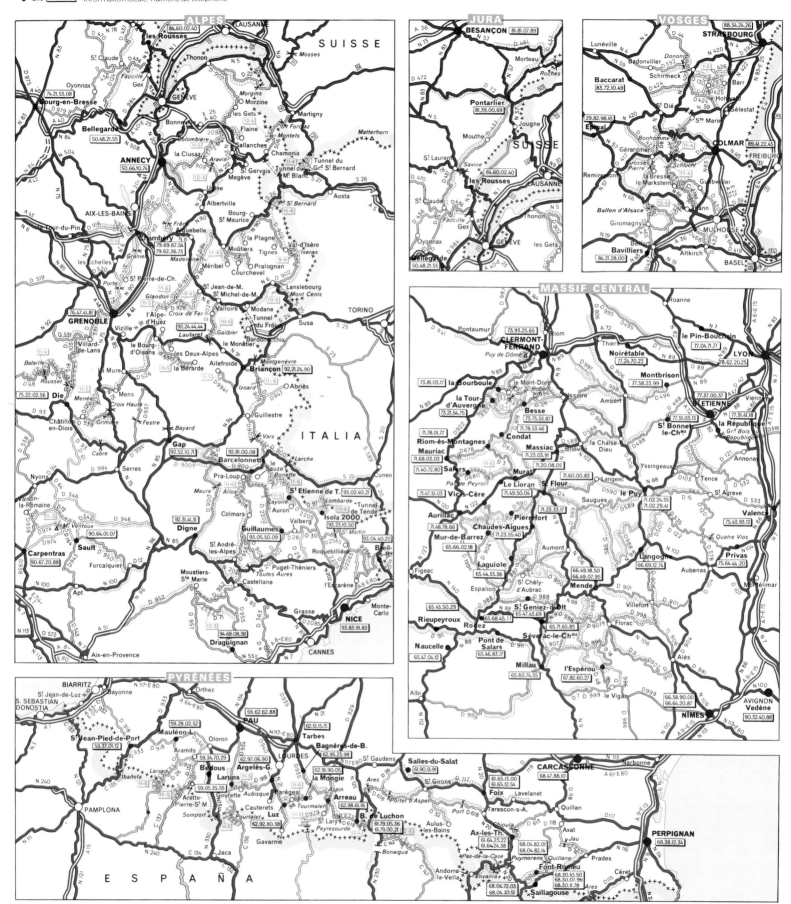

Verklaring van tekens
Zeichenerklärung
Légende
Key

Motorways – Roads

A full key to symbols appears inside the front cover

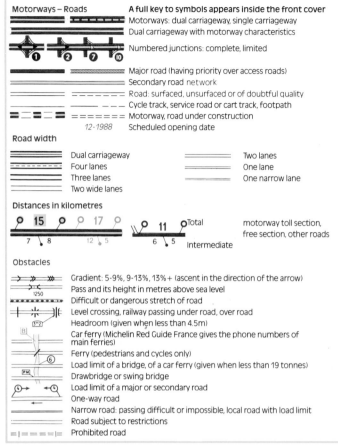

Motorways: dual carriageway, single carriageway
Dual carriageway with motorway characteristics
Numbered junctions: complete, limited
Major road (having priority over access roads)
Secondary road network
Road: surfaced, unsurfaced or of doubtful quality
Cycle track, service road or cart track, footpath
Motorway, road under construction
12-1988 Scheduled opening date

Road width

Dual carriageway — Two lanes
Four lanes — One lane
Three lanes — One narrow lane
Two wide lanes

Distances in kilometres

15 17 11 Total   motorway toll section,
7 8 12 5 6 5   free section, other roads
Intermediate

Obstacles

Gradient: 5-9%, 9-13%, 13%+ (ascent in the direction of the arrow)
1250 Pass and its height in metres above sea level
Difficult or dangerous stretch of road
Level crossing, railway passing under road, over road
Headroom (given when less than 4.5m)
Car ferry (Michelin Red Guide France gives the phone numbers of main ferries)
Ferry (pedestrians and cycles only)
Load limit of a bridge, of a car ferry (given when less than 19 tonnes)
Drawbridge or swing bridge
Load limit of a major or secondary road
One-way road
Narrow road: passing difficult or impossible, local road with load limit
Road subject to restrictions
=|=====|= Prohibited road

Autoroutes – Routes

Voir la légende complète à la première page de garde

Autoroute à chaussées séparées, à une seule chaussée
Double chaussée de type autoroutier (sans carrefour à niveau)
Échangeurs numérotés: complet, partiels
Route principale (en France classée à grande circulation)
Itinéraire régional ou de dégagement
Route: revêtue, non revêtue ou de mauvaise viabilité
Piste cyclable, chemin d'exploitation, sentier
Autoroute, route en construction
12-1988 Date prévue de mise en service

Largeur des routes

Chaussées séparées — Deux voies
Quatre voies — Une voie
Trois voies — Une voie étroite
Deux voies larges

Distances

15 17 11   Distances totalisées sur section à péage
7 8 12 5 6 5   sur section libre
Distances partielles sur route

Obstacles

Pente: 5-9%, 9-13%, 13% et plus (flèches dans le sens de la montée)
1250 Col et sa cote d'altitude
Parcours difficile ou dangereux
Passages de la route: à niveau, supérieur, inférieur
Hauteur limitée (indiquée au-dessous de 4,50m)
Bac passant les autos (le Guide Michelin France donne le numéro de téléphone des principaux bacs)
Bac pour piétons et cycles
Limite de charge d'un pont, d'un bac (indiquée au-dessous de 19t)
Pont mobile
Limite de charge d'une route nationale ou départementale
Route à sens unique
Une voie étroite: croisement difficile, impossible; chemin à charge limitée
Route réglementée (interdite à certaines heures, sens alterné, etc)
=|=====|= Route interdite

Autobahnen – Straßen

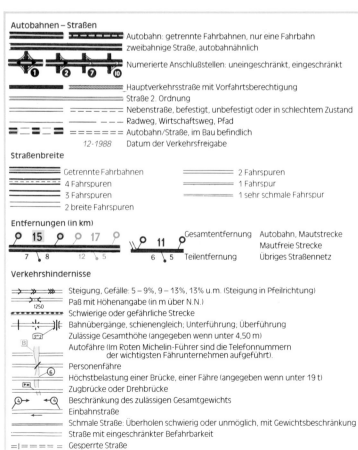

Autobahn: getrennte Fahrbahnen, nur eine Fahrbahn
zweibahnige Straße, autobahnähnlich
Numerierte Anschlußstellen: uneingeschränkt, eingeschränkt
Hauptverkehrsstraße mit Vorfahrtsberechtigung
Straße 2. Ordnung
Nebenstraße, befestigt, unbefestigt oder in schlechtem Zustand
Radweg, Wirtschaftsweg, Pfad
Autobahn/Straße, im Bau befindlich
12-1988 Datum der Verkehrsfreigabe

Straßenbreite

Getrennte Fahrbahnen — 2 Fahrspuren
4 Fahrspuren — 1 Fahrspur
3 Fahrspuren — 1 sehr schmale Fahrspur
2 breite Fahrspuren

Entfernungen (in km)

15 17 11 Gesamtentfernung Autobahn, Mautstrecke
7 8 12 5 6 5   Mautfreie Strecke
Teilentfernung Übriges Straßennetz

Verkehrshindernisse

Steigung, Gefälle: 5 – 9%, 9 – 13%, 13% u.m. (Steigung in Pfeilrichtung)
1250 Paß mit Höhenangabe (in m über N.N.)
Schwierige oder gefährliche Strecke
Bahnübergänge, schienengleich; Unterführung; Überführung
Zulässige Gesamthöhe (angegeben wenn unter 4,50 m)
Autofähre (Im Roten Michelin-Führer sind die Telefonnummern der wichtigsten Fährunternehmen aufgeführt)
Personenfähre
Höchstbelastung einer Brücke, einer Fähre (angegeben wenn unter 19 t)
Zugbrücke oder Drehbrücke
Beschränkung des zulässigen Gesamtgewichts
Einbahnstraße
Schmale Straße: Überholen schwierig oder unmöglich, mit Gewichtsbeschränkung
Straße mit eingeschränkter Befahrbarkeit
=|=====|= Gesperrte Straße

Wegen

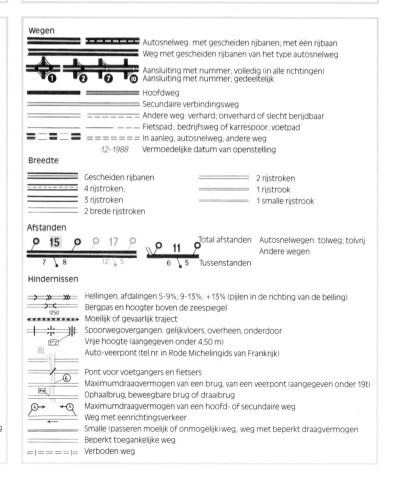

Autosnelweg: met gescheiden rijbanen; met één rijbaan
Weg met gescheiden rijbanen van het type autosnelweg
Aansluiting met nummer; volledig (in alle richtingen)
Aansluiting met nummer; gedeeltelijk
Hoofdweg
Secundaire verbindingsweg
Andere weg: verhard; onverhard of slecht berijdbaar
Fietspad; bedrijfsweg of karrespoor; voetpad
In aanleg; autosnelweg; andere weg
12-1988 Vermoedelijke datum van openstelling

Breedte

Gescheiden rijbanen — 2 rijstroken
4 rijstroken; — 1 rijstrook
3 rijstroken — 1 smalle rijstrook
2 brede rijstroken

Afstanden

15 17 11   Total afstanden Autosnelwegen: tolweg; tolvrij
7 8 12 5 6 5   Andere wegen
Tussenstanden

Hindernissen

Hellingen, afdalingen 5-9%; 9-13%; +13% (pijlen in de richting van de belling)
1250 Bergpas en hoogter boven de zeespiegel
Moeilijk of gevaarlijk traject
Spoorwegovergangen: gelijkvloers, overheen, onderdoor
Vrije hoogte (aangegeven onder 4,50 m)
Auto-veerpont (tel.nr. in Rode Michelingids van Frankrijk)
Pont voor voetgangers en fietsers
Maximumdraagvermogen van een brug, van een veerpont (aangegeven onder 19t)
Ophaalbrug, beweegbare brug of draaibrug
Maximumdraagvermogen van een hoofd- of secundaire weg
Weg met eenrichtingsverkeer
Smalle (passeren moeilijk of onmogelijk) weg, weg met beperkt draagvermogen
Beperkt toegankelijke weg
=|=====|= Verboden weg

2

A B C

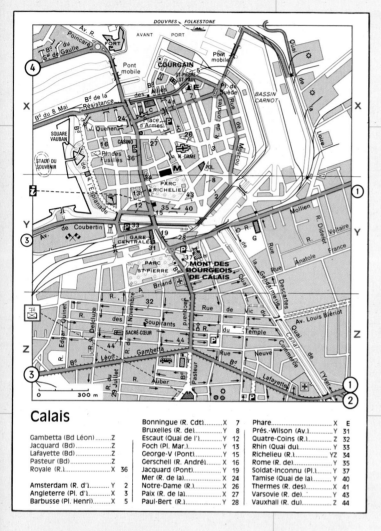

Calais

Gambetta (Bd Léon)	Z	Bonningue (R. Cdt)	X	7	Phare	X	E
Jacquard (Bd)	Z	Bruxelles (R. de)	Y	8	Prés.-Wilson (Av.)	Y	31
Lafayette (Bd)	Z	Escaut (Quai de l')	Y	12	Quatre-Coins (R.)	Z	32
Pasteur (Bd)	Z	Foch (Pl. Mar.)	Y	13	Rhin (Quai du)	Y	33
Royale (R.)	X	36	George-V (Pont)	Y	15	Richelieu (R.)	YZ	34
		Gerschell (R. André)	X	16	Rome (R. de)	X	35
Amsterdam (R. d')	Y	2	Jacquard (Pont)	Y	19	Soldat-Inconnu (Pl.)	Y	37
Angleterre (Pl. d')	X	3	Mer (R. de la)	X	24	Tamise (Quai de la)	X	40
Barbusse (Pl. Henri)	X	5	Notre-Dame (R.)	X	26	Thermes (R. des)	X	41
		Paix (R. de la)	Y	27	Varsovie (R. de)	Y	43
		Paul-Bert (R.)	Y	28	Vauxhall (R. du)	Z	44

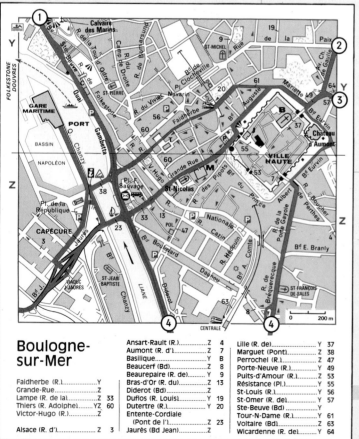

Boulogne-sur-Mer

Faidherbe (R.)	Y	Ansart-Rault (R.)	Z	4	Lille (R. de)	Y	37
Grande-Rue	Z	Aumont (R. d')	Z	7	Marguet (Pont)	Z	38
Lampe (R. de la)	Z	33	Basilique	Y	B	Perrochel (R.)	Z	47
Thiers (R. Adolphe)	YZ	60	Beaucerf (Bd)	Z	8	Porte-Neuve (R.)	Y	49
Victor-Hugo (R.)	Z	Beaurepaire (R. de)	Y	9	Puits-d'Amour (R.)	Z	53
		Bras-d'Or (R. du)	Z	13	Résistance (Pl.)	Y	55
Alsace (R. d')	Z	3	Diderot (Bd)	Z		St-Louis (R.)	Y	56
		Duflos (R. Louis)	Y	19	St-Omer (R. de)	Y	57
		Dutertre (R.)	Y	20	Ste-Beuve (Bd)	Y	
		Entente-Cordiale			Tour-N-Dame (R.)	Y	61
		(Pont de l')	Z	23	Voltaire (Bd)	Z	63
		Jaurès (Bd Jean)	Z		Wicardenne (R. de)	Y	64

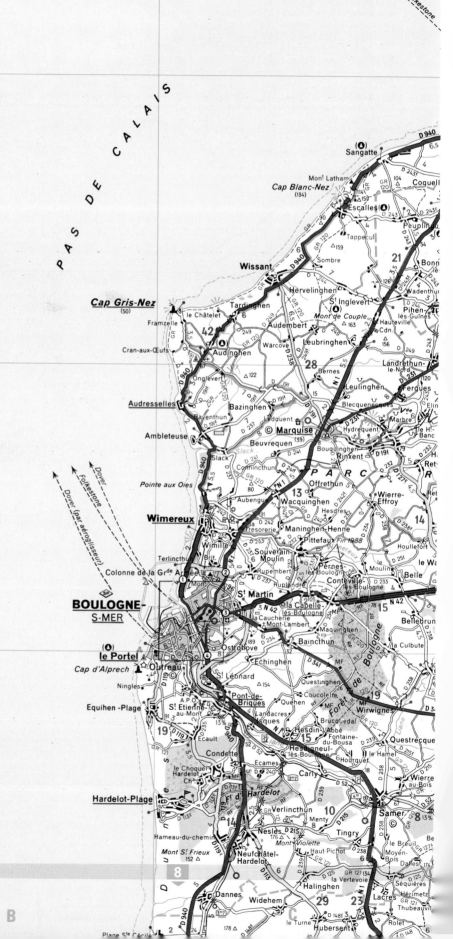

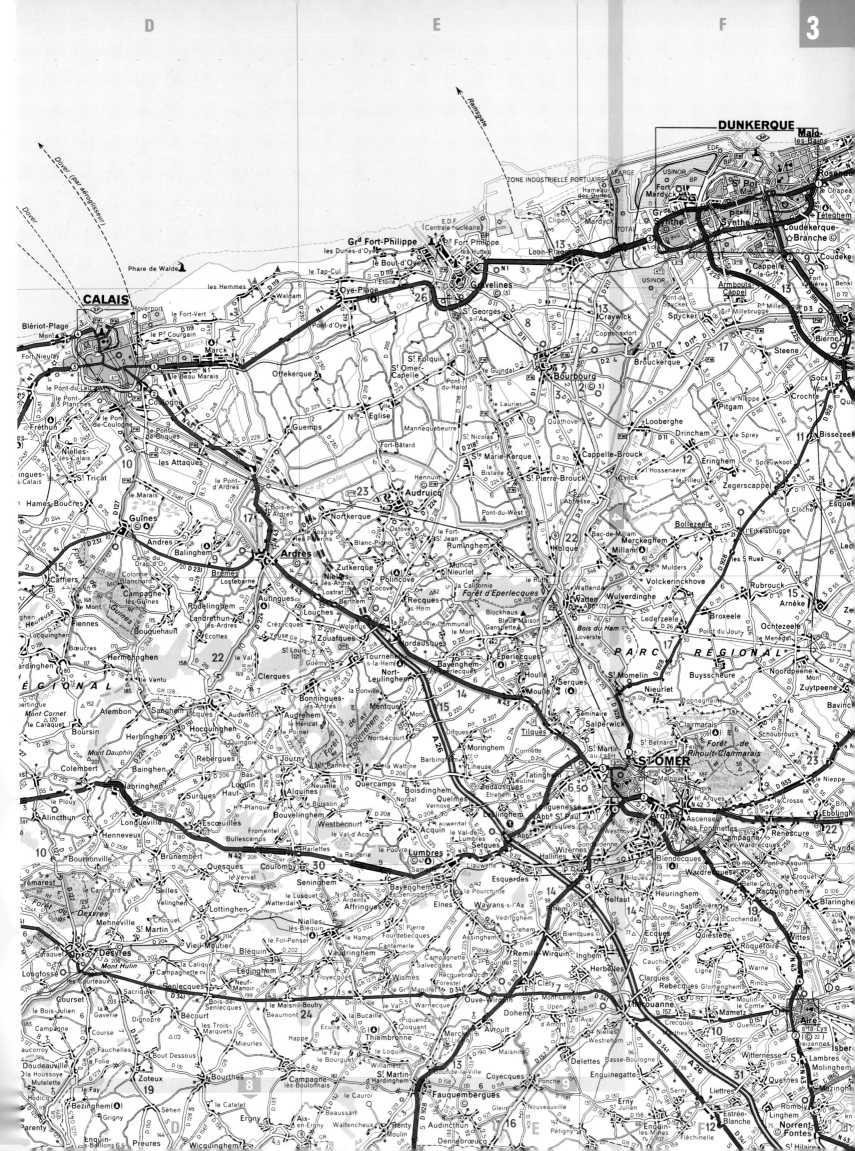

A B C

1

DUNKERQUE
Malo-les-Bains
St Pol
Fort Mardyck
USINOR
Gde Synthe
Petite Synthe
Coudekerque-Branche
Coudekerque
Téteghem
Leffrinckoucke
Zuydcoote
Bray-Dunes
De Panne
St-Idesbald
Oostduinkerke
Koksijde
Ramskapelle
Schoorbakke
Leke
De Zeepanne
Dosthoek
Ten Bogaerde
Furnes
Veurne
Wulpen
Booitshoeke
Tervate
Stuivekenskerke
Keiem
Pervijze
O.L. Vrouwhoekje
Rousdamme
Avekapelle
Steenkerke
Schewege
Zoutenaaie
Dodengang
Boyau de la Mort
Beerst
Vladslo
DIKSMUIDE
(Dixmude)
IJzertoren
Woumen

Ghyvelde
Adinkerke
Leffrinckoucke-Village
le Casino
les Moëres
De Moeren
Kortewilde
Kruisabele
Eggewaartskapelle
Oostkerke
St-Jacobs-Kapelle
Fortem
Kaaskerke

Rosendaël
le Chapeau-Rouge
Coudekerque
Cappelle-la-Grande
Armbouts-Cappel
Spycker
Grd Millebrugge
Uxem
les Moëres
Pont-à-Charrettes
Kromen-Houck
Houtem
Dode-Man
Beauvoorde
Wulveringem
Nieuwe-Herberg
St-Rijkers
Alveringem
Oudekapelle
Nieuwkapelle

Brouckerque
Loon-Plage
Pitgam
Looberghe
Drincham
le Nieppe
le Sprey
Bierne
Steene
Bergues
Socx
Crochte
Quaëdypre
West-Cappel
les 5 Chemins
Killem
Rexpoëde
Hondschoote
Warhem
Hoymille
Leisele
Gijverinkhove
Hoogstade
Pollinkhove
Fintele
Reninge
Merkem

Broxeele
Bollezeele
Merckeghem
Volckerinckhove
Lederzeele
Zegerscappel
Esquelbecq
Ledringhem
Wormhout
Wylder
Bambecque
Herzeele
Houtkerque
Watou
Proven
St-Sixtus (Abdij)
Woesten
Elverdinge
Oostvleteren
Westvleteren
Stavele
Roesbrugge

Eringhem
Arnèke
Ochtezeele
Zermezeele
Winnezeele
Steenvoorde
Godewaersvelde
Poperinge
Vlamertinge
Ieper
(Ypres)

St Omer
Arques
Clairmarais
Forêt de Rihoult-Clairmarais
Cassel
Mont des Récollets
Wemaerts-Cappel
Noordpeene
Zuytpeene
Bavinchove
Oxelaëre
Ste Marie-Cappel
St Sylvestre-Cappel
Terdeghem
Eecke
Callicanes
Boeschepe
Westouter
Scherpenberg
Kemmel (Heuvelland)
Loker
Mesen (Messines)
Dranouter

Renescure
Wallon-Cappel
Hazebrouck
Borre
Strazeele
Merris
Méteren
Bailleul
Nieuwkerke
Neuve-Eglise
Ploegsteert

Blendecques
Wardrecques
Racquinghem
Blaringhem
Steenbecque
Morbecque
la Motte-au-Bois
Neuf-Berquin
Vieux-Berquin
Steenwerck

Aire-s-la-Lys
Isbergues
Molinghem
Guarbecque
Thiennes
Forêt de Nieppe
Merville
Estaires
la Gorgue
Laventie
Fleurbaix

Norrent-Fontes
Busnes
Calonne-s-la-Lys
Vieille-Chapelle
Neuve-Chapelle
Richebourg

PARC REGIONAL

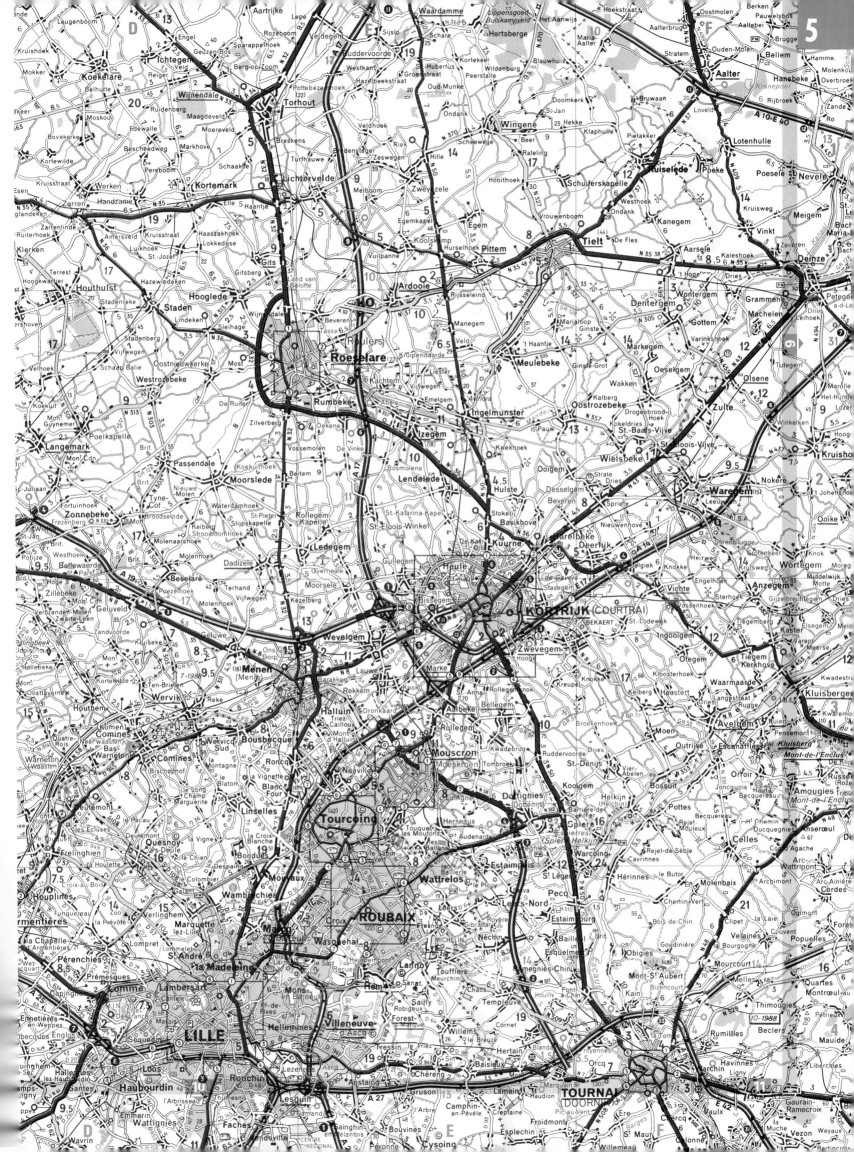

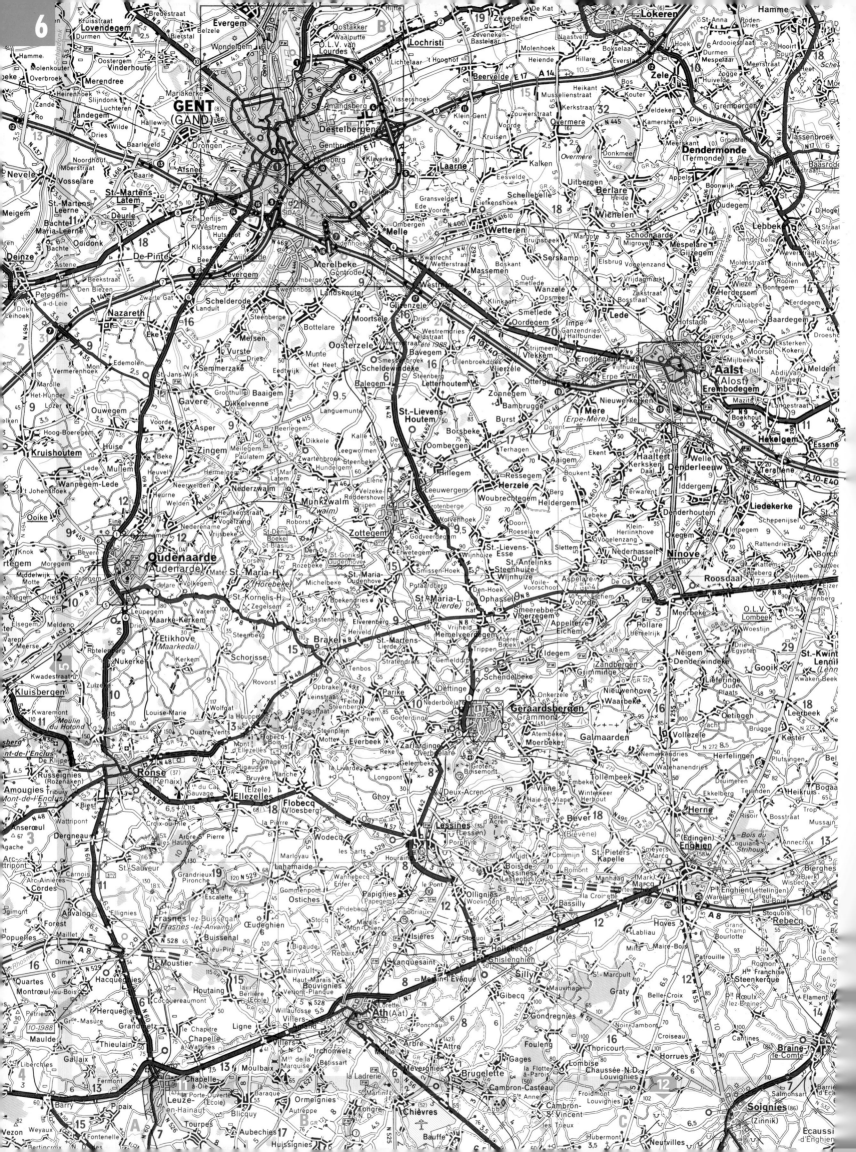

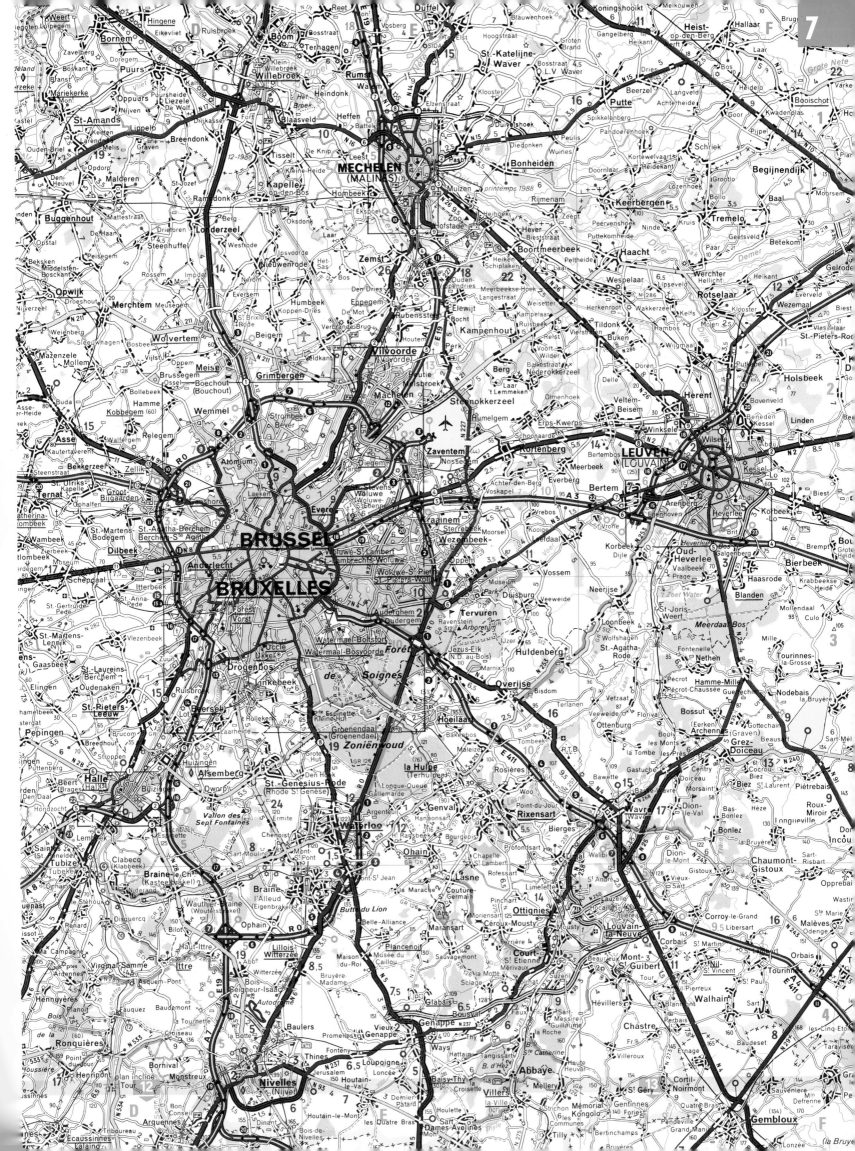

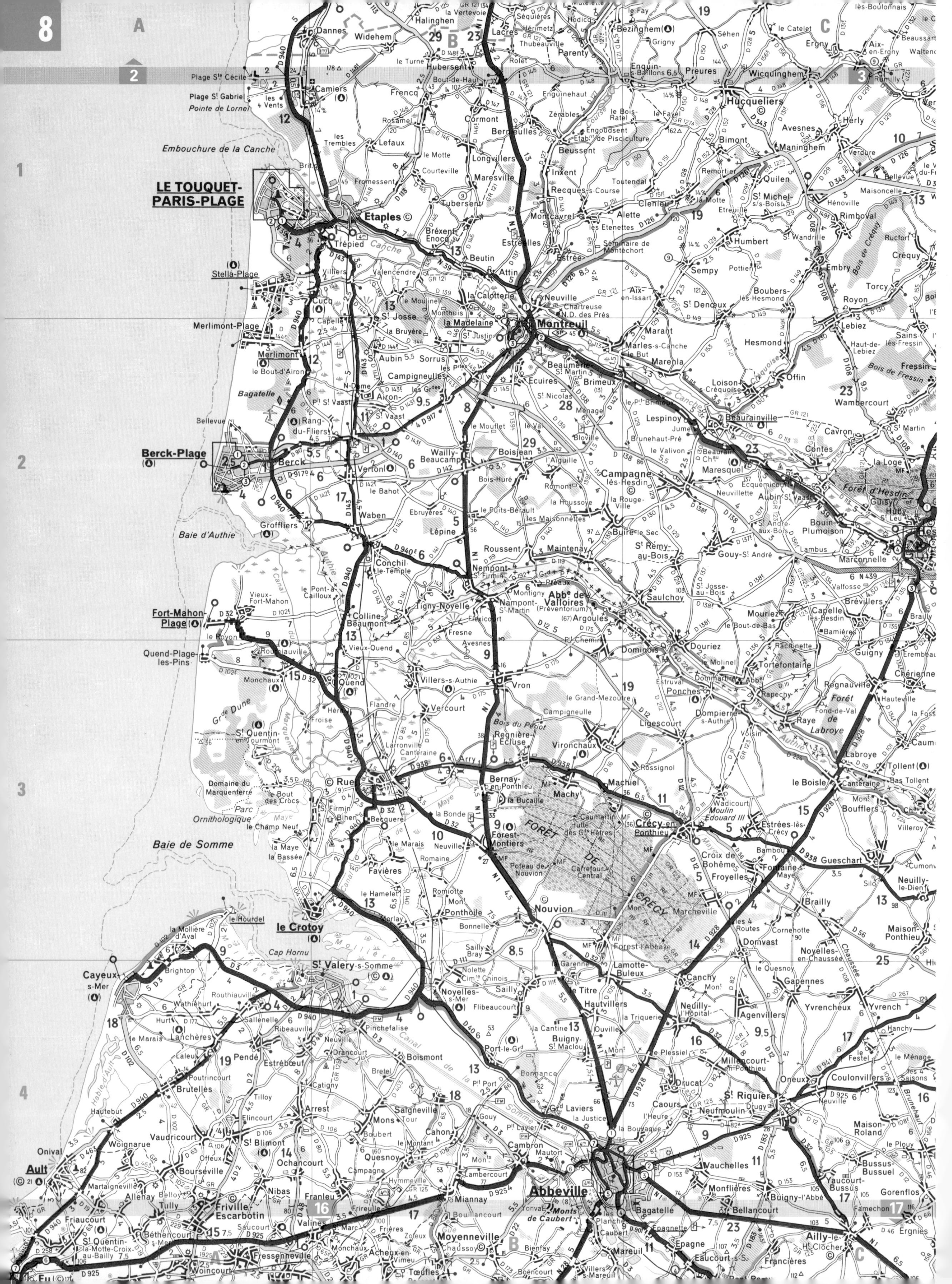

LE TOUQUET-PARIS-PLAGE

Etaples

Stella-Plage

Merlimont-Plage

Merlimont

Berck-Plage

Berck

Fort-Mahon-Plage

Quend-Plage-les-Pins

Montreuil

Abbeville

Baie de Somme

Baie d'Authie

Embouchure de la Canche

Cayeux-s-Mer

Ault

le Crotoy

St Valery-s-Somme

Rue

Nouvion

FORÊT DE CRÉCY

Crécy-en-Ponthieu

St Riquier

Hucqueliers

Campagne-lès-Hesdin

Forêt d'Hesdin

Abb. de Valloires

Wambercourt

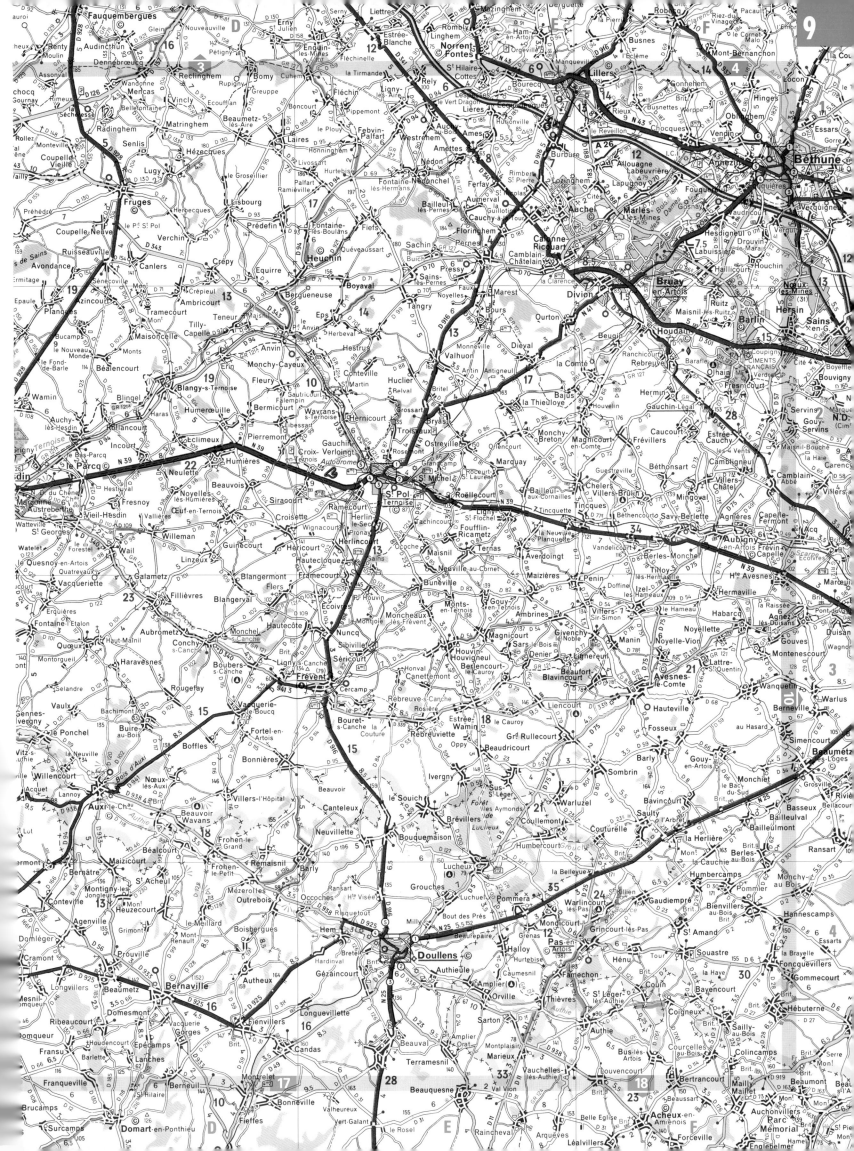

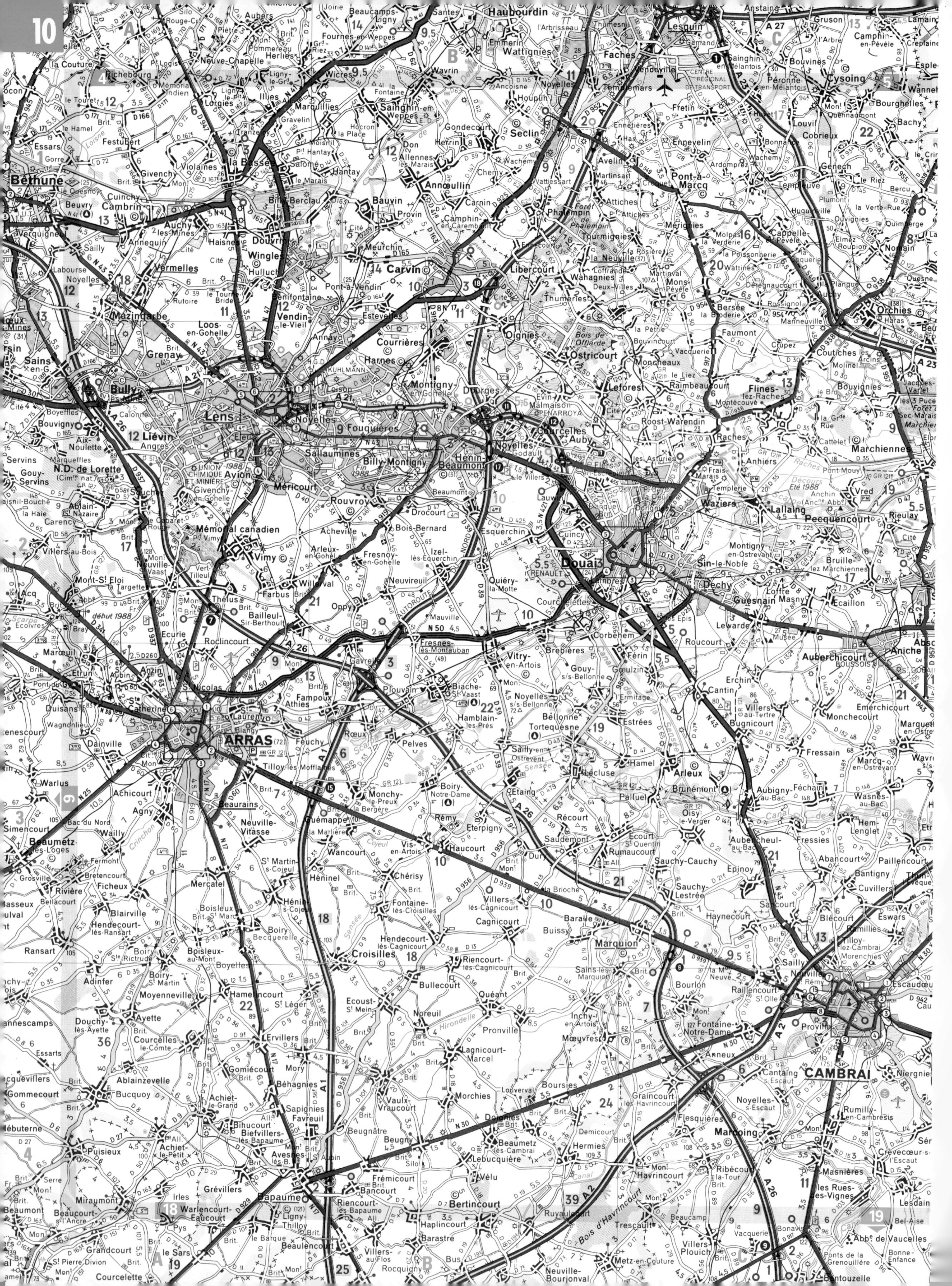
Béthune
Haubourdin
Lesquin
Faches
Seclin
Annœullin
Carvin
Libercourt
Orchies
Cysoing
Bouvines
Pont-à-Marcq
Phalempin
La Bassée
Wavrin
Lens
Liévin
Avion
Vimy
Hénin-Beaumont
Douai
Sin-le-Noble
Dechy
Guesnain
Marchiennes
Pecquencourt
Lallaing
Waziers
Arras
Achicourt
Beaurains
Croisilles
Marquion
Arleux
Cambrai
Bapaume
Bertincourt
Courrières
Harnes
Sallaumines
Noyelles
Fouquières
Billy-Montigny
Rouvroy
Vitry-en-Artois
Monchy-le-Preux
Mémorial canadien
N.D. de Lorette
Bruay
Bully
Grenay
Mazingarbe
Vermelles
Wingles
Douvrin
Hulluch
Auchy-les-Mines
Cambrin
Beuvry
Richebourg
Neuve-Chapelle
Fournes-en-Weppes
Wicres
Illies
Marquillies
Sainghin-en-Weppes
Don
Provin
Bauvin
Oignies
Ostricourt
Leforest
Flines-lez-Raches
Raches
Anhiers
Auberchicourt
Aniche
Masny
Lewarde
Fressain
Aubigny-au-Bac
Wasnes-au-Bac
Palluel
Oisy-le-Verger
Écourt-St-Quentin
Saudemont
Récourt
Hamel
Estrées
Bellonne
Noyelles-s/s-Bellonne
Biache-St-Vaast
Plouvain
Fampoux
Athies
St-Laurent-Blangy
Dainville
Warlus
Agny
Wailly
Beaumetz-lès-Loges
Ficheux
Boisleux-au-Mont
Mercatel
Hénin-s-Cojeul
Wancourt
Guémappe
Chérisy
Vis-en-Artois
Haucourt
Dury
Ayette
Douchy-lès-Ayette
Courcelles-le-Comte
Ervillers
Mory
Béhagnies
Sapignies
Bihucourt
Achiet-le-Grand
Achiet-le-Petit
Bucquoy
Puisieux
Miraumont
Grévillers
Warlencourt-Eaucourt
Ligny-Thilloy
Beaulencourt
Riencourt-lès-Bapaume
Frémicourt
Beugny
Vaulx-Vraucourt
Lagnicourt-Marcel
Morchies
Noreuil
Quéant
Bullecourt
Riencourt-lès-Cagnicourt
Cagnicourt
Hendecourt-lès-Cagnicourt
Villers-lès-Cagnicourt
Buissy
Baralle
Inchy-en-Artois
Mœuvres
Boursies
Louverval
Doignies
Beaumetz-lès-Cambrai
Lebucquière
Vélu
Hermies
Havrincourt
Ruyaulcourt
Trescault
Metz-en-Couture
Neuville-Bourjonval
Barastre
Haplincourt
Villers-Plouich
Marcoing
Flesquières
Graincourt-lès-Havrincourt
Anneux
Fontaine-Notre-Dame
Cantaing
Noyelles-s-Escaut
Proville
Raillencourt
Sailly
Neuville-St-Rémy
Tilloy-lez-Cambrai
Escaudœuvres
Niergnies
Rumilly-en-Cambrésis
Masnières
Crèvecœur-sur-l'Escaut
Les Rues-des-Vignes
Lesdain
Abb. de Vaucelles
Bonne-Enfance
Ramillies
Blécourt
Cuvillers
Bantigny
Abancourt
Paillencourt
Hem-Lenglet
Fressies
Épinoy
Haynecourt
Sauchy-Lestrée
Sauchy-Cauchy
Aubencheul-au-Bac
Marcq-en-Ostrevant
Émerchicourt
Monchecourt
Marquette-en-Ostrevant
Villers-au-Tertre
Bugnicourt
Cantin
Erchin
Roucourt
Férin
Goeulzin
Corbehem
Brebières
Gouy-s/s-Bellonne
Tortequesne
Écourt
Lécluse
Étaing
Sailly-en-Ostrevent
Boiry-Notre-Dame
Pelves
Rœux
Feuchy
Tilloy-lès-Mofflaines
Neuville-Vitasse
Hénin
Boyelles
Boiry-Becquerelle
Hamelincourt
Moyenneville
Adinfer
Blairville
Hendecourt-lès-Ransart
Ransart
Rivière
Simencourt
Gouy-Servins
Servins
Bouvigny
Aix-Noulette
Angres
Givenchy-en-Gohelle
Souchez
Ablain-St-Nazaire
Carency
Villers-au-Bois
Mont-St-Éloi
Neuville-St-Vaast
Thélus
Farbus
Bailleul-Sir-Berthoult
Roclincourt
Écurie
Anzin
St-Nicolas
Ste-Catherine
Duisans
Étrun
Marœuil
Méricourt
Acheville
Arleux-en-Gohelle
Willerval
Oppy
Fresnoy-en-Gohelle
Neuvireuil
Izel-lès-Équerchin
Quiéry-la-Motte
Esquerchin
Cuincy
Lauwin
Courchelettes
Lambres
Flers
Auby
Roost-Warendin
Courcelles
Évin-Malmaison
Dourges
Montigny-en-Gohelle
Estevelles
Vendin-le-Vieil
Loison
Pont-à-Vendin
Annay
Bénifontaine
Loos-en-Gohelle
Haisnes
Cuinchy
Annequin
Sailly-Labourse
Noyelles
Verquigneul
Fouquereuil
Gondecourt
Herrin
Chemy
Wachemy
Camphin-en-Carembault
Carnin
Allennes-les-Marais
Hantay
Salomé
Billy-Berclau
Meurchin
Ennevelin
Avelin
Templemars
Vendeville
Fretin
Péronne-en-Mélantois
Gruson
Camphin-en-Pévèle
Bachy
Louvil
Cobrieux
Genech
Templeuve
Mérignies
Tourmignies
Attiches
Thumeries
Wahagnies
Moncheaux
Raimbeaucourt
Faumont
Bersée
Mons-en-Pévèle
Cappelle-en-Pévèle
Nomain
Auchy
Coutiches
Bouvignies
Beuvry
Rieulay
Vred
Bruille-lez-Marchiennes
Écaillon
Montigny-en-Ostrevant
Fenain
Forêt de Phalempin
Bois d'Havrincourt
Canal du Nord
Autoroute du Nord
Scarpe
Sensée
Escaut
Hirondelle
A1
A2
A21
A23
A26
A27
N17
N25
N30
N39
N41
N43
N47
N50

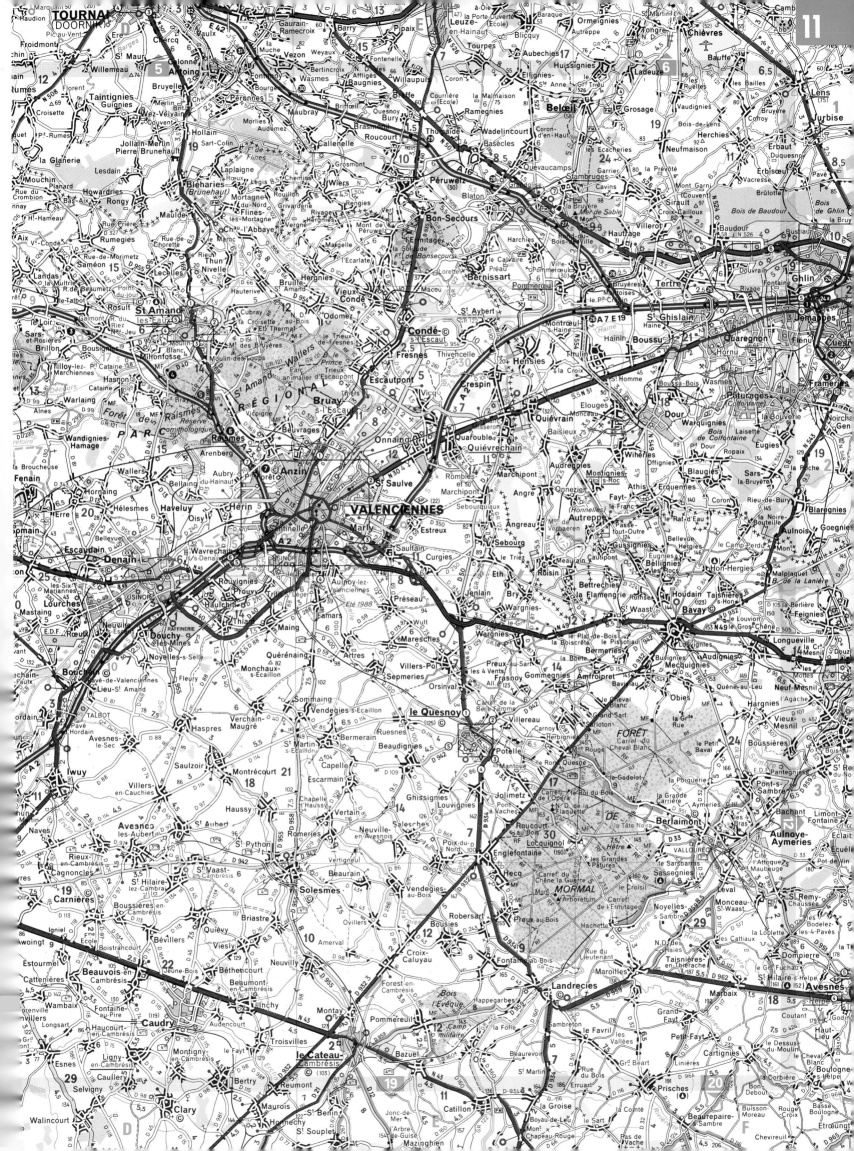

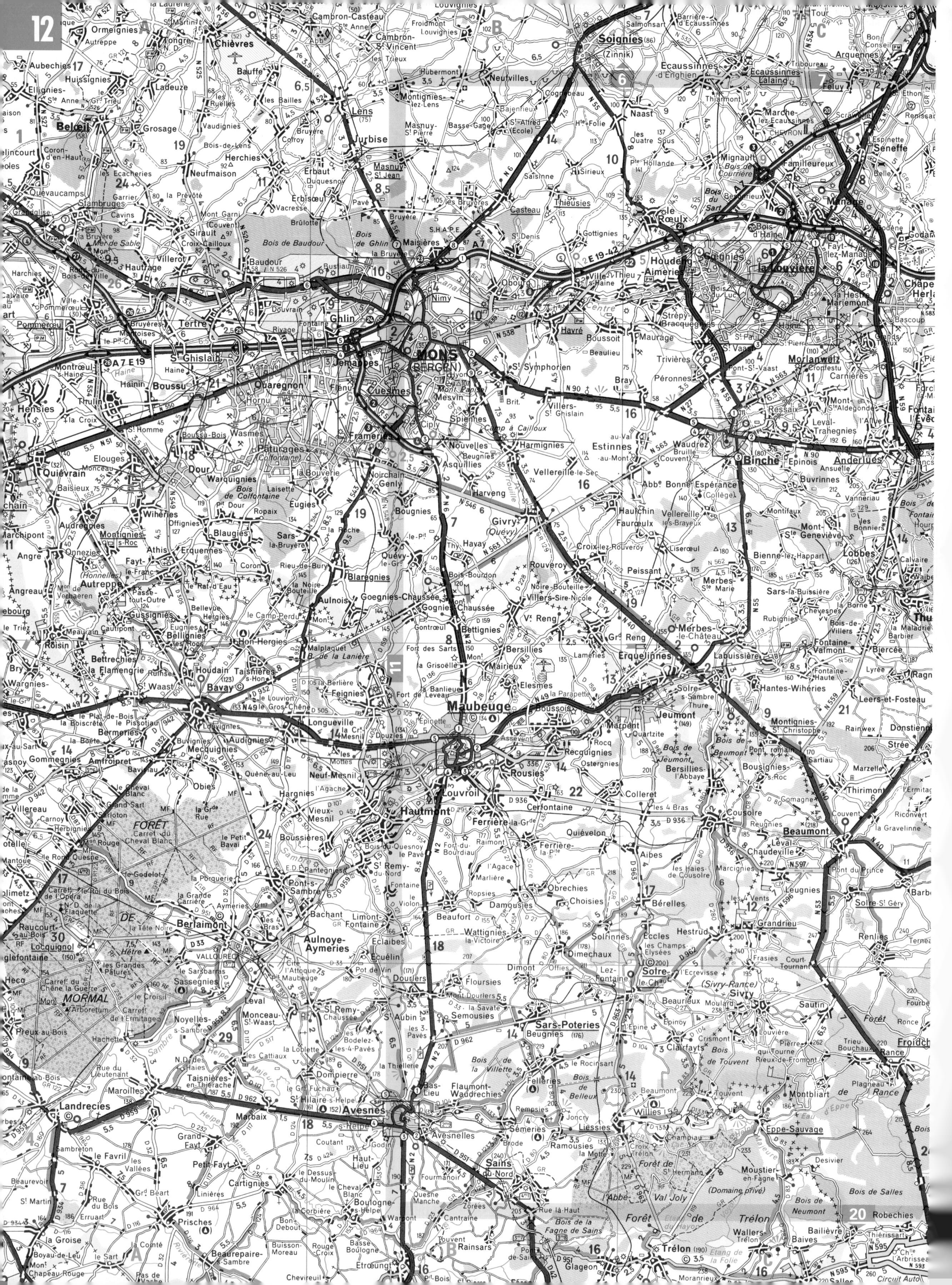

Chièvres
Soignies (Zinnik)
Ecaussinnes-d'Enghien
Ecaussinnes-Lalaing
Feluy
Seneffe
Belœil
Lens
Jurbise
Masnuy-St-Jean
le Roeulx
Mignault
Houdeng-Aimeries
la Louvière
Quevaucamps
Stambruges
Maisières
Ghlin
St-Denis
Havré
Boussoit
Maurage
Strépy-Bracquegnies
St-Vaast
Morlanwelz
Carnières
St-Ghislain
Hautrage
MONS (BERGEN)
Jemappes
Cuesmes
St-Symphorien
Bray
Péronnes
Pont-St-Vaast
Leval-Trahegnies
Binche
Anderlues
Boussu
Quaregnon
Hornu
Framerles
Nouvelles
Spiennes
Ciply
Harmignies
Villers-St-Ghislain
Estinnes-au-Val
Estinnes-au-Mont
Waudrez
Ressaix
Quiévrain
Baisieux
Dour
Warquignies
Pâturages
la Bouverie
Noirchain
Genly
Harveng
Vellereille-le-Sec
Abb. Bonne Espérance (Collège)
Buvrinnes
Epinois
Wihéries
Offignies
Sars-la-Bruyère
Bougnies
Givry (Quévy)
Hayon
Haulchin
Vellereille-les-Brayeux
Bienne-lez-Happart
Lobbes
Montignies-s-Roc
Blaugies
Quévy-le-Gd
Blaregnies
Thy
Hayay
Rouveroy
Croix-lez-Rouveroy
Liseroeul
Ste-Geneviève
Sars-la-Buissière
Autreppe
Aulnois
Goegnies-Chaussée
Gognies-Chaussée
Bettignies
Villers-Sire-Nicole
Peissant
Merbes-Ste-Marie
Chevesnes
Bellignies
Hon-Hergies
Malplaquet
Fort des Sarts
Bersillies
Lameries
Erquelinnes
Labuissière
Bettrechies
la Flamengrie
Houdain
Taisnières-s-Hon
Feignies
Fort de Leveau
Banlieue
Elesmes
Bavay
Maubeuge
Boussois
Jeumont
Montignies-St-Christophe
Longueville
Assevent
Recquignies
Bois de Jeumont
Bersillies-l'Abbaye
Bousignies-s-Roc
Thirimont
Mecquignies
Audignies
Neuf-Mesnil
Rousies
Colleret
Cousolre
Beaumont
Obies
Hargnies
Louvroil
Cerfontaine
Leugnies
Bachant
Hautmont
Ferrière-la-Grde
Quiévelon
Leval-Chaudeville
Grandrieu
Berlaimont
Aulnoye-Aymeries
Beaufort
Wattignies-la-Victoire
Solrinnes
Eccles
Hestrud
Renlies
MORMAL
Pont-s-Sambre
St-Remy-du-Nord
Marlière
Obrechies
Choisies
Damousies
Bérelles
Solre-le-Château
Sivry (Sivry-Rance)
Noyelles-s-Sambre
Monceau-St-Waast
St-Remy-Chaussée
St-Aubin
Dimechaux
Lez-Fontaine
Dimont
Sars-Poteries
Beaurieux
Sautin
Landrecies
Maroilles
Marbaix
St-Hilaire-s-Helpe
Avesnes
Sémeries
Ramousies
Beaulieu
Montbliart
Forêt de Trélon
Prisches
Avesnelles
Sains-du-Nord
Fourmanoir
Floursies
Felleries
Liessies
Eppe-Sauvage
Haut-Lieu
Boulogne-s-Helpe
Ohain
Willies
Moustier-en-Fagne
Trélon
Wallers-Trélon
Baives
Robechies

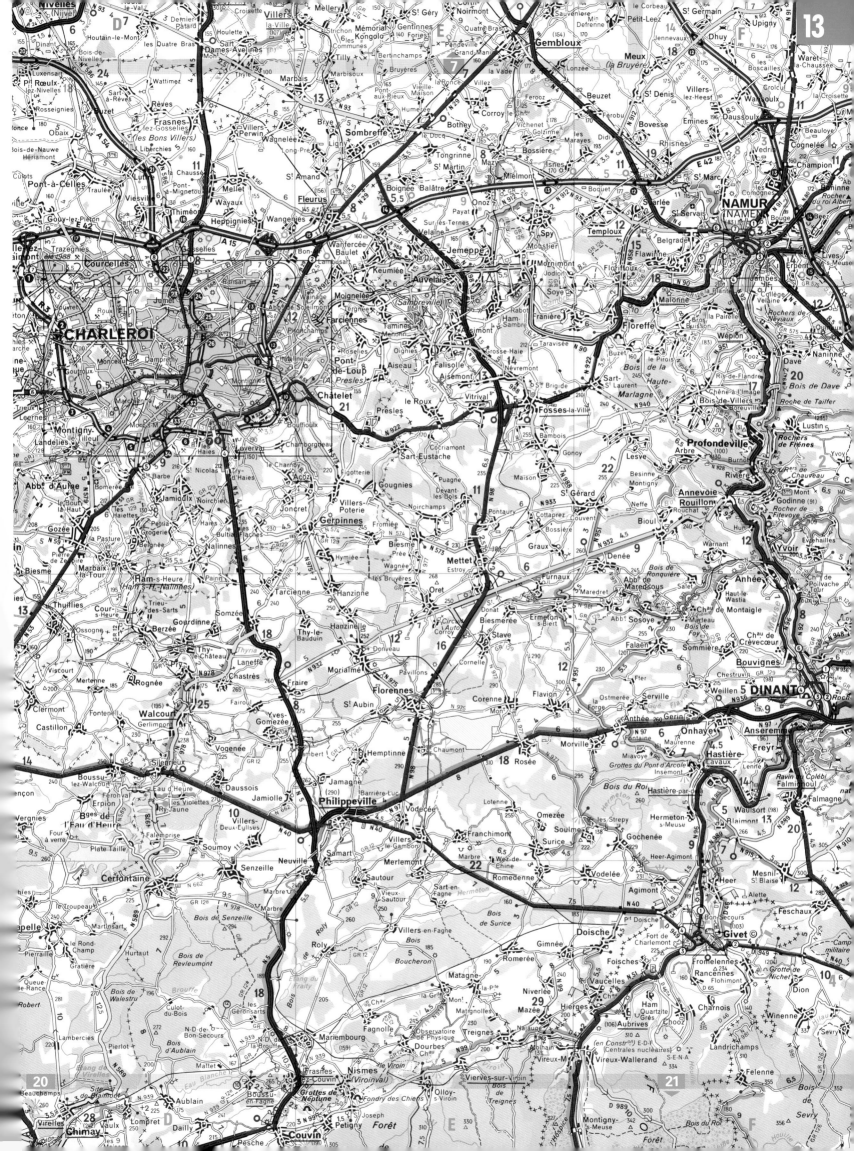

Dieppe

NEWHAVEN

CAR-FERRY (accueil)
LE POLLET
GARE MARITIME
LE TRÉPORT 30 km
EU 31 km
ABBEVILLE 64 km
N.-DAME DES GRÈVES
NEUFCHATEL 36 km
CENTRE CULTUREL
GARE
CASINO
SACRÉ-CŒUR
34 km St-VALÉRY
4,5 km POURVILLE
32 km St-VALÉRY
64 km FÉCAMP
YVETOT 53 km
ROUEN 61 km
FORGES-LES-EAUX 54 km

Belleteste (R. Jean)	BXY	3
Brunel (R. J.)	CX	7
Cale (Quai de la)	BX	8
Carénage (Q du)	BX	10
Clemenceau (Bd G.)	BZ	20
Desmarets (R.)	AY	22
Duquesne (Quai)	BXY	23
Duquesne (R.)	BX	24
Écosse (R. d')	ABY	25
Gaulle (Bd Gén.-de)	BY	26
Groulard (R. C.)	AY	27
Henri-IV (Quai)	BX	28
Joffre (Bd Mar.)	AYZ	29
Levasseur (R.)	CXY	31
Mer (Bd de la)	AY	32
N.-D. de Bon Secours	CX	D
Nationale (Pl.)	ABX	33
Pénétrante (La)	BZ	34
Pollet (Gde-R. du)	CX	35
St-Jacques (†)	BY	E
St-Jean (R.)	BX	37
Sygogne (R. de)	AY	38
Toustain (R.)	AY	40
Victor-Hugo (R.)	AY	42
Barre (R. de la)	AY	2
Grande-Rue	AX	
St-Jacques (R.)	AY	36

Veulettes-s-Mer
E.D.F. Centrale nucléaire
Fécamp
Yport
Etretat
Falaise d'Aval
la Manneporte
Cap d'Antifer
Port pétrolier du Havre-Antifer
Goderville
Criquetot-l'Esneval
Bolbec
Montivilliers
Valmont
Fauville-en-Caux
Cany-Barville

Criel-Plage
Mont Jolibois
Criel-s-Mer
Mesnil-en-Caux
(84) Tocqueville-
Mont -s-Eu
Neuvillette
Assigny
Litteville
Brunville
E.D.F.
Centrale
nucléaire
(en constr on)
Biville -
s-Mer
Penly
St Martin-Plage
Vassonville
St Aubin-
en-Campagne
Greny
Berneval -s-Mer
Berneval-le-Gd
St Martin-
Belleville-s-Mer
Bracquemont
Graincourt
Englesqueville
Tourville-
la-Chapelle

Newhaven

N. Dame
Bon-Secours
DIEPPE
Puys
Derchigny
Glicourt
Intraville
Gouchaupré
Musée
Grèges
Coquereaumont
le Haut
la Vauvaye
Phare d'Ailly
Valleuse
Vasterival
Port-
l'Ailly
Pourville-
s-Mer
Neuville
le Sauchay
le Bas
Breuilly
le Bucq
Brétigny
Bray
Ste Marguerite-s-Mer
Varengeville-
s-Mer
Petit-
Appeville
Thibermont
Étran
Ancourt
Bellengreville
Bellengrevillette
St Ouen-
(50) s/s-Bailly
Quiberville-Plage
Manoir d'Ango
Rouxmesnil-
Bouteilles
Calmont
Martin-Église
MF
Forêt
d'Arques
Envermeu
Quiberville
St Aubin-s-Mer
Blainville
Hautot-
s-Mer
les Vertus
Archelles
Arques-
la-Bataille
St Aubin-
le-Cauf
St Nicolas
d'Aliermont
St Valery-en-Caux
Veules-
les-Roses
Longueil
St Denis
d'Aclon
Offranville
Tous-les-Mesnils
le Hamelet
Gruchet
Martigny
Varenne
Dampierre-
St Nicolas
Angeville
Douvrend
Falaise d'Amont
(42)
Ectot
Bourg-Dun
le Beaufournier
Ouville-
la-Rivière
Aubin-
s-Scie
Mirômesnil
St Germain-
d'Étables
N. D. d'Alier
Manneville-
ès-Plains
la Chapelle-
s-Dun
Sauqueville
Tourville-
s-Arques
Beaumais
St Jacques-
d'Aliermont
Meulers
Blosseville
Gueutteville-
lès-Grès
St Pierre-le-V
la Gaillarde
Avremesnil
Gueures
Colmesnil
Neufmesnil
Aubermesnil
Manéhouville
Anneville-Scie
le Bois-
Robert
La Chapelle-
du-Bourgay
Freulleville
Ste Agathe-
d'Aliermont
Neuville-
Pleine-Sève
le Mesnil-
Durdent
St Pierre-
le-Viger
Houdetot
Luneray
Thil
Manneville
Patteville
Écorchebœuf
la Chaussée
St Vaast-d'Équiqueville
Silleron
Angiens
Caillerie
Gruchet
St Siméon
Gourel
Brachy
Hermanville
Mont-Candon
Calleville
Crosville-
s-Scie
Bout-l'Abbé
Équiqueville
Ricarville-
du-Val
Épinay
Fontaine-
le-Dun
Greuville
Bertreville
Bois-Hulin
Bois-l'Évêque
Dénestanville
Puits
Martin
le Manoir-
du-Val
Torcy-le-Petit
les Gdes Ventes
St Ouen
Ablemont
Omonville
Lintot-
les-Bois
Torcy-
le-Grand
les Bosquets
Bures-
en-Bray
Crasville-
la-Mallet
Crasville-
la-Rocquefort
Manneville
Lammerville
Pierreville
Longueville-
s-Scie
Ste Foy
St Honoré
le Goulet
Muchedent
Mesnil-
Follemprise
St Colombe
Tonneville
Brametot
la Pérelle
Venestanville
Rainfreville
Varenville
Mont
Crépeville
Criquetot-
s-Longueville
St Crespin
les Cent-Acres
le Catelier
Bellemare
Forêt
du Croc
les P'ts Moraux
les
Napes
Hattenville
Canville-
les-2-Églises
Butot
Sassetot-
le-Malgardé
Gonnetot
Biville-
la-Rivière
Royville
Lamberville
St Ouen-
le-Mauger
Belmesnil
les
Hameaux
Bouffards-
de-Caumont
Pelletot
19
les
Napes
Ardouval
Gonzeville
Boucourt
Bénesville
Reuville
Sautot
St Laurent-
en-Caux
Sâane
St Just
Lestanville
la Chle de-
Bénouville
Beaunay
Gonneville-
s-Scie
la Vatine
Bennetot
N. D. du Parc
Porion
la Frenaye
Hêtre le Poilu
Doudeville
Vicquemare
Coquereaumont
le Mesnil-
Rury
St Pierre-
Bénouville
Beauval
Ste Geneviève
Heuglevile-
s-Scie
Cropus
St Hellier
Carref
du Châtelet
Étalleville
Prétot
Boudeville
Berville
le Torp-Mesnil
Mesnil-
Adde
le Haut
Berger
Dracqueville
Eurville
Bosc
Renoult
Mesnil-
Sauval
Auffay
le Bosc
Orival
la Chapelle
Harcanville
Amfreville-
les-Champs
Lindebeuf
Imbleville
Belleville-
en-Caux
Biville-
la-Baignarde
St Ouen-
s-Scie
Sévis
Bellencombre
Yvecrique
Ouville
Criquetot-
s-Ouville
la Bourgogne
Grossœuvre
Ménil
Vibeuf
la Chau
Poux
Val-de-Saâne
Calleville-
les-2-Églises
la Corbière
le Bocage
Ventes-
St Rémy
Carref.
de Maucomb
Étoutteville
Gournay
Grémonville
Beautot
Bourdainville
St Vaast-
du-Val
Fontelaye
Varvannes
Vassonville
St Germain
la Chapelle
Rocquefort
Veauville-lès-
Baons
Beaumont
Grd Fumechon
Bertrimont
Brette
Montreuil-
en-Caux
Maucomble
Yerville
le Mesnil
Bignon
Ancretiéville
St Victor
N 29
Épinay
Louvetot
Mesnil-Bénard
la Pommeraye
le Pt
Quesnay
Mesnils
S't Saëns
les Buhots
le Pont-
du-Thil
Baons-
le-Comte
St Martin-
aux-Arbres
Gueutteville
Varneville
Bracquetuit
la Folie
le Pic
Beuzeville-
la-Giffarde
Grigneuseville
Beaumont-
le-Hareng
le Quesnay
Ectot-
St-Auber
Auzouville-
l'Esneval
Motteville
Caillebourg
Beautot
Ouen-
Breuil
Fresnay-
le-Long
Varneville
Étaimpuis
la Bouteillerie
Biennais
Augeville
Cottévrard
Roslay
St Georges
Yvetot
Écalles-
Alix
Mézérville
le Fyst
St Clair-
s-les-Mts
la Rue
Baudouville
Cideville
Gd Verdret
Saussay
Bec
Hugleville-
en-Caux
Calleville
Pierre
Ormesnil
la Houssaye-
Béranger
Bosc-
le-Hard
Bertramesnil
le Bosc-
Tillot
St Martin-
Osmonville
Croix-Mare
Emanville
le Valmartin
Grugny
Frichemesnil
Authieux
Critot
St Georges
Limésy
Butot
Bocasse
le Thil
Esteville
Rocquemont
Beaumont
Mesnil-Panneville
Hardouville
Sierville
Silo
St Austreberthe
Milleraye
Cordelleville
Parc du
Boulay
les
Marettes
Clères
Ratiéville
Claville
Motteville
Yquebeuf
Cailly
Touffreville-
la-Follière
Frésville
Panneville
Renfeugères
Anceaumeville
les Cambres
Fresquienne
Mont-Cauvaire
Mont
Montville
Fontaine-
le-Bourg
St André
Pavilly
Montville
Cardonville
Bosc-Guérard
St Adrien
Georges-
s-Fontaine
Longuerue
Bouville
Blacqueville
la Folletière
Rue-de-
Bourville
Bellintot
Barentin
Roville
St Andre

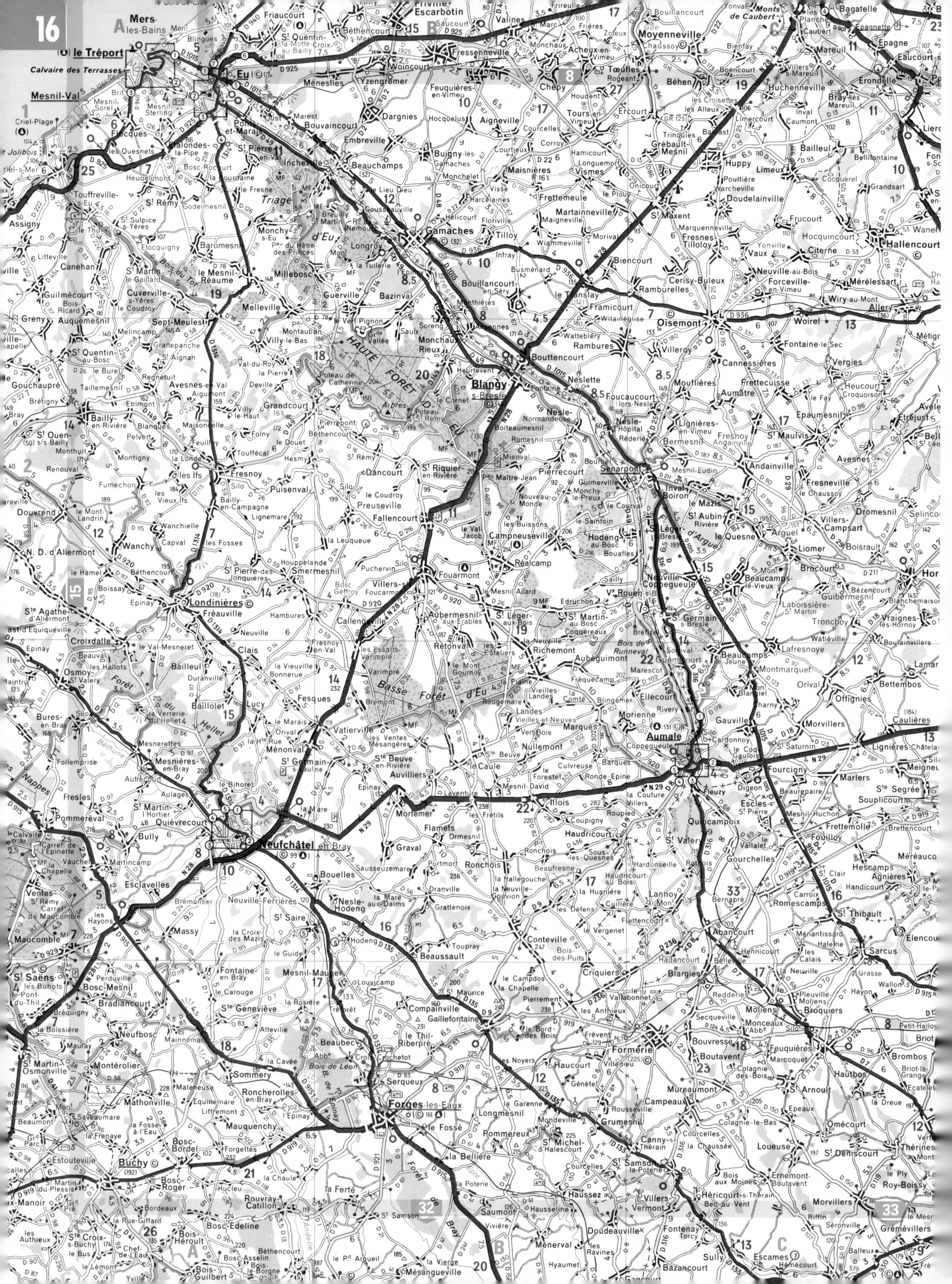

A **Mers-les-Bains** B Escarbotin Friville C de Caubert

le Tréport
Calvaire des Terrasses
Eu
Mesnil-Val
Mesnil-Sorel
Criel-Plage
Jolibois

Gamaches
Longroy
Blangy-s-Bresle
Oisemont
Senarport

1

2

Londinières
Fresnoy
Fréauville

Neufchâtel-en-Bray
Aumale
St-Germain

3

Mesnières-en-Bray
Quiévrecourt

St-Saëns
Forges-les-Eaux
Formerie

Buchy

A B C

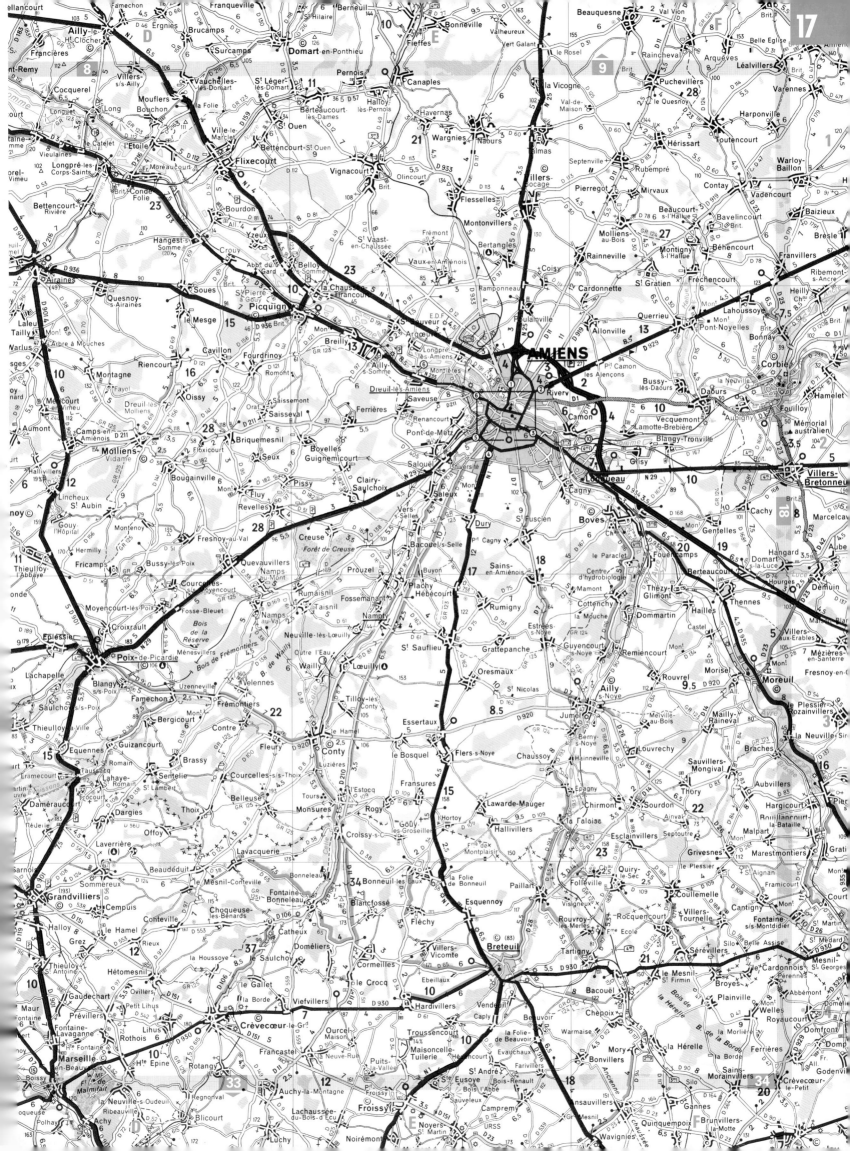

Albert, Péronne, Montdidier, Roye, Nesle, Ham, Noyon, Guiscard, Roisel, Combles, Chaulnes, Rosières-en-Santerre, Villers-Bretonneux

Mailly-Maillet · Beaumont · Beaucourt-l'Ancre · Warlencourt-Eaucourt · Haplincourt · Barastre · Ruyaulcourt · Trescault · Villers-Plouich · Beaussart · Auchonvillers · Grandcourt · le Sars · Pys · Ligny-Thilloy · le Barque · Beaulencourt · Villers-au-Flos · Rocquigny · Bus · Neuville-Bourjonval · Ytres · Metz-en-Couture · Gouzeaucourt

Forceville · Mémorial · Englebelmer · Courcelette · Gueudecourt · le Transloy · Léchelle · Mesnil-en-Arrouaise · Equancourt · Fins · Révelon · Villers-Guislain

Hédauville · Mesnil · Thiepval · Martinpuich · Flers · Lesbœufs · Sailly-Saillisel · Mesnil-en-Arrouaise · Heudicourt · Sorel

Martinsart · Authuille · Pozières · Longueval · Morval · Rancourt · Nurlu · Liéramont · Guyencourt-Saulcourt · Epehy

Aveluy · la Boisselle · Contalmaison · Guillemont · Ginchy · le Gouvernement · Bouchavesnes-Bergen · Moislains · Aizecourt-le-Bas · Villers-Faucon · Ste Émilie

Millencourt · Bécourt · Montauban-de-Picardie · Hardecourt-aux-Bois · Combles · Allaines · Aizecourt-le-Haut · Longavesnes · Templeux-le-Guérard

Lavieville · Fricourt · Mametz · Carnoy · Maricourt · Maurepas · Bois-Marlière · Mons-en-Chaussée · Roisel · Hervilly

Dernancourt · Méaulte · Bronfay · Billon · Belvédère de Vaux · Curlu · Hem · Feuillères · Cléry-s-S · Feuillaucourt · Mont St-Quentin · Bussu · Driencourt · Marquaix · N.D. de Moyenpont · Bouly · Montigny

Ville-s-Ancre · Etinehem · la Neuville-lès-Bray · Cappy · Frise · Omiécourt · Halles · Péronne · Doingt · Courcelles · Brusle · Bernes · Hancourt

Mericourt-l'Abbé · Bray-s-Somme · Suzanne · Eclusier · Herbécourt · Biaches · Flaucourt · la Maisonnette · Flamicourt · la Chapelette · Mesnil-Bruntel · Cartigny · Beaumetz · Bouvincourt-en-Vermandois

Treux · Morlancourt · Chipilly · Chuignes · Dompierre-Becquincourt · Asseviller · Barleux · Eterpigny · St Cren · Estrées-en-Chaussée · Vraignes-en-Vermandois · Pœuilly

Vaux-s-Somme · Sailly-Laurette · Cérisy · Méricourt-sur-Somme · Chuignolles · Proyart · Fay · Belloy-en-Santerre · Villers-Carbonnel · Pont-lès-Brie · Prusle · Estrées · Vermand

Hamel · le Hamel · Lamotte-Warfusée · Foucaucourt-en-Santerre · Estrées · Berny-en-Santerre · Fresnes-Mazancourt · Brie · Athies · Devise · Caulaincourt

Mémorial australien · Morcourt · le Bois du Sart · Raincourt · Herleville · Soyécourt · Deniécourt · Briost · Misery · Mezaucourt · Montécourt · Monchy-Lagache · Beauvois-en-Vermandois · Étreillers

Villers-Bretonneux · Bayonvillers · Framerville-Raincourt · Harbonnières · Vauvillers · Vermandovillers · Ablaincourt-Pressoir · Cizancourt · St Christ · Ennemain · Douvieux · Lanchy · Vaux-en-Vermandois

Marcelcave · Wiencourt-l'Équipée · Guillaucourt · Lihons · Hyencourt-le-Grand · Marchélepot · Licourt · Falvy · Molinaux · Guizancourt · Ugny-l'Équipée · Foreste · Germaine

Aubercourt · Ignaucourt · Caix · Rosières-en-Santerre · Chaulnes · Omiécourt · Pertain · Epénancourt · Pargny · Croix · Quivières · Vaux-en-Vermandois

Démuin · Cayeux-en-Santerre · Méharicourt · Puzeaux · Misery · Morchain · Potte · Villecourt · Matigny · Doilly · Villers-St-Christophe · Aubigny-aux-Kaisnes

Maison-Blanche · Beaucourt-en-Santerre · le Quesnel · Vrély · Hallu · Chilly · Puzeaux · Fontaine-lès-Pargny · Béthencourt-s-Somme · Buny · Cuvilly · Tugny-et-Pont · Dury

Villers-aux-Érables · Mézières-en-Santerre · Warvillers · Maucourt · Dreslincourt · Mesnil-St-Nicaise · Curchy · Rouy-le-Pt · Offoy · Toulle · Canizy · Pithon

Fresnoy-en-Chaussée · Beaufort-en-Santerre · Folies · Rouvroy-en-Santerre · Fransart · Fonches · Etalon · Manicourt · Nesle · Silos · Viefville · Ham · Estouilly

Hangest-en-Santerre · Bouchoir · la Chavatte · Hattencourt · Fouquescourt · Liancourt-Fosse · Herly · Quiquery · Hombleux · Sommette

la Neuville-Sire-Bernard · Arvillers · Erches · la Cambuse · Parvillers · Fresnoy-lès-Roye · Crémery · Languevoisin · Bacquencourt · Breuil · Eppeville · Verlaines

le Hamel · Contoire · Davenescourt · Saulchoy · Damery · Goyencourt · Gruny · Rethonvillers · Billancourt · Buverchy · Grécourt

Pierrepont-s-Avre · Warsy · Guerbigny · Villers-lès-Roye · Andechy · Roye · Balâtre · Waucourt · Marché-Allouarde · Cressy · Moyencourt · Muille-Villette · Brouchy

Boussicourt · Becquigny · l'Echelle · St Mard · St Aurin · Carrépuis · Biarre · Omencourt · Lennoy · Bonneuil · Golancourt · Villeselve · Collery

Gratibus · Fignières · Lignières · Marquivillers · Armancourt · Laucourt · Roiglise · Solente · Champien · Ognolles · Libermont · Flavy-le-Meldeux · le Plessis-Patte-d'Oie

Courtemanche · St Martin · Etelfay · Faverolles · Dancourt-Popincourt · Verpillières · le Pavé · Margny-aux-Cerises · Beaulieu-les-Fontaines · Fréniches · Rouvrel · Berlancourt · Beines

Montdidier · Féscamps · Piennes · Grivillers · Beuvraignes · Amy · Avricourt · Ecuvilly · Rezavoine · Béthancourt · Guiscard · Buchoire · Guivry

Mesnil-St-Georges · Remaugies · Boulogne-la-Grasse · la Poste · Crapeaumesnil · Fresnières · Catigny · Muirancourt · Rimbercourt · Chevilly · Bussy · Quesmy · Beaugies-s-Bois · Caillouël

Ayencourt · Onvillers · Tilloloy · les Loges · Sébastopol · Béhancourt · Lagny · Candor · Haudival · Sermaize · les Usages · Grandrû

Rubescourt · Rollot · Roye-s-Matz · Canny-s-Matz · la Taulette · Balny · Candor · Plessis-Cacheleux · Beaurains-lès-Noyon · Crisolles · Grandrû

Domfront · le Ployron · Hainvillers · Conchy-les-Pots · Roye-s-Matz · la Potière · Scéaucourt · Baboeuf · Morlincourt

Godenvillers · Crèvecoeur-le-Petit · Laberlière · Plessis-de-Roye · Dives · Vauchelles · Suzoy · Salency · la Rosière

Tricot · Courcelles-Epayelles · Mortemer · Cuvilly · Gury · Thiescourt · Cuy · Ricquebourg · la Neuville-sur-Ressons · Évricourt · Noyon · Larbroye · Pont-l'Évêque · Sempigny · Varesnes

le Frestoy · Coivrel · la Neuville-en-Hez · Ribecourt · Passel · le Jonquoy · Rue-Millon · Pontoise-lès-Noyon

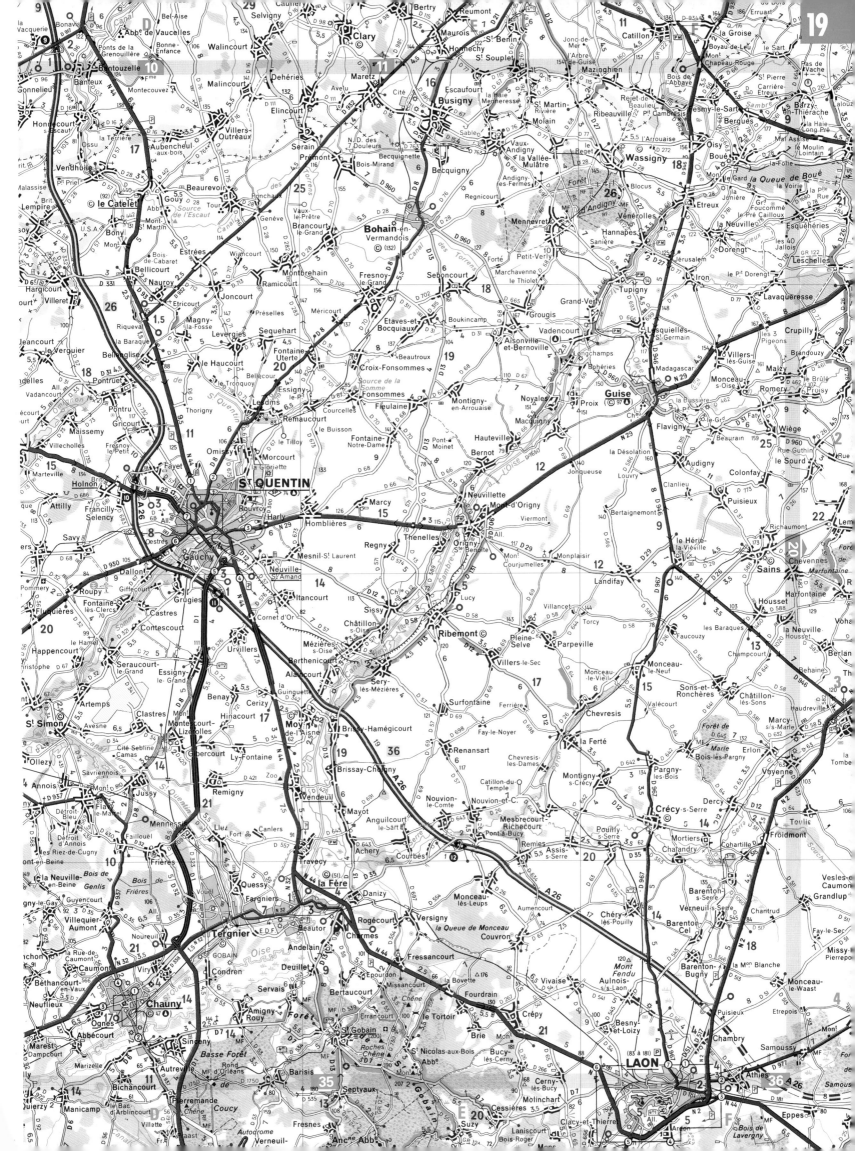

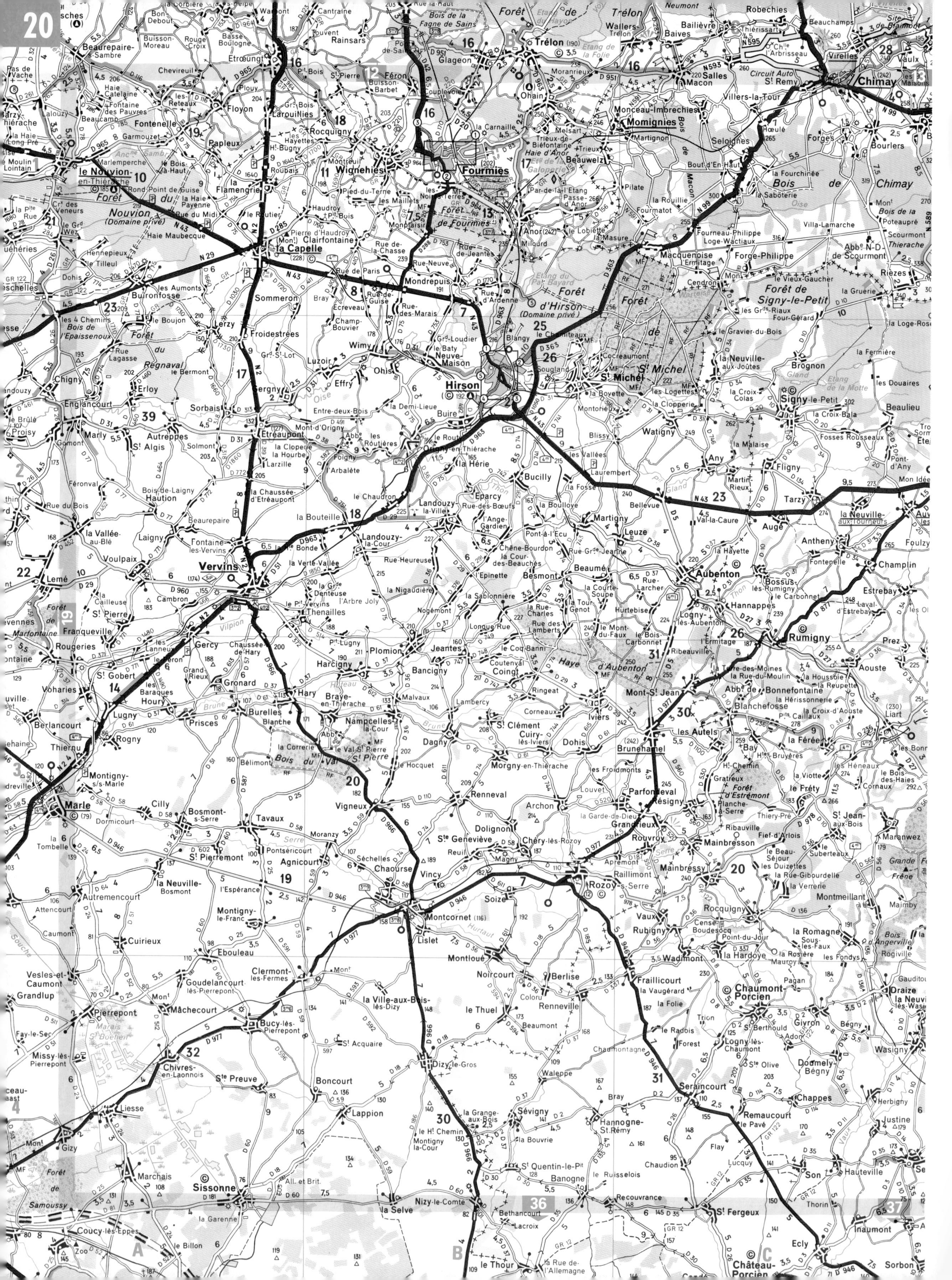
Forêt de Trélon
Trélon
Wallers-Trélon
Baives
Bailièvre
Robechies
Beauchamps
Virelles
Chimay
Vaulx
Circuit Auto St Remy
Salles
Macon
Villers-la-Tour
Momignies
Monceau-Imbrechies
Seloignes
Forges
Bourlers
Bois de Chimay
Bois de la Fagne de Sains
Rainsars
Glageon
Féron
Ohain
Fourmies
Wignehies
Beauwelz
Bout d'En-Haut
Pilate
la Rouillie
Fourmatot
Anor
Milourd
la Masure
Macquenoise
Forge-Philippe
Fourneau-Philippe
Loge-Wactiaux
Villa-Lamarche
Abbe N-D de Scourmont
Scourmont
Thierache
Riezes
Forêt de Signy-le-Petit
Forêt de Fourmies
Forêt d'Hirson (Domaine privé)
Forêt de St Michel
St Michel
Hirson
Sougland
Cocreaumont
les Logettes
la Bovette
Signy-le-Petit
Brognon
la Neuville-aux-Joûtes
Beaurepaire-s-Sambre
Floyon
Fontenelle
Papleux
la Flamengrie
le Nouvion-en-Thiérache
Forêt du Nouvion (Domaine privé)
Rocquigny
Larouillies
Etroeungt
Clairfontaine
la Capelle
Mondrepuis
Buironfosse
Sommeron
Lerzy
Froidestrées
Forêt du Regnaval
Chigny
Erloy
Englancourt
Proisy
Marly
Autreppes
St Algis
Etréaupont
Sorbais
Luzoir
Effry
Ohis
Wimy
Neuve-Maison
Buire
Origny-en-Thiérache
la Hérie
Bucilly
Watigny
Blissy
Any
Martin-Rieux
Fligny
Tarzy
la Neuville-aux-Tourneurs
Auge
Aubenton
Hannappes
Rumigny
Leuze
Martigny
Landouzy-la-Ville
Landouzy-la-Cour
Eparcy
Haution
Laigny
Vervins
Voulpaix
la Vallée-au-Blé
Lemé
Fontaine-lès-Vervins
Thenailles
Plomion
Jeantes
Harcigny
Bancigny
Coingt
Besmont
Beaumé
Haye d'Aubenton
Mont-St Jean
Gercy
Gronard
Hary
Houry
Braye-en-Thiérache
Burelles
Prisces
Nampcelles-la-Cour
Dagny
St Clément
Cuiry-lès-Iviers
Iviers
Dohis
Brunehamel
les Autels
la Férée
Liart
Aouste
Montigny-s/s-Marle
Marle
Cilly
Bosmont-s-Serre
Tavaux
Vigneux
Renneval
Morgny-en-Thiérache
Archon
Parfondeval
Résigny
Dolignon
Chéry-lès-Rozoy
Grandrieux
Rouvroy
Mainbresson
Mainbressy
Rozoy-s-Serre
St Pierremont
Agnicourt
Chaourse
Vincy
Soize
Montcornet
Lislet
Montloué
Noircourt
Berlise
Renneville
Fraillicourt
Wadimont
Rocquigny
Rubigny
Vaux
la Romagne
Chaumont-Porcien
la Neuville-Bosmont
Autremencourt
Cuirieux
Montigny-le-Franc
Ebouleau
Goudelancourt-lès-Pierrepont
Clermont-les-Fermes
la Ville-aux-Bois-lès-Dizy
le Thuel
Pierrepont
Mâchecourt
Bucy-lès-Pierrepont
Missy-lès-Pierrepont
Chivres-en-Laonnois
Ste Preuve
Boncourt
Dizy-le-Gros
Waleppe
Seraincourt
Doumely-Bégny
Chappes
Remaucourt
Liesse
Gizy
Lappion
Sévigny
Hannogne-St.Rémy
Marchais
Sissonne
Nizy-le-Comte
Banogne
Recouvrance
St Fergeux
Son
Hauteville
Forêt de Samoussy
Coucy-lès-Eppes
la Selve
le Thour
Château-Porcien
Ecly
Inaumont
Sorbon
Vesles-et-Caumont
Grandlup
Rogny
Lugny
Berlancourt
Vohariès
St Gobert
Rougeries
Franqueville
Forêt du Marfontaine
Oise
Serre
Brune
Vilpion
N 2
N 29
N 43
D 946
D 966
D 977
Cora

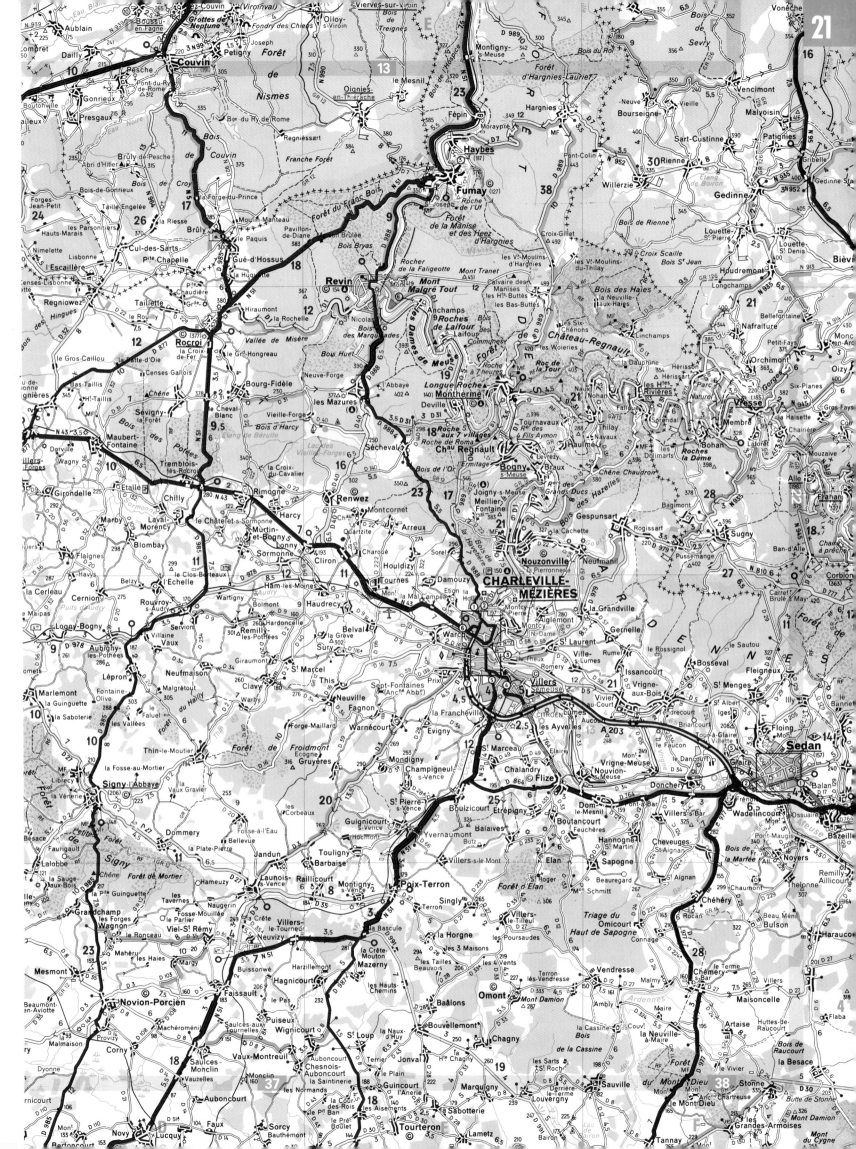

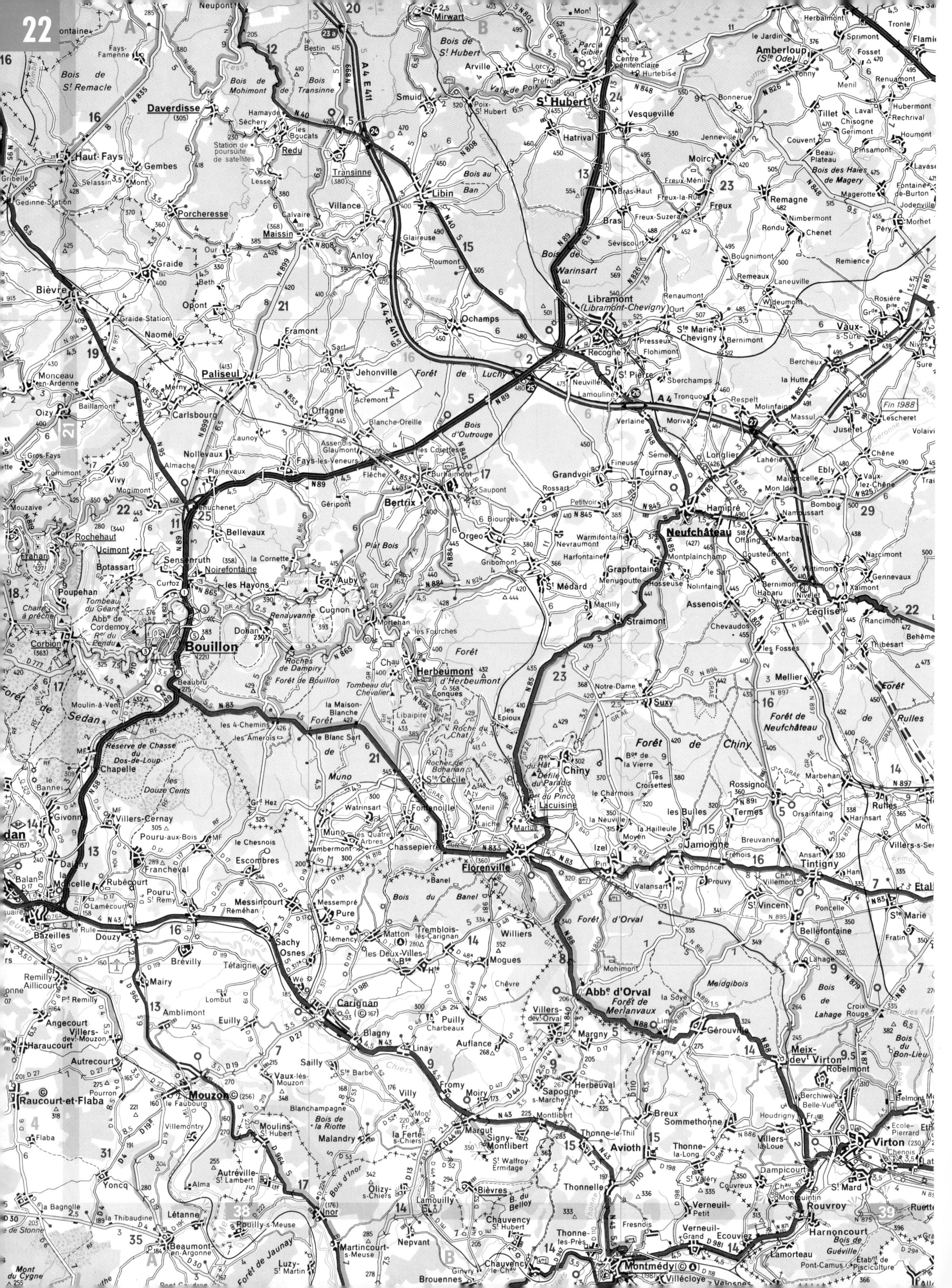
Neupont
Mirwart
Bois de St Hubert
Arville
Parc à Gibier
Centre pénitenciaire
Hurtebise
Herbaimont
Sprimont
Amberloup (Ste Ode)
Tonny
Fosset
Renuamont
Menil
Fays-Famenne
Bois de St Remacle
Bois de Mohimont
Bois de Transinne
Bestin
Smuid
Poix-St Hubert
Val de Poix
Préfroid
Lorcy
St Hubert
Vesqueville
Bonnerue
Tillet
Laval
Chisogne
Gerimont
Hubermont
Rechrival
Houmont
Couvent
Beau-Plateau
Bois des Haies de Magery
Pinsamont
Daverdisse
Hamayde
Séchery
les Boucats
Redu
Station de poursuite de satellites
Haut-Fays
Gembes
Selassin
Mont
Lesse
Transinne
Libin
Bois au Ban
Hatrival
Jenneville
Moircy
Freux-Ménil
Freux-la-Rue
Freux
Freux-Suzeran
Bras-Haut
Bras
Remagne
Nimbermont
Magerotte
Lavaselle
Fontaine-de-Burton
Jodenville
Morhet
Péry
Chenet
Gribelle
Gedinne-Station
Porcheresse
Villance
Calvaire
Maissin
Glaireuse
Anloy
Roumont
Séviscourt
Rondu
Bougnimont
Remienne
Graide
Our
Beth
Bièvre
Graide-Station
Naomé
Opont
Framont
Ochamps
Bois de Warinsart
Libramont (Libramont-Chevigny)
Renaumont
Remeaux
Laneuville
Ourt
Wideumont
Rosière
Vaux-s-Sûre
Ste Marie-Chevigny
Bernimont
Presseux
Flohimont
Recogne
Monceau-en-Ardenne
Oizy
Baillamont
Merny
Paliseul
Carlsbourg
Sart
Jehonville
Acremont
Forêt de Luchy
Neuvillers
Lamouline
St Pierre
Sberchamps
Tronquoy
Respelt
Molinfaing
Massul
Bercheux
Nives
Sure
la Hutte
Fin 1988
Lescheret
Juseret
Volaiville
Offagne
Blanche-Oreille
Bois d'Outrouge
Verlaine
Moriva
Longlier
Lahérie
Launoy
Assenois
Glaumont
Fays-les-Veneurs
les Corettes
Nollevaux
Almache
Plainevaux
Gros-Fays
Cornimont
Vivy
Mogimont
la Flèche
Burhaimont
Saupont
Grandvoir
Fineuse
Sémel
Tournay
Rossart
Petitvoir
Géripont
Bertrix
Hamipré
Mon Idée
Namoussart
Ebly
Vaux-lez-Chêne
Chêne
Maissoncelle
Bombois
Mouzaive
Menuchenet
Bellevaux
Rochehaut
Ucimont
Frahan
Botassart
Sensenruth
Noirefontaine
la Cornette
Bourges
Orgeo
Warmifontaine
Nevraumont
Harfontaine
Neufchâteau
Offaing
Marbay
Gousteumont
Narcimont
Gennevaux
Plat Bois
Gribomont
Grapfontaine
Menugoutte
Hosseuse
Montplainchamp
le Sart
Nolinfaing
Witimont
Xaimont
Poupehan
Tombeau du Géant
Curfoz
les Hayons
Auby
Cugnon
St Médard
Martilly
Straimont
Assenois
Bernimont
Habaru
Lavaux
Nivelet
Léglise
Rancimont
Behême
Chaire à prêcher
Abbe de Cordemoy
Rer du Pendu
Renauvanne
Mortehan
les Fourches
Chevaudos
Thibésart
Corbion
Bouillon
Dohan
Roches de Dampiry
Forêt de Bouillon
Chau
Herbeumont
Forêt d'Herbeumont
les Fosses
Forêt de Sedan
Moulin-à-Vent
Beaubru
Tombeau du Chevalier
Conques
Notre-Dame
Suxy
Mellier
Forêt de Neufchâteau
Forêt de Rulles
les 4-Chemins
les Amerois
la Maison-Blanche
Libaipire
Roche du Chat
les Epioux
Réserve de Chasse du Dos-de-Loup
la Chapelle
le Blanc Sart
Forêt de Muno
Rocher de Bohanan
Ste Cécile
Bge de la Vierre
Forêt de Chiny
Chiny
Défilé du Paradis
du Pinco
Lacuisine
les Croisettes
Rossignol
Marbehan
le Banel
les Douze Cents
le Charmois
Givonne
Villers-Cernay
Grd Hez
Watrinsart
Fontenoille
Menil
Laiche
Martué
la Neuville
Moyen
la Hailleule
les Bulles
Termes
Orsainfaing
Harinsart
Rulles
Villers-s-Semois
Sedan
Pouru-aux-Bois
le Chesnois
Muno
les Quatre Arbres
Lambermont
Chassepierre
Florenville
Izel
Pin
Jamoigne
Breuvanne
Frénois
Ansart
Tintigny
Han
Etalle
Balan
Daigny
la Moncelle
Francheval
Escombres
Rubécourt
Pouru-St Remy
Messincourt
Reméhan
Messempré
Pure
Banel
Bois du Banel
Valansart
Romponcel
Prouvy
Chau Villemont
St Vincent
Poncelle
Ste Marie
Lamécourt
Bazeilles
le Rule
Douzy
Sachy
Osnes
Clémency
Matton
Tremblois-lès-Carignan
Williers
Forêt d'Orval
Bellefontaine
Fratin
Brévilly
Tétaigne
les Deux-Villes
Mogues
Mohimont
Lahage
Remilly-Aillicourt
Mairy
Wé
Carignan
Chèvre
Abbe d'Orval
Forêt de Merlanvaux
Meldgibois
la Soye
Bois de Lahage
Croix Rouge
Lombut
Amblimont
Euilly
Pully
Charbeaux
Villers-devt-Orval
Margny
Limes
Gérouville
Bois du Bon-Lieu
Angecourt
Villers-devt-Mouzon
Haraucourt
Blagny
Linay
Auflance
Fagny
Meix-devt Virton
Robelmont
Autrecourt
Sailly
Vaux-lès-Mouzon
Ste Barbe
Fromy
Moiry
Sapogne-s-Marche
Herbeuval
Raucourt-et-Flaba
Pourron
Mouzon
le Faubourg
Blanchampagne
Villy
Mon!
Berchiwé
Belle-Vue
Belmont
Flaba
Villemontry
Moulins-St Hubert
Bois de la Riotte
Malandry
la Ferté-s-Chiers
Margut
Signy-Montlibert
Montlibert
Thonne-le-Thil
Avioth
Breux
Sommethonne
Houdrigny
Villers-la-Loue
Ecole-Pierrard
Virton
Chenois
St Walfroy-Ermitage
Thonne-la-Long
Autréville-St Lambert
Yoncq
Alma
Bois d'Inor
Olizy-s-Chiers
Lamouilly
Bièvres
B. du Belloy
Thonnelle
St Valéry
Couvreux
Dampicourt
Montquintin
St Mard
Rouvroy
la Bagnolle
la Thibaudine
Létanne
Pouilly-s-Meuse
Inor
Chauvency-St Hubert
Verneuil-Petit
Verneuil-Grand
Ecouviez
Fresnois
Harnoncourt
Bois de Guéville
Ruette
de Stonne
Beaumont-en-Argonne
Forêt de Jaunay
Martincourt-s-Meuse
Nepvant
Thonne-les-Prés
Montmédy
Lamorteau
Pont-Camus
Etabt de Pisciculture
Mont du Cygne
Luzy-St Martin
Brouennes
Ginvry
Chauvency-le-Chau
Villécloye
Velosnes

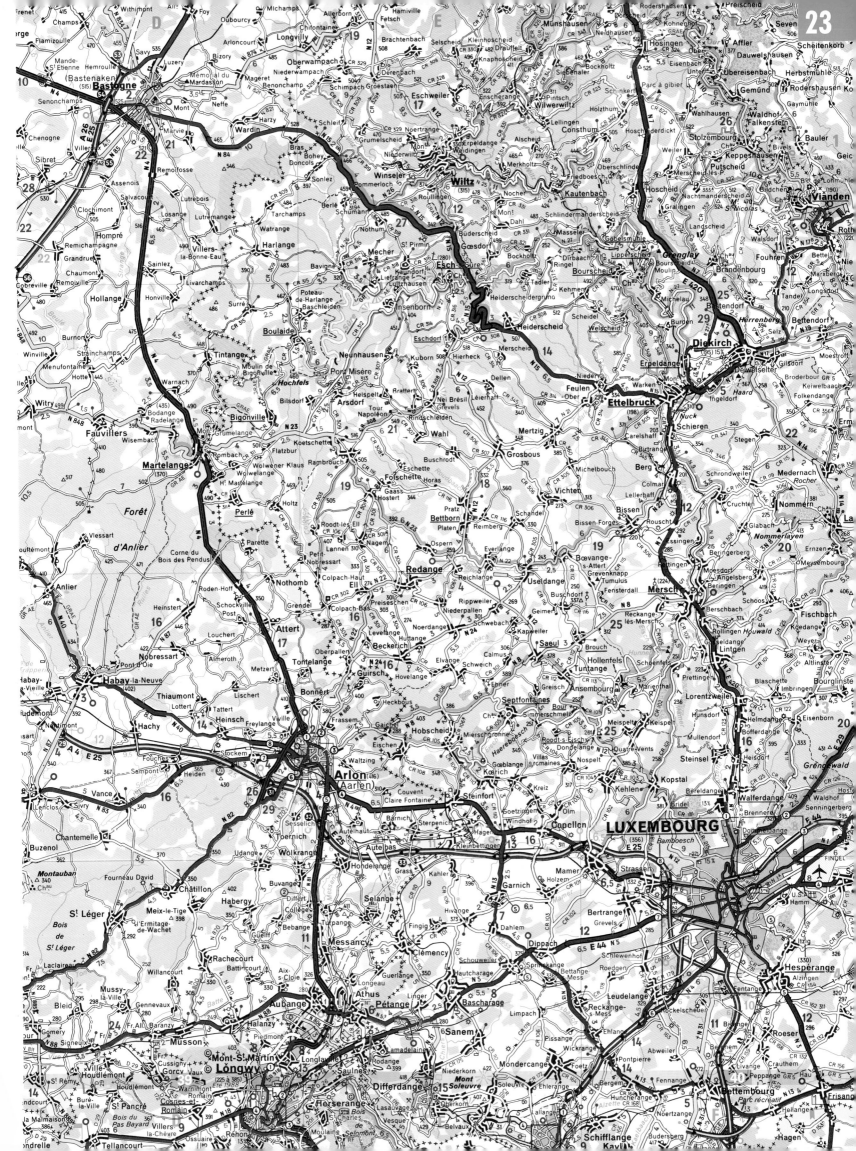

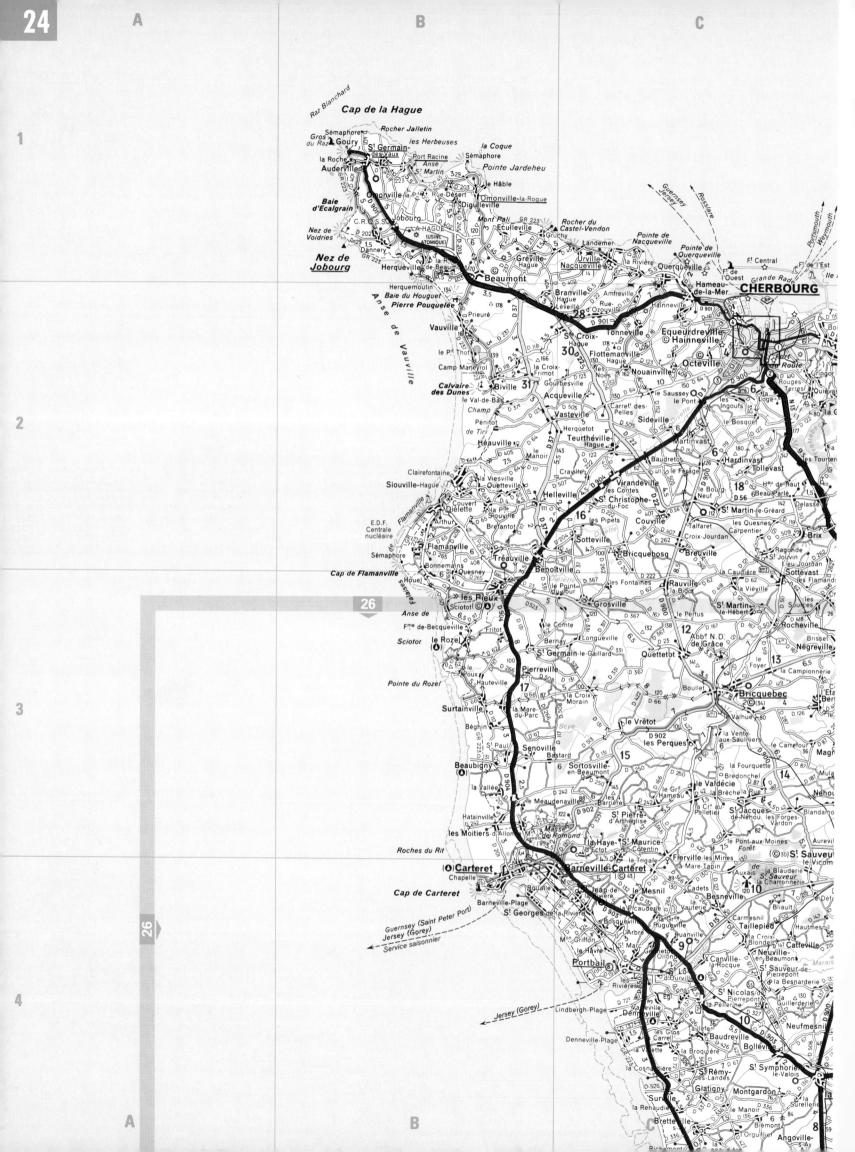

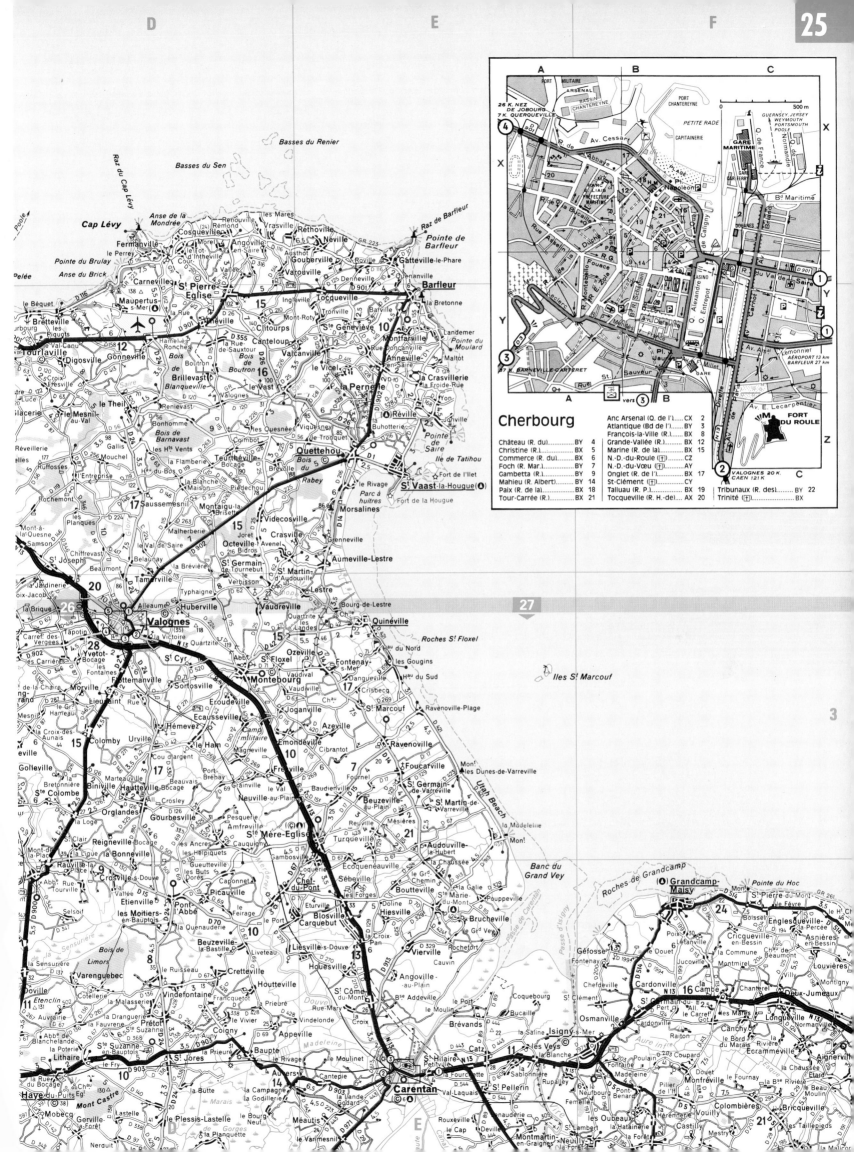

A   B   C

24

1

Relation maritime

passant les autos
ne les passant pas
Relation aérienne
ne passant pas
les autos
car services
passenger services
air services
(passengers only)

ALDERNEY
GUERNSEY
SARK
Cherbourg
Carteret
Portbail
JERSEY
Granville
Chausey
St Malo
St Brieuc
Dinard

2

Renonquet
Burhou
The Swinge
Guernsey-Sark-Jersey-St Malo
Weymouth Portsmouth
Etoc
Braye Bay
Braye
Longy Bay
Clonque Bay
Newtown
Essex
Trois Vaux
St Anne
Roche
101
Telegraph Bay

Alderney
(Aurigny)

1 cm : 1,5 km
1 inch : 2,36 miles

3

GUERNSEY
(GUERNESEY)

Pembroke Bay
Fort-Doyle
Beaucette Yacht Marina
Grand-Havre
Clos-du-Valle
Vale
Bordeaux
Vale Castle
la Passée
Grande Rocque
Cobo Bay
Capelles
St Sampson
Pelancey Park
Brehon
Herm
Vazon Bay
Cobo
le Villocq
Perelle Bay
Saumarez
Richmond
Catel
St Peter-Port
(St Pierre-Port)
Jethou
Fort Saumarez
Lihou
l'Erée
Perelle
King's-Mills
St Andrew
Castle Cornet
Rocquaine Bay
Port-Pézeries
St Saviour
St Peter-in-the-Wood
Vauxbelets
St Martin
les Hanois
Rocquaine
Fermain Bay
Pointe de Pleinmont
Torteval
Monument
Mont Herault
Forest
la Fosse
Creux Mahie
Gouffre
Petit Bôt Bay
Moulin Huet Bay
Jerbourg Point
Moye Point
Icart Point

Gr de Anfroque
Longue Pierre
Petit Russel
Grand Russel
les Boutiques
Pointe du Bec du Nez
Sark
(Sercq)
Port du Moulin
la Seigneurie
Happy Valley
Creux Derrible
Creux Harbour
Brecqhou
Little Sark
Port Gorey
la Coupée
l'Etac de Sercq
Roches du Sac de Pirou

Jersey (Gorey)
Guernsey (St Peter-Port)
Jersey (Gorey)
Jersey-St Malo
Jersey-St Malo

1 cm : 2 km
1 inch : 3,15 miles

4

JERSEY

Grosnez Pnt
Grosnez Castle
Plémont Pnt
Grève au Lançon
Plémont
Sorel Pnt
Devil's Hole
Ronez Pnt
Belle Hougue Pnt
Grève de Lecq
Bonne nuit Bay
Tour
Portinfer
Falaise
St John
Hautes-Croix
Bouley Bay
Puits-Léoville
le Rondin
Rozel Bay
l'Etacq
St Mary
Carref Selous
Trinity
Zoo
Rozel
la Coupe Pnt
La Croix au-Lion
la Hague
St Lawrence
Augres
St Martin
Fliquet Bay
St Ouen's Bay
St Peter
Becquet Vincent
St Catherine Bay
Archirondel Tour
la Rocco Tour
la Haule
Mont-Cambrai
Millbrook
First-Oaks
Tumulus
Anne Port
Red Houses
Beaumont
Ville-es-Nouaux
Hougue-Bie
Mont-Orgueil
la Pulente
St Aubin
Ville-es-Renauds
Corbière Pnt
St Brelade
St Aubin's Bay
Samares
St Saviour
Gorey
Pnt la Moye
St Brelade's Bay
Victoria-College
Grouville
Portelet Bay
St Helier
Bay
Elizabeth
St Clément
Royal Bay of Grouville
Noirmont
l'Hermitage
le Croc
la Rocque
Pontac
la Rocque Pnt
Noirmont Pnt
St Clément's Bay
Seymour Tour

Sark-Guernsey-Alderney Cherbourg
Portsmouth Weymouth
St Malo
Granville

1 cm : 2 km
1 inch : 3,15 miles

50

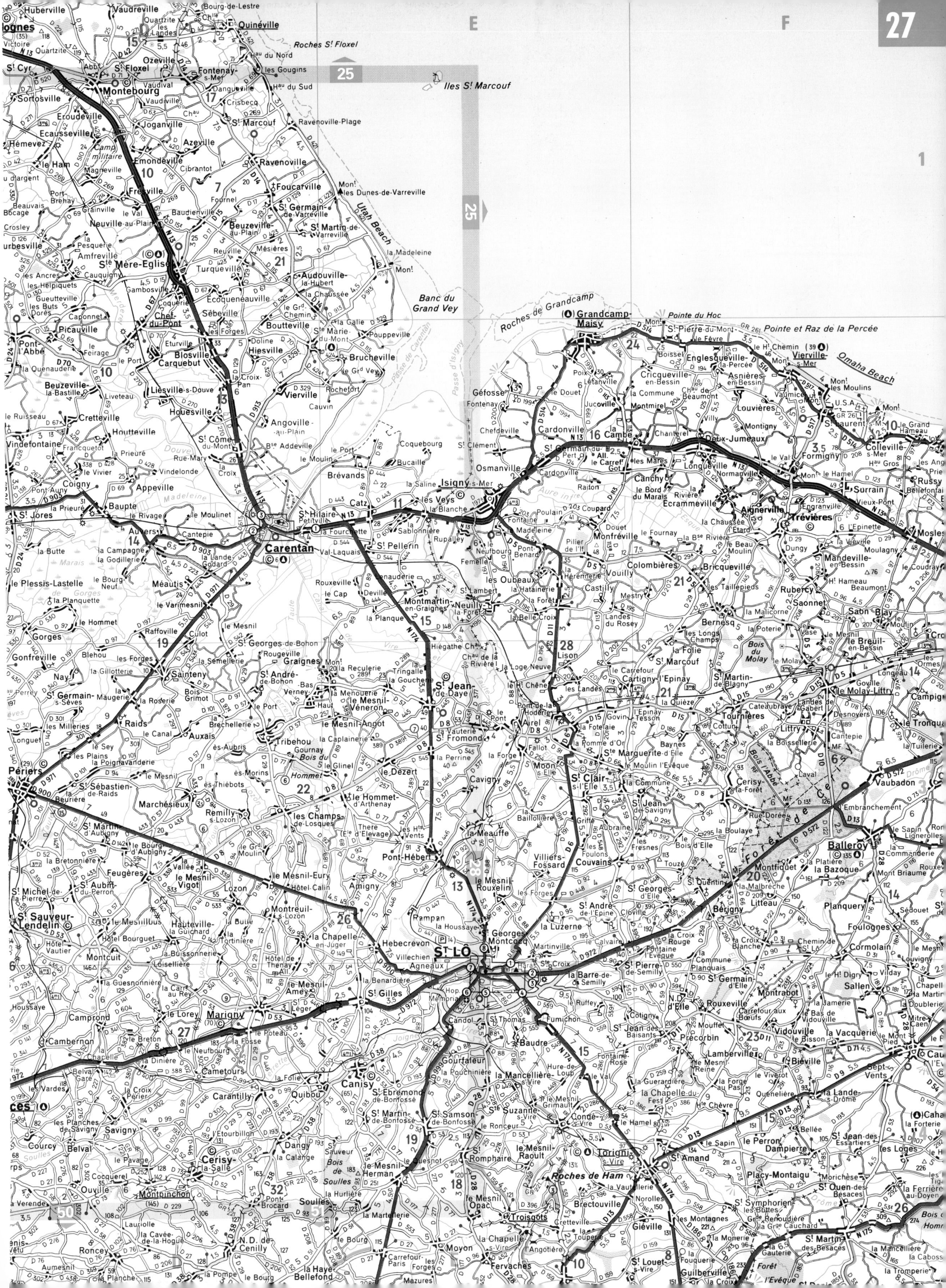
E
F
1
25
28
Quinéville
Roches St Floxel
Iles St Marcouf
Montebourg
Ravenoville-Plage
Ravenoville
Foucarville
Les Dunes-de-Varreville
Utah Beach
Ste Mère-Eglise
Banc du Grand Vey
Roches de Grandcamp
Grandcamp-Maisy
Pointe du Hoc
Pointe et Raz de la Percée
Omaha Beach
Vierville-s-Mer
Colleville-s-Mer
St Laurent-s-Mer
Passe de Carentan
Passe d'Isigny
Carentan
Isigny-s-Mer
Trévières
Formigny
Aure inférieure
Vire
Taute
Périers
Marigny
St Lô
Canisy
Cerisy-la-Salle
Torigni-s-Vire
Roches de Ham
Balleroy
Forêt de Cerisy
Bois du Molay
Le Molay-Littry
Pont-Hébert
St Jean-de-Daye
St Clair-s-l'Elle
Montmartin-en-Graignes
St Sauveur-Lendelin
Tessy-s-Vire
Caumont-l'Éventé
St Amand
Bois de Soulles
Forêt l'Évêque

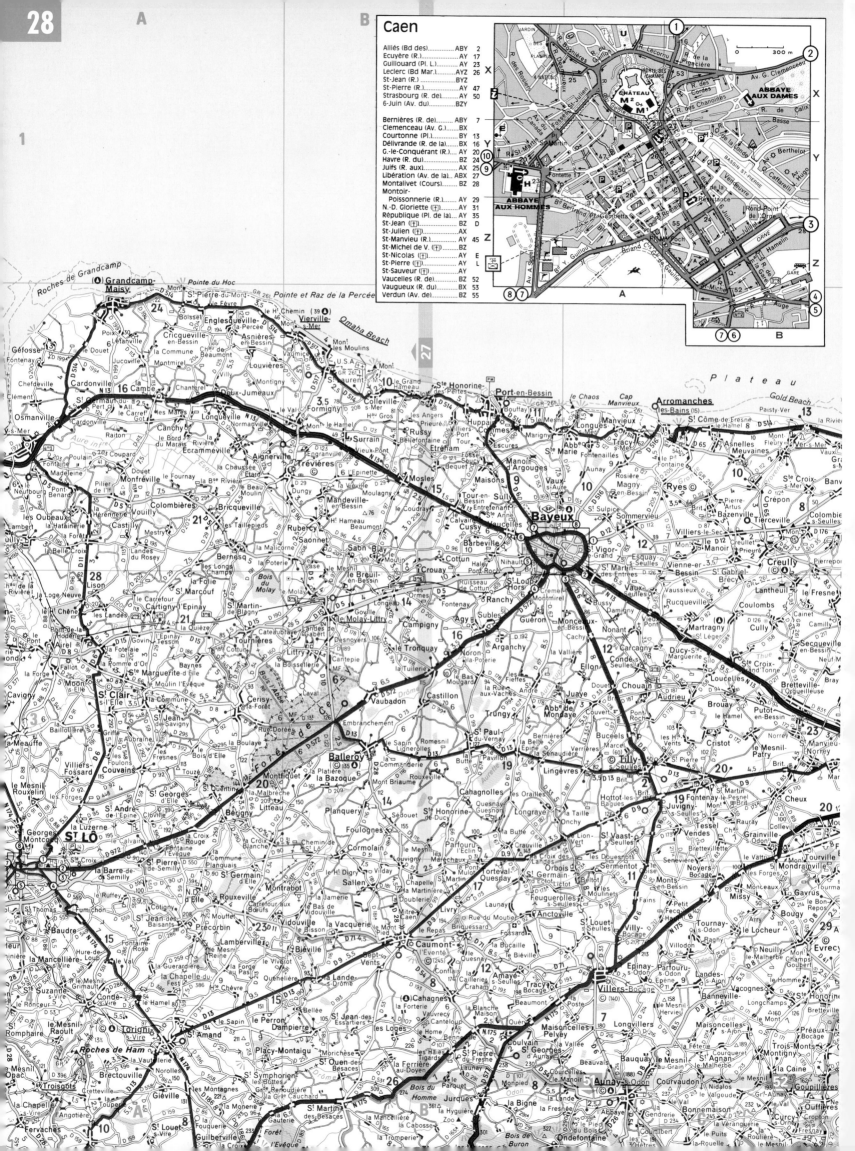

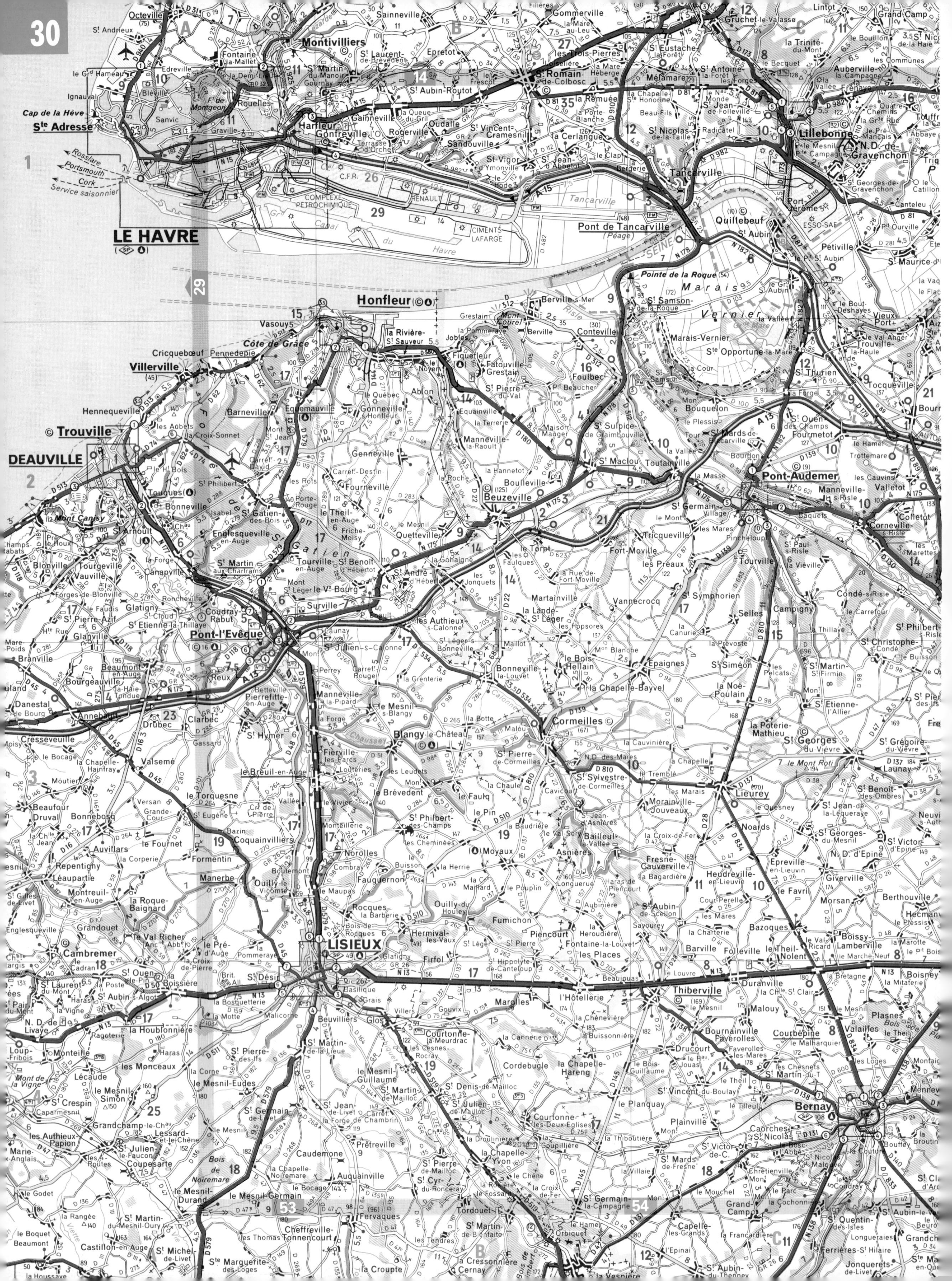

LE HAVRE
Cap de la Hève
Ste Adresse
Rosslare
Portsmouth
Cork — Service saisonnier

Montivilliers
Harfleur
Gonfreville
Honfleur
Côte de Grâce
Villerville
Trouville
DEAUVILLE
Mont Canisy
Pont-l'Evêque
Beaumont-en-Auge
Pont de Tancarville (Péage)
Quillebeuf
Lillebonne
N.D.-de-Gravenchon
Tancarville
Pointe de la Roque
Marais Vernier
Marais-Vernier
Beuzeville
Pont-Audemer
Cormeilles
Lieurey
LISIEUX
Cambremer
Blangy-le-Château
Bernay
Thiberville

SEINE

COMPLEXE PÉTROCHIMIQUE
RENAULT
CIMENTS LAFARGE
Canal du Havre

ROUEN

EVREUX

Elbeuf
Louviers
Barentin
Pavilly
Montville
Darnétal
Bourg-Achard
le Neubourg
Brionne
Bec-Hellouin
Beaumont-le-Roger
Caudebec-en-Caux
Duclair
Bourgtheroulde-Inf.
Sotteville
P.t Quevilly
G.d Quevilly
St Etienne-du-Rouvray
Pont-de-l'Arche
Val-de-Reuil
le Vaudreuil
Pont-Authou
Montfort-s-Risle
Routot
Le Gros Theil

FORÊT DE BROTONNE

PARC RÉGIONAL DE BROTONNE

Jumièges
St Wandrille
le Trait
Anneville-s-S
Ambourville
Maromme
Déville
Mont-St-Aignan
Bois-Guillaume
Bonsecours
Boos
Franqueville-St Pierre
Quévreville-la-Poterie
Acquigny
Léry
Vironvay
Pinterville
Amfreville-la-Campagne
St Pierre-du-Vauvray
Heudebouville

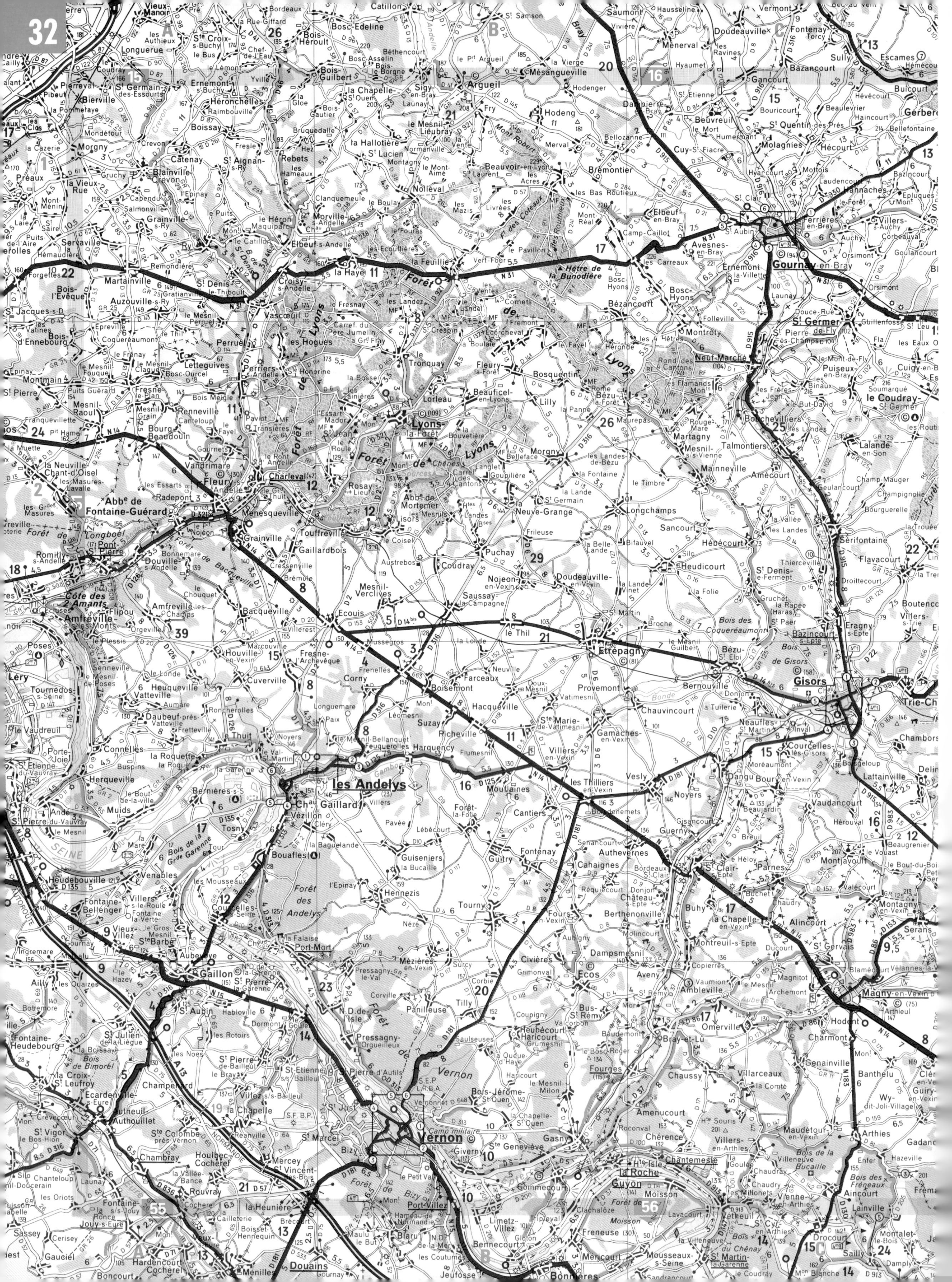

Les Andelys
Lyons-la-Forêt
Forêt de Lyons
Gisors
Vernon
Étrépagny
Gournay-en-Bray
Gaillon
Magny-en-Vexin
Fleury-s-Andelle
Charleval
Écouis
Argueil
St Germer-de-Fly
Neuf-Marché
Bézu-la-Forêt
Bosc-Edeline
Bosc-Guilbert
Blainville-Crevon
Vascœuil
Perriers-s-Andelle
Amfreville-s-les-Monts
Côte des 2 Amants
Abbe de Fontaine-Guérard
Pont-St Pierre
Romilly-s-Andelle
Bacqueville
Château Gaillard
Port-Mort
Tosny
Bouafles
Forêt des Andelys
Courcelles-s-Seine
Aubevoye
St Pierre-du-Vauvray
Muids
Hennezis
Tourny
Fourges
Écos
Giverny
Ste Geneviève
La Roche-Guyon
Chantemesle
Bonnières
St Martin-la-Garenne
Forêt de Bizy
Port-Villez
Douains
Pacy
Heudebouville
Fontaine-Heudebourg
Ecardenville-s-Eure
Chambray
Champenard
Pressagny-l'Orgueilleux
Forêt de Vernon
Dangu
Courcelles-les-Gisors
Trie-Château
Bazincourt-s-Epte
Sérifontaine
Le Coudray-St Germer
Talmontiers
Mainneville
Longchamps
Puchay
Coudray
Saussay-la-Campagne
Le Thil
Hacqueville
Vesly
Les Thilliers-en-Vexin
Guitry
Fontenay
Bray
Mont Robert
Hêtre de la Bunodière
SEINE
N 14
N 15
N 31
A 13
D 316
D 181
D 915
D 6
D 14bis

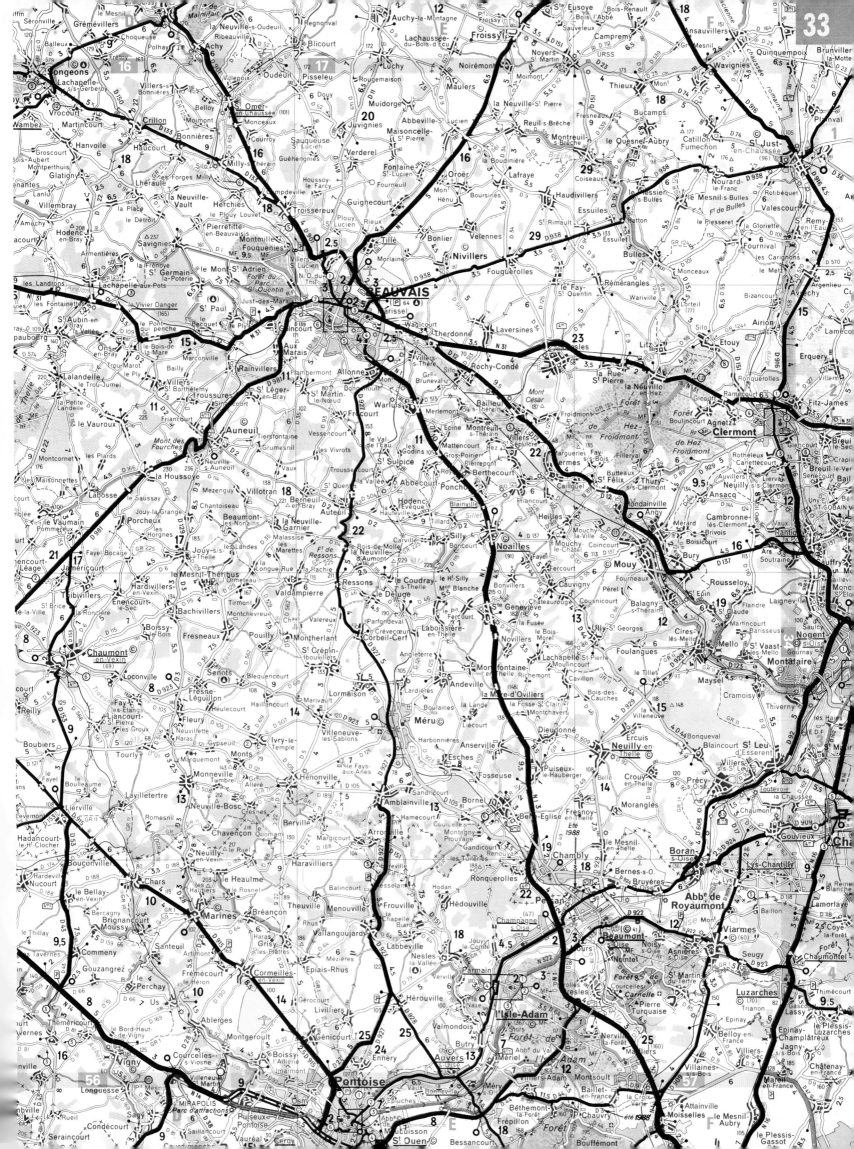

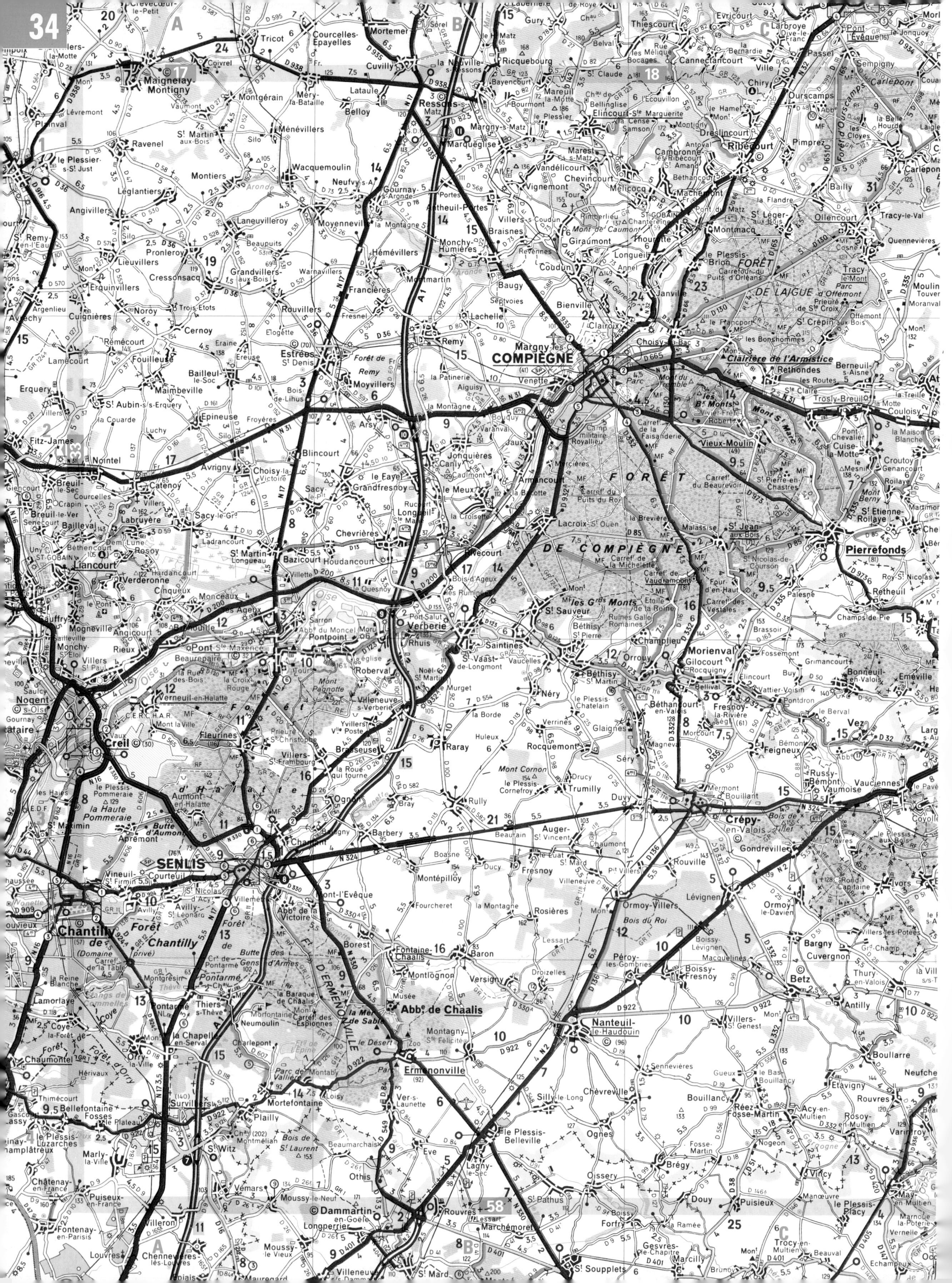

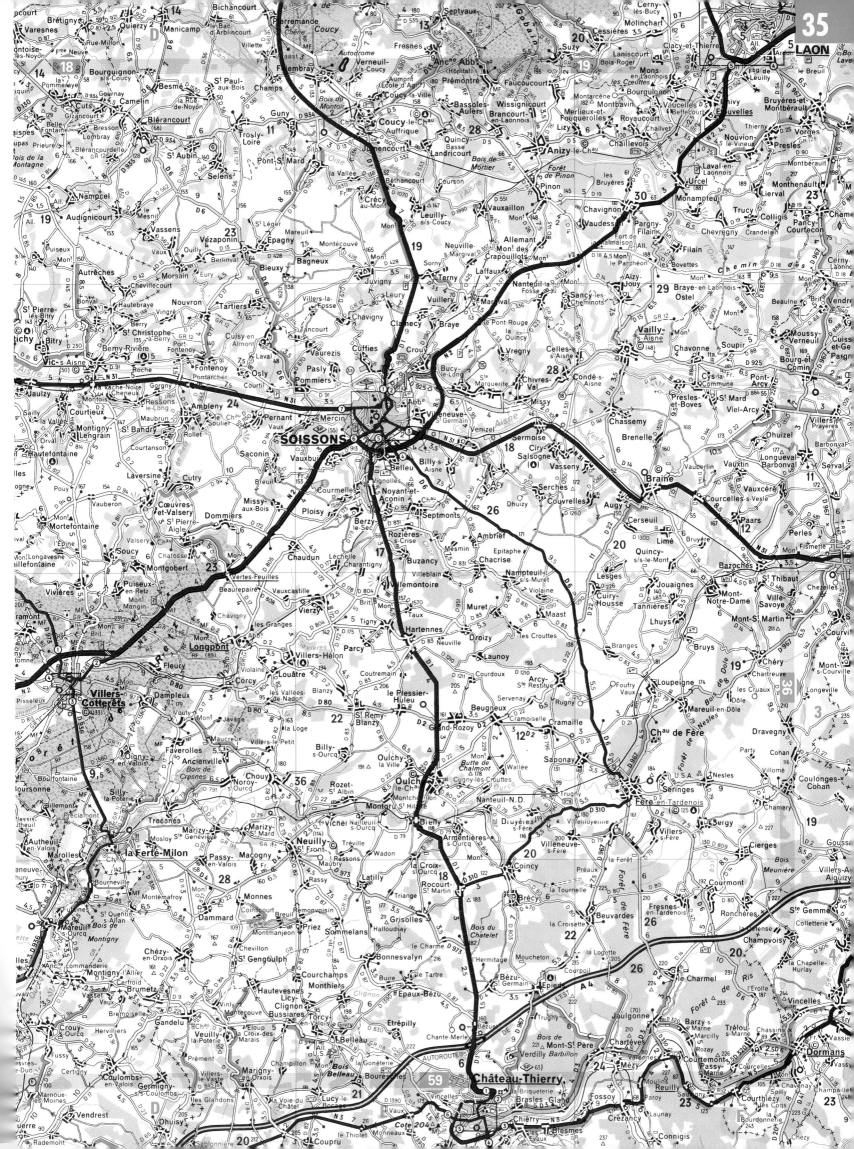

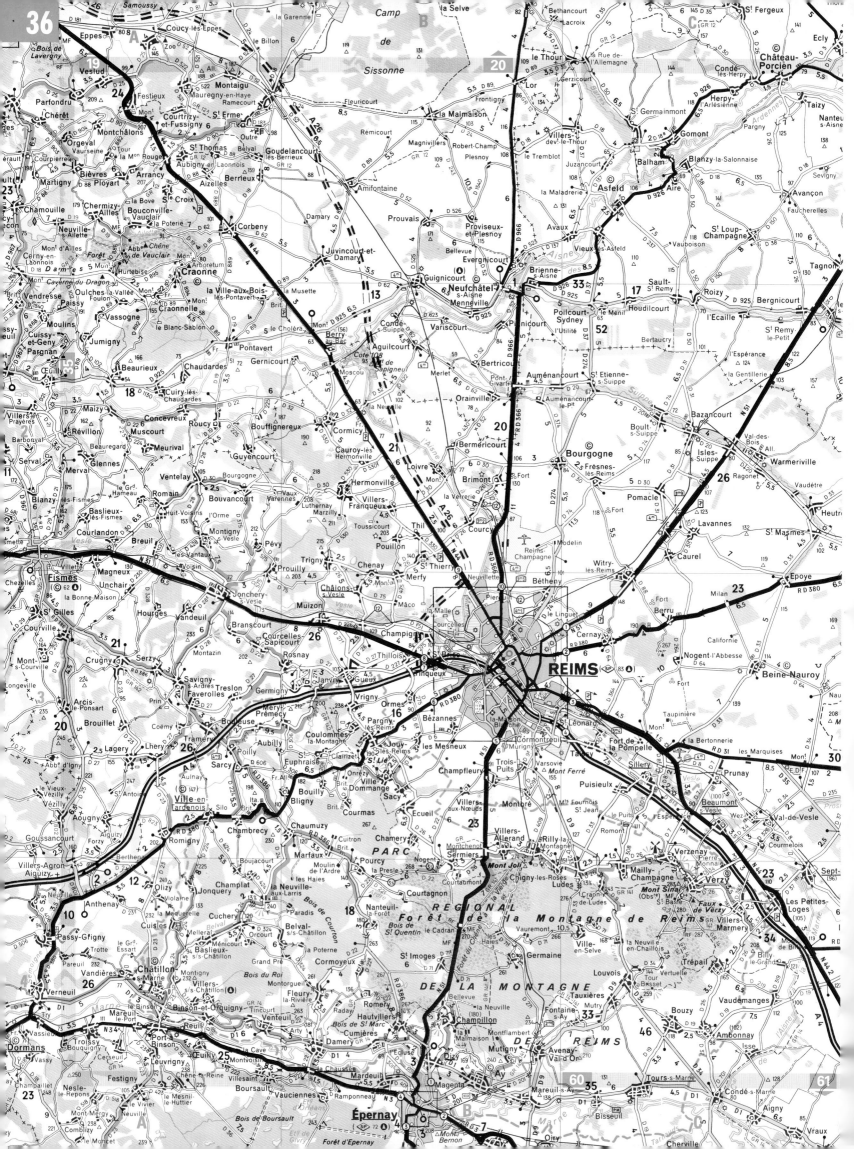

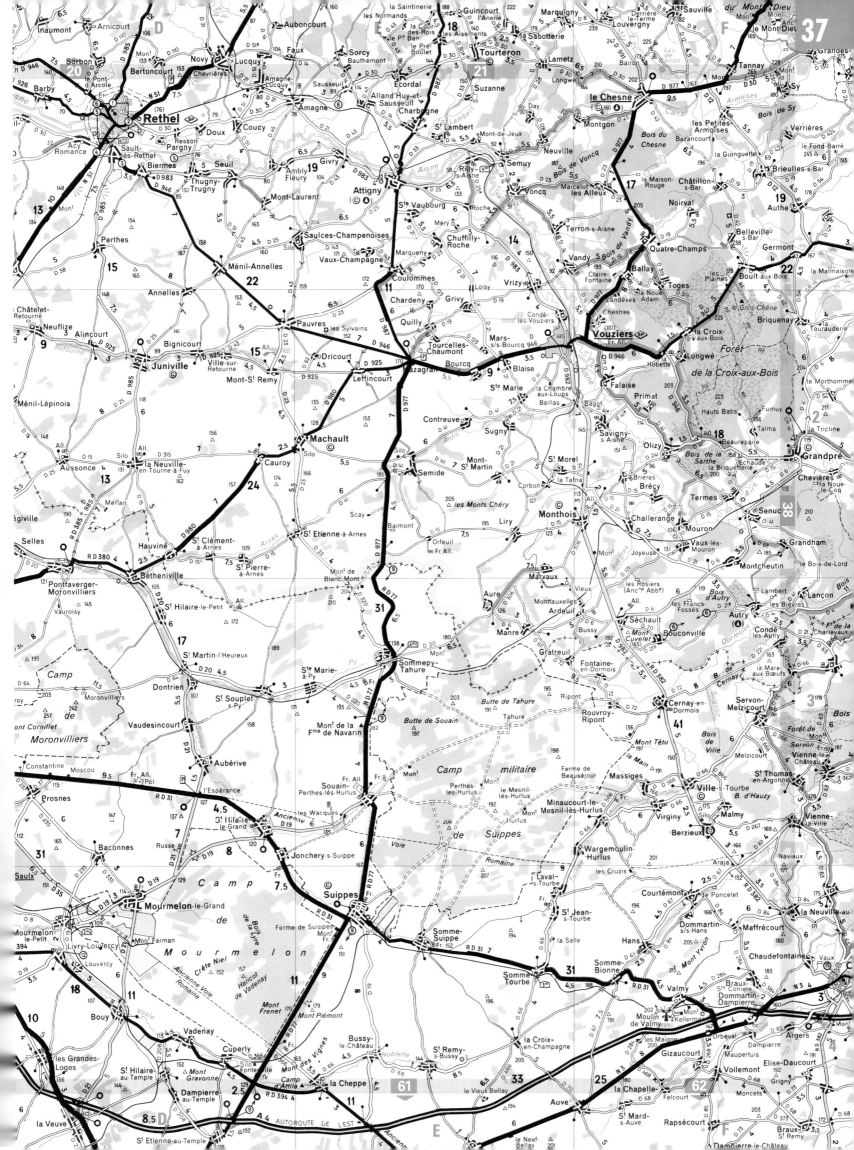

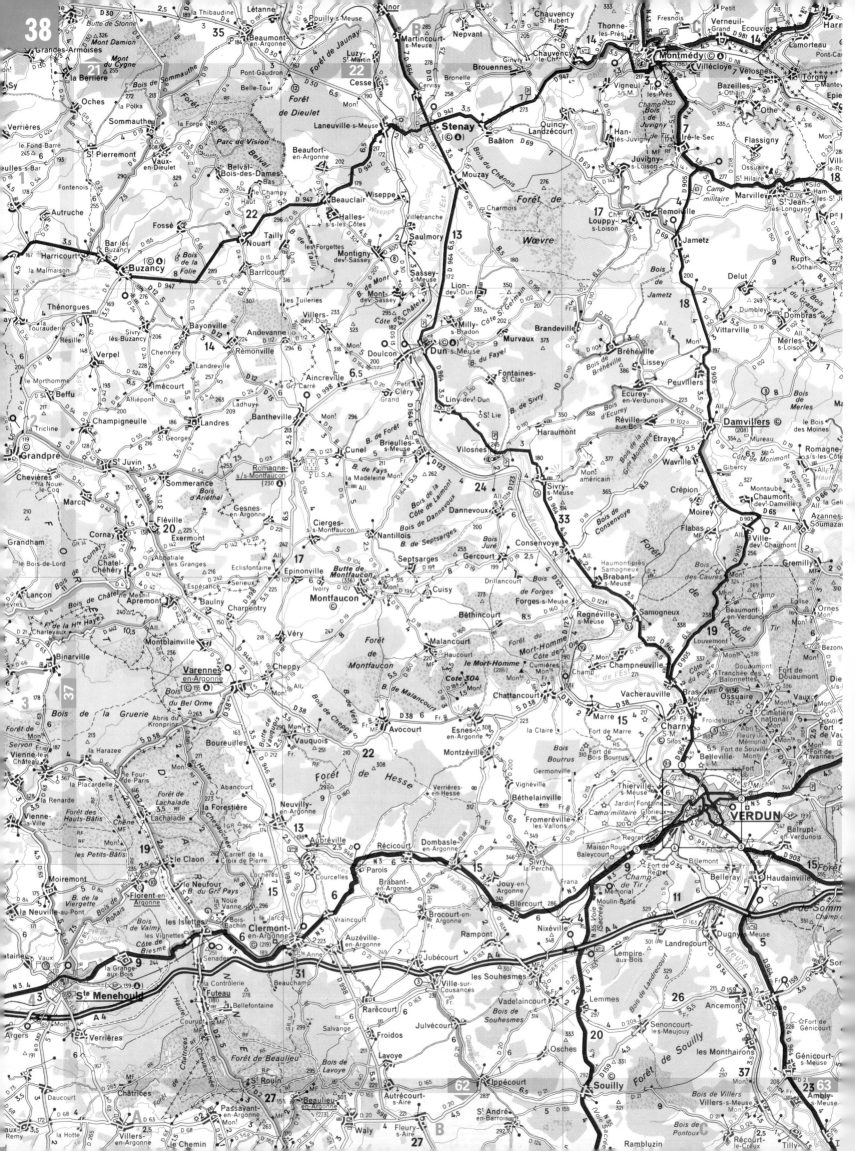

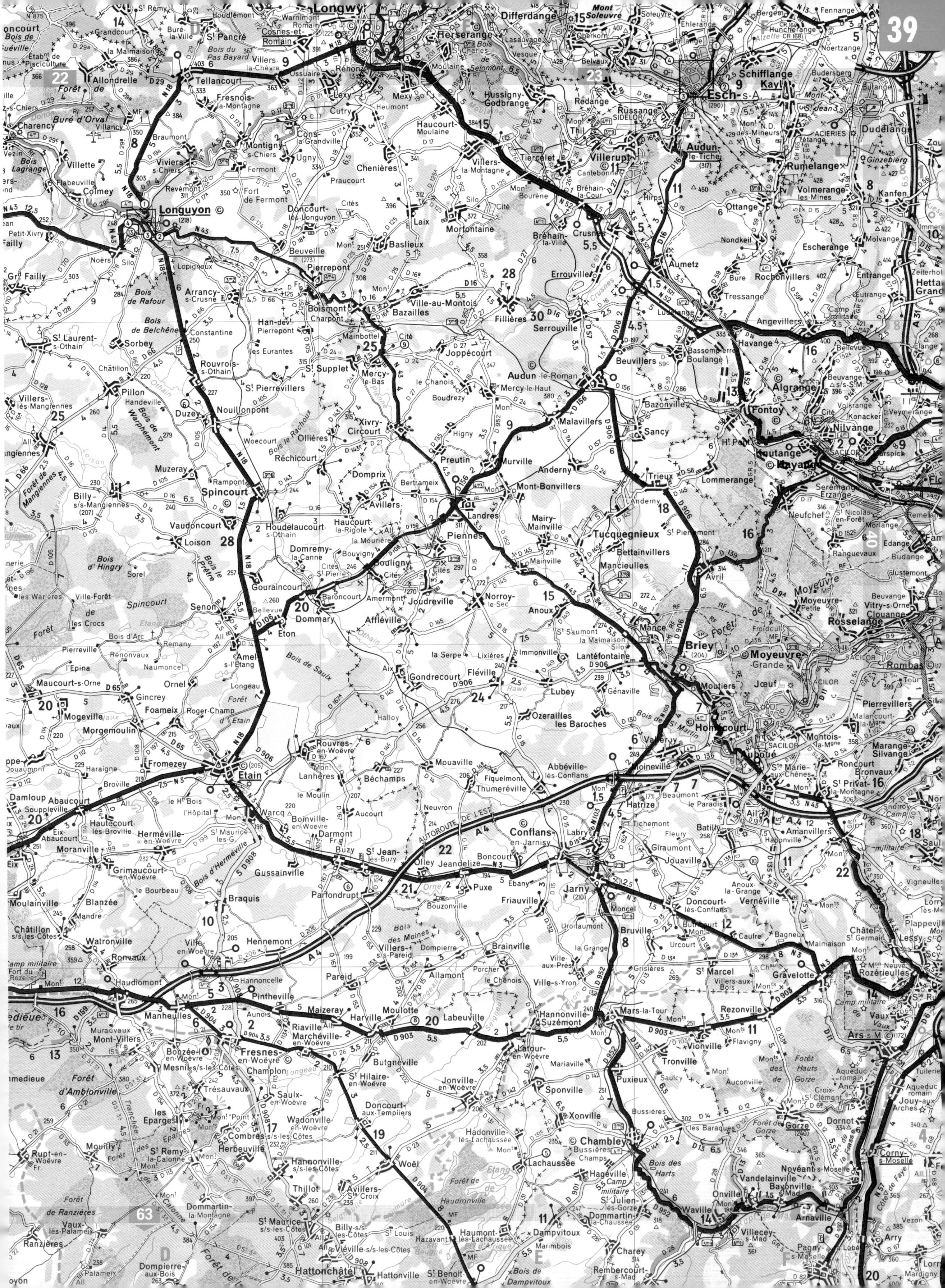
Longwy
Differdange
Mont Soleuvre
Esch-s-A
Schifflange
Kayl
Dudelange
Herserange
Cosnes-et-Romain
Tellancourt
Allondrelle
Charency
Villette
Colmey
Longuyon
Montigny-s-Chiers
Viviers-s-Chiers
Fermont
Fort de Fermont
Villers-la-Chèvre
Fresnois-la-Montagne
Réhon
Lexy
Mexy
Cutry
Cons-la-Grandville
Ugny
Haucourt-Moulaine
Hussigny-Godbrange
Villers-la-Montagne
Tiercelet
Villerupt
Audun-le-Tiche
Rumelange
Kanfen
Chenières
Praucourt
Doncourt-lès-Longuyon
Laix
Morfontaine
Bréhain-la-Ville
Crusnes
Aumetz
Ottange
Molvange
Escherange
Entrange
Nondkeil
Rochonvilliers
Tressange
Errouville
Beuveille
Pierrepont
Baslieux
Fillières
Bazailles
Ville-au-Montois
Boismont
Serrouville
Arrancy-s-Crusne
Bois de Rafour
Bois de Belchêne
Sorbey
St Laurent-s-Othain
Constantine
Rouvrois-s-Othain
St Pierrevillers
St Supplet
Mercy-le-Bas
Joppécourt
Audun-le-Roman
Mercy-le-Haut
Beuvillers
Bassompierre
Boulange
Angevillers
Havange
Algrange
Fontoy
Nilvange
Hayange
Knutange
Pillon
Villers-lès-Mangiennes
Duzey
Nouillonpont
Xivry-Circourt
Ollières
Réchicourt
Malavillers
Sancy
Higny
Preutin
Murville
Anderny
Mont-Bonvillers
Trieux
Lommerange
Neufchef
Muzeray
Spincourt
Billy-s/s-Mangiennes
Vaudoncourt
Loison
Houdelaucourt-s-Othain
Domprix
Avillers
Bertrameix
Landres
Piennes
Mairy-Mainville
Tucquegnieux
Bettainvillers
Mancieulles
Avril
Domremy-la-Canne
Bouligny
Gouraincourt
Baroncourt
Dommary
Amermont
Joudreville
Norroy-le-Sec
Anoux
Mance
Briey
Moyeuvre-Grande
Rosselange
Vitry-s-Orne
Clouange
Rombas
Senon
Eton
Affléville
Amel-s-l'Étang
Ornel
Bois de Saulx
Lixières
Immonville
Lantéfontaine
Gondrecourt
Fléville
Lubey
Génaville
Moutiers
Homécourt
Jœuf
Maucourt-s-Orne
Mogeville
Gincrey
Foameix
Morgemoulin
Rouvres-en-Woëvre
Ozerailles
Les Baroches
Valleroy
Auboué
Fromezey
Étain
Mouaville
Abbéville-lès-Conflans
Béchamps
Lanhères
Fiquelmont
Thumeréville
Moineville
Hatrize
Ste Marie-aux-Chênes
St Privat-la-Montagne
Roncourt
Bronvaux
Marange-Silvange
Damloup
Abaucourt
Warcq
Boinville-en-Woëvre
Aucourt
Conflans-en-Jarnisy
Labry
Beaumont
Jouaville
Batilly
Amanvillers
Hautecourt-lès-Broville
Herméville-en-Woëvre
Moranville
Grimaucourt-en-Woëvre
Darmont
Buzy
St Jean-lès-Buzy
Olley
Jeandelize
Boncourt
Jarny
Giraumont
Habonville
Gussainville
Parfondrupt
Puxe
Friauville
Doncourt-lès-Conflans
Vernéville
Blanzée
Braquis
Moulainville
Châtillon-s/s-les-Côtes
Watronville
Ronvaux
Villers-en-Woëvre
Hennemont
Villers-s/s-Pareid
Dompierre
Brainville
Bruville
St Marcel
Gravelotte
Rozérieulles
Châtel-St Germain
Lessy
Haudiomont
Pintheville
Pareid
Allamont
Ville-s-Yron
Manheulles
Maizeray
Harville
Moulotte
Labeuville
Hannonville-Suzémont
Mars-la-Tour
Rezonville
Vionville
Flavigny
Ars-s-M
Vaux
Fresnes-en-Woëvre
Champlon
Riaville
Marchéville-en-Woëvre
Latour-en-Woëvre
Mariaville
Tronville
Puxieux
Saulcy
Auconville
Bonzée
Mont-Villers
Mesnil-s/s-les-Côtes
Tresauvaux
St Hilaire-en-Woëvre
Butgnéville
Saulx-en-Woëvre
Jonville-en-Woëvre
Sponville
Xonville
Les Éparges
St Remy-la-Calonne
Combres-s/s-les-Côtes
Herbeuville
Wadonville-en-Woëvre
Doncourt-aux-Templiers
Hadonville-lès-Lachaussée
Chambley-Bussières
Les Baraques
Gorze
Ancy-s-M
Jouy-aux-Arches
Dornot
Corny-s-Moselle
Novéant-s-Moselle
Mouilly
Rupt-en-Woëvre
Hannonville-s/s-les-Côtes
Thillot
Woël
Lachaussée
Hagéville
St Julien-lès-Gorze
Dommartin-la-Chaussée
Vandelainville
Bayonville-s-Mad
Onville
Waville
Arnaville
Dommartin-la-Montagne
St Maurice-s/s-les-Côtes
Billy-s/s-les-Côtes
Viéville-s/s-les-Côtes
Haumont-lès-Lachaussée
Dampvitoux
Charey
Rembercourt-s-Mad
Villecey-s-Mad
Pagny-s-Moselle
Arry
Vaux-lès-Palameix
Ranzières
Dompierre-aux-Bois
Hattonchâtel
Hattonville
St Benoît-en-Woëvre
Forêt de Ranzières
Forêt d'Amblonville
Bois des Harts
Forêt des Hauts de Gorze
Autoroute de l'Est
22
23
63
64
40

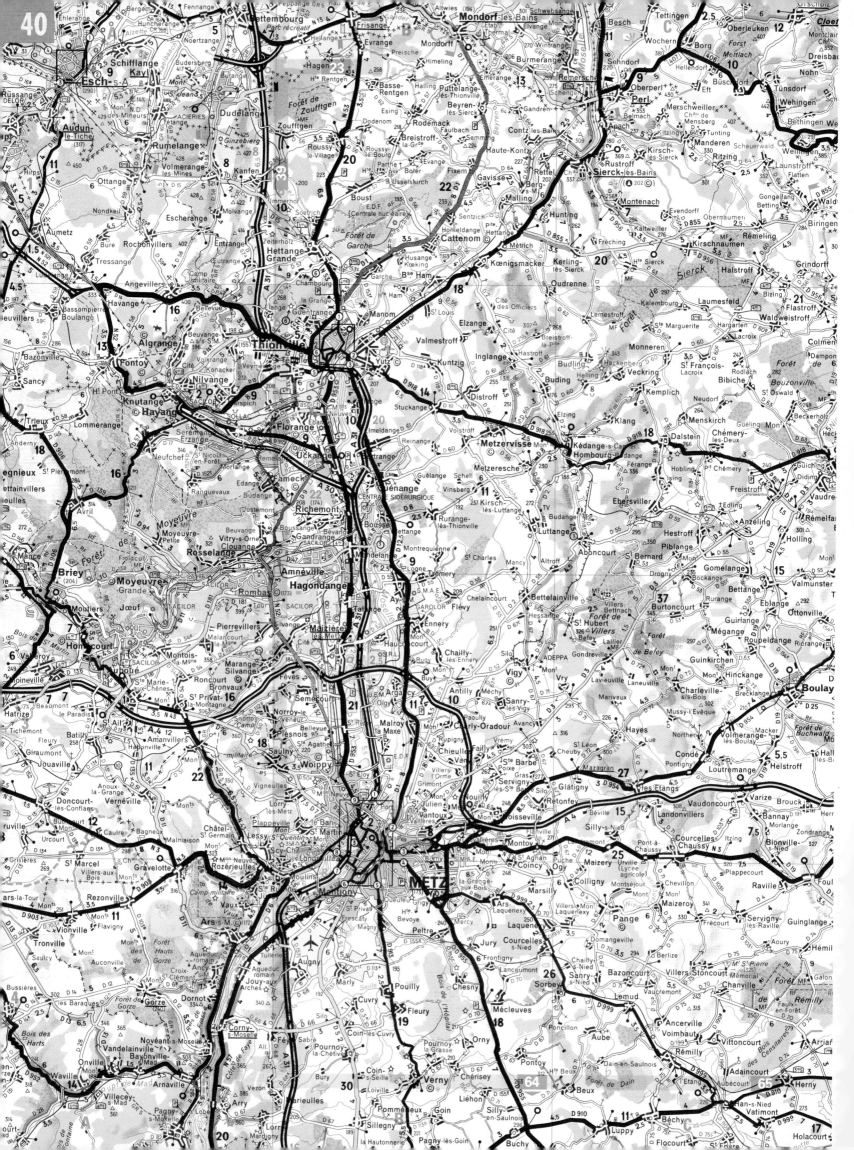

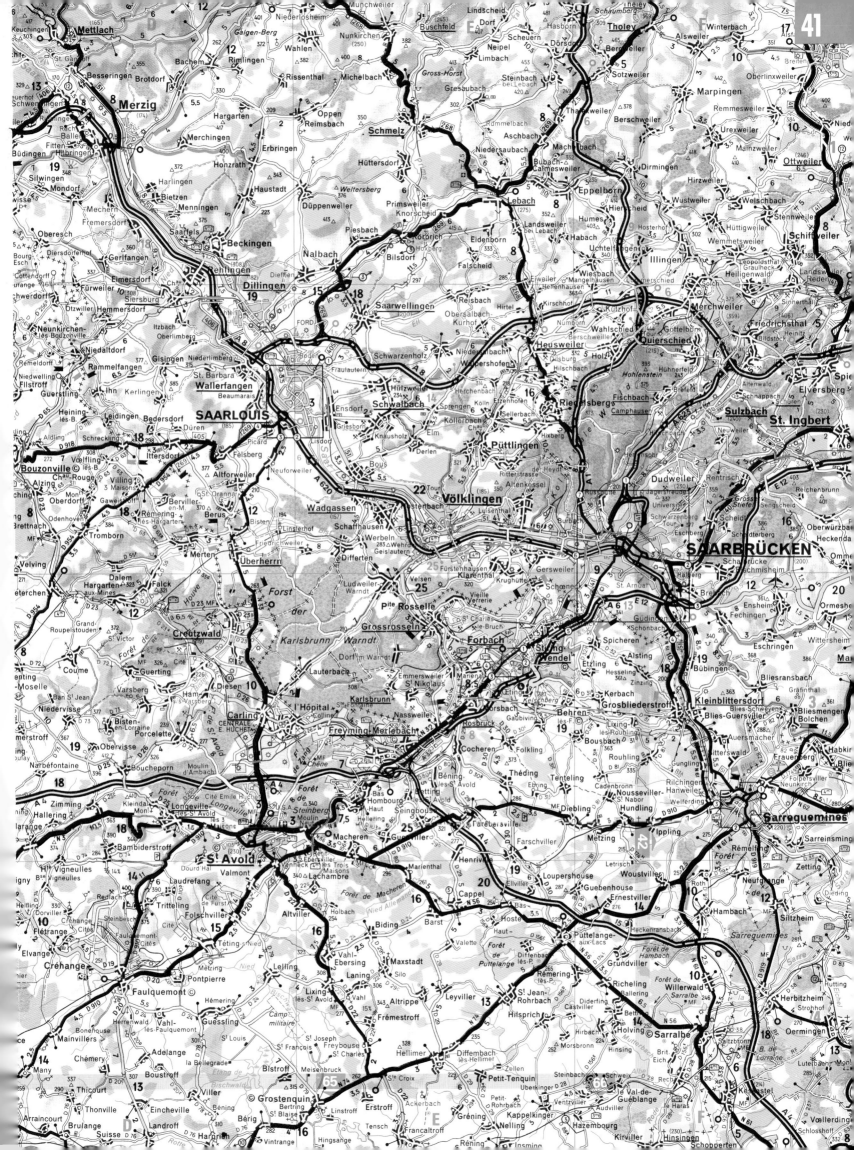

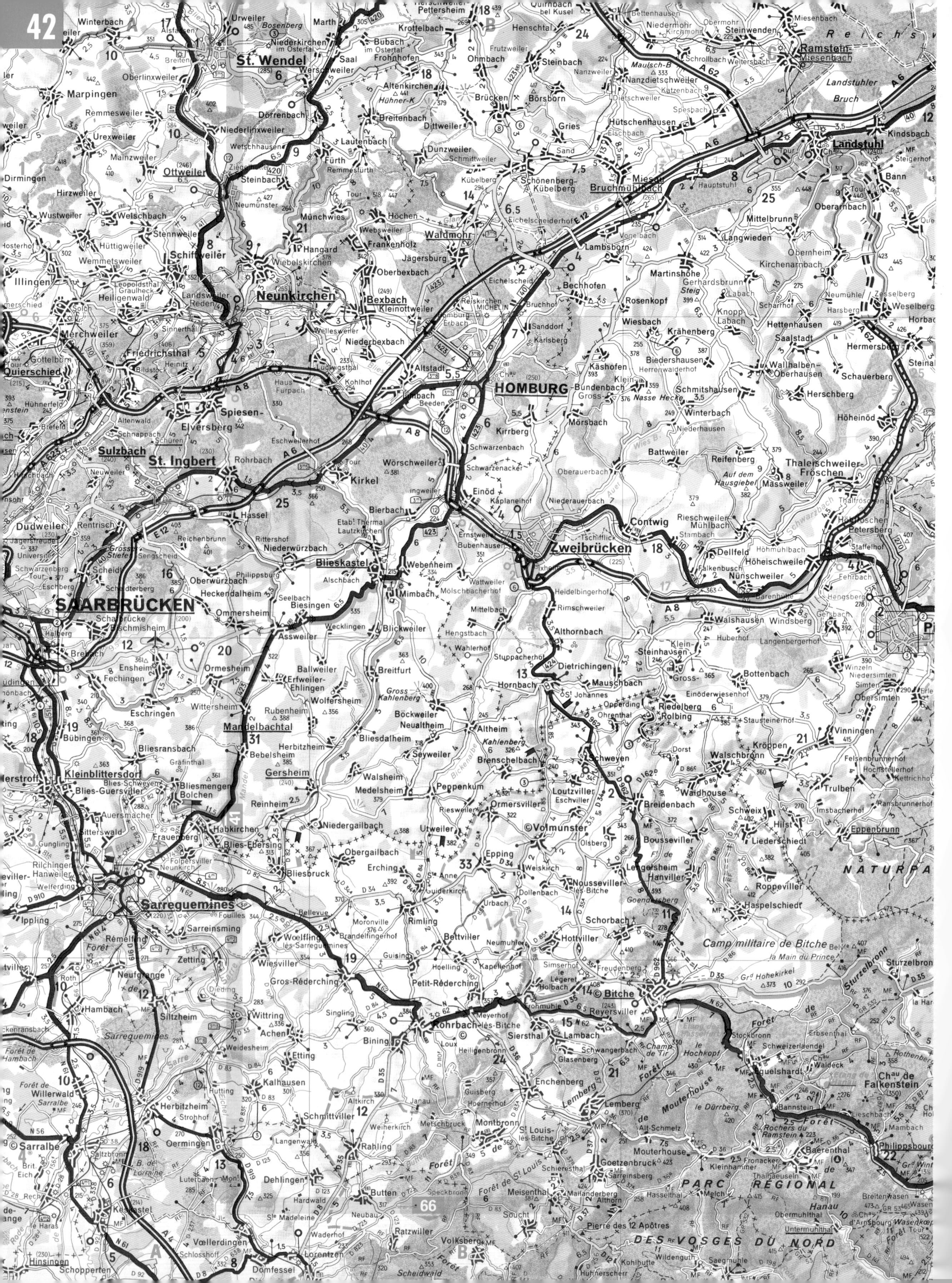

St. Wendel
Ramstein-Miesenbach
Landstuhl
Landstuhler Bruch
Reichswald
Marpingen
Ottweiler
Neunkirchen
Bexbach
Waldmohr
Schönenberg-Kübelberg
Bruchmühlbach-Miesau
HOMBURG
Merchweiler
Friedrichsthal
Quierschied
Spiesen-Elversberg
Sulzbach
St. Ingbert
Kirkel
Blieskastel
Zweibrücken
Contwig
Thaleischweiler-Fröschen
SAARBRÜCKEN
Dudweiler
Kleinblittersdorf
Mandelbachtal
Gersheim
Hornbach
Sarreguemines
Bitche
Rohrbach-lès-Bitche
Sarralbe
Camp militaire de Bitche
Eppenbrunn
NATURPA
PARC RÉGIONAL DES VOSGES DU NORD
Forêt de St Louis
Pierre des 12 Apôtres
Philippsbourg
Ch^au de Falkenstein
Mouterhouse
Goetzenbruck
Lemberg
Enchenberg
Siersthal
Lambach
Volmunster
Breidenbach
Schorbach
Hottviller
Bettviller
Rimling
Woelfling-lès-Sarreguemines
Wiesviller
Gros-Réderching
Petit-Réderching
Kalhausen
Herbitzheim
Oermingen
Keskastel
Hambach
Sarreguemines
Puttelange
A 6
A 8
A 62
A 4
E 12
N 61
N 62
66

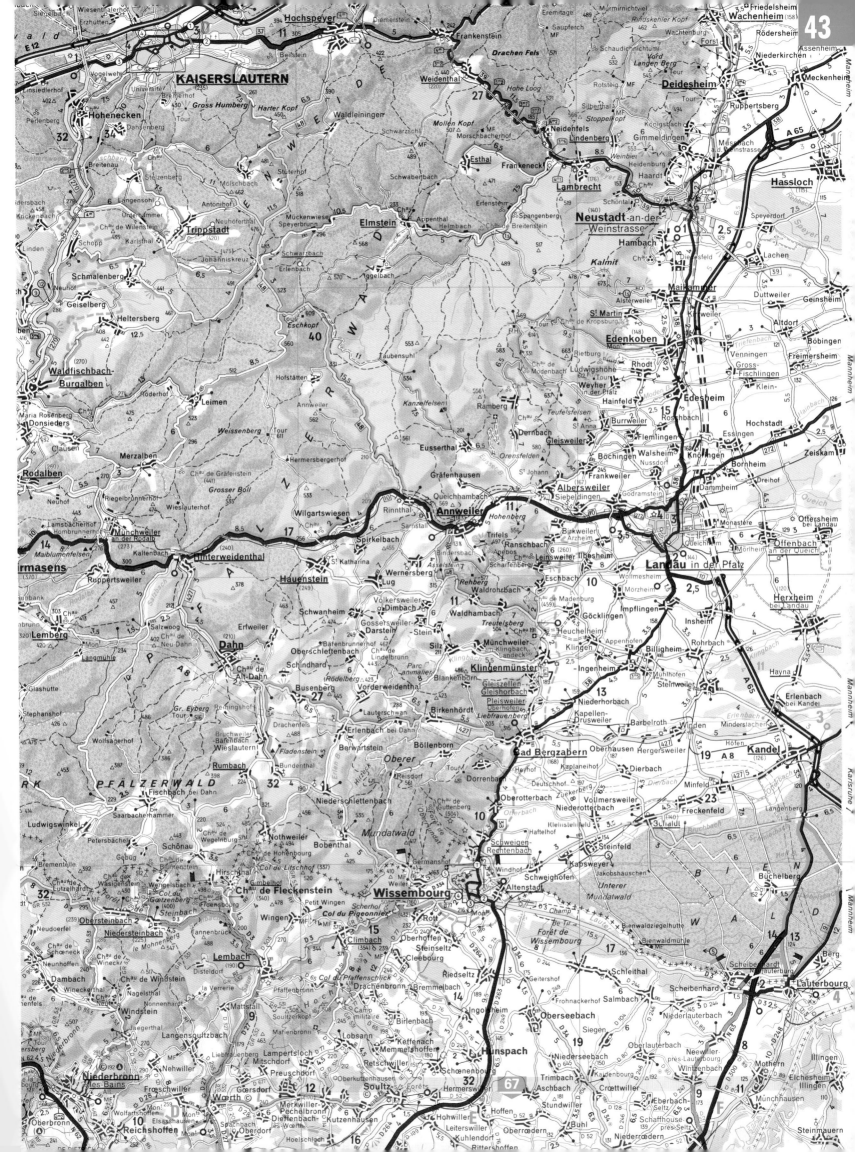

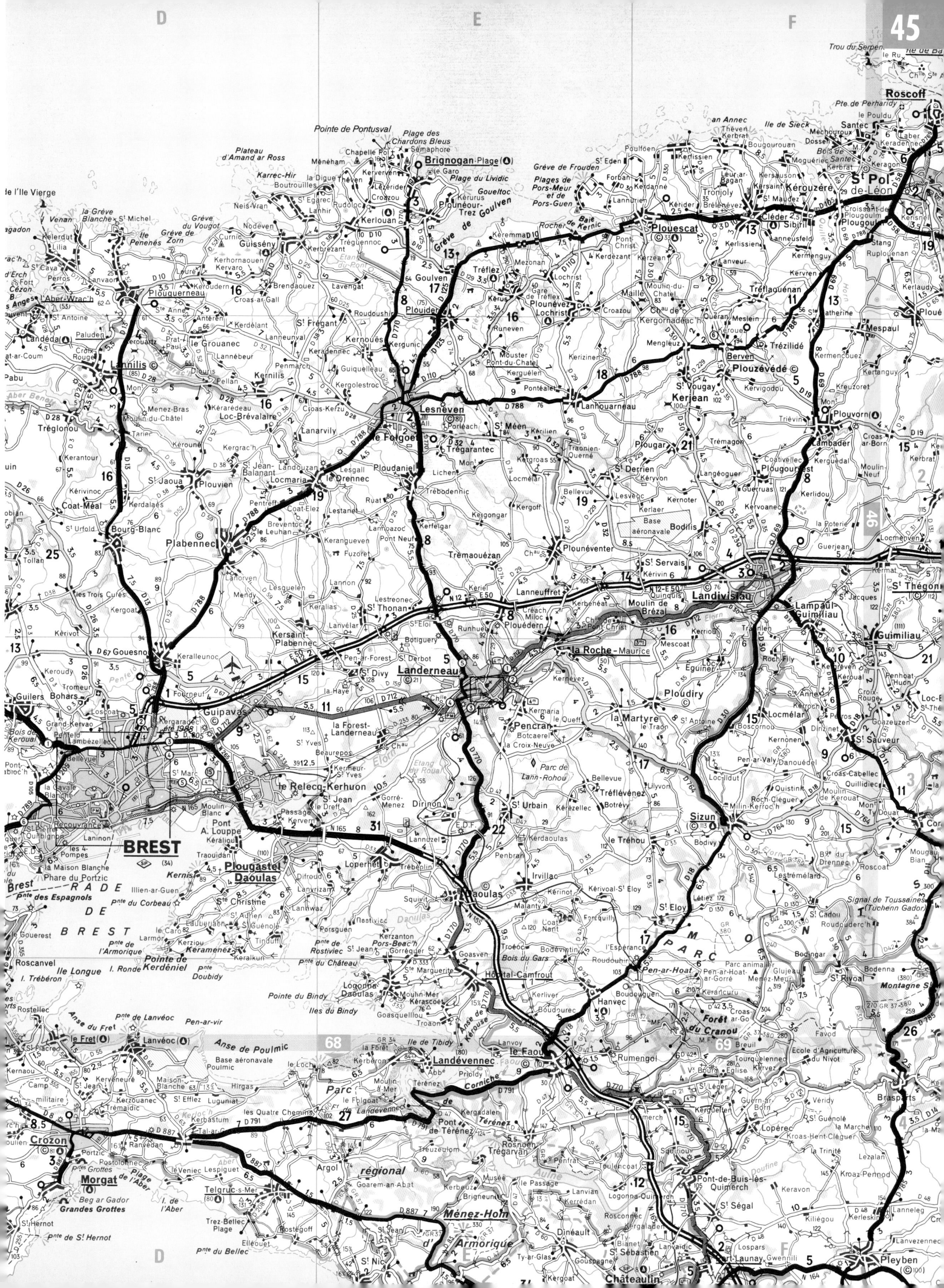

Roscoff

St Pol de-Léon

Brignogan-Plage

Plouescat

Plougoulm

Plouvorn

Cléder

Sibiril

Tréflez

Goulven

Plouider

Plounévez-Lochrist

Plouzévédé

Kerlouan

Guissény

Plouguerneau

Lannilis

Tréglonou

Landéda

l'Aber-Wrac'h

Lesneven

Le Folgoët

Ploudaniel

Le Drennec

Plouvien

Bourg-Blanc

Plabennec

Gouesnou

Coat-Méal

Guilers

Bohars

Guipavas

BREST

Recouvrance

Le Relecq-Kerhuon

Plougastel-Daoulas

La Forest-Landerneau

Pencran

Landerneau

La Roche-Maurice

Landivisiau

Lampaul-Guimiliau

Guimiliau

Ploudiry

La Martyre

St Servais

Plounéventer

Sizun

St Sauveur

St Eloy

Irvillac

Daoulas

St Urbain

Hôpital-Camfrout

Hanvec

Forêt du Cranou

Rumengol

Le Faou

Landévennec

Lanvéoc

Le Fret

Crozon

Morgat

Telgruc-s-Mer

Argol

Ménez-Hom

Châteaulin

Pleyben

Pont-de-Buis-lès-Quimerch

St Ségal

Brasparts

Rade de Brest

Parc régional d'Armorique

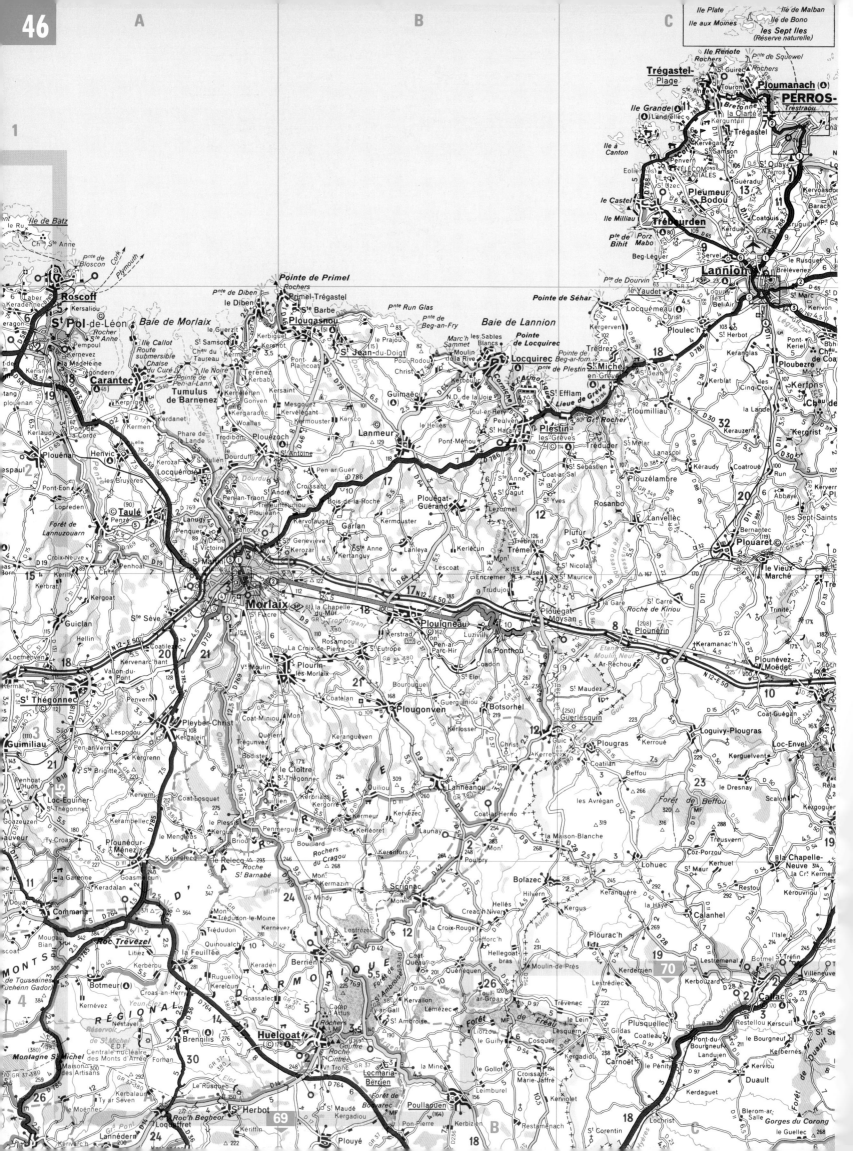

Pointe du Château
le Gouffre
Pors-Hir
Iles d'Er
Créac'h Maout Mon
Quebo
Lanéros
Ile Maudez
Phare du Paon

le Four Ile St Gildas Ile Illiec Ile Loaven Larmor Pleubian Larmor Rosédo Ile de Bréhat (52)

Ile Tomé Port-Blanc Plougrescant Govermel Plage Kergrec'h l'Ile à la Poule St Antoine Lanmodez Pors-Guyon Sémaphore la Corderie St Michel le Bourg

GUIREC le Royau Kériec Trestel Bugüeles Quatre-Vents S! Gonéry la Roche Jaune Bellevue Kerbors Launay Pommelin Kerdaliec Phare de la Croix Ile à Bois Ile Béniguet Logodec Grève du Guerzido

Pointe de l'Arcouest

Trévou-Tréguignec St Guénolé Penvénan Keralio Kermouster Loguivy-de-la-Mer Kerroc'h Arcouest Launay Perros-Hamon St Quay-Portrieux

Mabilies Ker-Ham St Nicolas Camlez Plouguiel le Bot Kermenguy St Adrien le Bodic le Guiler Perros-Even Kerroc'h Paimpol I. Lemenez Mez de Goëlo

Kermaria-Sulard Coatalou Trézény Coatréven Lochrist Kerguyomard Tréguier Trédarzec la Croix-Neuve Lézardrieux Ecole de Trieux Pludañiel Plounez Paimpol Kérity Abbé de Beauport Pointe de Bilfot

la Ville Blanche Lanmérin Pont-Losquet Langoat Minihy Anne Pouldouran Pors-Leo'h Lancerf Penvern St Barbe Pors-Lazo l'Armorizel Pointe de Minard

Rospez la Roche-Derrien Quemperven Chef-du-Bois Hengoat Boloi Plourivo Bourg-Blanc Vieux-Bourg St Riom le Questel Pors Pin

Kéruel Lanvézéac le Cosquer Pommerit-Jaudy la Roche-Jagu Kergorlay Kerléau Kerfot Barafot Leir-an-lan Plouézec St Paul le Taureau Bréhec-en-Plouha Pointe de la Tour

Caouënnec Confort Mantallot Berhet N.D. de Confort Ploézal Brantel Penhoat St Jean Kermaria Yvias Danot Mon St Loup Petit Lanloup Plage Bonaparte Port-Moguer

Tonquédec Cavan Kerrot Penran Runan Pontrieux Quemper-Guézennec la Trinité Tumulus Mon Pléhédel Kermaria Trévos la Trinité Pointe de Plouha

Kernaléguen Bargérou St Idunet Trécelan Belle-Eglise Kervic Bothoa Temple Lanleff le Faouët St Jacques Pléhédel Kergresquen St Laurent Plouha Port-Goret Ile Harbour

St Eloi Bégard Landebaëron Kerprovost Clérin St Clet Kervizer le Cabaret Kerlivan Kérognan Tréméven Lannebert Pludual St Yves Trévéneuc Pointe du Bec de Vir

Louargat Guénézan Squiffiec Kermoroc'h St Gilles-les-Bois Kerhon Gommenec'h Croix-Kérizel Lanvollon Pléguien Froideville Pointe de St Quay St Quay-Portrieux

Menez-Bré St Effiam St Hervé Maudez Kermarc Tréonneau Folgoat le Restmeur Pommerit-le-Vicomte la Cr. Blanche Nonen Coat-Aroa Kerbellec Beaugouyen le Bois-de-la-Salle N.D.-de-l'Espérance Sables-s-Mer les Godelins

Manaty Gollot Plouisy Kerhré Pabu Kerlan St Yves Goudelin Tressignaux Carroual le Roha Plourhan St Roch Lantic Binic

Tréglamus Kernilien St Jean Graces St Agathon le Merzer la Grandville Bringolo St Quay N.D.-de-la-Cour Tréguidel les Courtillons Zoo la Corderie St Marguerite Pordic

Belle-Isle-en-Terre Pen-an-Stang Guern-Hervé Guingamp Malaunay St Jean-Kerdaniel St Guignan Tréméloir le Vaudic la Ville Louais St Eloi

Guernalin Keridret Ploumagoar l'Autremen Mon Locmaria Plélo Châtelaudren St Blaise St Nicolas St Mathurin le Forville la Toise Trégomeur la Perrine Tournemine

9 Forêt de Coat-an-Hay Danouët Kerviou St Hernin Ste Brigitte Kerguillerm Plouagat Fontaine Aurain Plouvara Plérin Ploufragan St Brieuc

Mousteru Coadout Largoat Bois de Kerauffret Groas Prigent Resmarec Kerstern Senin Quinquis Seignaux Plouvara Trémuson Plérin

Plougonver Kergaër Kerambellec Dourlan Bois de Coat-Liou St Adrien Bois d'Avaugour la Croix des Maisons St Nicolas Pont-Noir le Vau-Martin St Donan les Châtelets

Coat-Forn St Roch Avaugour Boquého Senven le Rumain Kerpery Ste Anne-du-Houlin Croas-Tasset

Pont-Melvez Guerduel Logoray Bourbriac Roscaradec Ville-Neuve N.D. de Restudo Kervery Bois Meur la Ville-Blanche Cohiniac Quintin Plaintel

Coscaraès Péstivien St Houarneau Tumulus Toul-an-Gollet St Fiacre Crech-Metern Beaumanoir le Gd Chesnay Malakoff

Bulat-Pestivien Kerbalen Plésidy la Gare Kerhenry Coldegroëg le Foël Robien Quintin

Maël-Pestivien St Isidore Cosquer-Jehan le Helloch Senven-Léhart St Connan Coldabry St Gildas le Leslay St Eutrope St Brandan

70 71

Magoar Keranquéré Coldevennec Quélen le Vieux-Bourg St Bihy le Plessis la Hutte

St Nicodème Coat-Maël Kersimon Kermorvan Kerpert St Gilles-Pligeaux la Clarté le Cotier Cime de Kerchouan

45 Peumerit-Quintin le Guiaudet Kergrist-Lan St Gildas-Pligeaux 23 12 E

Trémargat Lanrivain Ste Anna Loguéltas Ker-Anna St Damant Caradeuc le Coudray

Gouët Oust

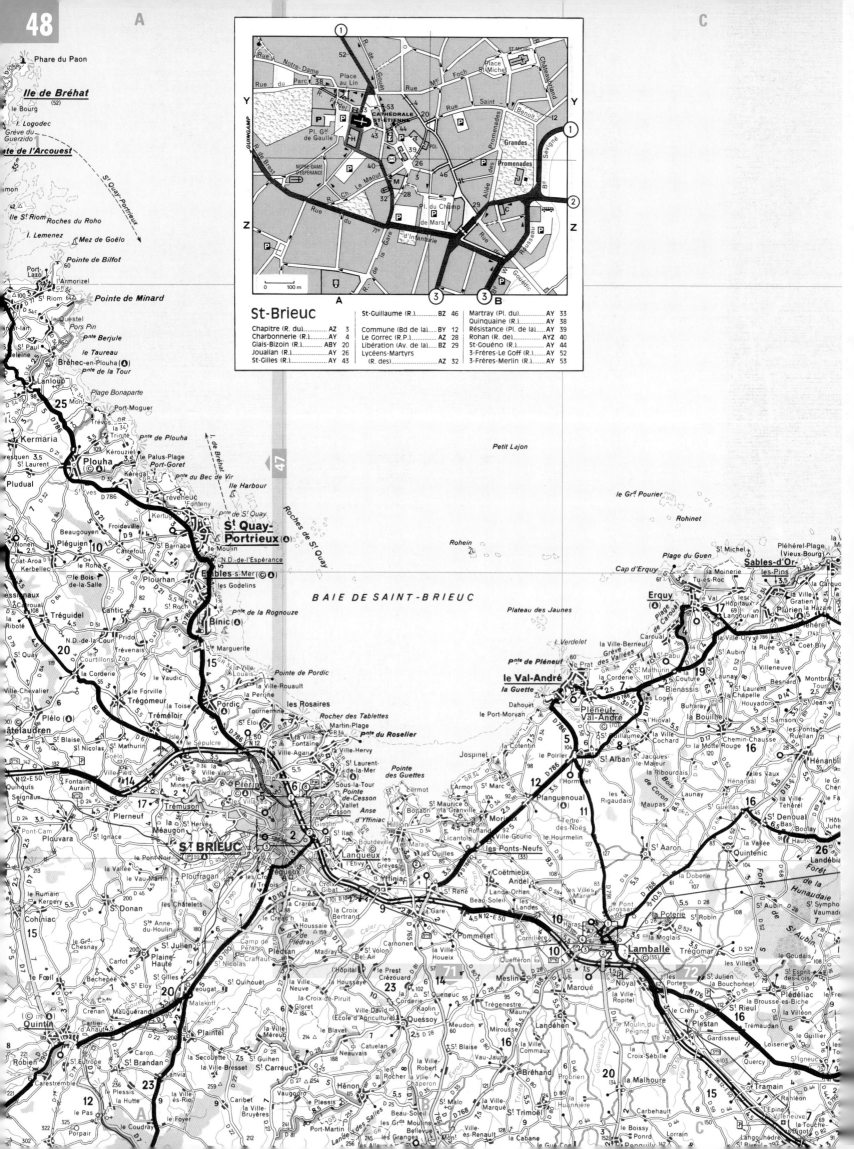

St-Brieuc

Chapitre (R. du) .... AZ 3	St-Guillaume (R.) .... BZ 46	Martray (Pl. du) .... AY 33
Charbonnerie (R.) .... AY 4	Commune (Bd de la) ..... BY 12	Quinquaine (R.) .... AY 38
Glais-Bizoin (R.) ...... ABY 20	Le Gorrec (R.P.) .... AZ 28	Résistance (Pl. de la) ...... AY 39
Joualan (R.) .... AY 26	Libération (Av. de la) ..... BZ 29	Rohan (R. de) .... AYZ 40
St-Gilles (R.) .... AY 43	Lycéens-Martyrs	St-Gouéno (R.) .... AY 44
	(R. des) .... AZ 32	3-Frères-Le Goff (R.) ...... AY 52
		3-Frères-Merlin (R.) ...... AY 53

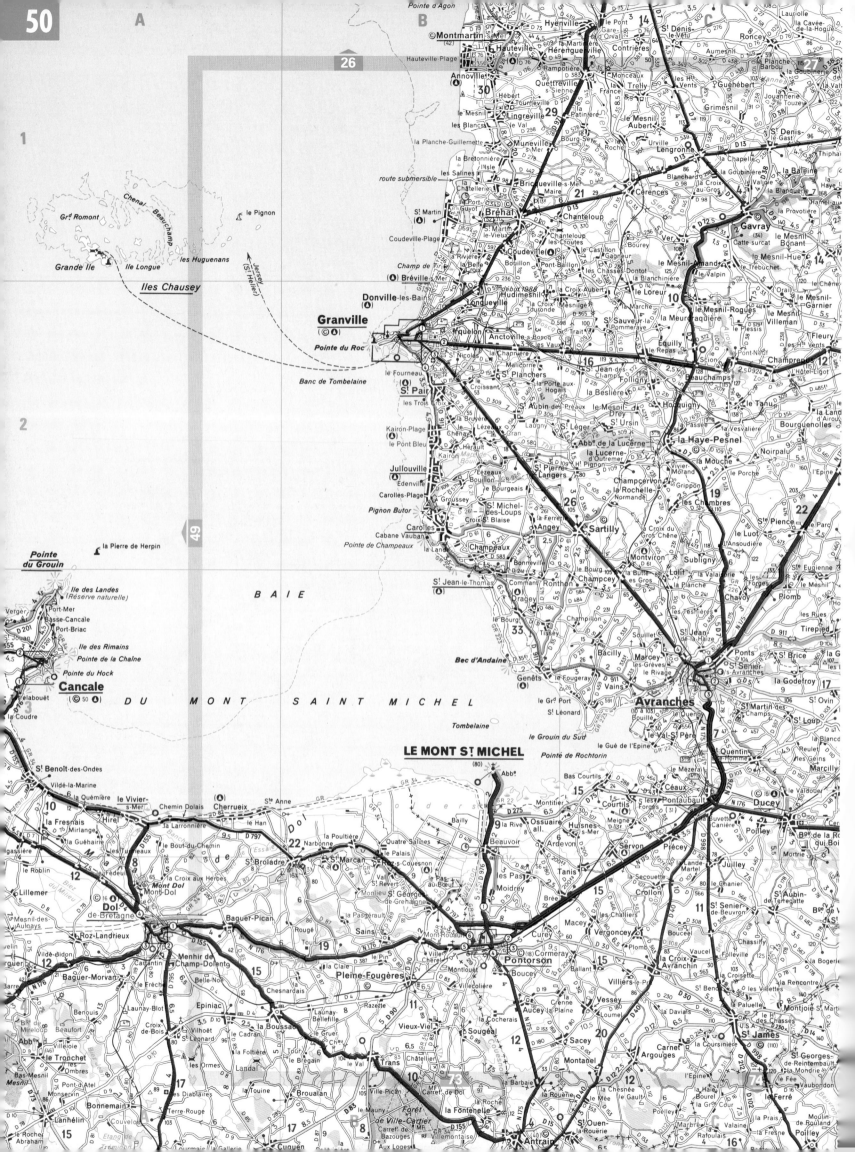

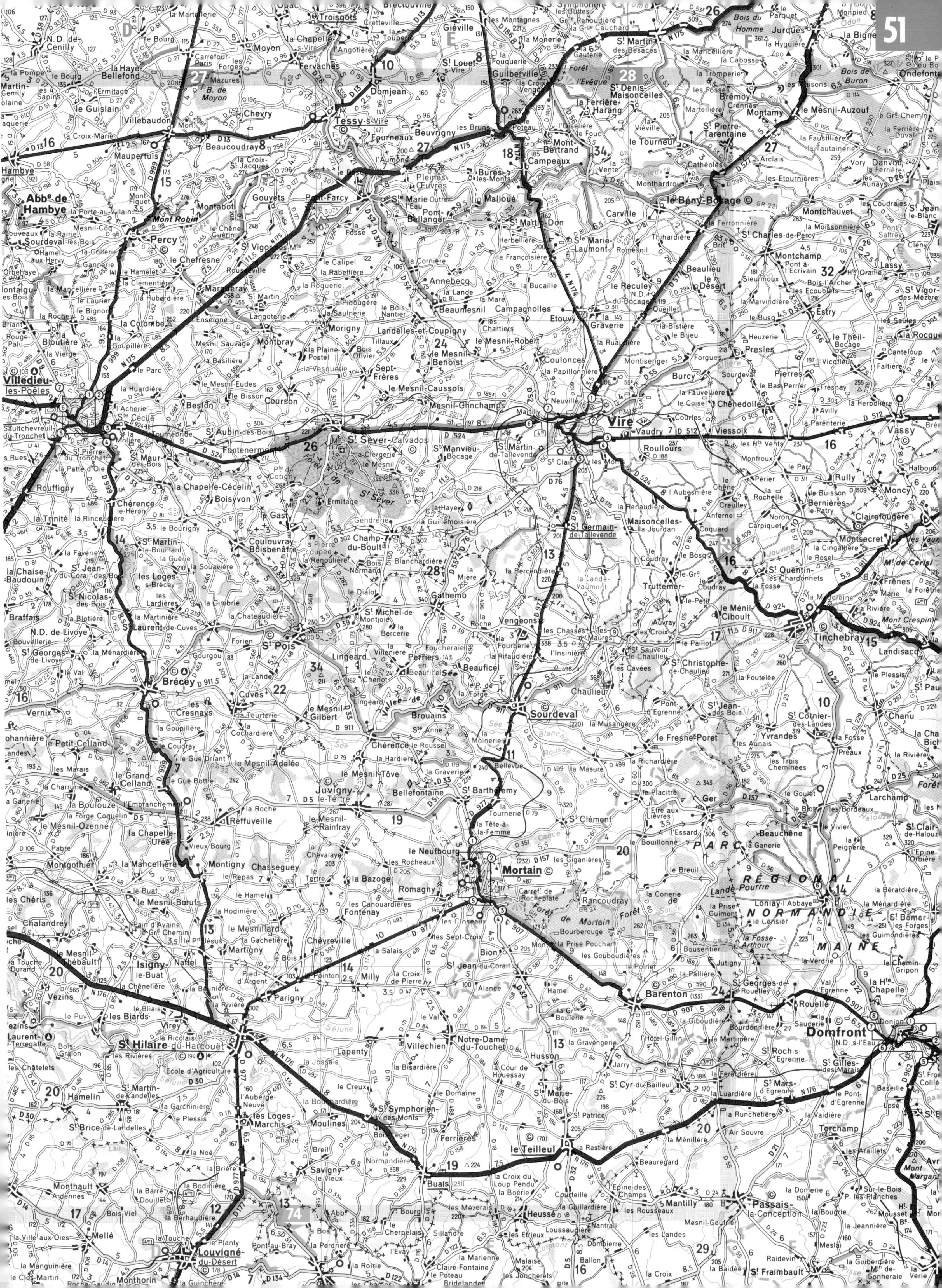
Villedieu-les-Poêles
Percy
Tessy-s-Vire
Vire
St Sever-Calvados
Vassy
Tinchebray
Brécey
St Pois
Sourdeval
Juvigny-le-Tertre
Mortain
Isigny-le-Buat
St Hilaire-du-Harcouët
Barenton
Domfront
Le Teilleul
Louvigné-du-Désert
Passais
Abbe de Hambye
Le Bény-Bocage
Villebaudon
Cuves
Chérencé-le-Roussel
St Germain-de-Tallevende
PARC RÉGIONAL NORMANDIE MAINE
Forêt de St Sever
Forêt de Mortain

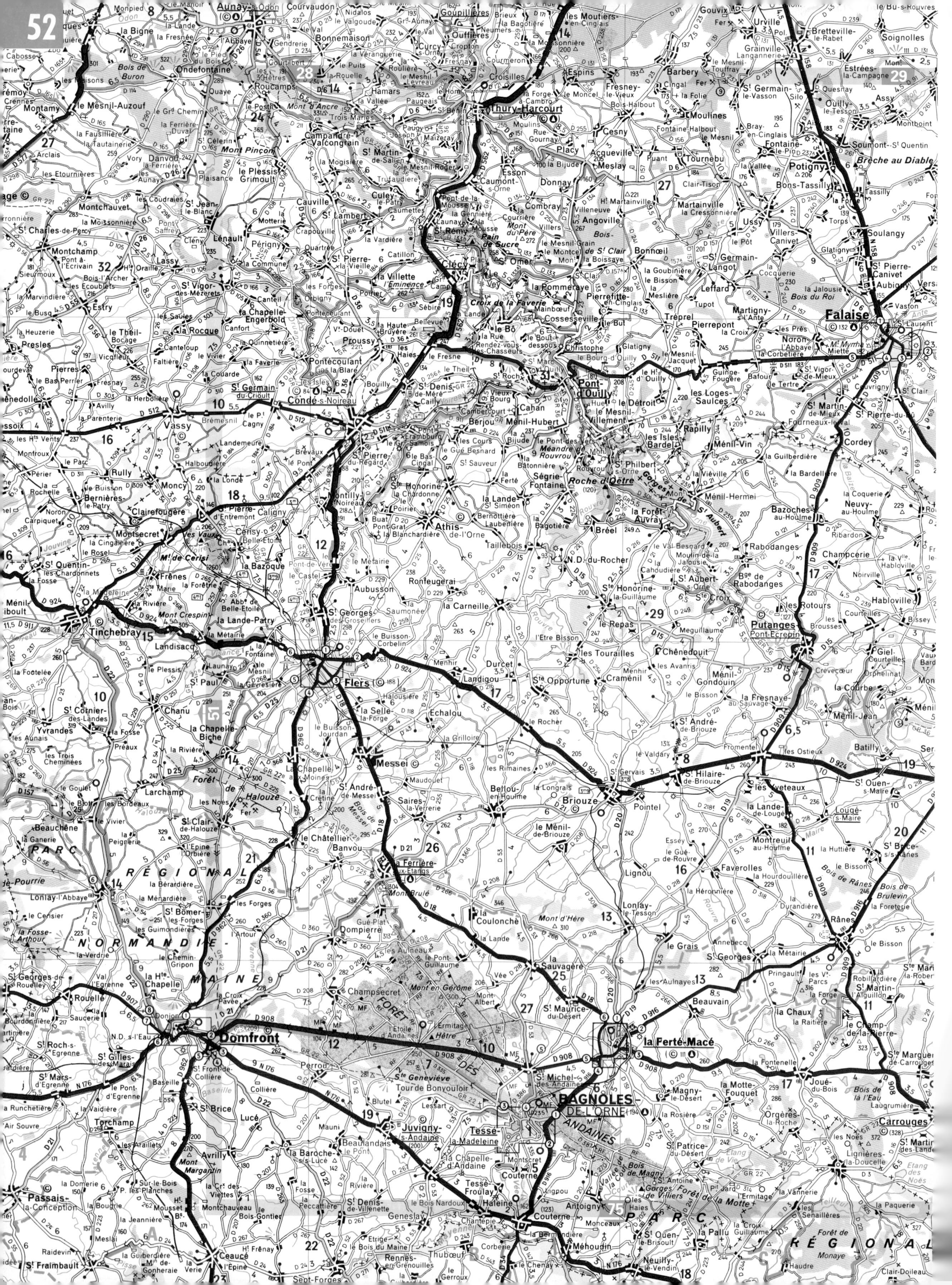
Aunay-s-Odon
Ondefontaine
Montamy
le Mesnil-Auzouf
Roucamps
Thury-Harcourt
Croisilles
Espins
Barbery
Urville
Bretteville-le-Rabet
Soignolles
Estrées-la-Campagne
Mont Pinçon
le Plessis-Grimoult
Campandré-Valcongrain
St Martin-de-Sallen
Esson
Cesny
Acqueville
Placy
Mesnay
Potigny
Brèche au Diable
Soumont-St Quentin
Montchauvet
St Jean-le-Blanc
Cauville
Culey-le-Patry
St Lambert
St Rémy
Pain de Sucre
Combray
Angoville
Martainville
Ussy
Villers-Canivet
Soulangy
Montchamp
Lénault
Périgny
Lassy
Estry
St Vigor-des-Mézerets
la Chapelle-Engerbold
Clécy
Croix de la Faverie
Cossesseville
Pierrefitte-en-Cinglais
Tréprel
Pierrepont
Falaise
le Theil-Bocage
Presles
la Rocque
Proussy
Pontécoulant
le Bô
St Germain-du-Crioult
Condé-s-Noireau
St Denis-de-Méré
Pont-d'Ouilly
Vassy
Cahan
Berjou
Ménil-Hubert
Rapilly
Ménil-Vin
Cordey
Rully
Moncy
Bernières-le-Patry
Clairefougère
Montsecret
Pierre-d'Entremont
Roche d'Oëtre
Gorges de St Aubert
Ménil-Hermei
Athis-de-l'Orne
la Lande-St Siméon
Ségrie-Fontaine
la Forêt-Auvray
Bréel
Bazoches-au-Houlme
Rabodanges
Champcerie
St Quentin-les-Chardonnets
Mt de Cerisi
la Bazoque
Frênes
Aubusson
Ronfeugerai
la Carneille
Ste Honorine-la-Guillaume
Putanges-Pont-Écrepin
Tinchebray
Mont Crespin
la Lande-Patry
St Georges-des-Groseillers
Flers
Landisacq
St Paul
Durcet
Landigou
Ste Opportune
Craménil
Ménil-Gondouin
Chanu
la Chapelle-Biche
Messei
Échalou
St André-de-Briouze
Fromentel
Batilly
Yvrandes
Forêt de Halouze
la Chapelle-au-Moines
St André-de-Messei
Bellou-en-Houlme
Briouze
Pointel
St Hilaire-de-Briouze
les Yveteaux
St Ouen-s-Maire
Lougé-s-Maire
St Clair-de-Halouze
le Châtellier
Banvou
la Ferrière-aux-Étangs
le Ménil-de-Briouze
Lignou
Faverolles
Montreuil-au-Houlme
St Brice-s/s-Rânes
PARC RÉGIONAL NORMANDIE MAINE
Lonlay-l'Abbaye
St Bômer-les-Forges
Dompierre
la Coulonche
Mont d'Hère
Lonlay-le-Tesson
Rânes
St Georges-de-Rouelley
Rouellé
la Haute-Chapelle
Champsecret
Mont en Gérôme
la Sauvagère
St Maurice-du-Désert
Beauvain
Domfront
FORÊT DES ANDAINES
St Michel-des-Andaines
la Ferté-Macé
Joué-du-Bois
St Gilles-des-Marais
St Front-de-Collière
Perrou
Ste Geneviève
Tour de Bonvouloir
BAGNOLES-DE-L'ORNE
Magny-le-Désert
Carrouges
Torchamp
St Brice
Lucé
Juvigny-s-Andaine
Tessé-la-Madeleine
Beaulandais
Avrilly
Mont Margantin
la Baroche-s-Lucé
la Chapelle-d'Andaine
Couterne
St Patrice-du-Désert
Lignières-la-Doucelle
Passais-la-Conception
Tessé-Froulay
Haleine
Antoigny
Gorges de Villiers
Ceaucé
St Fraimbault
Geneslay
Rennes-en-Grenouilles
Thubœuf
Méhoudin
St Ouen-le-Brisoult
Neuilly-le-Vendin
la Pallu
Forêt de Monaye

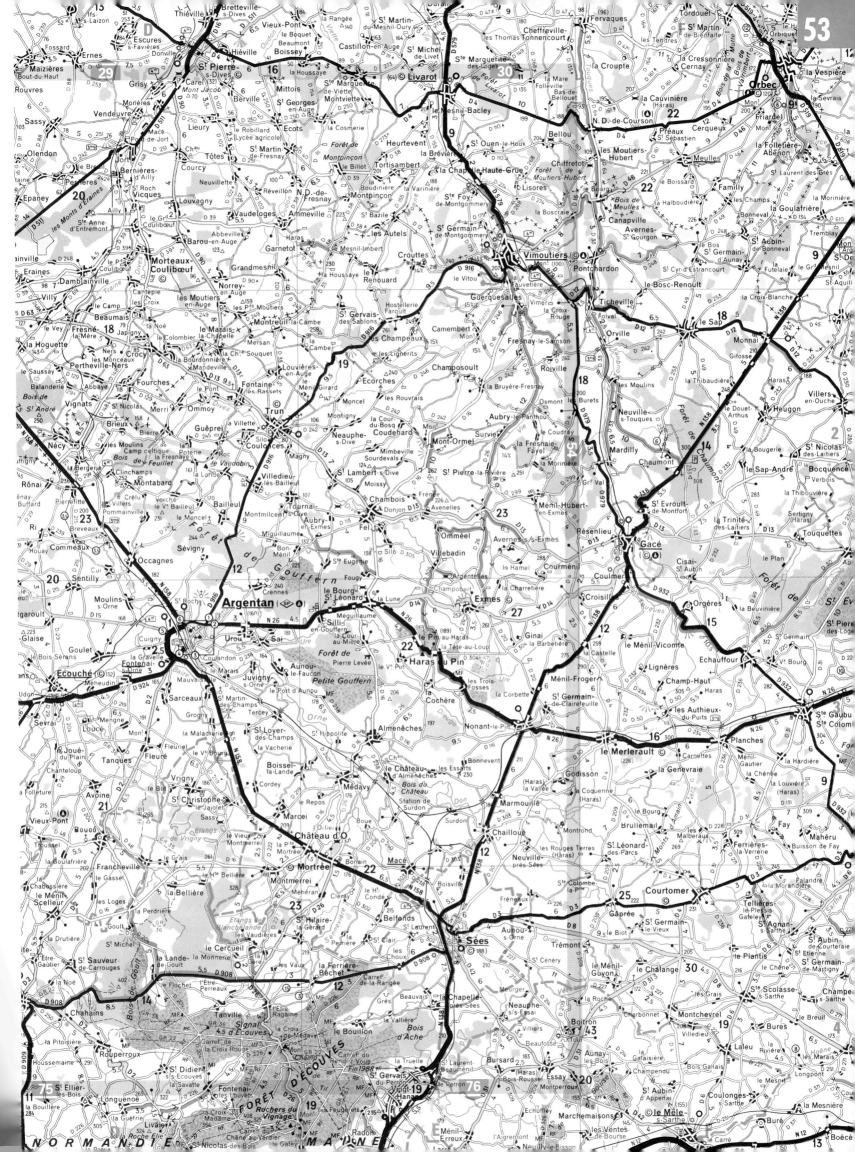

A   B   11   N138   30   31   12

Orbec   Broglie   St Aubin-du-Thenney   Beaumesnil   Gouttières

la Vespière   St Jean-du-Thenney   Grandchain   St Aubin-des-Hayes   le Val Gallerand

Friardel   la Chapelle-Gauthier   Chamblac   Landepereuse   Champignolles   le Fidelaire

Cerqueux   Montreuil-l'Argillé   St Pierre-de-Cernières   Gisay-la-Coudre   la Barre-en-Ouche   Bosc-Renoult-en-Ouche

le Sap   Verneusses   Mélicourt   la Haye-St-Sylvestre   la Vieille-Lyre   la Neuve-Lyre

Monnai   St Laurent-du-Tencement   Mesnil-Rousset   Chambord   Bois-Normand-près-Lyre   Neaufles-Auvergny

Villers-en-Ouche   Anceins   Couvains   Marnefer   Glos-la-Ferrière   Juignettes   Rugles

la Ferté-Frênel   Gauville   St Nicolas-de-Sommaire   St Antonin-de-Sommaire   Ambenay

St Nicolas-des-Laitiers   Bocquencé   Forêt de la Ferté-Frênel   Ste Opportune   St Supice-sur-Risle   Chéronvillers

St Evroult-de-Montfort   St Evroult-N.D.-du-Bois   St Symphorien-des-Bruyères   St Martin-d'Ecublei   Bourth

Gacé   St Evroult   St Pierre-des-Loges   le Cauche Alin   l'Aigle   Forêt de l'Aigle

Cisai-St-Aubin   Livet   Courdemanche   Anglures   Chandai

Orgères   Echauffour   Beaufai   Boisthorel   St Michel-Tubœuf   St Ouen-sur-Iton

le Ménil-Vicomte   V± Bourg   le V± Beaufai   Rai   Tubœuf   les Barils

Lignères   Champ-Haut   St Hilaire-sur-Risle   Aube   Nouettes   Sourdeval   Crulai

les Authieux-du-Puits   Ste Gauburge-Ste-Colombe   Brethel   Ecorcei   Vitrai-sur-l'Aigle

le Merlerault   Planches   Forêt de Sécheville   le Ménil-Bérard   Auguaise   la Chapelle-Viel   St Christophe-sur-Avre

la Genevraie   Moulins-Bonsmoulins   la Pichonnière   les Aspres   Beaulieu   Chennebrun

Fay   la Ferrière-au-Doyen   Bonnefoi   la Houdonnière   Irai   Rahaire

Brullemail   Mahéru   les Genettes   le Châtelet   Randonnai   St Maurice-lès-Charencey

St Léonard-des-Parcs   Moulins-la-Marche   Bonsmoulins   Abb± de la Trappe   Normandel   la Chapelle-Fortin

Courtomer   Bresolettes   la Poterie-au-Perche   Moussonvilliers

Gâprée   St Germain-le-Vieux   St Aquilin-de-Corbion   Rond de la Trappe   la Ventrouze   Champthierry

St Agnan-sur-Sarthe   St Martin-des-Pézerits   Prépotin   Forêt du Perche   la Heunière

le Chalange   Tellières-le-Plessis-Gateley   Soligny-la-Trappe   Bubertré   Renouard

le Ménil-Guyon   St Aubin-de-Courteraie   St Ouen-de-Sécherouvre   Tourouvre   l'Hôme-Chamondot   Marchainville

Montchevrel   Champeaux-sur-Sarthe   Bivilliers   Autheuil   les Epasses

Ste Scolasse-sur-Sarthe   St Céronne-lès-Mortagne   la Haie   Malétable   Moulicent

Bazoches-sur-Hoëne   St Hilaire-le-Châtel   Mauregard   Longny-au-Perche

le Mêle-sur-Sarthe   Boëcé   St Langis-lès-Mortagne   Villiers-sur-Mortagne   Feings

Mortagne-au-Perche   Loisé   la Chauvellière   la Barbinière

Forêt de Chaumont   Forêt de St Evroult   Bois de Garenne   Bois du Châtelet   Forêt de la Trappe   Forêt de Bourth   Forêt de Breteuil

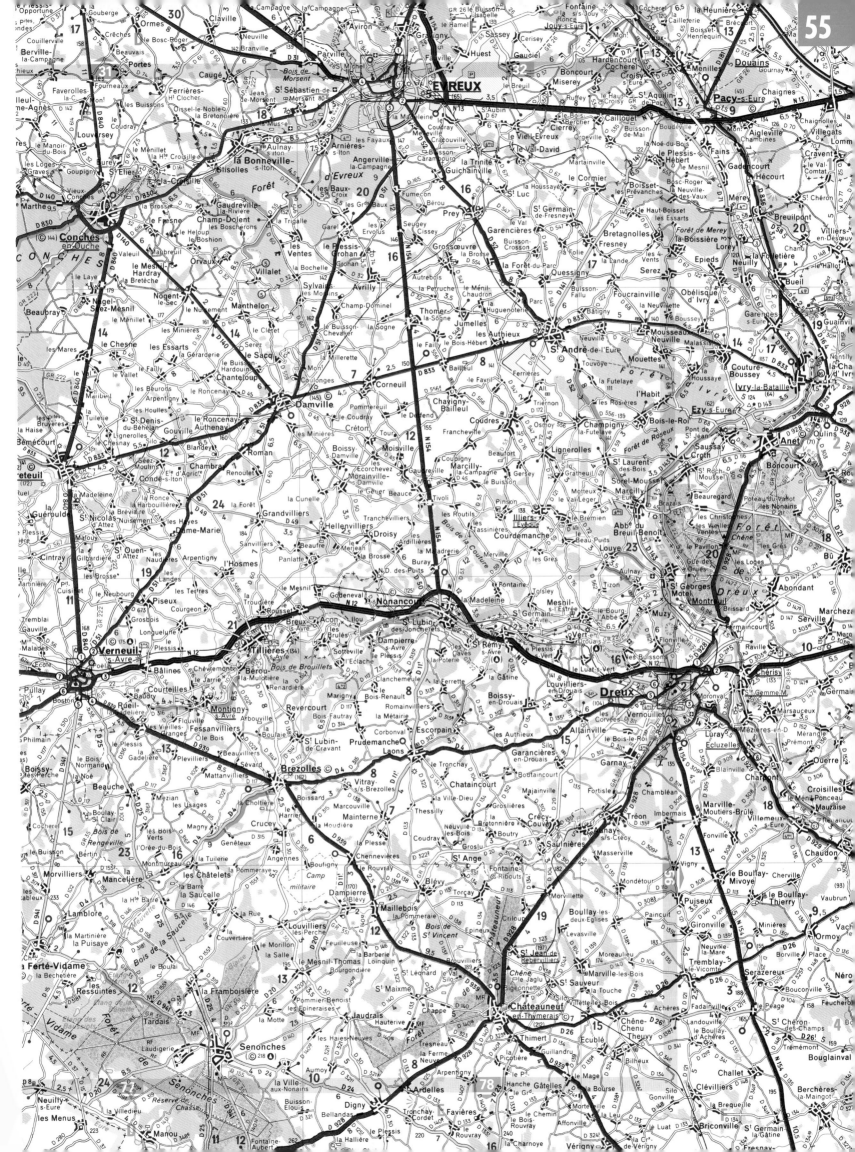

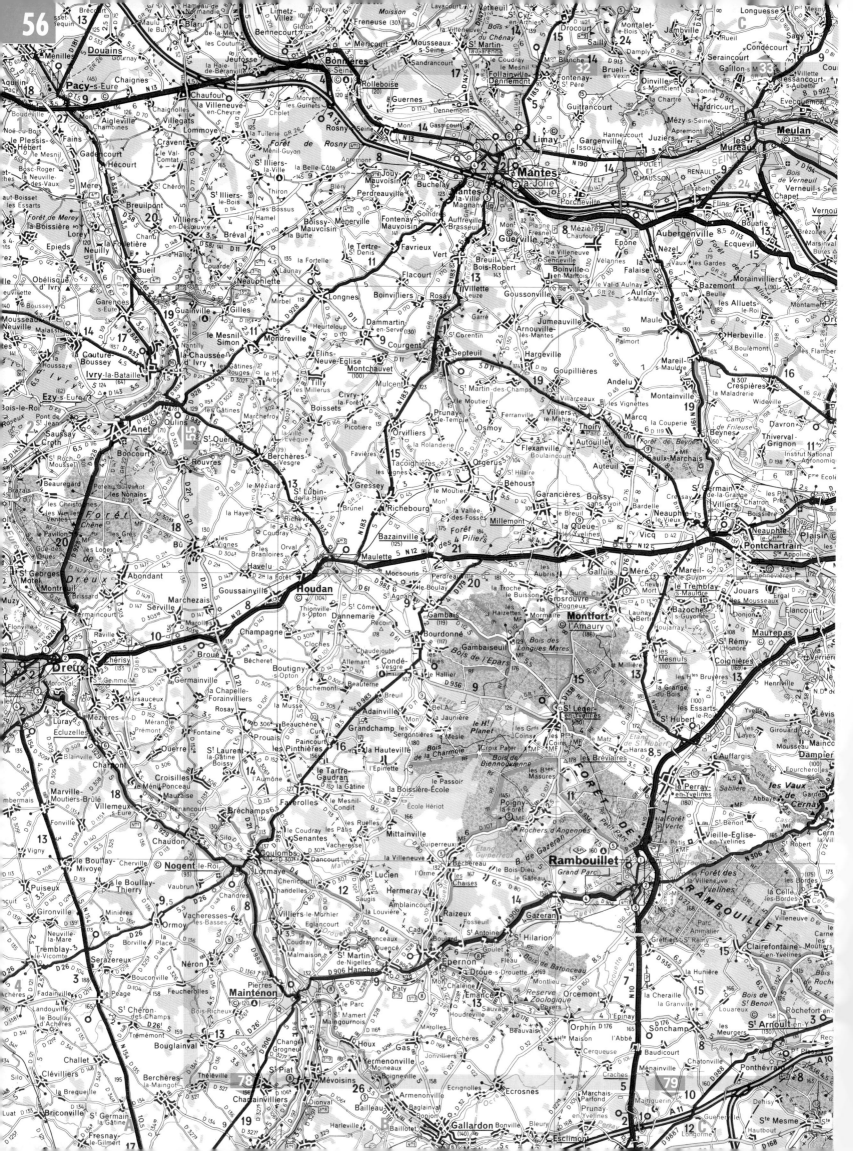

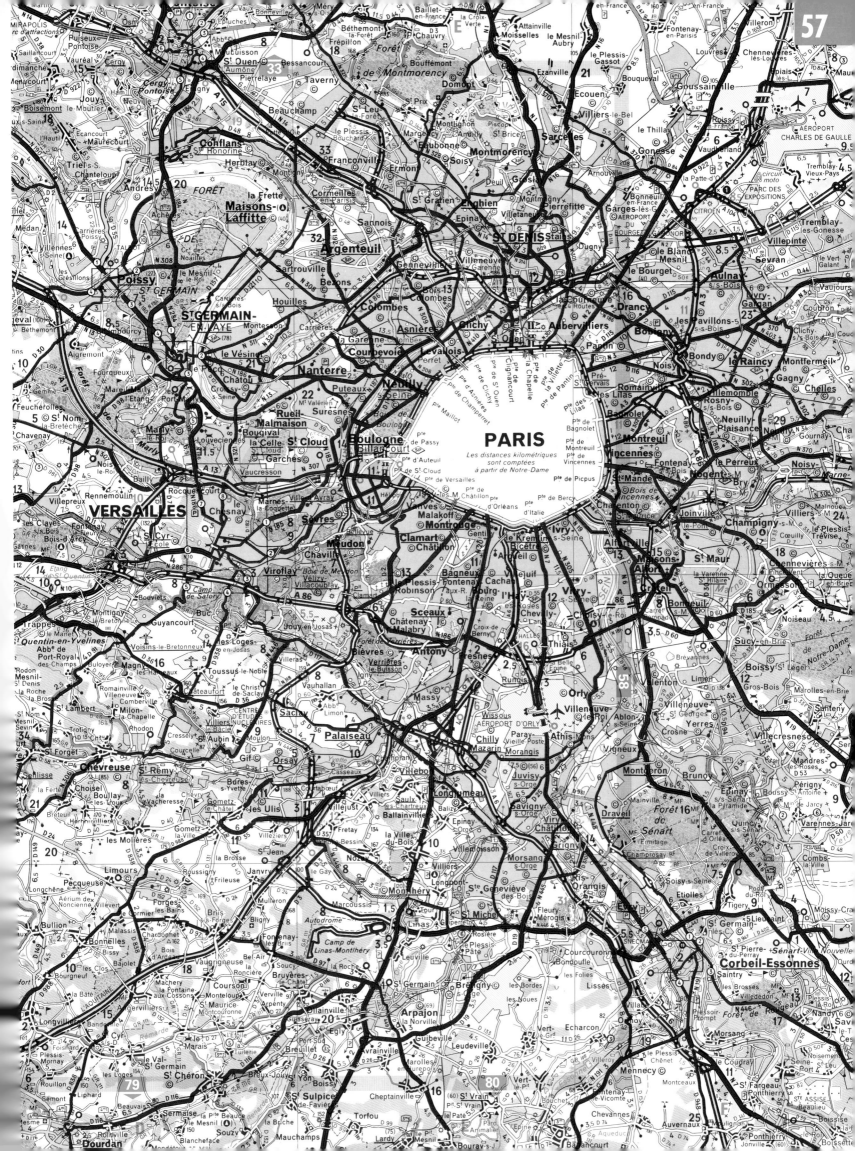

PARIS

Les distances kilométriques
sont comptées
à partir de Notre-Dame

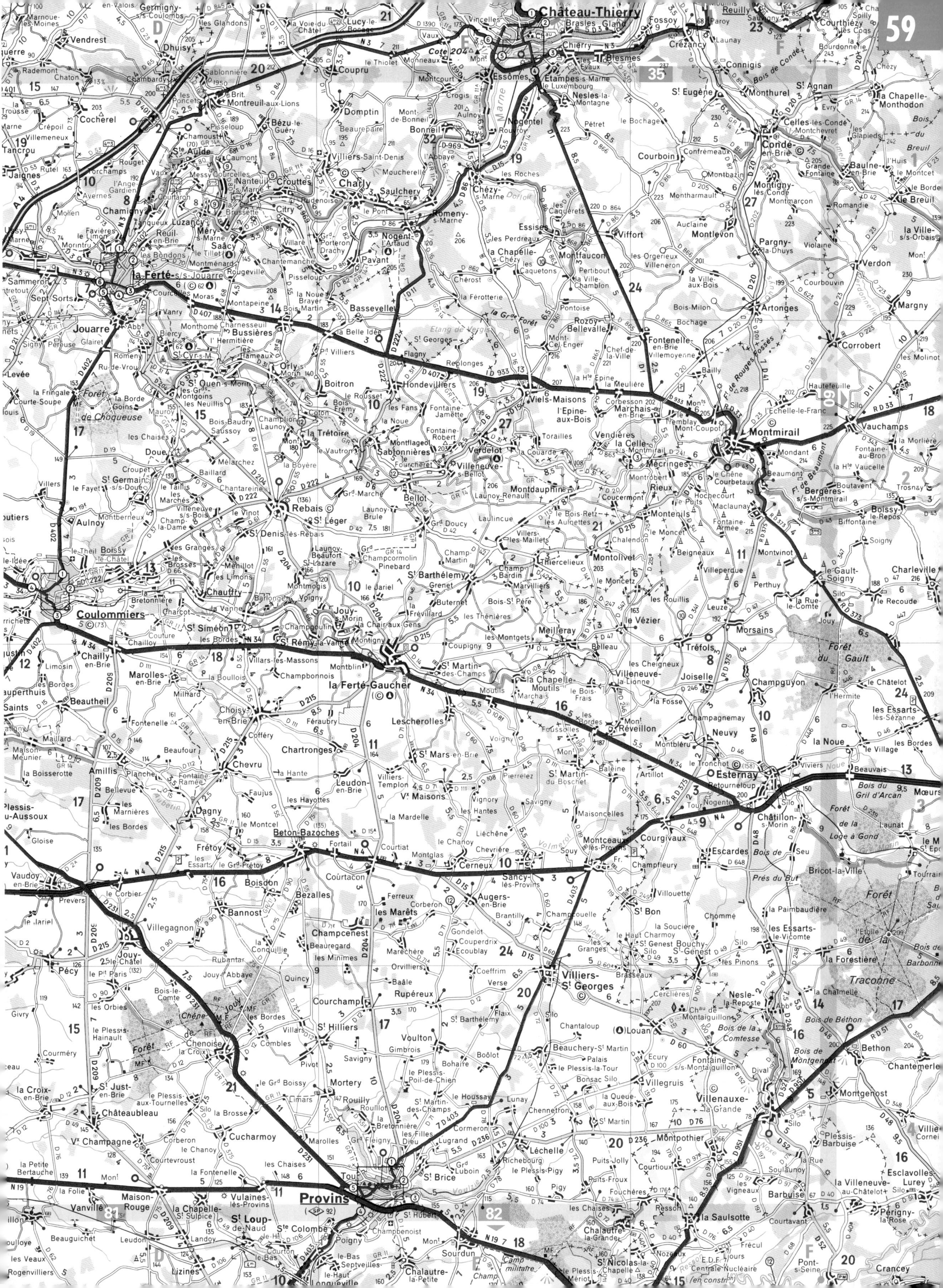

Château-Thierry
Brasles
Chierry
Blesmes
Fossoy
Crézancy
Essômes
Étampes-s-Marne
Nesles-la-Montagne
Lucy-le-Bocage
Coupru
Domptin
Bonneil
Nogentel
Azy
Charly
Saulchery
Chézy-s-Marne
Romeny-s-Marne
Nogent-l'Artaud
Pavant
Villiers-Saint-Denis
Crouttes
Nanteuil-s-Marne
Citry
Sâacy
Méry-s-Marne
Luzancy
Reuil-en-Brie
Montreuil-aux-Lions
Bézu-le-Guéry
Chamigny
Ste Aulde
Vendrest
Dhuisy
Cocherel
Tancrou
Jaignes
La Ferté-s/s-Jouarre
Sammeron
Sept-Sorts
Jouarre
Signy
Bussières
St Cyr-s-M.
Orly-s-Morin
Boitron
Hondevilliers
Basseveile
Viels-Maisons
Marchais-en-Brie
Montmirail
Vauchamps
Condé-en-Brie
Celles-lès-Condé
Montigny-lès-Condé
Montlevon
Viffort
Montfaucon
Essises
Artonges
Fontenelle-en-Brie
Rozoy-Bellevalle
Margny
Verdon
Le Breuil
Baulne-en-Brie
Courboin
Pargny-la-Dhuys
Corrobert
St Ouen-s-Morin
La Trétoire
Sablonnières
Verdelot
Villeneuve-s-Bellot
Bellot
Rebais
St Léger
St Denis-lès-Rebais
Doue
St Germain-s/s-Doue
Aulnoy
Boissy-le-Châtel
Chauffry
Coulommiers
St Siméon
St Rémy-la-Vanne
Jouy-s-Morin
La Ferté-Gaucher
St Barthélemy
Montolivet
Meilleray
Le Vézier
Morsains
Tréfols
Joiselle
Champguyon
Le Gault-Soigny
Charleville
Mécringes
Montenils
Rieux
Montdauphin
Forêt du Gault
Les Essarts-lès-Sézanne
La Noue
Esternay
Neuvy
Réveillon
Lescherolles
St Mars-en-Brie
St Martin-du-Boschet
Châtillon-s-Morin
Escardes
Courgivaux
Montceaux-lès-Provins
Cerneux
Sancy-lès-Provins
Augers-en-Brie
St Bon
Villiers-St Georges
Louan
Beauchery-St Martin
Fontaine-s/s-Montaiguillon
Villenauxe-la-Grande
Nesle-la-Reposte
Bethon
Chantemerle
Montgenost
Plessis-Barbuise
Esclavolles-Lurey
Barbuise
La Saulsotte
Le Mériot
Courtavant
Pont-s-Seine
Crancey
Chailly-en-Brie
Marolles-en-Brie
Beautheil
Choisy-en-Brie
Chevru
Amillis
Dagny
Chartronges
Leudon-en-Brie
Vx Maisons
Beton-Bazoches
Frétoy
Vaudoy-en-Brie
Bannost
Champcenest
Les Marêts
Villegagnon
Jouy-le-Châtel
Pécy
Rupéreux
Courchamp
St Hilliers
Voulton
Chenoise
St Just-en-Brie
Châteaubleau
Vx Champagne
Cucharmoy
Mortery
Rouilly
Léchelle
Montpothier
Provins
St Brice
St Loup-de-Naud
Ste Colombe
Poigny
Chalautre-la-Petite
Sourdun
Vanvillé
Maison-Rouge
La Chapelle-St Sulpice
Vulaines-lès-Provins
Lizines
Chalautre-la-Grande
St Nicolas-la-Chapelle
Forêt de la Traconne
Bois de Béthon
Bois du Gril d'Arcan
Forêt de Choqueuse
Forêt de Jouy
N 3
N 34
N 4
N 19
D 402
D 209
D 215
D 204
D 222
D 231
D 403
D 373
D 951

A · B · C

35 · 36

Boursault · Vauciennes · Ramponneau · Magenta · Mareuil-s-Ay · Condé-s-Marne
Épernay · Bisseuil · Cherville
Nesle-le-Repons · Mont-Mergy · Neuville · Pierry · Mont-Bernon · Oiry · Plivot · Athis · Jâlons · Aulnay
la Chapelle-Monthodon · Igny-Comblizy · St Martin d'Ablois · Moussy · Vinay · Chavot · Chouilly · Champ de Tir
Comblizy · le Moncet · Bel-Air · Courcourt · Montheloon · Cuis · Cramant · les Istres-et-Bury · Matou
Baulne-en-Brie · la Grange Gaucher · Brugny · Mancy · Grauves · Avize · les Marais · St Georges · les Cours-Brûlées
le Breuil · la Maison Blanche · Morangis · Montgrimaux · Oger · Mazagran · Flavigny · Champigneul-Champagne · Champagne
Romandie · la Villes-Orbais · Mareuil-en-Brie · le Baizil · la Croisée · les Buzons · Moslins · le Mesnil-s-Oger · Rouffy · St Mard-lès-Rouffy · Pocancy
Verdon · Orbais · Suizy-le-Franc · Corribert · Pigny · les Seuillons · Villers-aux-Bois · Gionges · Renneville · Vouzy · St Eloi
Margny · Lucy · Méhary · Charmoye · Chaltrait · Fulaine-St Quentin · le Plessis · Villeneuve · le Petit Vouzy · Chaintrix
Corrobert · la Chapelle-s/s-Orbais · le Mesnil · la Chaude Rue · les Rouleaux · le Gros Moulin · Forêt de Vertus · la Madeleine · Voipreux · Bierges · la Rafidin
Fromentières · Janvilliers · Montmort · la Caure · Souligères · Vertus · Germinon
Vauchamps · Champaubert · Etoges · Beaunay · Loisy-en-Brie · Bergères-Vertus · Trécon · Vélye · Bois de Lava
Bannay · Baye · Fèrebrianges · Congy · Toulon-la-Montagne · Coligny · Chât de la Reine Blanche · Mont Aimé · Villeseneux
Trosnay · le Thoult · Couvent le Mourlin · Vert-la-Gravelle · Pierre-Morains · Clamanges · Soudro
Boissy-le-Repos · Corfélix · Anc᷎ Abbᵉ de Reclus · Villevenard · Courjeonnet · Coizard · Aulnizeux · Aulnay-aux-Planches · le Mont
Charleville · Talus-St Prix · St Prix · Joches · la Carbonnerie · Morains · Ecury-le-Repos · Normée
Forêt Gault · la Villeneuve-lès-Charleville · Soizy-aux-Bois · Oyes · Reuves · Bannes · la Grosse Ferme · Lenharrée · Vassimont
le Châtelot · Lachy · Montgivroux · Broussy-le-Petit · le Mesnil · Broussy-le-Grand · Chapelaine · Haussimont
les Essarts-lès-Sézanne · Broyes · Allemant · Nozet · Fère-Champenoise · Connantray-Vaurefroy · Montépreux
Beauvais · Mœurs · Sézanne · Péas · St Loup · Ste Sophie · Connantre · Euvy · les Anclages · l'Espérance
le Meix-St Epoing · Vindey · Linthes · la Raccroche · St Georges · Corroy · Gourgançon · Semoine · Mailly
Touraine · Chichey · St Remy-s/s-Broyes · Linthelles · Ognes · Pleurs
Saudoy · Choisel · Gaye · Marigny-le-Petit · Courcelles · Semoine
Forêt de Saudoy · Lancourt · Queudes · Marigny · Angluzelles · Fresnay · Tortepée · Thaas · Faux-Fresnay · Salon · Villiers-Herbisse
Barbonne-Fayel · Varsovie · Villevotte · Villeneuve-St Vistre · la Chapelle-Lasson · Courcemain · Champfleury · Herbisse
Traconne · Fontaine-Denis-Nuisy · Chênevières · Saussaie · St Saturnin · Bonne Voisine · la Folie Godot
Béthon · Bethon · Chantemerle · la Celle-s-Chantemerle · St Quentin-le-Verger · Allemanche · Marsangis · la Pèrthe · Allibaudières
Montgenost · Potangis · Charmoy · Beaugis · Launay · Vouarces · Granges-s-Aube · Boulages · Plancy-l'Abbaye · Viâpres-l'Abbaye · Champigny-s-Aube · Ormes
Plessis-Barbuise · Villiers-aux-Corneilles · Saron-s-Aube · Baudement · Anglure · Montahon · Bécherel · les Grèves · Abbaye-s/s-Plancy · Longueville-s-Aube · Viâpres-le-Pit
Esclavolles-Lurey · Marcilly-s-Seine · St Just · Etrelles-s-Aube · Bagneux · Charny-le-Bachot · Rhèges · Pouan-les-Vallées · le Chêne
la Villeneuve-au-Châtelot · Périgny-la-Rose · Conflans-s-Seine · Barbenthal · Sauvage · St Oulph · Bessy · Torcy
Crancey · Sellières · Lion · Romilly-s-Seine · Maizières-la-Gde-Paroisse · Clesles · Méry-s-Seine · Villette-s-Aube · Arcis-s-Aube
Poussey

82 · 83 · 13

D 51 · N 4 · RD 33 · D 9 · N 77 · N 7

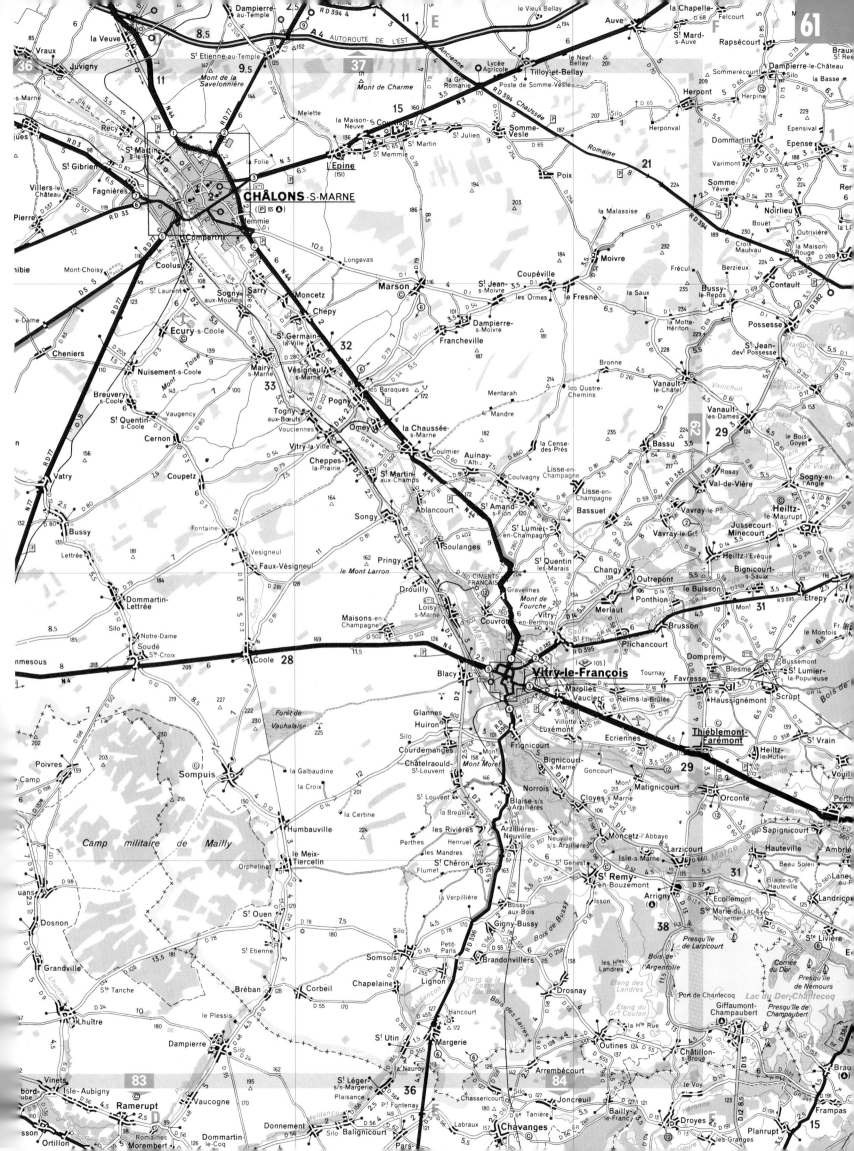

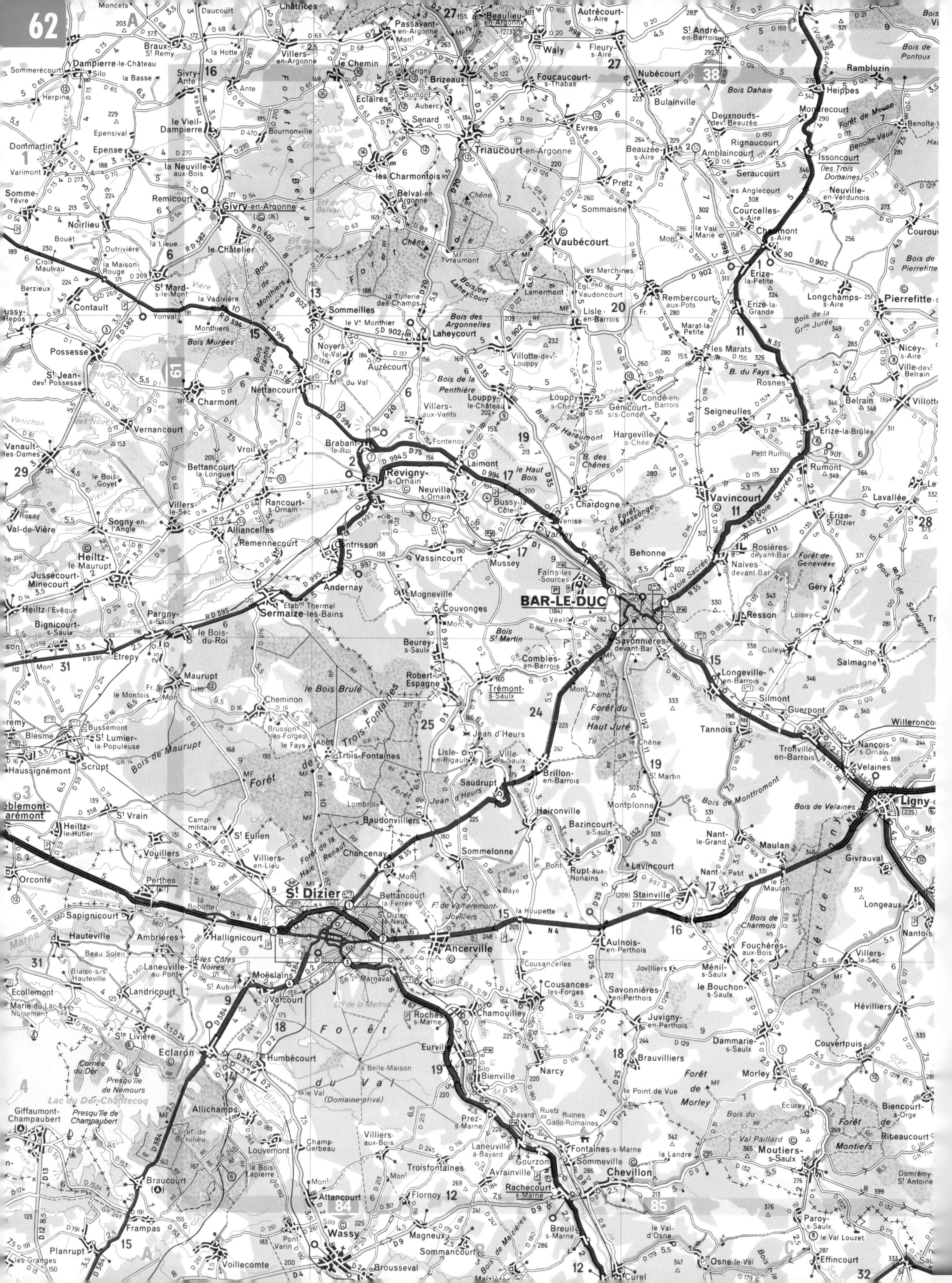

Moncets
Daucourt
Châtrices
Passavant-en-Argonne
Beaulieu-en-Argonne
Autrécourt-s-Aire
St André-en-Barrois
Braux-St Remy
Villers-en-Argonne
Waly
Fleury-s-Aire
Rambluzin
Dampierre-le-Château
Sommerécourt
Silo
la Basse
Sivry-Ante
la Hotte
le Chemin
Grigny
Brizeaux
Foucaucourt-s-Thabas
Nubécourt
Heippes
Bois Dahaie
Bulainville
Herpine
Ante
Eclaires
Gumont
Aubercy
Monrecourt
Forêt de Meuse
Benolte-Vaux
Epensival
le Vieil-Dampierre
Bournonville
Senard
Evres
Deuxnouds-devt Beauzée
Rignaucourt
Dommartin
Epense
la Neuville-aux-Bois
les Charmontois
Triaucourt-en-Argonne
Beauzée-s-Aire
Amblaincourt
Issoncourt (les Trois Domaines)
Varimont
Seraucourt
Somme-Yèvre
Remicourt
Givry-en-Argonne
Belval-en-Argonne
Pretz
les Anglecourt
Neuville-en-Verdunois
Noirlieu
Sommaisne
Courcelles-s-Aire
Bouët
Outrivière
la Lieue
le Châtelier
Vaubécourt
la Vau Marie
Chaumont-s-Aire
Croix Maulvau
la Maison-Rouge
Yvraumont
les Merchines
Erize-la-Petite
Berzieux
St Mard-s-le-Mont
Sommeilles
Lamermont
Vaudoncourt
Rembercourt-aux-Pots
Longchamps-s-Aire
Pierrefitte
Contault
la Vadivière
Bois des Argonnelles
Lisle-en-Barrois
Erize-la-Grande
Yonval
Monthiers
le Vt Monthier
Laheycourt
Marat-la-Petite
Possesse
Bois Murées
Noyers-le-Val
Villotte-devt-Louppy
les Marats
Nicey-s-Aire
St Jean-devt Possesse
Auzécourt
Ville-devt Belrain
Nettancourt
Bois de la Penthière
B. du Fays
Rosnes
Charmont
Louppy-le-Château
Louppy-s-Chée
Condé-en-Barrois
Belrain
Villotte
Vanichon
Villers-aux-Vents
Génicourt-s/s-Condé
Seigneulles
Vernancourt
Bois du Haraumont
Erize-la-Brûlée
Vanault-les-Dames
Vroil
Brabant-le-Roi
Fontenoy
Hargeville-s-Chée
Rumont
Bettancourt-la-Longue
Laimont
Petit Rumont
le Bois Goyet
Revigny-s-Ornain
le Haut Bois
B. des Chênes
Lavallée
Rosay
Villers-le-Sec
Rancourt-s-Ornain
Neuville-s-Ornain
Bussy-la-Côte
Chardogne
Vavincourt
Val-de-Vière
Sogny-en-l'Angle
Alliancelles
Forêt de Massonge
Erize-St Dizier
Remennecourt
Venise
Varney
Heiltz-le-Maurupt
Contrisson
Vassincourt
Mussey
Behonne
Rosières-devant-Bar
Naives-devant-Bar
Forêt de Geneviève
Jussecourt-Minecourt
Andernay
Mogneville
Fains-les-Sources
Géry
Heiltz-l'Evêque
Pargny-s-Saulx
Etabt Thermal
Sermaize-les-Bains
Couvonges
BAR-LE-DUC
Resson
Loisey-C.
Bignicourt-s-Saulx
le Bois-du-Roi
Véel
Etrepy
Beurey-s-Saulx
Bois St Martin
Savonnières-devant-Bar
Culey
Salmagne
Combles-en-Barrois
Maurupt
Robert-Espagne
Longeville-en-Barrois
le Montois
le Bois Brulé
Trémont-s-Saulx
Forêt du Haut Juré
Silmont
Guerpont
Cheminon
Tannois
Willeroncourt
Blesme
Bussemont
St Lumier-la-Populeuse
Brusson
les Forges
le Fays
Trois-Fontaines
Jean d'Heurs
le Chêne
Tronville-en-Barrois
Nançois-s-Ornain
Haussignémont
Scrupt
Bois de Maurupt
Forêt de Trois-Fontaines
Lisle-en-Rigault
Ville-s-Saulx
Velaines
Brillon-en-Barrois
St Martin
Ligny-en-Barrois
Saudrupt
Bois de Montfromont
Bois de Velaines
Lombroie
Montplonne
Forêt de Jean d'Heurs
St Vrain
Baudonvilliers
Haironville
Bazincourt-s-Saulx
Heiltz-le-Hutier
Camp militaire
St Eulien
Nant-le-Grand
Maulan
Givrauval
Chancenay
Sommelonne
Vouillers
Villiers-en-Lieu
Haie Renaut
Forêt de la Haie Renaut
Rupt-aux-Nonains
Lavincourt
Orconte
Perthes
St Dizier
Bettancourt-la-Ferrée
Nant-le-Petit
le Pt Maulan
Longeaux
la Bobotte
Stainville
Sapignicourt
St Dizier-le-Neuf
Ft de Valtiermont-Jovilliers
la Houpette
Bois de Charmois
Forêt de Ligny
Hauteville
Ambrières
Hallignicourt
Ancerville
Aulnois-en-Perthois
Nantois
Beau Soleil
les Côtes Noires
Fouchères-aux-Bois
Villers-le-Sec
Blaise-s/s-Hauteville
Laneuville-au-Pont
Cousancelles
Jovilliers
Ménil-s-Saulx
St Aubin
Moëslains
Cousances-les-Forges
Savonnières-en-Perthois
Ecollemont
Landricourt
Marnaval
Valcourt
le Bouchon-s-Saulx
Marie-du-Lac-Nuisement
Chamouilley
Hévilliers
Roches-s-Marne
Etg de la Marne
Juvigny-en-Perthois
Ste Livière
Forêt du Val
Eurville
Dammarie-s-Saulx
Couvertpuis
Cornée du Der
Presqu'île de Nemours
Eclaron
Humbécourt
Brauvilliers
Narcy
Bienville
la Belle-Maison
Forêt de Morley
Morley
Lac du Der-Chantecoq
le Val
(Domaine privé)
le Point de Vue
Giffaumont-Champaubert
Presqu'île de Champaubert
Allichamps
Bayard
Ruetz
Ruines Gallo-Romaines
Ecurey
Biencourt-s-Orge
Forêt de Montiers
Carref. de Beaulieu
Prez-s-Marne
Bois du Val Paillard
Moutiers-s-Saulx
Ribeaucourt
Champ-Gerbeau
Villiers-aux-Bois
Laneuville-à-Bayard
Gourzon
Fontaines-s-Marne
Sommeville
Chevillon
Louvemont
le Bois Lapierre
Troisfontaines
Avrainville
la Landre
Domrémy-St Antoine
Braucourt
Attancourt
Flornoy
Rachecourt-s-Marne
Frampas
Silo
Wassy
Pont-Varin
Magneux
Bois de Mazières
Breuil-s-Marne
le Val-d'Osne
Paroy-s-Saulx
le Val Louzet
Planrupt
Sommancourt
Osne-le-Val
Effincourt
les Granges
Voillecomte
Brousseval
Curel
Maizières

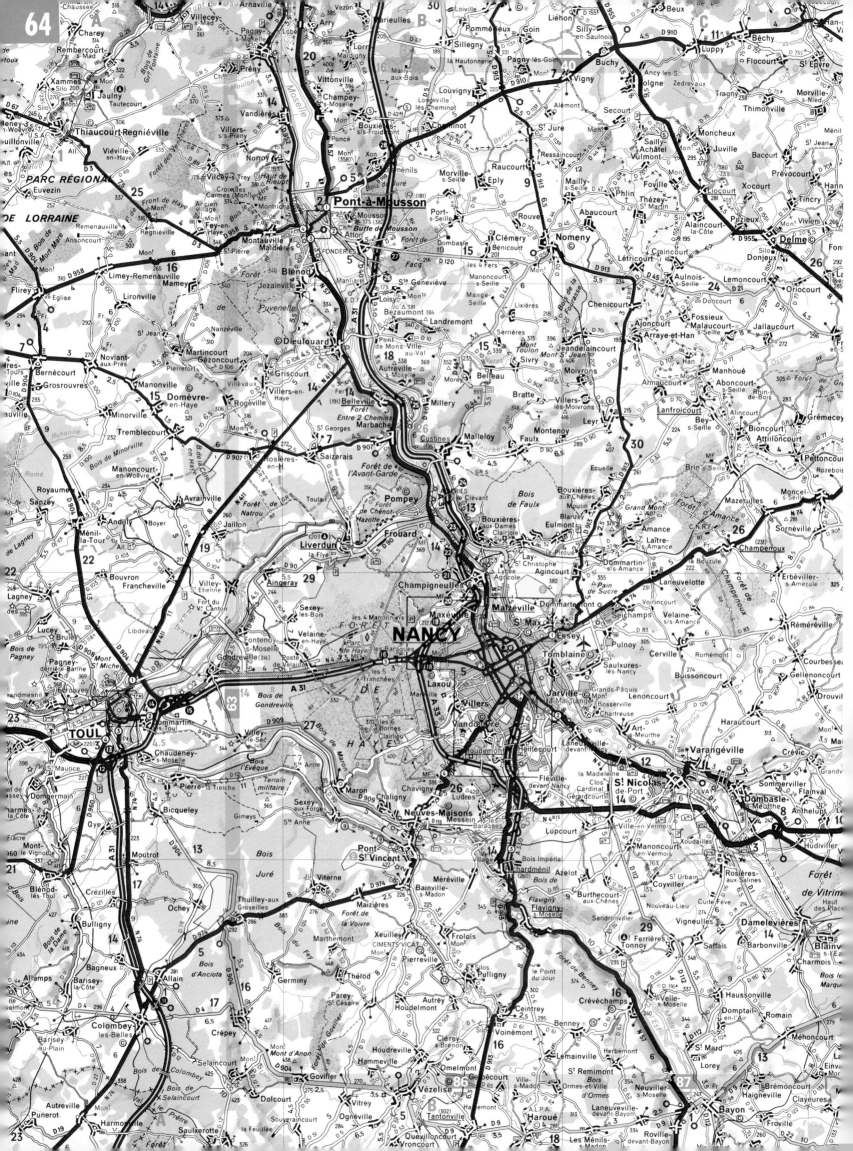

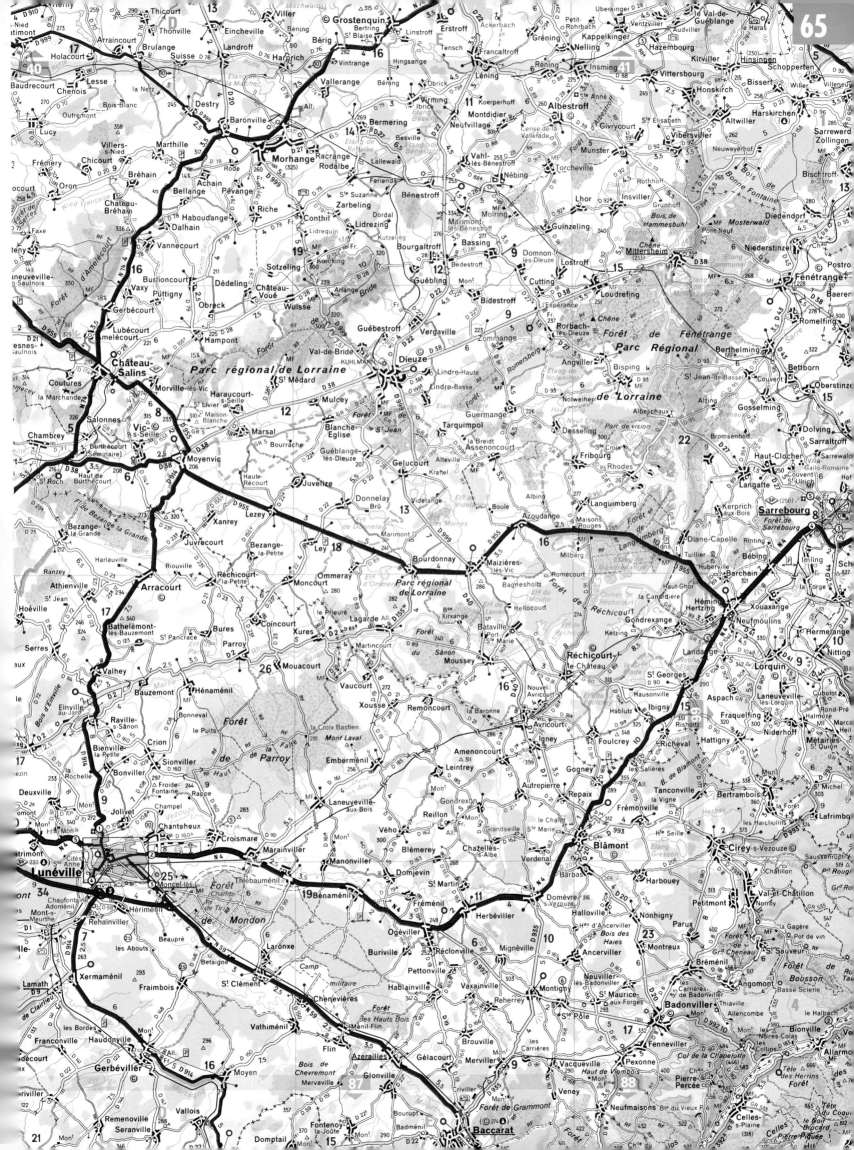

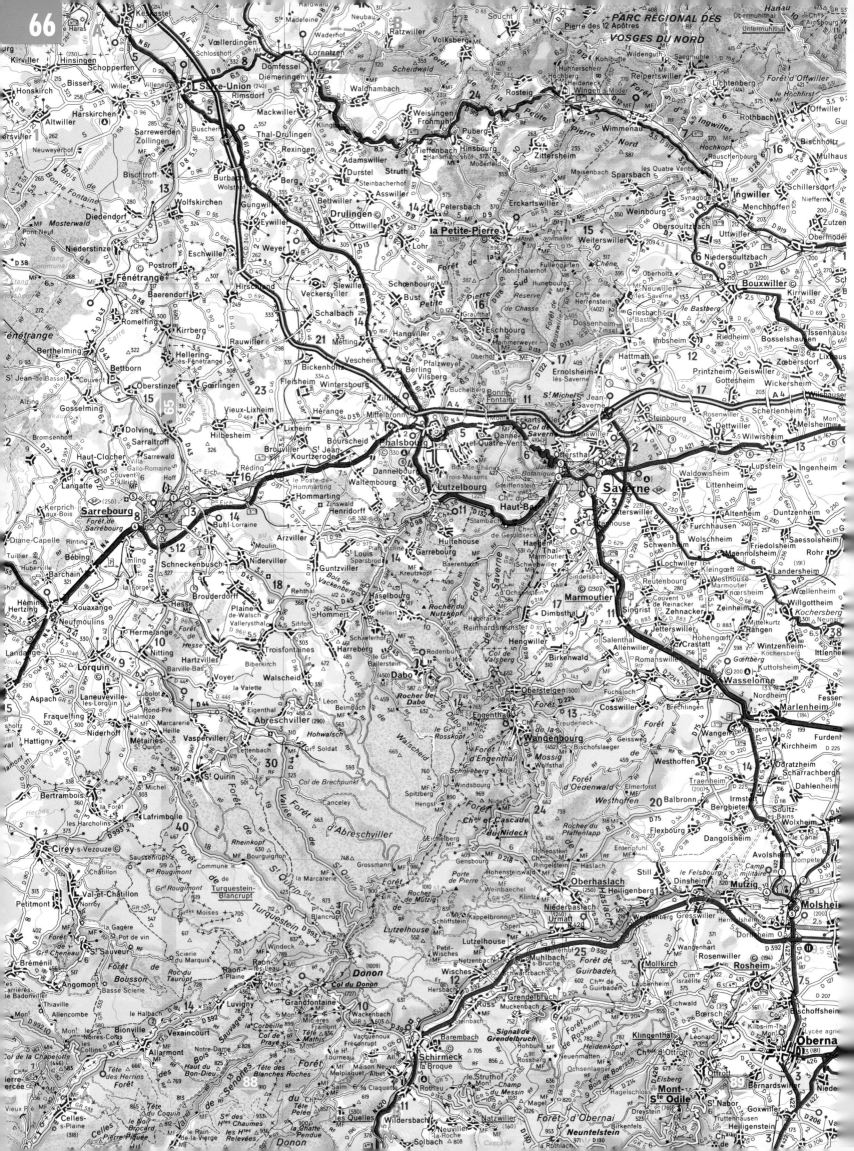

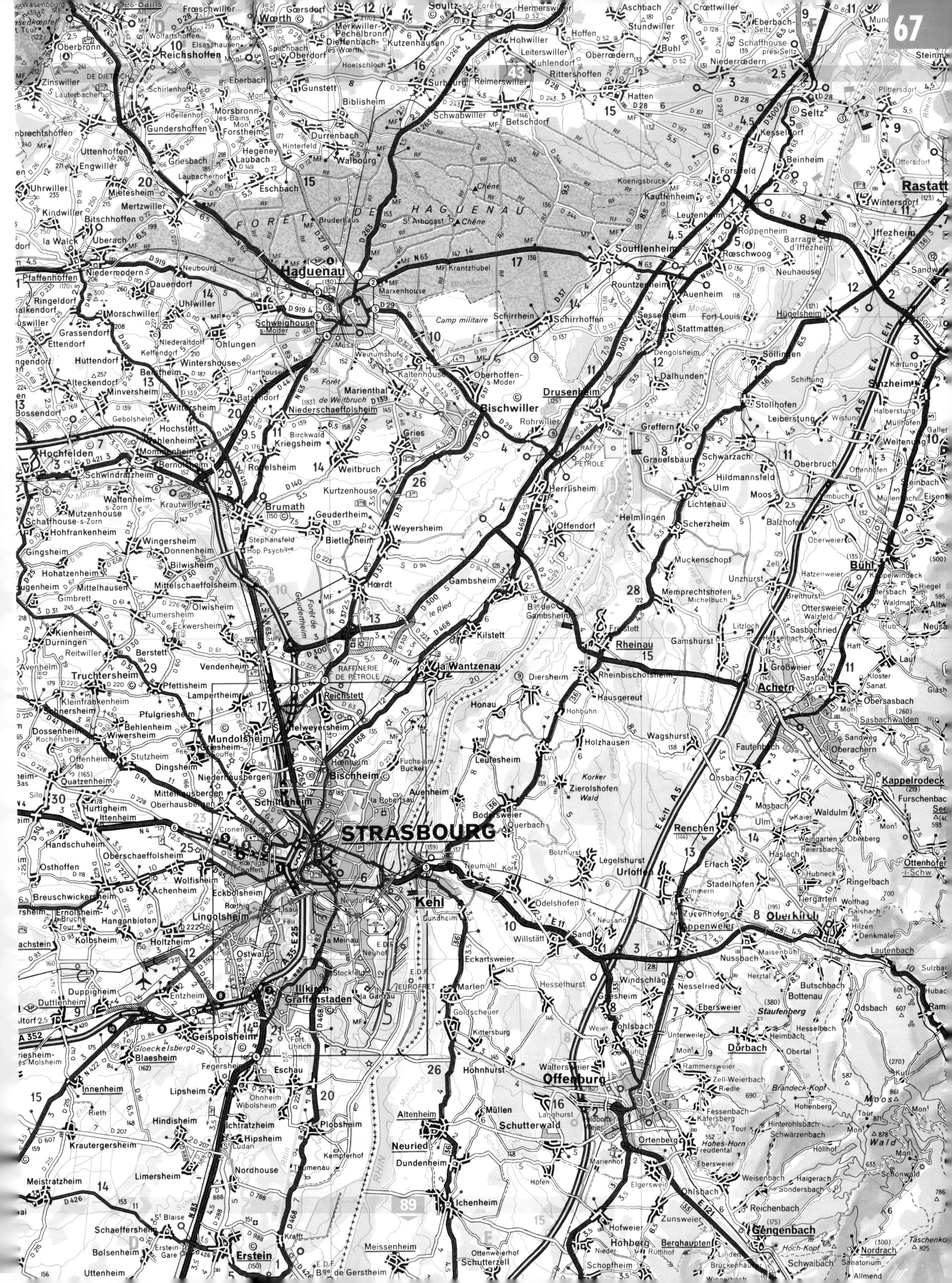

STRASBOURG
Haguenau
Kehl
Offenburg
Achern
Bühl
Rastatt
Reichshoffen
Gundershoffen
Bischwiller
Brumath
Schiltigheim
Bischheim
Illkirch-Graffenstaden
Lingolsheim
Geispolsheim
Erstein
Oberkirch
Appenweier
Renchen
Gengenbach
Rheinau
Drusenheim
Soufflenheim
Seltz
Hochfelden
Truchtersheim
Mundolsheim
La Wantzenau
Hœrdt
Weyersheim
Gambsheim
Kilstett
Reichstett
Schweighouse-s-Moder
Wœrth
Soultz-s/s-Forêts
Hatten
Betschdorf
Surbourg
Niedermodern
Pfaffenhoffen
Schirrhein
Schirrhoffen
Sesenheim
Hügelsheim
Sinzheim
Lichtenau
Kork
Willstätt
Schutterwald
Neuried
Durbach
Kappelrodeck
Sasbachwalden
Lautenbach
Ottenhöfen i-Schw.
Nordrach
FORÊT DE HAGUENAU
Camp militaire
RAFFINERIE DE PETROLE
Forêt de Geudertheim
RHIN
E 4-11 A5
E 11
E 121
A 4
A 35-E 25
A 352
43
89

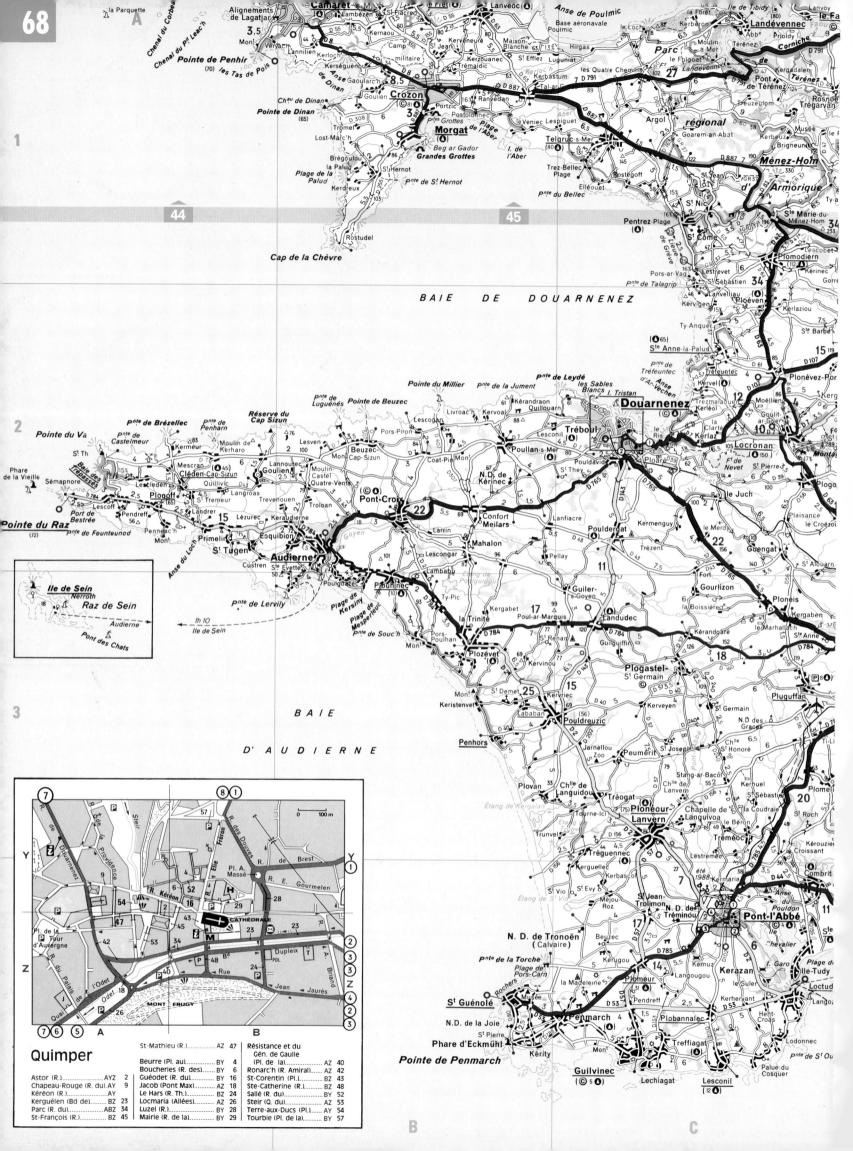

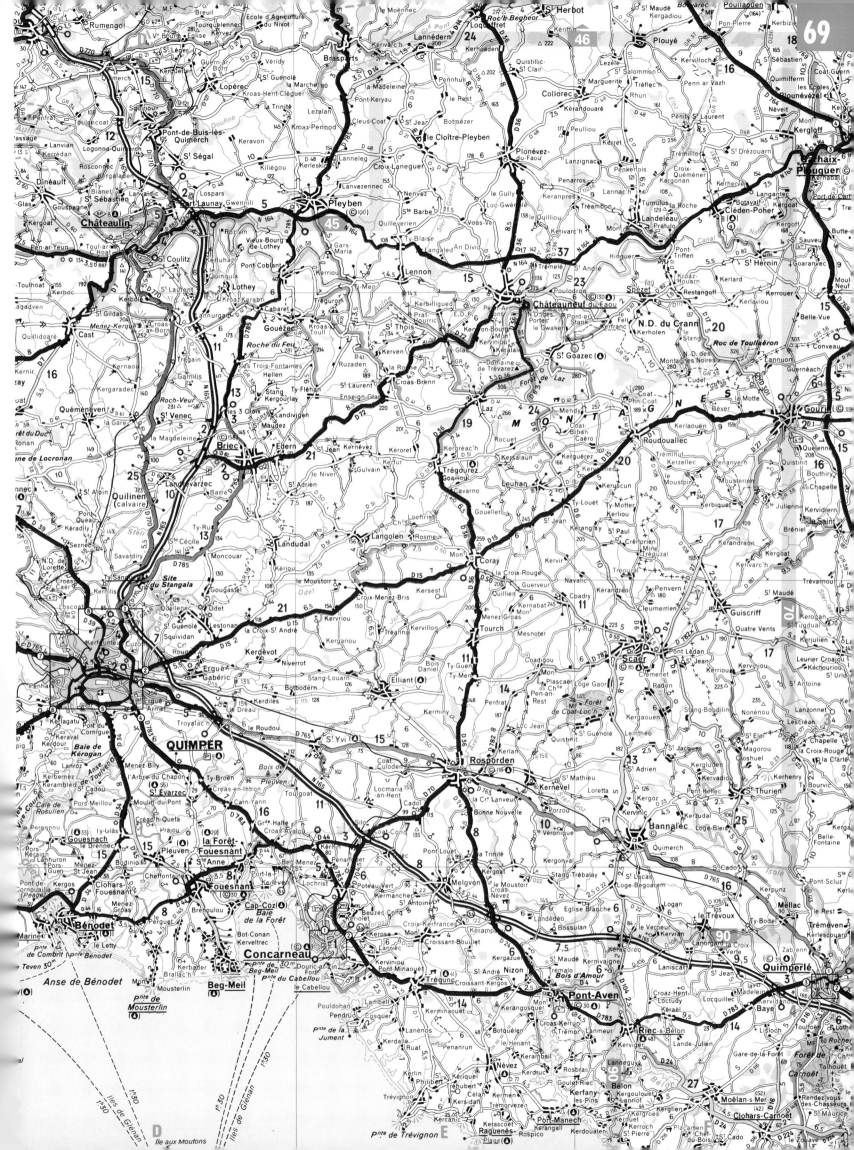

46 · 47

Carhaix-Plouguer · Maël-Carhaix · Mäel-Pestivien · St Nicolas-du-Pélem · Corlay · Plounévez-Quintin · Rostrenen · Plouguernével · Gouarec · Laniscat · St Gelven · Caurel

Glomel · Plévin · Motreff · Tréogan · Gourin · Paule · Mellionnec · Perret · Plélauff · Silfiac · Cléguérec · Séglien

MONTAGNES NOIRES

Le Faouët · Langonnet · Abbe de Langonnet · Priziac · Ploërdut · St Tugdual · Langoëlan · Malguénac · Stival

Querrien · Arzano · Quimperlé · Plouay · Lanvaudan · Guémené-s-Scorff · Locmalo · Persquen · Guern · Melrand · Bubry

Meslan · Berné · Pont Calleck · Inguiniel · Kernascléden · St Caradec-Trégomel · Lignol · Guilligomarc'h · St Nicolas-des-Eaux · Site de Castennec

90 · 91

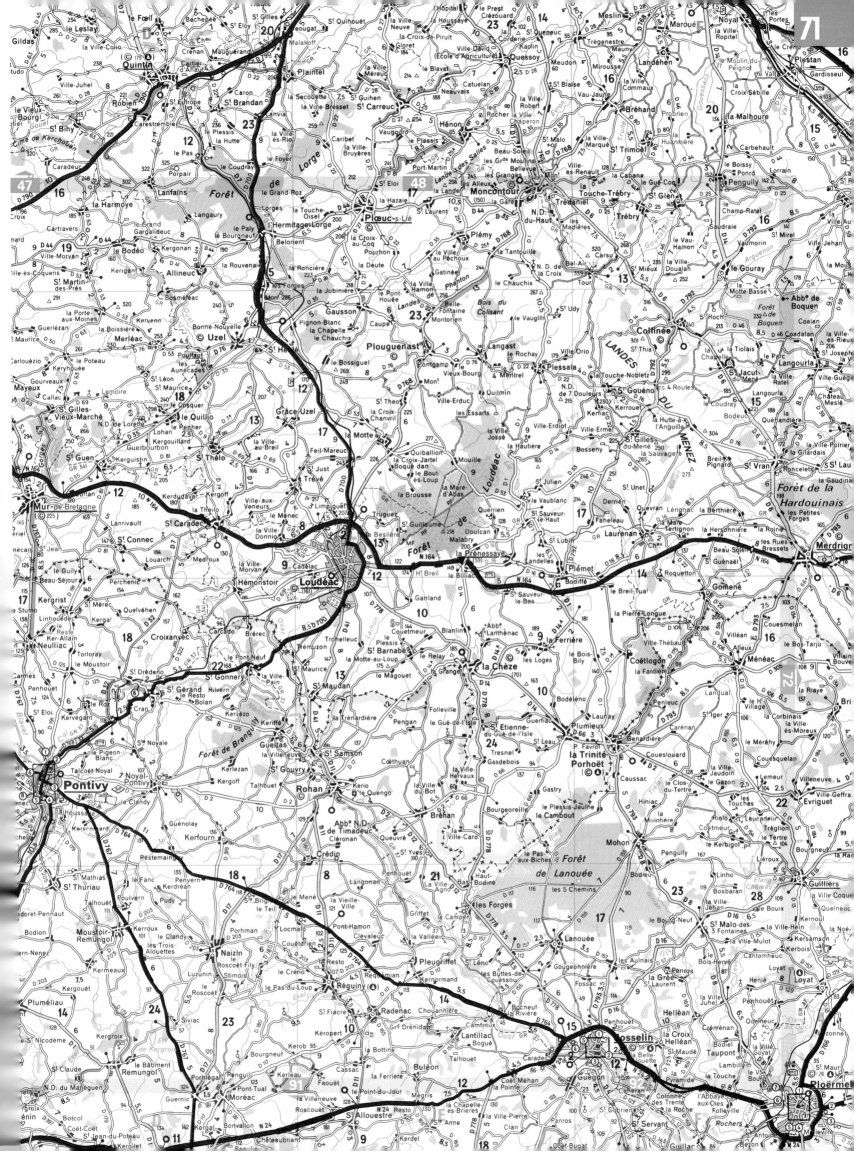

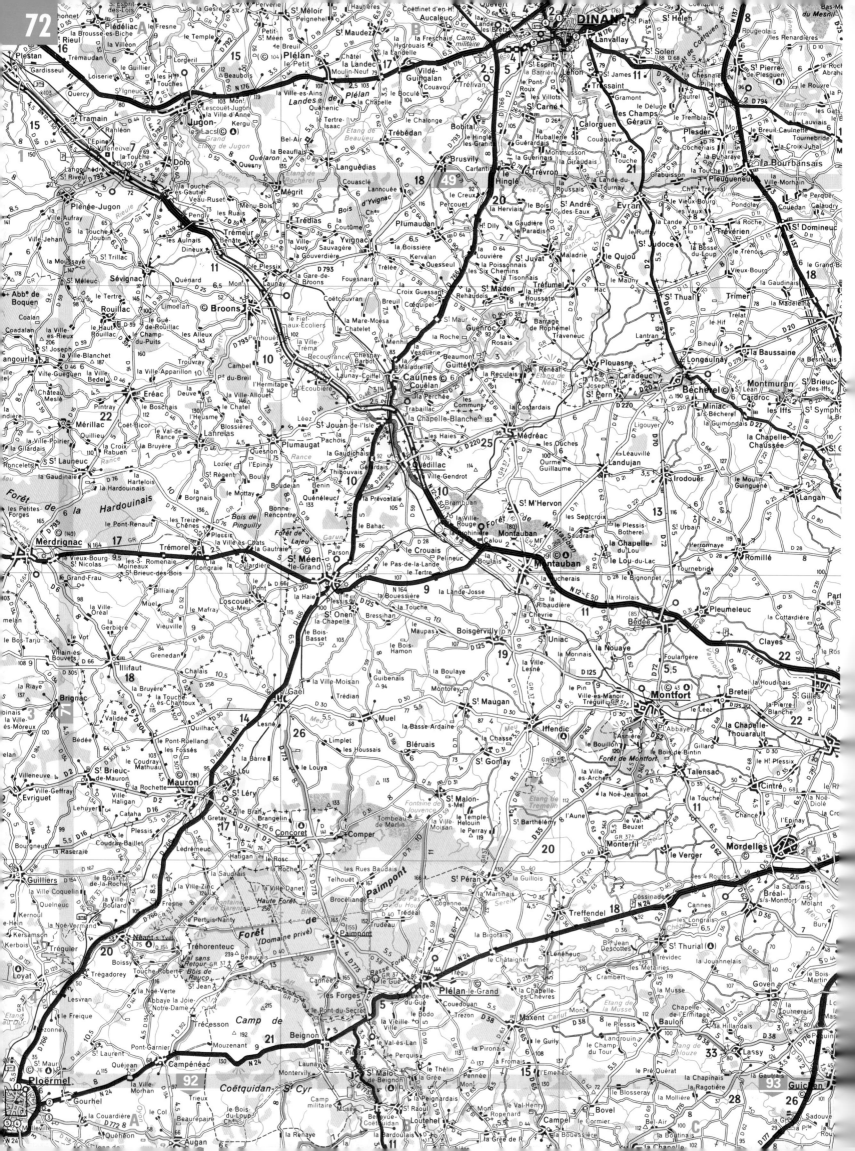

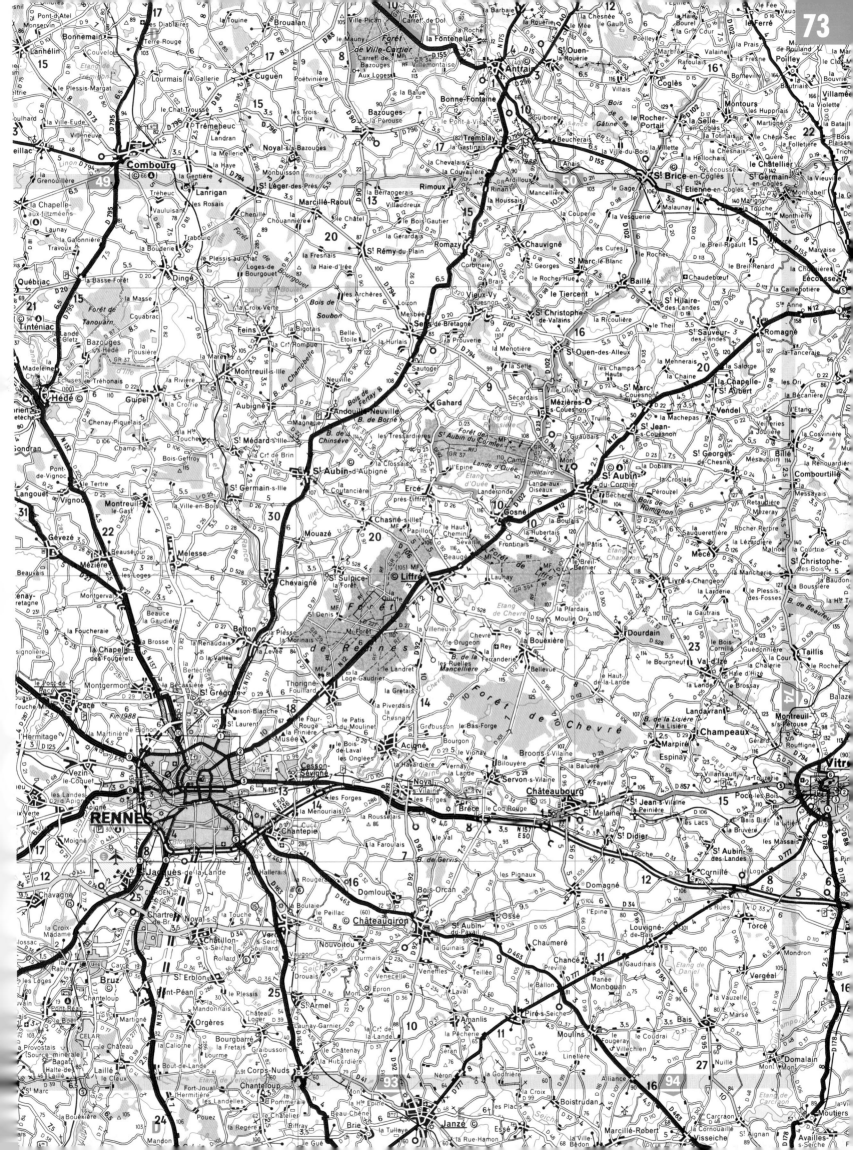

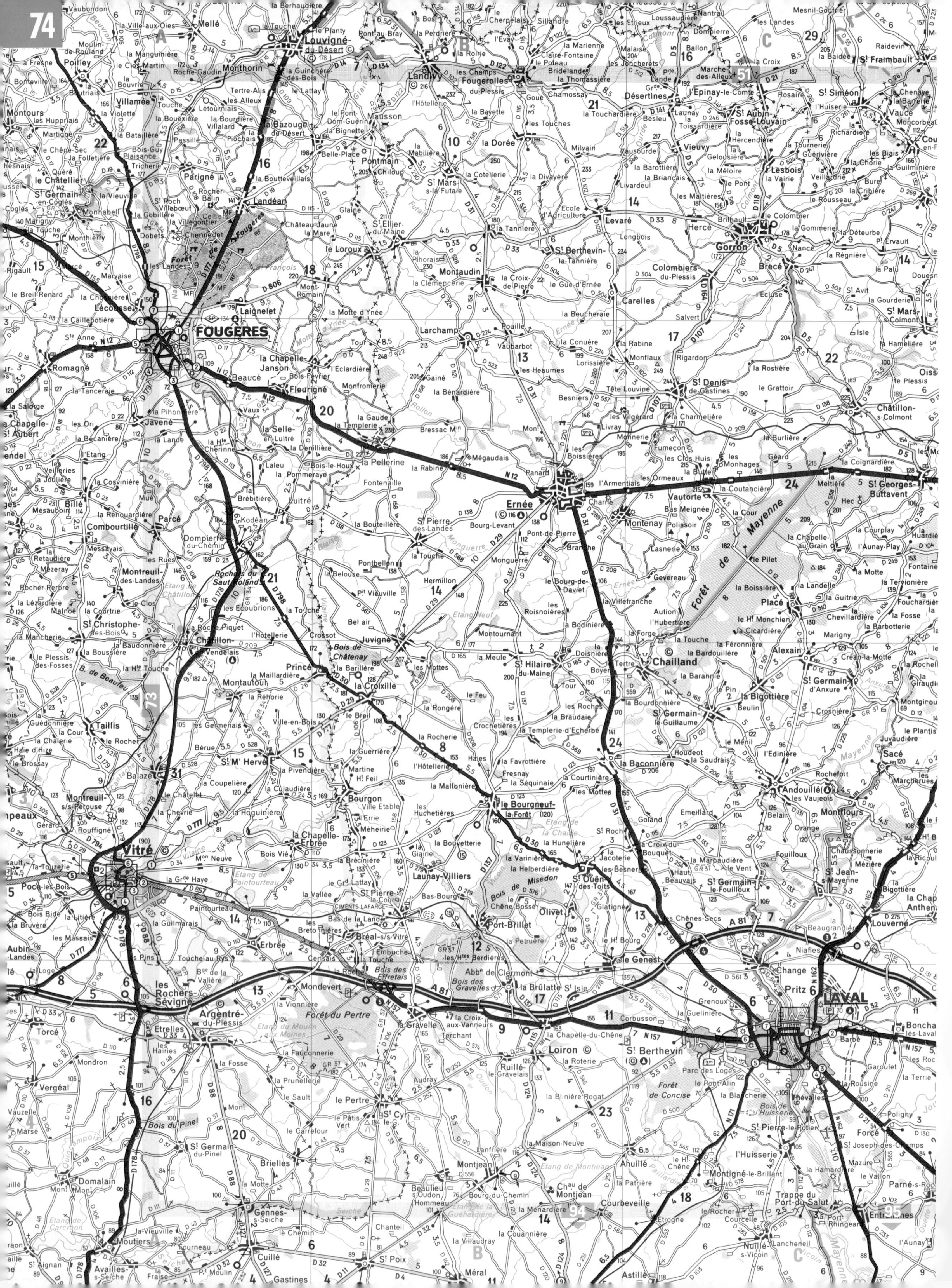

A B C

FOUGÈRES

Ernée

Gorron

Vitré

LAVAL

Louvigné-du-Désert · Landivy · Fougerolles-du-Plessis · la Dorée · Pontmain · Landéan · Laignelet · Parigné · Beaucé · Fleurigné · Javené · Larchamp · Carelles · Colombiers-du-Plessis · St Berthevin-la-Tannière · Montaudin · la Croix-de-Pierre · St Denis-de-Gastines · Levaré · Hercé · Brecé · St Mars-s-la-Futaie · Désertines · Epinay-le-Comte · St Aubin-Fosse-Louvain · Vieuvy · Lesbois · St Siméon · St Fraimbault

Romagné · la Chapelle-Janson · Vaux · la Selle-en-Luitré · la Pellerine · Mégaudais · Bourg-Levant · St Pierre-des-Landes · Montenay · Chailland · St Germain-d'Anxure · Alexain · Andouillé · St Germain-le-Guillaume · la Baconnière · St Germain-d'Anxure

Billé · Combourtillé · Dompierre-du-Chemin · Montreuil-des-Landes · Rochers du Saut Roland · St Christophe-des-Bois · Châtillon-en-Vendelais · Princé · la Croixille · Juvigné · St Hilaire-du-Maine · St Ouën-des-Toits · Olivet · Port-Brillet · le Bourgneuf-la-Forêt · Bourgon · Ville Etable · la Chapelle-Erbrée · Launay-Villiers

Taillis · Balazé · Montreuil-s/s-Pérouse · Pocé-les-Bois · St Mt Hervé · Vitré · Erbrée · les Rochers-Sévigné · Argentré-du-Plessis · Etrelles · Torcé · Mondevert · Bréal-s/s-Vitré · le Pertre · la Gravelle · la Brûlatte · St Isle · Le Genest · St Berthevin · Changé · Pritz · Laval

Vergéal · Domalain · St Germain-du-Pinel · Brielles · le Pertre · St Cyr · Loiron · Ruillé-le-Gravelais · le Bourgneuf-la-Forêt · l'Huisserie · Montjean · Beaulieu-s/Oudon · Courbeveille · Nuillé-s-Vicoin · Astillé · Méral · St Poix · Gastines · Cuillé

PARC RÉGIONAL NORMANDIE — MAINE

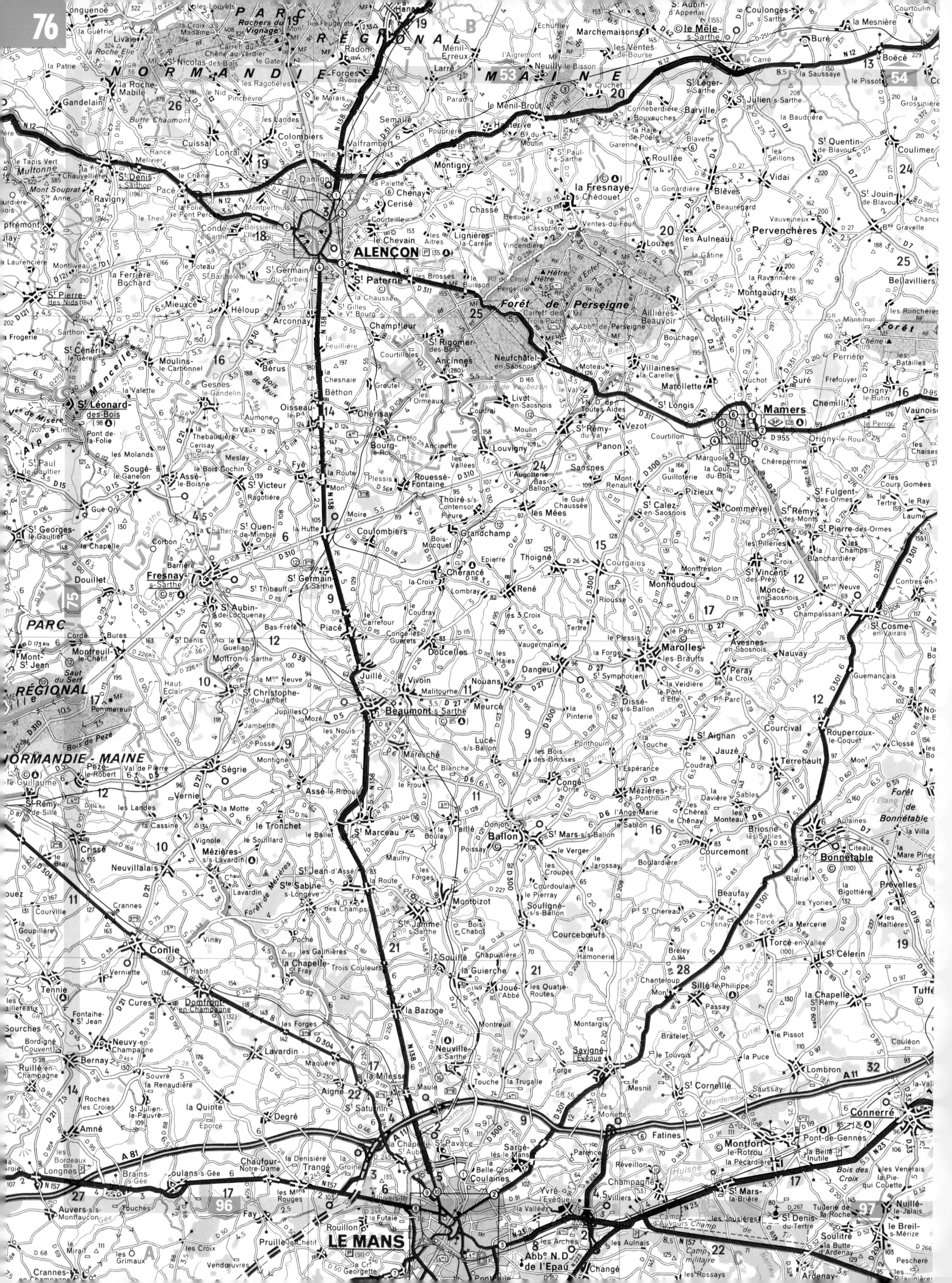

PARC RÉGIONAL
NORMANDIE - MAINE

ALENÇON

Forêt de Perseigne

MAMERS

PARC RÉGIONAL

NORMANDIE - MAINE

Bonnétable

Connerré

LE MANS

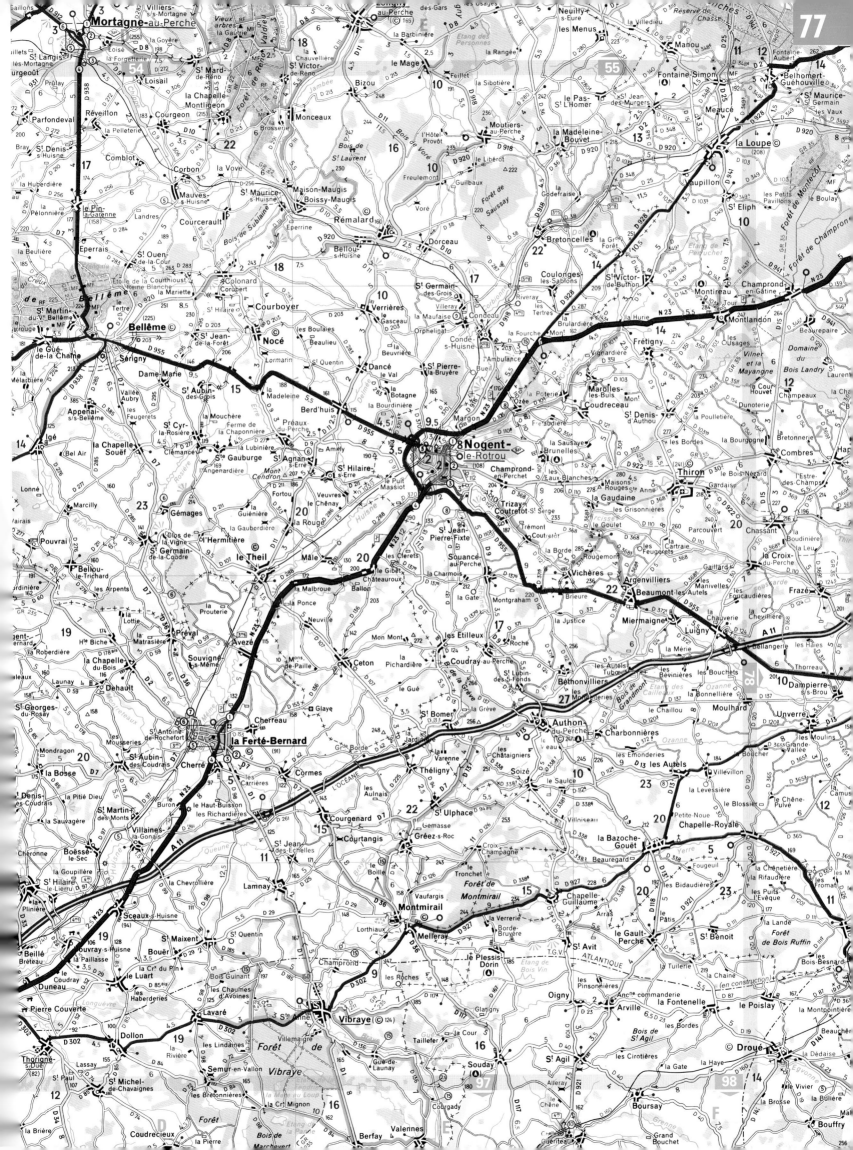

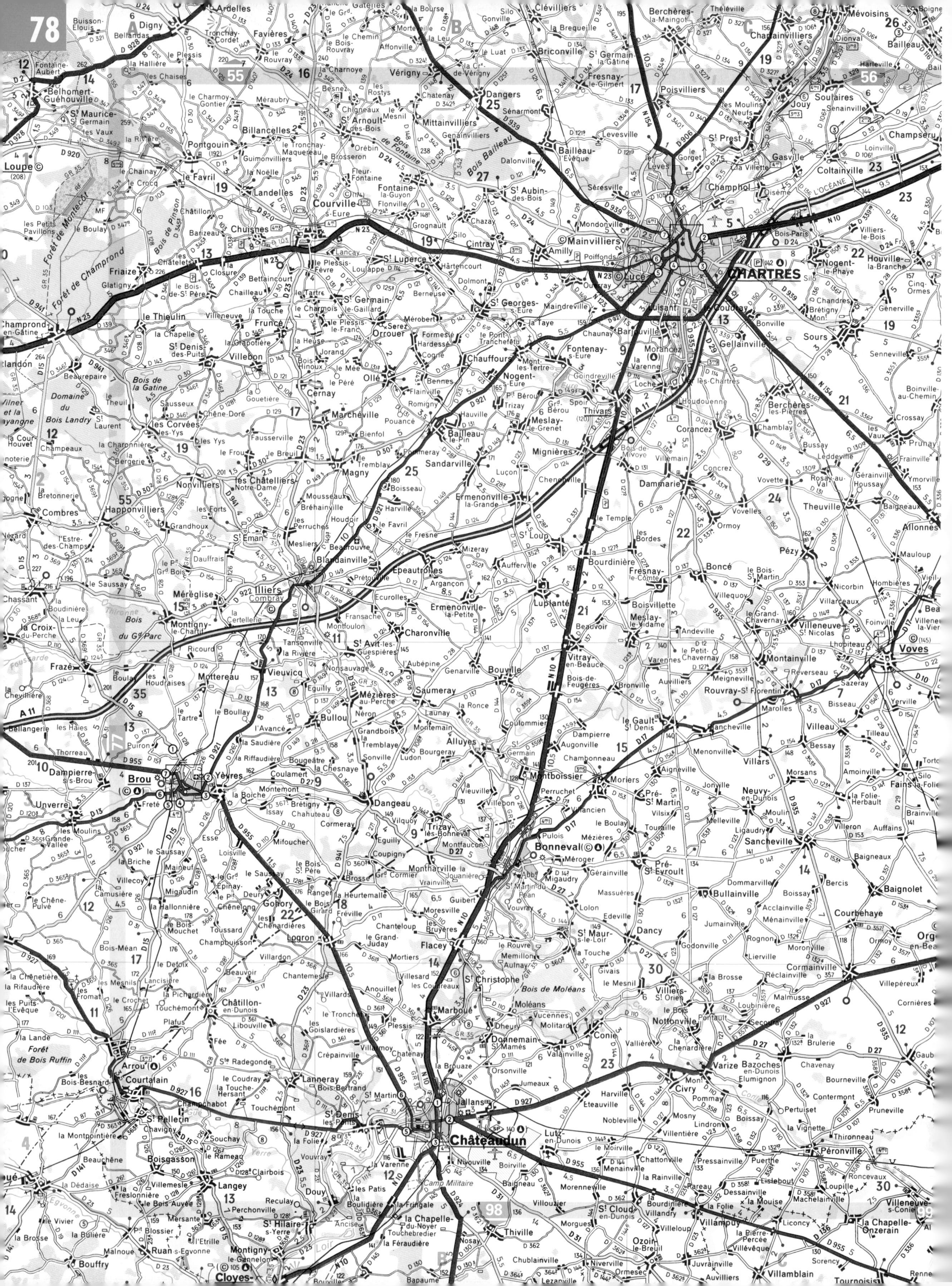
Ardelles
Digny
Favières
Vérigny
Dangers
Clévilliers
Briconville
Berchères-la-Maingot
Chaudainvilliers
Mévoisins
Bailleau
Belhomert-Guéhouville
St Maurice-St Germain
Pontgouin
Billancelles
St Arnoult-des-Bois
Mittainvilliers
Fresnay-le-Gilmert
Poisvilliers
Soulaires
Jouy
St Prest
Champseru
Loupe
Landelles
Courville-s-Eure
Fontaine-la-Guyon
Bailleau-l'Évêque
Champhol
Gasville
Coltainville
Chuisnes
Mainvilliers
Amilly
Cintray
Lucé
CHARTRES
Nogent-le-Phaye
Houville-la-Branche
Friaize
St Luperce
St Germain-le-Gaillard
St Georges-s-Eure
Lèves
Champrond-en-Gâtine
le Thieulin
Orrouer
Chauffours
Fontenay-s-Eure
Barjouville
Morancez
Gellainville
Sours
St Denis-des-Puits
Villebon
Ollé
Cernay
Nogent-sur-Eure
Berchères-les-Pierres
Marchéville
Bailleau-le-Pin
Meslay-le-Grenet
Thivars
Corancez
Mignières
Magny
Sandarville
Dammarie
les Corvées-les-Yys
les Châtelliers-Notre-Dame
Nonvilliers
Ermenonville-la-Grande
Theuville
Allonnes
Happonvilliers
Combres
Blandainville
Épeautrolles
Bonce
Pézy
Illiers-Combray
Méréglise
Luplanté
Mesiay-le-Vidame
Montigny-le-Chartif
Charonville
Ermenonville-la-Petite
St Avit-les-Guespières
Vitray-en-Beauce
Villeneuve-St Nicolas
Montainville
Voves
Vieuvicq
Mottereau
Fraze
Saumeray
Bouville
Rouvray-St Florentin
Mézières-au-Perche
Bullou
Alluyes
le Gault-St Denis
Villeau
Dampierre-s-Brou
Brou
Yèvres
Unverre
Dangeau
Montboissier
Moriers
Villars
Bonneval
Sancheville
Trizay-lès-Bonneval
Pré-St Martin
Pré-St Évroult
Neuvy-en-Dunois
Bullainville
Baignolet
Gohory
Logron
Flacey
Dancy
Courbehaye
St Maur-s-le-Loir
St Christophe
Châtillon-en-Dunois
Marboué
Villiers-St Orien
Nottonville
Conie
Dheury
Donnemain-St Mamès
Varize
Bazoches-en-Dunois
Arrou
Courtalain
Lanneray
Civry
Jallans
St Pellerin
Châteaudun
Péronville
Boisgasson
Langey
Cloyes-s-le-Loir
St Hilaire-s-Yerre
Montigny-le-Gannelon
Thiville
St Cloud-en-Dunois
Villampuy
Ozoir-le-Breuil
Villeneuve-s-Conie
la Chapelle-Onzerain
Bouffry
Ruan-s-Egvonne
Tournoisis
Villamblain
Forêt de Montécot
Forêt de Champrond
Bois de Pinson
Bois Baillea
Forêt de Bois Ruffin
Bois de Moléans
Camp Militaire

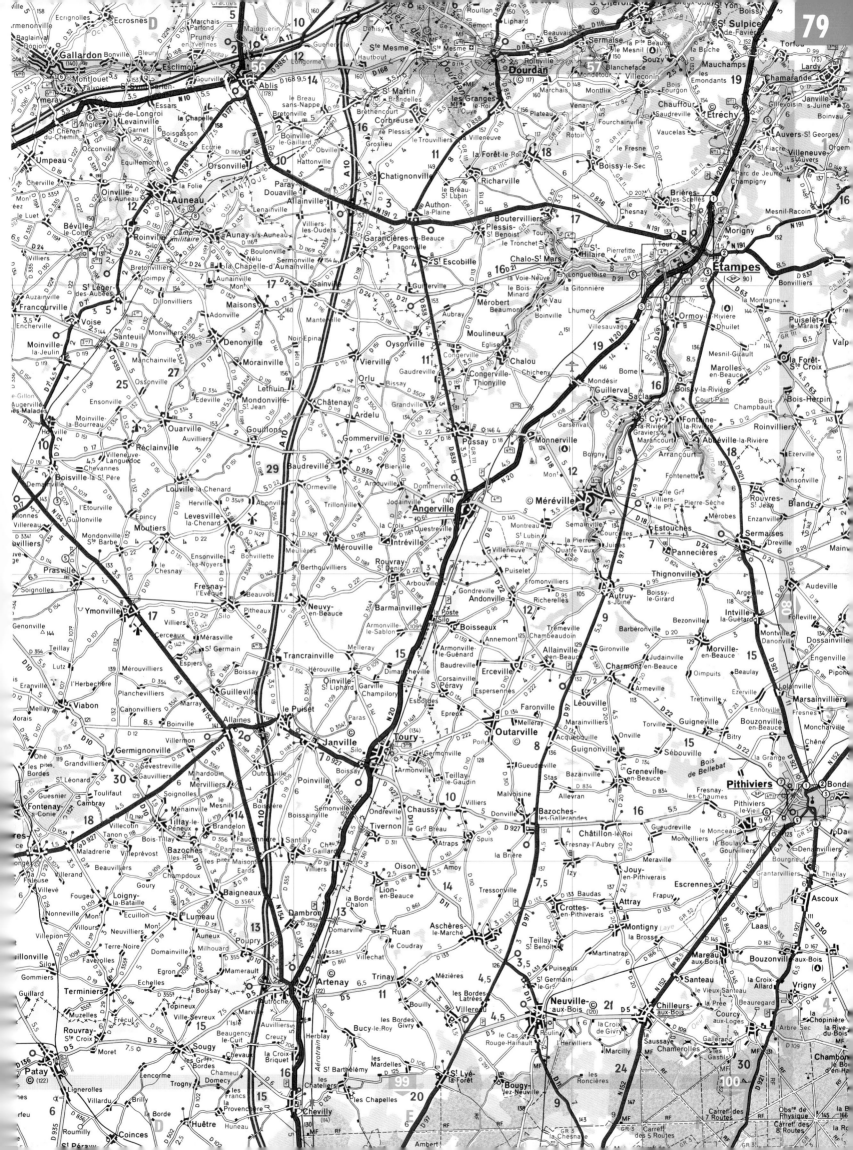

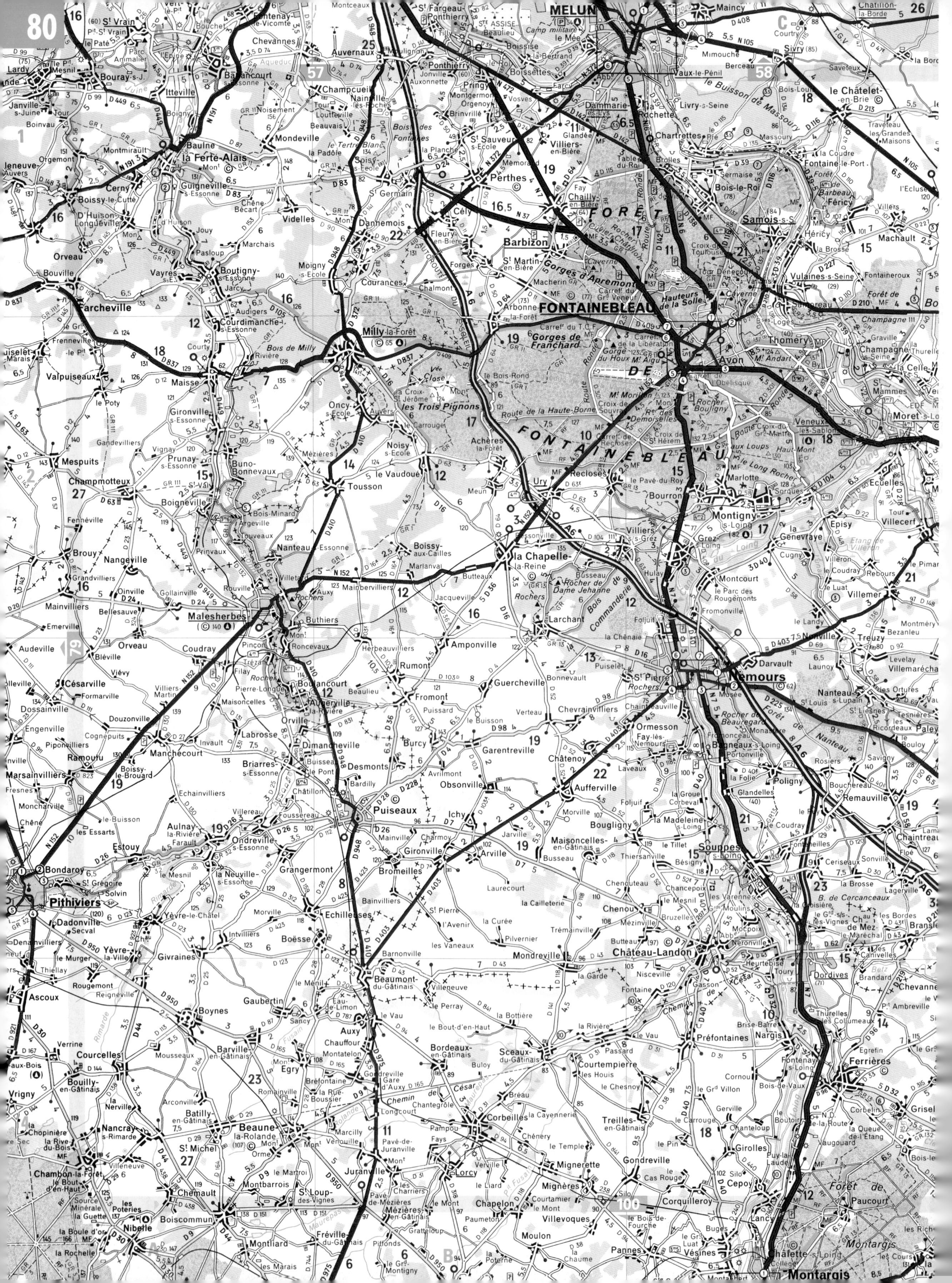
57
58
79
100
MELUN
Fontainebleau
Forêt de Fontainebleau
Avon
Milly-la-Forêt
Malesherbes
Pithiviers
Nemours
Puiseaux
Château-Landon
Montargis
La Ferté-Alais
Ballancourt
Perthes
Barbizon
Chailly-en-Bière
Dammarie-les-Lys
Vaux-le-Pénil
Samois-s-S.
Thomery
Moret-s-Loing
Veneux-les-Sablons
Montigny-s-Loing
Bourron
Larchant
la Chapelle-la-Reine
Souppes-s-Loing
Bagneaux-s-Loing
Beaumont-du-Gâtinais
Beaune-la-Rolande
Boynes
Corbeilles
Ferrières
Dordives
Nargis
Chalette-s-Loing
Boiscommun
Nibelle
Chambon-la-Forêt
Lorcy
Juranville
Boutigny-s-Essonne
Farcheville
Cerny
Dannemois
Courances
Tousson
Gorges d'Apremont
Gorges de Franchard
Fontaine-le-Port
le Châtelet-en-Brie
Vulaines-s-Seine
Champagne
Ponthierry
le Mée
Villiers-en-Bière
Arbonne-la-Forêt
Achères-la-Forêt
Ury
Recloses
Grez-s-Loing
Égreville
Chéroy

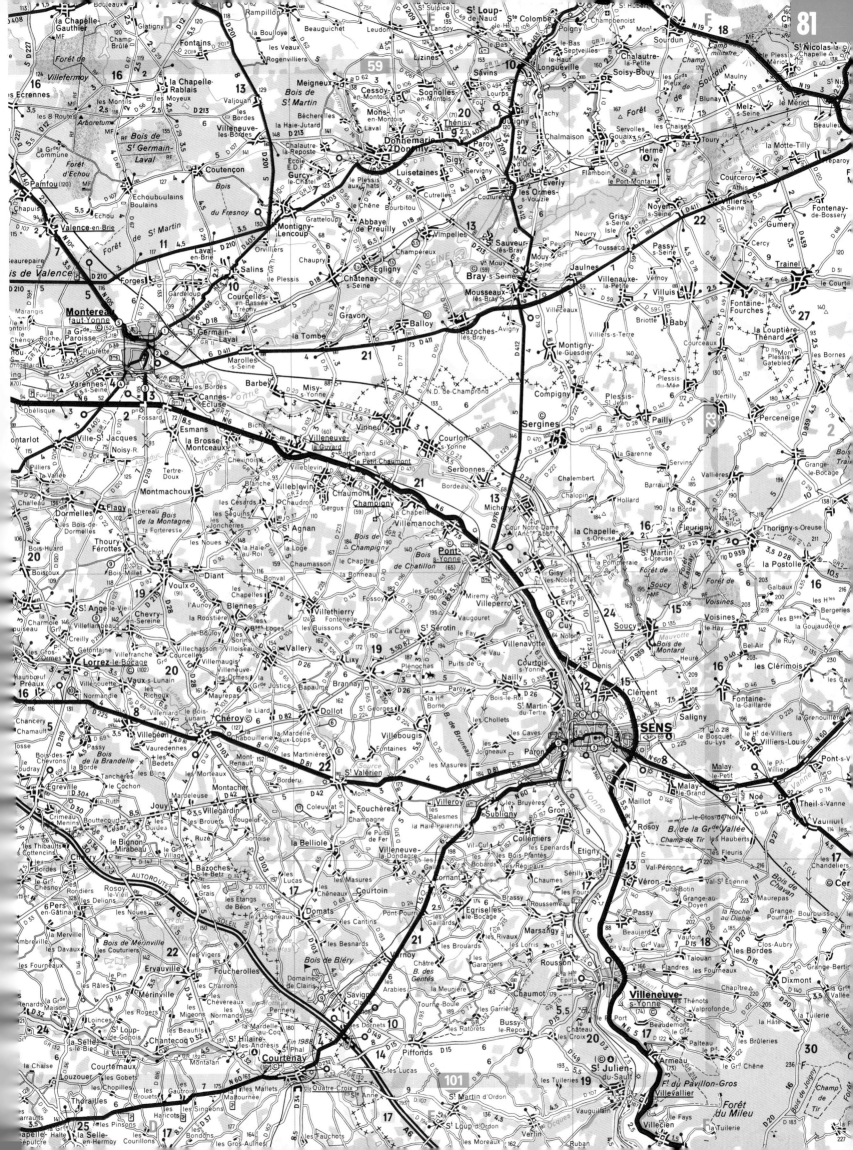

This page is a road map (Michelin-style) of the area around **Nogent-s-Seine**, **Romilly-s-Seine** and **Méry-s-Seine**.

Major localities shown include:

Romilly-s-Seine, **Nogent-s-Seine**, **Méry-s-Seine**, Crancey, Sellières, Clesles, St Oulph, Châtres, Mesgrigny, Droupt-Ste-Marie, Droupt-St-Basle, Vallant-St-Georges, St Mesmin, Saviéres, Fontaine-les-Grès, Marcilly-le-Hayer, Bercenay-le-Hayer, Pouy-s-Vannes, Villadin, Pâlis, Estissac, Fontvannes, Villemaur-s-Vanne, Aix-en-Othe, Villeneuve-l'Archevêque, Bagneaux, Molinons, Vulaines, St Benoist-s-Vanne, Flacy, Rigny-le-Ferron, Cérilly, Bérulle, Coulours, Vaudeurs, Cerisiers, Theil-s-Vanne, Vaumort, Les Sièges, Vareilles, Chigy, Villiers-Louis, Pont-s-Vanne, Noé, Malay-le-Petit, Courgenay, Thorigny-s-Oreuse, Trancault, Bourdenay, St Maurice-aux-Riches-Hommes, La Villeneuve-aux-Riches-Hommes, Soligny-les-Étangs, Avant-les-Marcilly, Fay-les-Marcilly, Charmoy, Ferreux, St Loup-de-Buffigny, St Martin-de-Bossenay, Bossenay, Ossey-les-Trois-Maisons, Rigny-la-Nonneuse, St Flavy, Marigny-le-Châtel, Échemines, St Lupien, Faux-Villecerf, Dierrey-St-Pierre, Dierrey-St-Julien, Mesnil-St-Loup, Macey, Montgueux, Fontaine-Mâcon, Gumery, Trainel, Bouy-s-Orvin, Fontaine-Fourches, La Louptière-Thénard, Perceneige, Vertilly, Villiers-s-Seine, Courceroy, La Motte-Tilly, Le Mériot, Melz-s-Seine, Maulny, St Nicolas-la-Chapelle, Chalautre-la-Grande, Gélannes, Pars-lès-Romilly, St Hilaire-s-Romilly, Maizières-la-Grde-Paroisse, Orvilliers-St-Julien, Fontaine-les-Grès, Villeloup, Le Pavillon-Ste-Julie, Belleville, Prunay, Chailley, Turny, Venizy, Champlost, Neuvy-Sautour, Ervy-le-Châtel, Auxon, Eaux-Puiseaux, Bœurs-en-Othe, Nogent-en-Othe, St Mards-en-Othe, Maraye-en-Othe, Bucey-en-Othe, Messon, Prugny, Bercenay-en-Othe, Vauchassis, Paisy-Cosdon, Bussy-en-Othe, Dixmont, Dilo, Arces, Bligny-en-Othe, Bellechaume, Mercy, Paroy-en-Othe, Vorvigny, Turny, Soumaintrain, Courtaoult, Racines, Chamoy, Vosnon, Montfey, Ervy-le-Châtel.

Main roads indicated: **N 19**, **N 60**, **N 77**, **D 374**, **D 440**, **D 442**, **D 84**, **D 905**, **D 939**, **D 374**.

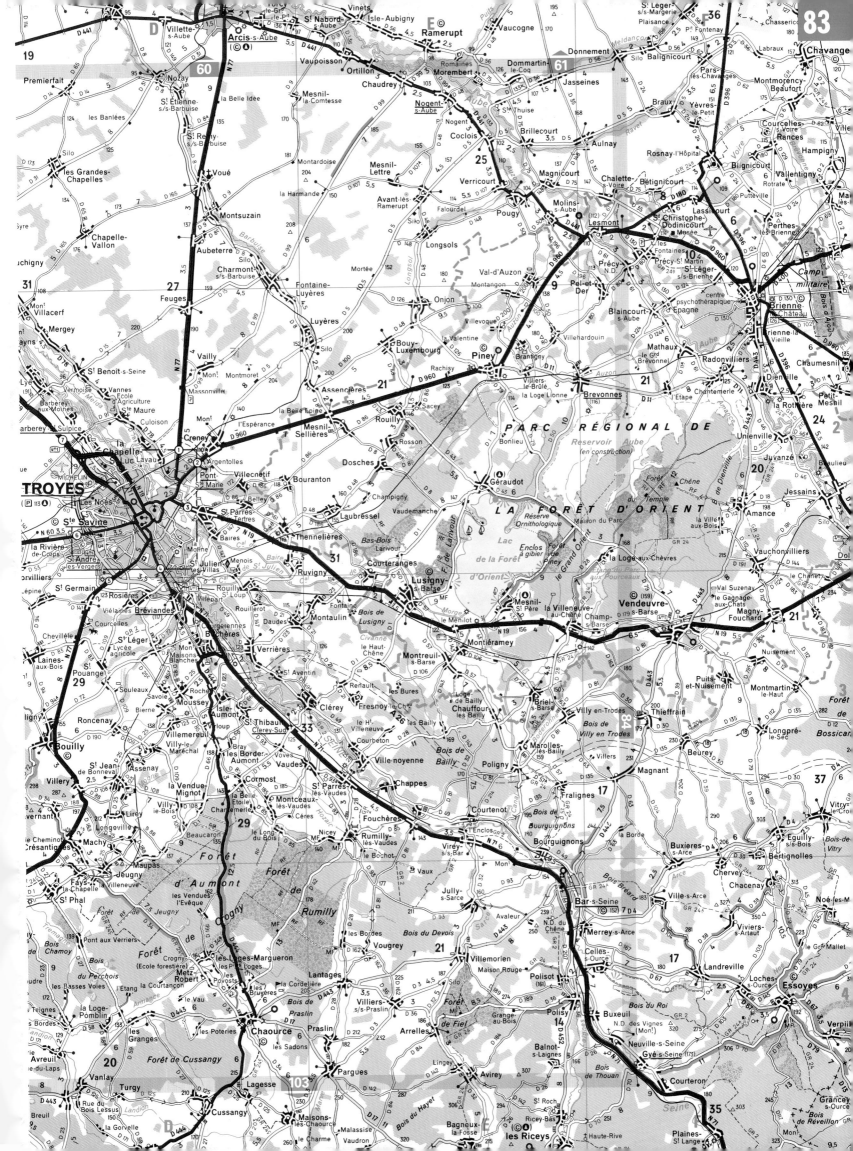

84

A B 61 15 62 18 C

Chavanges · Joncreuil · le Voy · Frampas · Wassy · Magneux · Sommancourt
Labraux · Tanière · Bailly-le-Franc · Droyes · Planrupt · Brousseval · Valleret · Domblain · Fays
Silo · Balignicourt · Pars-lès-Chavanges · Montmorency-Beaufort · les Granges · Gervilliers · les Malots · Voillecomte · Pont-Varin · Montreuil-s-Blaise · Vaux-s-Blaise · Rachecourt
Braux · Yèvres-le-Petit · Courcelles-s-Voire · Rances · Villeret · Puellemontier · Jagée · Ceffonds · Flancourt · Montier-en-Der (130) · Laneuville-à-Rémy · la Varnière · Robert-Magny · Bailly-aux-Forges · Doulevant-le-Petit · Morancourt
Rosnay-l'Hôpital · Blignicourt · Hampigny · Grandmont · Pré Godot · les Sellières · la Bouverie · Billory · Ville-en-Blaisois
Bétignicourt · Vallentigny · Rotrate · Putteville · Boulancourt · Longeville-s-Laines · la Grève · Thilleux · Cour des Pruneaux · Dommartin-le-Franc · Baudrecourt
Lassicourt · Maizières-lès-Brienne · Louze · Epothémont · Rozières · Mertrud · Courcelles-s-Blaise · Charmes-la-Grande
St Christophe-Dodinicourt · Perthes-lès-Brienne · Sauvage-Magny · Ste Colombe · Sommevoire · Dommartin-le-St-Père · Charmes-en-l'Angle · Bois de Charmes
les Fontaines · Précy-St Martin · St Léger-s-Brienne · Musée · Juzanvigny · Bridenne · la Ville-aux-Bois · Anglus · Bois-Lassus · Bois de la Pissotte · Villiers-aux-Chênes · Doulevant-le-Chau
Camp militaire · Crespy-le-Neuf · Bois d'Humégnil · Morvilliers · Forêt de Soulaines · Soulaines-Dhuys · Nully · Blumeray · Monthonval
Brienne-le-Château · centre psychothérapique · Epagne · St Victor · la Chaise · Trémilly · Thil · Humbersin · Arnancourt
Mathaux · Brévonnel · Radonvilliers · Arrienne-la-Vieille · Chaumesnil · Beauvoir · Bois de Chantecoq · Bois de Ville · Bois de l'Aillemont
Dienville · Chantemerle · Petit-Mesnil · la Giberie · Fuligny · Ville-s-Terre · Fresnay · Bois de Beauregard · Thors · la Gaité · les Grands-Ordons · Cirey-s-Blaise · Bois d'Ambonville
PARC RÉGIONAL DE LA FORÊT D'ORIENT · l'Etape · la Rothière · Etang de Ramerupt · Bois de Pute-Bête · Etang de la Rothière · Vernonvilliers · Beurville · Chânet · Forêt de Blinfey · Daillancourt · Bouzancourt
Unienville · Beaulieu · Etang de Laborde · Eclance · Lévigny · Maisons-lès-Soulaines · Blinfey · Ambonvil
Forêt de Dienville · Juvanzé · Jessains · Trannes · Maisons-lès-Soulaines · Saulcy · Rizaucourt · Harricourt · Champcourt · Blaise · Marbéville
Temple · Amance · la Ville-aux-Bois · Bossancourt · Maison-Neuve · Bois de Courtgain · Engente · Colombé-la-Fosse · Buchey · Biernes · Curmont
Vauchonvilliers · Dolancourt · Arsonval · Montier-en-l'Isle · Arrentières · Moulin · Colombé-le-Sec · Argentolles · Pratz · le Plachet · l'Etoile
le Chanet · Argançon · Jaucourt · Ailleville · Gagnage · Voigny · Rouvres-les-Vignes · Lamothe-en-Blaisy
Magny-Fouchard · Maison-des-Champs · Pravaux · Spoy · Bar-s-Aube · Lavilleneuve-aux-Fresnés · Colombey-les-Deux-Eglises · Forêt de l'Etoile
Nuisement · Proverville · St Germaine · Lignol-le-Château · Mémorial · la Boisserie · Lachapelle-en-Blaisy · Sexfontaines
Puits-et-Nuisement · Belroy · la Pipière · Bayel · Forêt des Dhuits · Juzennecourt
Thieffrain · Montmartin-le-Haut · Meurville · Couvignon · le Val Perdu · la Belle Idée · Montheries · Lavilleneuve-au-Roi · Blaisy
Beurey · Longpré-le-Sec · Forêt de Bossican · Bergères · Baroville · la Borde · Forges St Bernard · Gillancourt
Magnant · Bligny · Urville · Bois de Barramont · la Bretonnière · FORÊT DE CLAIRVAUX · Clairvaux · Maison Centrale · Rennepont · St Martin-s-la-Renne
Buxières-s-Arce · Eguilly-s-Bois · Bertignolles · Bois-de-Vitry · Vitry-le-Croisé · Arconville · Fraville · Longchamp-s-Aujon · Maranville · Vaudrémont · Autreville-s-la-Renne
Chervey · Chacenay · Noé-les-Mallets · Champignol-lez-Mondeville · Ville-s-la-Ferté · Juvancourt · Cirfontaines-en-Azois · Aizanville · Braux-le-Châtel
Ville-s-Arce · Viviers-s-Artaut · St Usage · Fays-Haut · Laferté-sur-Aube · Vatencey · Pont-la-Ville · Orges · Bricon · Valdelancourt
Landreville · Loches-s-Ource · Essoyes · les Fosses · Fontette · Villars-en-Azois · Silvarouvres · le Val-du-Four · Essey-les-Ponts · Marmesse · Blessonville
Cunfin · Verpillières-s-Ource · Ste Anne · Forêt de Beaumont · la Folie · Dinteville · Derville · Châteauvillain
Courteron · Bois du Charmoi · Beaumont · Lanty-s-Aube · Bois de la Longe · Créancey · Bonshommes · FORÊT DE CHÂTEAUVIL
Plaines-St Lange · Grancey-s-Ource · Autricourt · Bois des Forts · Valfond · Ormoy-s-Aube · Bon Air · Montribourg · la Lucine

104

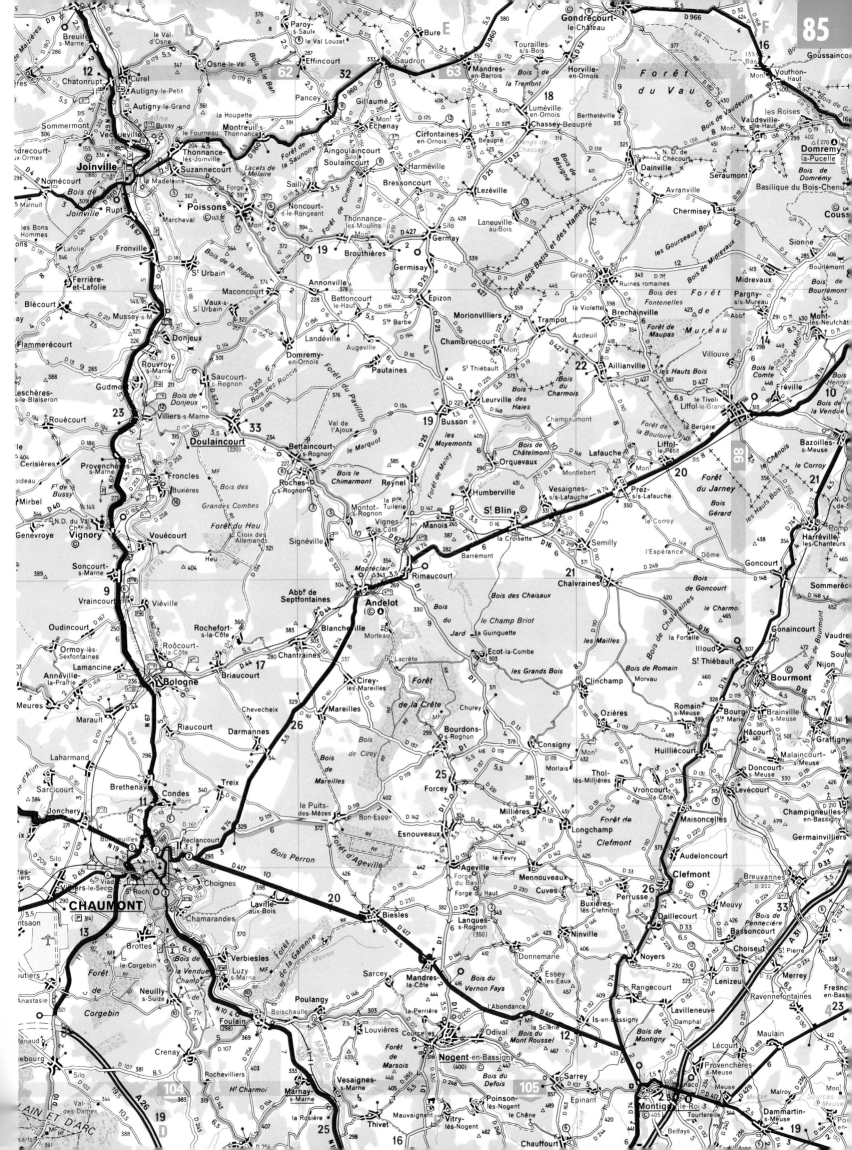

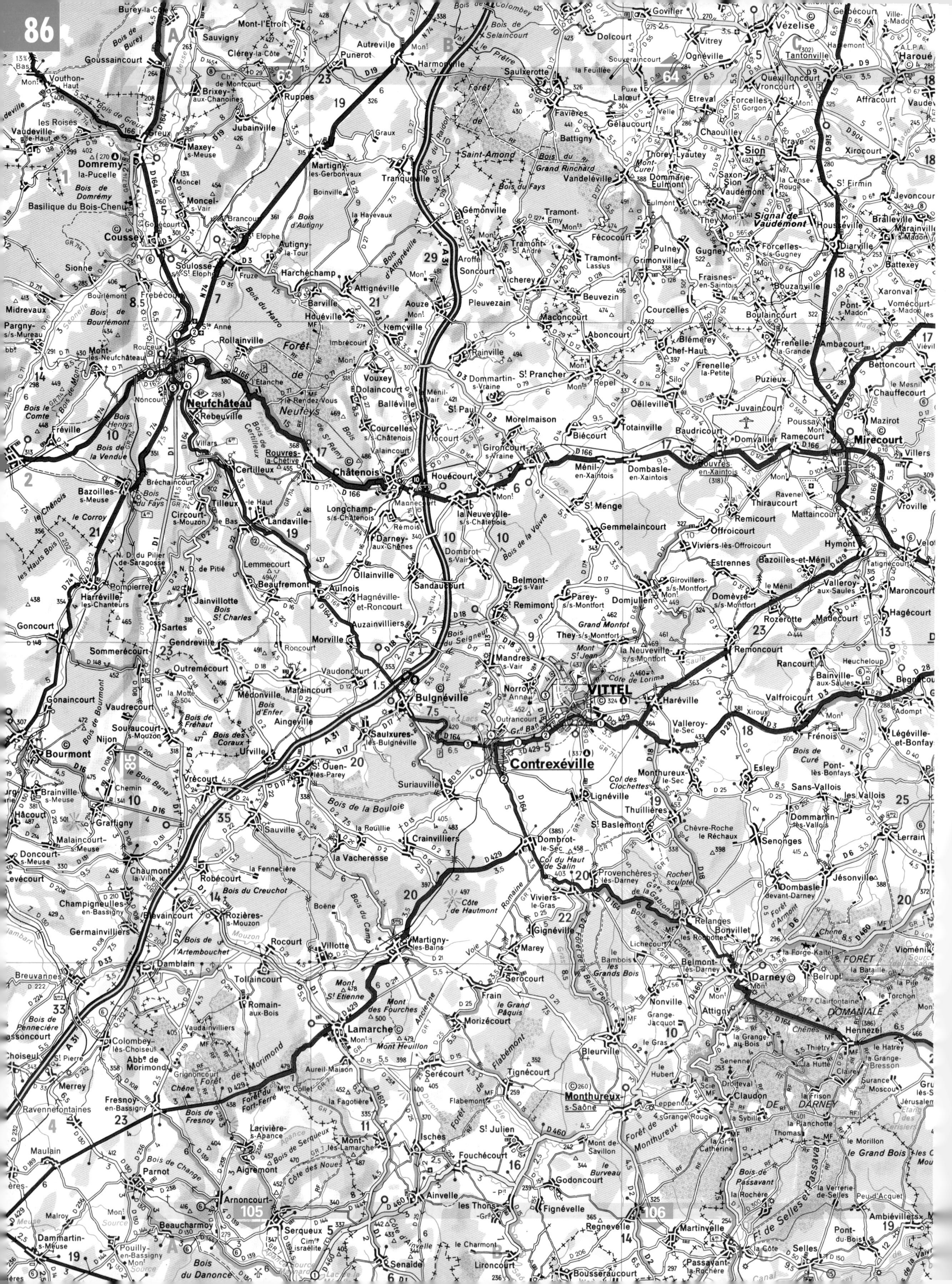

A   B   C

63   64

Neufchâteau
Châtenois
VITTEL
Contrexéville
Mirecourt
Darney
Bourmont
Lamarche
Monthureux-s-Saône

Domrémy-la-Pucelle
Coussey
Sionne
Frébécourt
Maxey-sur-Meuse
Autreville
Harmonville
Vézelise
Sion
Signal de Vaudémont
Harouè
Tantonville

105   106

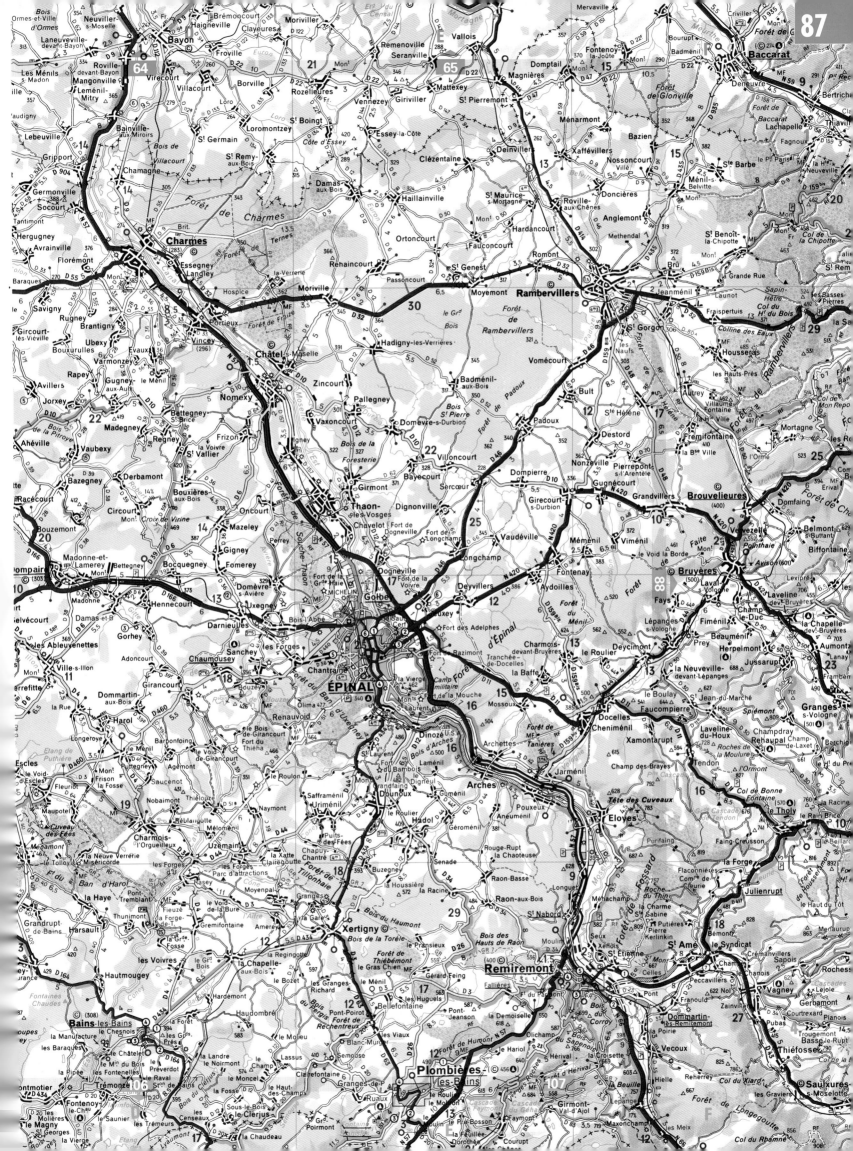

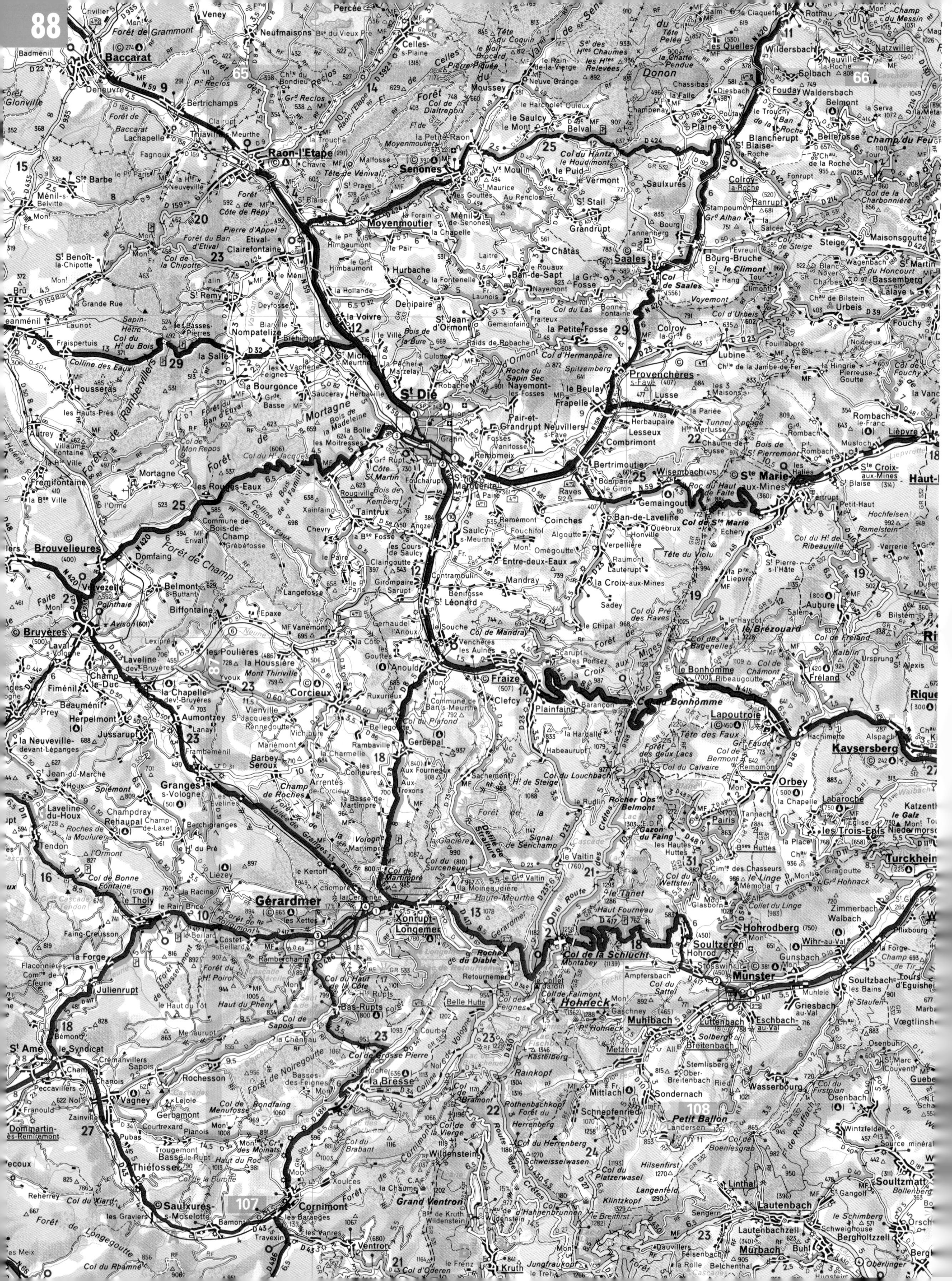

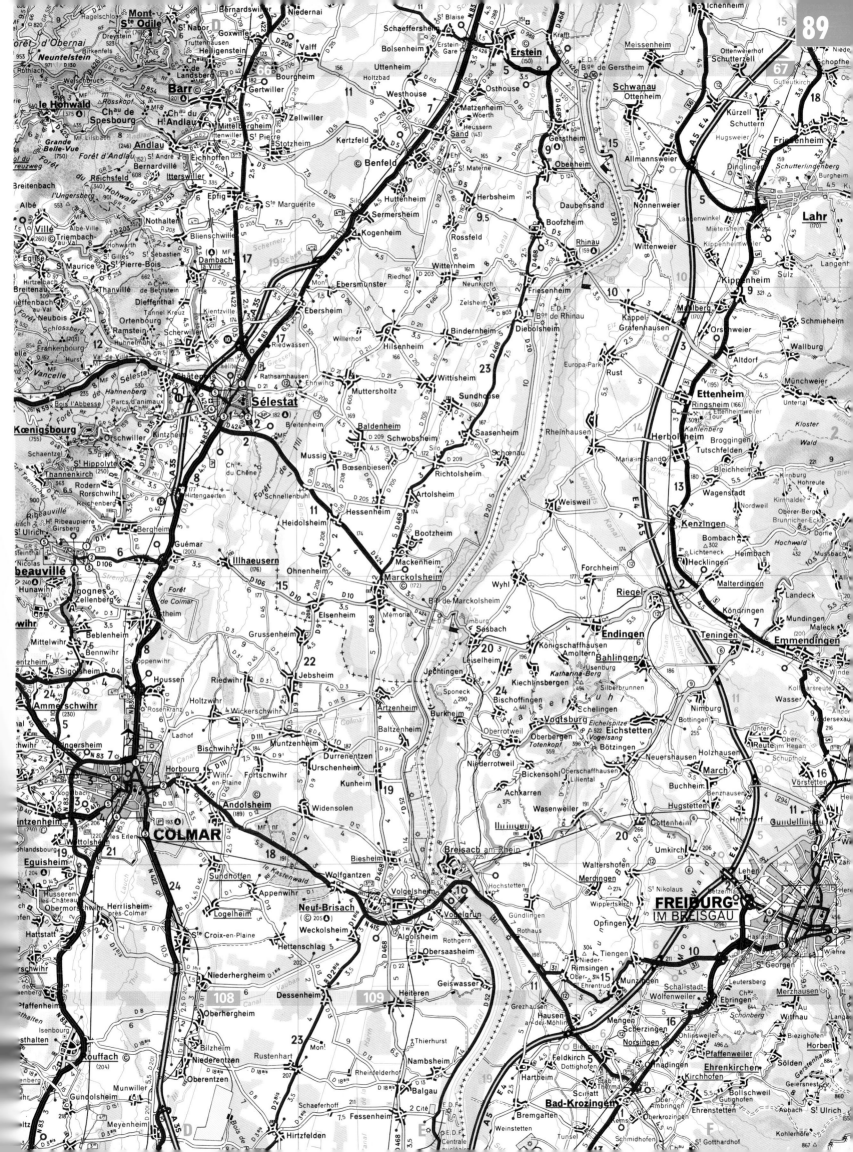

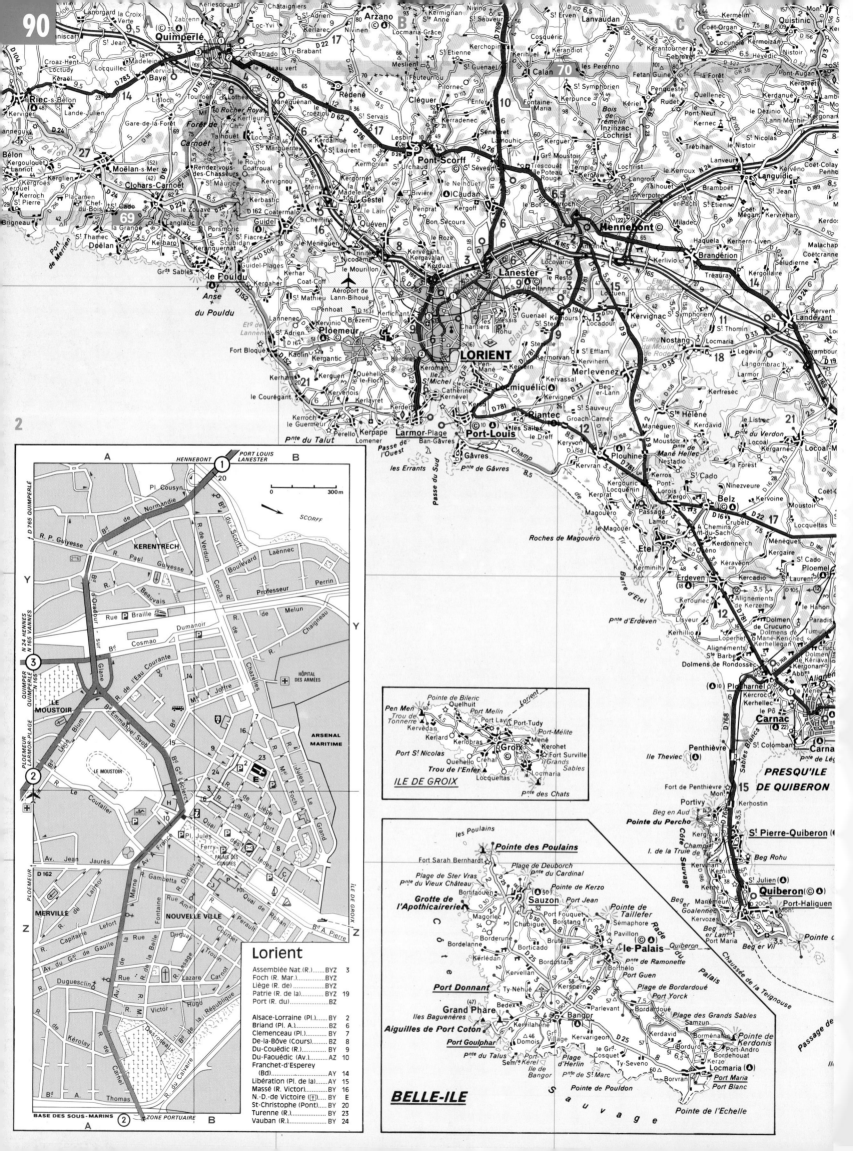

Locminé · Baud · Moréac · Guénin · Pluvigner · Camors · Grand-Champ · Ste Anne d'Auray · Auray · Plescop · St Avé · VANNES · Elven · St Jean-Brévelay · Plumelec · Guéhenno · Plaudren · Trédion · St Guyomard · Monterblanc · St Nolff · Forteresse de Largoët

Arradon · Baden · Crach · Locmariaquer · St Philibert · la Trinité · Ile aux Moines · Ile d'Arz · GOLFE DU MORBIHAN · Séné · Theix · Noyalo · Surzur · Sarzeau · Presqu'île de Rhuys · St Gildas-de-Rhuys · Arzon · Port-Navalo

la Trinité-Surzur · Berric · Lauzach · Ambon · Muzillac · Billiers · Damgan · le Tour-du-Parc · Pénestin

BAIE DE QUIBERON

Ile de Houat · Hoedic · Ile de Hoedic · les Grands Cardinaux · les Petits Cardinaux · Ile Dumet

Plateau de la Recherche · Rade de Penerf · Pointe de Penvins · Pointe de St Jacques

Ploërmel · Coëtquidan-St-Cyr · St-Malo-de-Beignon · Guer · Maure-de-Bretagne · Pipriac · Carentoir · la Gacilly · Malestroit · St-Marcel · St-Guyomard · Pleucadeuc · Molac · Rochefort-en-Terre · Pluherlin · Questembert · Malansac · Allaire · Redon · St-Nicolas-de-Redon · Peillac · St-Vincent-s-Oust · Bains-s-Oust · Renac · Avessac · Caden · Limerzel · Noyal-Muzillac · le Guerno · Péaule · Béganne · Rieux · Muzillac · Billiers · Arzal · Marzan · la Roche-Bernard · St-Dolay · Sévérac · St-Gildas-des-Bois · Guenrouet · Missillac · Herbignac · Pontchâteau · Dréffeac · Théhillac · Nivillac

Parc Régional de Brière

71 · 72 · 91 · 110 · 111

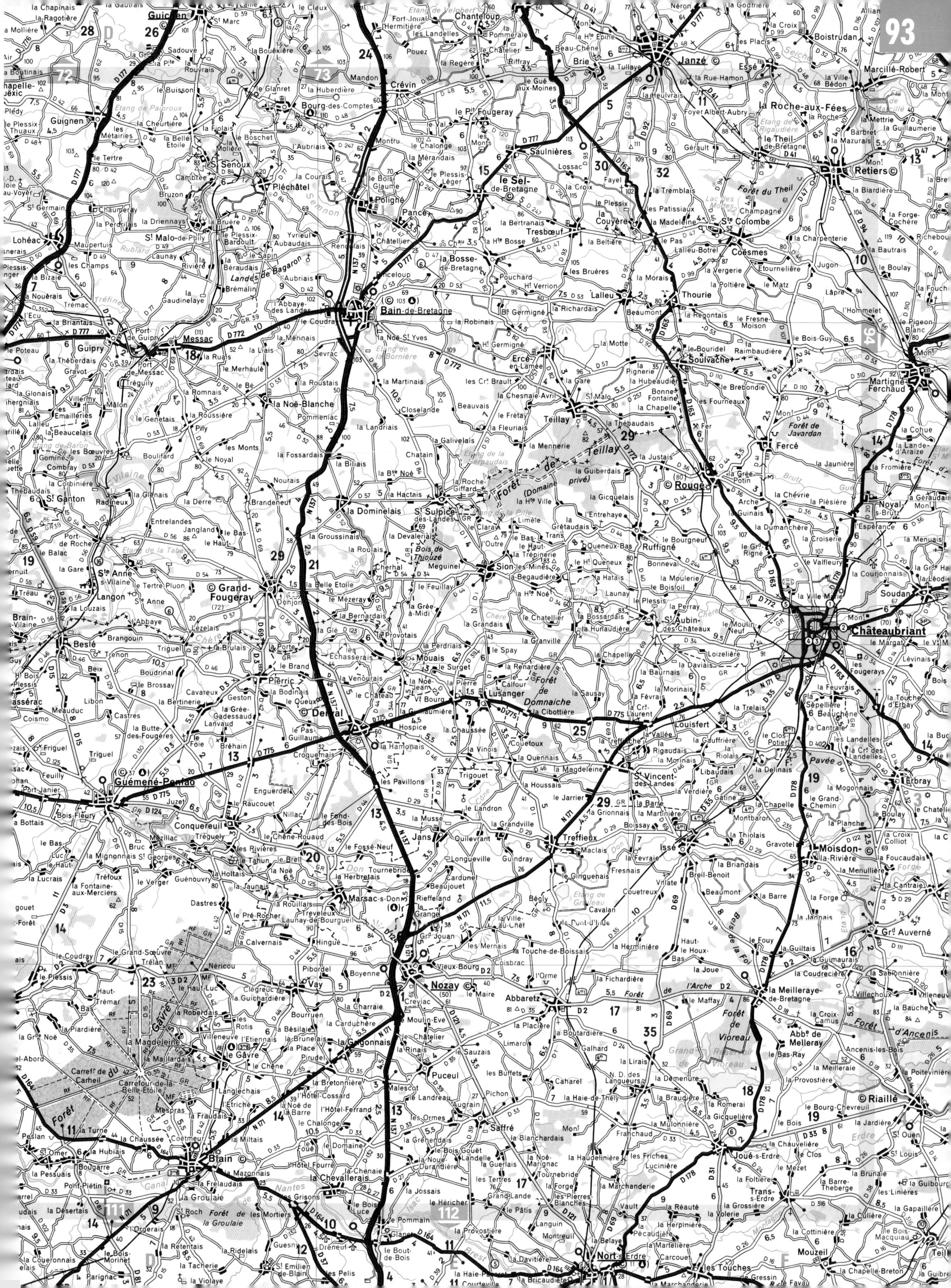
Guichen
Janzé
Chanteloup
Crévin
Bourg-des-Comptes
Marcillé-Robert
la Roche-aux-Fées
Retiers
le Theil-de-Bretagne
Guignen
St Senoux
Pléchâtel
Poligné
Pancé
le Sel-de-Bretagne
Saulnières
Lohéac
St Malo-de-Phily
Tresbœuf
la Couyère
Ste Colombe
Coësmes
Thourie
Lalleu
Bain-de-Bretagne
Messac
Guipry
la Noë-Blanche
Ercé-en-Lamée
Teillay
Soulvache
Martigné-Ferchaud
Forêt du Theil
Forêt de Teillay
Forêt de Javardan
Fercé
Rougé
St Ganton
la Dominelais
St Sulpice-des-Landes
Ruffigné
Grand-Fougeray
Sion-les-Mines
Soudan
Ste Anne-s-Vilaine
Langon
St Aubin-des-Châteaux
Châteaubriant
Beslé
Mouais
Lusanger
Forêt de Domnaiche
Pierric
Derval
Louisfert
Guémené-Penfao
St Vincent-des-Landes
Erbray
Conquereuil
Jans
Treffieux
Issé
Moisdon-la-Rivière
Marsac-s-Don
Nozay
Vay
Abbaretz
la Meilleraye-de-Bretagne
Forêt du Gâvre
le Gâvre
Puceul
Forêt de Vioreau
Grand Réservoir de Vioreau
Riaillé
Saffré
Blain
Joué-s-Erdre
Trans-s-Erdre
la Chevallerais
Forêt de la Groulaie
Nort-s-Erdre
les Touches
Mouzeil
72
73
94
111
112

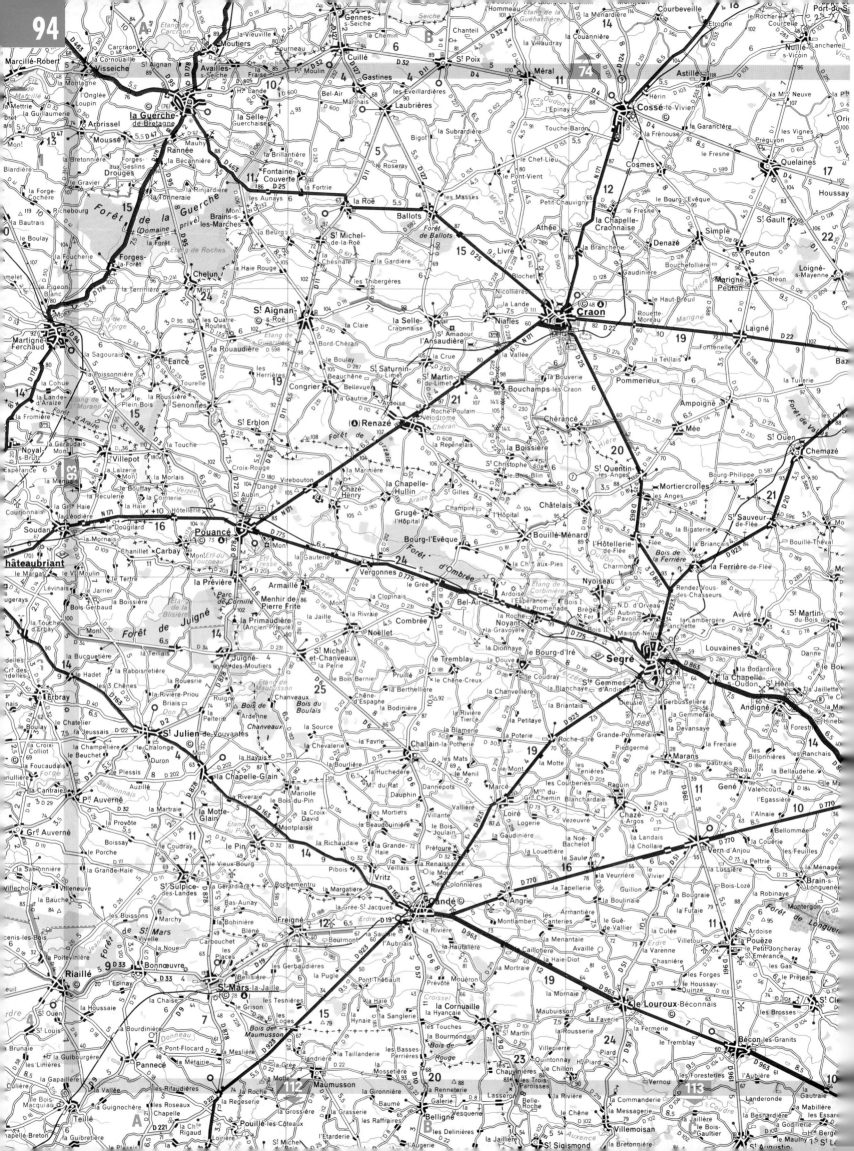

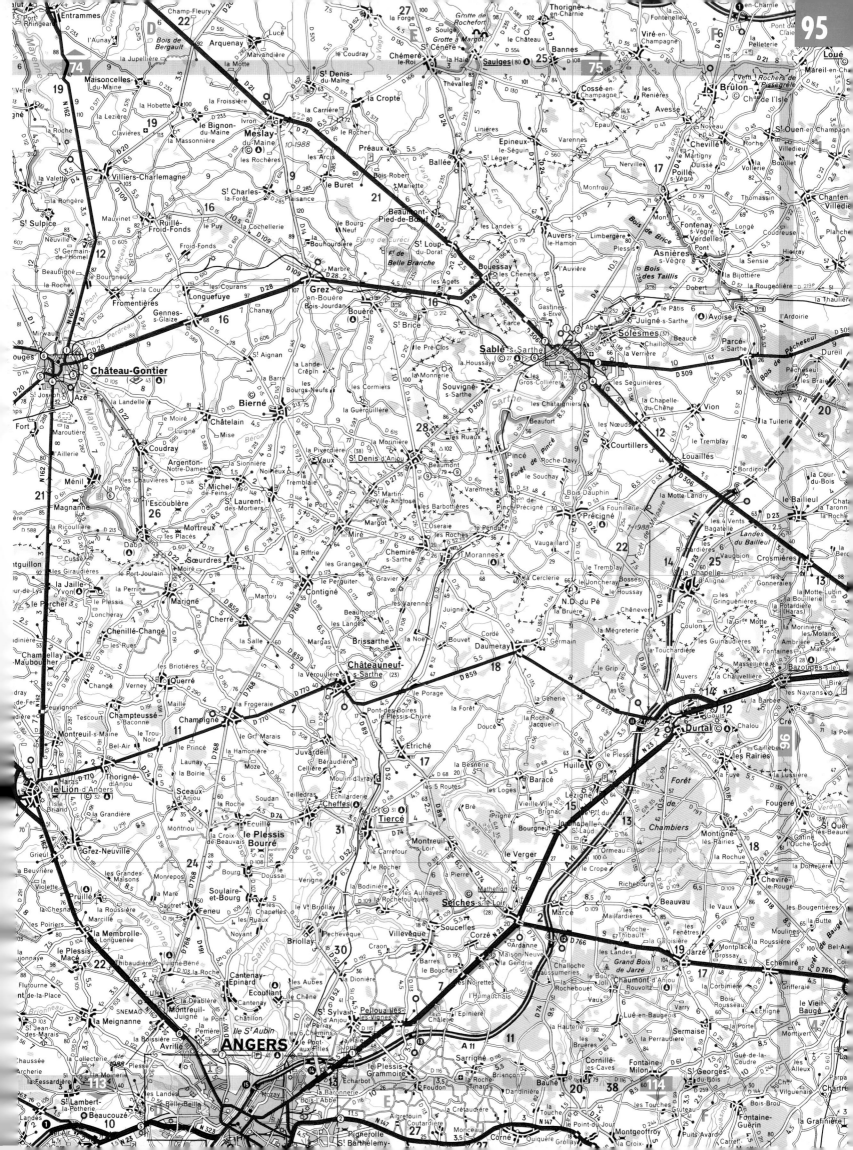

LE MANS

Loué · Tassillé · Crannes-en-Champagne · St Christophe-en-Champagne · Chanteloup · Souligné-Flacé · St Georges-du-Bois · Louplande · la Suze-s-Sarthe · Guécélard · Parigné-le-Pôlin · Cérans-Foulletourte · Mézeray · Malicorne-s-Sarthe · Courcelles-la-Forêt · Ligron · Villaines-s-s-Malicorne · Clermont-Créans · la Flèche · Thorée-les-Pins · le Lude · Luché-Pringé · St Jean-de-la-Motte · Mansigné · Pontvallain · Requeil · Château-l'Hermitage · Ecommoy · St Biez-en-Belin · Marigné-Laillé · Jupilles · Mayet · Aubigné-Racan · Vaas · Château-du-Loir · Montabon · Nogent-s-Loir · Luceau · Beaumont-Pied-de-Boeuf · Verneil-le-Chétif · Coulongé · Dissé-s-le-Lude · Chenu · Château-la-Vallière · Souvigné · Baugé · Vaulandry · Chigné · Genneteil · Noyant · Chalonnes-s-le-Lude · Broc · Auverse · Meigné-le-Vicomte · St Laurent-de-Lin · Marcilly · Braye-s-Maulne · Villiers-au-Bouin · Brèches · Channay-s-Lathan · Courcelles-de-Touraine

Mulsanne · Teloché · St Gervais-en-Belin · Laigné-St Gervais · St Mars-d'Outillé · St Ouen-en-Belin · Yvré-le-Pôlin · Oizé · Mézeray · Parigné-l'Évêque · Brette-les-Pins · Changé · Pontlieue · RENAULT · Circuit automobile · Allonnes · Spay · Roézé-s-Sarthe · Fillé · Noyen-s-Sarthe · Fercé-s-Sarthe · Tassé · Maigné · Vallon-s-Gée · Chemiré-le-Gaudin

Forêt de Bercé · Forêt de Chandelais · Forêt de Longaunay · Bois de Loudon · Étangs de Loudon · Garenne aux Cerfs

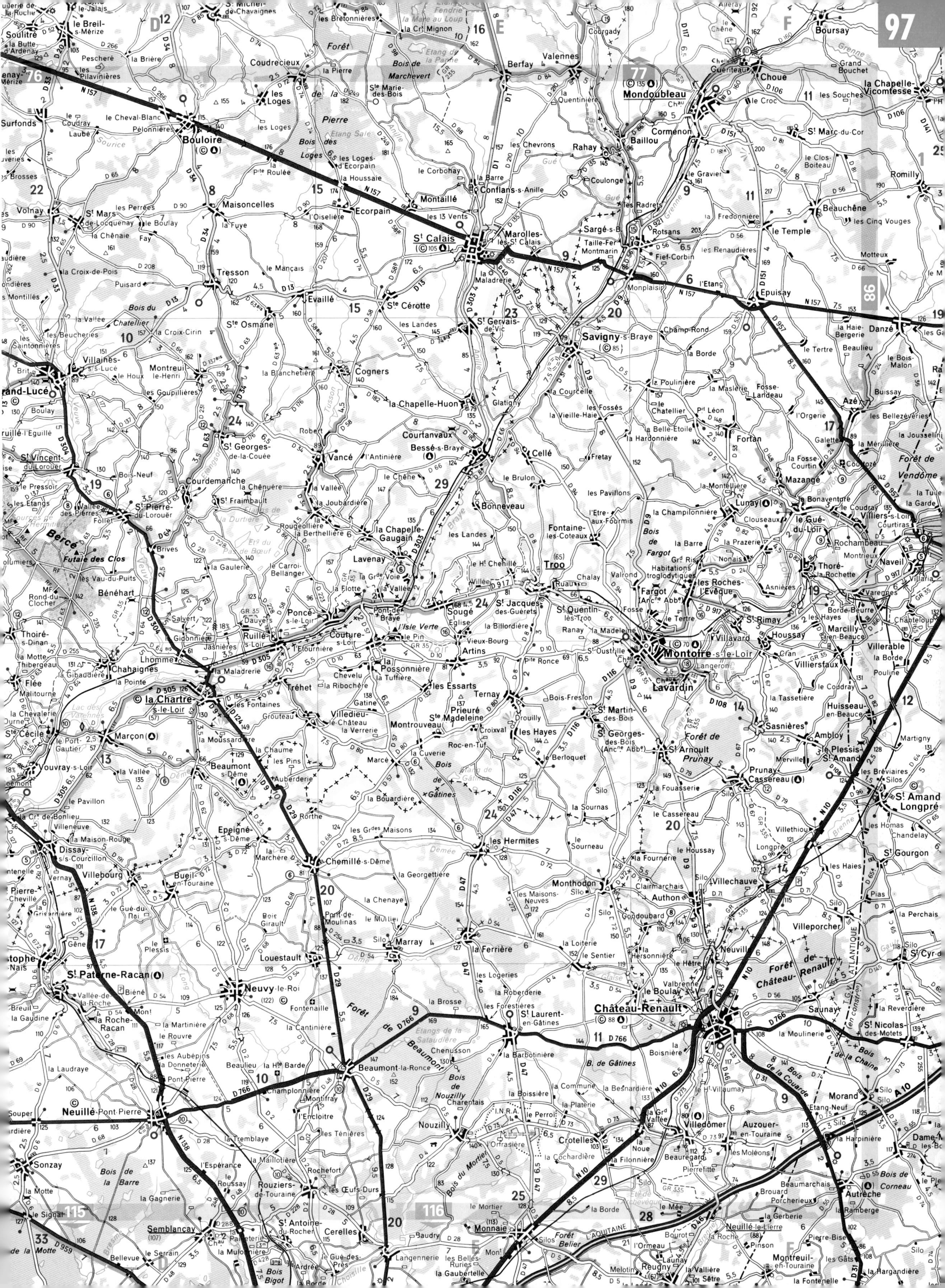
Bouloire
Maisoncelles
Tresson
Évaillé
Ecorpain
Montaillé
St Calais
Marolles-lès-St Calais
Conflans-s-Anille
Berfay
Valennes
Mondoubleau
Baillou
Cormenon
Choue
Rahay
Sargé-s-B.
Savigny-s-Braye
St Gervais-de-Vic
Cogners
la Chapelle-Huon
Vancé
Bessé-s-Braye
Courtanvaux
Cellé
Bonneveau
Fontaine-les-Coteaux
Troo
Sougé
St Jacques-des-Guérets
St Quentin-lès-Troo
Montoire-s-le-Loir
Lavardin
Ternay
Artins
Couture-s-Loir
Poncé-s-le-Loir
Ruillé-s-Loir
la Chartre-s-le-Loir
Marçon
Beaumont-s-Dême
Chahaignes
Lhomme
Bénéhart
Bercé
Futaie des Clos
Villaines-s/s-Lucé
Grand-Lucé
St Vincent-du-Lorouer
St Pierre-du-Lorouer
Courdemanche
St Georges-de-la-Couée
Montreuil-le-Henri
Ste Osmane
Lavenay
la Chapelle-Gaugain
Tréhet
Villedieu-le-Château
Montrouveau
Prieuré Ste Madeleine
les Hayes
Les Essarts
St Martin-des-Bois
St Arnoult
Forêt de Prunay
Prunay-Cassereau
Fargot
les Roches-l'Évêque
Lunay
Mazangé
Épuisay
Danzé
Azé
Thoré-la-Rochette
Naveil
Villiers-s-Loir
le Gué-du-Loir
Forêt de Vendôme
Houssay
Villavard
St Rimay
Marcilly-en-Beauce
Villerable
Villiersfaux
Huisseau-en-Beauce
Sasnières
Ambloy
St Amand-Longpré
St Gourgon
Villechauve
Authon
Monthodon
Chemillé-s-Dême
Epeigné-s-Dême
Dissay-s/s-Courcillon
Villebourg
Bueil-en-Touraine
Marray
la Ferrière
Louestault
Neuvy-le-Roi
St Paterne-Racan
Château-Renault
St Laurent-en-Gâtines
Neuville
Forêt de Château-Renault
Saunay
St Nicolas-des-Motets
Villeporcher
Beaumont-la-Ronce
Forêt de Beaumont
Neuillé-Pont-Pierre
Sonzay
Semblançay
Rouziers-de-Touraine
Cerelles
St Antoine-du-Rocher
Nouzilly
Crotelles
Villedômer
Auzouer-en-Touraine
Monnaie
Forêt Belier
Neuillé-le-Lierre
Reugny
Montreuil-en-Touraine
Autrèche
Morand
Dame-Marie
N 157
N 10
N 138
D 766
A 10
76
77
86
98
115
116

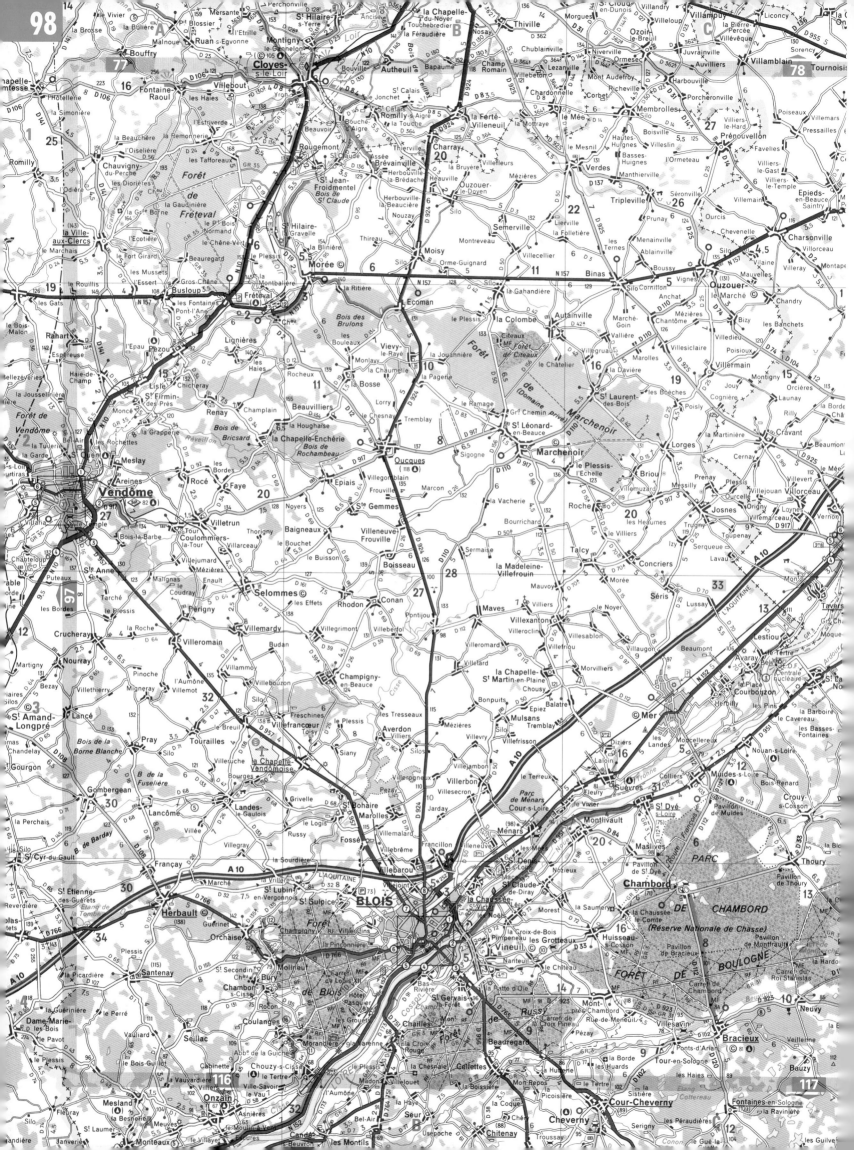

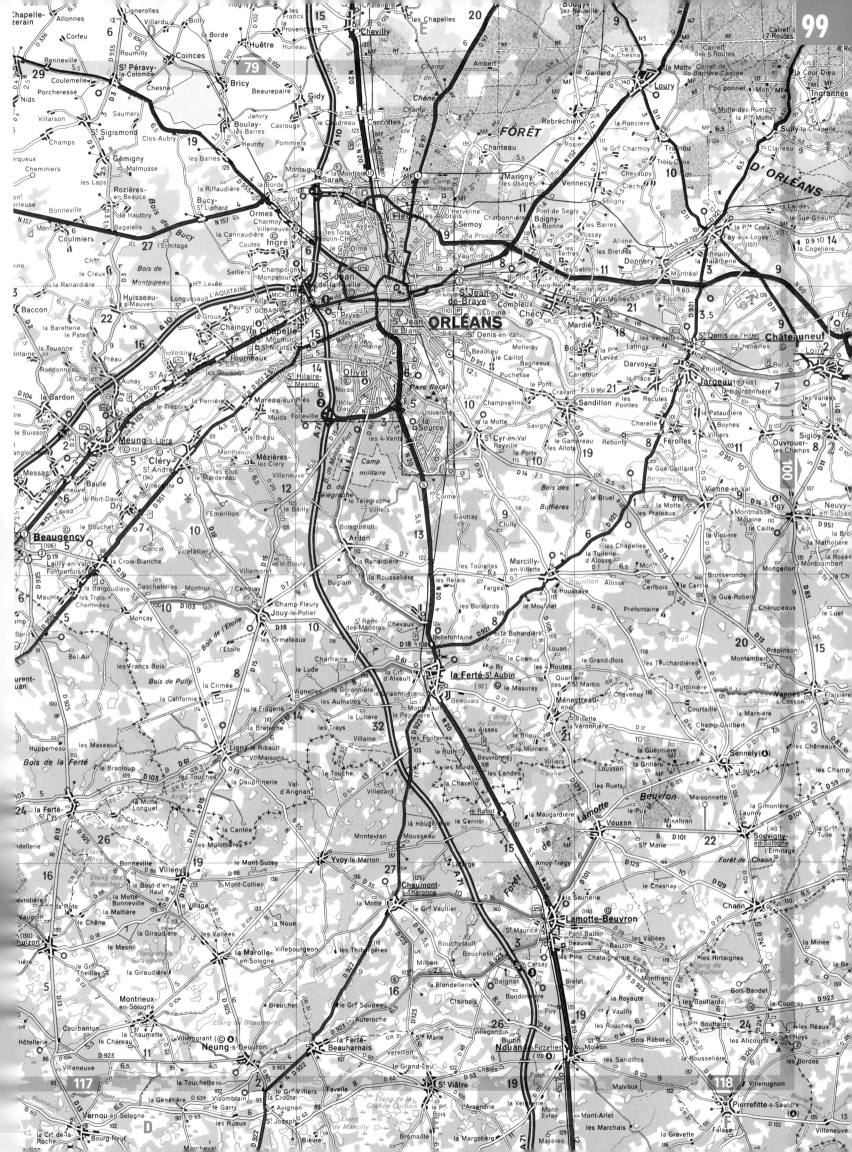

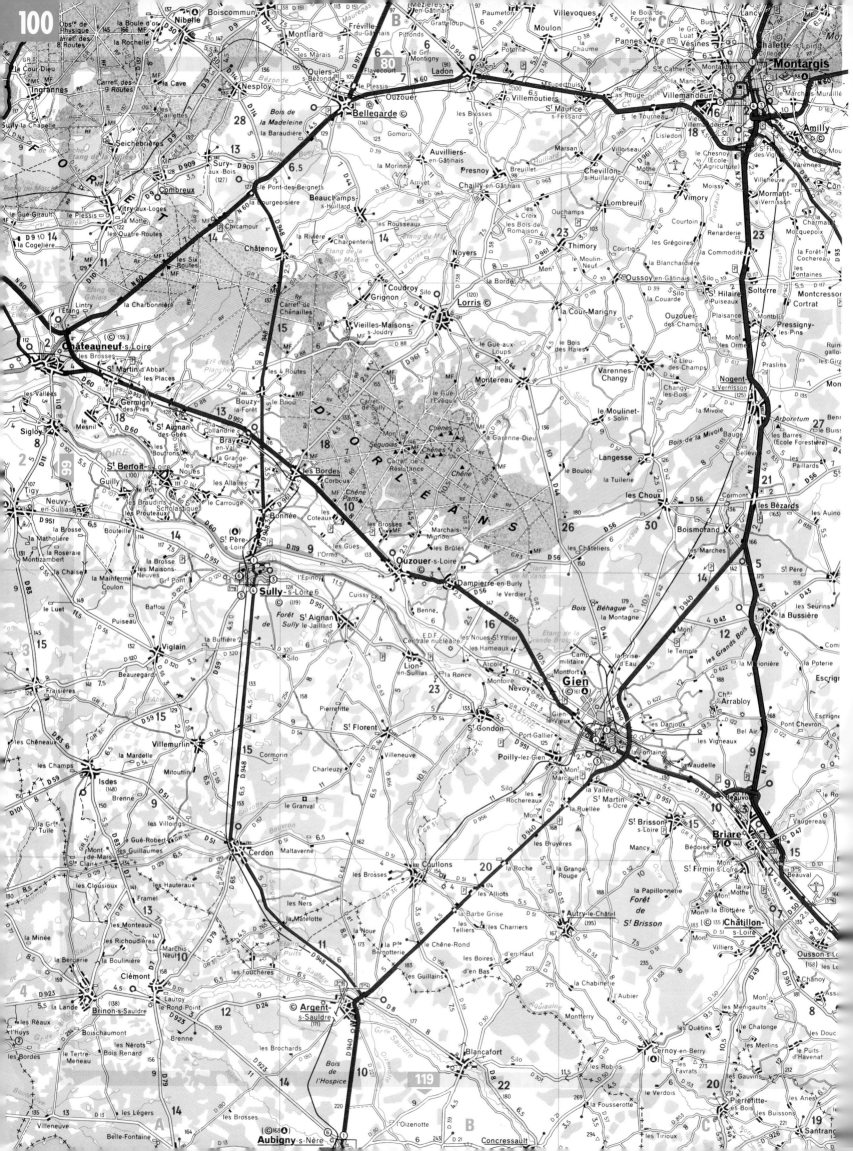

Ft du Pavillon-G

Villevallier

St Martin d'Ordon · Vauguillain · le Fays · la Tuilerie

Quatre-Croix · St Anne · St Loup-d'Ordon · Verlin · les Moreaux · Ruban · St Aubin-Jonne

les Mallets · Matournée · les Fauchots · les Sauqueux · les Gauguins · Villecien · Cézy · Côte St Jacque

Thorailles · les Chopilles · les Brouets · Gautrois · les Singeons · les Bondons · la Jacquemlnière · les Décys · Précy-s-Vrin · la Pte Celle · la Celle St Cyr · Loivre · Vaugenets · Joigny

la Chapelle-St Sépulcre · la Selle-en-Hermoy · Halte · Courillons · Chuelles · la Hûre · Vaulx Fins · les Orties · Cudon · Arblay · les Chevaliers · les Cornus · les Favereaux · D 943 · Béon · Chamvres · Paroy-s-Tholon

St Germain-des-Prés · St Firmin-des-Bois · les Raignaults · la Brulerie · Douchy · Villejalot · les Crouteaux · Villefranche · les Pages · x Étabt Pisciculture · les Trouvés · la Motte · Sépeaux · Champvallon · 13

Châteaurenard · Triguères · les Grands Moreaux · les Desvignes · Dicy · Chevillon · St Romain-le-Preux · les Raguins · la Fosse Simon · Richebourg · Aillant-s-Tholon

Melleroy · les Salmons · Chêne-Arnoult · la Fontaine · aux-Aulnaies · Silo · les Grenouilles · Prunoy · Vienne · Malvrain · les Richards · Forêt de la · les Villettes · la Ferté-Loupière · les Tuileries · Villiers-St Tholon · la Laye Laduz

la Forêt · les Renards · la Chapelle-s-Aveyron · Jussy · les Plots · Fontenouilles · Frécambault · la Hte Cave · Silo · les Bonnins · Rablay · Champ Corgeon · les Joubins · les Touchards · Chaumont · Chassy · Bleury

St Maurice-Aveyron · les Guidus · Chambeugle · la Grde Bardellière · Abb · Fontainejean · la Grde Breuille · Marchais-Beton · Sennedots · Perreux · Montigny · Sommecaise · les Ormes · Raloy · Roncemay · Frauville · St Maurice-Thizouaille · St Maurice-le-Vieil

Châtillon-Coligny · les Viviens · Chevau · les Herbes-Blanches · Bois du Parc · Malicorne · St Denis-s-Ouanne · Donzy · les Gallignots · les Petits-Brossards · Poitou · Bois de Bontin · les Deletangs · les Placeaux · St Aubin-Château-Neuf · St Martin-s-Ocre

Ste Geneviève-des-Bois · le Charme · Asnières · Grandchamp · le Buisson St Vrain · Fourolles · Merry-la-Vallée · Beauvoir · Eglény

Aillant-s-Milleron · Châtre · le Parc Viel · Champignelles · le Minéroy · Silo · Bois de Bréau · le Bois Planté · la Ronce · Villiers-St Benoît · la Haie · Merry-Vaux · la Villotte · les Chênons · Parly · Pourrain

Dammarie-s-Loing · le Tramblay · les Perriaux · la Mi-Voie · Louesme · les Lédets · les Bergers · St Reine · Dracy · Champeaux · Arthé · les Avenières · le Pt Arran

Rogny-les-7-Écluses · Bourron · le Bois-de-Plancy · les Clouries · Tannerre-en-Puisaye · les Béatrix · les Fouets · Toucy · le Vernoy · Sauilly · les Fritons

Feins-en-Gâtinais · Écluses · Champcevrais · Claire Fontaine · Silo · Villeneuve-les-Genêts · les François · Forêt de Dracy · les Communaux · la Tuilerie · les Carreaux · Moulins-s-Ouanne · Diges

St Eusoge · les Tailles de Bléneau · le Grd Chemin · Champ-Dolent · Mézilles · les Soupirons · le Jaffot · Thabor · Fontaines · les Mignons · Leugny

Bléneau · Silo · le Petit Bois · Septfonds · les Bizots · Dannery · les Proux · les Heurteaux · les Pourains · la Bruyère · Lalande · les Rameaux

Breteau · Muguet · la Mother Jarry · Blandy · St Privé · St Martin-des-Champs · Ronchères · les Moreaux · la Folie · la Ferrière · Rimatou · les Buzeaux · la Bruyère · Chastenay

Ouzouer-s-Trézée · Champoulet · la Filonnière · les Sinces · l'Atrée · St Fargeau · les Dalibeaux · les Boulmiers · la Forge · les Metz · les Foucards · les Merles · Obélisque · Fontonoy · Solmet · Sementron · Levis · Chastenay-la-H · le Sablon

Dammarie-en-Puisaye · Batilly-en-Puisaye · la Grange-Arthuis · la Royauté · le Bourdon · les Landiers · St Sauveur-en-Puisaye · la Chapelle · Saints · les Robineaux · la Malrue · la Forêt · Colangette · Vrilly · Richebourg · Test Milon · Vassy · Taingy

Bonny-s-Loire · Lavau · la Rivière · Bois de Bailly · Moutiers · Orme du Pont · les Noues · la Motte · Moulery · Fougilet · Panny · les Roches

Vaupy la Chaise · Thou · Puits · les Laboureurs · Bois de la Lande · Bois de Beauregard · la Marcinerie · les Midoux · Boutissaint · Parc St Hubert · les Perriers · Guerchy · les Haberts · St Colombe-s-Loing · Chappe · Lainsecq · Pesselière · Sougères-en-Puisaye · les Billards

Beaulieu · Villeneuve · Grange Rouge · Arquian · le Chêneau · les Billiens · le Boissenet · la Folie · le Chaillot · Vrilly · Ratilly · Treigny · Diancy · Perreuse · Chaumer · la Poisse

Neuvy-s-Loire · Annay · la Gauffinerie · Argenoux · Moussus · St Amand-en-Puisaye · St Martin-Martin · Champ-Martin · Montagne des Alouettes · Beuvais · le Sauvin

Belleville-s-Loire · E.D.F. Centrale nucléaire · Cadoux · les Frossards · les Guimards · Dampierre-s-Bouhy · Fontaine · Saint-puits · Chevigny · Étais-St-Amand

A

Champ de Tir

Côte S! Jacques
Joigny
Migennes
Champlay
Paroy-Tholon
Looze
Brion
Bussy-en-Othe
Villepied
Bligny-en-Othe
Vorvigny
Bailly
Mercy
Champlost
le Vau-Puits
Chatton
Venizy
Soumaintrain
Courtaoult
Boudin
le Mesnil
Chessy-les-Prés
Mézières
les Maisons-Rouges

Brienon-Armançon
Esnon
Mont Avrelot
Avrolles
St Florentin
Montléhu
Germigny
les Croûtes
Flogny-la-Chapelle
Bois-Gérard

Charmoy
Cheny
Ormoy
les Régniers
Crécy
Bas-Rebourseaux
Bouilly
Rebourseaux
Vergigny
Chéu
Jaulges
Percey
Butteaux
la Sogne
les Milleries
Marolles-s-Lignières
Charrey
l'Isle

Neuilly
Bassou
Beaumont
Bel-Air
la Malmaison
Hauterive
Mont S! Sulpice
les Baudières
Ste Radegonde
Forêt de Pontigny
Camp militaire
Lordonnois
Carisey
Roffey
Cheney
Tronchoy

Seignelay
Chemilly-s-Yonne
Héry
Rouvray
Venouse
Pontigny
la Tuilerie
Varennes
Ligny-le-Châtel
Méré
Dyé
Bernouil
Dannemoine

Guerchy
Branches
Appoigny
les Chaumes
Guilbaudon
Forêt St Germain
la Resle
Montfort
la Mouillère
Villy
Lignorelles
Malligny
Vézannes
Junay
Tonnerre

Poilly-s-Tholon
Fleury-la-Vallée
Gurgy
Sommeville
Monéteau
Villeneuve-S! Salves
Merry
la Chapelle-Vaupelteigne
Fontenay-près-Chablis
Tissey
Collan
Serrigny

Charbuy
Perrigny
Laborde
le Buisson
Bleigny-le-Carreau
Poinchy
Fyé
Carrières
Rameau

Egleny
Lindry
St Georges-s-Baulche
Beine
Chablis
Chichée
Béru
Viviers
Yrouerre

AUXERRE
Ecole d'Agriculture
Nangis
Montallery
Courgis
Préhy
Chemilly-s-Serein
Poilly-s-Serein
S! Vertu
Môlay

Villefargeau
Vaux
Augy
Quenne
Chitry
S! Cyr-les-Colons
Pommard
la Charbonnière
Arton

Pourrain
la Villotte
Orgy
Vallan
Champs-s-Yonne
St Bris-le-Vineux
Bois de Senoy
Lichères-près-Aigremont
Aigremont

Diges
Chevannes
Escamps
Gy-l'Evêque
Jussy
Escolives-Ste Camille
Irancy
Vincelottes
Vincelles
Bois des Champs Cousseaux

Coulanges-la-Vineuse
Migé
Val-de-Mercy
Cravant
le Val St Martin
Sacy
Nitry

Ouanne
Merry-Sec
Coulangeron
Préhreau
Pesteau
Grapoule
Nanteau
Mouffy
Bazarnes
Vermenton
le Val-du-Puits
Vorme

Chastenay
Usselot
Charentenay
la Souille
Ste Pallaye
Prégilbert
Accolay
Régny
Lucy-s-Cure
Essert
le Val-du-Puits
Joux-la-Ville
le Puits-d'Edme

Fontenailles
Molesmes
Courson-les-Carrières
Fouronnes
Fontenay-s-Fouronnes
Crisenon
Trucy-sur-Yonne
Bessy-s-Cure
Arcy-sur-Cure
Voie romaine
la poste aux Alouettes

FORÊT DE FRÉTOY
Festigny
Mailly-le-Château
Mailly-la-Ville
Sermizelles
Grottes d'Arcy
Chastenay
Précy-le-Sec
Val-de-la-Nef

Coulanges-s-Yonne
Andryes
Crain
Châtel-Censoir
Brosses
Blannay
Givry
AVALLON
Etaule
Sauvigny

Bois de Druyes
Druyes-les-Belles-Fontaines
Trion
le Paumier Misery
Chevroche
Bois de Mailly-la-Ville
Voutenay-s-Cure
Lucy-le-Bois
Provency

Surgy
Lichères-sur-Yonne
Bois-de-Bèze
Bourg Basson
Vaudonjon
Annéot

101
120
121

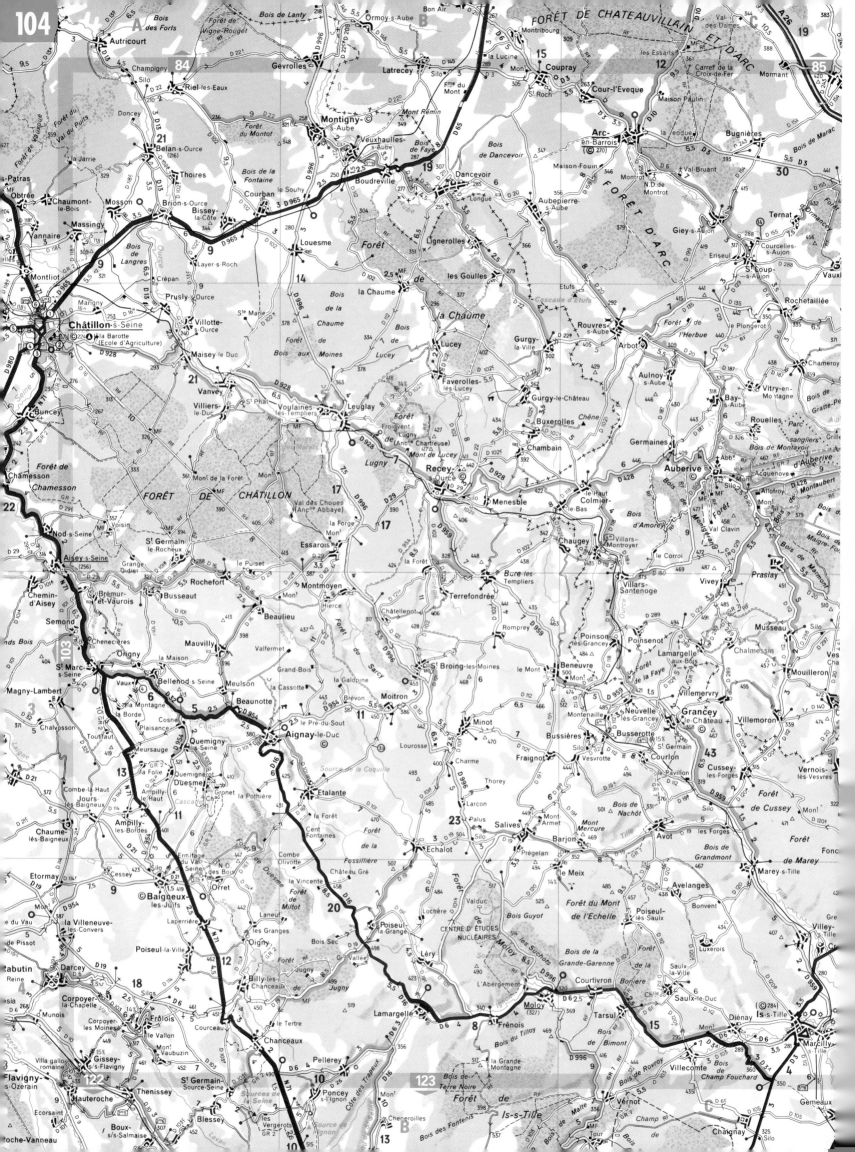

Langres

Bourbonne-les-Bains

Fayl-Billot

Chalindrey

Champlitte

Montigny-le-Roi

Dammartin-s-Meuse

Beaucharmoy

Coiffy-le-Bas

Coiffy-le-Haut

Genrupt

Montcharvot

Varennes-s-Amance

Laneuvelle

Vicq

Lavernoy

Andilly-en-Bassigny

Celles-en-Bassigny

Marcilly-en-Bassigny

Ranconnières

Damrémont

Saulxures

Avrecourt

Récourt

Bonnecourt

Mont Mercure

Poiseul

Plesnoy

Troischamps

Orbigny-au-Val

Orbigny-au-Mont

Celsoy

Chatenay-Vaudin

Montlandon

Hortes

Rosoy-s-Amance

Rougeux

Charmoy

Pierrefaites

Ouge

Montesson

Bize

Anrosey

Laferté-s-Amance

Bétoncourt-s-Mance

Velles

Pisseloup

Soyers

Chézeaux

Vaux-la-Douce

Voisey

Forêt de Voisey

Forêt de Marcilly

Bois d'Anrosey

Chaudenay

Torcenay

Corgirnon

les Loges

les Plains Bois

le Faubourg

Broncourt

Pressigny

la Rochelle

Cintrey

Charmes-St-Valbert

Molay

Voncourt

Savigny

Genevrières

Belmont

Grandchamp

Rivières-le-Bois

St-Broingt-le-Bois

Violot

Heuilley-le-Grand

Palaiseul

Heuilley-Cotton

Noidant-Chatenoy

le Pailly

Chalindrey

Culmont

St-Vallier-s-Marne

St-Maurice

Balesmes-s-Marne

Bourg

Cohons

Longeau

Percey-le-Pautel

Vesvres-s-P.

Villegusien

Piépape

Chassigny

le Mont

St-Michel

St-Broingt-les-Fosses

Leuchey

Prangey

Villiers-lès-Aprey

Baissey

Aprey

Verseilles-le-Bas

Ville-Haut

Orcevaux

Flagey

Brennes

St-Geosmes

Corlée

Chatenay-Mâcheron

Peigney

Champigny-lès-Langres

Jorquenay

Humes

Bannes

St-Martin-lès-Langres

Cierges

Perrancey

Brévoines

Buzon

Vieux-Moulins

Courcelles-en-Montagne

Mardor

Ormancey

Beauchemin

St-Menge

Lannes

Charmoilles

Rolampont

Charmes

Changey

Neuilly-l'Évêque

Tronchoy

Dampierre

St-Pierre

Fort de Dampierre

Froncles

Chauffourt

Belfays

Tourterelle

Forfillières

Epinant

Poinson-Nogent

le Chêne

Vitry-lès-Nogent

Mauvaignant

Thivet

Marnay-s-Marne

la Rosière

Villiers-s-Suize

Leffonds

Faverolles

Marac

Maizières-lès-Brienne

Guyonvelle

Chauvirey-le-Vieil

la Quarte

Bois du Chanois

Bois du Danonce

Parc animalier

Bourbonne-les-Bains

Sources de la Meuse

Malroy

Mont

Meuse

Percey-le-Grand

Orain

Courchamp

Percey-sous-Montormentier

Cusey

Montormentier

Sacquenay

Occey

Boussenois

Vaux-s-Aubigny

Rivière-les-Fosses

Aubigny-s-Badin

Montsaugeon

Isômes

Prauthoy

Choilley

Dardenay

Dommarien

Fromentelle

Montvaudon

le Vergy

les Louches

Leffond

Coublanc

Piémont

Montarlot-lès-Champlitte

Montaugeon

Maâtz

Grenant

Saulles

Seuchey

Frettes

Gilley

Tornay

Argillières

la Voisine

les Essarts

Suaucourt

Bourguignon-lès-Morey

Farincourt

Valleroy

Morey

St-Julien

Roche-et-Raucourt

St-Andoche

Pierrecourt

Aumônières

Larret

Courtesoult

Gatey

Neuvelle-lès-Champlitte

Mont-lès-Frânois

Framont

Achey

Delain

Denèvre

Montot

Dampierre-s-Salon

Margilley

Champlitte-la-Ville

Champlitte

le Prélot

la Paturie

la Romagne

St-Maurice-s-Vingeanne

Montigny-s-Vingeanne

Mornay

la Villeneuve-s-Vingeanne

Chaume-et-Courchamp

Chazeuil

Orville

Véronnes

Echevannes

Til-Châtel

Lux

Selongey

Bèze

Forêt de Champberceau

Forêt de la Bèze

Logis-de-Gemeaux

Fontaine-Française

Fontenelle

Bourberain

Rosières

la Rente-du-Bois

la Chapelotte

St-Seine-s-Vingeanne

St-Seine-l'Église

St-Seine-la-Tour

Fahy-lès-Autrey

Auvet-et-la-Chapelotte

Licey-s-Vingeanne

Attricourt

Dampierre-et-Flée

Broye-les-Loups-et-Verfontaine

Loeuilley

la Fontaine-à-l'Âne

Feur

Nantilly

Autrey-lès-Gray

Bouhans

Chargey-lès-Gray

Arc-lès-Gray

Rigny

St-Broing

St-Roch

Prantigny

St-Vallier

Montureux

Beaujeu

la Grange-d'Étaule

Pierrejux

Quitteur

Vereux

Oyrières

Ecuelle

Vars

Theuley

Pouilly-s-Vingeanne

Ancier

Mercey-s-Saône

la Résie

Vaite

Dambierre

Asnières

Andrevin

le Bas-Fouvent-le-Haut

Raucourt

Volon

Trécourt

Brotte-lès-Ray

Port de Savoyeux

Autet

Beaujeu

Forêt de Belle Vaire

Forêt de Champlitte

Grosse-Sauve

N.D. des-Bois

Forêt

Bois Brûlé

Bussières

Bussières-lès-Belmont

Belfond

Mont d'Olivotte

la Papeterie

les Tilleuls

la Folie

Bourbonne-les-Bains · Senaide · Lironcourt · le Charmont · Regnevelle · Martinville · Ft de St · Pont-du-Bois · Selles · la Côte · Passavant-la-Rochère · les Molières · le Magny · St Georges · la Vierge · les Trémeurs · les Censeaux · la Fosse

Fresnes-Apance · Châtillon-sur-Saône · Grignoncourt · Horiville · Montcourt · Corre · Bourbévelle · Aisey-et-Richecourt · la Basse-Vaivre · Alaincourt · le Frisemont · Moulin-de-la-Craie · le Gd Bois de Lyaumont · Fontenois-la-Ville · Ailleviers-et-Lyaumont · Magnoncourt

Villars-St-Marcellin · ND de la Salette · Forêt de Villars · St Marcellin · Enfonvelle · Fouilles gallo-romaines · Jeunes Bieppes · Ranzevelle · Richecourt · Hurecourt · Bois Lessus · Demangevelle · Vauvillers · Betoncourt-St-Pancras · Dampvalley-St-Pancras · Mailleroncourt-St-Pancras · Maugras · Cuve · Bouligney · St Loup-sur-Semouse

Montcharvot · H' Daumont · les Charmes · Bois de Villars · Villars-le-Pautel · Ormoy · Polaincourt-et-Clairefontaine · Melincourt · Anchenoncourt-et-Chazel · Girefontaine · Anjeux · Jasney · la Pisseure · Plainemont · Ainvelle · Hauteville · Francalmont

Voisey · Melay · Blondefontaine · Betaucourt · Raincourt · Magny-Jussey · Clairefontaine · Grand Bois · Chazel · Dampierre-les-Conflans · Moulin des Prés · Varigney · Briaucourt · Ormoiche · Breuches · Sept Cheval

Vaux-la-Douce · Neuvelle-les-Voisey · les Essarts · Barges · Cembing · Cendrecourt · Tartécourt · Senoncourt · St Remy · Bassigney · Velorcey · Abelcourt · Ste Mar · Chauvirey-le-Vieil

Betoncourt-s-Mance · Rosières-s-Mance · Venisey · Contréglise · Mièvillers · Amance · Menoux · Cubry-Faverney · Bourguignon-les-Conflans · Conflans-s-Lanterne · le Beuchot

Pisseloup · Gircourt · St Marcel · Noroy-les-Jussey · Jussey · Montureux-les-Baulay · Buffigncourt · Baulay · Courcelles · Mersuay · la Villedieu-en-Fonteney · Equevilley · Meurcourt · Villers-lès-Luxeuil · Ehuns

Vitrey-s-Mance · Chauvirey-le-Châtel · Montigny-s-Cherlieu · Agneaucourt · Gevigney · Mercey · Fouchécourt · Aboncourt · Port-d'Atelier · Favecney · Breurey-lès-Faverney · le Chaumont · Neurey-en-Vaux · Velorcey · Visoncourt

Chauvirey-le-Vieil · Montigny · Abb · Cherlieu · Bougey · Augicourt · Lambrey · Gesincourt · Purgerot · Fleurey-lès-Faverney · Amoncourt · le Val-St Eloi · Mailleroncourt-Charette · Servigney

Cintrey · Preigney · Oigney · Arbecey · Chargey-lès-Port · Conflandey · Francois · Varogne · Vilory · Raichaines · Pont Joly

Laitre · Melin · Semmadon · Bois de Chargey · Chaux-lès-Port · Villers-s-Port · Provenchère · Vellefrie · la Villeneuve · Saulx

Molay · Malvillers · Gourgeon · Combeaufontaine · les Arpents · Vallerois · Bougnon · Flagy · Bellevue · la Maize · la Montoillotte · Creveney · Velleminfroy

Morey · St Julien · Lavigney · le Fays · la Neuvelle-lès-Scey · Port-s-Saône · Auxon · Colombier · Villeparois · Montcey · Colombotte · Calmoutier

Villers-Vaudey · Betoncourt-les-Ménétriers · Cornot · Artaufontaine · Confracourt · la Vaivre · Forêt du Chanois · Grattery · Bas-de-Grotte · Pusy · Epenoux · Champ de · Comberjon · Maison

Pisseloup · Fleurey-Lavoncourt · Vauconcourt · Nervezain · Scey-s-Saône-et-St-Albin · Ferrières-lès-Scey · Vauchoux · Scye · Charmoille · Pusey · Montoille · Coulevon · VESOUL · PEUGEOT · Dampvalley-les-Colombe

Francourt · Raucourt · Renaucourt · Mont-St Léger · Grandcourt · Rupt-s-Saône · St Albin · Vy-lès-Rupt · Donjon · Chassey-lès-Scey · Chemilly · Montigny-lès-Vesoul · la Motte · Vaivre · Noidans-lès-Vesoul · Frotey · Colombe-les-V · Essertay · Villers-sur-Port

Lavoncourt · Theuley · Fédry · Chantes · Ovanches · Bucey-lès-Traves · Pontcey · Chariez · Mont-le-Vernois · Echenoz-la-Méline · Navenne · Quincey · Villers-sec · Grande Vaivre

Roche-et-aucourt · Brotte-lès-Ray · Tincey · Vanne · Cubry-lès-Soing · Mouthonot · Aroz · Boursières · Clans · Velle-le-Châtel · Andelarre · la Providence · St Igny · les Belles Baraques · les Regardots

Vaite · Membrey · Recologne · Ferrières-lès-Ray · Ray-s-Saône · Charentenay · Soing · Noidans-le-Ferroux · Vy-le-Ferroux · Raze · Baignes · Andelarrot · la Demie · Neurey-la-Domic

Port de Savoyeux · Queutrey · Vellexon · Seveux · Fresne-St Mames · Vezet · le Pont-de-Planches · Neuvelle-la-Charité · le Perrenot · Rosey · Velleguindry · Vallerois-Lorioz · Vallerois-le-Bois · les Bégoulots · les Marmets · Vallerois-le-Bois

Mercey-s-Saône · Savoyeux · Vaudey · Greucourt · Rougeau · Sept Fontaines · Lieffrans · Levrecey · Velfaux · Filain · Dampierre-s-Linotte · Vy-le-Filain · Trevey · Thieffrans

Motey-s-Saône · la Grange d'Etaule · l'Etang-des-Maisons · Igny · Vellemoz · St Gand · la Charme · les Bâties · Bourguignon-les-la-Charité · Maizières · Grandvelle-et-le-Perrenot · Courboux · Pennesières · le Romvaux · les Laverottes · Authoison · Bois de la Bruyère · Fontenois-Montbozon · Cognières

Broino · Sauvigney · Angirey · Vernotte · Velloreille · Frettigney · Recologne-lès-Rioz · Moulin de la Rouchotte · Vaux-le-Monce · Fondremand · Hyet · Quenoche · Ruhans · Roche-s-Linotte · Villers-Pater · Montbozon

Chapelle-St Quillain · Etrelles · Frasne-le-Château · Montbleuse · Vaux-le-Monce · Villers-Bouton · Trésilley · les Fontenis · la Malachère · Eguilley · Aubertans · Cenans · la Villedie-la-Quenoche · Anthon · Loulans · Verchamp · Maussans

Broye · Mont-les-Etrelles · Villers-Chemin · Longevelle · les Roselières · Villers-Chemin · Aubertans · Quenoche · Guiseuil · Ormenans · Besnans · Servig · Montfort

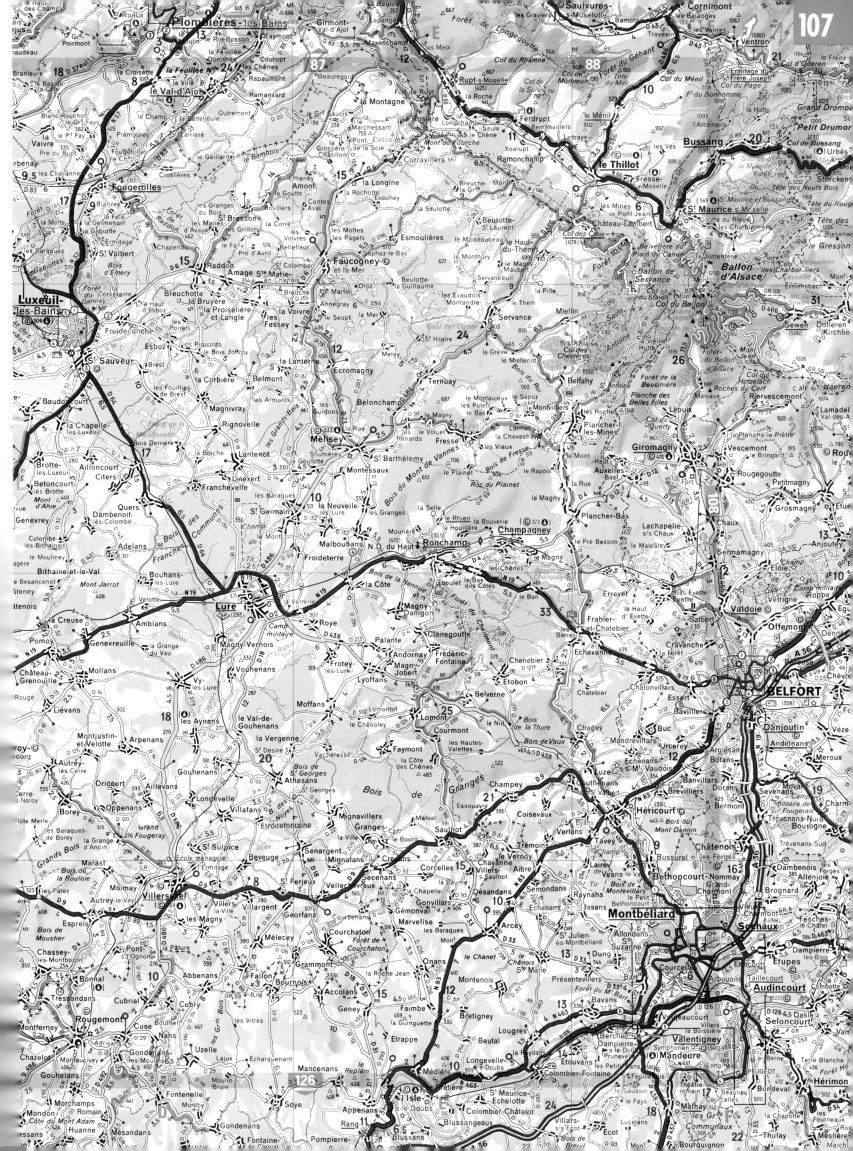

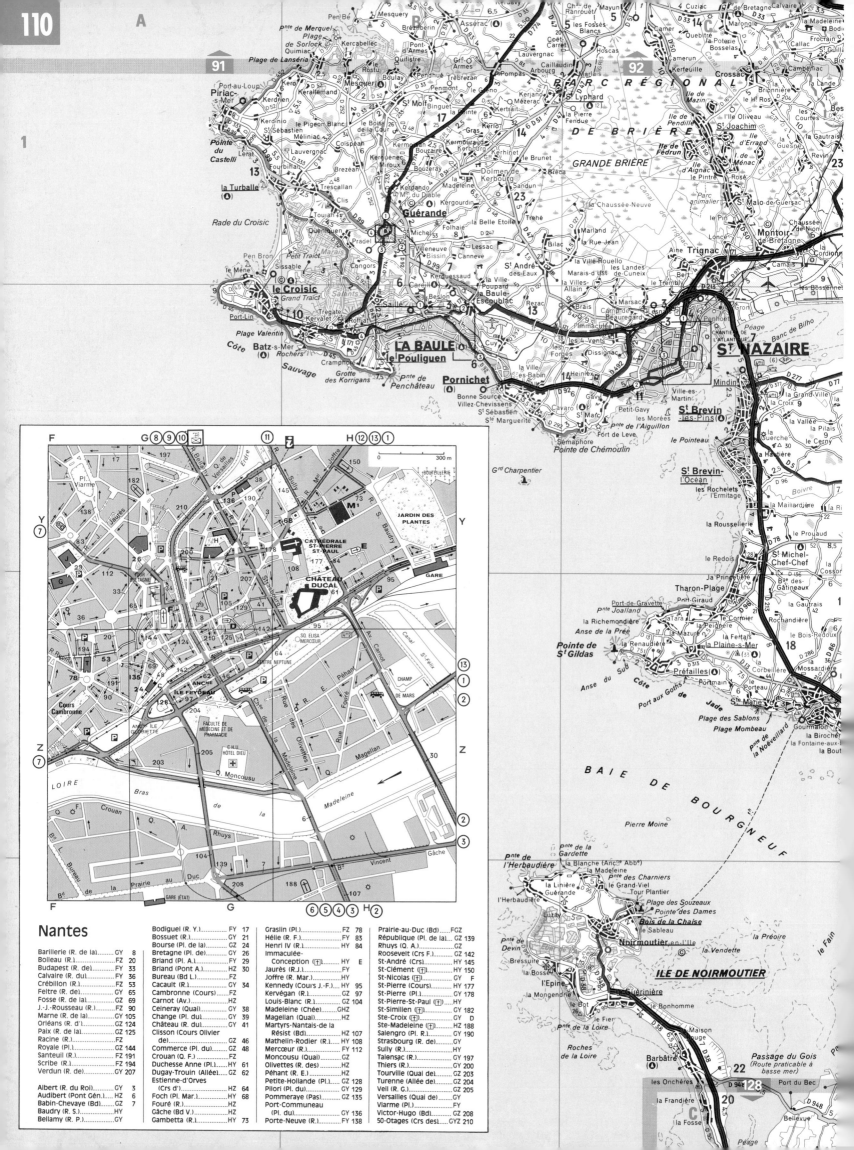

Nantes

Barillerie (R. de la) .... GY 8
Boileau (R.) .... FZ 20
Budapest (R. de) .... FY 33
Calvaire (R. du) .... FY 36
Crébillon (R.) .... FZ 53
Feltre (R. de) .... GY 65
Fosse (R. de la) .... GZ 69
J.-J.-Rousseau (R.) .... FZ 90
Marne (R. de la) .... GY 105
Orléans (R. d') .... GY 124
Paix (R. de la) .... GZ 125
Racine (R.) .... FZ
Royale (R.) .... GZ 144
Santeuil (R.) .... FZ 191
Scribe (R.) .... FZ 194
Verdun (R. de) .... GY 207

Albert (R. du Roi) .... GY 3
Audibert (Pont Gén.) .... HZ 6
Babin-Chevaye (Bd) .... GZ 7
Baudry (R. S.) .... HY
Bellamy (R. P.) .... GY

Bodiguel (R. Y.) .... FY 17
Bossuet (R.) .... GY 21
Bourse (Pl. de la) .... GZ 24
Bretagne (Pl. de) .... GY 26
Briand (R.) .... FY 29
Briand (Pont A.) .... HZ 30
Bureau (Bd L.) .... FZ
Cacault (R.) .... GY 34
Cambronne (Cours) .... FZ
Carnot (Av.) .... HZ
Ceineray (Quai) .... GY 38
Change (Pl. du) .... GY 39
Château (R. du) .... GY 41
Clisson (Cours Olivier
  de) .... GZ 46
Commerce (Pl. du) .... GZ 48
Crouan (Q. E.) .... FZ
Duchesse Anne (Pl.) .... HY 61
Dugay-Trouin (Allée) ...... GZ 62
Estienne-d'Orves
  (Crs d') .... GY 64
Foch (Pl. Mar.) .... HY 68
Fouré (R.) .... HZ
Gâche (Bd V.) .... HZ
Gambetta (R.) .... HY 73

Graslin (Pl.) .... FZ 78
Hélie (R. F.) .... FY 83
Henri IV (R.) .... HY 84
Immaculée-
  Conception (R.) .... HY E
Jaurès (R.J.) .... GZ
Joffre (R. Mar.) .... HY
Kennedy (Cours J.-F.) ..... HY 95
Kervégan (R.) .... GZ 97
Louis-Blanc (R.) .... GZ 104
Madeleine (Chée) .... GHZ
Magellan (Quai) .... HZ
Martyrs-Nantais-de la
  Résist (Bd) .... HZ 107
Mathelin-Rodier (R.) ...... HY 108
Mercœur (R.) .... FY 112
Moncousu (Quai) .... GZ
Olivettes (R. des) .... HZ
Péhant (R. E.) .... HZ
Petite-Hollande (Pl.) ..... GZ 128
Pilori (R. du) .... GY 129
Pommeraye (Pas.) .... GZ 135
Port-Communeau
  (R. du) .... GY 136
Porte-Neuve (R.) .... FY 138

Prairie-au-Duc (Bd) .... FGZ
République (Pl. de la) ..... GZ 139
Rhuys (Q. A.) .... GZ
Roosevelt (Crs F.) .... GZ 142
St-André (Crs) .... HY 145
St-Clément (R.) .... HY 150
St-Nicolas (R.) .... GY F
St-Pierre (Cours) .... HY 177
St-Pierre (Pl.) .... GY 178
St-Pierre-St-Paul (R.) .... HY
St-Similien (R.) .... GY 182
Ste-Croix (R.) .... GZ D
Ste-Madeleine (R.) .... HZ 188
Salengro (R.) .... GY 190
Strasbourg (R. de) .... HY
Sully (R.) .... HY
Talensac (R.) .... GY 197
Thiers (R.) .... GY 200
Tourville (Quai de) .... GZ 203
Turenne (Allée de) .... GZ 204
Veil (R. G.) .... GZ 205
Versailles (Quai de) ...... GY
Viarme (Pl.) .... FY
Victor-Hugo (Bd) .... GZ 208
50-Otages (Crs des) ...... GYZ 210

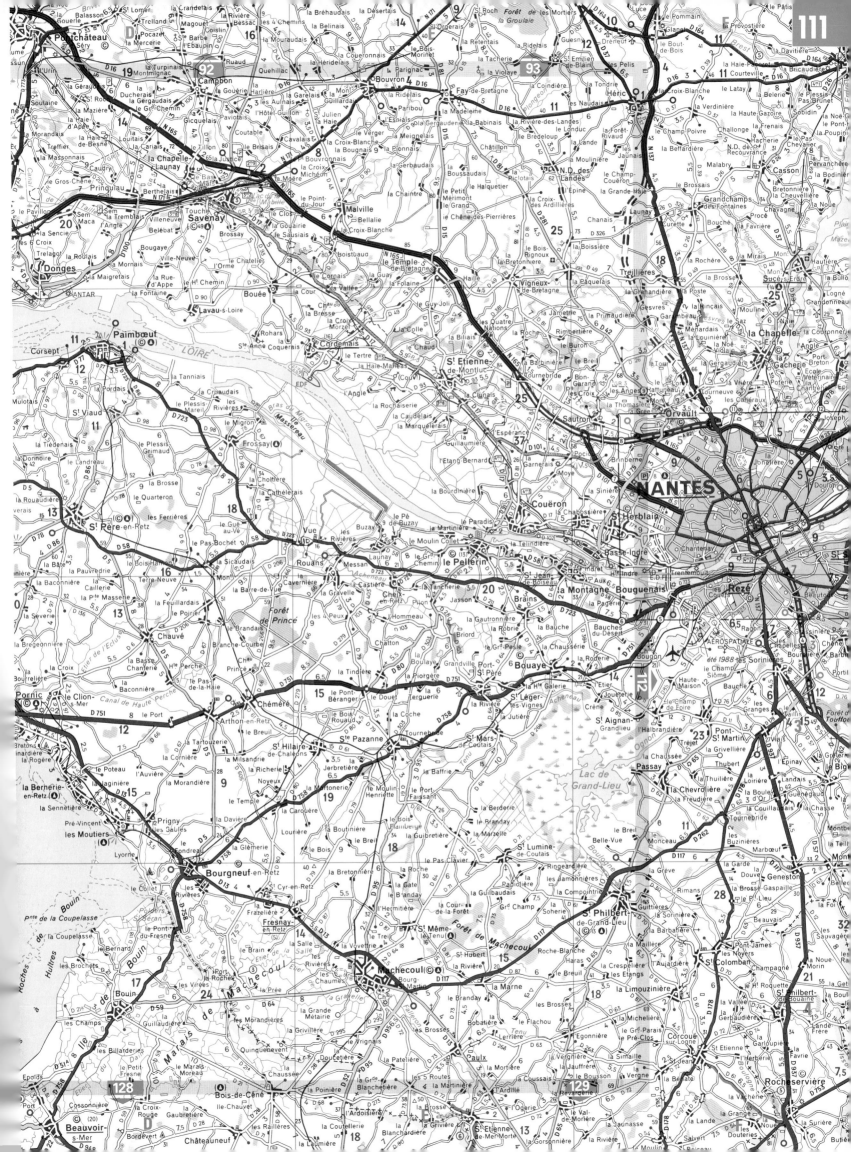

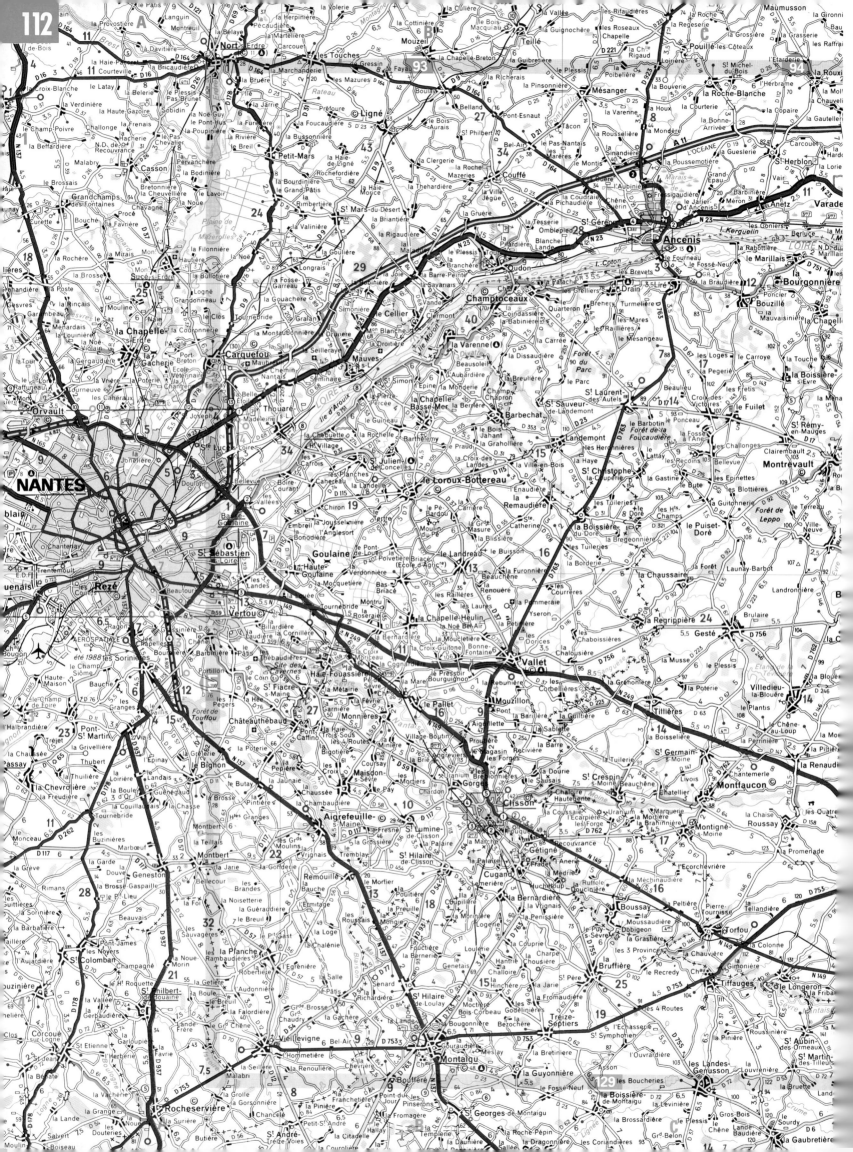

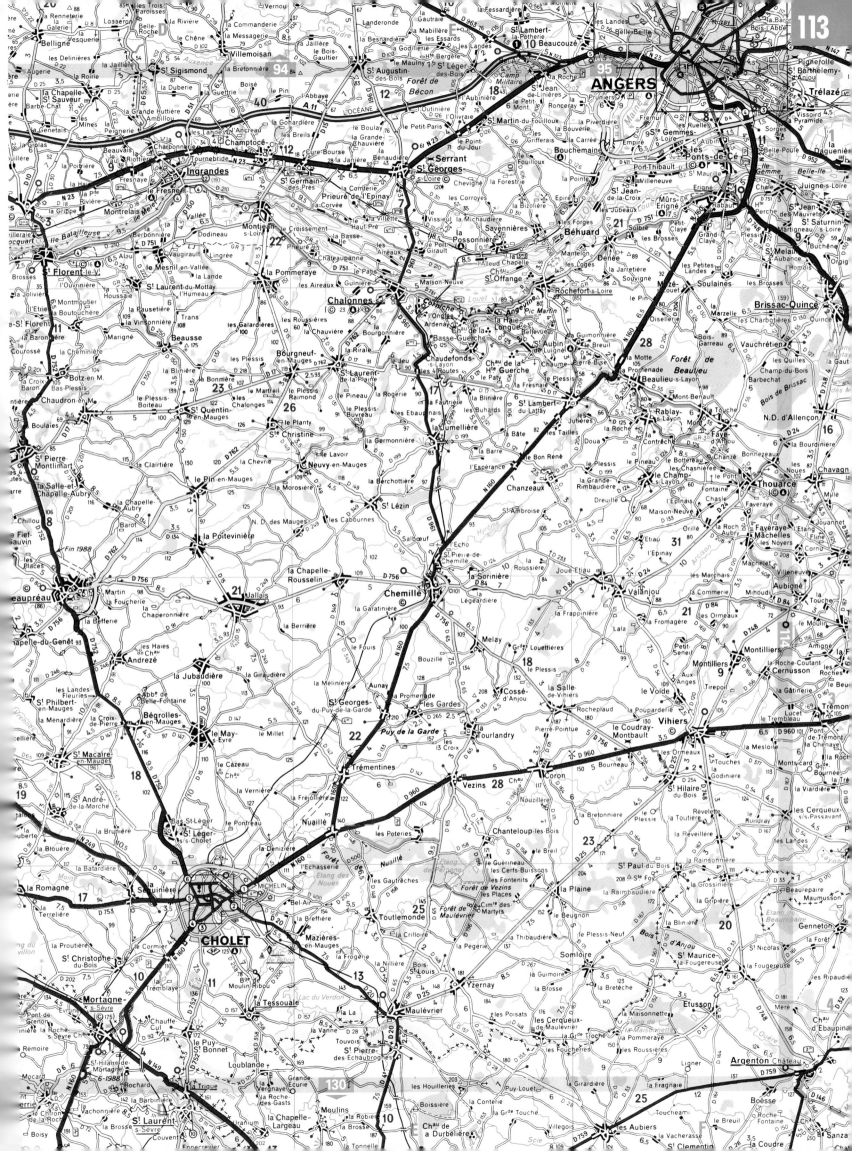

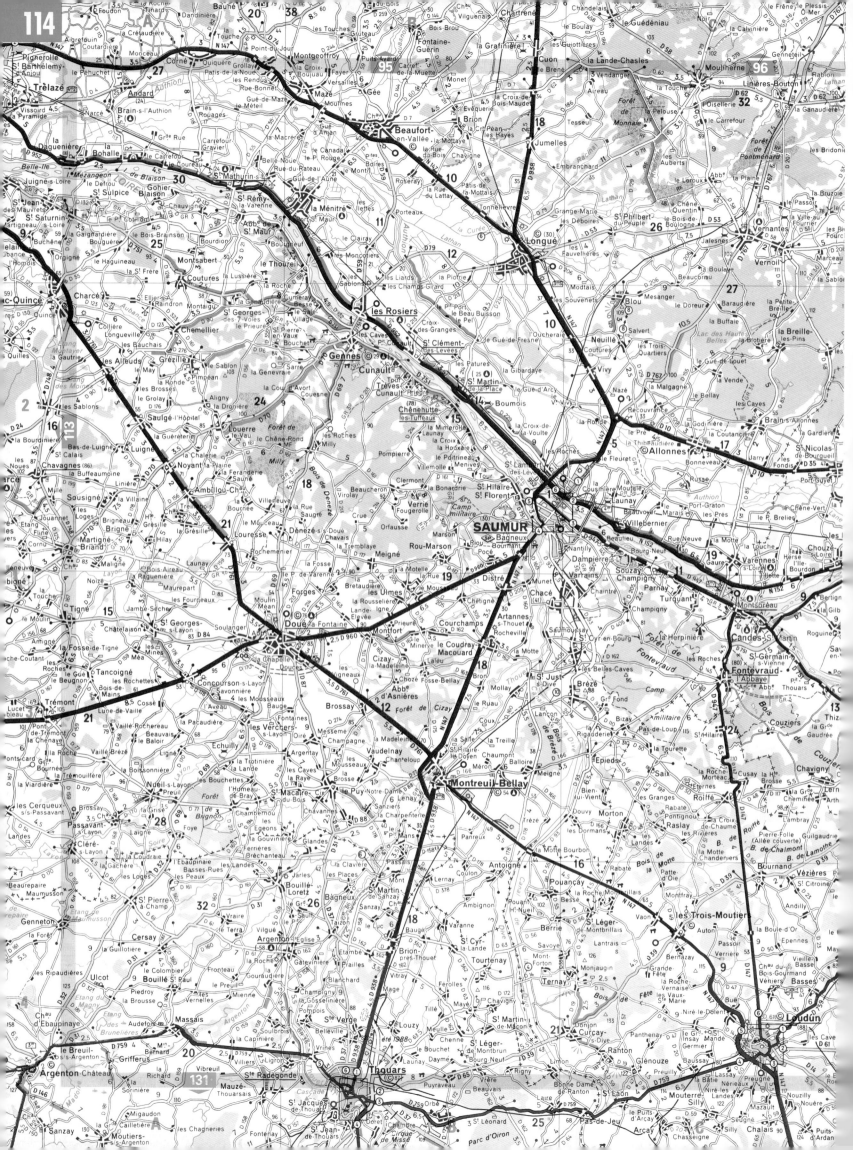

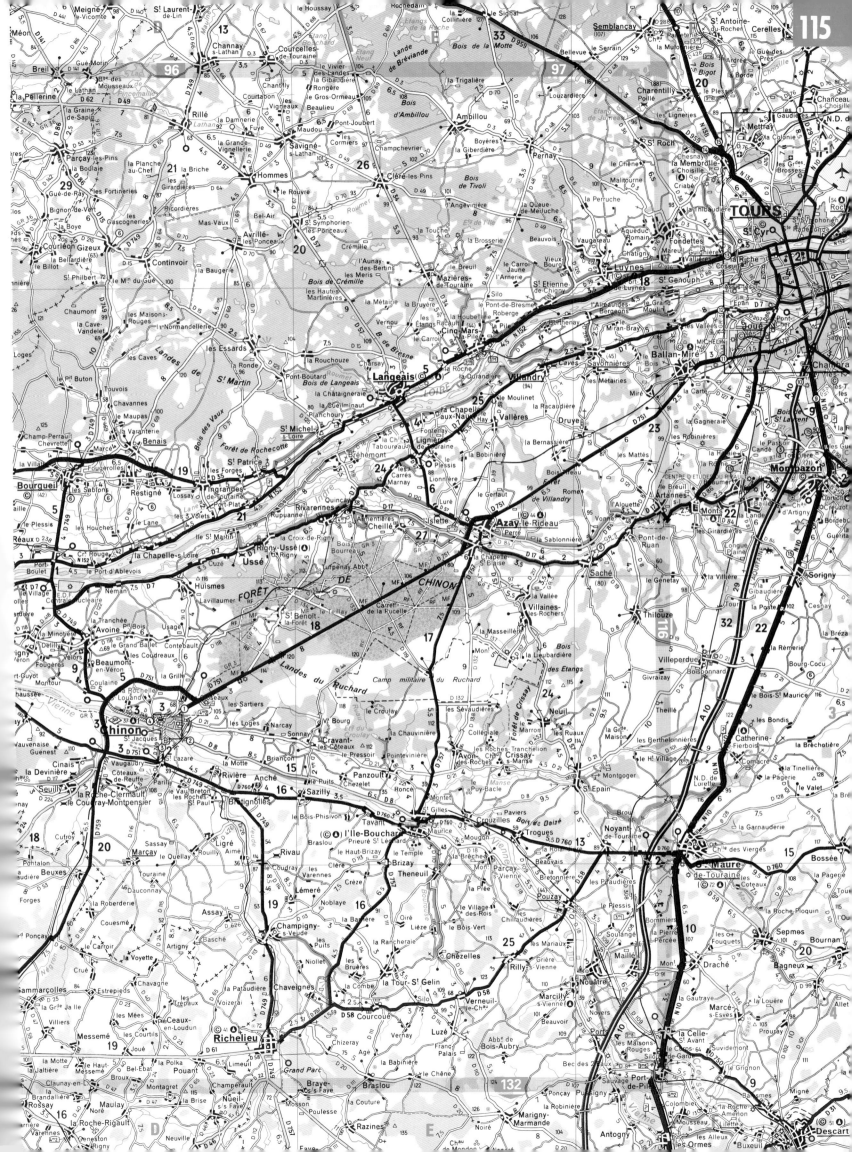

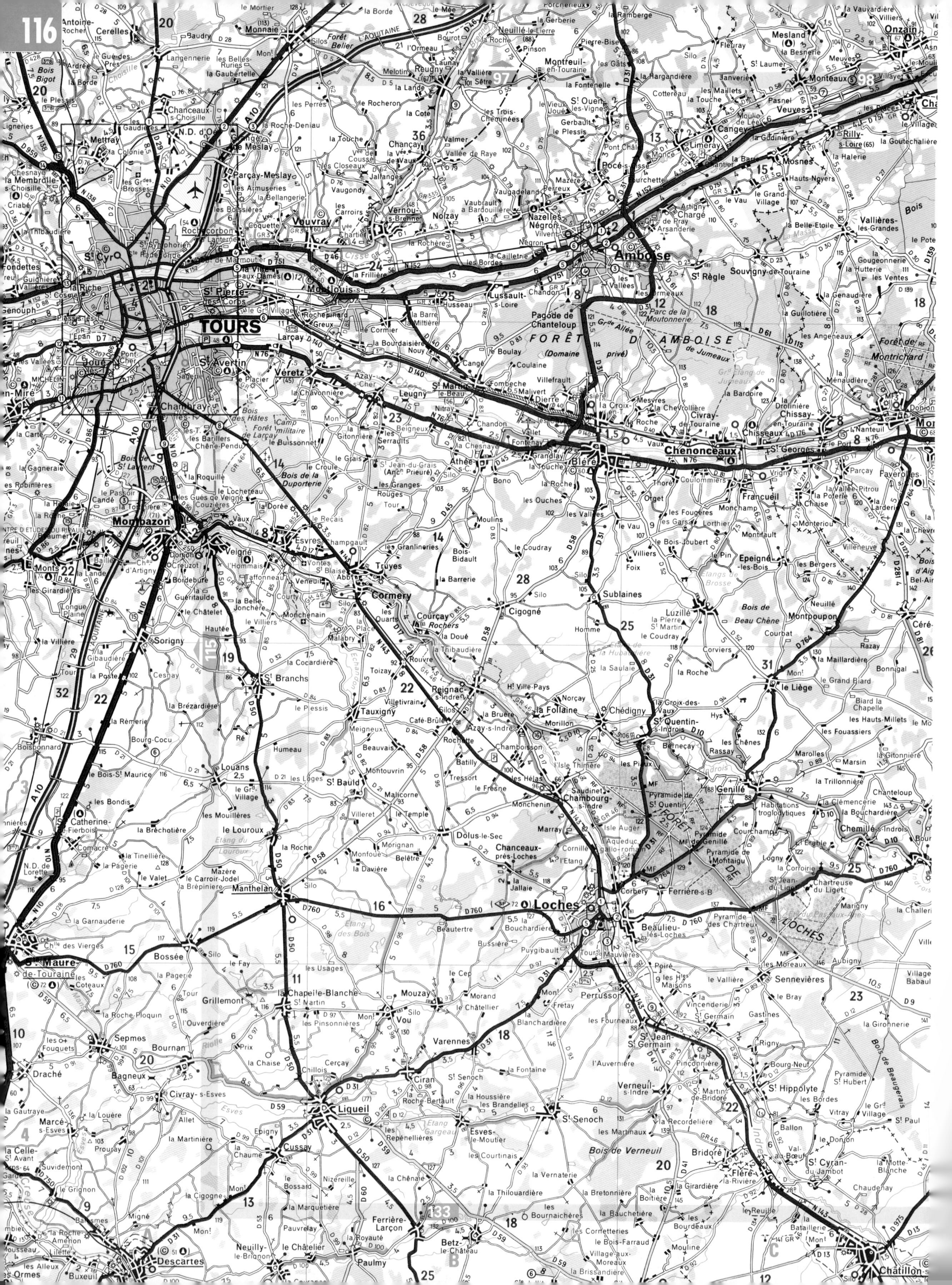

TOURS
Amboise
Chenonceaux
Loches
Montbazon
Cormery
Bléré
Vouvray
Montlouis-s-Loire
St-Avertin
Joué
Chambray
Véretz
Ste Catherine-de-Fierbois
Ste Maure-de-Touraine
Manthelan
Ligueil
Descartes
Châtillon
Genillé
Montrichard
Onzain
Monnaie
Mettray
St Cyr
La Riche
Fondettes
Sorigny
St Branchs
Reignac-s-Indre
Azay-s-Indre
Chambourg-s-Indre
Beaulieu-lès-Loches
Perrusson
St Jean-St Germain
Verneuil-s-Indre
St Hippolyte
Sennevières
Montpoupon
Francueil
Civray-de-Touraine
Chissay-en-Touraine
Limeray
Cangey
Nazelles-Négron
Noizay
Reugny
Montreuil-en-Touraine
Neuillé-le-Lierre
Cerelles
Rochecorbon
Larçay
Esvres
Truyes
Cigogné
Sublaines
Luzillé
Le Liège
Chédigny
St Quentin-s-Indrois
Dolus-le-Sec
Chanceaux-près-Loches
Mouzay
Varennes
Ciran
Cussay
Bossée
Sepmes
Bournan
Bagneux
Civray-s-Esves
Louans
Athée-s-C.
Lussault-s-Loire
Pagode de Chanteloup
FORÊT D'AMBOISE (Domaine privé)
FORÊT DE LOCHES
Forêt de Montrichard
Bois de Verneuil
Bois de Beau Chêne
Bois de la Duporterie

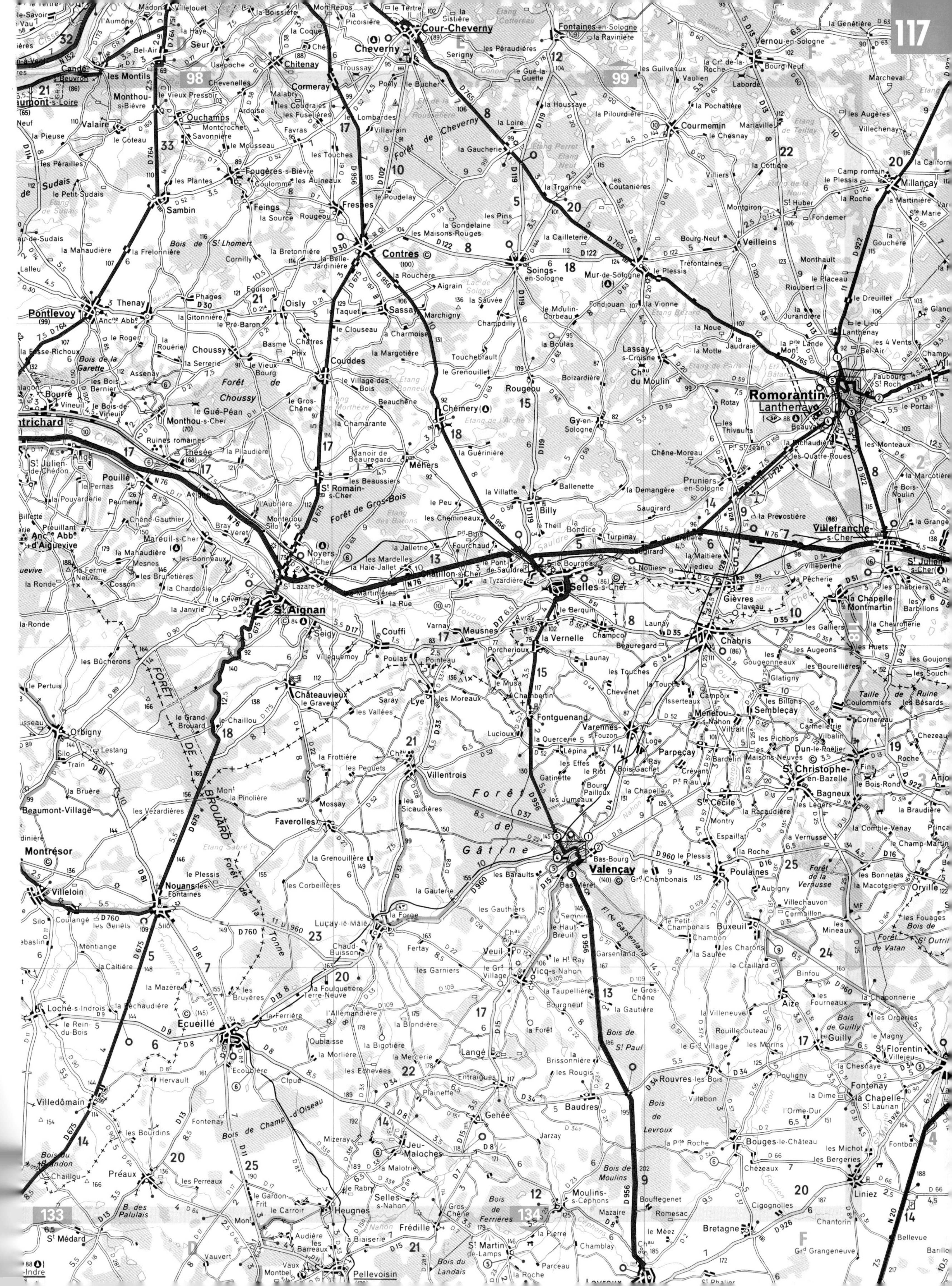

Cour-Cheverny
Cheverny
Chitenay
Cormeray
Fontaines-en-Sologne
Vernou-en-Sologne
Bourg-Neuf
Marcheval
Courmemin
Veilleins
Millançay
les Montils
Monthou-s-Bièvre
Ouchamps
Valaire
Fougères-s-Bièvre
Feings
Fresnes
Contres
Soings-en-Sologne
Mur-de-Sologne
Pontlevoy
Thenay
Oisly
Sassay
Lassay-s-Croisne
Romorantin-Lanthenay
Choussy
Couddes
Chémery
Rougeou
Gy-en-Sologne
Pruniers-en-Sologne
Villefranche-s-Cher
Montrichard
Pouillé
St-Romain-s-Cher
Méhers
Billy
St-Julien-s-Cher
Ange
St-Julien-de-Chédon
Mareuil-s-Cher
Noyers-s-Cher
Châtillon-s-Cher
Selles-s-Cher
Chabris
St-Aignan
Seigy
Couffi
Meusnes
la Vernelle
Gièvres
la Chapelle-Montmartin
Châteauvieux
Lye
Fontguenand
Varennes-Fouzon
Menetou-sur-Nahon
Parpeçay
Dun-le-Poëlier
St-Christophe-en-Bazelle
Orbigny
Villentrois
Faverolles
Valençay
Bagneux
Montrésor
Villeloin
Nouans-les-Fontaines
Luçay-le-Mâle
Veuil
Vicq-s-Nahon
Buxeuil
Écueillé
Langé
Rouvres-les-Bois
Guilly
St-Florentin
Villedômain
Préaux
Selles-Nahon
Heugnes
Jeu-Maloches
Baudres
Bouges-le-Château
Liniez
St-Médard
Pellevoisin
Frédille
St-Martin-de-Lamps
Moulins-s-Céphons
Bretagne

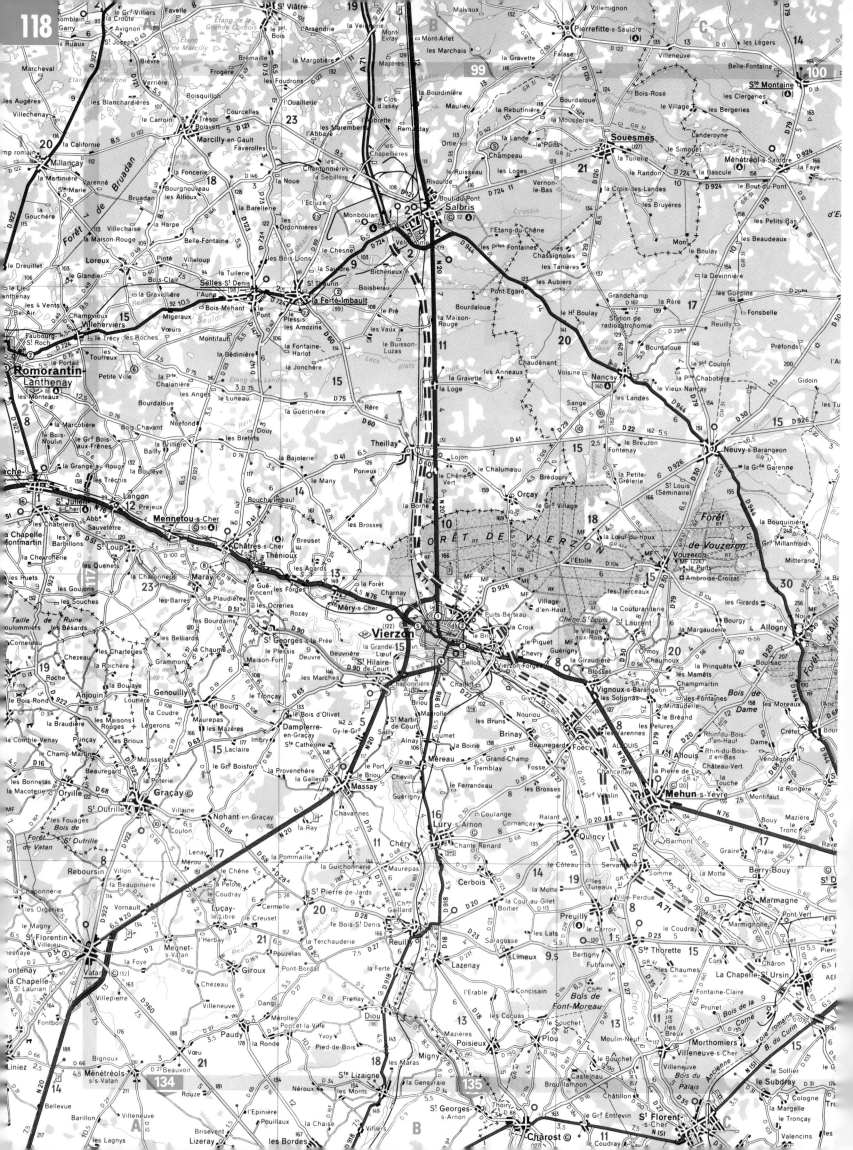

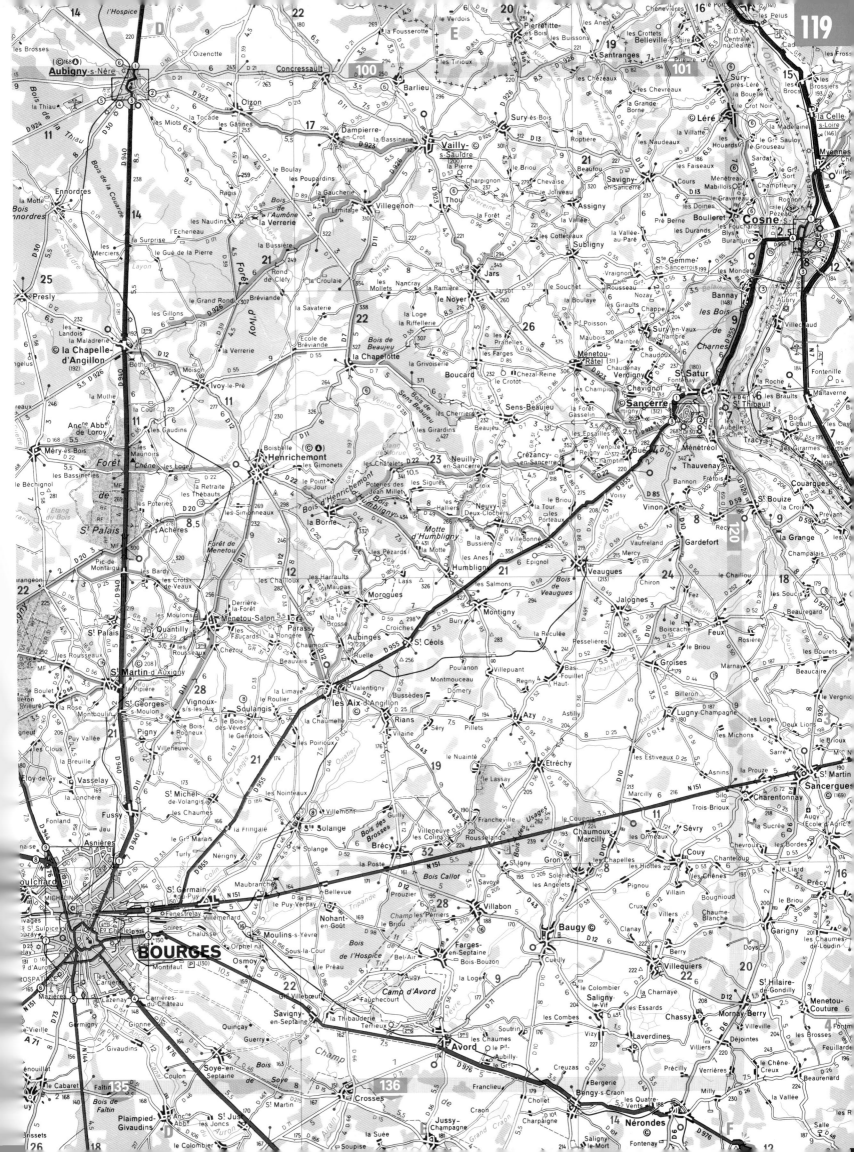

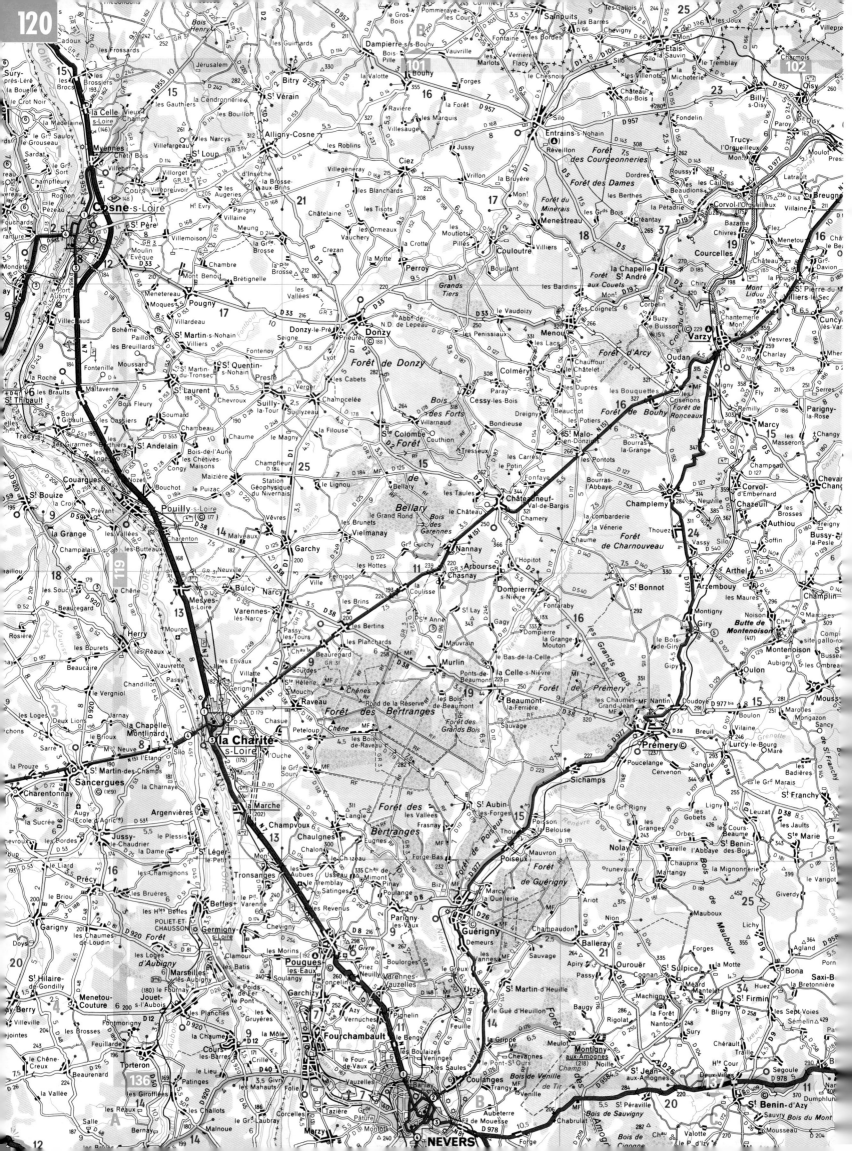

Avallon
Vézelay
Clamecy
Asquins
St Père
Pierre-Perthuis
Domecy
Tannay
Corbigny
Lormes
Montsauche
Château-Chinon
Châtillon-en-Bazois
St Saulge
Moulins-Engilbert
Quarré-les-Tombes
Brinon-s-Beuvron
Monceaux-le-Comte
Marigny-s-Yonne
Chitry-les-Mines
Cervon
Vauclaix
Ouroux-en-Morvan
Bge de Pannesière-Chaumard
Montreuillon
Forêt de Montreuillon
PARC RÉGIONAL DU MORVAN
Forêt de Vincence
Bois de Limanton
Etang de Baye
Etang de Vaux
Etang Neuf
Aqueduc de Montreuillon
Gorges de Narvau
Signal de Montrecon
Fouilles des Fontaines Salées
Forêt de Chauffour-Ferrières
Forêt de Maulay
Bois de Brèves
Forêt de Champornot
Vallée du Cousin
Bois des Courtois
Forêt au Duc
Rocher de la Pérouse
Haut-Folin
Dun-les-Places
Brassy
St Martin-du-Puy
Chalaux
Marigny-l'Église
St Germain-des-Champs
Chastellux-s-Cure
Cussy-les-Forges
St Léger-Vauban
Arleuf
Fâchin
St Prix
Mont Moret
Sermages
Maux
Dommartin
Tamnay-en-Bazois
Alluy
Rouy
Biches
Brinay
Limanton
Cizely
Frasnay-Reugny
102
103
122
137
138

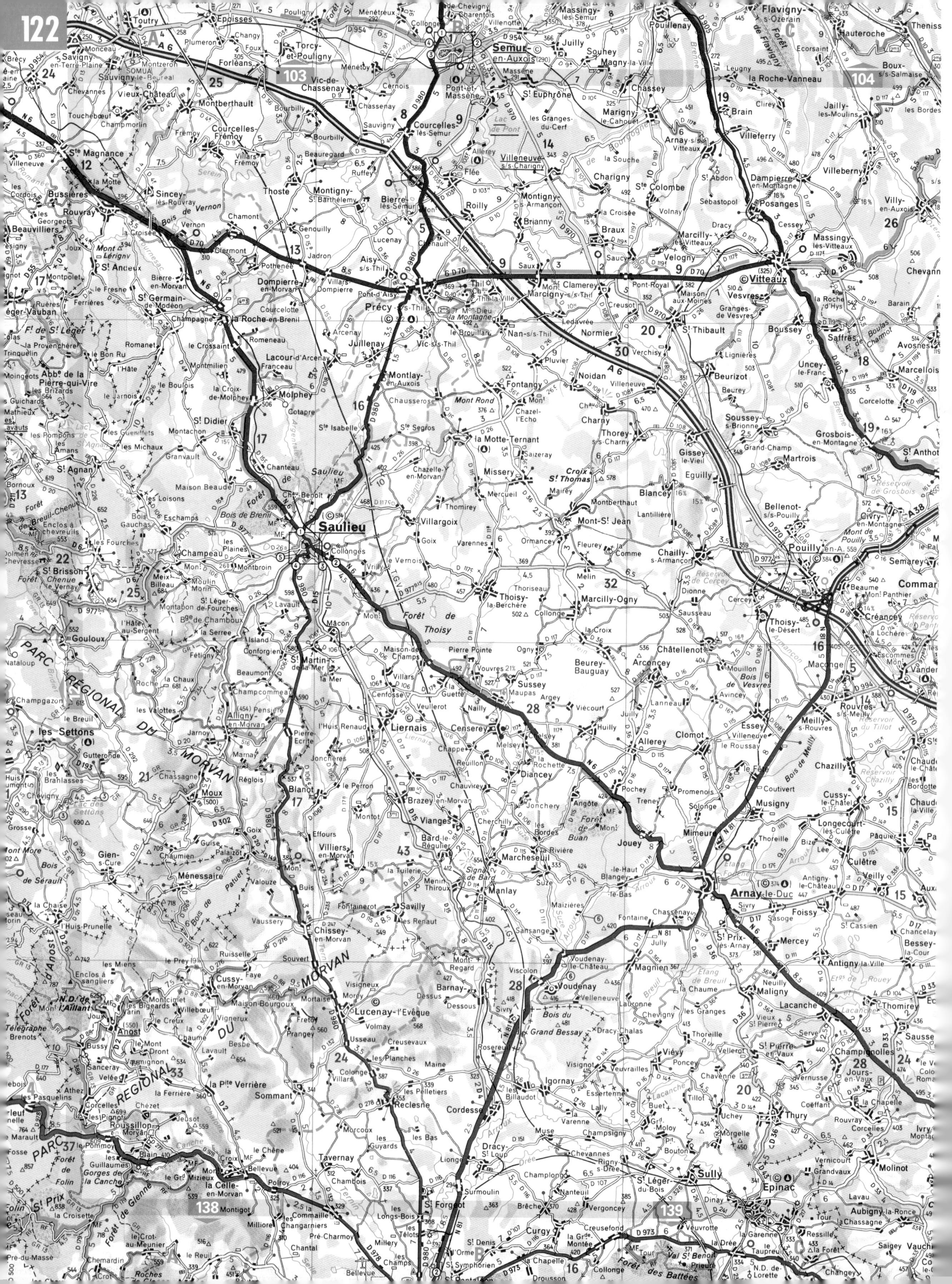

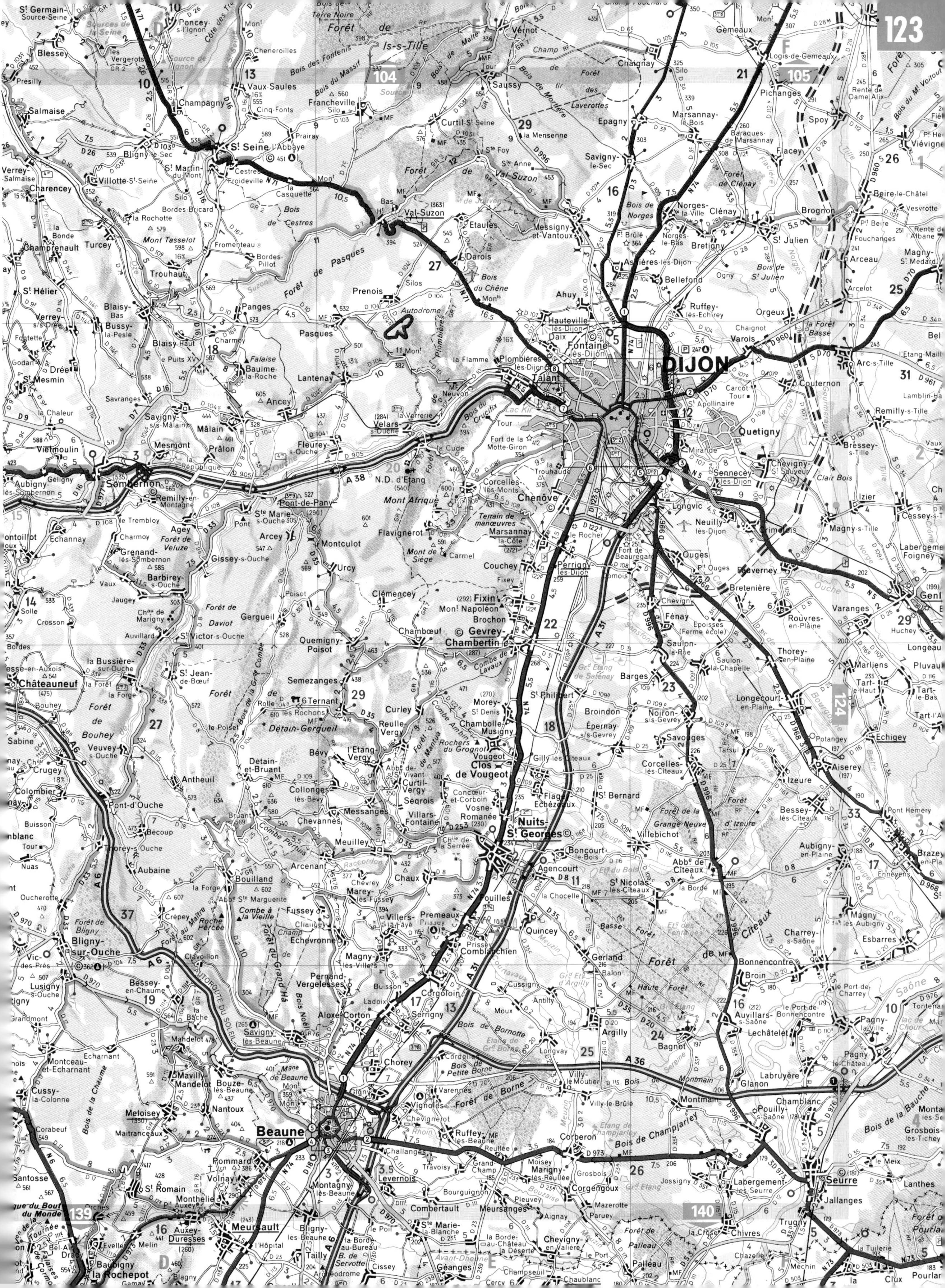

St Germain-Source-Seine
Blessey
Présilly
Poncey-s-l'Ignon
Chenereoilles
Vaux Saules
Champagny
Cinq-Fonts
Francheville
Forêt de Is-s-Tille
Vernot
Saussy
Chaignay
Gemeaux
Logis-de-Gemeaux
Pichanges
Spoy
Marsannay-le-Bois
Epagny
Baraques-de-Marsannay
Salmaise
St Seine-l'Abbaye
Bligny-le-Sec
St Martin-du-Mont
Villotte-St-Seine
Charencey
Verrey-s-Salmaise
Cestres
Froideville
Curtil-St Seine
Forêt de Val-Suzon
Val-Suzon
Savigny-le-Sec
Flacey
Vievigne
Beire-le-Châtel
Norges-la-Ville
Clénay
Brognon
St Julien
Bretigny
Messigny-et-Vantoux
Etaules
Darois
La Rochotte
Mont Tasselot
Turcey
Champrenault
Trouhaut
Bordes-Pillot
Forêt de Pasques
Prenois
Asnières-lès-Dijon
Bellefond
Ruffey-lès-Echirey
Orgeux
Arceau
Arcelot
Magny-St Médard
St Hélier
Blaisy-Bas
Bussy-la-Pesle
Verrey-s/s-Drée
Blaisy-Haut
Panges
Pasques
Ahuy
Hauteville-lès-Dijon
Daix
Fontaine-lès-Dijon
DIJON
Varois
Chaignot
Drée
St Mesmin
Baulme-la-Roche
Lantenay
Plombières-lès-Dijon
Talant
Ancey
Savigny-s/s-Mâlain
Mâlain
Prâlon
Mesmont
Velars-s-Ouche
Fleurey-s-Ouche
Lac Kir
Arc-s-Tille
Couternon
Quetigny
Chevigny-St Sauveur
Remilly-s-Tille
Bressey-s-Tille
St Apollinaire
Sombernon
Aubigny-lès-Sombernon
Remilly-en-Montagne
Pont-de-Pany
N.D. d'Etang
Mont Afrique
Corcelles-lès-Monts
Chenôve
Longvic
Sennecey-lès-Dijon
Neuilly-lès-Dijon
Crimolois
Magny-s-Tille
Izier
Cessey-s-Tille
Echannay
Agey
Grenand-lès-Sombernon
Gissey-s-Ouche
Barbirey-s-Ouche
Arcey
Montculot
Flavignerot
Marsannay-la-Côte
Perrigny-lès-Dijon
Ouges
Fauverney
Bretenière
Couchey
Fixin
Brochon
Gevrey-Chambertin
Clémencey
Urcy
Jaugey
Solle
Crosson
Gergueil
Quemigny-Poisot
Chambœuf
Fénay
Saulon-la-Rue
Saulon-la-Chapelle
Rouvres-en-Plaine
Varanges
Thorey-en-Plaine
Marliens
Longeault
Pluvault
Châteauneuf
La Bussière-sur-Ouche
St Victor-s-Ouche
St Jean-de-Bœuf
Semezanges
Ternant
Curley
Reulle-Vergy
Morey-St Denis
Chambolle-Musigny
Barges
Broindon
Noiron-s-Gevrey
Epernay-s/s-Gevrey
Savouges
Longecourt-en-Plaine
Tart-le-Haut
Echigey
Sabine
Bouhey
Veuvey-s-Ouche
Crugey
Colombier
Antheuil
Détain-et-Bruant
Bévy
Collonges-lès-Bévy
Curtil-Vergy
Vougeot
Clos de Vougeot
Gilly-lès-Cîteaux
Corcelles-lès-Cîteaux
Izeure
Aiserey
Pont-d'Ouche
Bécoup
Thorey-s-Ouche
Aubaine
Messanges
Villars-Fontaine
Chevannes
Nuits-St Georges
Flagey-Echézeaux
St Bernard
Villebichot
Bessey-lès-Cîteaux
Aubigny-en-Plaine
Brazey-en-Plaine
Bouilland
Arcenant
Meuilley
Chaux
Agencourt
Boncourt-le-Bois
St Nicolas-lès-Cîteaux
Abbe de Cîteaux
Ouchercotte
Bligny-sur-Ouche
Vic-des-Prés
Crépey
Fussey
Marey-lès-Fussey
Villers-la-Faye
Premeaux-Prissey
Comblanchien
Quincey
Gerland
Magny-lès-Aubigny
Charrey-s-Saône
Esbarres
Echevronne
Magny-lès-Villers
Pernand-Vergelesses
Corgoloin
Forêt de Cîteaux
Bonnencontre
Broin
Lusigny-s-Ouche
Bessey-en-Chaume
Aloxe-Corton
Savigny-lès-Beaune
Ladoix-Serrigny
Moux
Argilly
Bagnot
Auvillars-s-Saône
Lechâtelet
Pagny-la-Ville
Pagny-le-Château
Montceau-et-Echarnant
Cussy-la-Colonne
Mavilly-Mandelot
Bouze-lès-Beaune
Chorey
Villy-le-Moutier
Glanon
Labruyère
Meloisey
Nantoux
Vignoles
Chevignerot
Villy-le-Brûlé
Montmain
Pouilly-s-Saône
Chamblanc
Grosbois-lès-Tichey
Beaune
Ruffey-lès-Beaune
Corberon
Bois de Champjarley
Seurre
Pommard
Volnay
Challanges
Travoisy
Moisey
Marigny-lès-Reullée
Corgengoux
Jossigny
Labergement-lès-Seurre
Lanthes
Santosse
St Romain
Monthelie
Auxey-Duresses
Meursault
Montagny-lès-Beaune
Levernois
Combertault
Meursanges
Mazerotte
Paruey
Jallanges
Trugny
Chivres
Bligny-lès-Beaune
Ste Marie-la-Blanche
Chevigny-en-Valière
Palleau
Tailly
Cissey
Géanges
Chaublanc
Chazelle
La Rochepot
Melin
Baubigny
Evelle
Corcelles
Pourlans
A 38
A 31
A 36
A 6
N 74
N 71
N 5
N 73
104
105
124
139
140

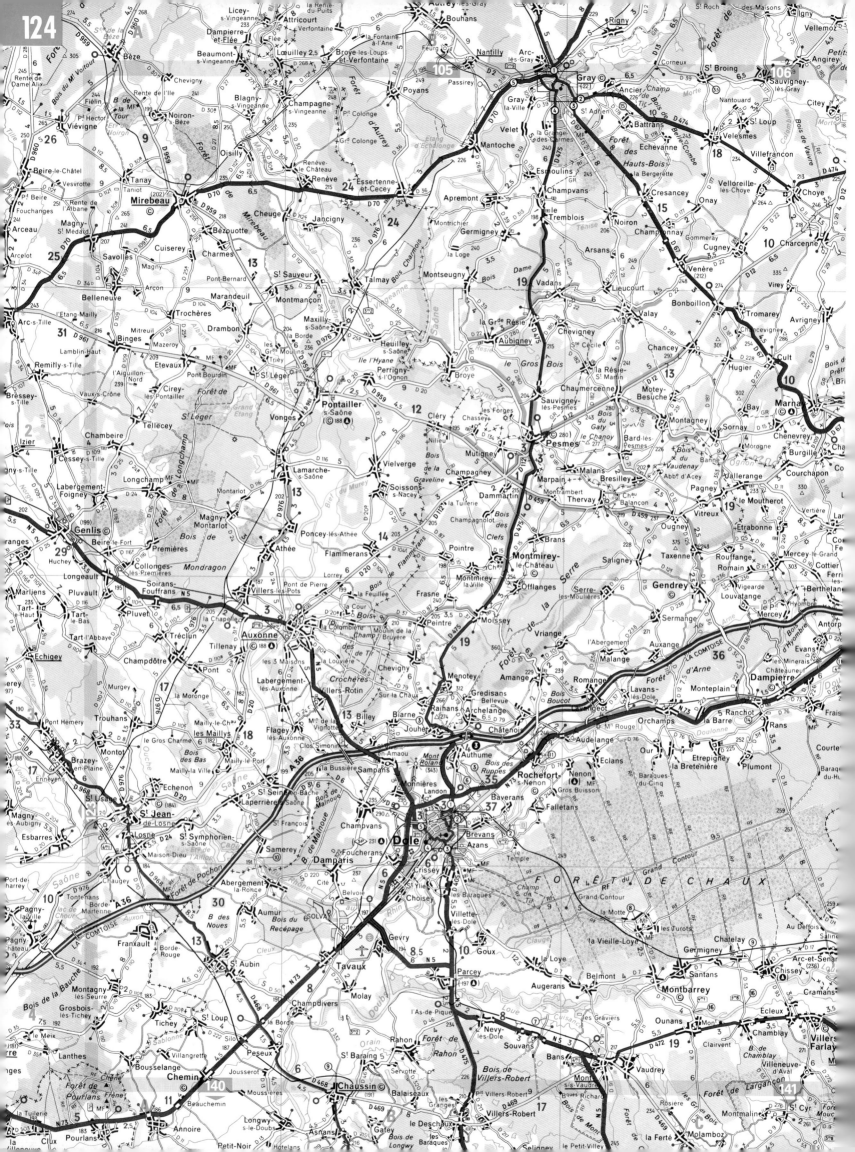

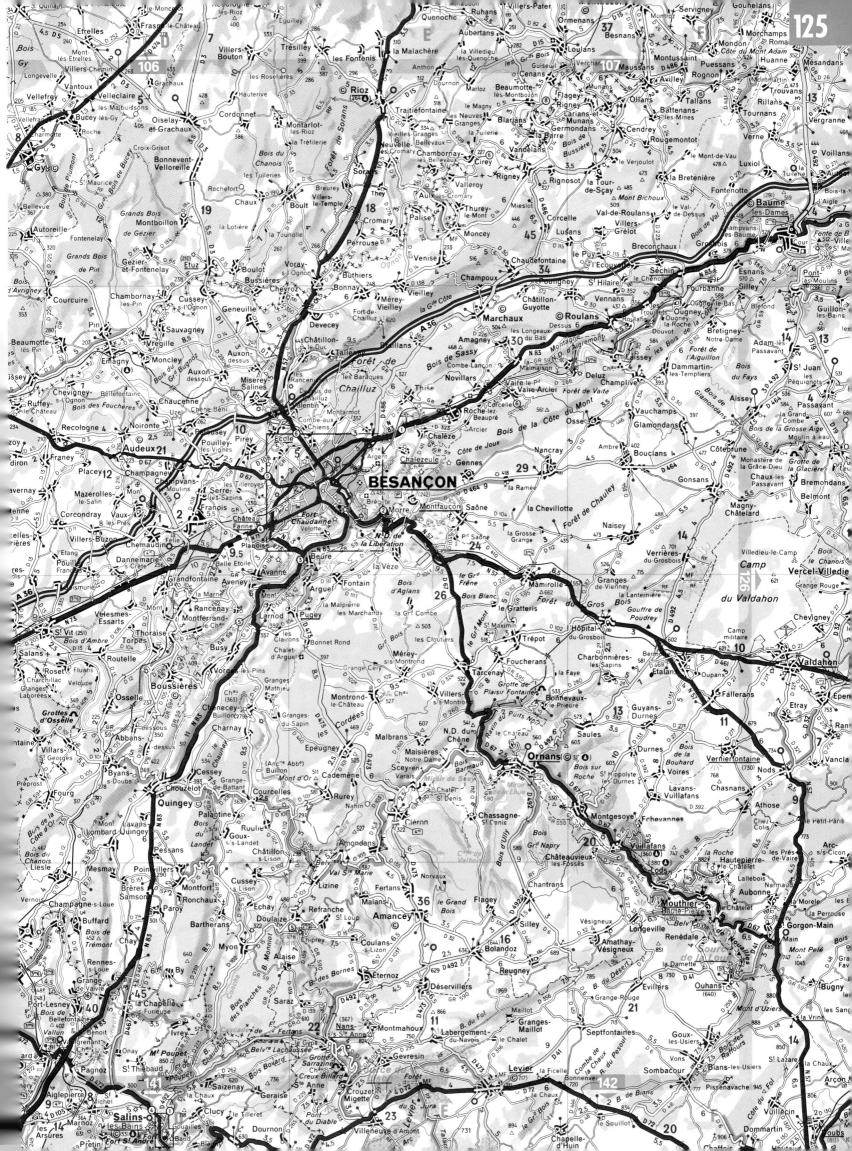

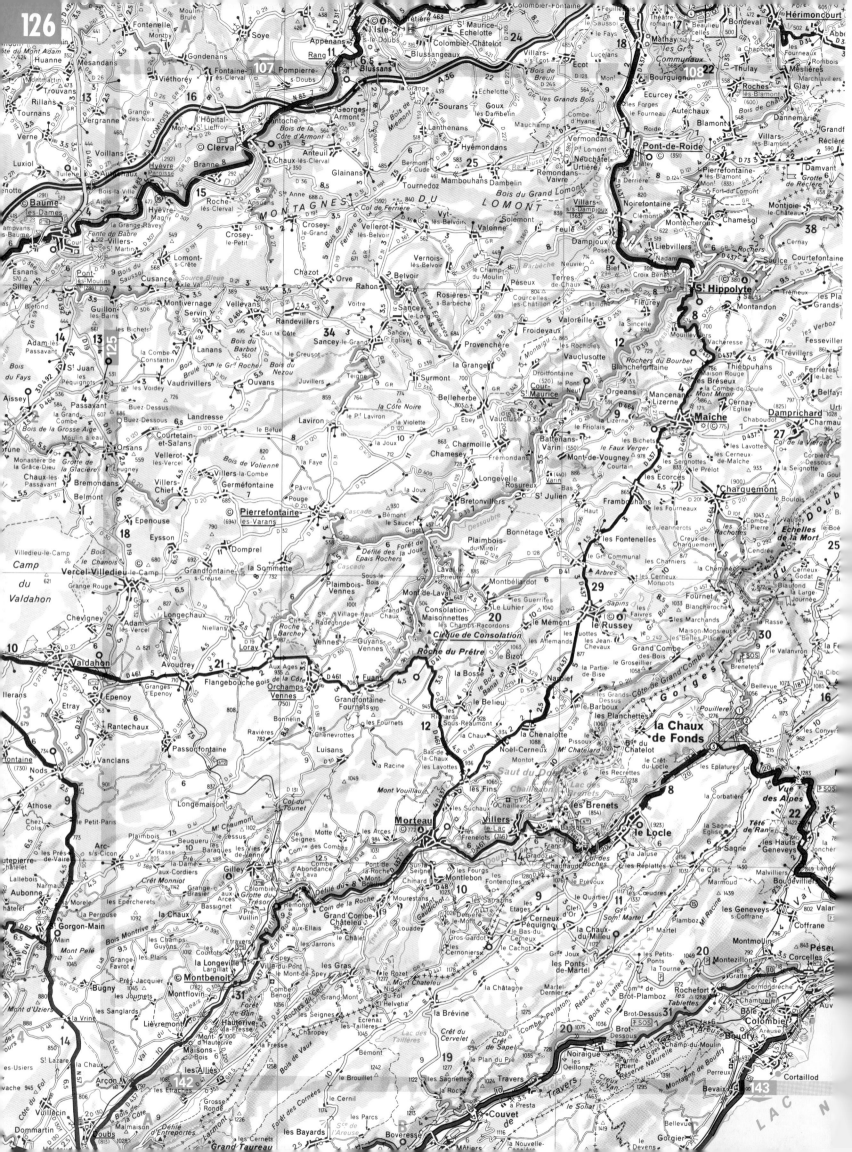

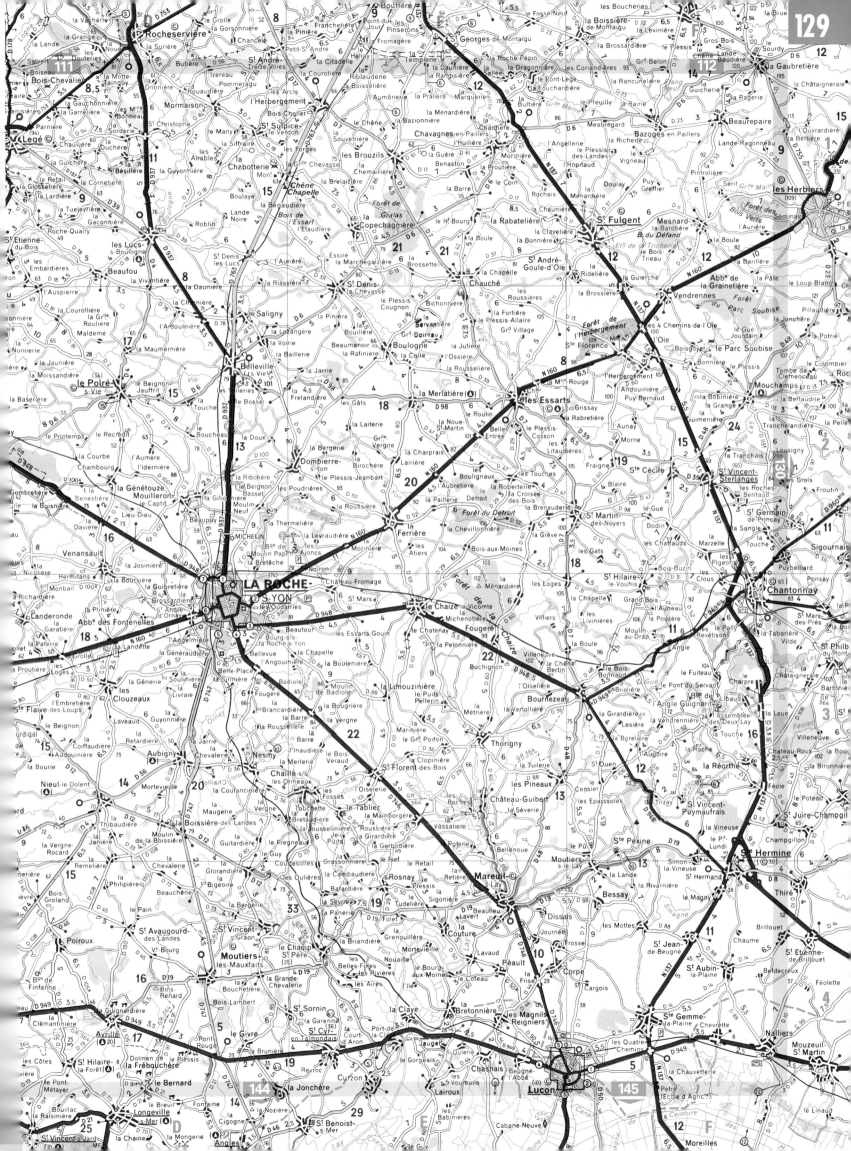

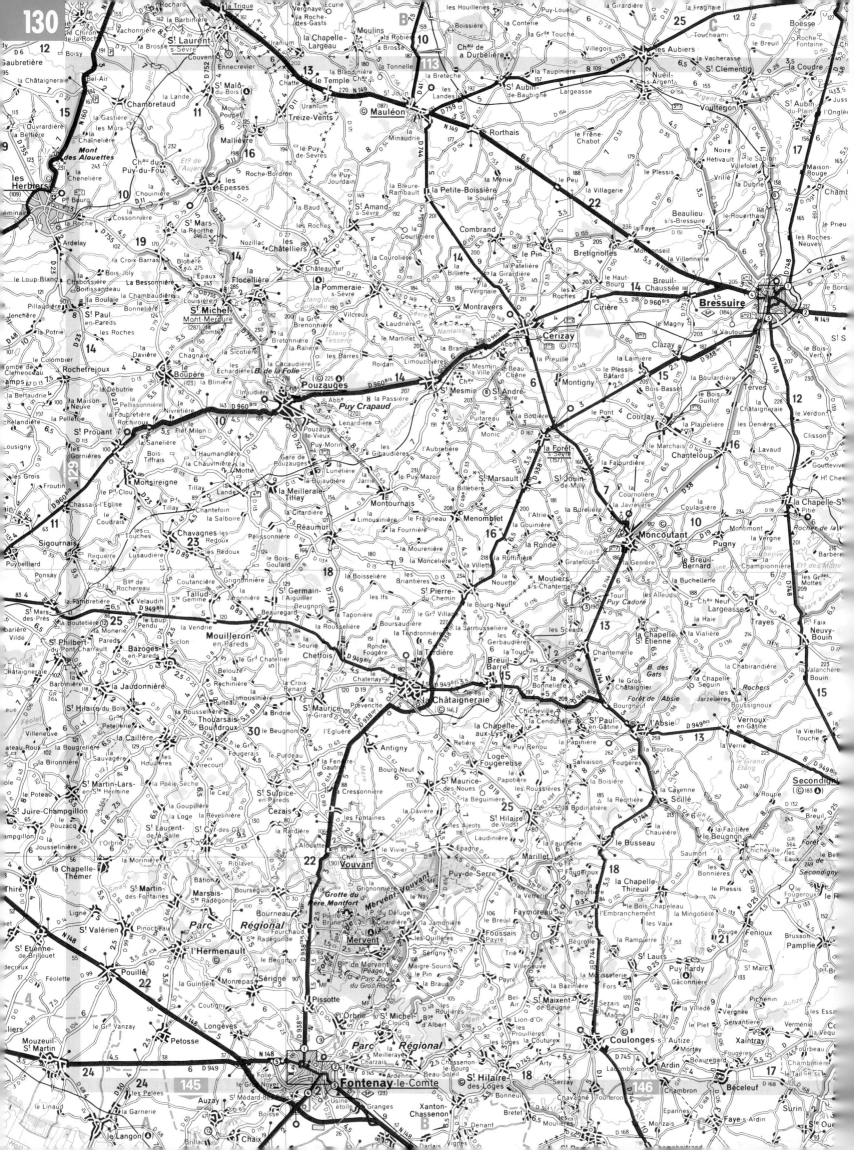

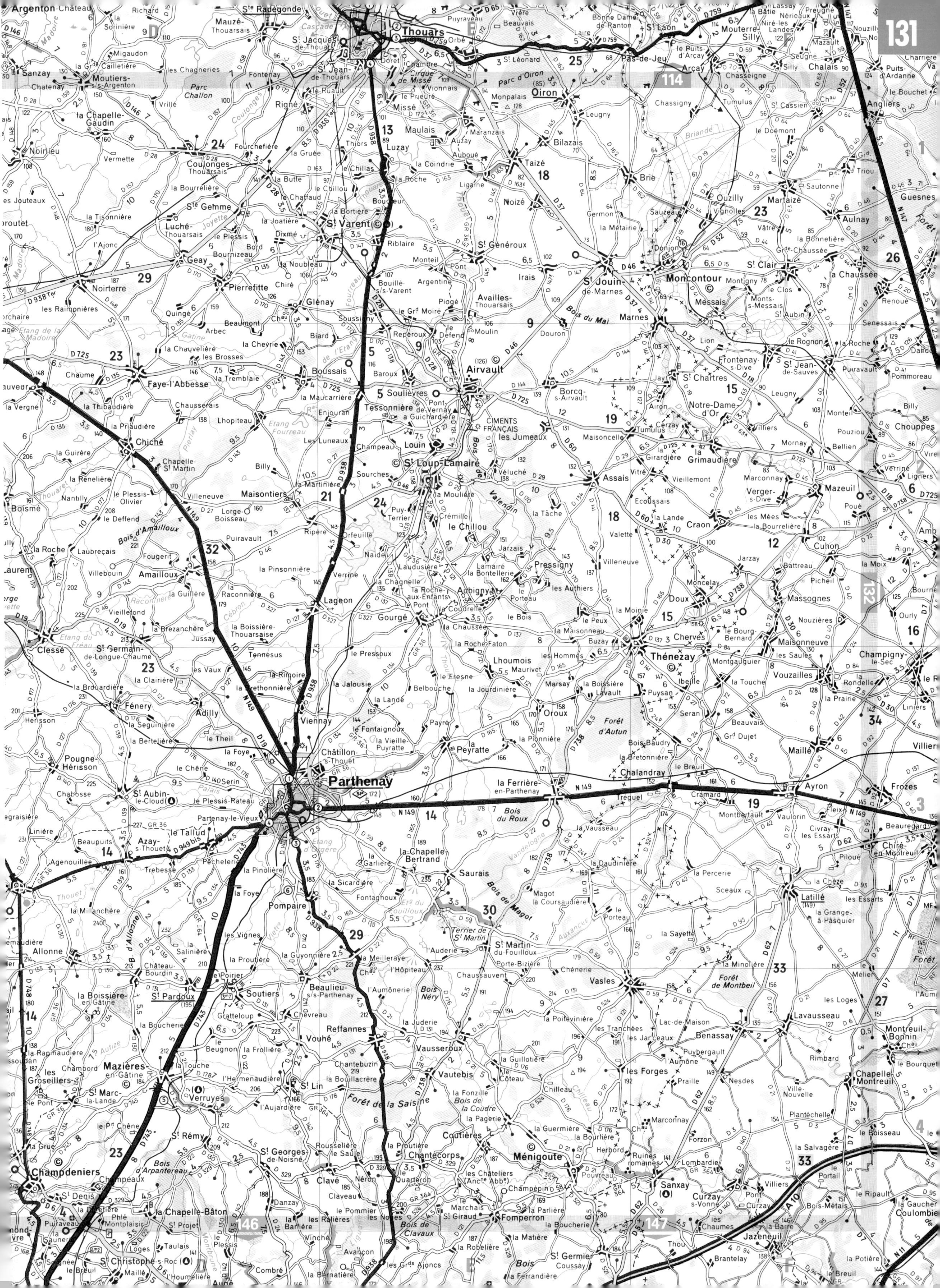
Argenton-Château
Ste Radegonde
Thouars
St Jacques-de-Thouars
Mauzé-Thouarsais
Moutiers-s/s-Argenton
Sanzay
St Jean-de-Thouars
Cirque de Missé
Parc d'Oiron
Oiron
St Léonard
Pas-de-Jeu
St Laon
Mouterre-Silly
Arçay
Chalais
Angliers
Missé
Rigné
Parc Challon
la Chapelle-Gaudin
Noirlieu
Coulonges-Thouarsais
Luzay
Taizé
Maulais
Bilazais
Brie
Ouzilly
Martaizé
Aulnay
Guesnes
Luché-Thouarsais
Ste Gemme
St Varent
St Généroux
Geay
Noirterre
Pierrefitte
Glénay
Irais
St Jouin-de-Marnes
Moncontour
Messais
St Clair
la Chaussée
Marnes
Availles-Thouarsais
Bois du Mai
Airvault
Boussais
Faye-l'Abbesse
Soulièvres
Tessonnière
Borcq-s-Airvault
St Chartres
Frontenay-s-Dive
St Jean-de-Sauves
Chiché
CIMENTS FRANÇAIS
Louin
St Loup-Lamairé
les Jumeaux
Assais
Grimaudière
Maisontiers
Mazeuil
Chouppes
Craon
Cuhon
Amailloux
Pressigny
Aubigny
Lageon
Gourgé
Doux
Massognes
Thénezay
Clessé
St Germain-de-Longue-Chaume
Lhoumois
Oroux
Forêt d'Autun
Vouzailles
Champigny-le-Sec
Maisonneuve
Fénery
Adilly
Viennay
Peyratte
Maillé
Chalandray
Pougne-Hérisson
Châtillon-s-Thouet
Parthenay
la Ferrière-en-Parthenay
Ayron
Frozes
St Aubin-le-Cloud
Azay-s-Thouet
Partenay-le-Vieux
la Chapelle-Bertrand
Latillé
Chiré-en-Montreuil
Saurais
Bois de Magot
Pompaire
Allonne
St Martin-du-Fouilloux
Vasles
Forêt de Montbeil
Beaulieu-s/s-Parthenay
Soutiers
St Pardoux
Reffannes
Vouhé
Vausseroux
Lavausseau
Benassay
Montreuil-Bonnin
Mazières-en-Gâtine
Vautebis
les Forges
St Lin
Verruyes
Forêt de la Saisine
Chapelle-Montreuil
Coutières
Ménigoute
St Georges-de-Noisné
Chantecorps
Champdeniers
Clavé
Sanxay
Curzay-s-Vonne
Jazeneuil
la Chapelle-Bâton
Fomperron
St Christophe-s-Roc
St Germier
Coussay
114
146
147
132

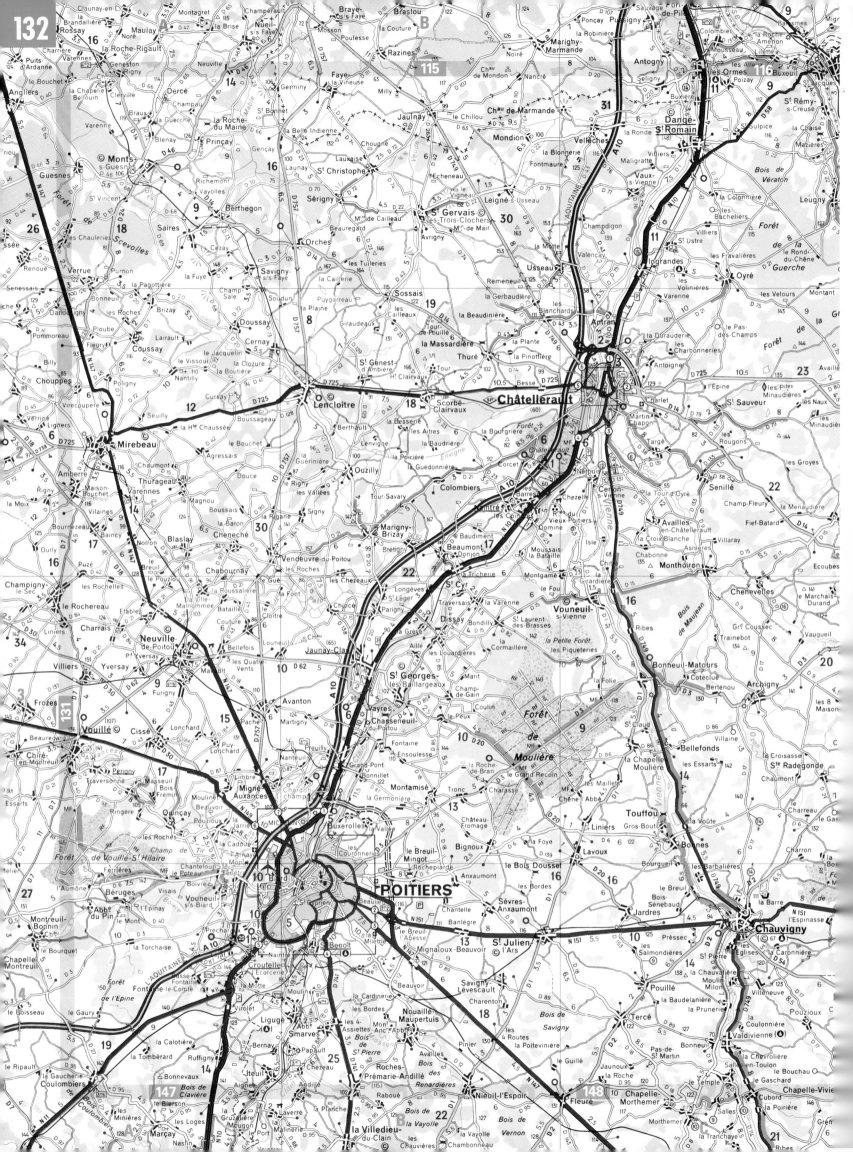

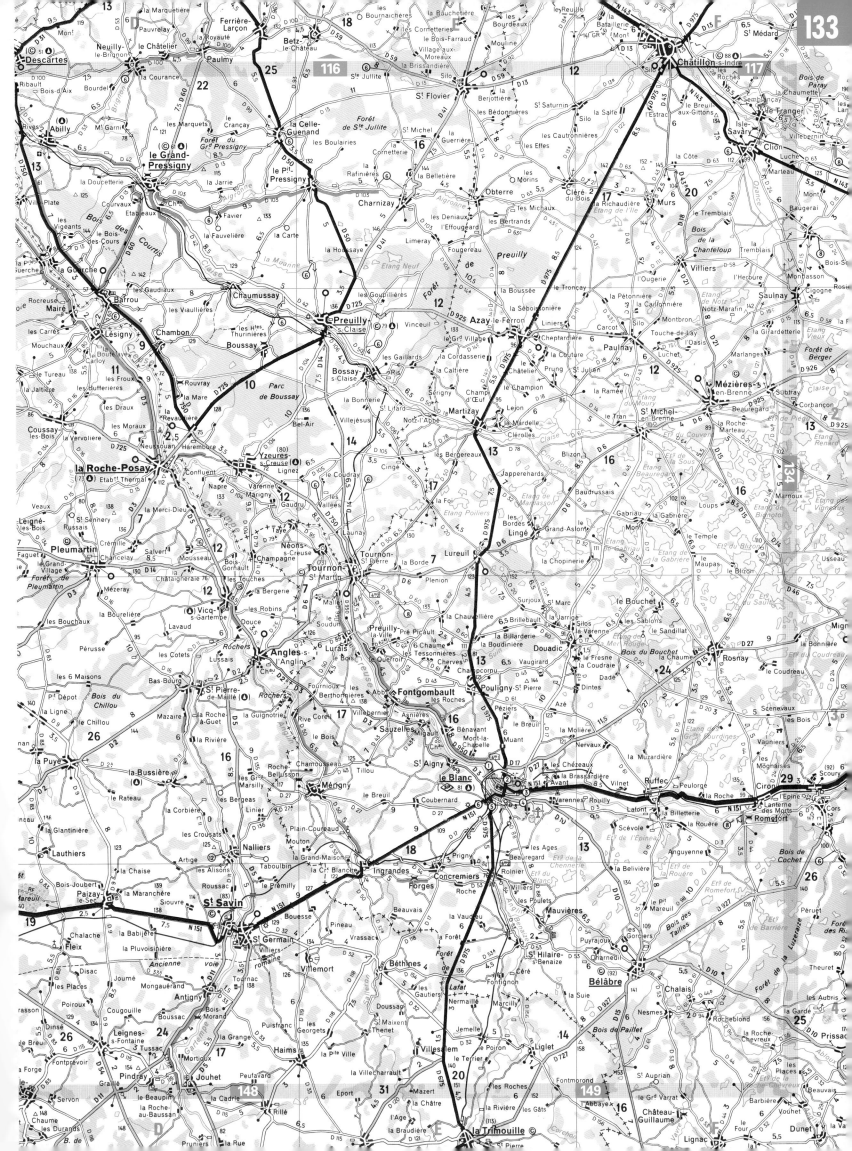

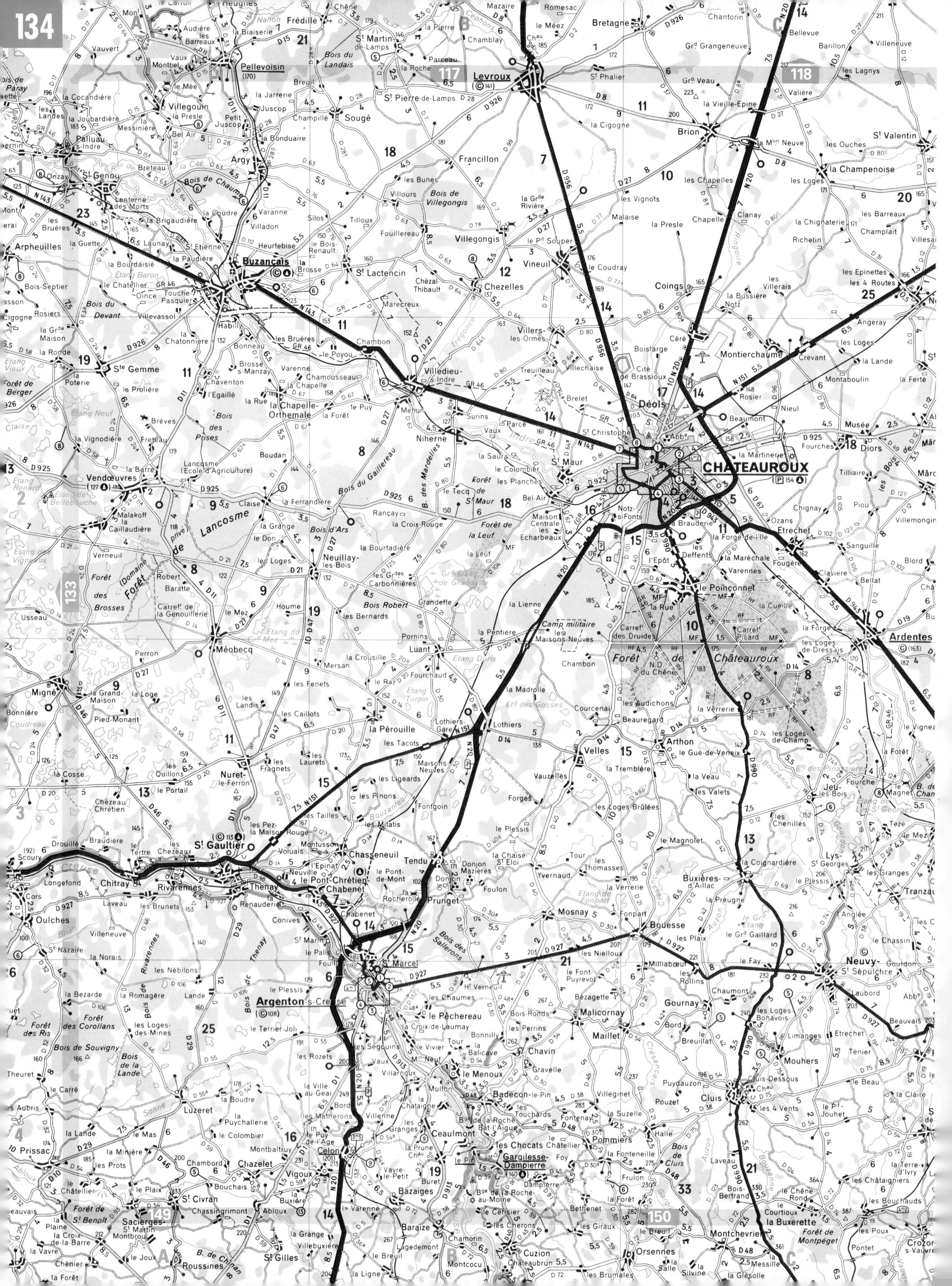

Pellevoisin
Levroux
Frédille
St Martin-de-Lamps
Bretagne
Romesac
Chantorin
Bellevue
Villegouin
Palluau-s-Indre
St Genou
Argy
Sougé
Francillon
Brion
St Valentin
La Champenoise
Buzançais
St Lactencin
Chezelles
Vineuil
Villegongis
Coings
Villedieu-s-Indre
Villers-les-Ormes
Montierchaume
Ste Gemme
La Chapelle-Orthemale
Niherne
Déols
CHÂTEAUROUX
Diors
Vendœuvres
Saint-Maur
Etrechet
Le Poinçonnet
Ardentes
Forêt de Lancosme
Méobecq
Neuillay-les-Bois
Luant
Forêt de Châteauroux
Camp militaire
Migné
Velles
Arthon
Lothiers
Nuret-le-Ferron
St Gaultier
Chasseneuil
Tendu
Le Pont-Chrétien-Chabenet
Prunget
Mosnay
Buxières-d'Aillac
Thenay
Rivarennes
Chitray
Oulches
St Marcel
Argenton-s-Creuse
Bouesse
Neuvy-St Sépulchre
Malicornay
Gournay
Le Menoux
Badecon-le-Pin
Cluis
Mouhers
Luzeret
Ceaulmont
Gargilesse-Dampierre
Pommiers
Celon
Chazelet
Vigoux
Bazaiges
St Civran
Sacierges-St Martin
Prissac
Orsennes
Cuzion
Montchevrier
La Buxerette
Roussines
St Gilles
Forêt de Montpéget
N 143
N 20
N 151
D 925
D 927
D 990
117
118
133
149
150

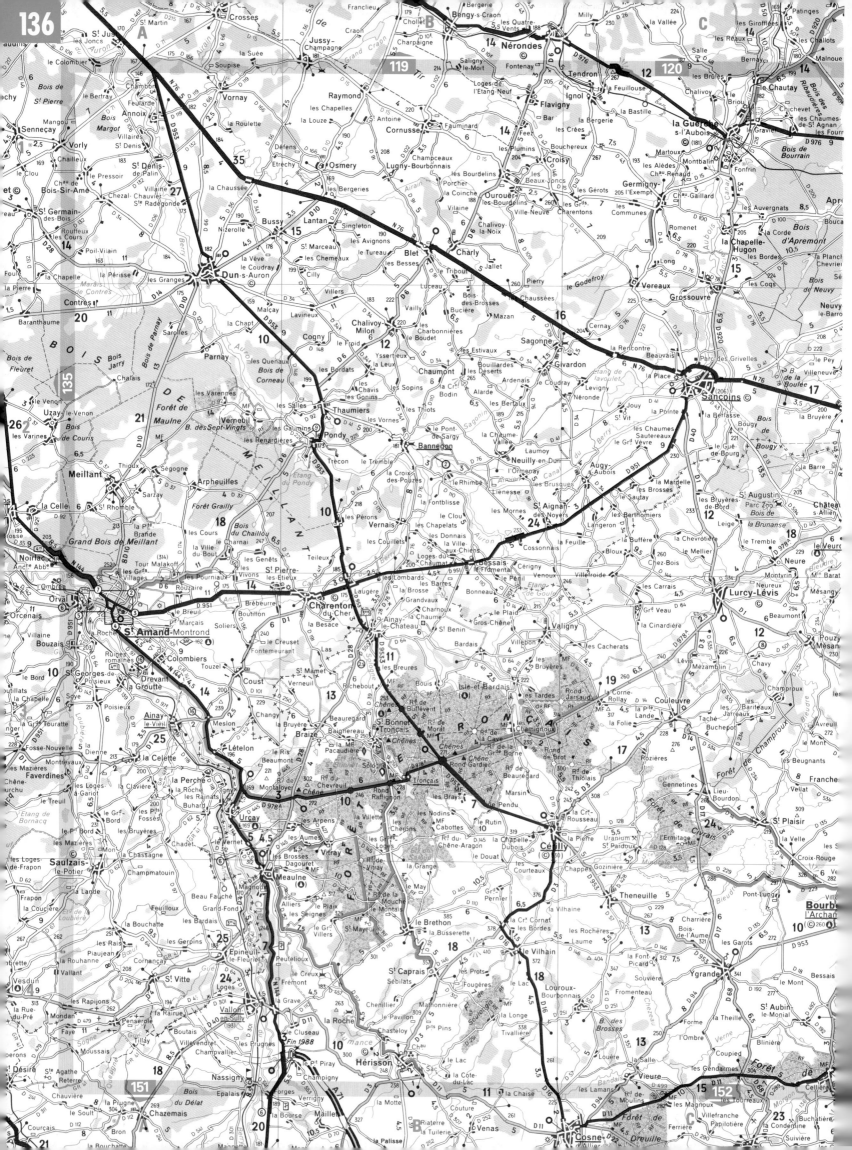

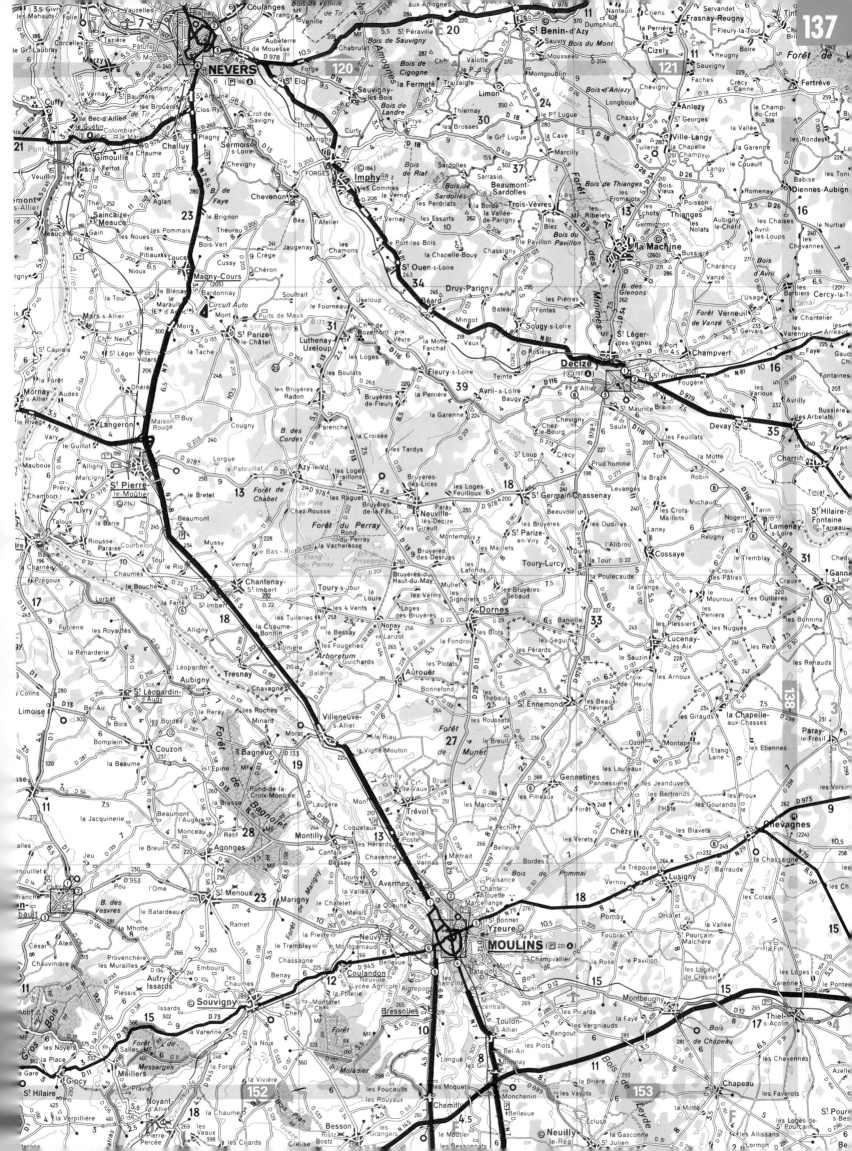

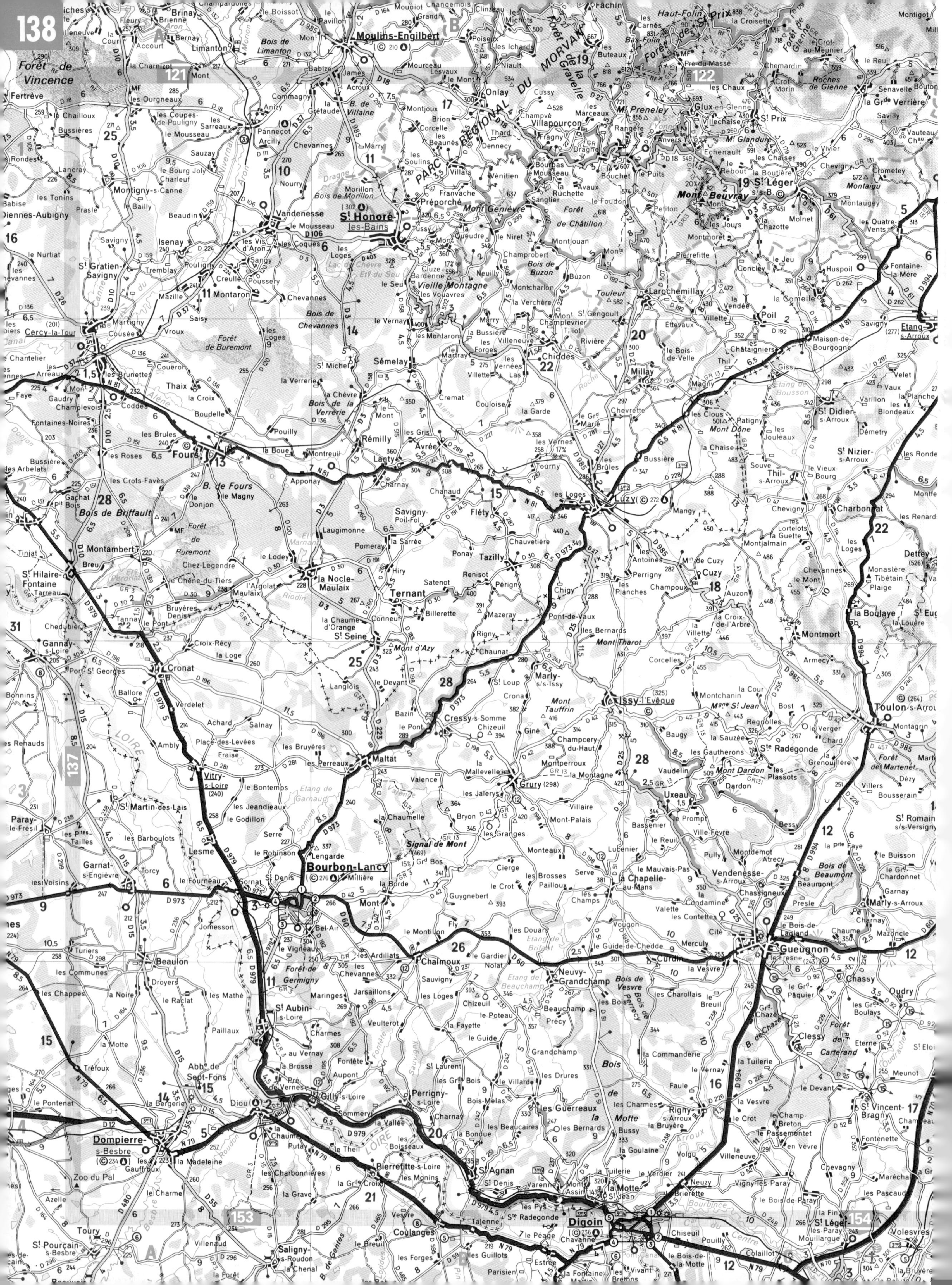

Forêt de Vincence

Moulins-Engilbert

PARC RÉGIONAL DU MORVAN

St-Honoré-les-Bains

St-Léger-s/-B.

Mont Beuvray

Glux-en-Glenne

Luzy

Cercy-la-Tour

Fours

Chiddes

Millay

St-Didier-s-Arroux

Ternant

La Nocle-Maulaix

Cuzy

Montmort

La Boulaye

Cronat

Issy-l'Évêque

Toulon-s-Arroux

Maltat

Mont Dardon

Grury

Uxeau

Vitry-Loire

St-Martin-des-Lais

Bourbon-Lancy

Lesme

Gueugnon

Oudry

Chassy

Garnat-Engièvre

Beaulon

St-Aubin-s-Loire

Abbe de Sept-Fons

Dompierre-s-Besbre

Zoo du Pal

Diou

Gilly-s-Loire

St-Agnan

Digoin

St-Léger

LOIRE

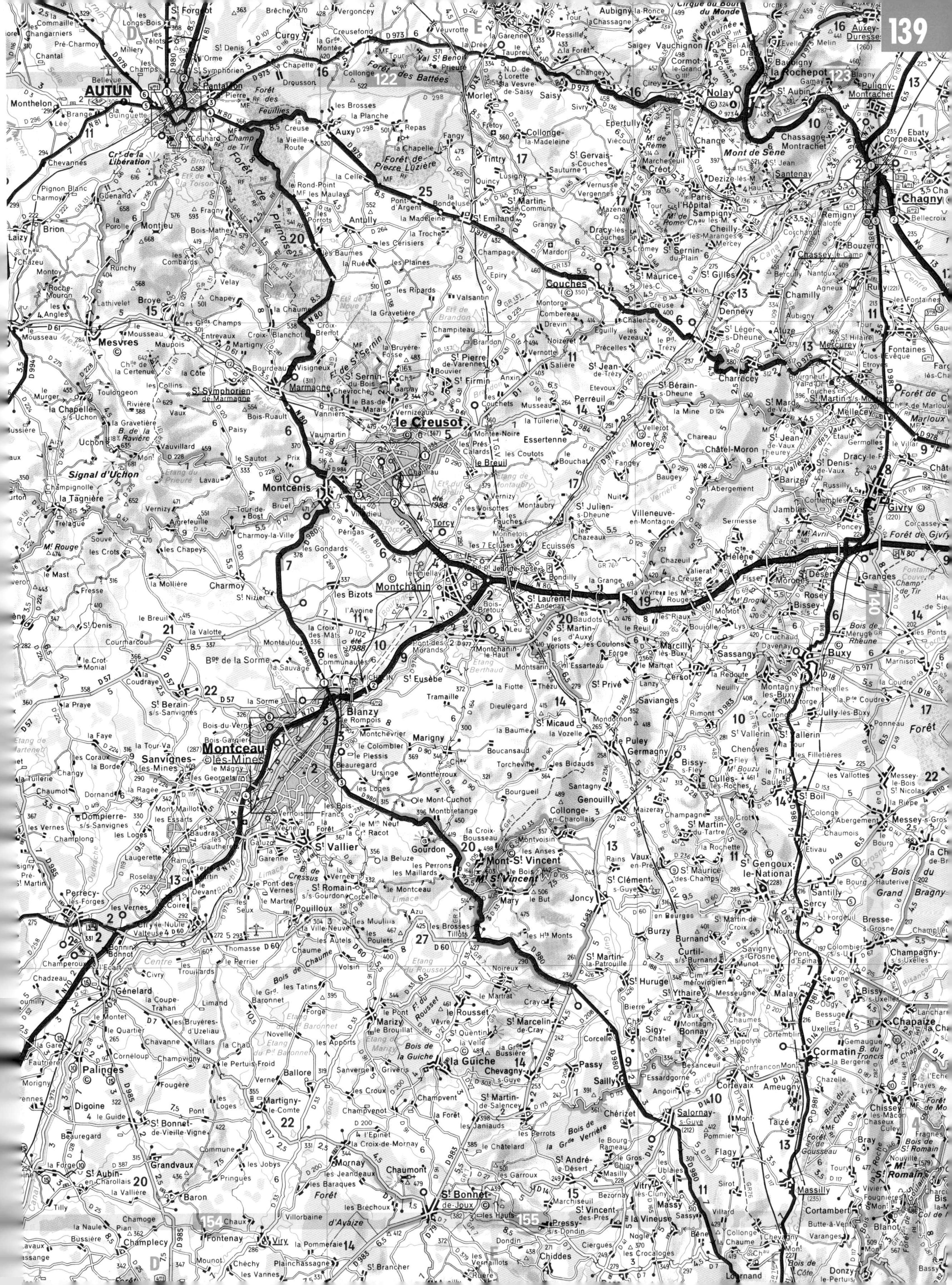

AUTUN

le Creusot

Montceau-les-Mines

Montchanin

Montcenis

Blanzy

Sanvignes-les-Mines

Mesvres

Couches

Chagny

la Rochepot

Nolay

St-Aubin

Santenay

Mercurey

Givry

Buxy

St-Vallier

Gourdon

Mont-St-Vincent

Palinges

Digoine

Grandvaux

St-Bonnet-de-Joux

la Guiche

Cormatin

Signal d'Uchon

Sanvignes-les-Mines

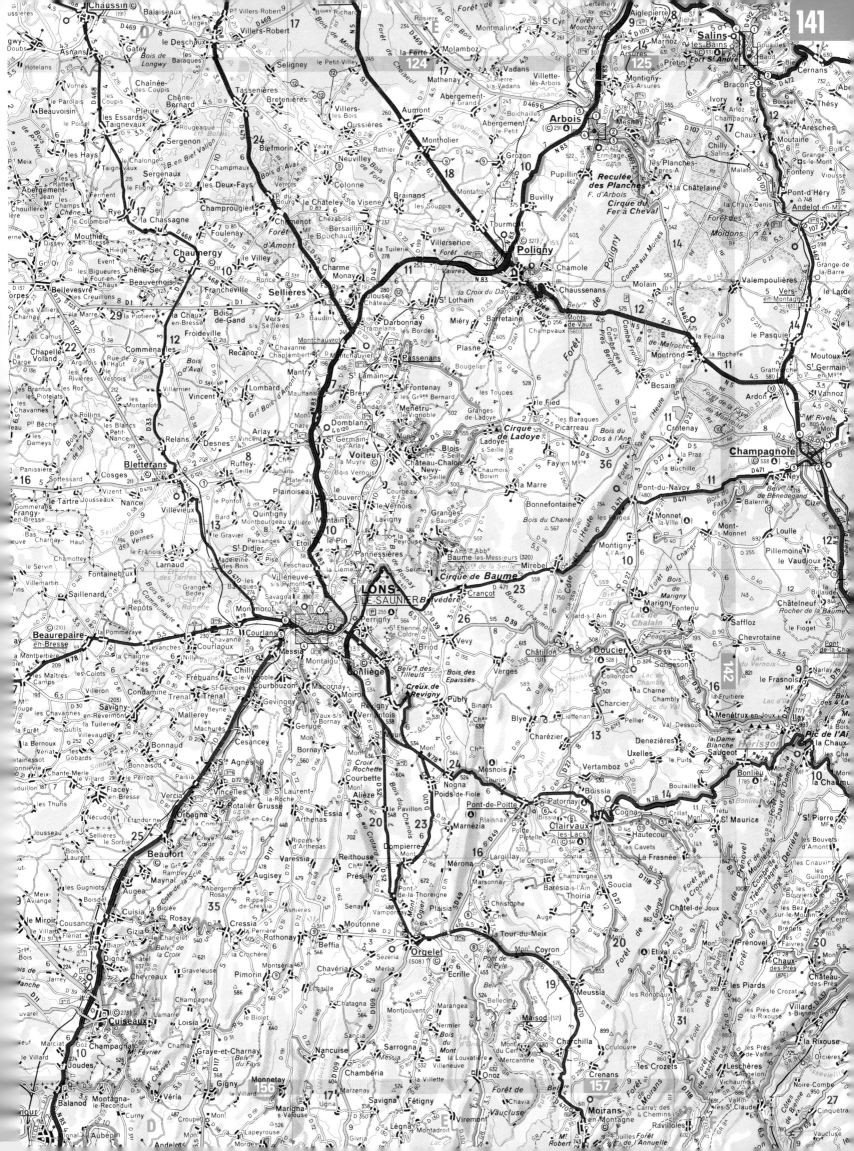

125 · 126 · 141 · 157 · 158

Champagnole · Pontarlier · Mouthe · Morez · Nozeroy · Malbuisson · les Hôpitaux-Neufs · Jougne · Métabief · Mont d'Or · Vallorbe · Dent de Vaulion · Mont Tendre · le Sentier · le Brassus · la Cure · St Cergue · la Dôle · Rolle · Aubonne · Bière · St George

FORÊT DE LA JOUX · Sapin Président · Forêt de Fresne · MONT RISOUX · VALLÉE DE JOUX · Lac de St Point · Lac des Rousses

Bonlieu · St Laurent-en-Grandvaux · Bellefontaine · Morbier · les Rousses · les Planches · Foncine-le-Haut · Foncine-le-Bas · Chaux-Neuve · Châtelblanc · Chapelle-des-Bois · Bois-d'Amont · le Lieu · l'Abbaye · Montricher · Mollens · Gimel · Longirod · St Oyens · Bursins · Gilly · Bégnins · Gingins · Trélex · Givrins · Arzier · Genolier

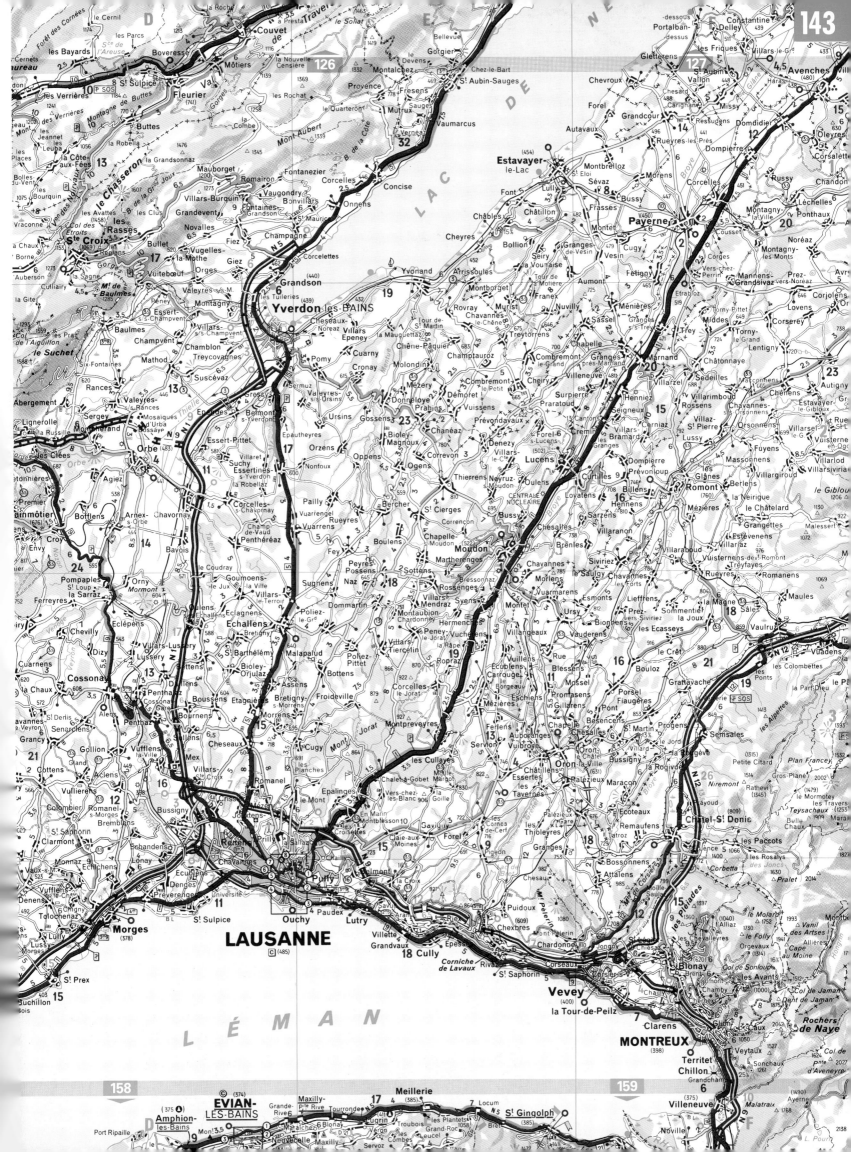

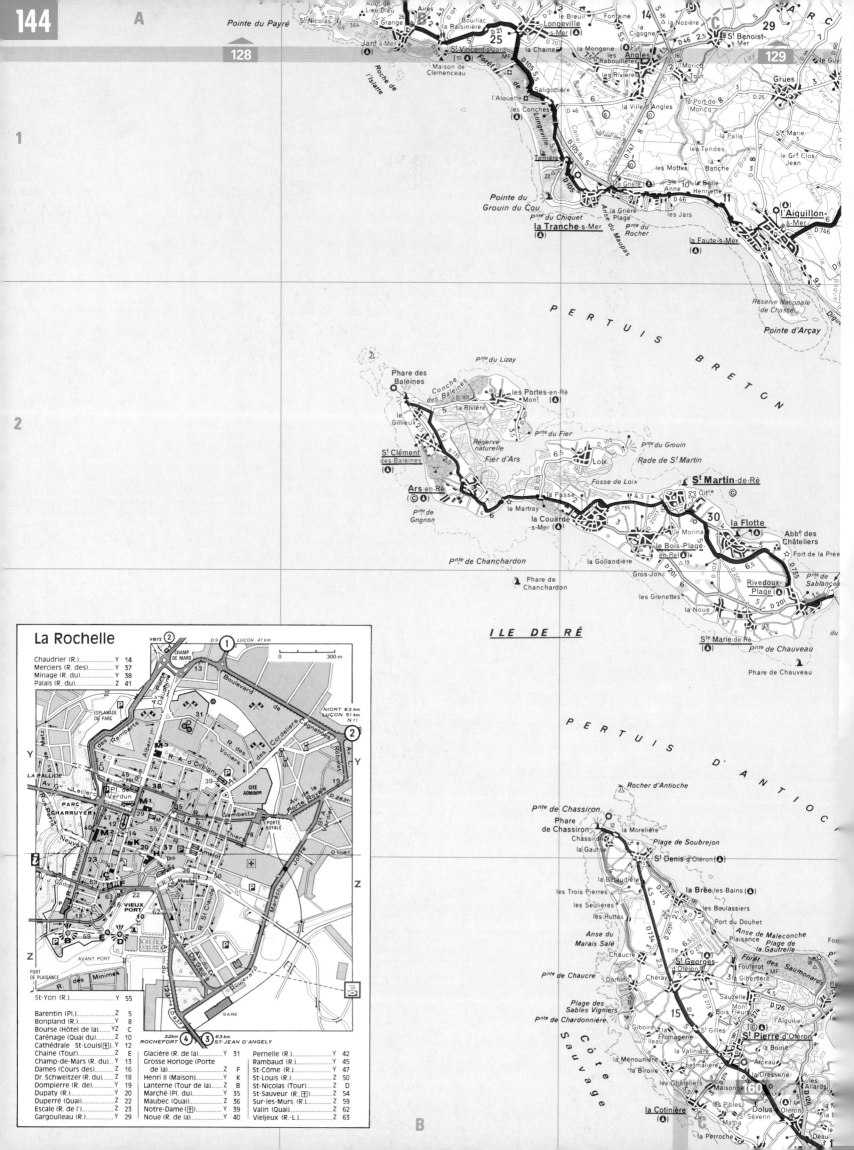

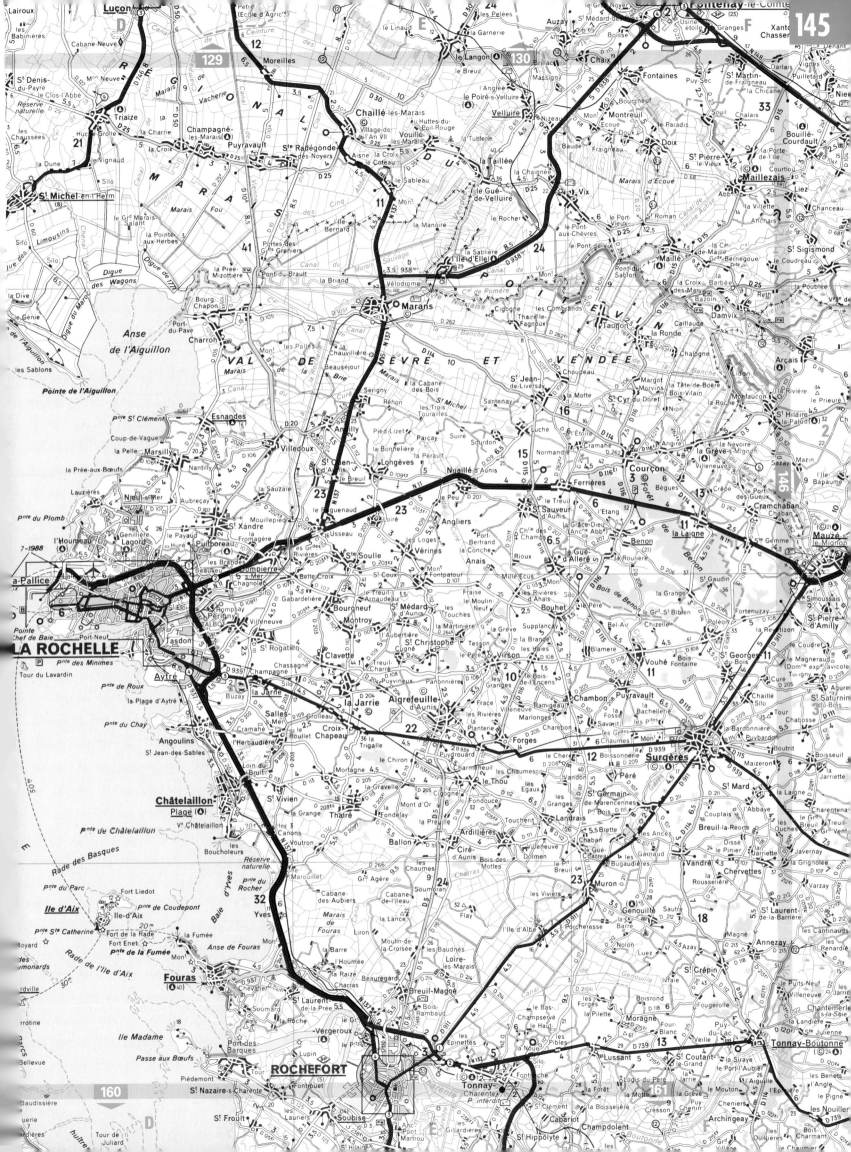

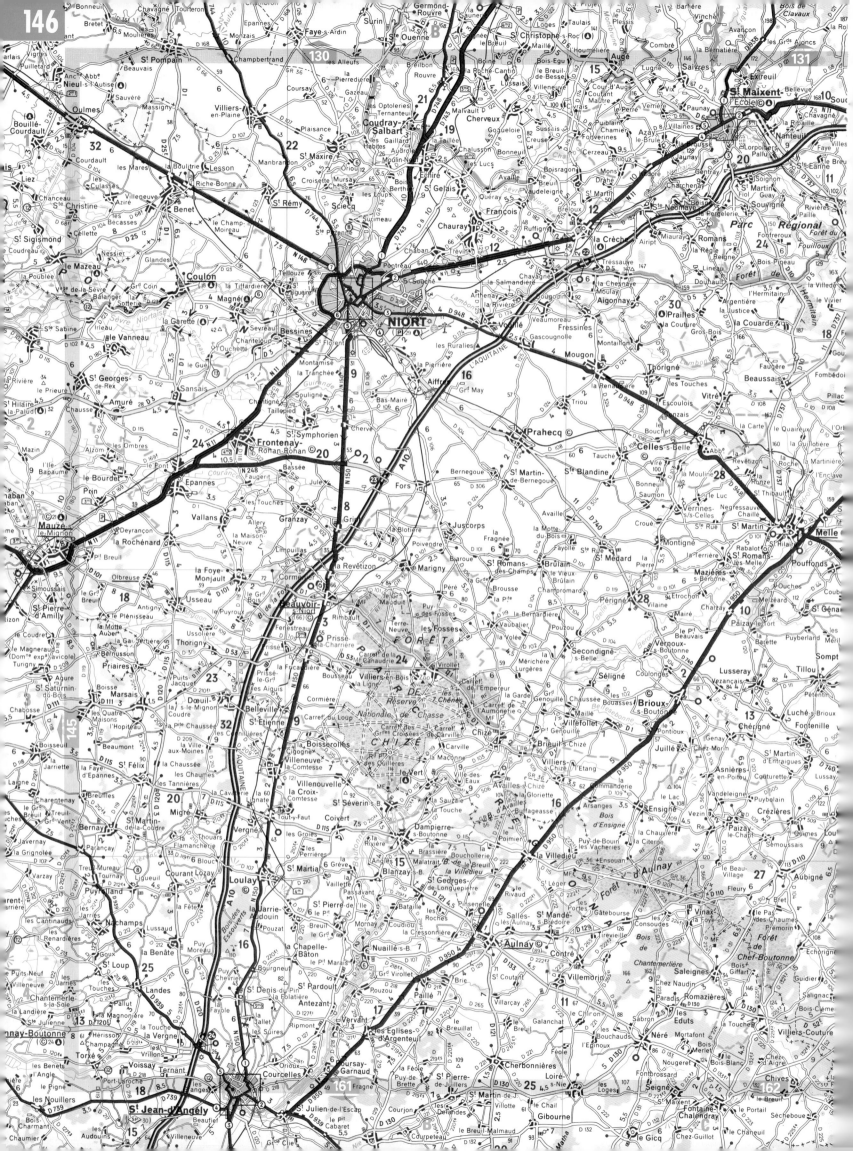

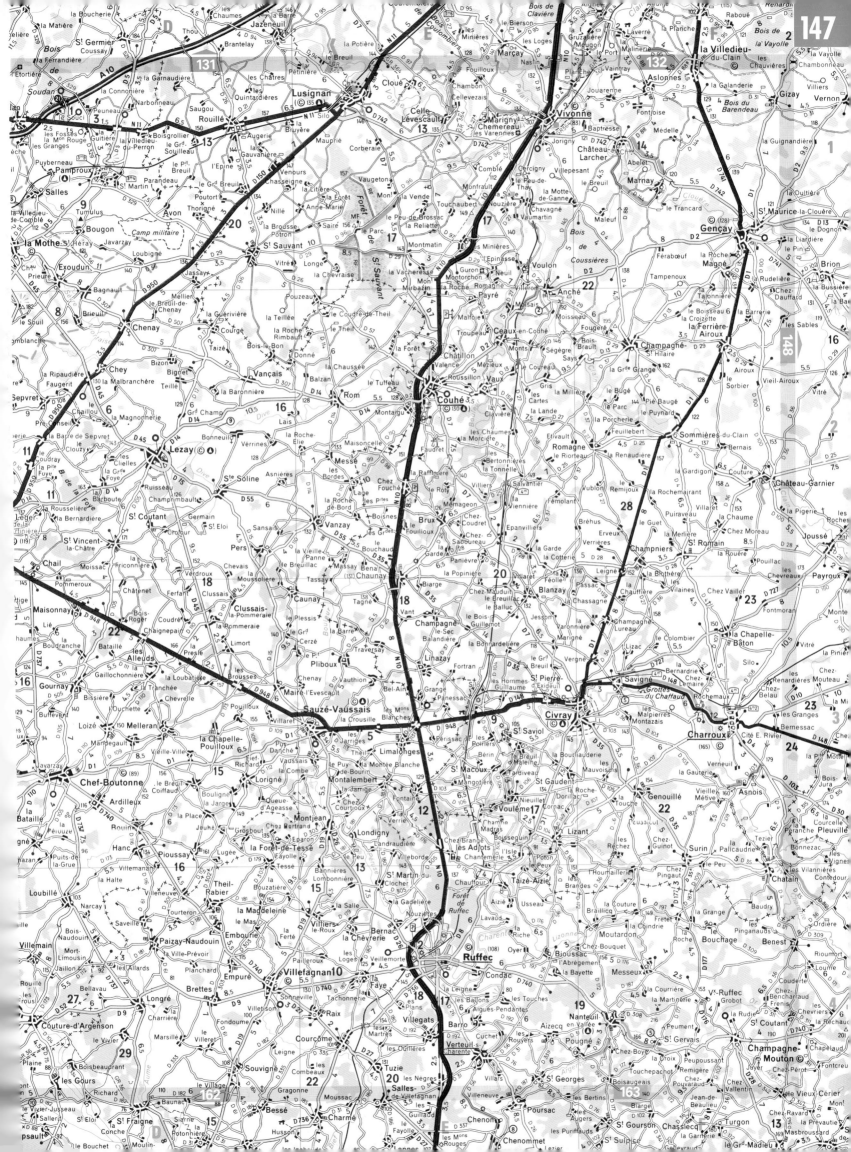

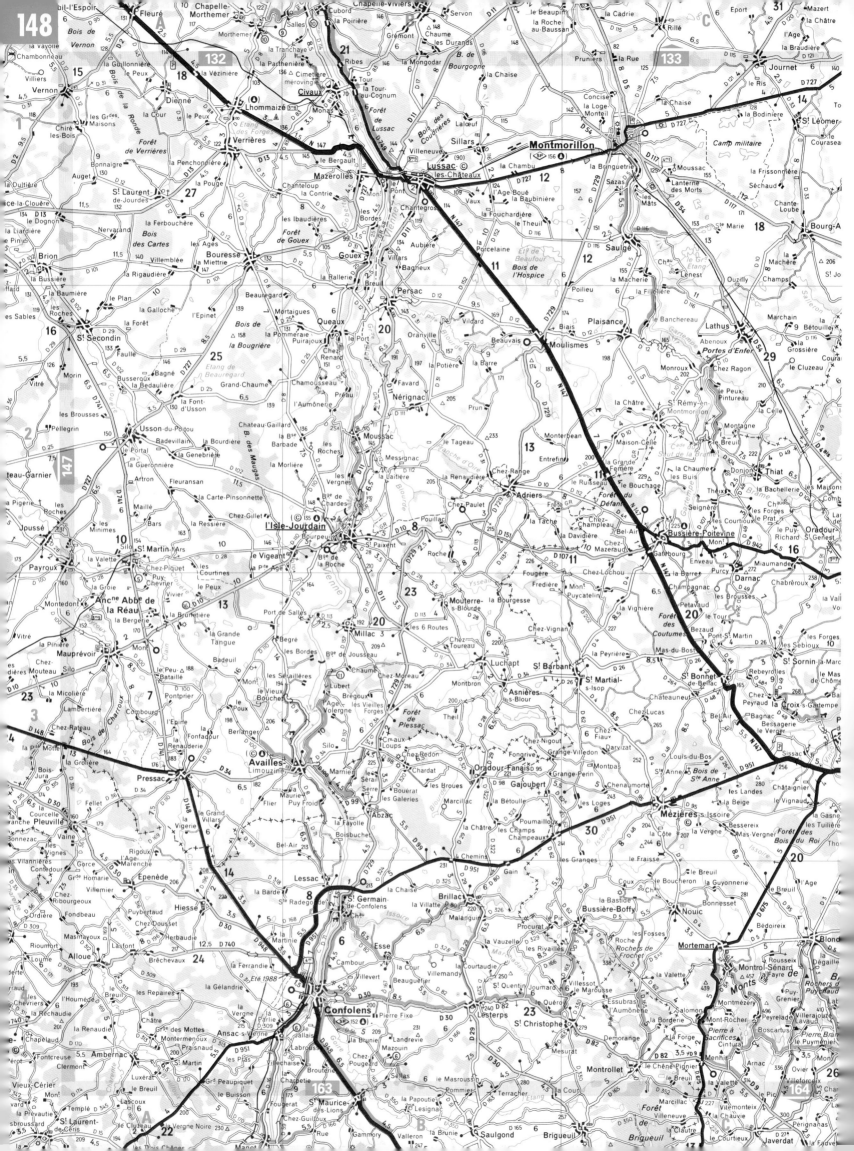

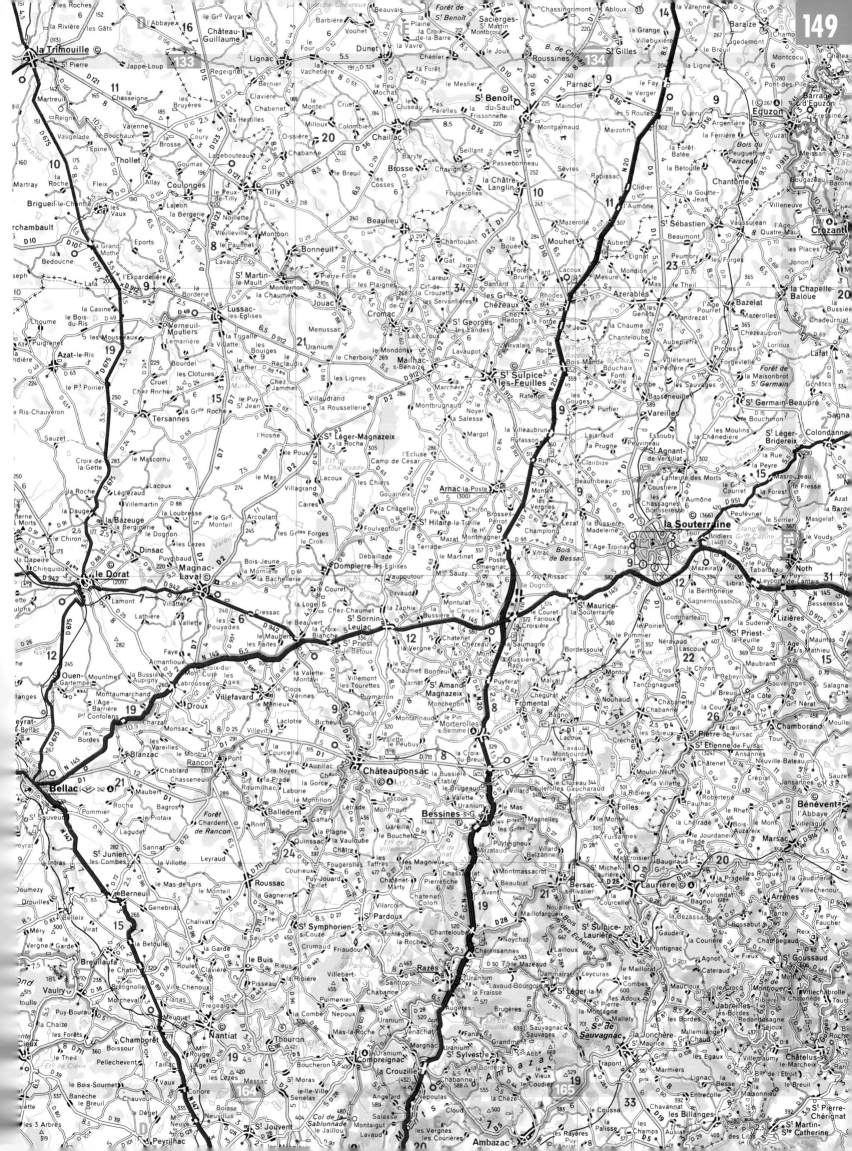

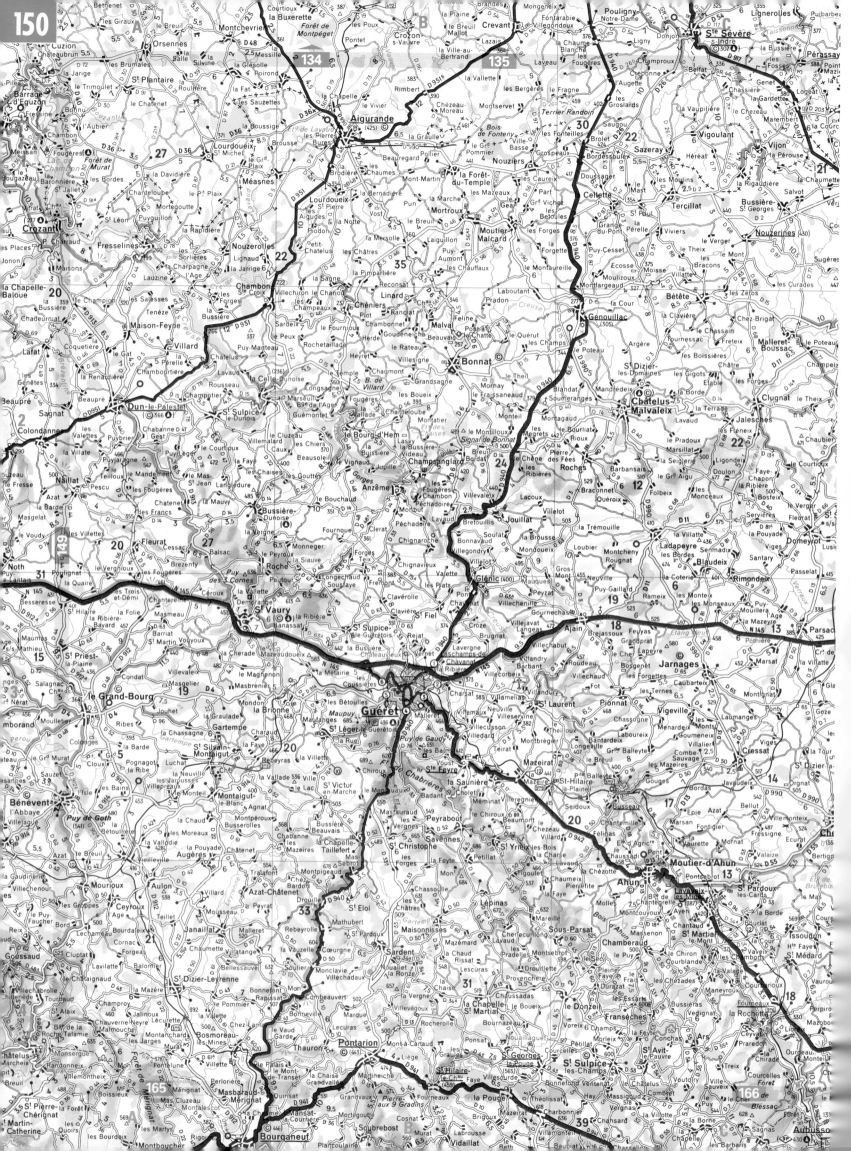

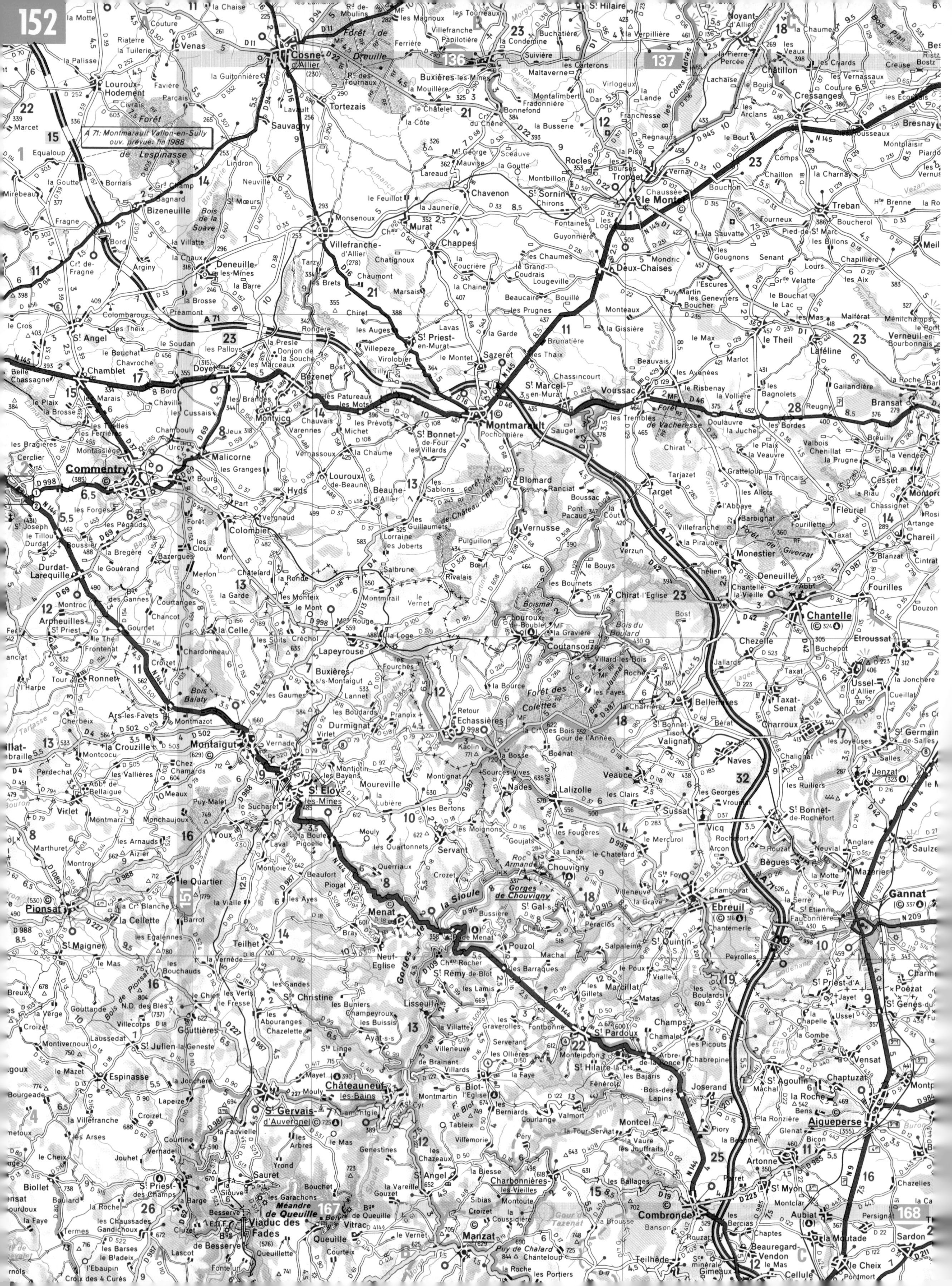

136 137

151 167 168

A 71 Montmarault Vallon-en-Sully ouv. prévue fin 1988 de Lespinasse

Cosne-d'Allier

Montmarault

Commentry

Chantelle

Gannat

St Éloy-les-Mines

Menat

Pionsat

Montaigut

Châteauneuf-les-Bains

St Gervais-d'Auvergne

Viaduc des Fades

Aigueperse

Combronde

Manzat

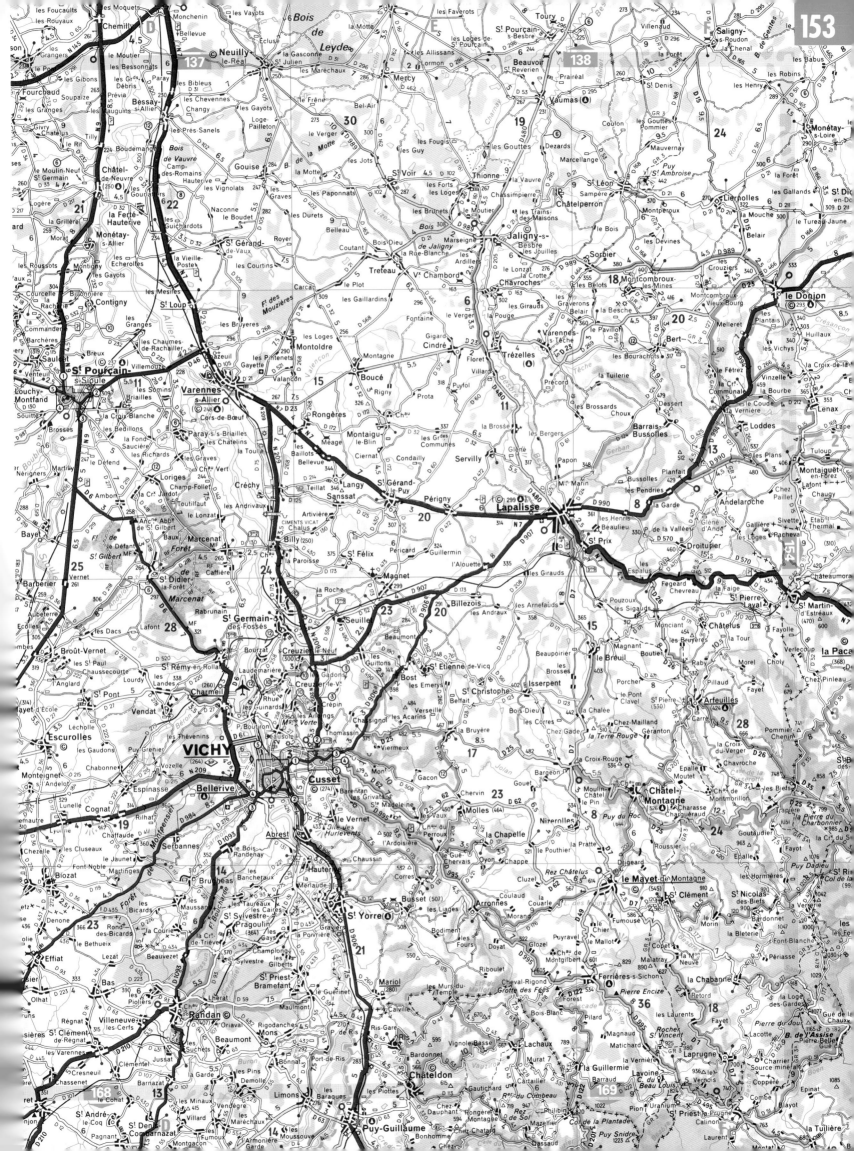

Digoin · Paray-le-Monial · Charolles · Charlieu · Roanne · la Clayette · Chauffailles · Marcigny · la Pacaudière · Ambierle · Cours · Amplepuis · Thizy

BOURG-EN-BRESSE

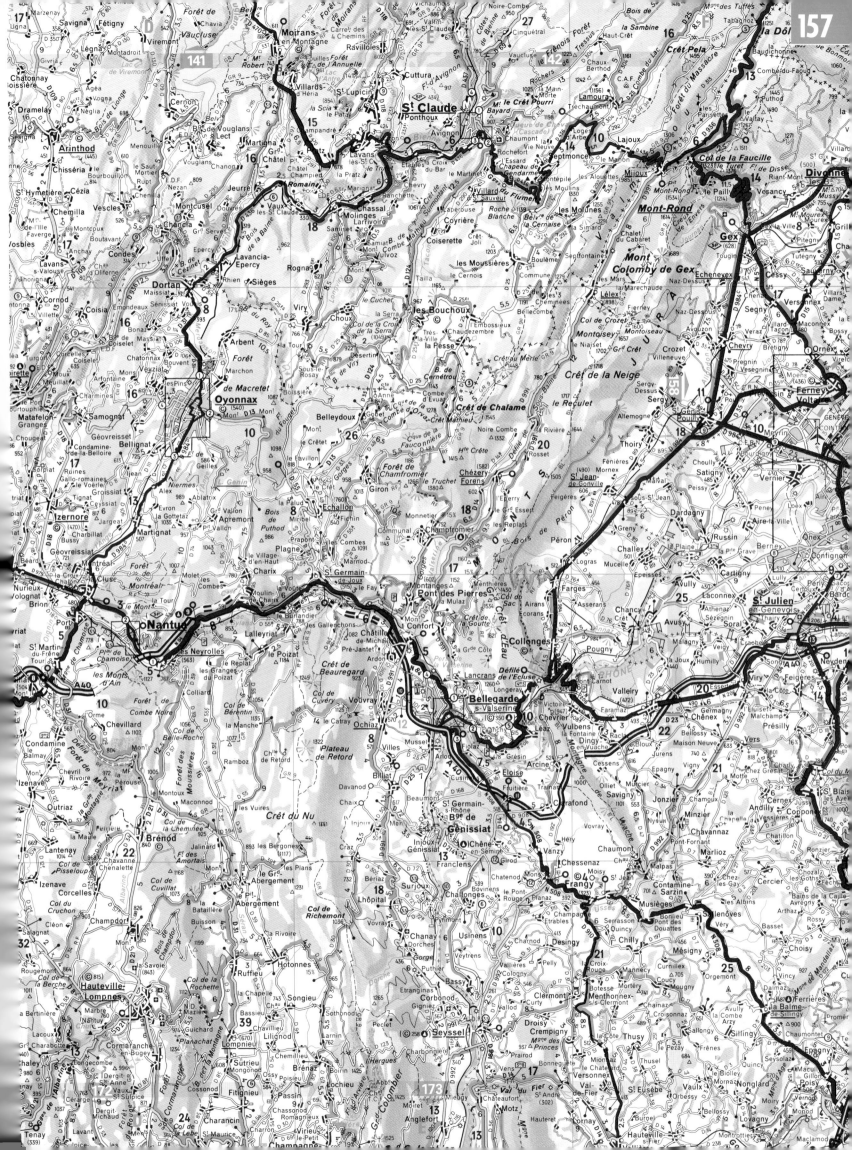

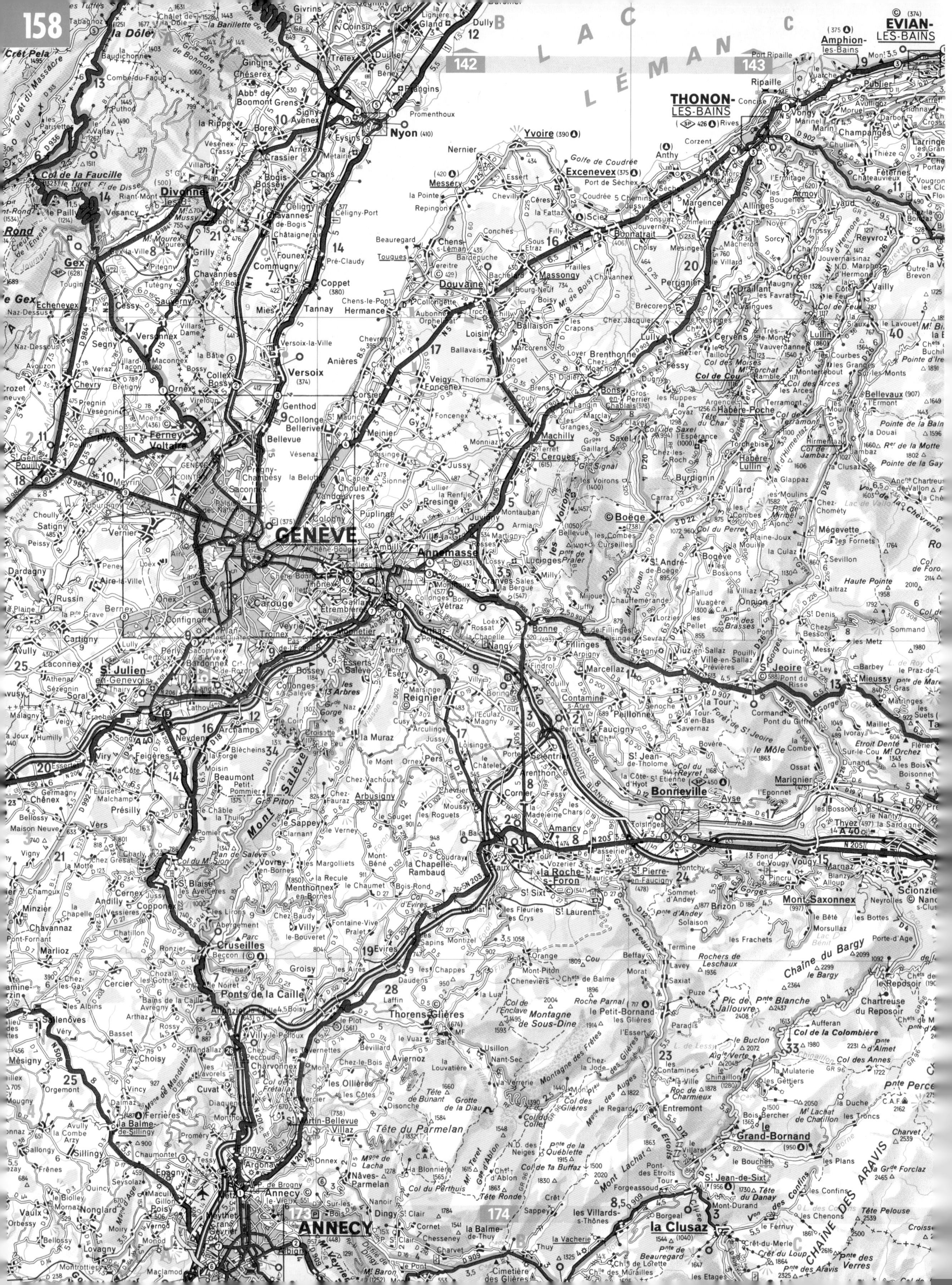

LAC LÉMAN

EVIAN-LES-BAINS

Amphion-les-Bains

THONON-LES-BAINS

Nyon

Yvoire

Excenevex

Douvaine

Massongy

Col de la Faucille

Divonne

Gex

Echenevex

Ferney-Voltaire

Meyrin

GENÈVE

Annemasse

Carouge

St-Julien-en-Genevois

Boëge

Bonne

Bonneville

La Roche-s-Foron

Cruseilles

Ponts de la Caille

Thorens-Glières

Mont-Saxonnex

Brizon

Marignier

Mieussy

St-Jeoire

Mont Salève

Col du Mt-Sion

Col de la Colombière

Col des Annes

le Grand-Bornand

la Clusaz

Chaîne des Aravis

St-Jean-de-Sixt

ANNECY

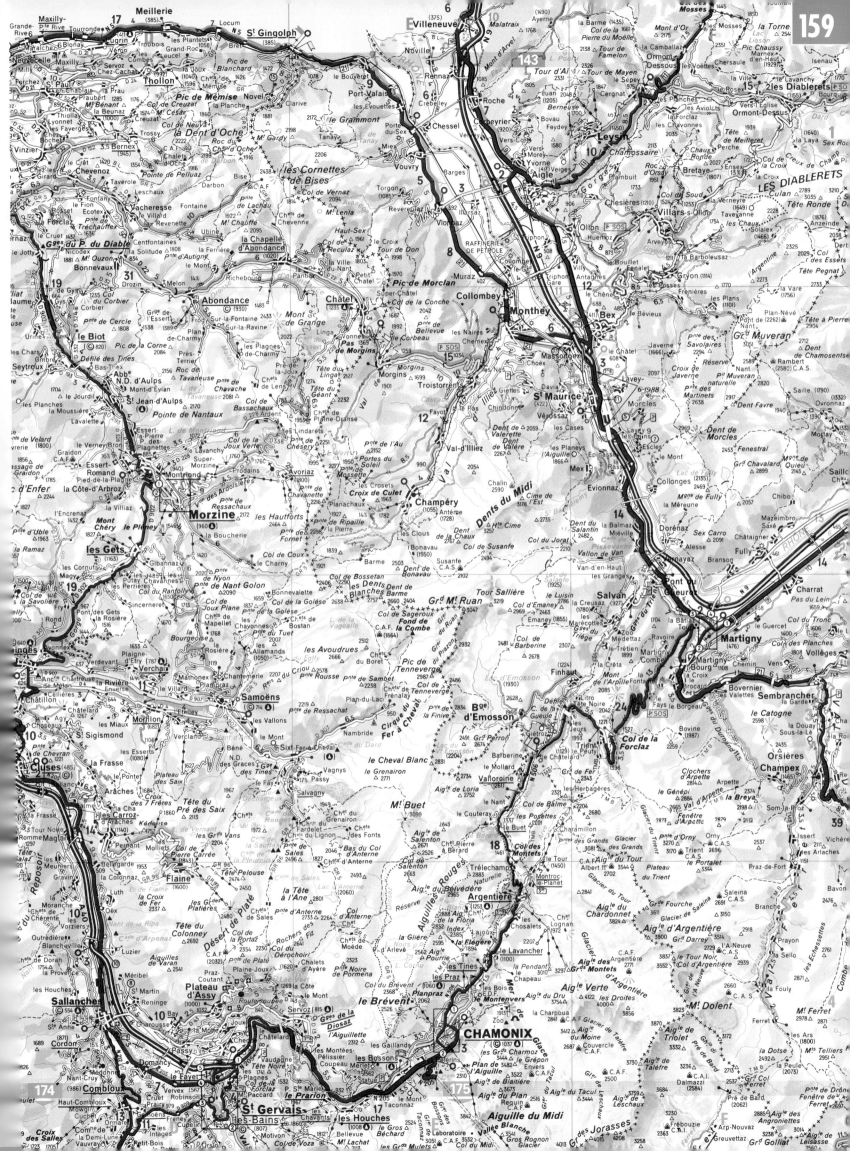

St Jean-d'Angély
St Savinien
Taillebourg
St Hilaire-de-Villefranche
Matha
Brizambourg
Burie
SAINTES
Cognac
Jarnac
Chaniers
Courcoury
Pons
Gémozac
Archiac
St Genis-de-Saintonge
Jonzac
Barbezieux
Segonzac
Châteaubernard
Cherves
Richemont
Javrezac
St Laurent-de-C.
Chérac
Dompierre-s-C.
Rouffiac
Salignac-s-C.
Pérignac
Montils
Colombiers
Marignac
Mosnac
St Georges-de-Cubillac
Clion
Lonzac
Celles
Salles-d'Angles
Gimeux
Genté
Ars
Merpins
Jazennes
Tanzac
Mazerolles
Givrezac
Plassac
Lorignac
St Ciers-du-Taillon
St Ramée
St Dizant-du-Gua
Champagnolles
Réparsac
Nercillac
Sonnac
Thors
Prignac
Mons
Migron
Authon
Bercloux
Ecoyeux
Vénérand
Fontcouverte
Nantillé
Asnières-la-Giraud
Varaize
Blanzac-les-Matha
Bagnizeau
Louzignac
Siecq
Ballans
Bréville
Macqueville
Courbillac
Houlette
Sigogne
Neuvicq-le-Ch.
Gourvillette
Massac
Chassors
Julienne
Boutiers
Mainxe
Gensac-la-Pallue
Angeac-Champagne
Juillac-le-Coq
Lignières
Ambleville
Criteuil-la-Magdeleine
Lachaise
St Palais-du-Né
St Eugène
Lagarde-s-le-Né
St Ciers-Champagne
St Germain-de-Vibrac
St Maigrin
Reignac
Guimps
St Hilaire
Saint-Sever-de-Saintonge
Préguillac
Thénac
Berneuil
Tesson
Rioux
Villars-en-Pons
Belluire
Fléac-s-Seugne
St Grégoire-d'Ardennes
Neuillac
Neulles
Arthenac
Allas-Champagne
Réaux
Moings
Meux
Champagnac
Nieul-le-Virouil
St Hilaire-du-Bois
Consac
Clam
Lussac
St Germain-de-Lusignan
Guitinières
St Sigismond-de-Clermont
Forêt de Pons
Forêt de la Lande
Charente
Seugne
Né
Camp milre
N 137
N 141
N 150
N 10
A 10
D 731
D 699
D 732
D 939
D 142
145
146
162
177
D
E
F

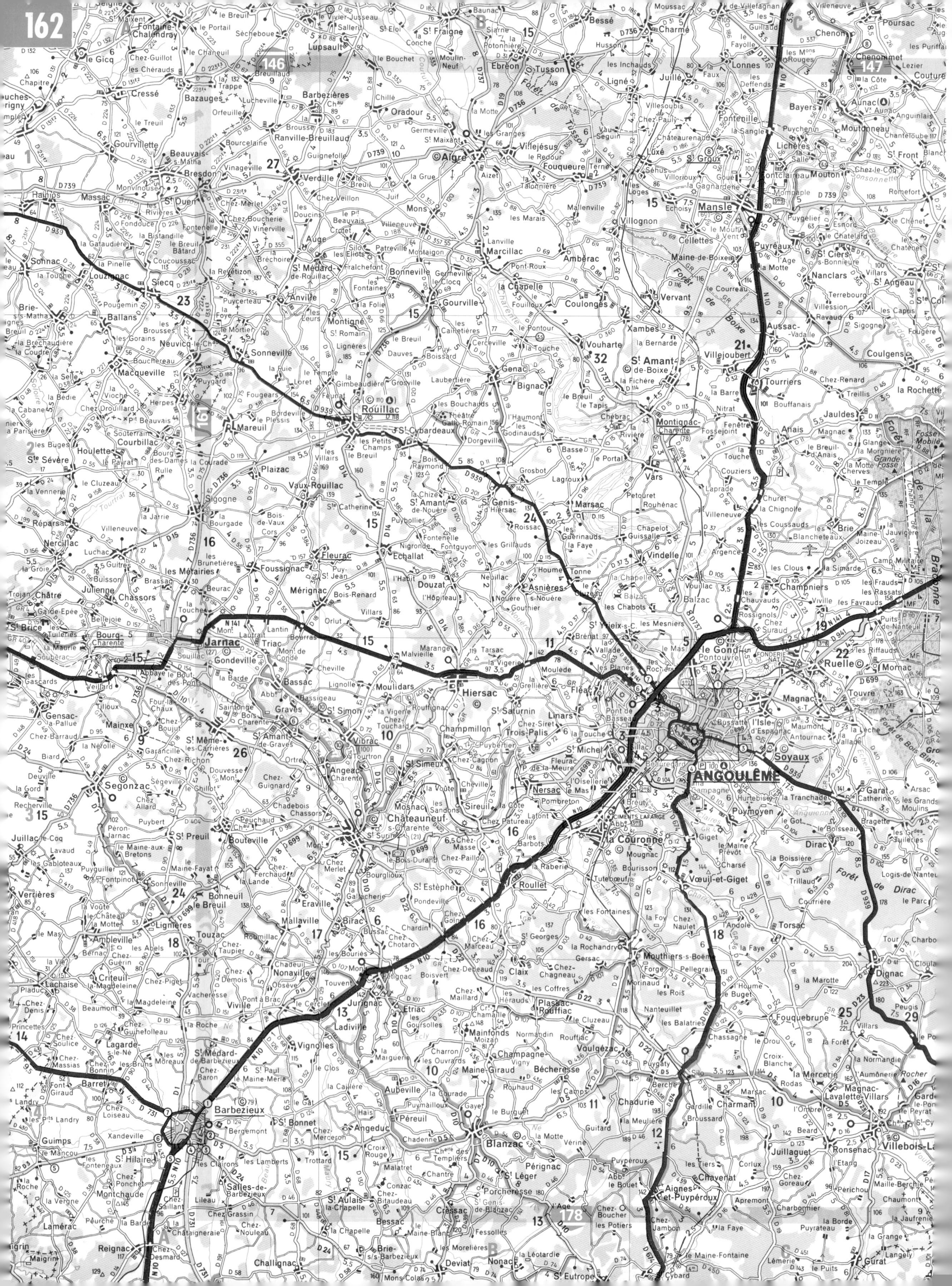
A
B
C
146
147
161
178
Fontaine-Chalendray
Le Gicq
Cressé
Bazauges
Gourvillette
Beauvais-s-Matha
Bresdon
Massac
St Ouen
Sonnac
Louzignac
Siecq
Ballans
Macqueville
Neuvicq-le-Chau
Sonneville
Mareuil
Houlette
Courbillac
Ste Sévère
Plaizac
Sigogne
Réparsac
Nercillac
Julienne
Chassors
Châtre
Bourg-Charente
Jarnac
Triac
Gondeville
Bassac
Graves
Mainxe
Gensac-la-Pallue
Segonzac
St Même-les-Carrières
St Amant-de-Graves
Juillac-le-Coq
Bouteville
St Preuil
Lignières
Touzac
Ambleville
Criteuil-la-Magdeleine
Lachaise
Viville
Lagarde-s-le-Né
St Médard-de-Barbezieux
Barbezieux
Barret
Guimps
St Hilaire
Salles-de-Barbezieux
Montchaude
Reignac
Challignac
Lamérac
Baignes
Saint-Fraigne
Barbezières
Oradour
Ranville-Breuillaud
Verdille
Aigre
Villejésus
Ébréon
Tusson
Fouqueure
Luxé
Lonnes
Juillé
Mansle
Cellettes
Villognon
Mons
Auge
St Médard-de-Rouillac
Anville
Bonneville
Gourville
Marcillac
Ambérac
La Chapelle
Coulonges
Vervant
Montigné
Rouillac
St Cybardeaux
Genac
Bignac
Vouharte
St Amant-de-Boixe
Xambes
Villejoubert
Tourriers
Montignac-Charente
Vaux-Rouillac
St Genis-d'Hiersac
Marsac
Vars
Anais
Jauldes
Fleurac
Foussignac
Mérignac
Échallat
Douzat
Neuillac
Asnières-s-Nouère
Vindelle
Balzac
Champniers
Brie
St Yrieix-s-C.
Le Gond-Pontouvre
Ruelle
Mornac
Hiersac
Moulidars
St Simon
Vibrac
Angeac-Charente
St Saturnin
Linars
Trois-Palis
Fléac
St Michel
Nersac
Angoulême
Soyaux
Magnac-s-T.
L'Isle-d'Espagnac
Touvre
Châteauneuf-s-Charente
St Simeux
Sireuil
La Couronne
Puymoyen
Dirac
Garat
Roullet
Mosnac
Bourg-Charente
Éraville
Malaville
Birac
St Estèphe
Vœuil-et-Giget
Torsac
Claix
Mouthiers-s-Boëme
Plassac-Rouffiac
Jurignac
Nonaville
Étriac
Mainfonds
Champagne-Vigny
Ladiville
Vignolles
Voulgézac
Dignac
Fouquebrune
Maine-Giraud
Bécheresse
Aubeville
Péreuil
Blanzac
Chadurie
Charmant
Magnac-Lavalette-Villars
Villebois-Lavalette
Angeduc
St Bonnet
Pérignac
St Léger
Juillaguet
Ronsenac
Chavenat
Aignes-et-Puypéroux
Cressac
Bessac
St Aulais-la-Chapelle
Brie-s/s-Barbezieux
Deviat
Nonac
St Eutrope
Gurat
Forêt de la Braconne
Forêt de Dirac
Forêt de Boixe
Forêt de Tusson
Charente
N 10
N 141
D 939
D 699
D 736
D 731

la Rochefoucauld · Chasseneuil-s-Bonnieure · St Claud · Roumazières-Loubert · Chabanais · Rochechouart · St Mathieu · Montbron · Montembœuf · Massignac · Nontron · Mareuil · Piégut-Pluviers · Oradour-s-Vayres · St Pardoux-la-Rivière

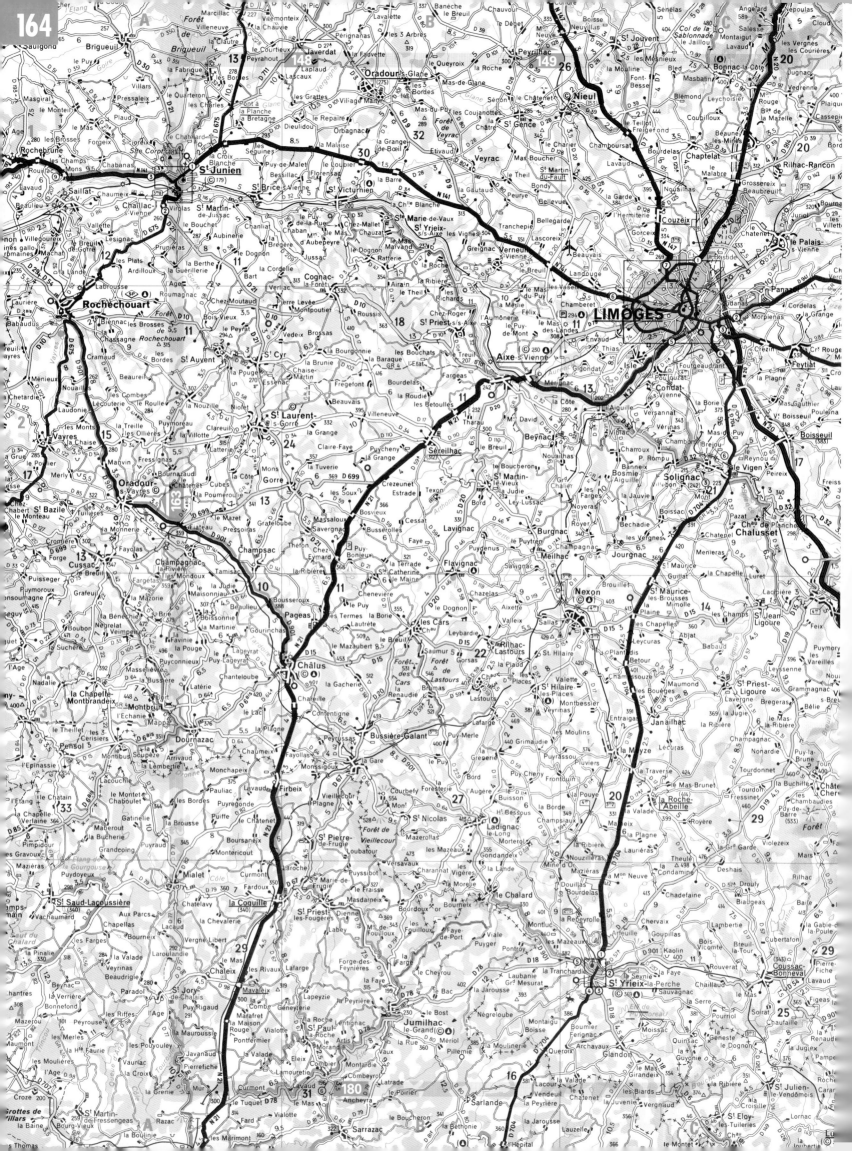

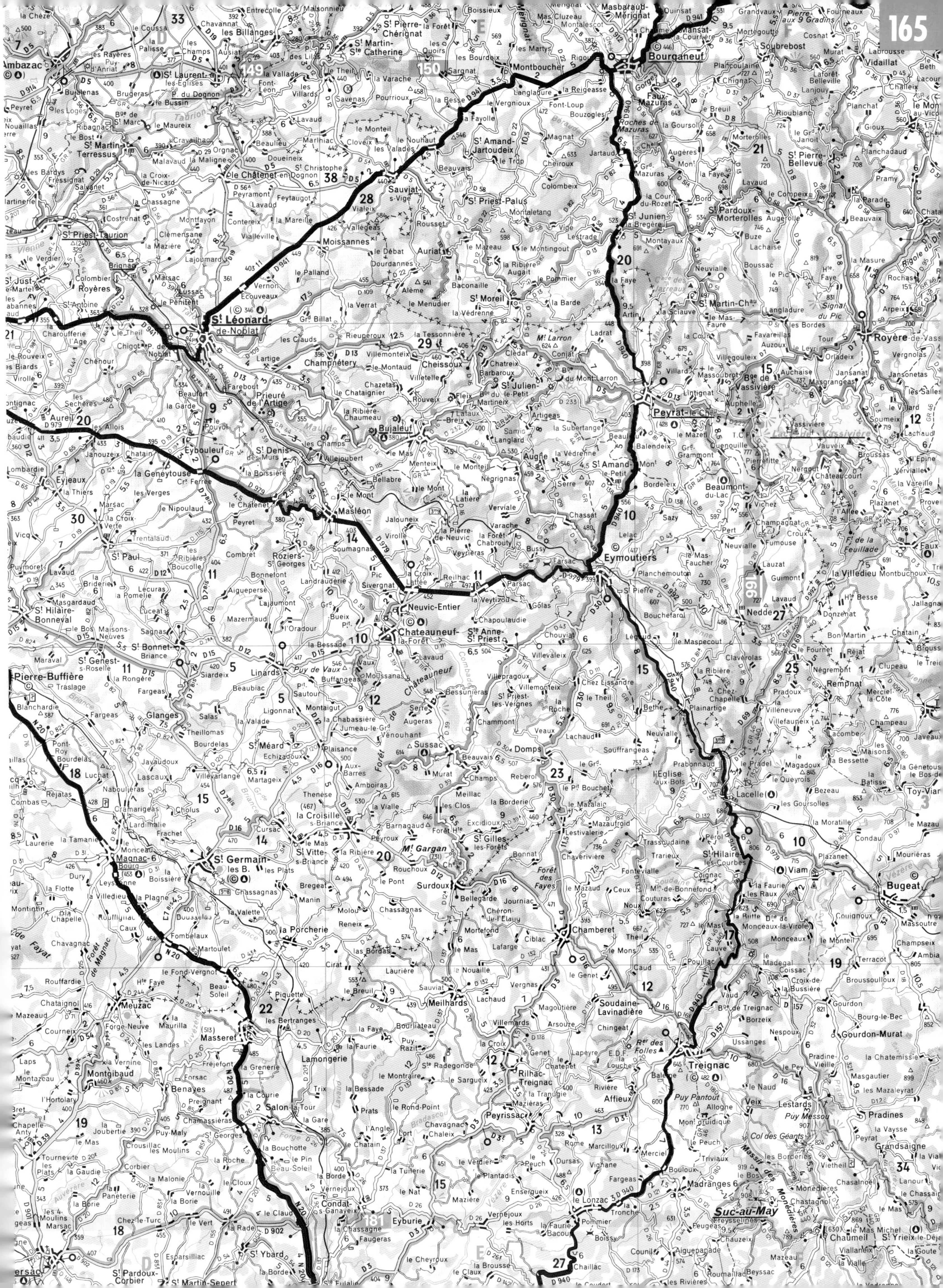

Bourganeuf

St Léonard-de-Noblat

Eymoutiers

Royère-de-Vass

Peyrat-le-Ch

Neuvic-Entier

Châteauneuf-la-Forêt

Pierre-Buffière

Masseret

Treignac

Bugeat

Magnac-Bourg

St Germain-les-B.

Chamberet

St Hilaire-les-Courbes

Suc-au-May

Gourdon-Murat

Meuzac

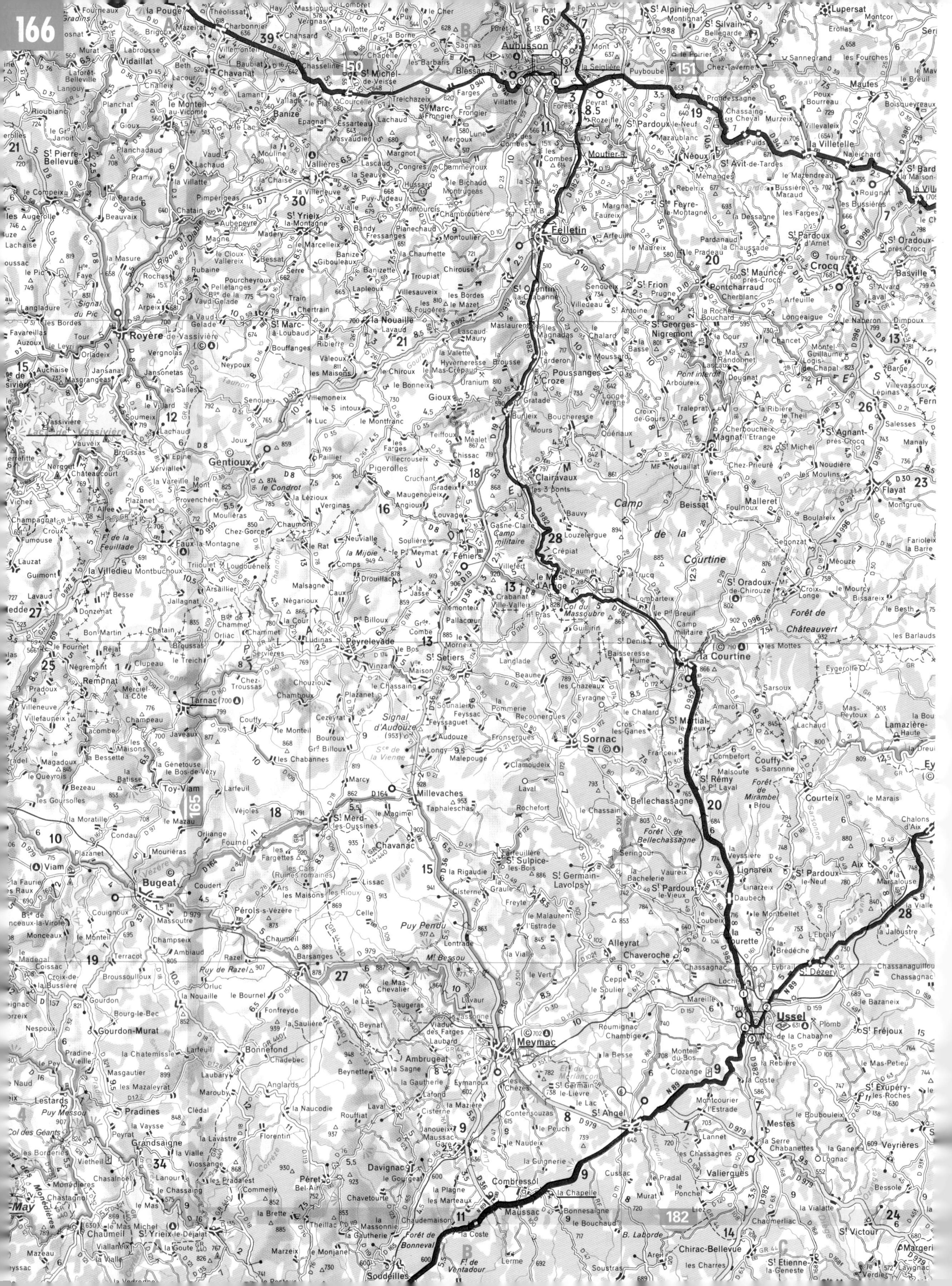
Aubusson
Felletin
la Courtine
Ussel
Meymac
Royère-de-Vassivière
Gentioux
Peyrelevade
Tarnac
Bugeat
Sornac
Millevaches
Crocq
Magnat-l'Etrange
Camp de la Courtine
Forêt de Châteauvert
Plateau de Millevaches
Vallières
St Yrieix-la-Montagne
St Quentin-la-Chabanne
Faux-la-Montagne
Toy-Viam
Pérols-s-Vézère
Chavanac
St Merd-les-Oussines
St Angel
Mestes
Valiergues
Davignac
Combressol
Maussac
Soudeilles
Chirac-Bellevue
Gourdon-Murat
Pradines
Grandsaigne
Chaumeil
Lestards
Viam
Rempnat
la Villedieu
St Pardoux-le-Neuf
St Fréjoux
Lignareix
Alleyrat
Chaveroche
Bellechassagne
St Rémy
St Sulpice-les-Bois
St Germain-Lavolps
St Setiers
Féniers
Croze
Poussanges
Clairavaux
Malleret
St Oradoux-de-Chirouze
St Georges-Nigremont
Néoux
Moutier-R.
la Villetelle
St Pardoux-d'Arnet
Basville
Flayat
Lamazière-Haute
Couffy-s-Sarsonne
Courteix
St Exupéry-les-Roches
Veyrières
St Victour
St Étienne-la-Geneste
Signal d'Audouze (953)
Puy Pendu
Mt Bessou
Forêt de Mirambel
Forêt de Bellechassagne
St Dézery
Margerides
St Bard
150
151
165
182

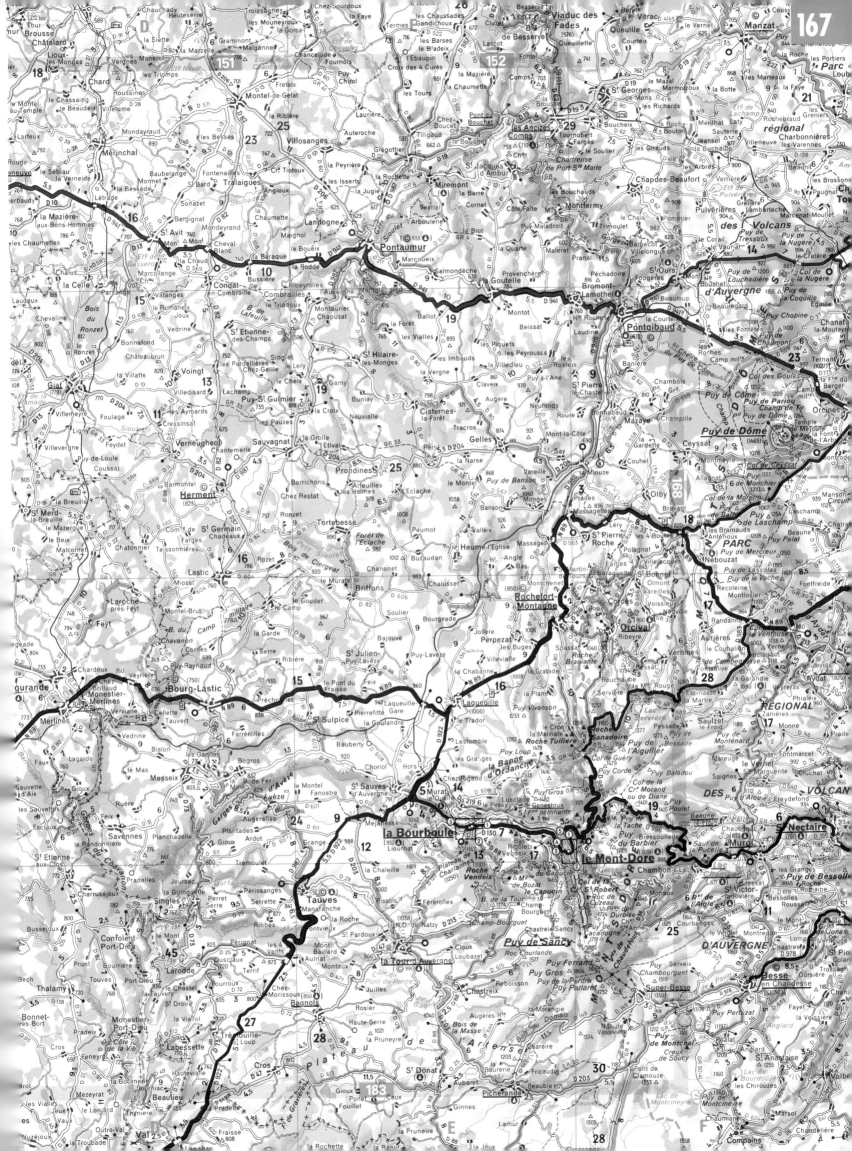

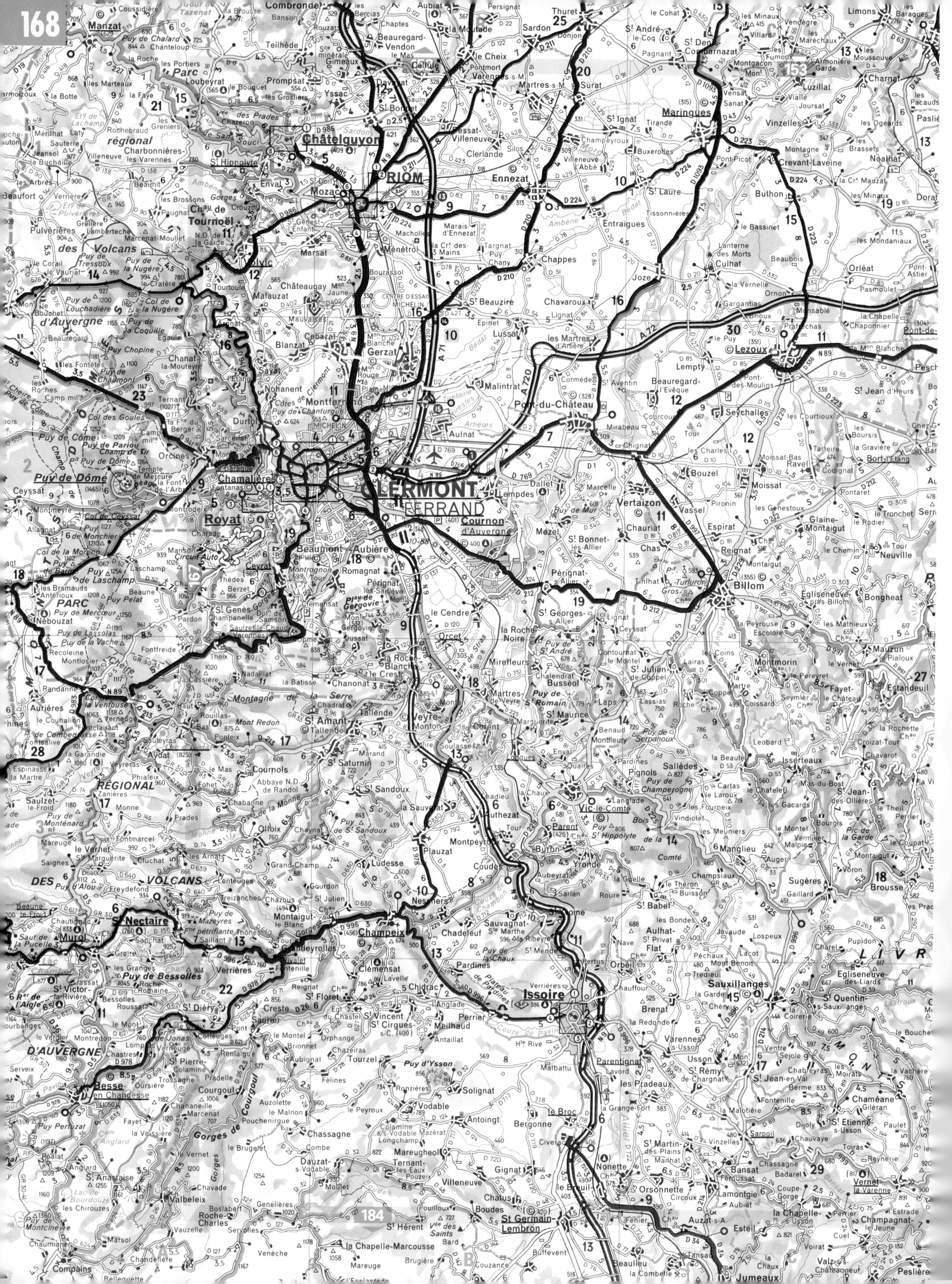
CLERMONT
FERRAND
Châtelguyon
RIOM
Chamalières
Royat
Cournon d'Auvergne
Pont-du-Château
Vertaizon
Billom
Lezoux
Maringues
Ennezat
Issoire
Champeix
St Nectaire
Murol
Besse en Chandesse
Vic-le-Comte
Sauxillanges
St Germain-Lembron
Manzat
Volvic
Puy de Dôme
Parc
régional
des Volcans
d'Auvergne
PARC
RÉGIONAL
DES
VOLCANS
D'AUVERGNE
Puy de Bessolles
Puy de Montcineyre
Gorges de Courgoul
Montagne de la Serre
LIVR
184

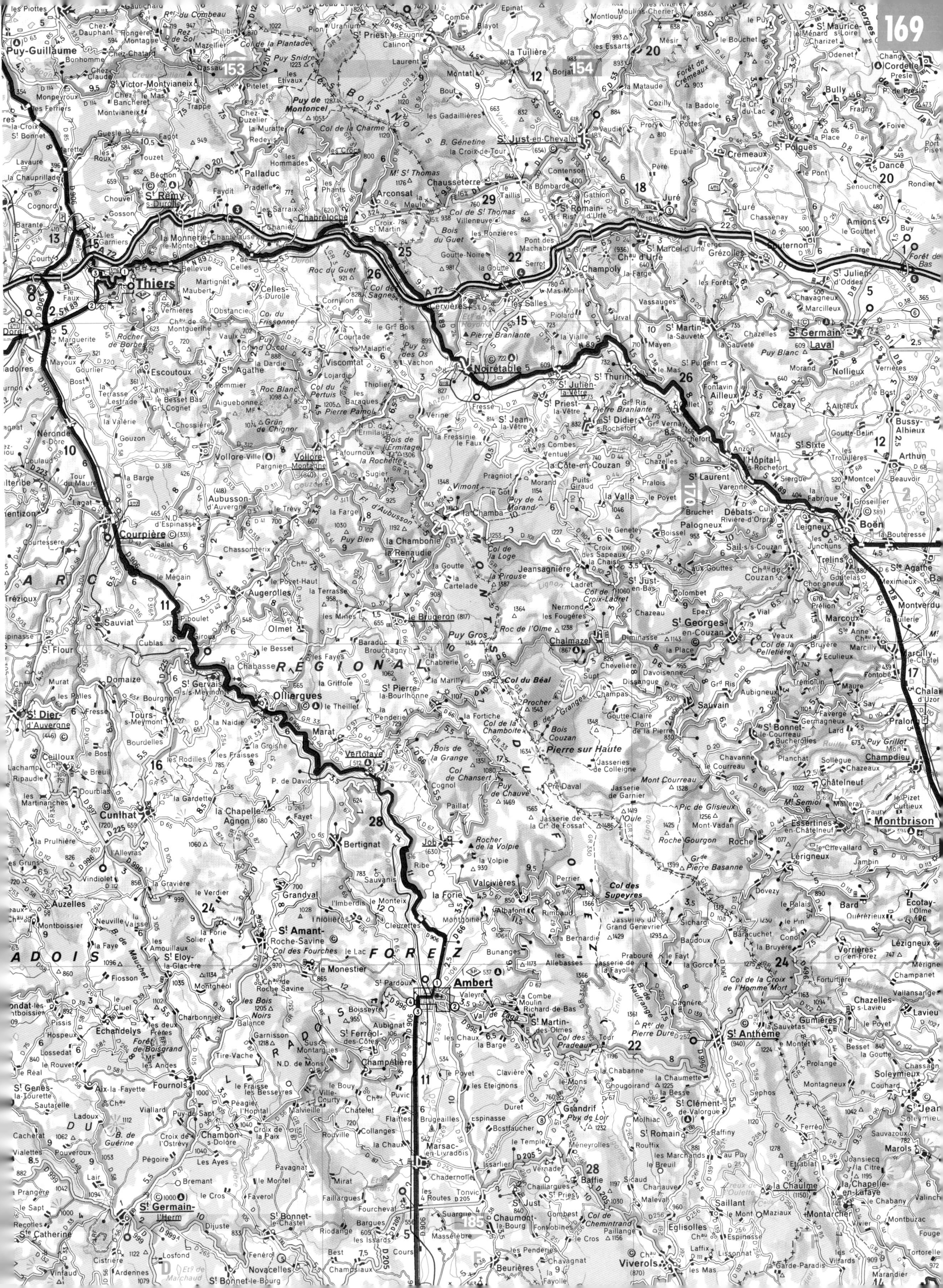

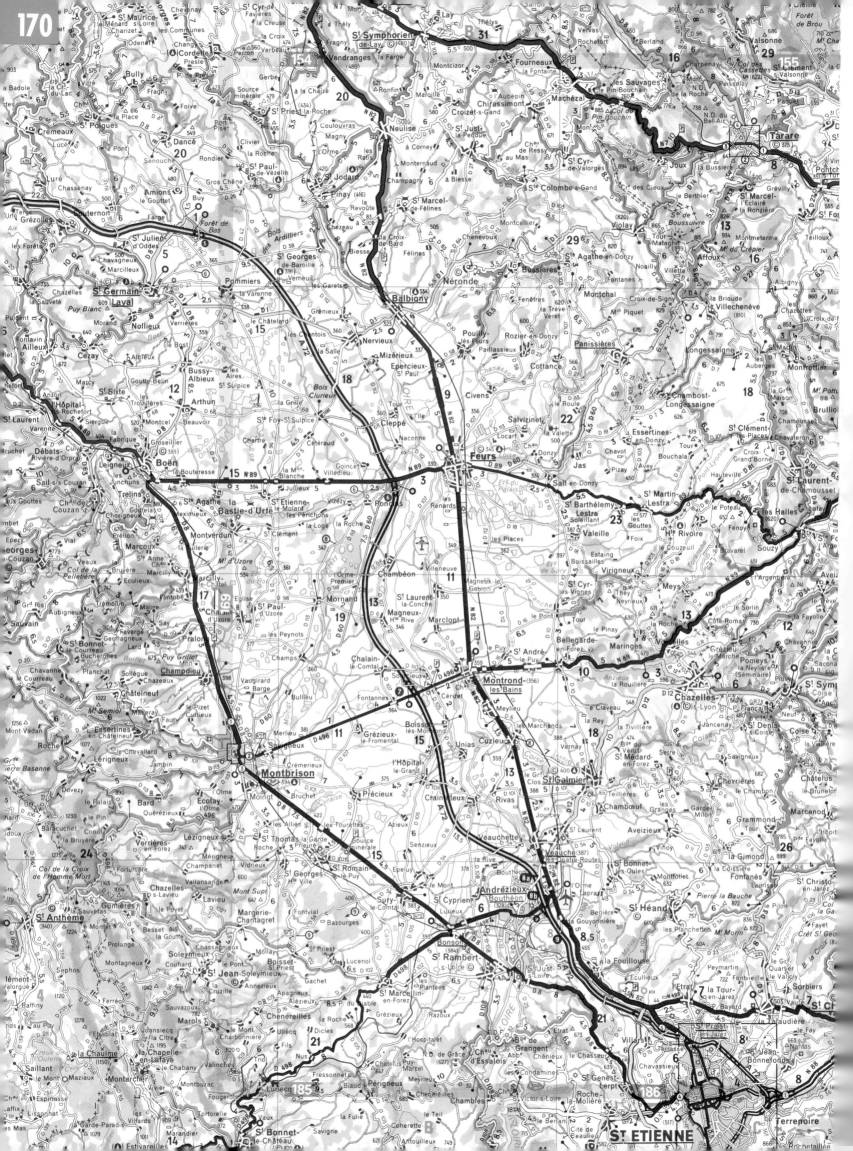

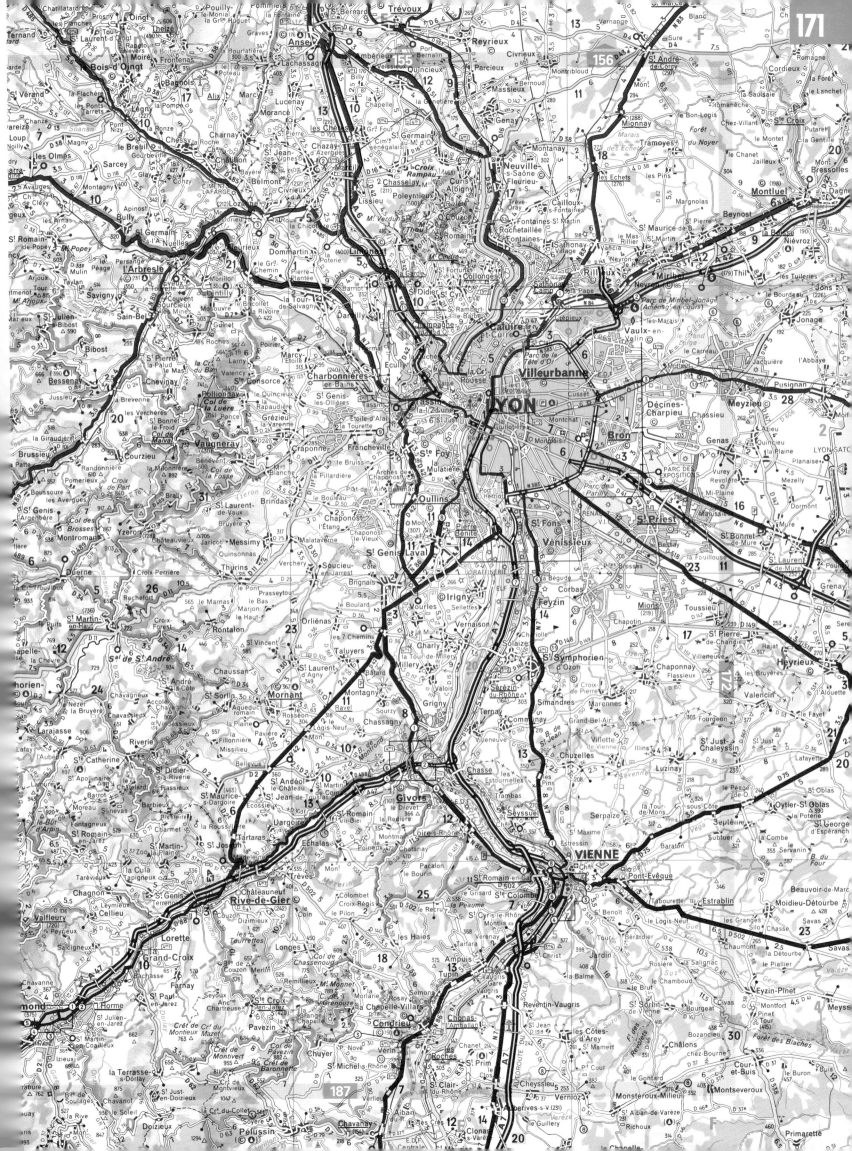

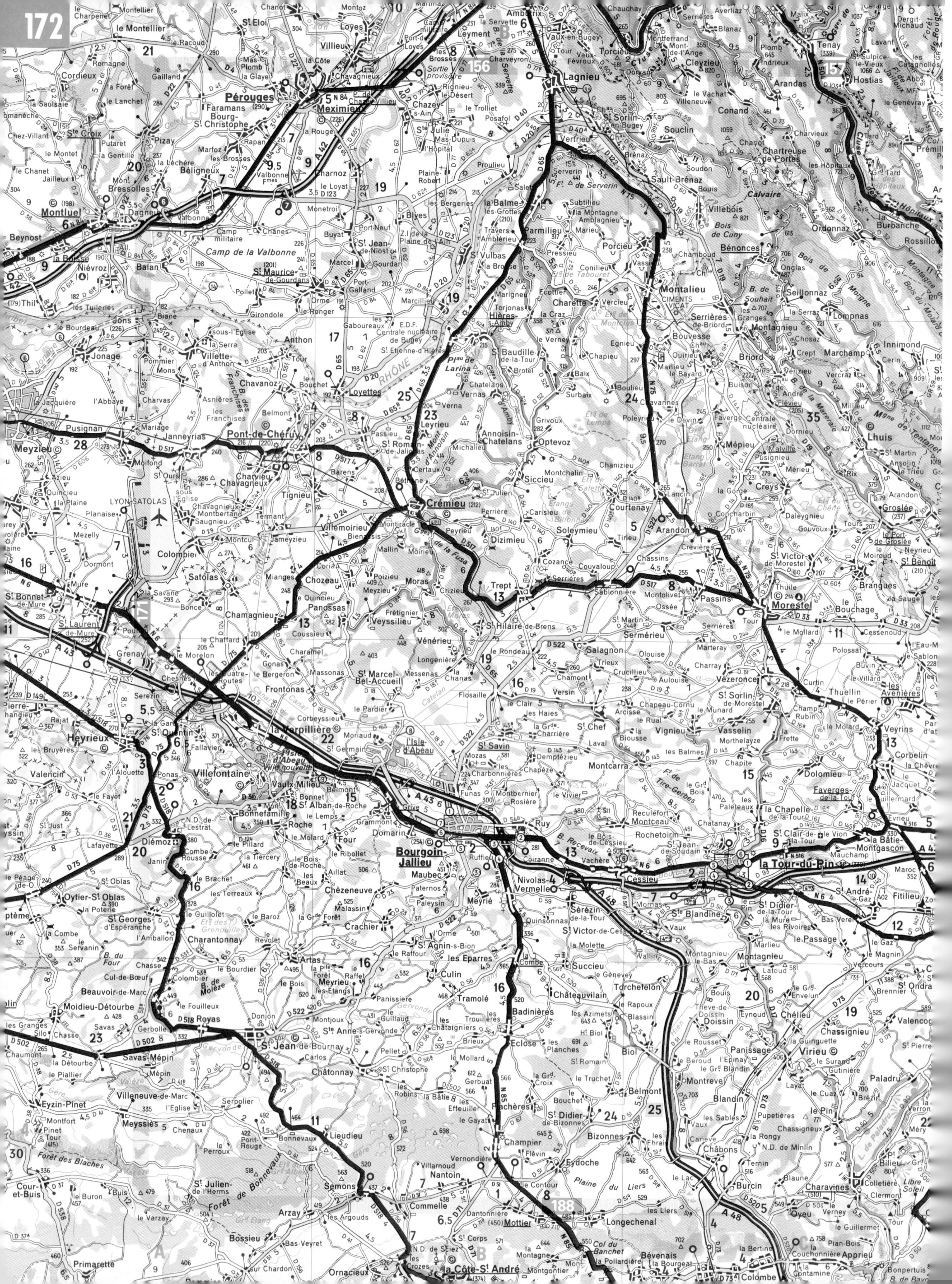

Pérouges
Meximieux
Montluel
Lagnieu
Ambérieux
Lhuis
Pont-de-Chéruy
Crémieu
Meyzieu
Morestel
Heyrieux
Villefontaine
L'Isle-d'Abeau
la Verpillière
Bourgoin-Jallieu
la Tour-du-Pin
St-Jean-de-Bournay
Virieu
Châtonnay
la Côte-St-André
Montalieu
Serrières-de-Briord
Charavines
Lyon-Satolas
RHÔNE
Camp de la Valbonne
Forêt de Bonnevaux
Forêt des Blaches
Plaine du Liers
Col du Banchet
L. de Paladru
156
171
188

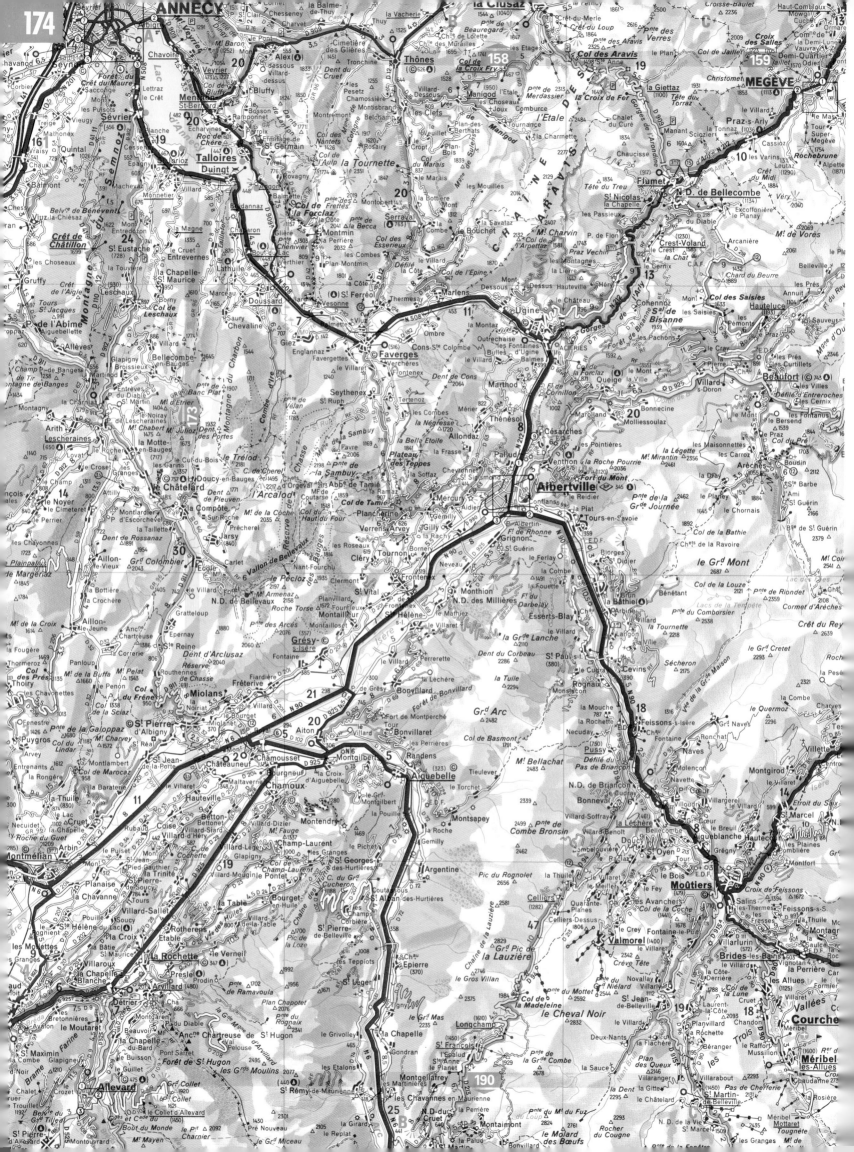

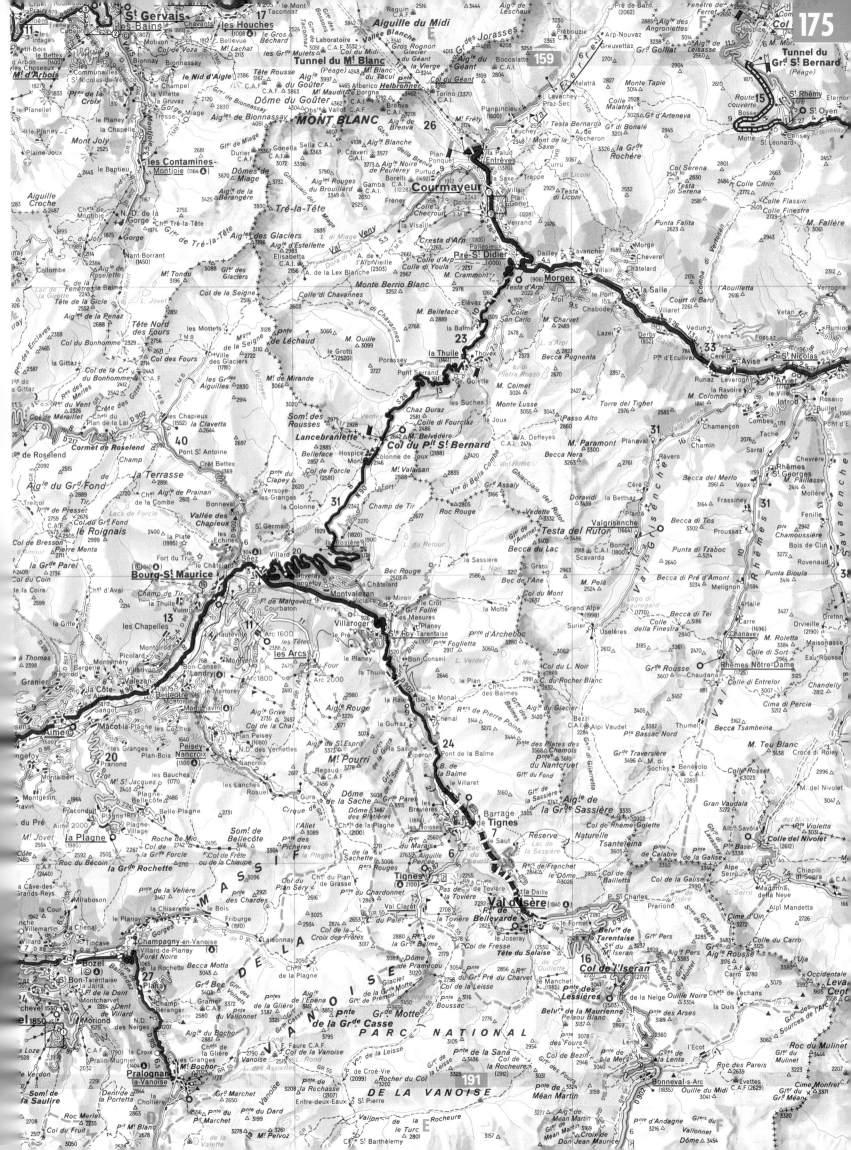

A B C

1

2

3

4

160 192 193

Montalivet-les-Bains
Vendays-Montalivet
Forêt de Vendays
Cap-du-Prat
Forêt du Junca
St Isidore
le Pin-sec
Hourtin-Plage
le Contaut
les Genets
C.F.M.
Piqueyrot
Hourtin
Lachanau
le Crohot de France
la Gracieuse
Phares d'Hourtin
Lac d'Hourtin-Carcans
le Crohot des-Cavales
Bombannes
Carcans-Plage
Maubuisson
le Pouch
Carcans
Cap-de-Ville
Mayne-Pauvre
le Montaut
Réserve naturelle
l'Alexandre
Lacanau-Océan
le Huga
les Pins
Carreyre
le Moutchic
le Tedey
Talaris
Lac de Lacanau
Grande Escoure
les Nerps
Longarisse
le Bernos
le Port
Lacanau
Méjos
le Lion
Lède du Grd Bernos
Etg de Batejin
Landes de Lacousteyre
Dunes du Hughey
Etang de Batourto
le Porge-Océan
le Gressier
Maisonneuve
Lescarran
Vignas
Gleyse Vieille
le Temple

l'Hôpital
à Courtillade
Lède de la Canillouse
les Arrestieux
le Mayne
le Gua
Mayan
Moulineyre
Périgueys Sém
Sarnac
Hourean
Pey-du-Haut
Cayrehours
Coudessant
la Bresquette
Rebichette
Berganton
Marais de Lespaud
Lisan
Naujac-s-Mer
la Prise
Lande de Vignolles
Cartignac
le Port
Bré
Pey-de-Camin
Haut-Bré
Lupian
Ste Hélène-de-Hourtin
le Garthieu
Peintre
Ste Hélène-de-l'Etang
Craste Lambert
Berdillan
Couyras
Villeneuve
Couyrasseau
Craste
Troussas
Berron
Brach
Devinas
Toulon
Lande de Ludey
les Lamberts
Grd Ludey
Pt Ludey
Landes de Méogas
Méogas
Landes du Bourg
Narsot
Lande de Taussac
Villeneuve Taussac
au Chalet
aux Andraux
Craste de la Levade
Tronquats
le Grd Courgas
le Pt Courgas
Saumos
Landes d'Eyron
Grd Bos
Sérigas
Sautuges

Jau
Dignac-et-Loirac
Richard
le Centre
Goulée
Port-de-Goulée
Valeyrac
Vensac
Gaudin
Noaillac
le Brousteau
Sipian
la Verdasse
la Lagune
Larnac
Mouva
la Hontane
Courbian
Troussas
Port-de-By
Queyrac
Lescapon
Laujac
Meillan
le Breuil
By
la Rue
St Christoly-Médoc
Biail
Bégadan
les ptes Granges
Couquèques
Roudillac
Blanc
Bourgueyraud
Civrac-en-Médoc
Prignac-en-M
la Gorce
Queyzans
Port de Lamena
Gaillan-en-M
Blaignan
Peyressan
St Yzans-de-Médoc
Loudenne
Lafon
la Cardonne
Anne Abbé de l'Île
Lesparre-Médoc
St Trélody
Vernous
l'Hôpital
Plautignan
Ordonnac
Marque
Escot
Bouries
Canquillat
St Germain d'Esteuil
St Seu de Cad
Plassan
Conneau
Miqueu
le Trale
St Corbian
Lille
Pez
Liard
St Gaux
la Toudeille
Lugagnac
Magaghan
Herreyrat
Lagune de Cazeaux
B. du Planter
Vertheuil
Leyssac
la Caussade
Hanteillan
Blanquet
les Reynals
Luc
Cissac-Médoc
le Breuil
Lafite
Loubeyres
Mouton-Rothschild
Lagunan
St Sauveur
Lescarjean
Fonpiqueyre
Labrousse
Fournas
Artigues
Sémignan
Villeneuve
Ballac
Grand-Puy
St Lamb
Batailley
Marcillan
Rionet
St Laurent-et-Benon
Mourlan
Balaugué
Cartujac
Picard
Bernos
Senajou
Benon
Courbiac
St Queyran
Donissan
Devidas
Fourcas
Carnet
le Vivey
Lagrange
Gruaud-La
Pudos
le Tris
Libardac
Baudan
Lestage
Listrac-Médoc
Bernones
Fon-Réaux
la Lande
Barbat
Bouqueyran Mauvesin
le Pont
Castelnau-de-Médoc
Avensan
Romefort
Laherreyre
Foulon
Cordes
Constantenins
Mongarni
la Providence
le Devès
Leujean
les Cha
Planque-Peyre
Pimbelin
Ste Hélène
Gémeillan
St Raphaël
Sadouillan
Villeneuve
Bédillor
Maubourguet
le Plec
Salaunes
Hourtont
le Maine d'Estève
Rilliole
Issac
Hâstig

D   E   F

Pauillac · St Thomas-de-Conac · St Sorlin-de-Conac · St Georges-des-Agoûts · Mirambeau · St Dizant-du-Bois · St Hilaire-du-Bois · St Simon-de-Bordes · Ozillac · Léoville · Mortiers · St Médard · Baignes-Ste Radegonde · Chantillac · Chevanceaux · Montlieu-la-Garde · Montguyon

St Ciers-s-Gironde · St Aubin-de-Blaye · Marcillac · Montendre · Jussas · Ste Colombe · St Palais-de-Négrignac · Pouillac · Chepniers · Orignolles · St Martin-d'Ary · Clérac

Etauliers · Anglade · Reignac · Donnezac · Corignac · Bussac-Forêt · Bedenac · Cercoux

St Androny · Eyrans · Cartelègue · Campugnan · Générac · Saugon · Cavignac · Laruscade · Lapouyade

St Seurin-de-Cursac · St Genès · St Paul · Cars · St Girons-d'Aiguevives · St Savin · St Mariens · St Yzan-de-Soudiac · St Christoly-de-Blaye · Civrac-de-Blaye · Marsas

Blaye · Plassac · Berson · St Vivien-de-Blaye · Marcenais · Maransin

Villeneuve · Teuillac · Pugnac · Cézac · St Léger · Cubnezais · Peujard · Virsac

St Julien · Cussac · Fort Médoc · Lamarque · Arcins · Samonac · Mombrier · Lansac · Tauriac · Cubzac-les-Ponts

Margaux · Soussans · Labarde · Cantenac · Issan · Siran · Bourg · Prignac · St Laurent-d'Arce · Gauriaguet · Peyrelongue

Arsac · Macau · Ludon-Médoc · Ambès · St André-de-Cubzac · St Romain-la-Virvée · Cadillac-en-Fronsadais · Lugon-et-l'Île-du-Carney

Le Pian-Médoc · Parempuyre · St Louis-de-Montferrand · Ambarès-et-Lagrave · Asques · St Germain-de-la-Rivière

St Aubin-de-Médoc · Blanquefort · Bassens · St Eulalie · St Sulpice · St Michel-de-Fronsac · Fronsac

St Médard-en-Jalles · Le Taillan · Carbon-Blanc · Vayres · Libourne

A10 AQUITAINE · N10 · N137 · N215 · D669 · D670

178

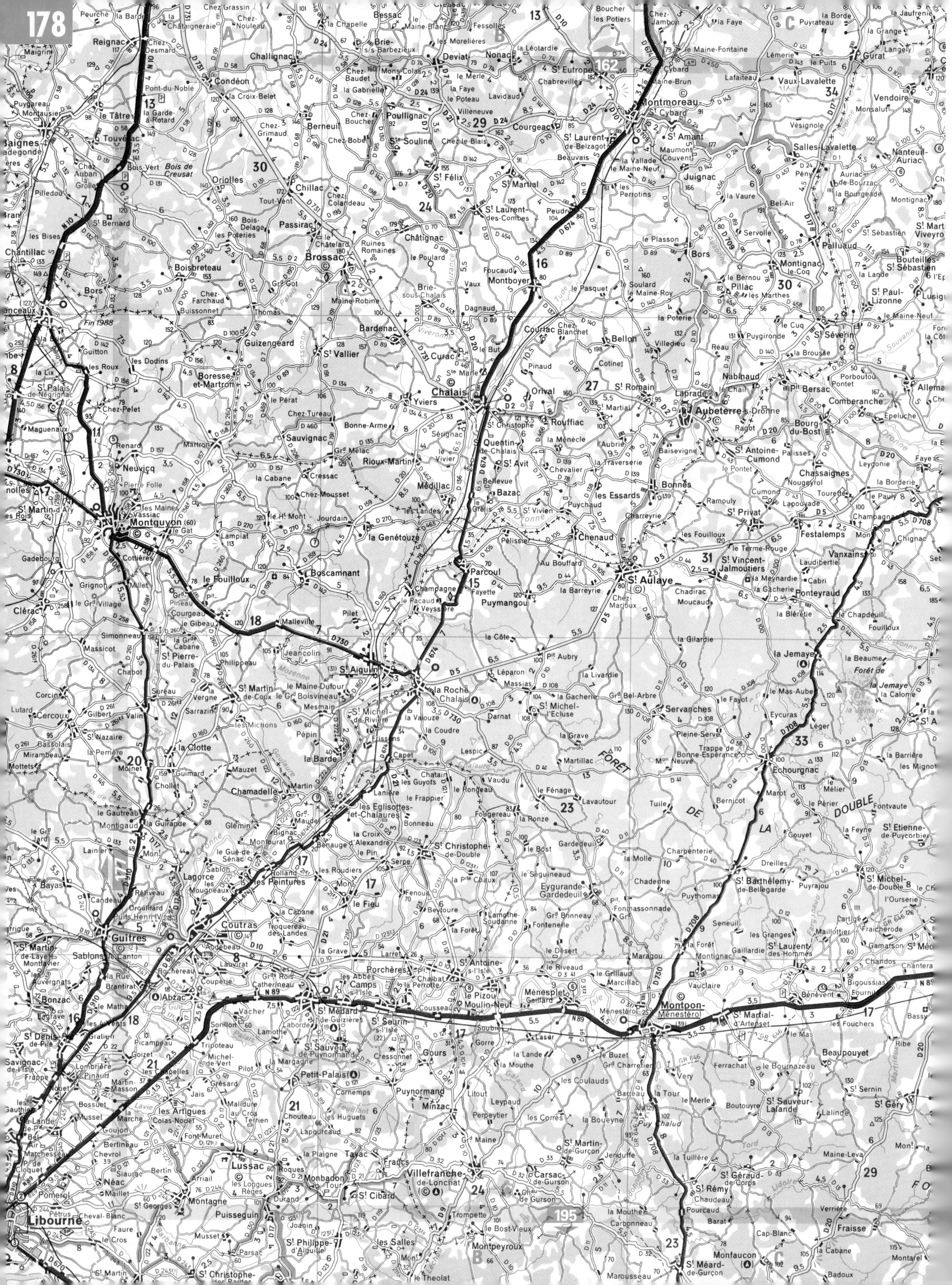
Reignac
Challignac
Condéon
Brie-s/s-Barbezieux
Deviat
Nonac
Montmoreau-St Cybard
Courgeac
St Laurent-de-Belzagot
Baignes
Touvérac
Oriolles
Chillac
Passirac
Brossac
Châtignac
St Félix
Juignac
Salles-Lavalette
Vaux-Lavalette
Gurat
Vendoire
Nanteuil-Auriac
Montboyer
Bors
Pillac
Montignac-le-Coq
Palluaud
Chantillac
Boisbreteau
Guizengeard
Bardenac
Curac
St Vallier
Boresse-et-Martron
Chalais
Yviers
Orival
Rouffiac
St Romain
Bellon
Aubeterre-s-Dronne
Bors
St Séverin
Bonnes
St Aulaye
St Privat
Festalemps
Montguyon
Neuvicq
St Martin-d'Ary
Clérac
Le Fouilloux
Boscamnant
Parcoul
Puymangou
La Roche-Chalais
St Aiguin
St Martin-de-Coux
St Pierre-du-Palais
St Michel-l'Écluse
Servanches
St Vincent-Jalmoutiers
Ponteyraud
Vanxains
La Jemaye
Forêt de la Jemaye
Échourgnac
Forêt de la Double
Chamadelle
Les Églisottes-et-Chalaures
St Christophe-de-Double
Lagorce
Coutras
Guîtres
Abzac
Porchères
St Antoine-s-l'Isle
Ménesplet
Montpon-Ménestérol
St Martial-d'Artenset
St Médard-de-Guizières
St Seurin-s-l'Isle
St Sauveur-de-Puynormand
Petit-Palais
Puynormand
Minzac
Gours
St Barthélemy-de-Bellegarde
St Michel-de-Double
St Laurent-des-Hommes
Beaupouyet
St Sauveur-Lalande
St Géry
St Martin-de-Gurçon
Carsac-de-Gurson
Villefranche-de-Lonchat
Lussac
Montagne
Puisseguin
Libourne
Pomerol
Néac
Les Artigues
St Rémy
St Géraud-de-Corps
Montpeyroux
Monfaucon
St Méard-de-Gurçon
St Philippe-d'Aiguille
St Christophe-des-Bardes
Fraisse

Carte — région de Périgueux

PÉRIGUEUX

Principales localités :

Brantôme, Bourdeilles, Ribérac, Verteillac, Mareuil, Montagrier, Lisle, Mussidan, Neuvic, Saint-Astier, Annesse-et-Beaulieu, Razac-sur-l'Isle, Chancelade, Château-l'Évêque, Agonac, Sorges, Sarliac-sur-l'Isle, Antonne-et-Trigonant, Boulazac, Saint-Laurent-sur-Manoire, Saint-Pierre-de-Chignac, Vergt, Villamblard, Campsegret, Grun-Bordas, Saint-Jean-d'Estissac, Beauregard-et-Bassac, Clermont-de-Beauregard, Sainte-Alvère, Grottes de Villars, Quinsac, Puyguilhem, Champagnac-de-Belair, Saint-Jean-de-Côle, Villars, Savignac-les-Églises, Vaunac, Saint-Front-d'Alemps, Eyvirat, Biras, Valeuil, Creyssac, Paussac-et-Saint-Vivien, Cercles, La Tour-Blanche, Bourg-des-Maisons, Chapdeuil, Grand-Brassac, Tocane-Saint-Apre, Douchapt, Mensignac, Léguillac-de-l'Auche, Chantérac, Saint-Vincent-de-Connezac, Saint-Aquilin, Saint-Germain-du-Salembre, Sourzac, Saint-Front-de-Pradoux, Coulounieix-Chamiers, Marsac-sur-l'Isle, Marsaneix, Église-Neuve-de-Vergt, Creyssensac-et-Pissot, Chalagnac, Manzac-sur-Vern, Saint-Paul-de-Serre, Coursac, Montrem, Saint-Georges-de-Montclard, Saint-Martin-des-Combes, Montagnac-la-Crempse, Saint-Julien-de-Crempse, Saint-Hilaire-d'Estissac, Issac, Bourgnac, Les Lèches, Saint-Georges-Blancaneix, Les Gaumes, Saint-Jean-d'Ataux, Saint-Léon-sur-l'Isle, Douzillac, Saint-Louis-en-l'Isle, Vallereuil, Beauronne, Douville, Saint-Mayme-de-Péreyrol, Lacropte, Sainte-Marie-de-Chignac, Bassillac, Trélissac, Champcevinel, Cornille, Sencenac-Puy-de-Fourches, Ligueux, Sarliac, Antonne, Escoire.

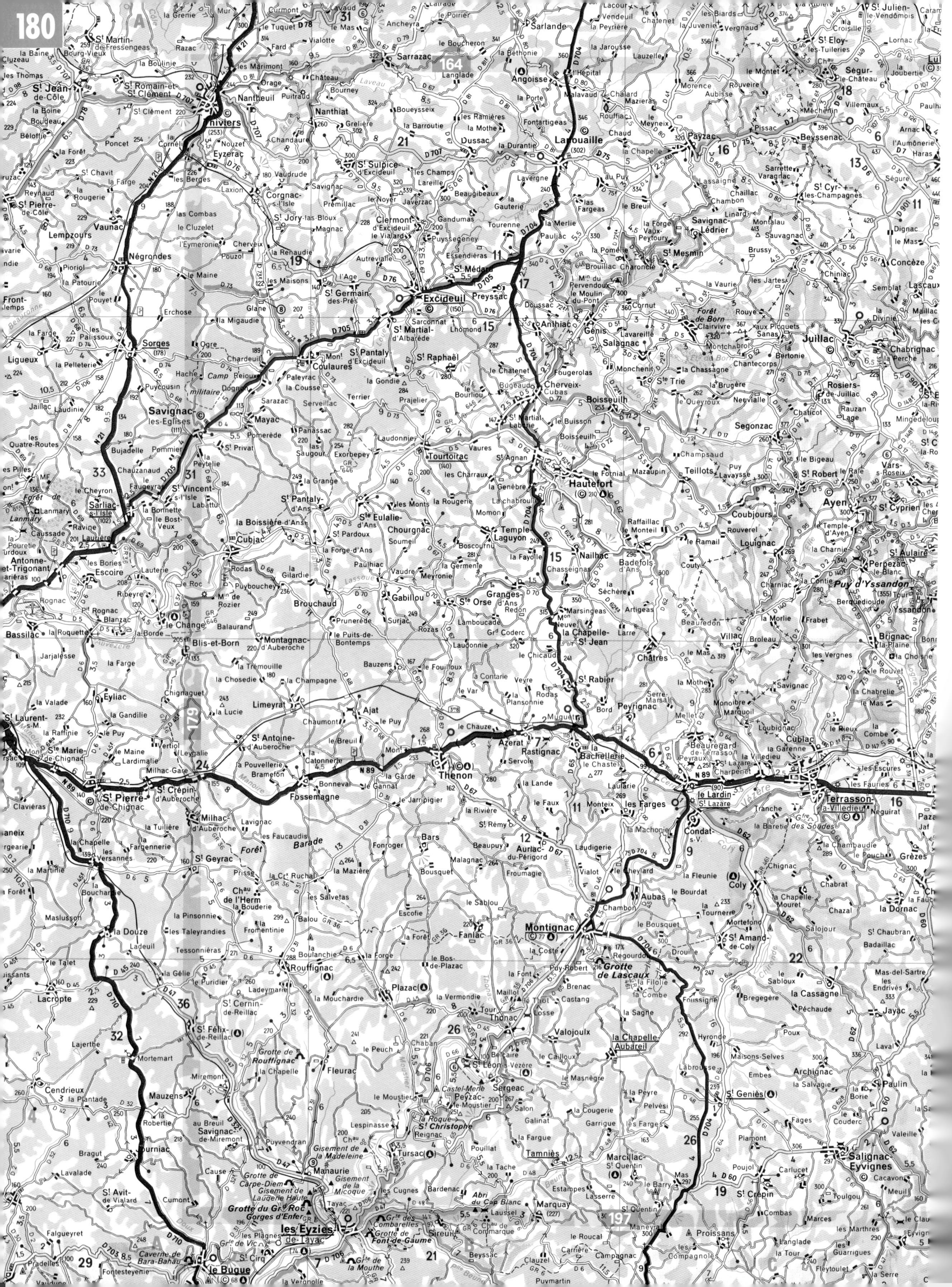
164
179
197
St Jean-de-Côle
St Martin-de-Fressengeas
St Romain-et-St Clément
Thiviers
Nantheuil
Nanthiat
Sarrazac
Sarlande
Angoisse
Lanouaille
Payzac
Ségur-le-Château
St Eloy-les-Tuileries
St Julien-le-Vendômois
Beyssenac
St Sulpice-d'Excideuil
Dussac
Corgnac-s-l'Isle
St Pierre-de-Côle
Vaunac
Lempzours
Négrondes
St Jory-las-Bloux
Clermont-d'Excideuil
St Médard
St Germain-des-Prés
Excideuil
Preyssac
Savignac-Lédrier
St Mesmin
St Cyr-les-Champagnes
Concèze
Lascaux
Juillac
Chabrignac
Anthiac
Génis
Salagnac
Forêt de Born
Sorges
Coulaures
St Martial-d'Albarède
St Pantaly-d'Excideuil
St Raphaël
Cherveix-Cubas
Boisseuilh
Ste Trie
Rosiers-de-Juillac
Savignac-les-Églises
Mayac
Tourtoirac
St Agnan
Hautefort
Teillots
Segonzac
St Robert
Ayen
St Cyprien
Sarliac-s-l'Isle
St Vincent-s-l'Isle
St Pantaly-d'Ans
Ste Eulalie-d'Ans
Chourgnac
Temple-Laguyon
Coubjours
Louignac
Cubjac
Nailhac
Badefols-d'Ans
Perpezac-le-Blanc
St Aulaire
Puy d'Yssandon
Yssandon
Antonne-et-Trigonant
Escoire
Brouchaud
Gabillou
Ste Orse
Granges-d'Ans
la Chapelle-St Jean
Le Change
Bassilac
Blis-et-Born
Montagnac-d'Auberoche
Châtres
Villac
Brignac-la-Plaine
Eyliac
Limeyrat
Ajat
St Rabier
Peyrignac
Beauregard-de-Terrasson
Cublac
St Laurent-s-M.
Ste Marie-de-Chignac
St Antoine-d'Auberoche
Thenon
Azerat
Rastignac
la Bachellerie
St Lazare
Le Lardin-St Lazare
Terrasson-la-Villedieu
St Pierre-de-Chignac
St Crépin-d'Auberoche
Fossemagne
Milhac-d'Auberoche
Les Farges
Condat-s-V.
St Geyrac
Forêt Barade
Aurlac-du-Périgord
Coly
Chau de l'Herm
Montignac
Aubas
St Amand-de-Coly
La Douze
Rouffignac
Plazac
Fanlac
Grotte de Lascaux
Lacropte
St Félix-de-Reilhac
Grotte de Rouffignac
Thonac
Valojoulx
la Chapelle-Aubareil
Jayac
Archignac
Fleurac
St Léon-s-Vézère
Sergeac
St Geniès
Paulin
Mauzens
Savignac-de-Miremont
Castel-Merle
Peyzac-le-Moustier
la Roque-St Christophe
Tamniès
Marcillac-St Quentin
Salignac-Eyvignes
Journiac
Manaurie
Tursac
Gisement de la Madeleine
St Avit-de-Vialard
Grotte de Carpe-Diem
Gisement de Laugerie Haute
Gisement de la Micoque
Grotte du Gd Roc
Gorges d'Enfer
Abri du Cap Blanc
Marquay
St Crépin
Les Eyzies-de-Tayac
Grotte des Combarelles
Grotte de Font-de-Gaume
Sireuil
Proissans
Caverne de Bara-Bahau
Le Bugue
Grotte de la Mouthe
N 21
N 89
D 704
D 705
D 706
D 710
D 707
D 67
D 62
D 60

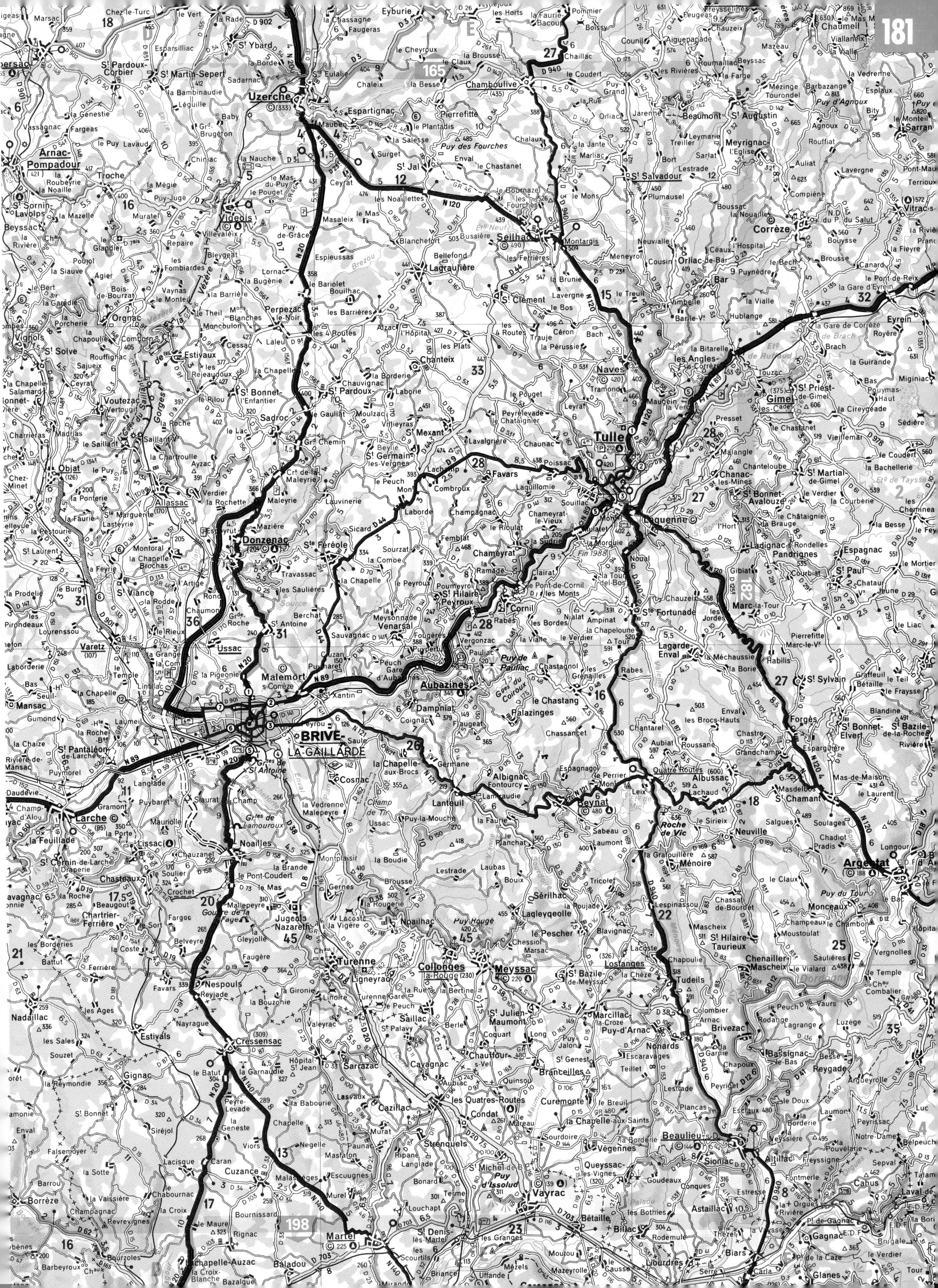

Uzerche
Chamboulive
Seilhac
Corrèze
Arnac-Pompadour
Vigeois
Lagraulière
St Clément
Naves
Tulle
Chanteix
St Pardoux
Allassac
Objat
Donzenac
Ste Féréole
Favars
Laguenne
Gimel
Cornil
Ussac
Varetz
Malemort s-Corrèze
Aubazines
BRIVE LA-GAILLARDE
Beynat
Albussac
Argentat
Larche
Noailles
Turenne
Collonges la-Rouge
Meyssac
Lostanges
Cressensac
Martel
Vayrac
Beaulieu-s-D.
Tudeils
Puy-d'Arnac
Monceaux
Chenailler-Mascheix
Gignac
Cuzance
Saillac
Sarrazac
Cavagnac
Curemonte
Bétaille
Bilhac
Puy d'Issolud
Puy des Fourches
Puy de Pauliac
Roche de Vic
Puy Rouge
N 20
N 120
N 89
N 121
N 140
165
182
198

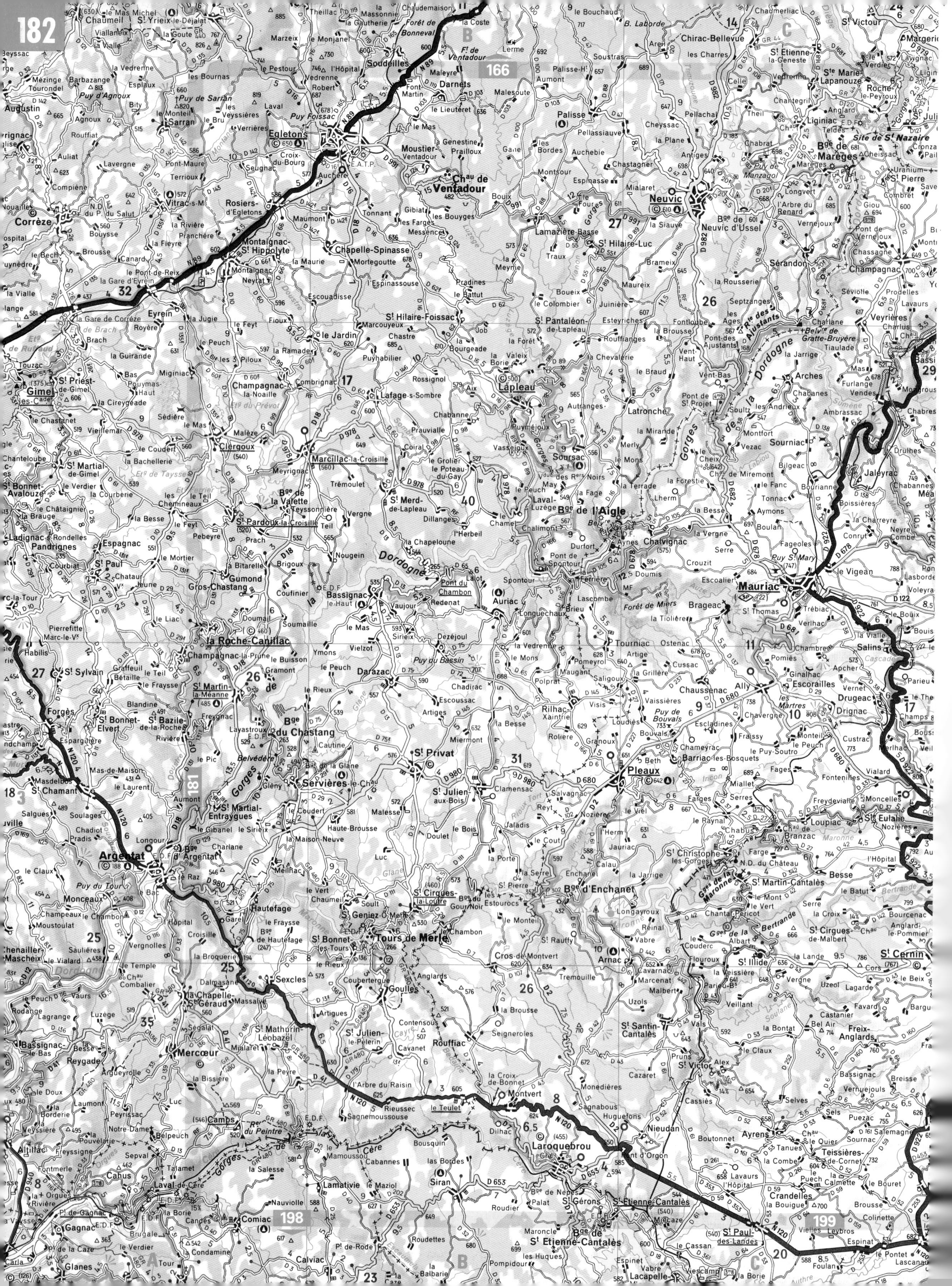
Chaumeil
St Yrieix-le-Déjalat
Soudeilles
Forêt de Bonneval
Ft de Ventadour
166
Chirac-Bellevue
St Victour
Darnets
Egletons
Sarran
Puy de Sarran
Puy d'Agnoux
Palisse
Ch.au de Ventadour
Moustier-Ventadour
Neuvic
Liginiac
Bge de Marèges
Site de St Nazaire
Corrèze
Rosiers-d'Egletons
Montaignac-St Hippolyte
Chapelle-Spinasse
Lamazière-Basse
St Hilaire-Luc
Bge de Neuvic d'Ussel
Sérandon
Champagnac
St Hilaire-Foissac
St Pantaléon-de-Lapleau
Eyrein
Belvre de Gratte-Bruyère
Rte des Ajustants
Gimel-les-Cascades
St Priest-de-Gimel
Champagnac-la-Noaille
Lafage-s-Sombre
Lapleau
Latronche
Arches
Clergoux
Marcillac-la-Croisille
Soursac
Gorges de la Dordogne
St Martial-de-Gimel
St Merd-de-Lapleau
Bge de l'Aigle
Chalvignac
Jaleyrac
St Bonnet-Avalouze
Bge de la Valette
St Pardoux-la-Croisille
Dordogne
Puy St Mary
Pandrignes
St Paul
Gumond
Gros-Chastang
Bassignac-le-Haut
Pont du Chambon
Auriac
Mauriac
Forêt de Miers
Brageac
la Roche-Canillac
Champagnac-la-Prune
Puy du Bassin
Darazac
Tourniac
St Sylvain
St Martin-la-Méanne
Ally
Escorailles
Drugeac
St Bonnet-Elvert
St Bazile-de-la-Roche
Bge du Chastang
St Privat
Rilhac-Xaintrie
Puy de Bouvals
Pleaux
Barriac-les-Bosquets
Forgès
St Chamant
Servières-le-Chau
St Julien-aux-Bois
Gorges
St Martial-Entraygues
Argentat
Bge d'Argentat
Loupiac
St Eulalie
St Christophe-les-Gorges
St Martin-Cantalès
Puy du Tour
Monceaux
Hautefage
St Cirgues-la-Loutre
Bge d'Enchanet
St Bonnet-les-Tours
Tours de Merle
St Geniez-Ô-Merle
Cros-de-Montvert
Arnac
St Illide
St Cernin
St Cirgues-de-Malbert
Sexcles
La Chapelle-St Géraud
Goulles
St Santin-Cantalès
Freix-Anglards
Mercœur
St Mathurin-Léobazel
St Julien-le-Pèlerin
Rouffiac
St Victor
Montvert
Camps
Rer du Peintre
Gorges de la Cère
Laroquebrou
Nieudan
Ayrens
Teissières-de-Cornet
Cahus
Laval-de-Cère
Lamativie
Siran
Comiac
St Gérons
St Etienne-Cantalès
Bge de St Etienne-Cantalès
Crandelles
Gagnac
Glanes
St Paul-des-Landes
198
199

Major labelled features and towns:

AURILLAC, Vic-s-Cère, Salers, Murat, le Lioran, Super-Lioran, Plomb du Cantal, Puy Mary, Pas de Peyrol, Bort-les-Orgues, Condat, Riom-ès-Montagnes, Allanche, Marcenat, Pierrefort

PARC RÉGIONAL DES VOLCANS D'AUVERGNE

MONTS DU CANTAL · CÉZALLIER · Vallée du Falgoux · Vallée du Mars

Selected localities: Beaulieu, Lanobre, Champs-s-Tarentaine, Saignes, Antignac, St-Étienne-de-Chomeil, Menet, Trizac, Apchon, Cheylade, Le Falgoux, Le Claux, Dienne, Lavigerie, St-Hippolyte, Collandres, Valette, St-Saturnin, Ségur-les-Villas, Lugarde, Marchastel, Condat, Chanterelle, Église-neuve-d'Entraigues, Montboudif, Trémouille, St-Bonnet-de-Condat, Landeyrat, Pradiers, Vernols, Chavanon, Allanche, Chalinargues, St-Anastasie, Chavagnac, Murat, Chastel, Albepierre-Bredons, Laveissenet, Coltines, Valuéjols, St-Maurice, Neussargues, Virargues, Thiézac, St-Jacques-des-Blats, Mandailles, St-Julien-de-Jordanne, Mandailles, Aubusson, l'Élancèze, Fontanges, St-Paul-de-Salers, St-Chamant, St-Cernin, Anjony, Tournemire, Marmanhac, Jussac, St-Simon, Polminhac, Vezac, Pailherols, Malbo, Brezons, Lacapelle-Barrès, Paulhac, Cézens, Narnhac, Pierrefort, St-Martial, Gourdièges, Neuvéglise

Cols / peaks: Puy Violent, Puy Chavaroche, Roc des Ombres, Puy Griou, Col de Légal, Col de Cère, Col d'Entremont, Col de Serres, Col de Néronne, Col de Curebourse, Col de la Tombe du Père, Col de Fontbulhin, Rocher des Pendus, Pas de Compaing, Chaos de Casteltinet, Puy Mary (1787), Plomb du Cantal (1855)

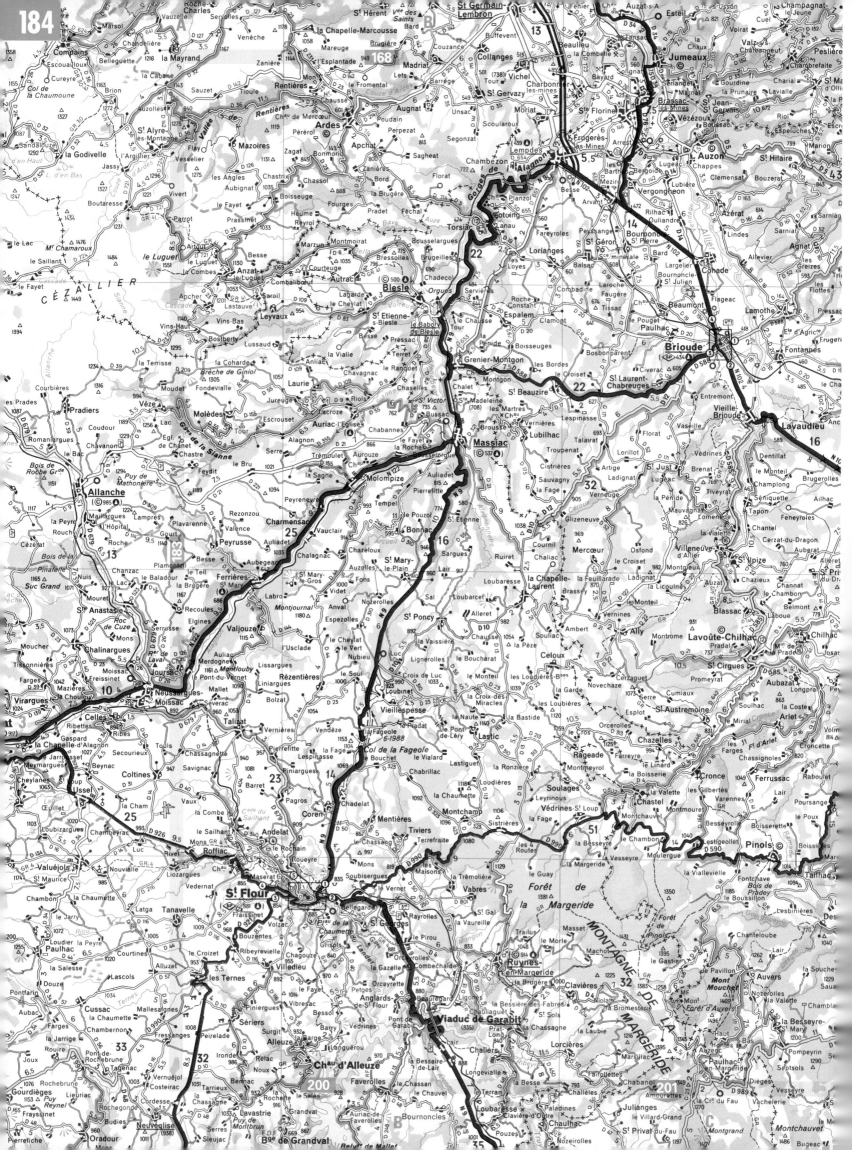

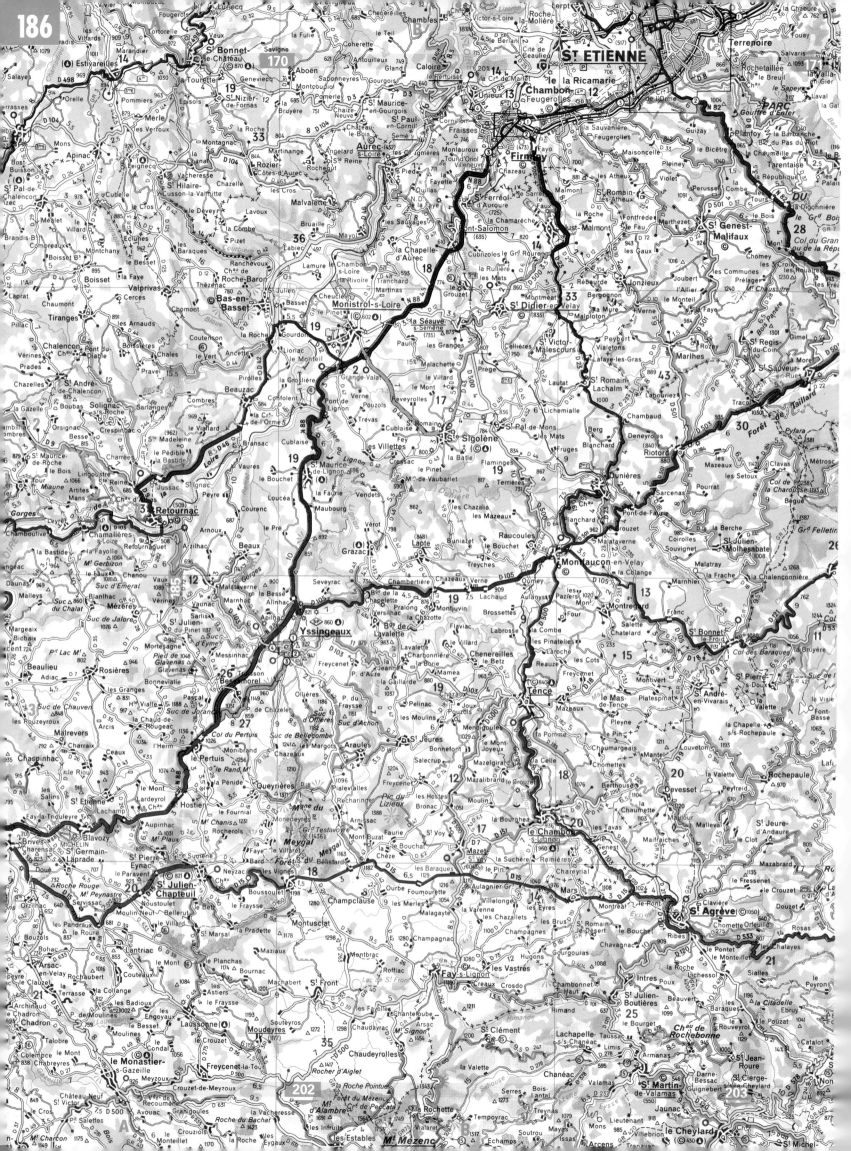

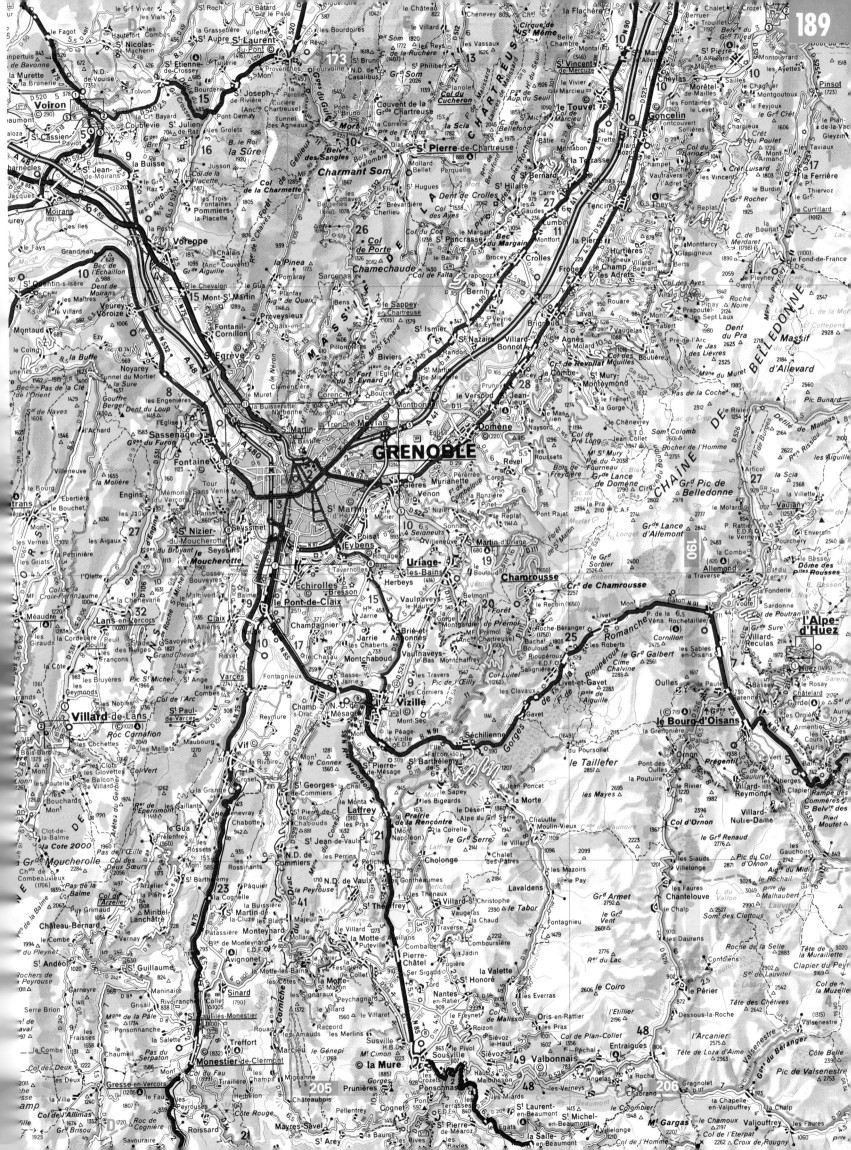

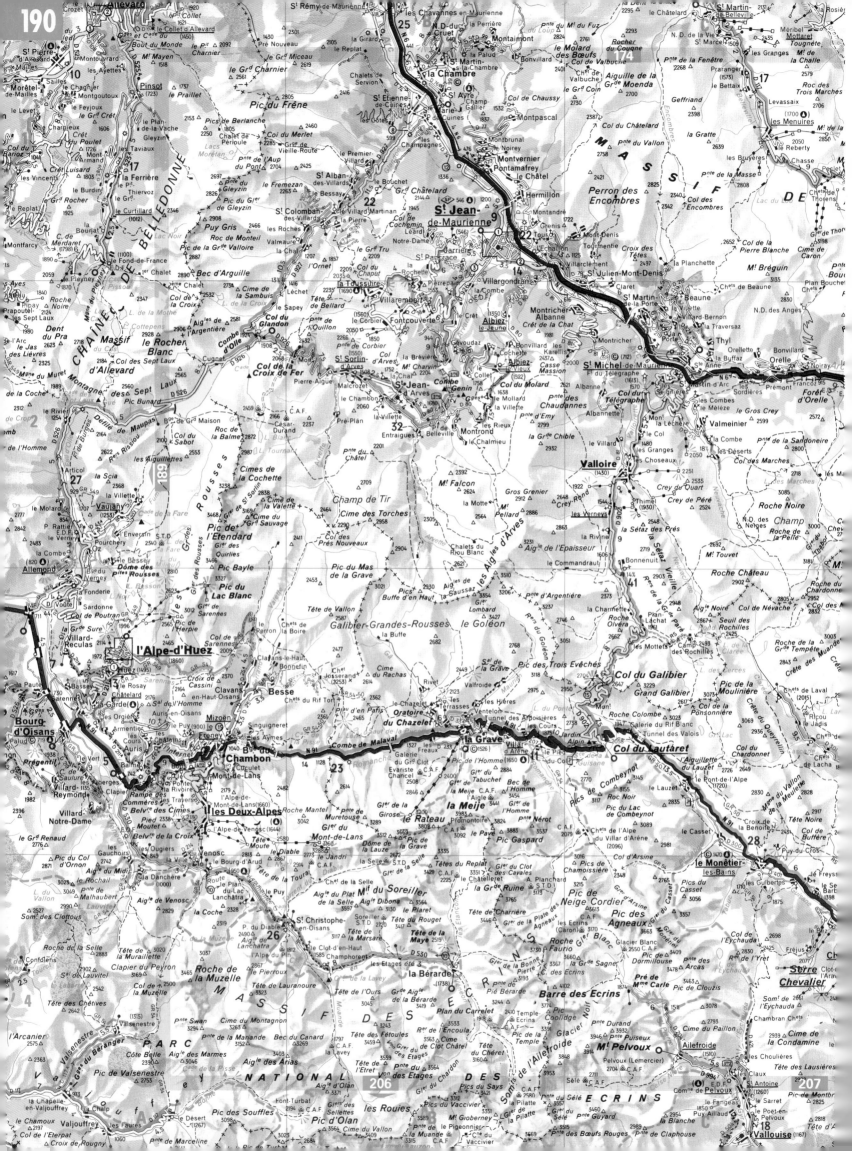

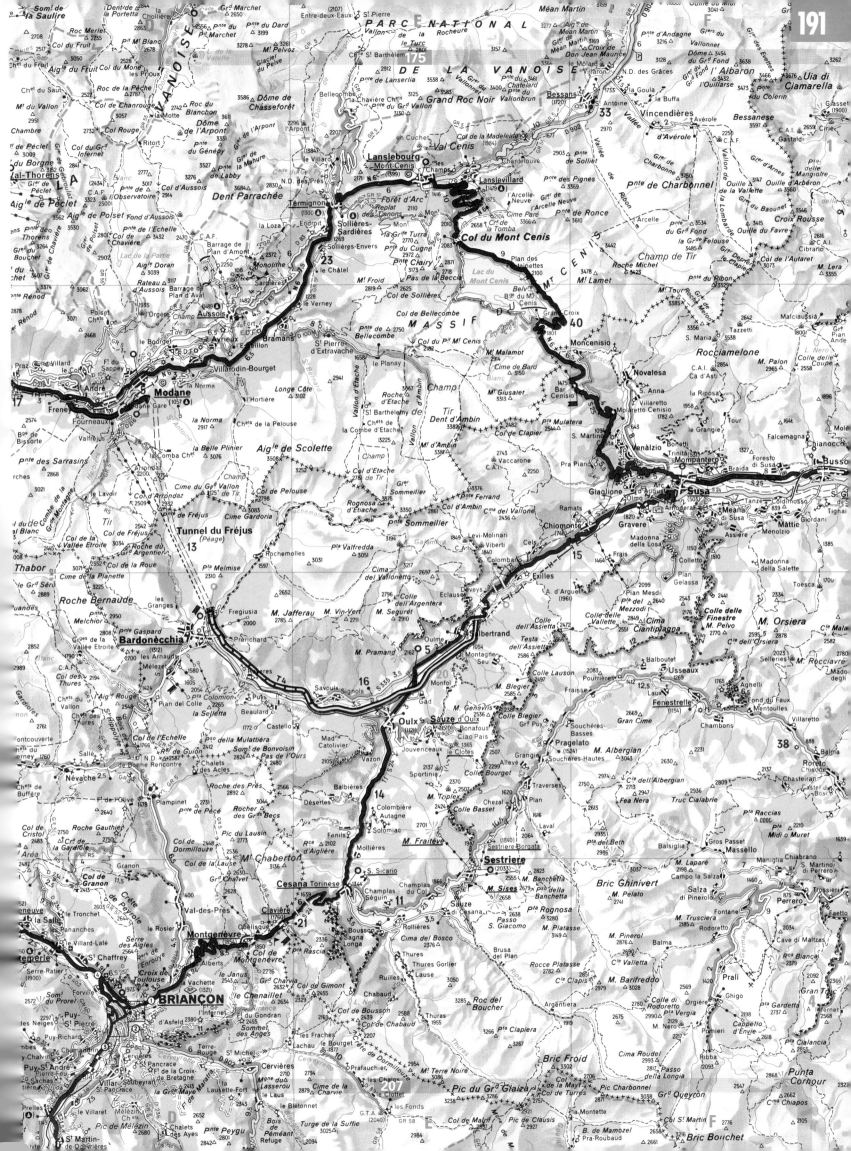

Bordeaux

Albret (Cours d').............CY
Alsace-Lorr. (Crs).............DX
Capdeville (R.).............BV 18
Clemenceau (Cours).............CV
Intendance (Cours).............CX
Jaurès (Pl. Jean).............DV
Ste-Catherine (R.).............DY
Tourny (Allées de).............CV
Victor-Hugo (Cours).............DY

Abbé-de-l'Épée (R.).............BV
Argonne (Crs de l').............BY
Arnozan (Cours X.).............DV
Audeguil (R. F.).............BY
Aviau (R. d').............CU
Belfort (R. de).............CY
Belleville (R.).............BY
Bir-Hakeim (Pl. de).............DY
Bonnac (R. G.).............BX

Bonnier (R. Claude).............BX
Bourse (Pl. de la).............DX
Briand (Cours A.).............CY
Burguet (R. J.).............CY
Canteloup (Pl.).............DY
Capucins (Pl. des).............CY
Carles (R. Vital).............CX
Chapeau-Rouge
(Cours).............DX 20
Chartres (Allées).............DV
Chartrons (Q. des).............DU
Château-d'Eau (R.).............BX
Chauffour (R.).............BX
Clare (R.).............CY
Comédie (Pl. de la).............CX 21
Costedoat (R. E.).............CY
Course (R. de la).............CU
Crx-de-Seguey (R.).............BU
Cursol (R. de).............CY
Dr-A.-Barraud (R.).............BV
Dr-Nancel-Pénard (R.).............CX 24
Douane (Q. de la).............DX

Doumer (Pl. Paul).............CU
Duffour-Dubergier (R.).............CY 26
Esprit-des-Lois (R.).............DV 27
Faures (R. des).............DY
Fayolle (Crs E.-de).............CU
Foch (Cours Mar.).............CV
Fondaudège (R.).............CV
Gambetta (Pl.).............CX
Gaspard-Philippe (R.).............DY 37
Godard (R. Camille).............CU
Hamel (R. du).............DY 43
Huguerie (R.).............CV
Joffre (R. Mar.).............CY
Johnston (R. D.).............BU
Judaïque (R.).............BX
Juin (Crs Mar.).............BY
Lagrange (R.).............CU
Lande (R. Paul-L.).............CY
Lecocq (R.).............BY
Leyteire (R.).............DY
Libération (Cours).............CY
Louis-XVIII (Quai).............DV

Mandron (R.).............CU
Marne (Cours de la).............DY
Martinique (Cours).............DU
Martyrs-de-la-
Résistance (Pl.).............BX
Mie (R. Louis).............BY
Monnaie (Q. de la).............DY
Montbazon (R.).............CX 58
Mouneyra (R.).............BY
Naujac (R.).............BV
Notre-Dame (R.).............CX
Notre-Dame (R.).............DU D
Orléans (Allées).............CV
Palais (R. du).............DX
Palais-Gallien (R.).............CV
Parlement (Pl. du).............DX 65
Pas-St-Georges (R.).............CX
Pasteur (Cours).............CY
Paulin (R.).............BV
Pessac (R. de).............CY
Pey Berland (Pl.).............CX E
Philippart (R. F.).............DX 69
Portal (Cours).............DU
Porte-Dijeaux (R.).............CX
Queyries (Q. des).............DV
Quinconces (Espl.).............CV
République (Pl.).............CY 73
Richelieu (Quai).............DX
St-Genès (R. de).............CY
St-James (R.).............DY
St-Michel (R.).............DY F
St-Rémi (R.).............DX
St-Sernin (R.).............BX 76
Ste-Croix (R.).............DY K
Salinières (Q. des).............DY
Sauvageau (R. C.).............DY
Somme (Cours de la).............DY
Sourdis (R. F.-de).............BY
Tondu (R. du).............BY
Tournon (Cours de).............CV 83
Tourny (Pl. de).............CV 84
Turenne (R.).............BV
Verdun (Cours de).............CU
Victoire (Pl. de la).............CY
Villedieu (R.).............CY 88
Yser (Cours de l').............DY
3-Conils (R. des).............CX

176

208

BORDEAUX
Cauderan

Camp militaire de Souge

Terrain militaire

PARC RÉGIONAL DES LANDES DE GASCOGNE

Blanquefort
St Médard en Jalles
N 215
Eysines
le Haillan
les 5 Chemins
le Bouscat
Bruges
Bacalan
Lormon
Bastide
Cenon
Floirac
Mérignac
BORDEAUX-MÉRIGNAC
Talence
Pessac
Gradignan
Bègles
Arsins
Canéjan
Villenave-d'Ornon
Cadaujac
Léognan
Martignas-s-Jalle
St Jean-d'Illac
Boulac
Cestas
Pierroton
Castillonville
Croix-d'Hins
Marcheprime
les Quatre-Routes
Lacanau-Mios
Testarouch
Audenge
Biganos
le Teich
Facture
Lamothe
Mios
Salles
Badet
Béguey
le Mayne
Lanot
Bilos
Belin-Béliet
Lugos
Gare de Lugos
Forêt de Salles
Forêt de Lugos
Mons
Saugnacq-et-Muret
le Muret
Castelnau
le Barp
Lavignolle
l'Hospitalet
Garot
Vieux-Lugo
Graoux
Hostens
St Magne
Villagrains
Cabanac-et-Villagrains
Saucats
la Brède
Martillac
St Morillon
Guillos
Louchats
St Symphorien
Mano
Belhade

CENTRE D'ESSAIS
CENTRE D'ÉTUDES NUCLÉAIRES
Mémorial de Richemont
Domaine départemental

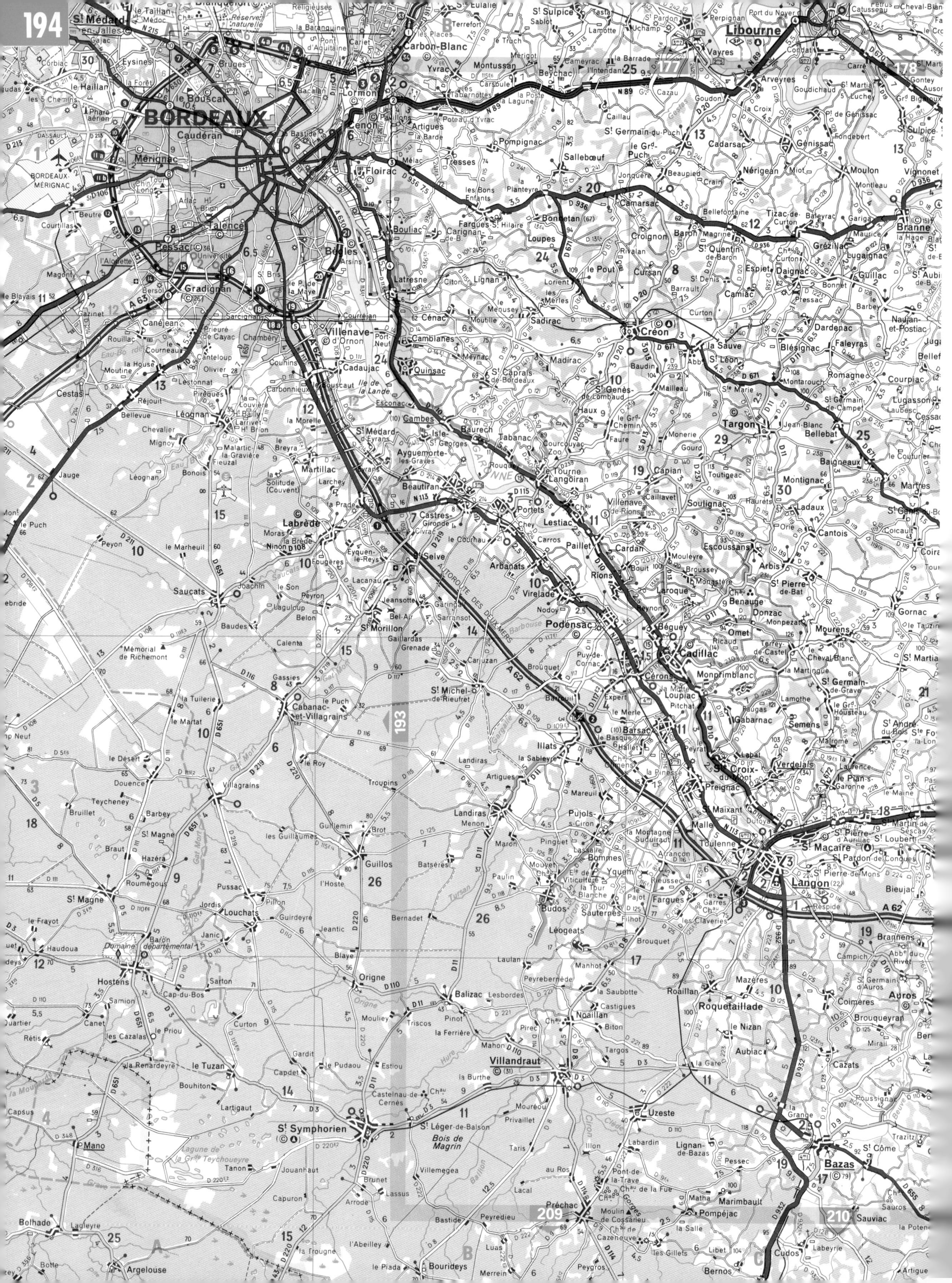

BORDEAUX

Libourne

Talence
Mérignac
Pessac
Gradignan
Bègles
Cenon
Lormont
Floirac

Créon
Targon
Branne
Cadillac
Podensac
Langon
St Macaire
Bazas

193

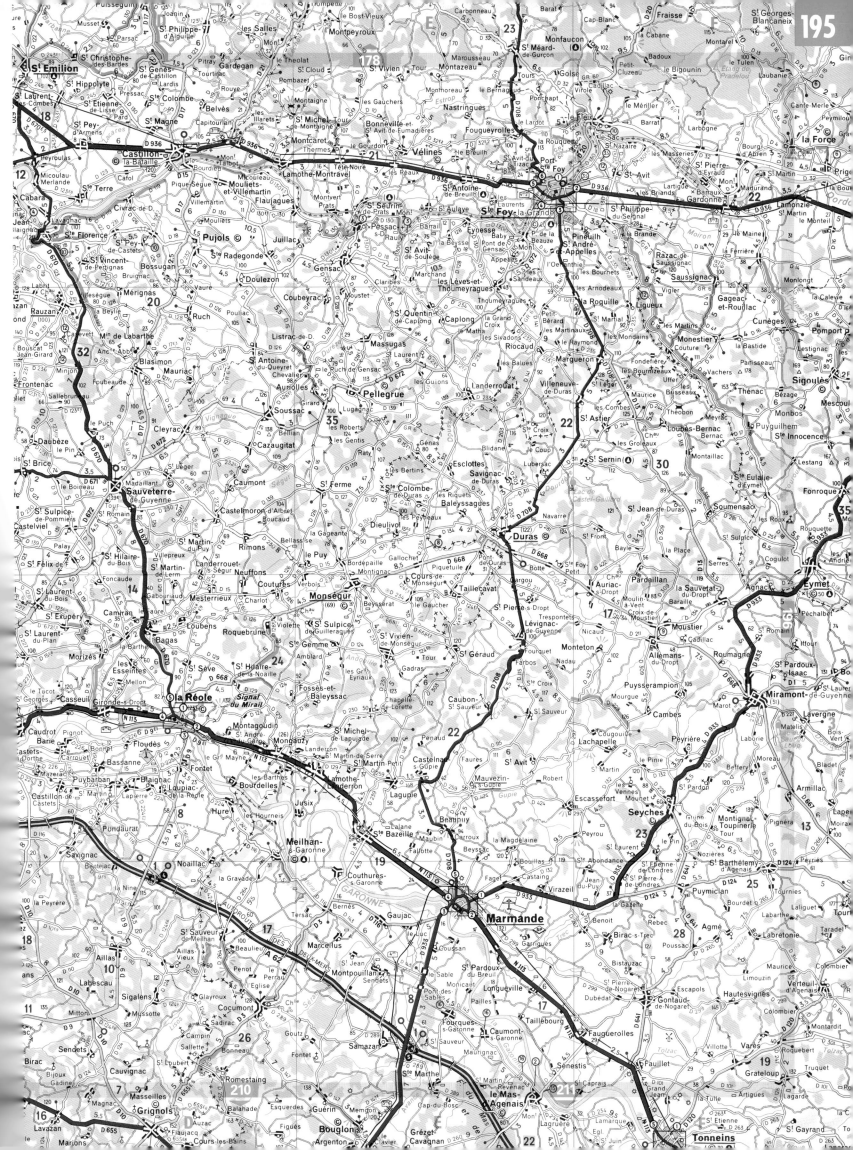

181 · 182

Souillac · Martel · Carennac · Castelnau · Bretenoux · St-Céré · Montal · Sousceyrac

la Treyne · Belcastel · Grottes de Lacave · Meyronne · Montvalent · Gouffre de Padirac · Autoire · N.D. de Verdale · Lacam-d'Ourcet

Rocamadour (Traversée très étroite) · l'Hospitalet · Alvignac · Miers · Padirac · Thégra · Aynac · Leyme · Terrou · St-Médard-Nicourby

Gramat · Ségala · Bio · Saignes · Molières · Gorses

197 · Carlucet · le Bastit · Issendolus · Thémines · Anglars · Lacapelle-Marival · Rudelle · Ste-Colombe · St-Bressou · Labathude

Souchirac · Sénergues · Montfaucon · Vaillac · Labastide-Murat · Reilhac · Lunegarde · Quissac · Livernon · Assier · Fons · Cardaillac · Fourmagnac

Beaumat · Caniac-du-Causse · Espédaillac · Grèzes · Corn · Camboulit · Figeac

St-Sauveur-la-Vallée · St-Cernin · St-Martin-de-Vers · Lauzès · Sabadel-Lauzès · Lentillac-Lauzès · Blars · Brengues · St-Sulpice · Espagnac · Boussac · Faycelles

Nadillac · Cras · Orniac · Marcilhac-s-Célé · Sauliac-s-Célé · Carayac · Frontenac · Loupiac

Grotte du Pech-Merle · Gontaut-Biron · Cabrerets · Mas-de-Bessac · Gréalou · Larroque-Toirac · Salvagnac-Cajarc · Montsalès · Ambeyrac

St-Géry · Bouziès · Tour-de-Faure · St-Martin-Labouval · Calvignac · Cajarc · Saut de la Mounine · Montbrun

Vers · St-Cirq-Lapopie · Bouziès-Bas · Cénevières · Larnagol · Frontenac

213 · 214

Concots · St-Jean-de-Laur · Ste-Croix · Villeneuve

36

AURILLAC
Arpajon-s-Cère
St Etienne-Cantalès
Lacapelle-Viescamp
Ytrac
St Paul-des-Landes
Glénat
la Ségalassière
Pers
Omps
St Mamet-la-Salvetat
Roannes-St Mary
le Rouget
Roumégoux
St Saury
Cayrols
Parlan
Labastide-du-Ht-Mont
Latronquière
Bessonies
Rouziers
Boisset
Marcolès
Vitrac
Leynhac
St Antoine
St Hilaire
Quézac
Maurs
St Etienne
Calvinet
Cassaniouze
Sénezergues
Junhac
Montsalvy
Prunet
Vézac
Carlat
Labrousse
Lafeuillade-en-Vézie
Lacapelle-del-Fraisse
Leucamp
Ladinhac
Labesserette
Lapeyrugue
Lacroix-Barrez
Murols
Vezels-Roussy
Taussac
Bagnac-s-Célé
St Constant
Fournoulès
Montmurat
St Santin
St Julien-de-Piganiol
Vieillevie
Grand-Vabre
St Parthem
Flagnac
Conques
Site du Bancarel
Entraygues-s-T.
Enguialès
Espeyrac
Sénergues
Golinhac
Decazeville
Aubin
Cransac
Firmi
Livinhac-le-Ht
Boisse-Penchot
Bouillac
Capdenac-Gare
Viviez
Les Albres
Asprières
St Cyprien-s-Dourdou
Noailhac
Villecomtal
Pruines
Mouret
Marcillac-Vallon
Valady
St Christophe-Vallon
Salles-la-Source
Montbazens
Galgan
Valzergues
Lugan
Auzits
Rignac
Anglars
Lanuéjouls
Clairvaux-d'Aveyron
Goutrens
Balsac
Sébazac-Concourès
CAUSSE DE COMTAL
Gorges du Lot
Gorges du Dourdou
Causse de Lanhac
182
183
214
215
200

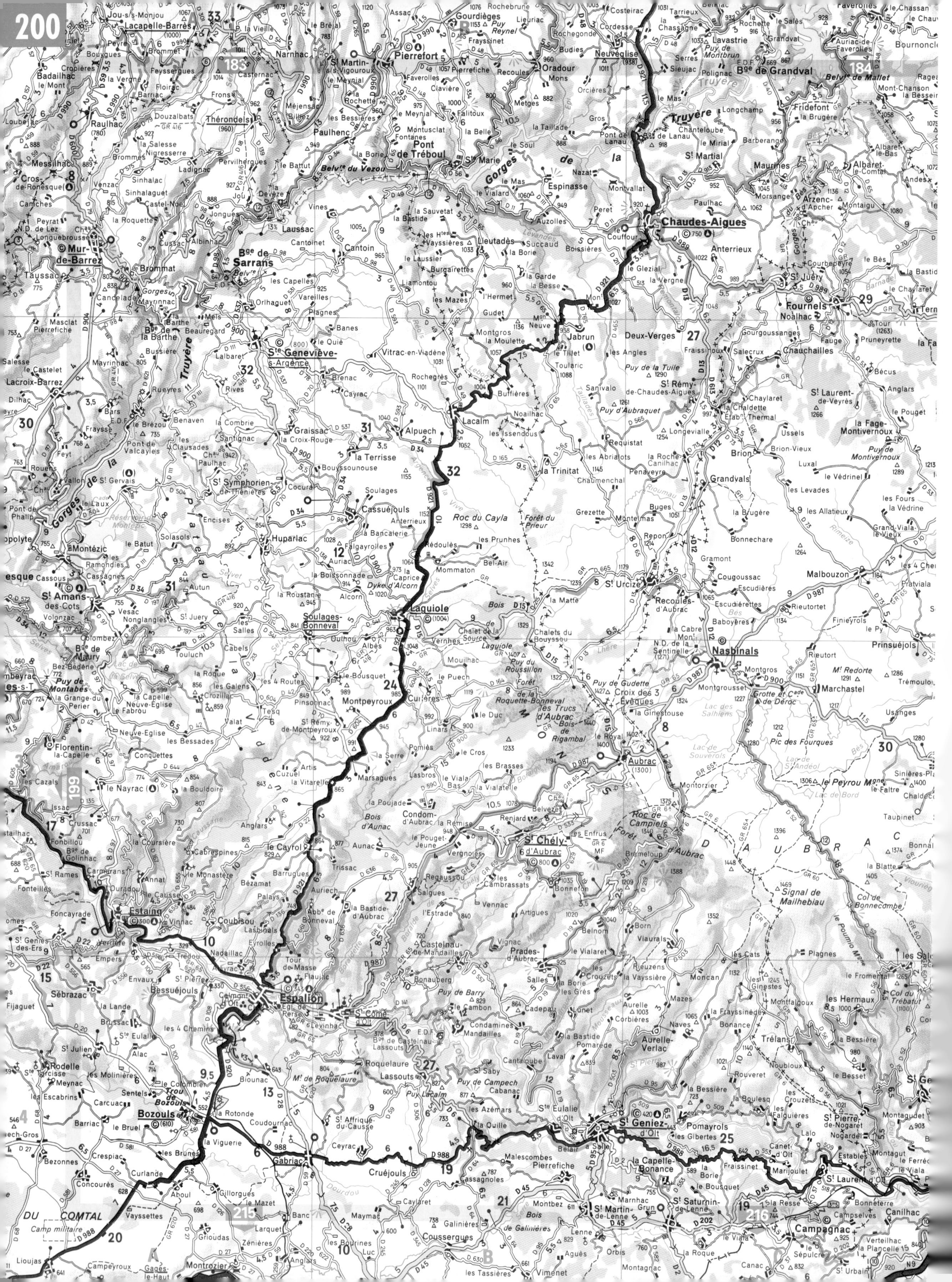
Lacapelle-Barrès
Pierrefort
St Martin-s/s-Vigouroux
Oradour
Neuvéglise
Raulhac
Thérondels
Paulhenc
Pont de Tréboul
Gorges de la Truyère
Chaudes-Aigues
Mur-de-Barrez
Bge de Sarrans
Cantoin
Lieutadès
Brommat
Ste Geneviève-s-Argence
Jabrun
Deux-Verges
Fournels
Chauchailles
Lacalm
Alpuech
Graissac
Truyère
St Symphorien-de-Thénières
La Trinitat
Grandvals
Brion
Cassuéjouls
Roc du Cayla
Forêt du Prieur
Huparlac
St Urcize
Malbouzon
St Amans-des-Cots
Laguiole
Soulages-Bonneval
Recoules-d'Aubrac
Nasbinals
Montpeyroux
Marchastel
Aubrac
Pic des Fourques
Le Peyrou Mgne
St Chély-d'Aubrac
Roc de Campiels
Forêt d'Aubrac
A U B R A C
Signal de Mailhebiau
Col de Bonnecombe
Estaing
Espalion
St Côme-d'Olt
Prades-d'Aubrac
Castelnau-de-Mandailles
Les Hermaux
Col du Trébatut
Trélans
Aurelle-Verlac
Bozouls
Trou de Bozouls
Mt de Roquelaure
St Geniez-d'Olt
Pomayrols
St Laurent-d'Olt
Gabriac
Campagnac
Canilhac
DU COMTAL
Camp militaire
St Martin-de-Lenne
St Saturnin-de-Lenne
Bois de Galinières
183
184
199
215
216

184   185   202   216   217   203

Grid numbers: 35, 23, 38, 53, 10, 9, 20, 23, 42, 29, 50, 30, 32, 20, 42, 11, 9, 21, 25

Major towns and localities:

St-Chély-d'Apcher, le Malzieu-Ville, St-Alban-s-Limagnole, St-Privat-du-Fau, Chaulhac, Blavignac, Albaret-Ste-Marie, Aumont-Aubrac, Ste-Colombe-de-Peyre, Javols, Serverette, St-Amans, St-Gal, Rieutort-de-Randon, Châteauneuf-de-Randon, Grandrieu, Auroux, St-Sauveur-de-Ginestoux, St-Jean-la-Fouillouse, Laval-Atger, St-Bonnet-de-Montauroux, St-Symphorien, St-Christophe-d'Allier, Esplantas, Vazeilles-près-Saugues, Thoras, Chanaleilles, Croisances, Marvejols, Chirac, le Monastier, St-Bonnet-de-Chirac, Palhers, Grèzes, Barjac, Balsièges, Mende, Chastel-Nouvel, Badaroux, Pelouse, Laubert, Lauberte, Montbel, Belvezet, Allenc, Chadenet, Lanuéjols, Bagnols-les-Bains, St-Julien-du-Tournel, le Bleymard, Chanac, la Canourgue, St-Saturnin, Esclanèdes, Cultures, Barjac, St-Bauzile, Ste-Hélène, Mont Valdon, St-Étienne-du-Valdonnez, Col de Montmirat, Pont-des-Estrets, Fontans, Rimeize, les Bessons, Beauregard, Antrenas, Montrodat, Gabrias, Chanteruéjols, Rieucros

Col de la Tourette, Col de la Loubière, Causse de Mende, Causse de Changefège, Causse de Montbel, Causse de Balduc, Plateau du Palais du Roi, Parc du Gévaudan, Pierre Plantée, Roche Branlante

N 9, N 88, N 106, N 108, D 989, D 987, D 585, D 985, D 900, D 998, D 999

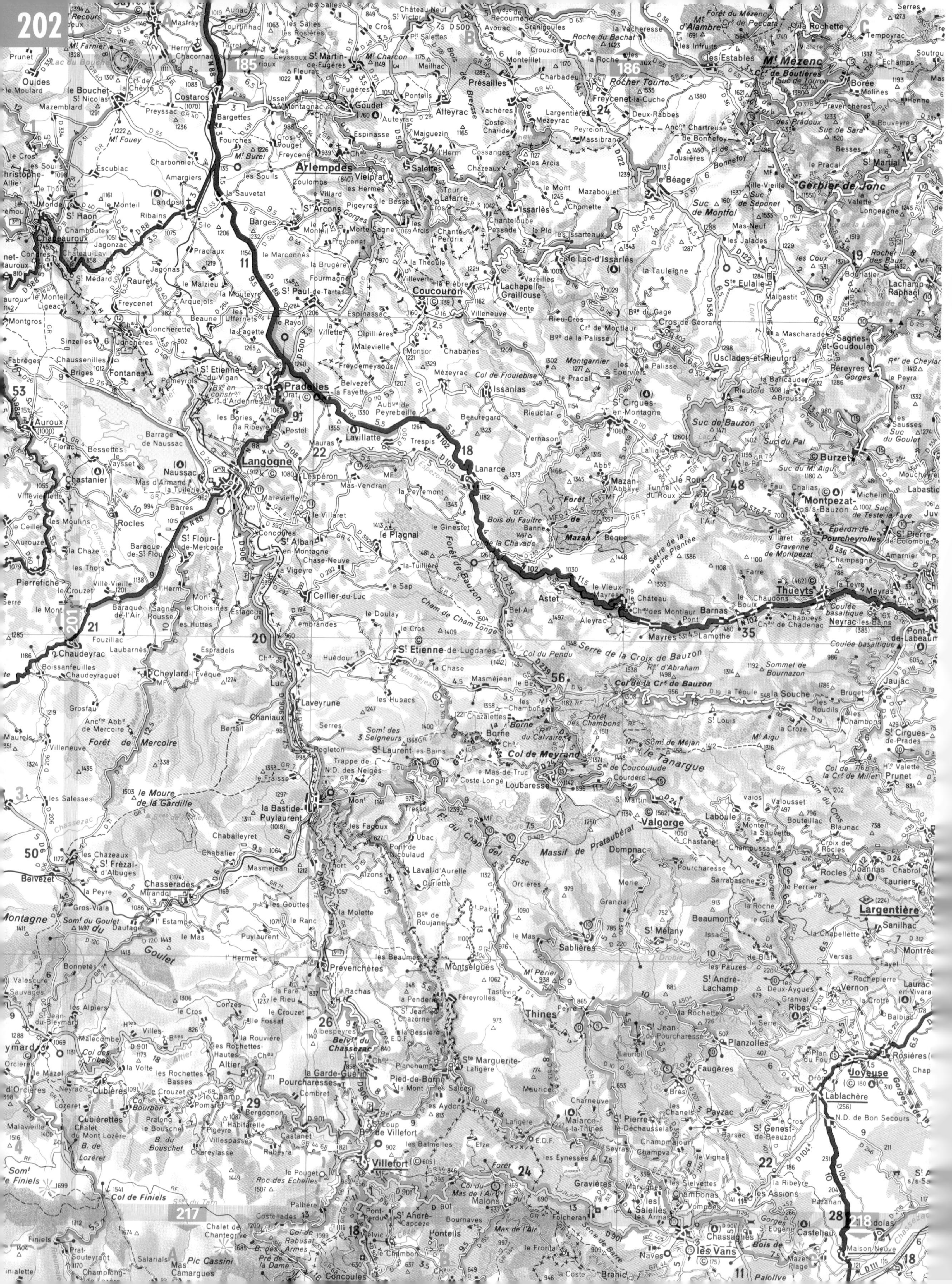
185
186
217
218
Mt Mézenc
Gerbier de Jonc
Arlempdes
Coucouron
Pradelles
Langogne
Naussac
Chasseradès
Chastanier
Rocles
St Haon
Costaros
Goudet
Présailles
Issarlès
Le Béage
Ste Eulalie
Burzet
Montpezat-s/s-Bauzon
Thueyts
Neyrac-les-Bains
Jaujac
St Étienne-de-Lugdarès
Col de la Croix de Bauzon
Col de Meyrand
Valgorge
Largentière
Joyeuse
Les Vans
Villefort
La Bastide-Puylaurent
St Laurent-les-Bains
Prévenchères
La Garde-Guérin
Pourcharesses
Altier
Cubières
St Frézal-d'Albuges
Bleymard
Col de Finiels
Pic Cassini
Thines
Malarce-s-la-Thines
Payzac
St Genest-de-Beauzon
Lablachère
Sablières
Dompnac
Massif de Prataubérat
Le Tanargue
Forêt de Mazan
Forêt de Mercoire
Le Moure de la Gardille
Lozère
Suc de Bauzon
Lanarce
Mayres
Barnas
Lespéron
Cellier-du-Luc
Laveyrune
Luc
Cheylard-l'Évêque
Chaudeyrac
Pierrefiche
Auroux
Grandrieu
Issanlas
Lavillatte
St Cirgues-en-Montagne
Usclades-et-Rieutord
Cros-de-Géorand
Freycenet-la-Cuche
Les Estables
Borée
St Martial
Sagnes-et-Goudoulet
Mazan-l'Abbaye
St Alban-en-Montagne
St Flour-de-Mercoire
Fontanes
Landos
Chapeauroux
Ouides
Le Bouchet-St Nicolas
Montselgues
St Jean-de-Pourcharesse
Faugères
Planzolles
Rosières
Vernon
Ribes
St André-Lachamp
Beaumont
St Mélany
Laboule
Sanilhac
Chassezac
Castelnau
Naves
Concoules
Ponteils
Malons
Gravières
St André-Capcèze

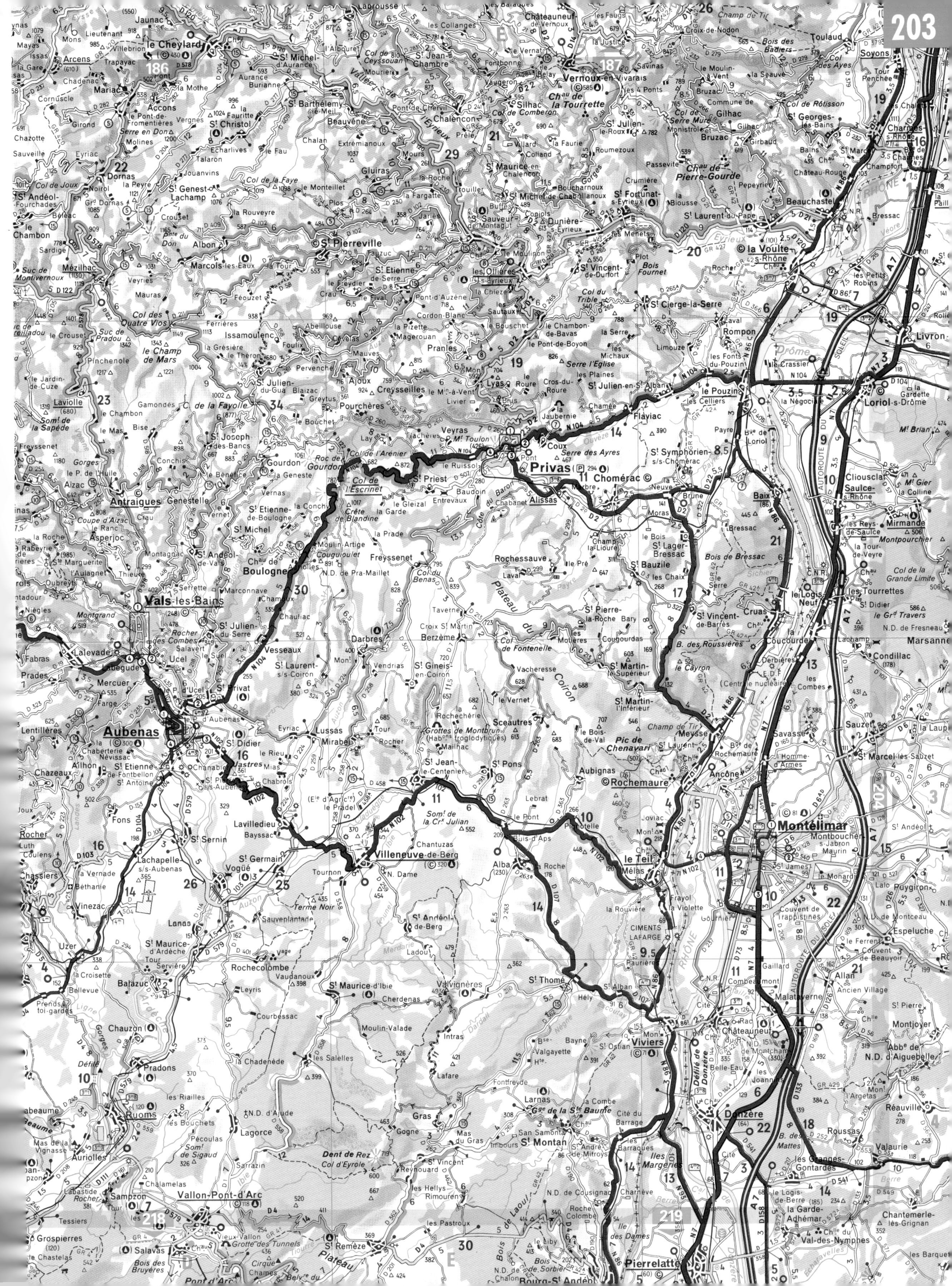

le Cheylard
Arcens
Mariac
Accons
St Michel-d'Aurance
St Jean-Chambre
Châteauneuf-de-Vernoux
Vernoux-en-Vivarais
Chau de la Tourrette
Toulaud
Soyons
St Georges-les-Bains
Charmes-s-Rhône
Beauchastel
St Laurent-du-Pape
la Voulte-s-Rhône
Chalencon
Dornas
St Genest-Lachamp
St Pierreville
Marcols-les-Eaux
Mézilhac
Albon
les Ollières-s-Eyrieux
St Sauveur-de-Montagut
St Fortunat-s-Eyrieux
Dunière-s-Eyrieux
St Vincent-de-Durfort
St Cierge-la-Serre
Livron
Loriol-s-Drôme
le Pouzin
St Julien-en-St Alban
Flaviac
Col des Quatre Vios
Issamoulenc
le Champ de Mars
Pranles
Lyas
Creysseilles
Ajoux
Pourchères
Laviolle
Col de la Fayolle
St Joseph-des-Bancs
Gourdon
Antraigues
Genestelle
Col de l'Escrinet
St Priest
Privas
Coux
Chomérac
Alissas
Baix
Cliousclat
Saulce-s-Rhône
Mirmande
Vals-les-Bains
Boulogne
Freyssenet
Rochessauve
St Bauzile
St Lager-Bressac
Cruas
Plateau du Coiron
Darbres
Berzème
Vesseaux
St Privat
Aubenas
Ucel
Labégude
St Laurent-s-Coiron
St Gineis-en-Coiron
St Martin-le-Supérieur
St Martin-l'Inférieur
Meysse
Condillac
Sceautres
Pic de Chenavari
Rochemaure
Ancône
Montélimar
St Didier
Lussas
Mirabel
St Jean-le-Centenier
St Pons
Aubignas
le Teil
Lavilledieu
Villeneuve-de-Berg
Vogüé
Lanas
St Germain
St Andéol-de-Berg
Alba
Mélas
Viviers
St Thomé
Valvignères
St Maurice-d'Ibie
Balazuc
Chauzon
Pradons
Ruoms
Lagorce
Gras
St Montan
Larnas
Donzère
Châteauneuf-du-Rhône
Malataverne
Allan
Espeluche
Vallon-Pont-d'Arc
Salavas
St Remèze
Bourg-St Andéol
Pierrelatte
les Granges-Gontardes
la Garde-Adhémar
Valaurie
Roussas
Réauville
186
187
204
218
219

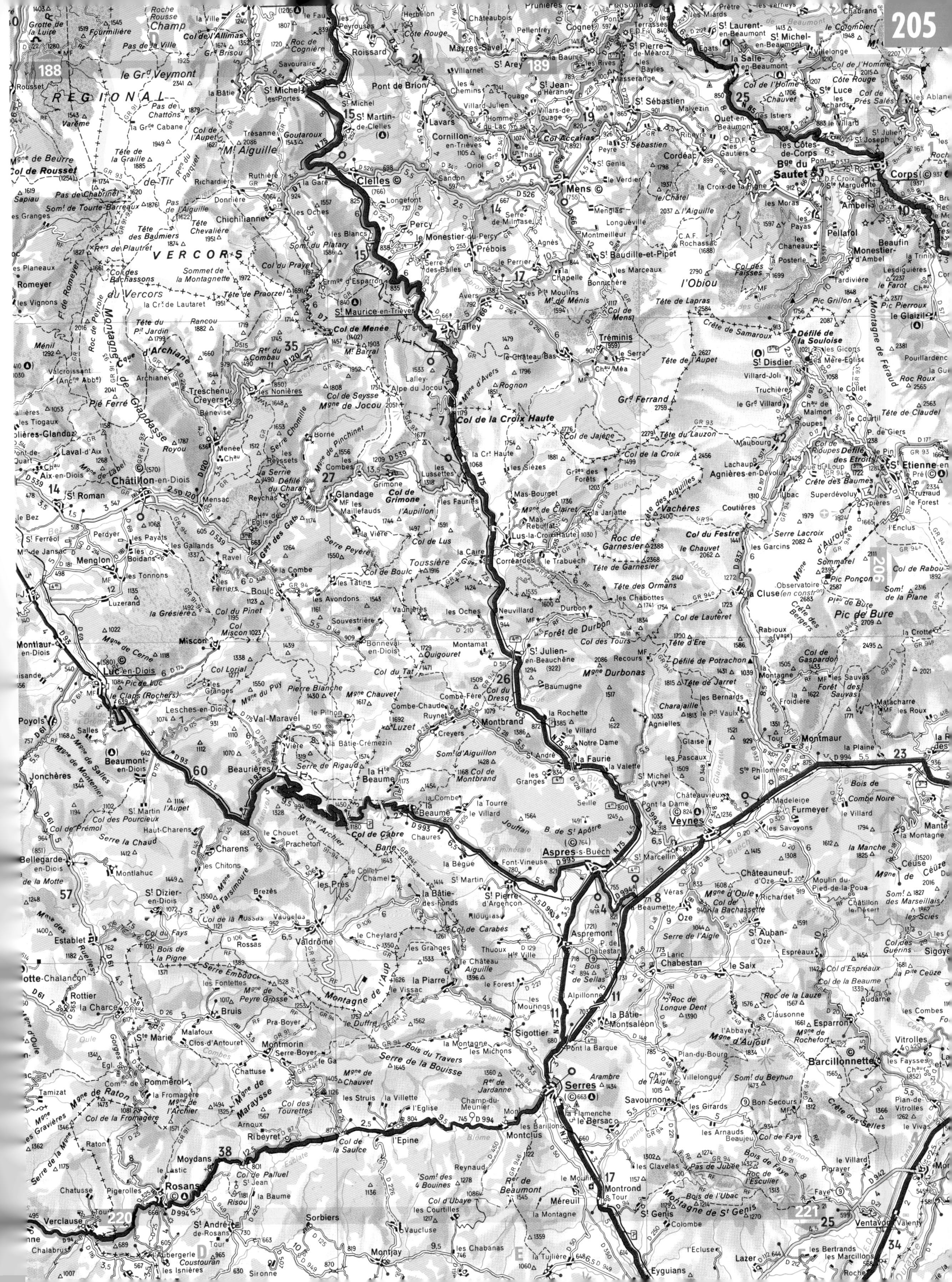

188
189
206
220
221
Vercors
le Grd Veymont
Mt Aiguille
Col de Rousset
St Michel-les-Portes
Clelles
Mens
Col Accarias
St Sébastien
Cordéac
Corps
Bge du Sautet
St Laurent-en-Beaumont
la Salle-en-Beaumont
Pellafol
l'Obiou
St Maurice-en-Trièves
Lalley
Tréminis
St Disdier
Défilé de la Souloise
Grd Ferrand
Col de Menée
Col de la Croix Haute
Châtillon-en-Diois
Glandage
Col de Grimone
Lus-la-Croix-Haute
Roc de Garnesier
Col du Festre
Agnières-en-Dévoluy
St Etienne-en-Dévoluy
Pic de Bure
La Cluse
Luc-en-Diois
Miscon
St Julien-en-Beauchêne
Mgne Durbonas
Montmaur
Veynes
Aspres-s-Buëch
Col de Cabre
Beaurières
Val-Maravel
Montbrand
la Faurie
Charens
Valdrôme
Aspremont
Chabestan
Sigottier
Serres
Barcillonnette
Bruis
Montmorin
Rosans
Ribeyret
Moydans
Montclus
Montrond
Ventavon
St Genis
Sorbiers
Verclause
Eyguians

190
205
221
222
GAP
Corps
N.D. de la Salette
St Firmin
St Bonnet
Chorges
Savines-le-Lac
Tallard
Turriers
Seyne
Vallouise
Puy-St Vincent
Orcières
Ancelle
Col Bayard
Col de Manse
Pic d'Olan
les Rouies
Pic des Souffles
Sirac
PARC NATIONAL DES ECRINS
Vieux Chaillol
Grd Pinier
le Mourre Froid
Pic de Rochelaire
Tête de Vautisse
la Chapelle-en-Valgaudemar
la Motte-en-Champsaur
St Eusèbe-en-Champsaur
Bénévent-et-Charbillac
St Etienne-en-Dévoluy
la Roche-des-Arnauds
la Freissinouse
la Bâtie-Neuve
Montgardin
Prunières
Puy-Sanières
Crots
Embrun
Bge de Serre-Ponçon
Remollon
Espinasses
Rousset
la Bréole
le Lauzet-Ubaye
Forêt de Boscodon
Demoiselles coiffées
Valserres
Jarjayes
Châteauvieux
Fouillouse
Monêtier-Allemont
le Caire
la Motte
Bayons
Selonnet
Montclar
Route Napoléon
Durance
Serre-Ponçon
Ubaye

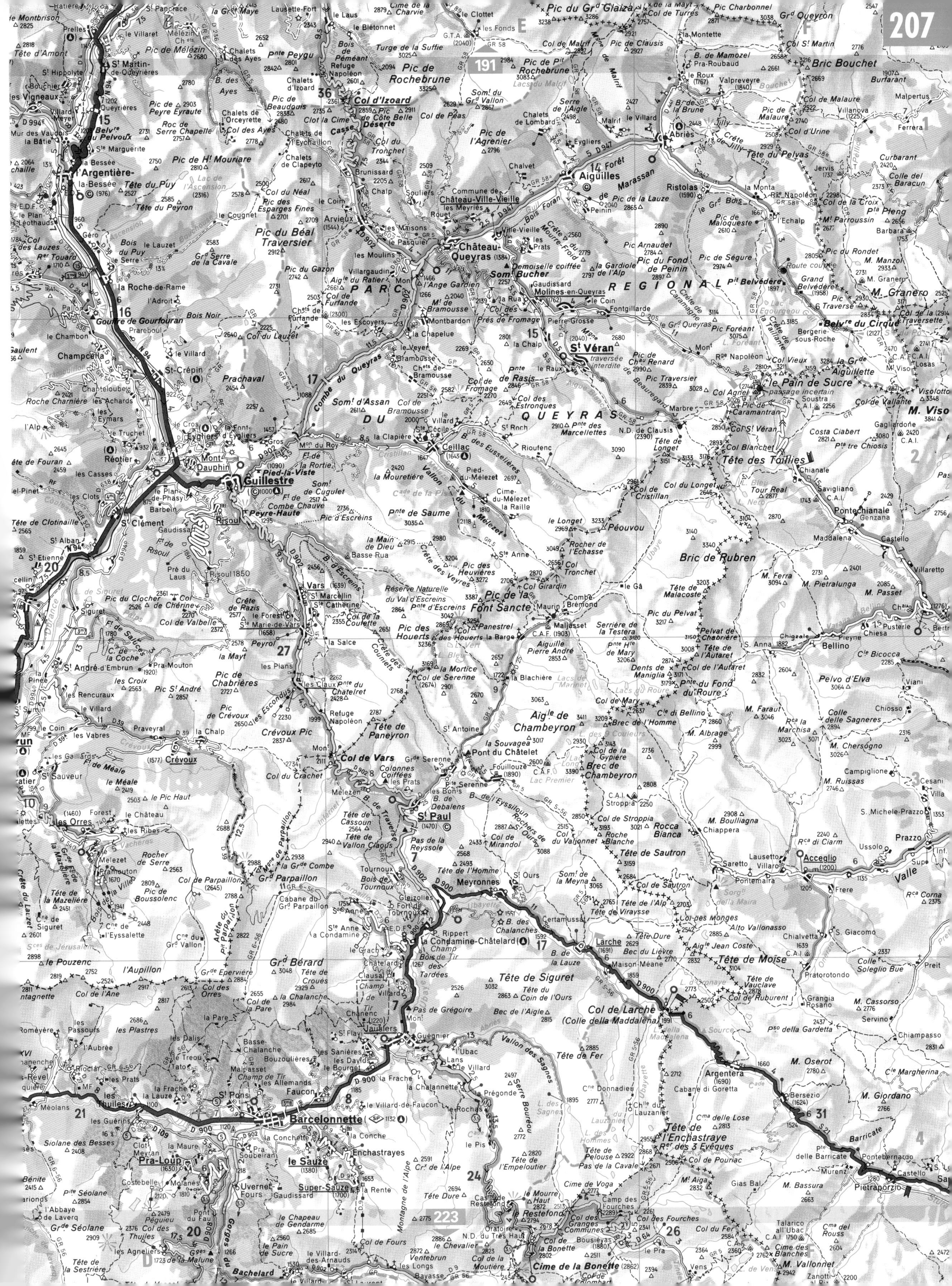

PARC DU QUEYRAS

REGIONAL

Bric Bouchet

l'Argentière-la-Bessée

Pic du Béal Traversier

Col d'Izoard

Pic de Rochebrune

Château-Queyras

Aiguilles

St Véran

le Pain de Sucre

M. Viso

Guillestre

Mont-Dauphin

Risoul

Vars

Col de Vars

Pic de la Font Sancte

St Paul

Brec de Chambeyron

Barcelonnette

Pra-Loup

le Sauze

Super-Sauze

Meyronnes

Larche

Col de Larche
(Colle della Maddalena)

La Condamine-Châtelard

Jausiers

Cime de la Bonette

Tête de l'Enchastraye

Bersezio

Pietraporzio

Acceglio

Ponte chianale

Bellino

Bric de Rubren

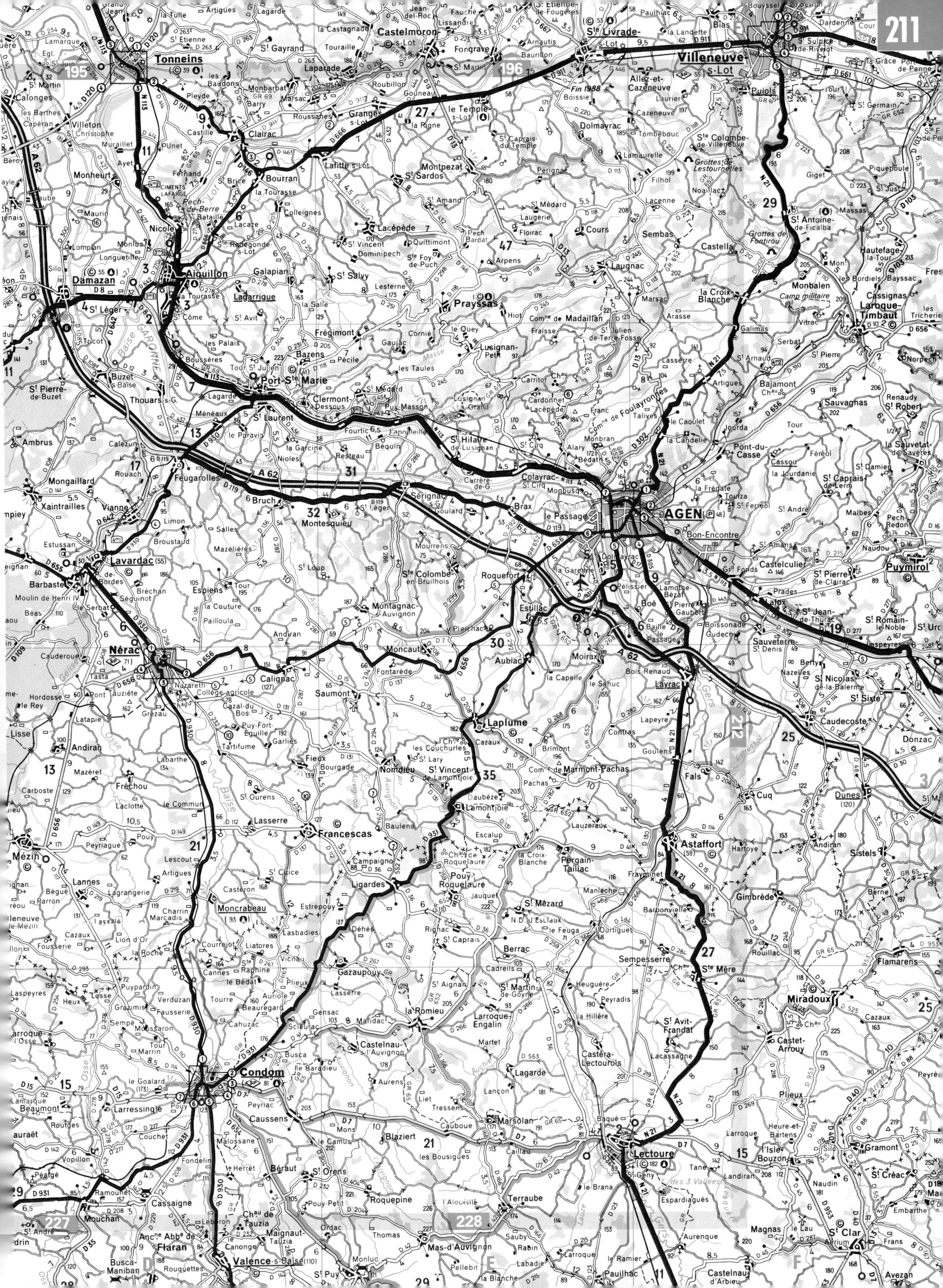
Tonneins
Castelmoron-s-Lot
Ste Livrade-s-Lot
Villeneuve-s-Lot
Clairac
Granges-s-Lot
Aiguillon
Damazan
Port-Ste Marie
Prayssas
Laugnac
Laroque-Timbaut
Lavardac
Nérac
AGEN
Bon-Encontre
Puymirol
Layrac
Laplume
Astaffort
Francescas
Moncrabeau
Condom
Lectoure
Miradoux
Dunes
St Clar
Fleurance
Valence-s-Baïse
Mézin
A 62
N 113
N 21
D 931
D 656
195
196
212
227
228

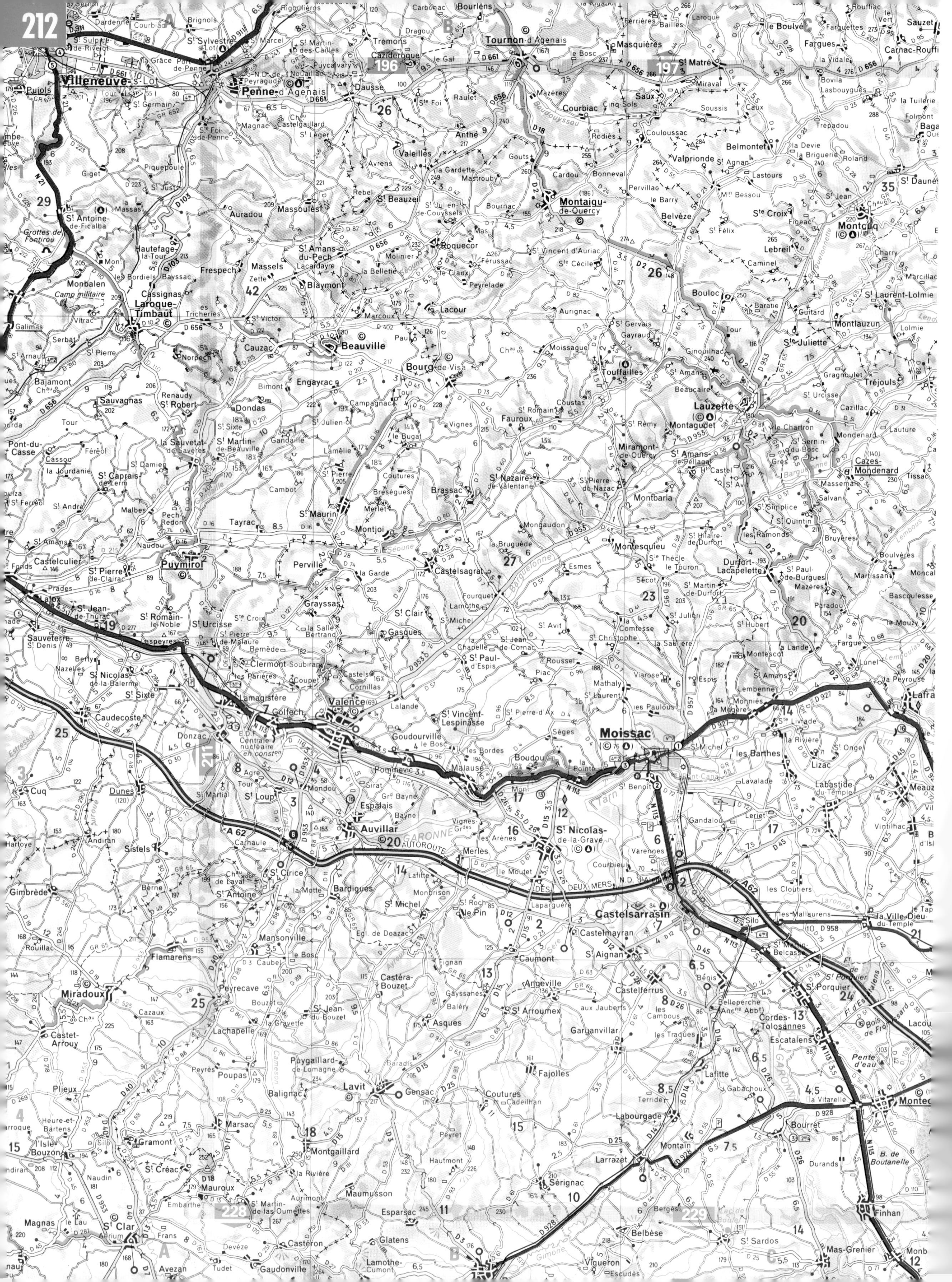

A B C

Villeneuve-s-Lot
Penne-d'Agenais
Tournon-d'Agenais
St Matré
Montcuq
Montaigu-de-Quercy
Lauzerte
Beauville
Bourg-de-Visa
Touffailles
Miramont-de-Quercy
Montagudet
Laroque-Timbaut
Puymirol
St Maurin
Brassac
Montjoi
Castelsagrat
Durfort-Lacapelette
Montesquieu
Valence
Golfech
Donzac
Pommevic
Malause
Moissac
les Barthes
Lizac
Labastide-du-Temple
St Nicolas-de-la-Grave
Auvillar
Espalais
Bardigues
St Cirice
St Antoine
Castelsarrasin
Castelmayran
Castelferrus
St Porquier
la Ville-Dieu-du-Temple
Cordes-Tolosannes
Escatalens
Mansonville
Flamarens
Gimbrède
Miradoux
Castet-Arrouy
Gramont
Lavit
Angeville
Caumont
St Aignan
Bénis
Montgaillard
Marsac
Esparsac
Lamothe-Cumont
Gaudonville
Montain
Larrazet
Sérignac
Labourgade
Finhan
St Clar
Plieux

A62 AUTOROUTE
GARONNE
Tarn
Canal des Deux Mers

196 197
26 35
42 27 23 20
19 25 211 14
228 229

A B C

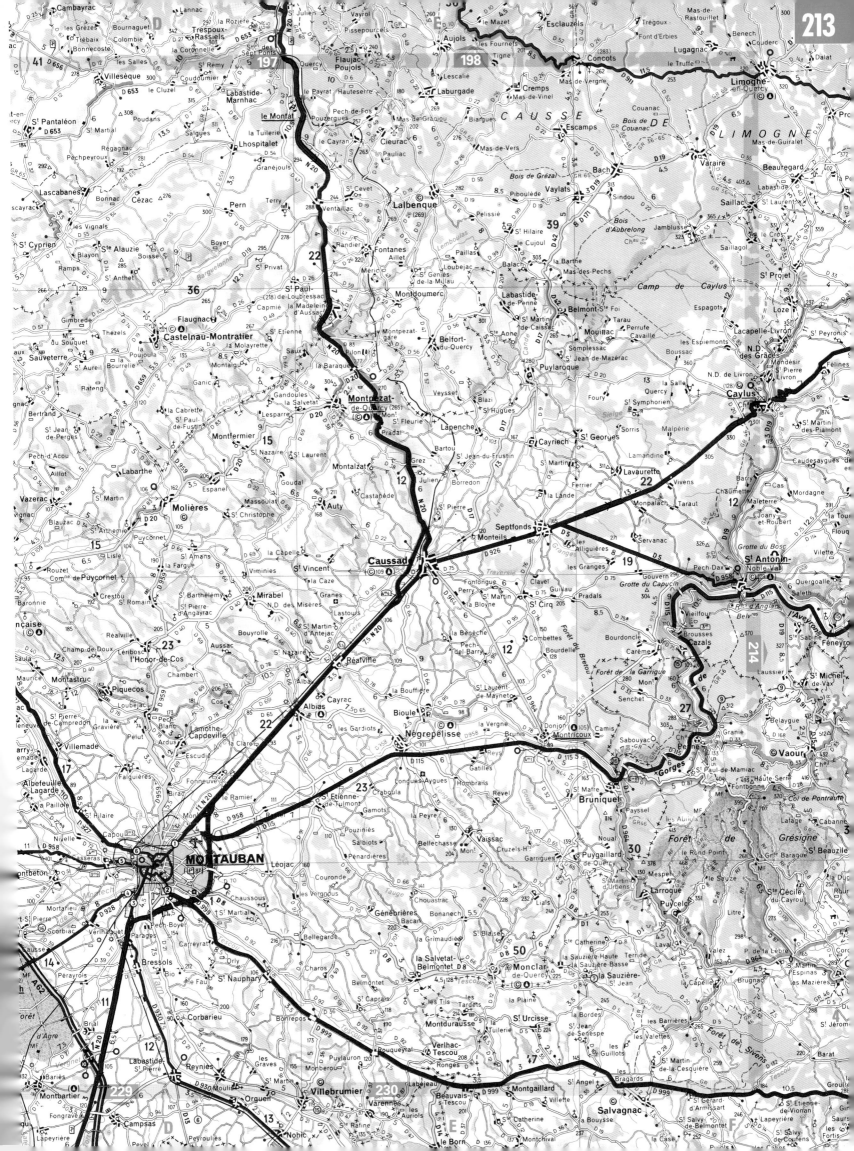

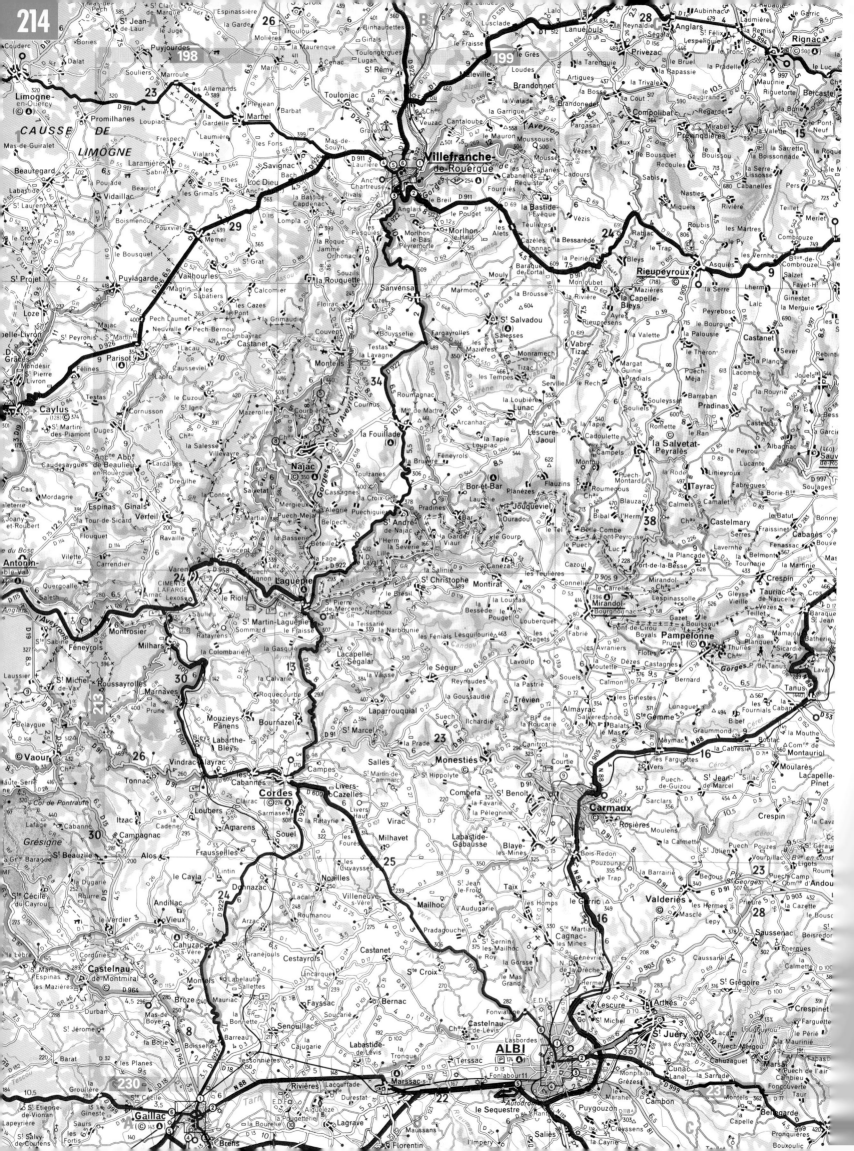

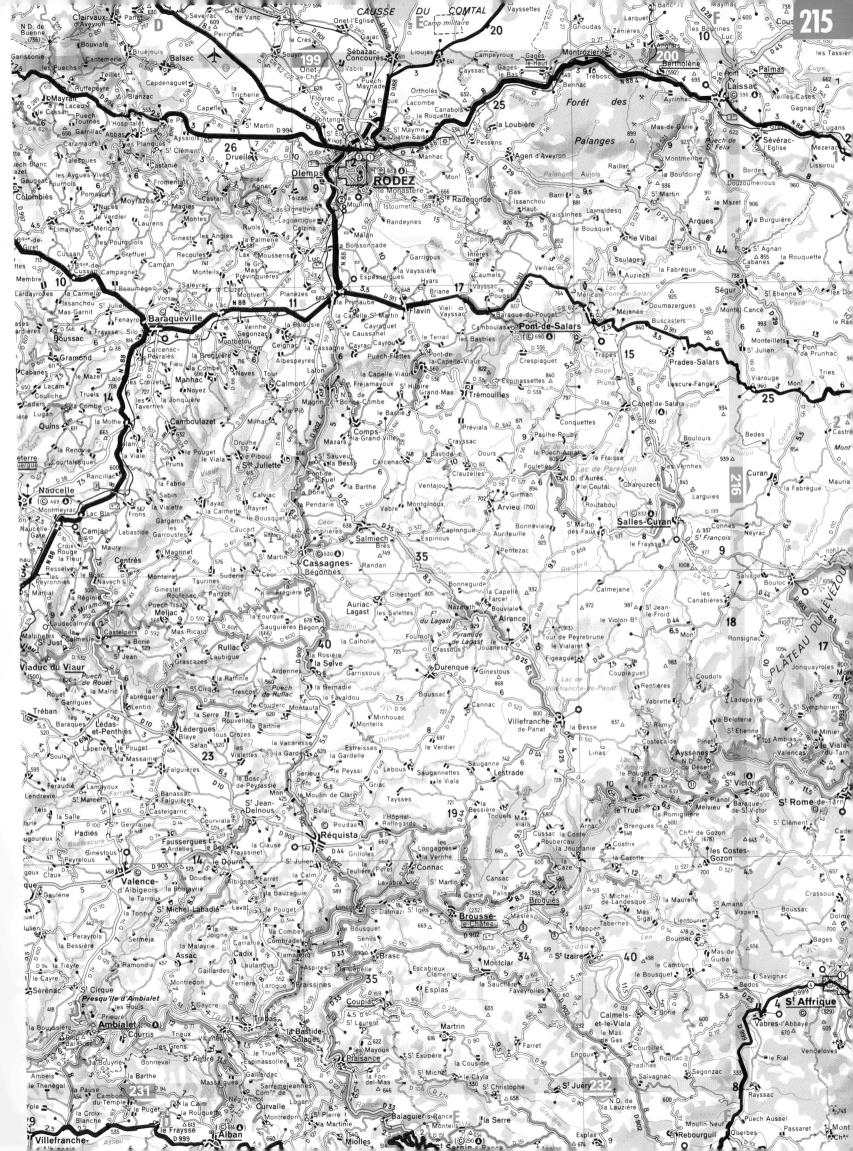

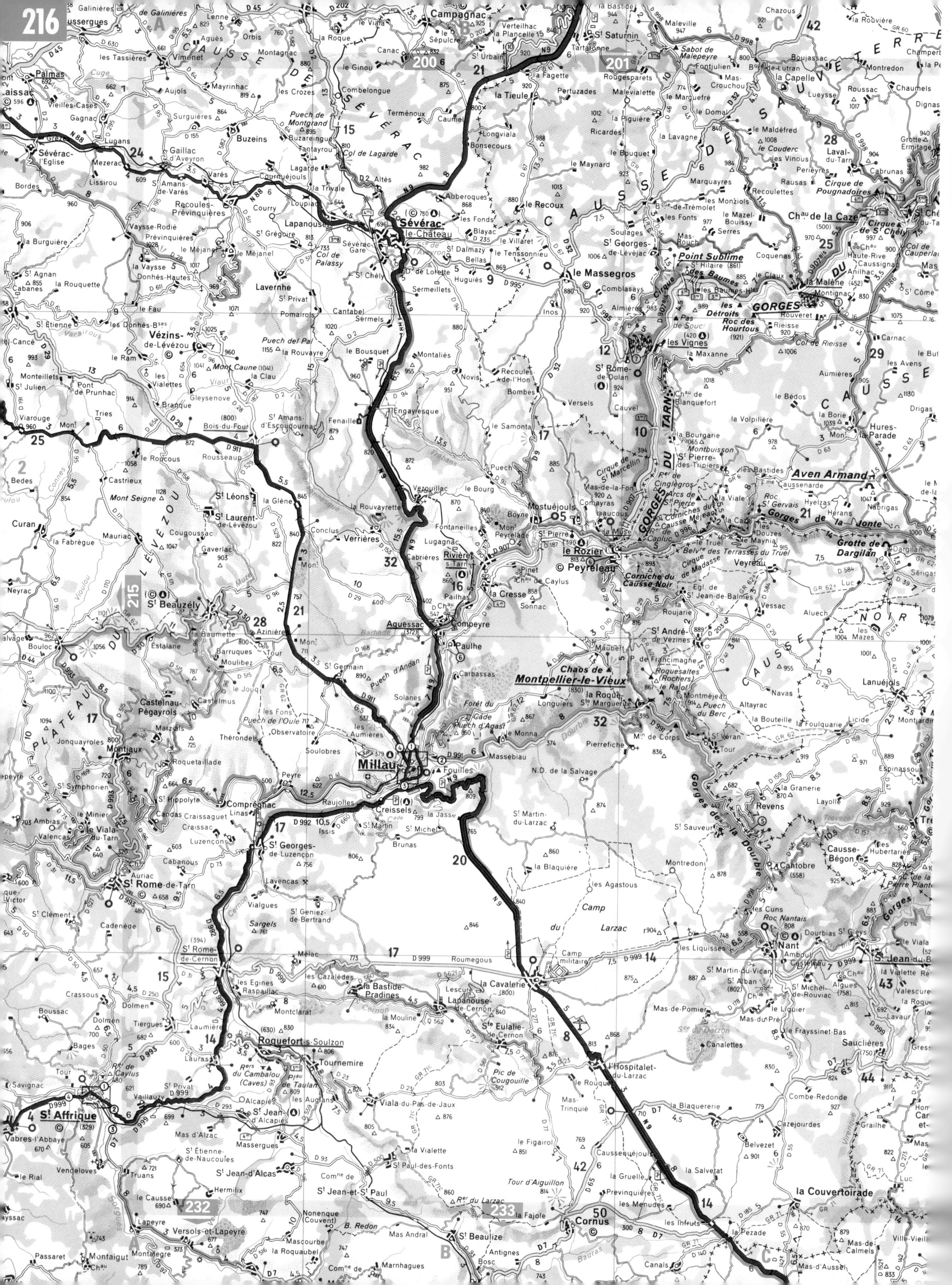

Causse de Sévérac
Sévérac-le-Château
Sévérac-l'Eglise
Campagnac
St Saturnin
Causse de Sauveterre
Causse Méjean
Gorges du Tarn
Point Sublime
Cirque des Baumes
Les Détroits
Roc des Hourtous
La Malène
Cirque de Pougnadoires
Château de la Caze
St Chély-du-Tarn
Les Vignes
St Rome-de-Dolan
Le Massegros
St Georges-de-Lévéjac
Aven Armand
Hures-la-Parade
Gorges de la Jonte
Grotte de Dargilan
Le Rozier
Peyreleau
Corniche du Causse Noir
Causse Noir
Chaos de Montpellier-le-Vieux
Rivière-s-Tarn
Mostuéjouls
Aguessac
Compeyre
Paulhe
Millau
Creissels
Compregnac
Vézins-de-Lévézou
Lévézou
St Beauzély
St Léons
St Laurent-de-Lévézou
Bois-du-Four
Castelnau-Pégayrols
Montjaux
Plateau du Lévézou
St Rome-de-Tarn
Le Viala-du-Tarn
St Georges-de-Luzençon
St Rome-de-Cernon
Roquefort-s-Soulzon
Tournemire
St Affrique
Vabres-l'Abbaye
Versols-et-Lapeyre
St Jean-d'Alcapiès
Viala-du-Pas-de-Jaux
La Bastide-Pradines
La Cavalerie
Lapanouse-de-Cernon
Ste Eulalie-de-Cernon
L'Hospitalet-du-Larzac
Camp du Larzac
Nant
St Jean-du-Bruel
Cantobre
Gorges de la Dourbie
Revens
Lanuéjols
La Couvertoirade
Cornus
St Beaulize
St Jean-et-St Paul
Sauclières
Montpellier-le-Vieux
Pic de Cougouille
Tour d'Aiguillon

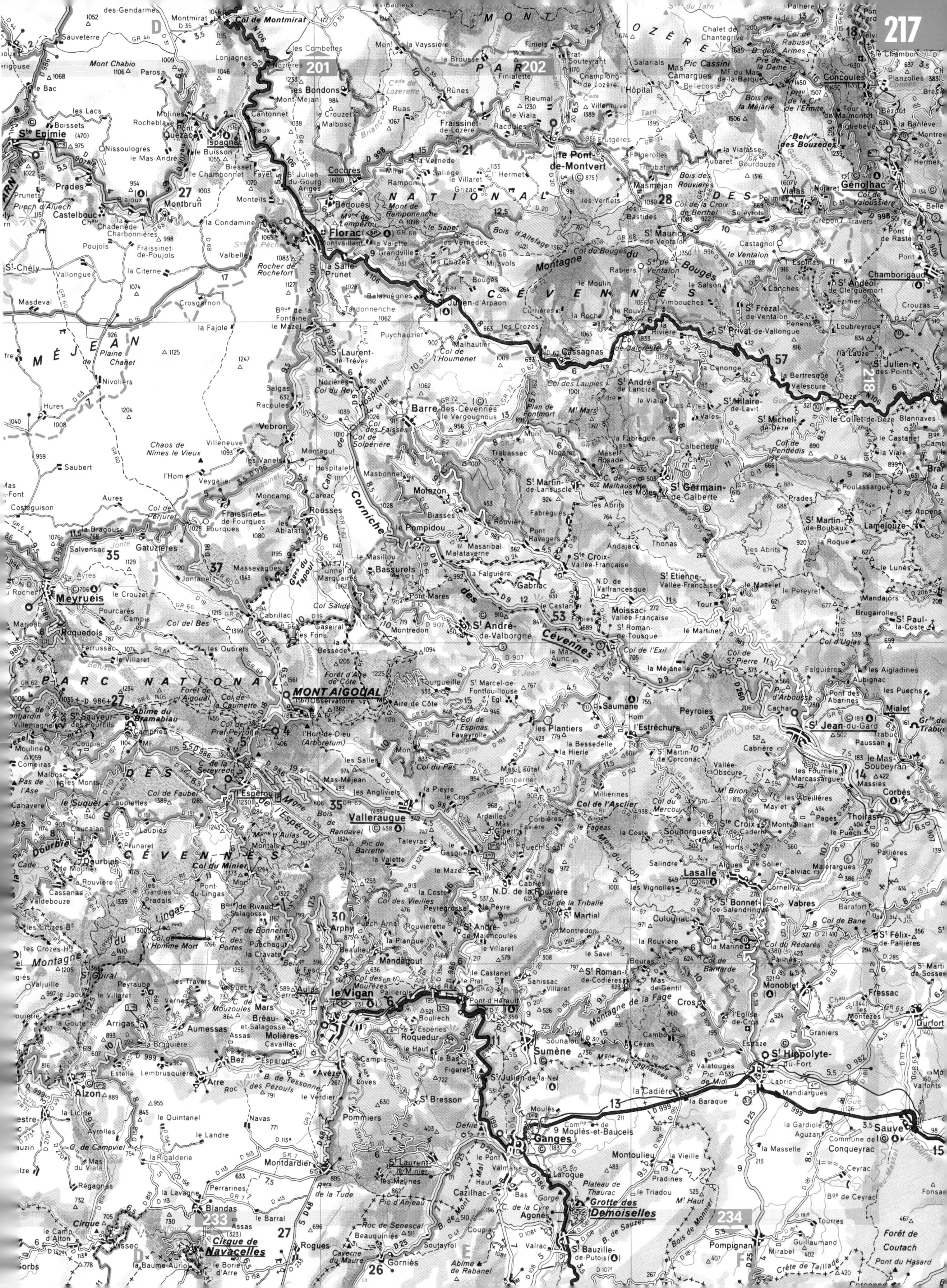

Col de Montmirat
MONT LOZÈRE
PARC NATIONAL DES CÉVENNES
Ste Enimie
Ispagnac
Quézac
Florac
les Bondons
Cocurès
le Pont-de-Montvert
Génolhac
Vialas
Concoules
Chamborigaud
Montagne du Bougès
MÉJEAN
Meyrueis
Chaos de Nîmes le Vieux
Barre-des-Cévennes
St Germain-de-Calberte
St Jean-du-Gard
St André-de-Valborgne
MONT AIGOUAL
Abîme de Bramabiau
Corniche des Cévennes
Valleraugue
Lasalle
St Hippolyte-du-Fort
le Vigan
Sumène
Ganges
Sauve
Durfort
Grotte des Demoiselles
St Bauzille-de-Putois
Cirque de Navacelles
Alzon
Montdardier
Col de l'Asclier
Col de l'Homme Mort
Mialet
Anduze
201
202
233
234
218

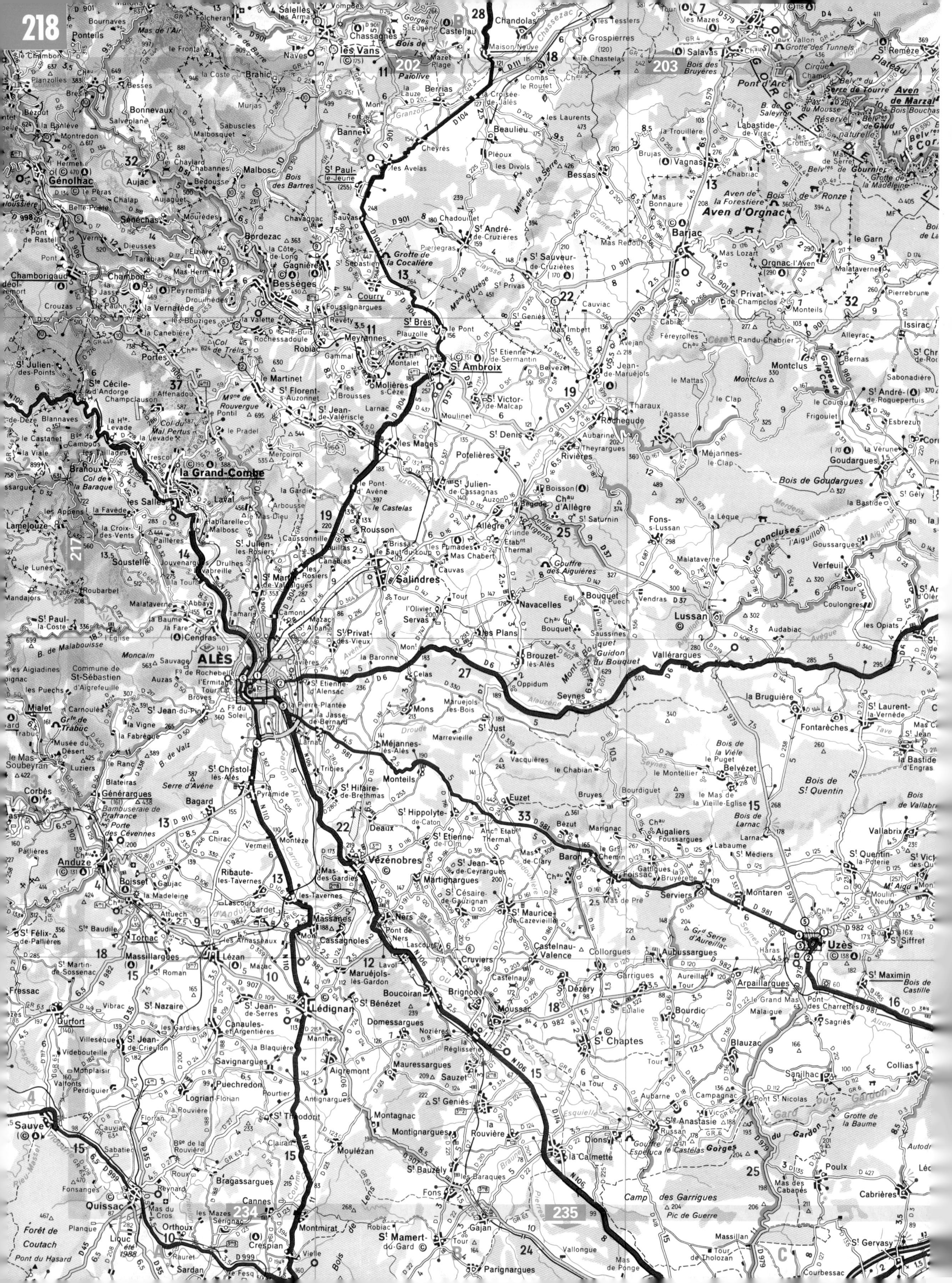

Les Vans
Chassagnes
Chandolas
Grospierres
Salavas
Vallon-Pont-d'Arc
Pont d'Arc
Génolhac
Chamborigaud
Bessèges
Robiac
St Ambroix
Barjac
Aven d'Orgnac
Orgnac-l'Aven
St Paul-le-Jeune
Bessas
Vagnas
Labastide-de-Virac
St André-de-Cruzières
St Sauveur-de-Cruzières
Gagnières
Courry
Meyrannes
Molières-s-Cèze
St Jean-de-Maruéjols
Rochegude
Tharaux
Montclus
Goudargues
St Julien-des-Points
Ste Cécile-d'Andorge
Portes
la Grand-Combe
Laval
les Salles
Lamelouze
Soustelle
St Martin-de-Valgalgues
St Julien-les-Rosiers
Rousson
Salindres
Allègre
Navacelles
Lussan
Vallérargues
ALÈS
Cendras
St Jean-du-Pin
St Christol-lès-Alès
Mialet
Générargues
Anduze
Bagard
Boisset
Ribaute-les-Tavernes
Vézénobres
Martignargues
Deaux
St Hippolyte-de-Caton
Euzet
St Étienne-de-l'Olm
Mons
Seynes
Bouquet
Brouzet-lès-Alès
la Bruguière
Fontarèches
St Laurent-la-Vernède
Belvézet
Verfeuil
Tornac
Massillargues
Lézan
Cardet
Massanes
Cassagnoles
Ners
Maruéjols-lès-Gardon
Lédignan
Boucoiran
Brignon
Moussac
Castelnau-Valence
Baron
Foissac
Serviers
Montaren
Uzès
St Siffret
St Maximin
Arpaillargues
Aubussargues
Collorgues
St Dézéry
St Chaptes
Bourdic
Blauzac
Sanilhac
Collias
Durfort
St Nazaire
Canaules-et-Argentières
Savignargues
Aigremont
Sauzet
St Geniès
la Rouvière
Montignargues
Dions
la Calmette
Ste Anastasie
Russan
Gorges du Gardon
Poulx
Cabrières
Sauve
Quissac
Logrian-Florian
Puechredon
St Théodorit
Moulézan
Bragassargues
Cannes
Sérignac
Orthoux
Crespian
Montmirat
St Mamert-du-Gard
Gajan
Fons
St Bauzély
Parignargues
Camp des Garrigues
Pic de Guerre
St Gervasy
Liouc
Sardan
Forêt de Coutach
Pont du Hasard
202
203
217
234
235

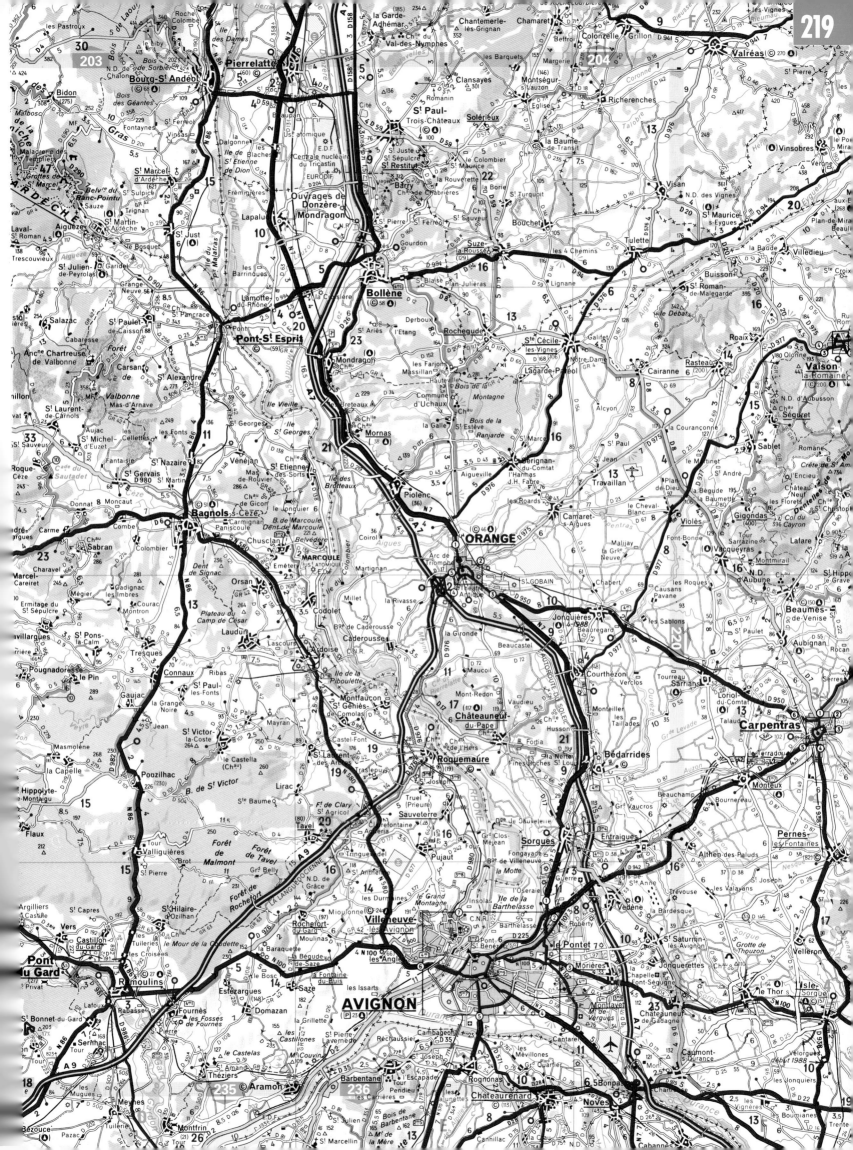

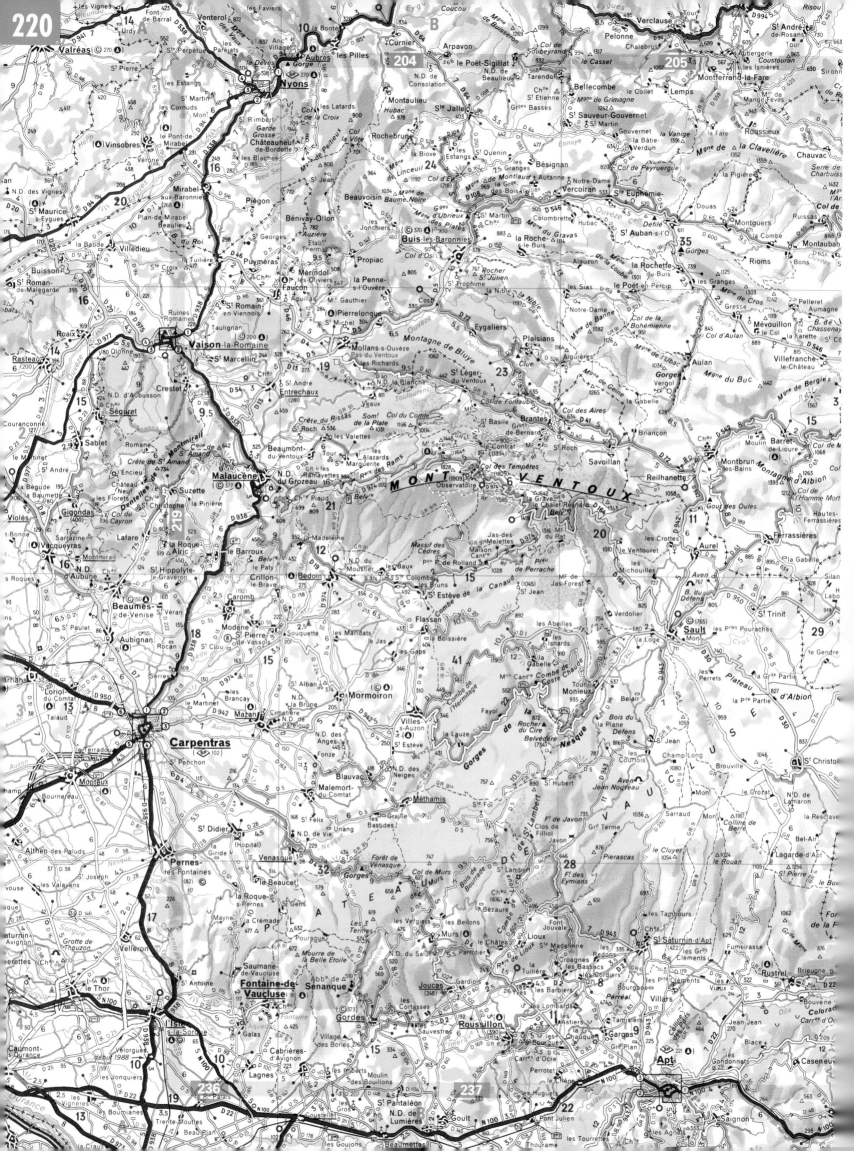

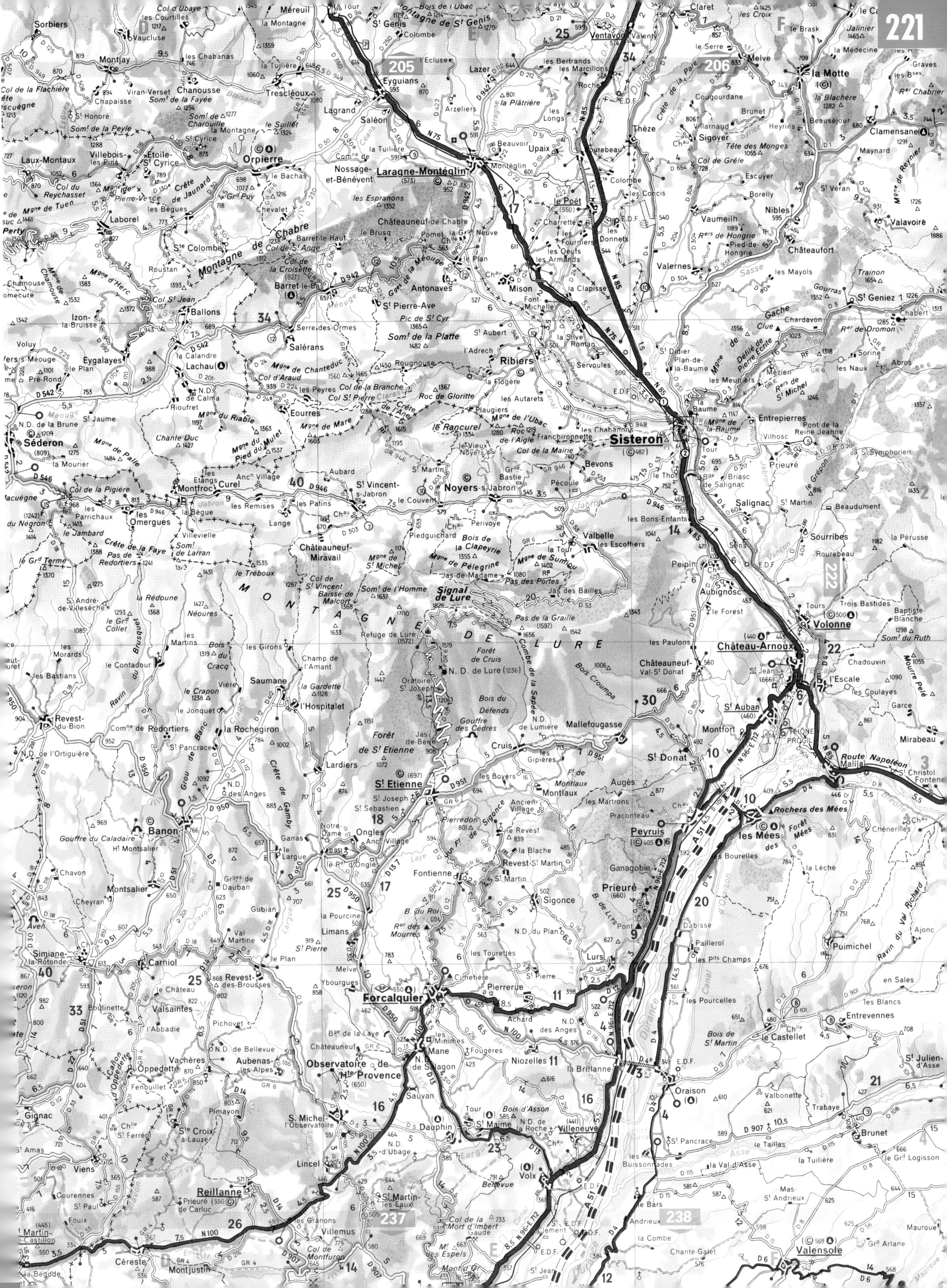
Sorbiers
Montjay
Chanousse
Trescléoux
Eyguians
Lagrand
Saléon
Orpierre
Laux-Montaux
Laragne-Montéglin
Nossage-et-Bénévent
Laborel
Montagne de Chabre
Châteauneuf-de-Chabre
Ballons
Barret-le-Bas
Antonaves
Mison
Ribiers
Lachau
Eourres
Séderon
Montfroc
Curel
Noyers-s-Jabron
Sisteron
Valbelle
Signal de Lure
MONTAGNE DE LURE
Château-Arnoux
Volonne
St Auban
Peyruis
les Mées
Rochers des Mées
Malijai
Route Napoléon
Banon
St Etienne
Forcalquier
Mane
Observatoire de Hte Provence
Lurs
Oraison
Villeneuve
Volx
Reillanne
Céreste
Montjustin
Simiane-la-Rotonde
Valensole
Sigoyer
la Motte
Clamensane
Thèze
Upaix
le Poët
Vaumeilh
Valernes
Entrepierres
Salignac
Aubignosc
Peipin
Montfort
Mallefougasse
Cruis
Montlaux
Revest-du-Bion
Saumane
l'Hospitalet
Lardiers
Ongles
Limans
Sigonce
Niozelles
la Brillanne
Dauphin
Viens
Gignac
Oppedette
Vachères
Puimichel
Entrevennes
Brunet
205
206
222
237
238

Major locations and features on this map (Digne-les-Bains region, France):

- **Seyne** (C) 1200
- **DIGNE** (P) 608
- **Castellane** (SP)
- **Barles**
- **Verdaches**
- **Blayeul Som.** 2189
- **Col de Maure** 1346
- **Grand-Puy**
- **la Javie** (C)
- **le Brusquet**
- **Prads**
- **Beaujeu**
- **Blégiers**
- **Thoard**
- **Marcoux**
- **Draix**
- **Archail**
- **Beynes**
- **Mézel** (C)
- **Châteauredon**
- **Chabrières** (621)
- **Entrages**
- **St Michel de Cousson**
- **Clumanc**
- **Lambruisse**
- **Argens**
- **Thorame-Haute** MF
- **Thorame-Basse**
- **Thorame-Haute Gare** (1135) 28
- **Moriez**
- **St André-les-Alpes** (C) 894
- **St Julien-du-Verdon** (C) 914
- **Barrême** (C) 720
- **Senez** N.D. des Clots
- **Blieux**
- **la Mure**
- **Chaudon-Norante**
- **Estoublon**
- **Bras-d'Asse**
- **St Jeannet**
- **St Julien-d'Asse**
- **Brunet**
- **St Jurs**
- **Puimoisson**
- **Moustiers Ste Marie** (C) 63
- **N. D. de Beauvoir**
- **Malijai** Route Napoléon
- **Mallemoisson**
- **Aiglun** 19
- **Mirabeau**
- **le Chaffaut St Jurson**
- **Champtercier**
- **Courbons** (920)
- **les Sieyès**
- **la Sèbe**
- **Authon**
- **St Geniez** 1226
- **Clamensane** (C)
- **Bayons** MF
- **Valavoire**
- **Esparron-la-Bâtie**
- **Reynier**
- **Baudinard**
- **Trainon** 1654
- **les Monges** 2115
- **Vernet** (C)
- **le Vernet** (C)
- **Auzet**
- **Col du Labouret** 42
- **le Labouret**
- **Couloubroux**
- **Maure**
- **Col du Fanget** 1459
- **Tête Grosse** 2032
- **Tête de l'Estrop** 2961
- **Mourre-Gros** 2652
- **Villars-Colmars** (1670)
- **Beauvezer** (1150)
- **Col d'Allos** 2240
- **la Foux d'Allos** 1800
- **Thorame-Haute**
- **Bge de Castillon**
- **Clue de Vergons**
- **Clue de Taulanne**
- **Col des Lèques**
- **Cadières de Brandis**
- **N.D. du Roc**

Route numbers / boxes: **206**, **207**, **221**, **238**, **239**

Grid markers: 1, 2, 3, 4 (left margin); 20, 24, 28, 13, 8 (right margin); 22 (bottom left); 42 (center); A, B, C (top and bottom)

PARC NATIONAL DU MERCANTOUR
Cime de la Bonette
Col de la Cayolle
Mont Pelat
Allos
Colmars
St Etienne-de-Tinée
Auron
Isola
Isola 2000
Entraunes
St Martin-d'Entraunes
Châteauneuf-d'Entraunes
Villeneuve-d'Entraunes
Guillaumes
Valberg
Beuil
Péone
St Sauveur-s-Tinée
Gorges de Daluis
Gorges du Cians
Daluis
Annot
Entrevaux
Puget-Théniers
Touët-s-Var
Villars-s-Var
Malaussène
Roquesteron
St Auban
Clue de St Auban
Clue du Riolan
Clue d'Aiglun
Gréolières
Thorenc
Coursegoules
Bézaudun-les-Alpes
Montagne du Cheiron
207
239
240
241

Biarritz

Clemenceau (Pl.) .... EY 20
Edouard-VII (Av.) .... EY
Espagne (R. d') .... DZ
Foch (Av. du Mar.) .... EYZ
Gambetta (R.) .... DEZ
Mazagran (R.) .... EY 74
Port-Vieux (Pl. du) ...... DY 82
Verdun (Av. de) .... EY 92
Victor-Hugo (Av.) .... EYZ

Atalaye (Pl.) .... DY 4
Barthou (Av. Louis) ...... EY 6
Beaurivage (Av.) .... DZ 7
Bellevue (Pl.) .... EY 8
Champ-Lacombe (R.) .... EZ 18
Gare (Av. de la) .... EZ 30
Gaulle (Bd du Gén. de) ... EY 36
Goélands (R. des) .... DY 38
Helder (R. du) .... EY 45
Héllanthe (Carr. d') ..... DZ 46

Jaulerry (Av.) .... EZ 52
Larralde (R.) .... EY 59
Larre (R. Gaston) .... DY 60
Leclerc (Bd Mar.) .... DEY 64
Libération (Pl. de la) ... EZ 66
Marne (Av. de la) .... EY 71
Petit (Av. Joseph) .... EY 79
Port-Vieux (R. du) .... DY 83
Rocher de la Vierge (Espl. du) ... DY 85
Ste-Eugénie (Pl.) .... DY 88
Sobradiel (Pl.) .... EZ 90

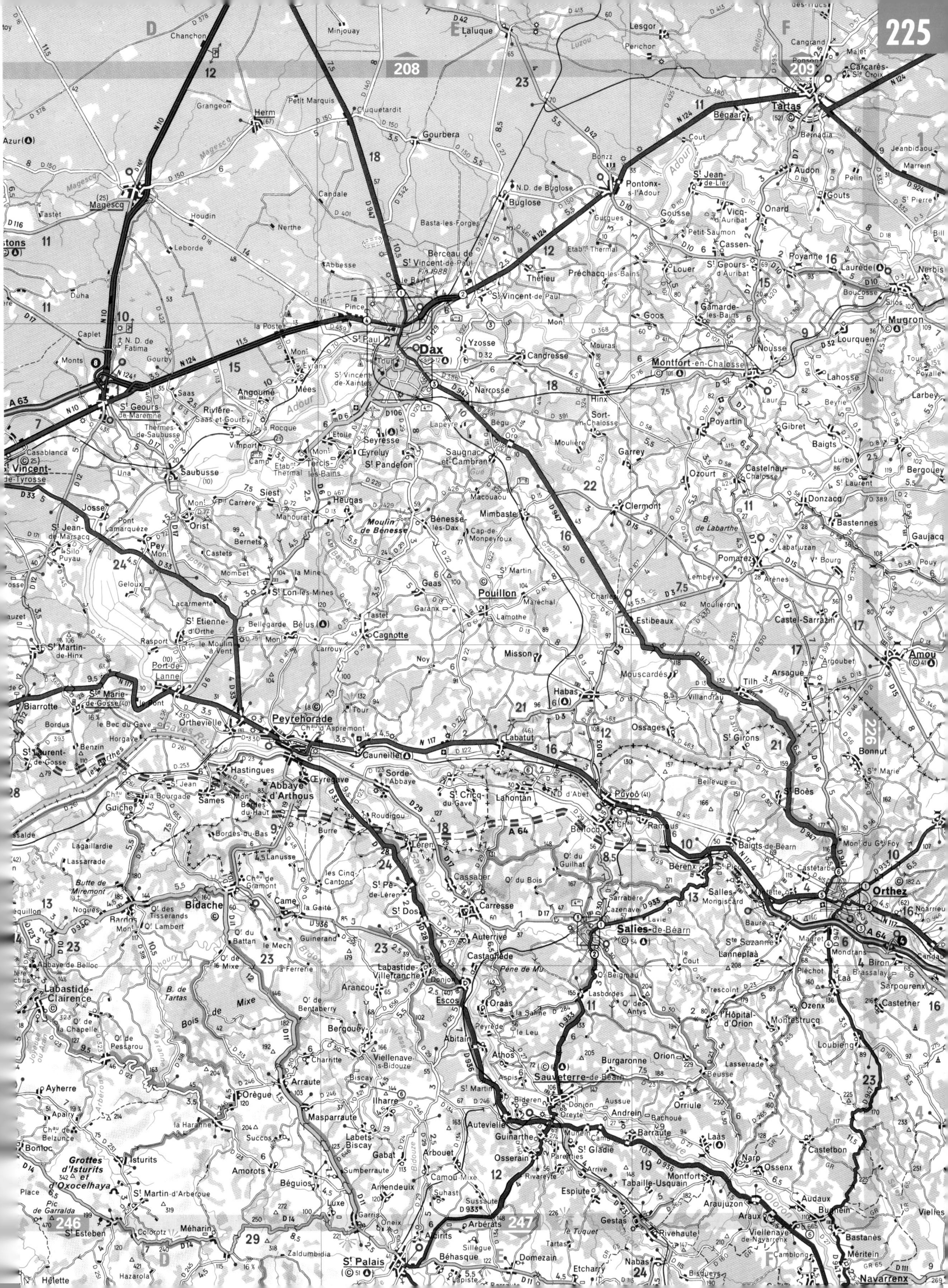

208 · 209

D · E · F

Tartas
Dax
Peyrehorade
Pouillon
Orthez
Salies-de-Béarn
Sauveterre-de-Béarn
Bidache
Labastide-Clairence
St Palais
Amou
Mugron
Montfort-en-Chalosse
Bégaar
Pontonx-s-l'Adour
St Geours-de-Maremne
St Vincent-de-Tyrosse
Magescq
St Vincent-de-Paul
Narrosse
Clermont
Castelnau-Chalosse
Montfort
Navarrenx

Grottes d'Isturits et d'Oxocelhaya

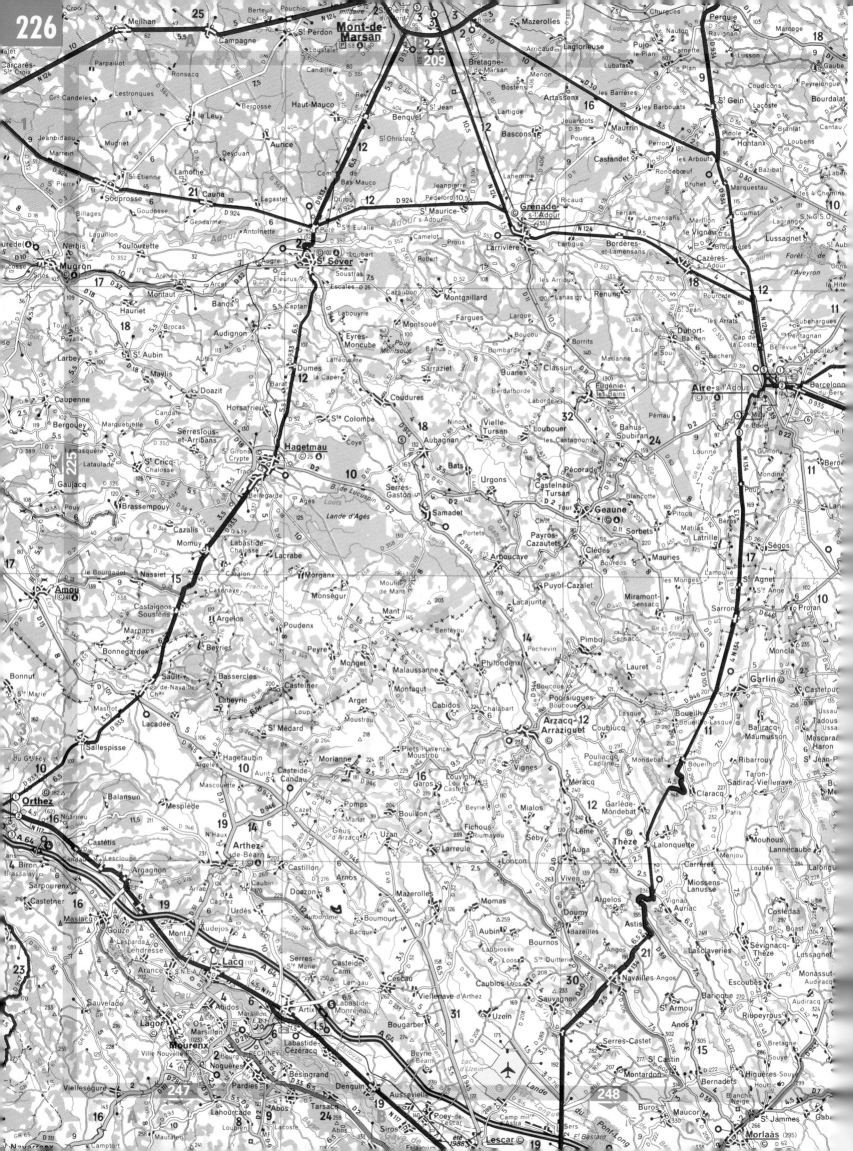

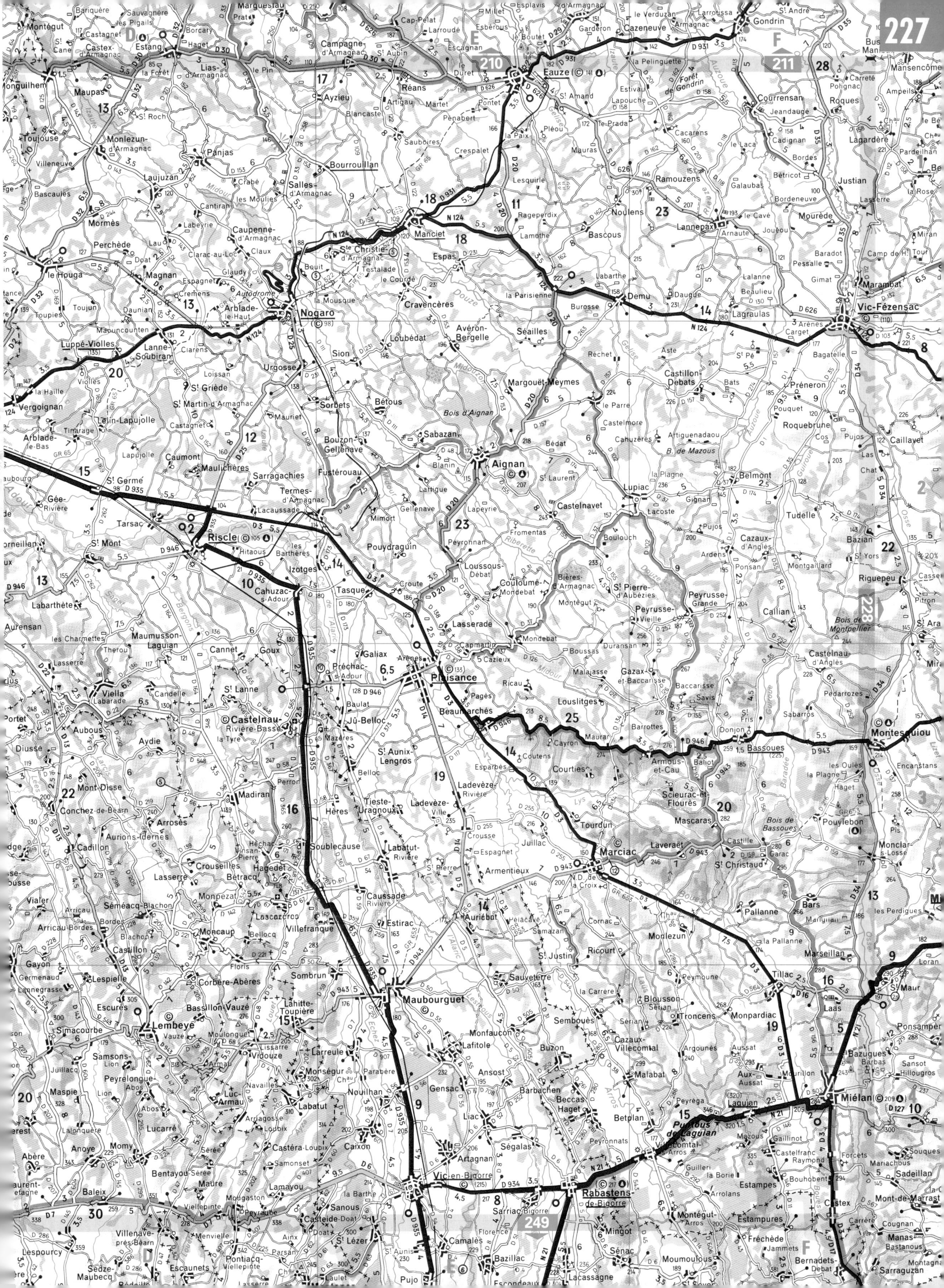
Eauze
Manciet
Nogaro
Aignan
Riscle
Plaisance
Marciac
Maubourguet
Vic-en-Bigorre
Rabastens-de-Bigorre
Miélan
Montesquiou
Vic-Fézensac
Lannepax
Lembeye
Castelnau-Rivière-Basse
Madiran
Lupiac
Bassoues
Beaumarchés
Cazaubon
Gondrin
Courrensan
Roques
Lagardère
Mansencome
Cazeneuve
Estang
Campagne-d'Armagnac
Castex-d'Armagnac
Monguilhem
Maupas
Toujouse
Monlezun-d'Armagnac
Panjas
Laujuzan
Salles-d'Armagnac
Bourrouillan
Mormès
Le Houga
Magnan
Arblade-le-Haut
Lanne-Soubiran
Luppé-Violles
Urgosse
Vergoignan
Sion
Bétous
Sorbets
Loubédat
Avéron-Bergelle
Cravencères
Espas
Séailles
Margouët-Meymes
Demu
Bascous
Noulens
Ramouzens
Lagraulas
Castillon-Debats
Préneron
Roquebrune
Caillavet
Bouzon-Gellenave
Sabazan
Fustérouau
Termes-d'Armagnac
Sarragachies
Maulichères
Caumont
Cahuzac-s-Adour
Izotges
Tasque
Pouydraguin
Castelnavet
Lasserade
Couloumé-Mondebat
Bières-d'Armagnac
St Pierre-d'Aubézies
Peyrusse-Grande
Peyrusse-Vieille
Castelnau-d'Anglès
Callian
Riguepeu
Gazax-et-Baccarisse
Louslitges
Courties
Armous-et-Cau
Scieurac-et-Flourès
Mascaras
Tourdun
Laveraët
Pallanne
Bars
Marseillan
Tillac
Montpardiac
Troncens
Blousson-Sérian
Monlezun
Ricourt
St Justin
Armentieux
Juillac
Ladevèze-Ville
Ladevèze-Rivière
Tieste-Uragnoux
Hères
Soublecause
Labatut-Rivière
Caussade-Rivière
Estirac
Auriébat
Villefranque
Sombrun
Lahitte-Toupière
Hagedet
Crouseilles
Lasserre
Moncaup
Castillon
Lespielle
Corbère-Abères
Bassillon-Vauzé
Escurès
Simacourbe
Samsons-Lion
Peyrelongue-Abos
Maspie
Luc-Armau
Vidouze
Larreule
Monségur
Nouilhan
Labatut
Caixon
Artagnan
Ségalas
Gensac
Liac
Ansost
Lafitole
Monfaucon
Buzon
Sembouès
Cazaux-Villecomtal
Malabat
Barbachen
Beccas
Haget
Betplan
Villecomtal-s-Arros
Puntous de Laguian
Laguian
Estampes
Castex
Mont-de-Marrast
Sadeillan
Montégut-Arros
Estampures
Fréchède
Bernadets-Debat
Sarraguzan
Mingot
Sénac
Moumoulous
Lacassagne
Sarriac-Bigorre
Bazillac
Camalès
Pujo
St Lézer
Castéide-Doat
Sanous
Lamayou
Maure
Vialer
Séméacq-Blachon
Gayon
Lespourcy
Baleix
Bentayou-Sérée
Momy
Anoyé
Lucarré
Conchez-de-Béarn
Mont-Disse
Aubous
Aydie
Diusse
Portet
Viella
Cannet
Maumusson-Laguian
Goux
Préchac-s-Adour
Galiax
Jû-Belloc
St Aunix-Lengros
Belloc
Mazères
Cadillon
Arrosès
Aurions-Idernes
Adour
Douze
Midour
Arros
Osse
Bois d'Aignan
Bois de Bassoues
Bois de Montpellier
N 124
N 21
D 935
D 943
D 946
D 931
D 626
GR 653
GR 65
Autodrome
Forêt de Gondrin
210
211
228
249

Map sheet (Gers region, France) — principal localities:

AUCH, Fleurance, Valence-s-Baïse, Mauvezin, Mirande, Masseube, Saramon, Montesquiou, Vic-Fézensac, Jegun, Castéra-Verduzan, St-Clar, Monfort, Cologne area, Gimont (Abbé de Gimont), Aubiet, l'Isle-en-Dodon.

Selected place names:
Maignaut-Tauzia, Valence-s-Baïse, St-Puy, Lamothe-Goas, Pauilhac, Larroque, Castelnau-d'Arbieu, Avezan, Gaudonville, Tauzia, Mas-d'Auvignon, Bezolles, Beaucaire, Ayguetinte, Larroque-St-Sernin, Ste-Radegonde, Urdens, Lamothe-Endo, St-Léonard, Tournecoupe, Lassalle, Pessoulens, St-Paul-de-Baïse, Bonas, Cézan, Réjaumont, Laurensan, Lagarde, Céran, Lalanne, Goutz, Bajonnette, Bivès, Estramiac, Monfort, Castéra-Vieux, Massa, Fontaine-Chaude, Préchac, Puységur, Casteljaloux, Miramont-Latour, Taybosc, St-Brès, Esparbès, Lavardens, Mérens, Embégué, Clarac, Gavarret-Aulouste, Ste-Christie, Labatut, Tourrenquets, St-Pé, Maravat, Puycasquier, Mansempuy, Sérempuy, Grazan-en-Galin, Jegun, Antras, Castillon-Massas, Espérbent, Hardéou, Roquelaure, Rambert, Preignan, Mirepoix, Tourrens, Gaillan, Crastes, Bosc-Mouro, la Bourdette, St-Jean-Poutge, Ramensan, Biran, Ordan-Larroque, St-Jean-de-Bazillac, Castin, Empaillon, Lamothe, Malartic, Lassalle, Labbubée, Coignax, Nougaroulet, Lucvielle, Ansan, St-Sauvy, St-Martin-du-Hour, St-Pé, Blanquefort, Ste-Marie, le Brouilh, le Mas, la Barthe, Caubinot, Gardes, Duran, Bataillé, Leboulin, Lahitte, Marsan, Léchaux, Travès, Montesquiou, l'Isle-de-Noé, Barran, Mirannes, Soubaignan, Pontic, Cadiran-de-Bas, Beaulieu, Robinson, Pessan, la Rochette, Lussan, Arné, l'Isle-Arné, Cahuzac, Abbé de Gimont, Campézaygues, Juilles, Montesquiou, St-Arailles, Labanne, Nux, Castel St-Louis, Embats, Bonnefont, Aylies, Pavie, Lavacant, N.D. du Cédon, Salleneuve, Lartigolle, Pépieux, Enjouet, St-Caprais, Quinsac, St-Guiraud, Montiron, Montesquiou, Mouchès, Lamazère, Vicnau, Miramont-d'Astarac, Hillet, Lasseube-Propre, Cazaux, Auterive, Gramont, Boucagnères, Haulies, Mazères, Castelnau-Barbarens, Fangeau, Aurimont, St-André, Idrac-Respaillès, Beaulieu, Labéjan, Montagnan, en Campan, Durban, Orbessan, le Cape, Pontéjac-en-Brusc, Tirent-Pontéjac, Boulaur, Laurac, Bézéril, Mirande, St-Martin, Lacassagne, Artiguedieu, Sansan, Aulin, Traversères, Montastruc, Lartigue, Saramon, St-Martin-Gimois, Mongausy, Tancouet, St-Soulan, St-Maur, Berdoues, Verdier, Noailhan, Labarthe, Ornézan, Seissan, Monferran-Plavès, Lamaguère, Faget-Abbatial, Sémézies-Cachan, Moncaut, Larroux, St-Elix, Libou, Montamat, Gaujac, Pellefigue, Polastron, Villeneuve, Ponsampère, Campouran, Clermont-Pouyguilles, Mongardin, Lourties-Monbrun, Grazan, Tachoires, Saintes, Baillasbats, Simorre, Sauvéterre, Sabaillan, Tournan, Belloc-St-Clamens, Moncassin, Borde-Blanque, Moncorneil-Grazan, les Adoulins, Crabots, Betcave-Aguin, les Aubes, la Bourdette, Praconteau, Barbet, Cadeillan, Boissède, Mirambeau, St-Michel, St-Elix-Theux, Cénac, St-Arroman, Masseube, Bellegarde, les Paillaros, Meilhan, Villefranche, Campardon, St-Christophe, St-Dode, Sauviac, Esclassan-Labastide, St-Christophe (E. d'Agric.), les Quatre Routes, Pinson, Sère, le Mounet, Bajon, Molas, les Plagnes, les Bernères, St-Pierre, Martisserre, l'Isle-en-Dodon, Montaut, Viozan, Samaran, Aujan-Mournede, Panassac, Bézues-Bajon, Barrage de l'Astarac, Monbardon, Sarcos, Puymaurin, Agassac, Sarraguzan, Manas, Bastanous, Catalas, Mont-de-Marrast, Sadeillan, Cuélas, Ponsan-Soubiran, Montaur-Berney, Arrouède, Cap-du-Bosc, Espaon.

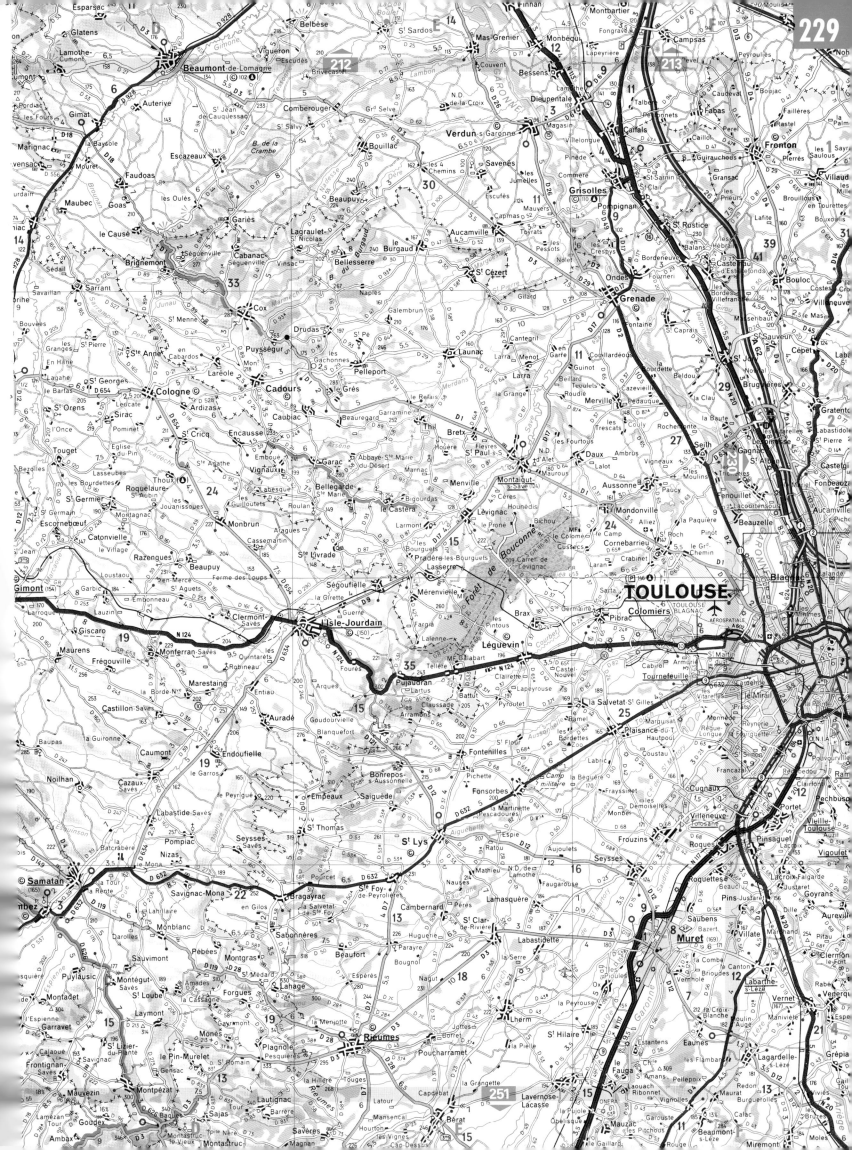

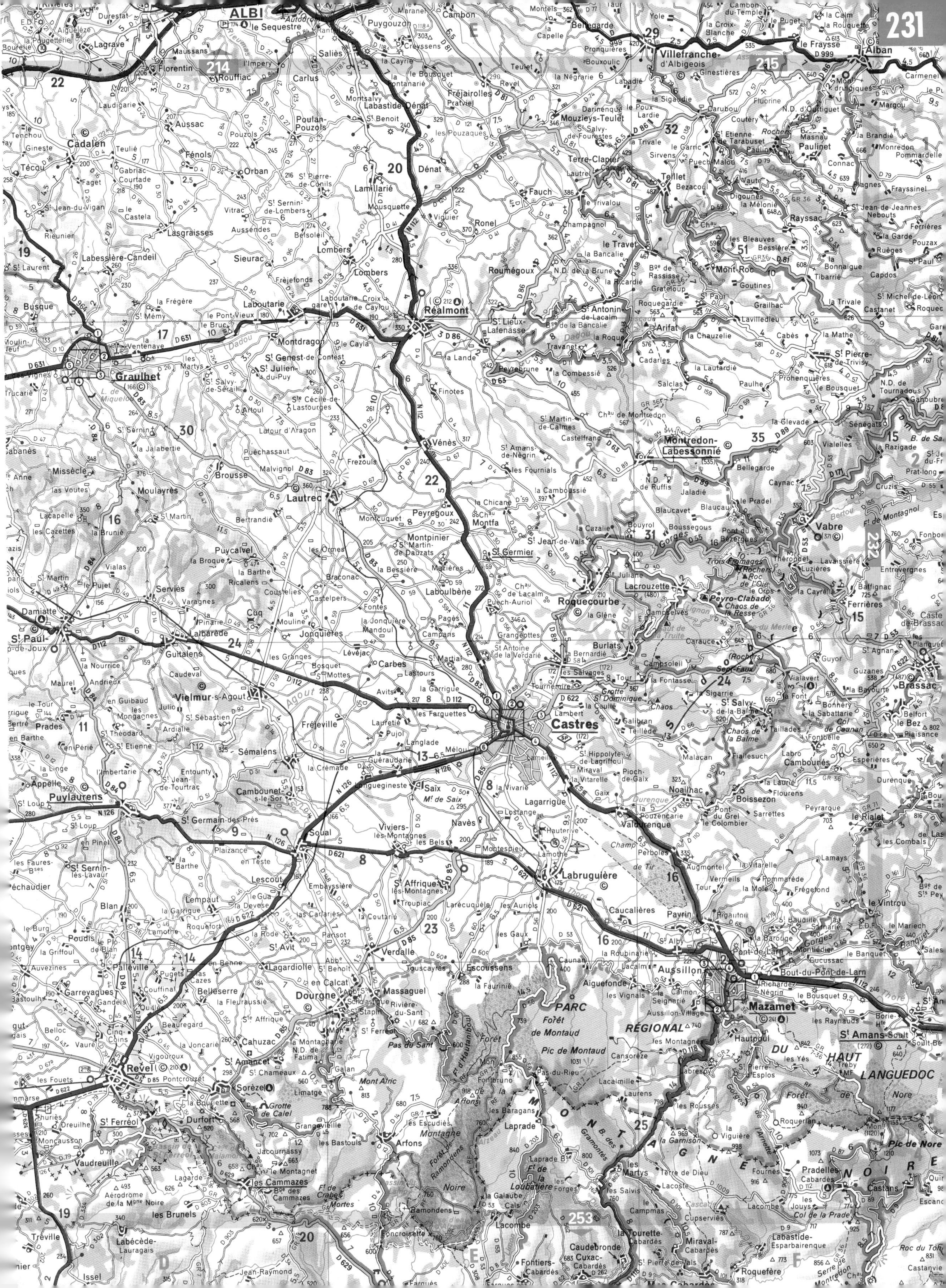

ALBI
Villefranche-d'Albigeois
Alban
Florentin
Cadalen
Graulhet
Réalmont
Lautrec
Montredon-Labessonnié
Vabre
Roquecourbe
Burlats
Castres
Vielmur-s-Agout
Puylaurens
Soual
Labruguière
Mazamet
Aussillon
St Amans-Soult
Revel
Sorèze
Dourgne
Brassac
Lacrouzette
Damiatte
St Paul-Cap-de-Joux
Guitalens
Sémalens
Cuq
Viviers-lès-Montagnes
Saïx
Cambounet-s-le-Sor
St Germain-des-Prés
Escoussens
Massaguel
Verdalle
Arfons
Durfort
St Ferréol
Vaudreuille
Les Cammazes
PARC RÉGIONAL DU HAUT LANGUEDOC
Forêt de Montaud
Pic de Montaud
MONTAGNE NOIRE
Pic de Nore
Forêt de Nore
Caudebronde
Cuxac-Cabardès
Miraval-Cabardès
Labécède-Lauragais
Issel
Pradelles-Cabardès
Castans
214
215
232
253

Map of the Monts de Lacaune / Haut Languedoc region (France)

Grid references: A — B — C (top); 215, 216 (top right); 231, 253, 254, 233 (margins)

Principal localities and features:

Alban · Balaguier-s-Rance · Sernin-s-Rance · Miolles · la Trivale · le Puget · Massals · Montfranc · Pousthomy · Rebourguil · Querbes · Montlaur · Montaigut · St-Félix-de-Sorgues · Gissac · Montagnol · Sylvanès · Sylvanès-les-Bains · Camarès · Brusque · Belmont-s-Rance · Barre · Merdellou (1110) · St-Sever-du-Moustier · Murasson · Fayet · Cussès

Lacaune (800) · MONTS DE LACAUNE · Gijounet · Senaux · Escroux · Viane · Lacaze · Espérausses · Berlats · Nages · Murat-s-Vèbre · St-Amans-de-Mounis · Sommet de l'Espinouse · St-Gervais · Rosis · Colombières-sur-Orb · Mons · Olargues

Brassac · Lacaune · Col de la Bassine · Lamontélarié · PARC RÉGIONAL DU HAUT LANGUEDOC · la Salvetat-s-Agout · Fraisse-s-Agout · St-Vincent-d'Olargues · Martin-de-l'Arçon

Anglès · St-Pons-du-Mont · St-Pons-de-Thomières · Riols · Prémian · St-Étienne-d'Albagnan

St-Amans-Soult · Labastide-Rouairoux · Col de Fenille · Courniou · Grotte de la Devèze · St-Chinian · Cébazan · Creissan

Pic de Nore (1210) · Roc de Peyremaux · Lespinassière · Ferrals-les-Montagnes · Cassagnoles · St-Jean-de-Minervois · Villespassans

Cornus
50
St Beaulize
Cirque de Navacelles

CAUSSE DU LARZAC

le Caylar
St Maurice-Navacelles
Pégairolles-de-Buèges
Pégairolles-de-l'Escalette
Pas de l'Escalette

St Félix-de-l'Héras
la Vacquerie-et-St Martin-de-Castries

St Michel
Montpaon

Plateau de Guilhaumard

le Clapier
Romiguières

St Pierre-de-la-Fage

Col Notre-Dame
Ceilhes-et-Rocozels

Roqueredonde

St Guilhem-le-Désert
Grotte de Clamouse
Pont du Diable

Col du Perthus

Lauroux
Soubès
St Etienne-de-Gourgas
St Privat
Mont St Baudille
Arboras
St Jean-de-la-Blaquière

Avène
Lodève
Col de l'Homme Mort

Lunas
le Bousquet-d'Orb
Graissessac
Camplong

Olmet-le-Puech
St Guiraud
St Félix-de-Lodez
St André-de-Sangonis
Aniane
Gignac

St Etienne-Estréchoux

la Tour-s-Orb
Brenas
Octon
Lac du Salagou
Liausson
Clermont-l'Hérault
Ceyras
Nébian

Bédarieux
Villemagne
Mourèze
Cirque de Mouèze
Villeneuvette
Brignac
Canet
Popian
Pouzols

Lamalou-les-Bains
Hérépian
le Poujol-s-Orb
les Aires
St Michel-de-Mourcairol

Faugères
Cabrières
Péret
Aspiran
Paulhan
Adissan
Plaissan
Campagnan
Bélarga

Caussiniojouls
Cabrerolles
Aigues-Vives
Roquessels
Montesquieu
Vailhan

Laurens
Gabian
Roujan
Caux
Nizas
Usclas-d'Hérault
St Pargoire

Roquebrun
Causses-et-Veyran
Magalas
Puissalicon
Pouzolles
Margon
Alignan-du-Vent
Tourbes
Lézignan-la-Cèbe
Montagnac

Murviel-lès-Béziers
Puimisson
Abeilhan
Coulobres
Espondeilhan
Servian
Valros
Pézenas
Nézignan-l'Evêque
Aumes
St Thibéry

Corneilhan
Bassan
Boujan-s-Libron
Montblanc
Pomérols
Florensac

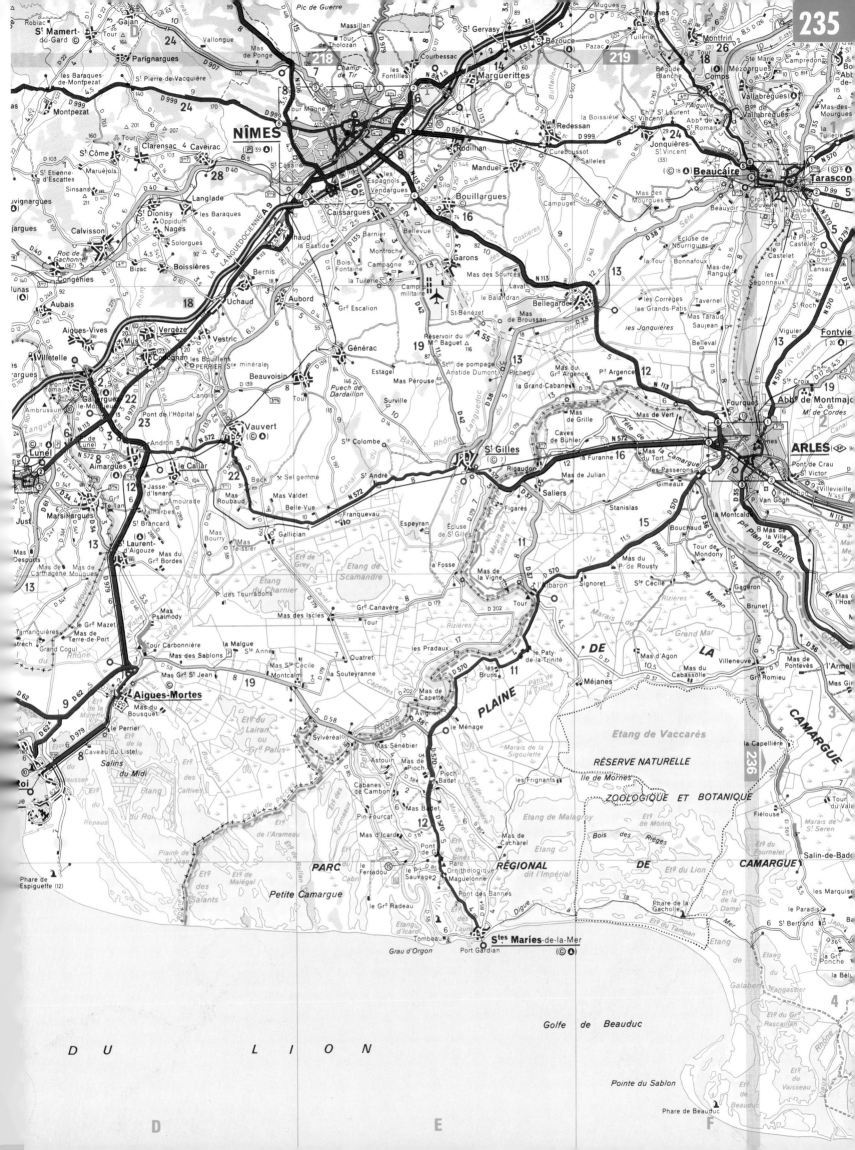

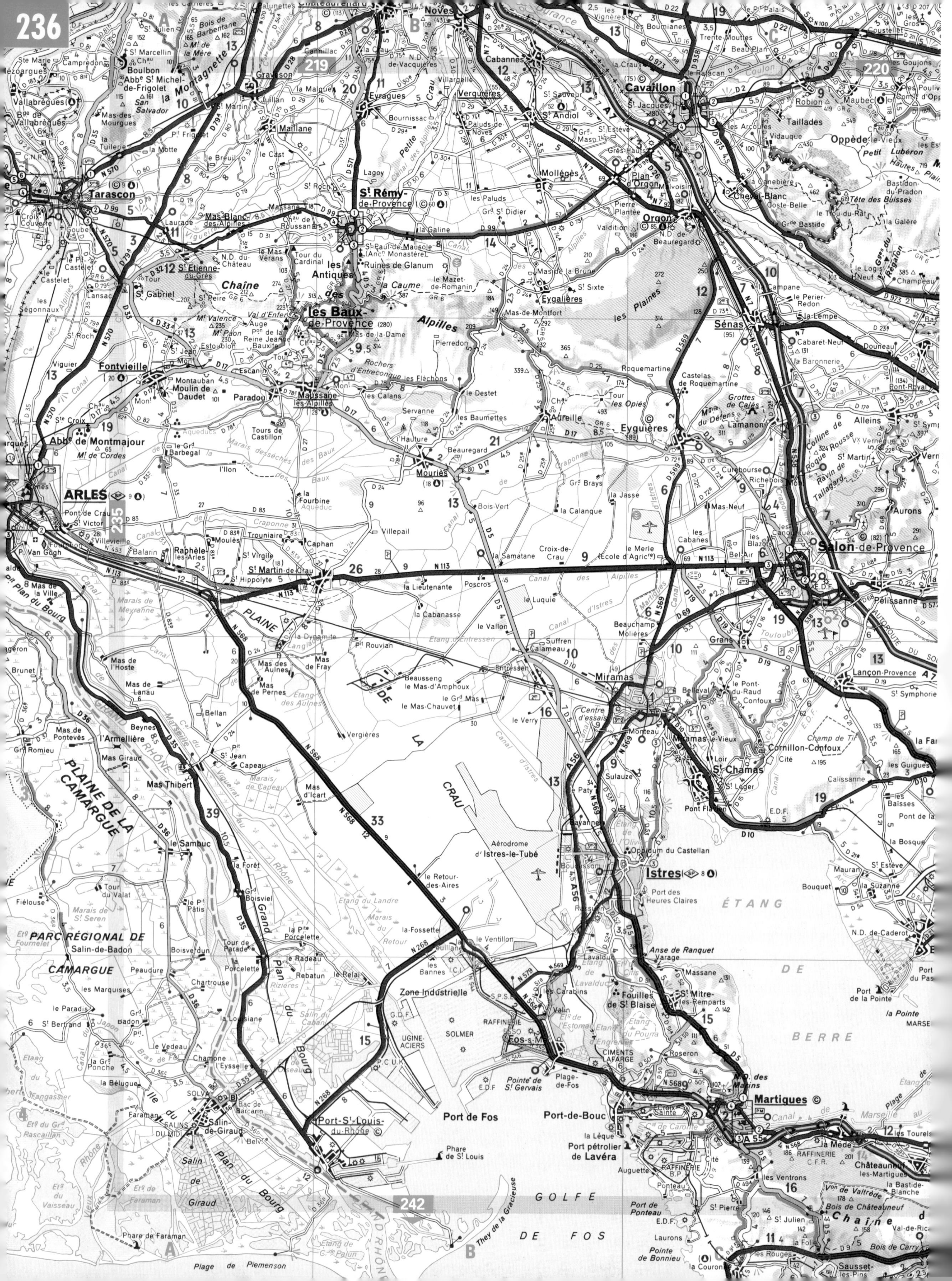

219 235 242 220

Tarascon — St Rémy-de-Provence — Cavaillon — Orgon — Sénas

les Baux-de-Provence — Les Antiques — Ruines de Glanum — Eygalières

Fontvieille — Maussane-les-Alpilles — Mouriès — Aureille — Eyguières — Salon-de-Provence

Abbe de Montmajour — Arles — St Martin-de-Crau — Lançon-Provence

PLAINE DE LA CAMARGUE — CRAU — Miramas — Grans — St Chamas

PARC RÉGIONAL DE CAMARGUE — Salin-de-Badon — Istres — Cornillon-Confoux

Aérodrome d'Istres-le-Tubé — Fos-s-Mer — St Mitre-les-Remparts — Martigues

Port-St-Louis-du-Rhône — Port de Fos — Port-de-Bouc — Lavéra — la Mède

GOLFE DE FOS — ÉTANG DE BERRE

MARSEILLE

AIX-EN-PROVENCE

Draguignan

Fréjus

St Raphaël

Ste Maxime

Fayence

Lorgues

les Arcs

Vidauban

le Muy

Trans-en-Provence

Callas

Bargemon

Seillans

Montauroux

Callian

Tourrettes

St Paul-en-Forêt

Bagnols-en-Forêt

les Adrets-de-l'Esterel

MASSIF DE L'ESTEREL

MASSIF DES MAURES

la Garde-Freinet

Plan-de-la-Tour

St Aygulf

les Issambres

Cap des Sardinaux

Golfe de Fréjus

CAMP MILITAIRE DE CANJUERS

Comps-s-Artuby

Mons

St Cézaire-s-Siagne

Escragnolles

Pas de la Faye

St Vallier de Thiey

CANYON DU VERDON

Point Sublime

Balcons de la Mescla

Falaise des Cavaliers

la Palud-s-Verdon

Trigance

Castellane

Col de Luens

Peyroules

Valderoure

Séranon

Mgne de Bleine

Thorenc

Andon

Flayosc

Figanières

Claviers

Bargème

le Bourguet

Brenon

Châteauvieux

le Logis-du-Pin

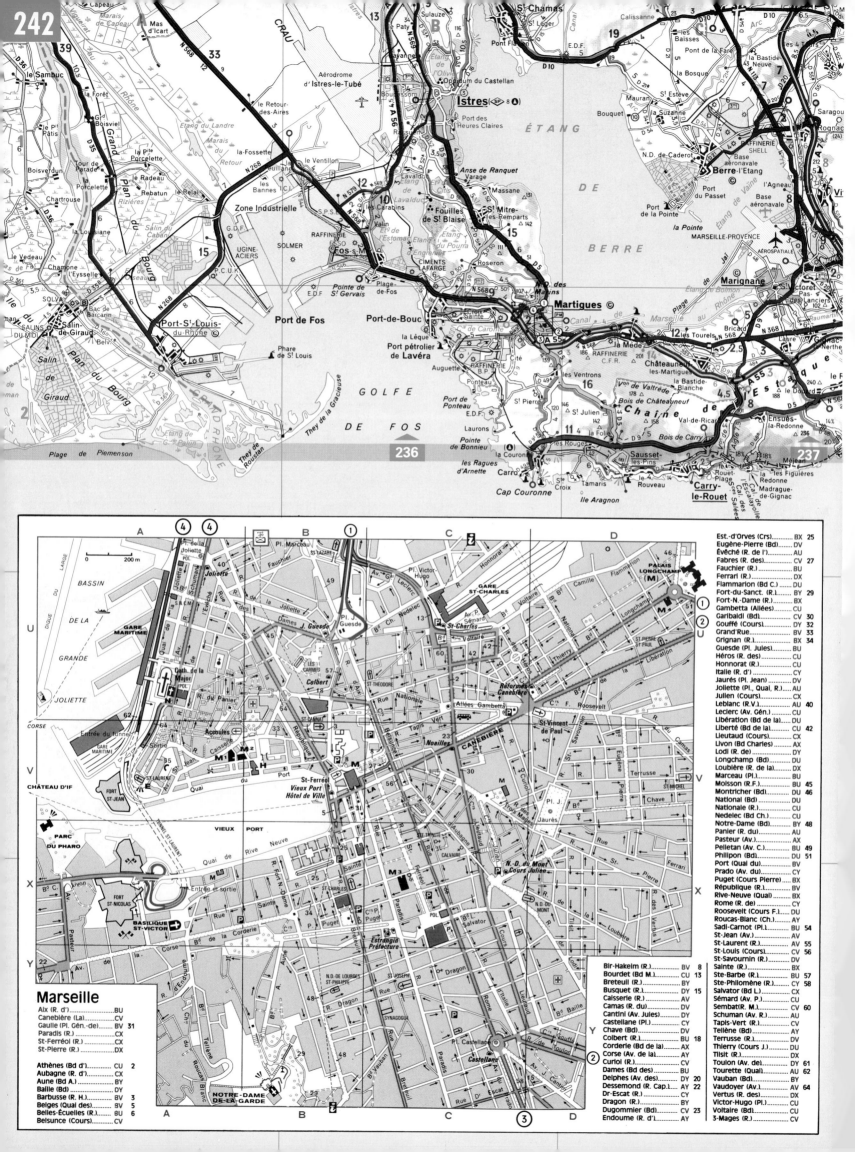

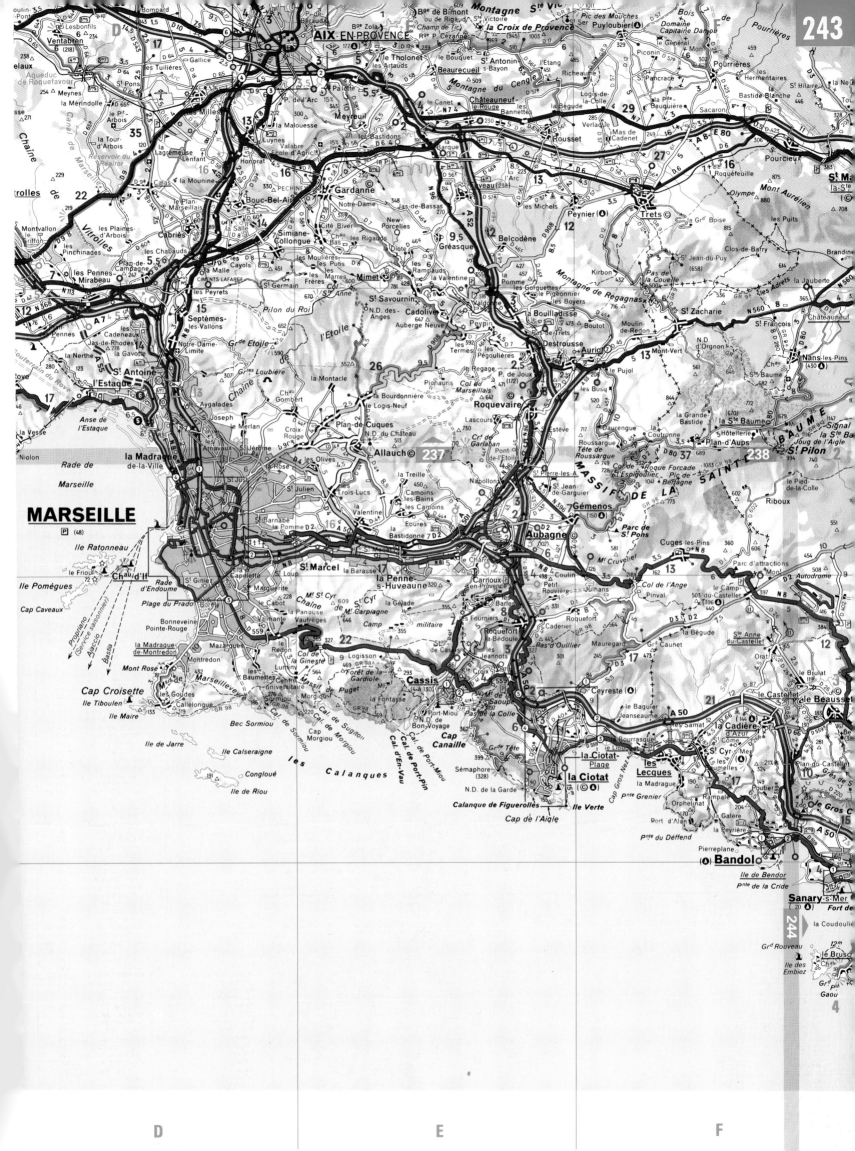

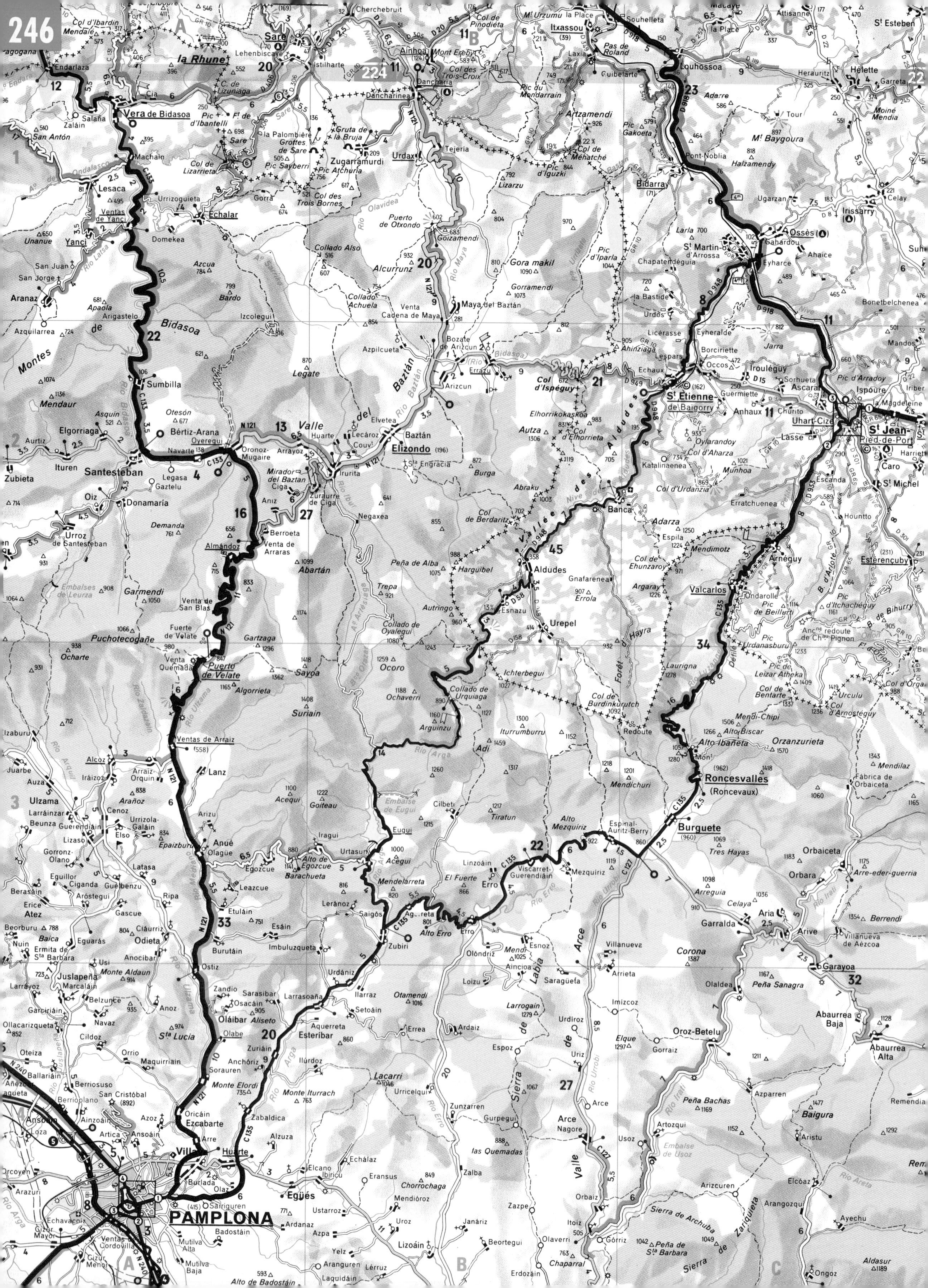

Sare
la Rhune
Ainhoa
Dancharia
Dancharinea
Itxassou
Louhossoa
Vera de Bidasoa
Col de Lizarrieta
Zugarramurdi
Urdax
Pas de Roland
Artzamendi
Mt Baygoura
Hélette
Bidarray
Lesaca
Echalar
Yanci
Aranaz
St Martin-d'Arrossa
Ossès
Irissarry
Puerto de Otxondo
Maya del Baztán
Montes de Bidasoa
Sumbilla
Mendaur
Bértiz-Arana
Santesteban
Donamaría
Elizondo
Baztán
Valle del Baztán
Col d'Ispéguy
St Étienne-de Baïgorry
Irouléguy
Ascarat
Ispoure
Uhart-Cize
St Jean-Pied-de-Port
St Michel
Banca
Aldudes
Vallée des Aldudes
Urepel
Almandoz
Puerto de Velate
Arnéguy
Valcarlos
Estérençuby
Roncesvalles
(Roncevaux)
Alto Ibañeta
Burguete
Forêt d'Hayra
Col de Burdinkurutch
Eugui
Alto de Egozcue
Alto Erro
Erro
Zubiri
Ventas de Arraiz
Lanz
Olagüe
Ostiz
Ulzama
Orbaiceta
Garralda
Aria
Arive
Garayoa
Abaurrea Baja
Abaurrea Alta
Oroz-Betelu
Sierra de Arce
Valle de Arce
Arce
Nagore
Larrasoaña
Huarte
Villava
Burlada
Eguës
PAMPLONA
Sarriguren
Ansoáin
Sierra de Archuba
Sierra de Zariquieta
Alto de Badostáin
Lizoáin

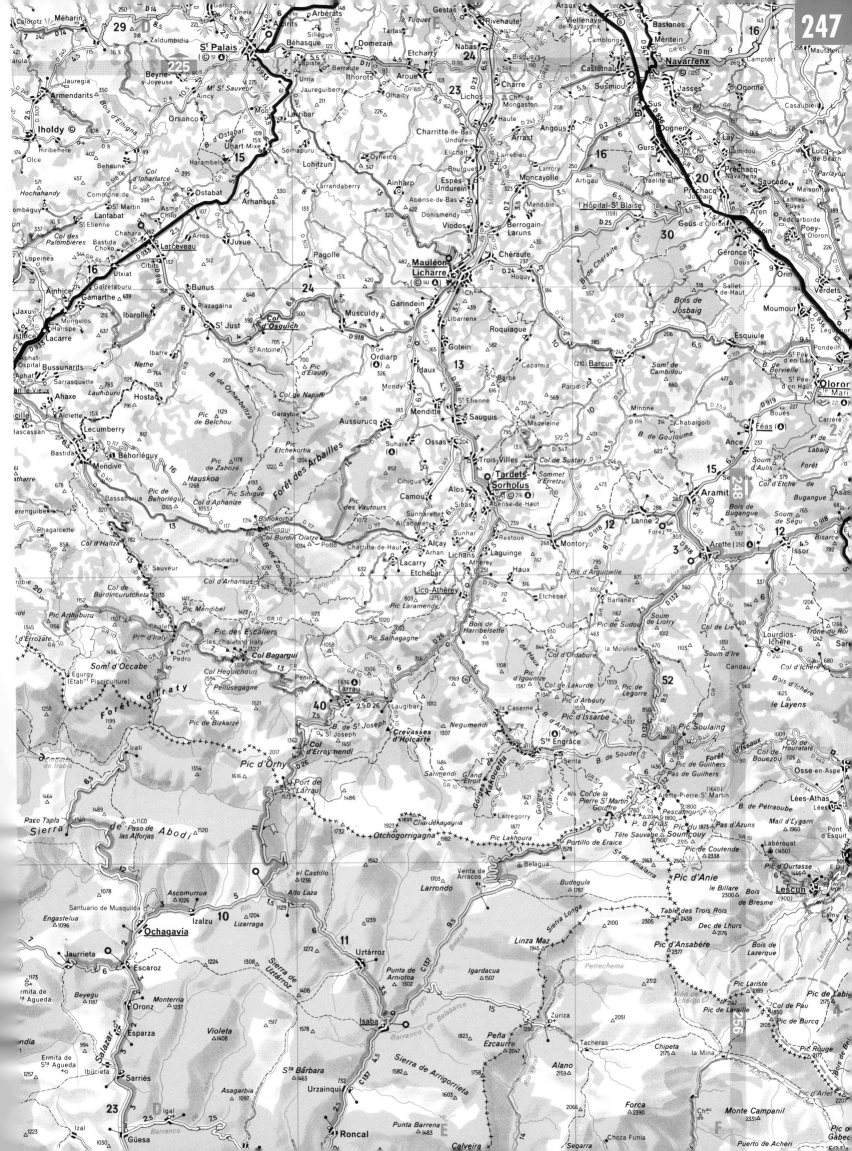

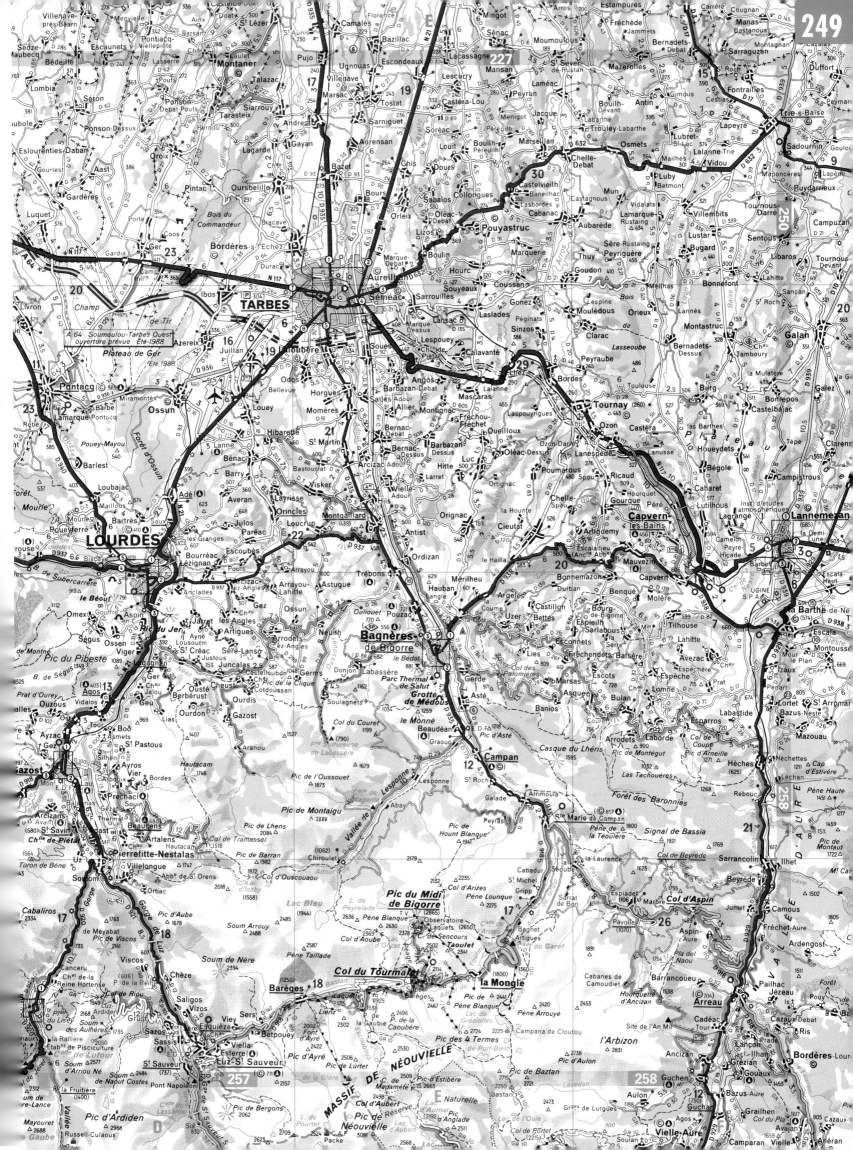

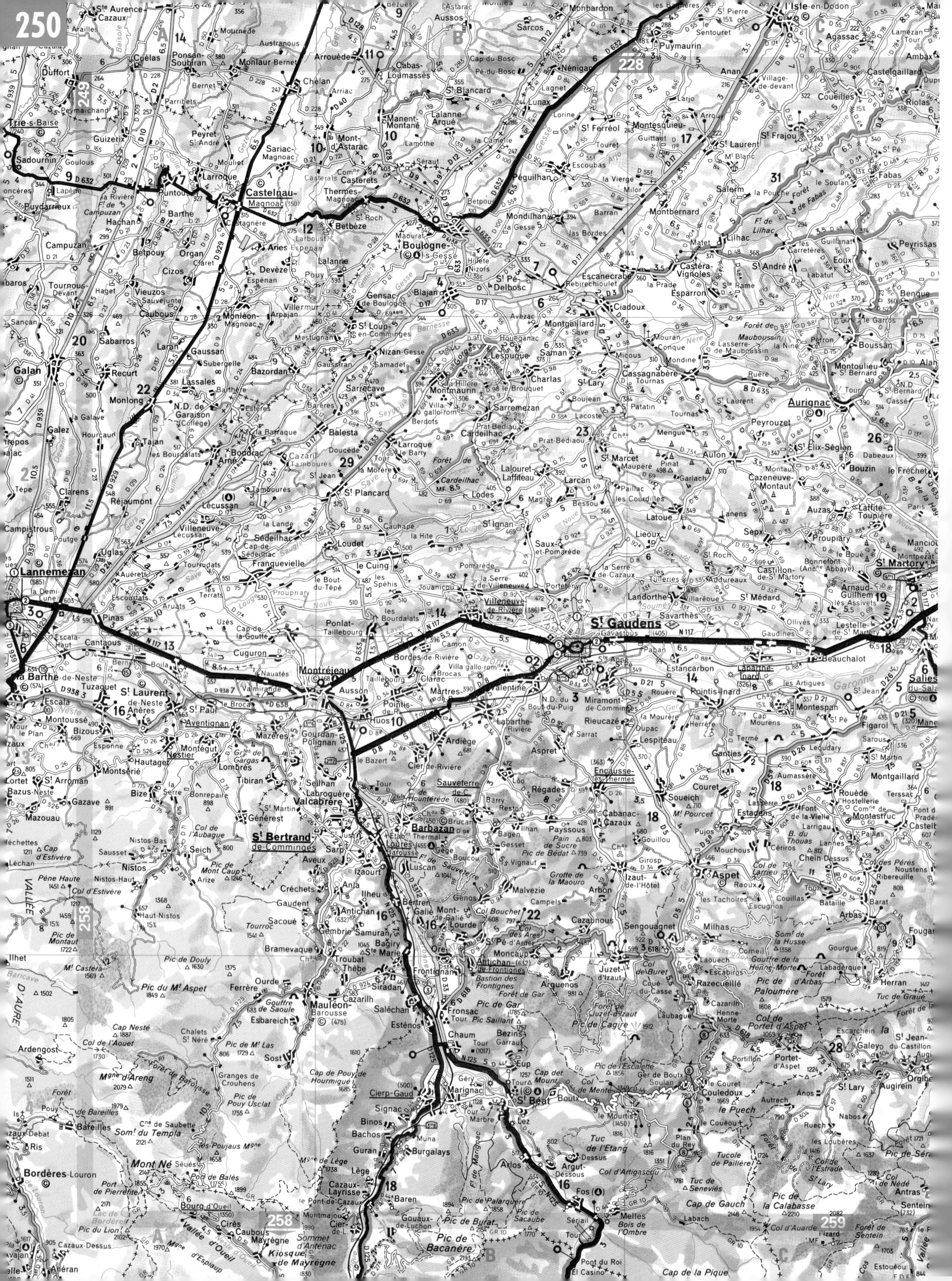
Castelnau-Magnoac
Boulogne-s-Gesse
Trie-s-Baïse
Lannemezan
Montréjeau
St Gaudens
l'Isle-en-Dodon
Aurignac
St Martory
St Bertrand-de-Comminges
Valcabrère
Barbazan
Aspet
Mauléon-Barousse
Cierp-Gaud
Marignac
St Béat
Encausse-les-Thermes
Sauveterre-de-C.
Villeneuve-de-Rivière
Labarthe-Inard
Salies-du-Salat
St Laurent-de-Neste
La Barthe-de-Neste
Montmaurin
Galan
Puymaurin
Monbardon
Sarcos
Aussos
Chélan
Arrouède
Cuélas
Ponsan-Soubiran
Monlaur-Bernet
Duffort
Sadournin
Puntous
Larroque
Hachan
Betpouy
Campuzan
Tournous-Devant
Galez
Monlong
Recurt
Lassales
Gaussan
Bazordan
Nizan-Gesse
St Loup-en-Comminges
Blajan
St Pé-Delbosc
Escanecrabe
Ciadoux
Castéra-Vignoles
Lilhac
Peyrissas
Boussan
Montoulieu-St Bernard
Cassagnabère-Tournas
St Lary
Charlas
Saman
Lespugue
Sarremezan
Cardeilhac
Balesta
Sarrecave
St Plancard
Lécussan
Clarens
Réjaumont
Campistrous
Uglas
Pinas
Cantaous
Cuguron
Ponlat-Taillebourg
Bordes-de-Rivière
Ausson
Valentine
Miramont-de-Comminges
Pointis-Inard
Estancarbon
Beauchalot
Montespan
Figarol
Mane
Labarthe-Rivière
Ardiège
Cier-de-Rivière
Gourdan-Polignan
Huos
Aventignan
Mazères
Nestier
Montégut
Hautaget
Montsérié
St Arroman
Gazave
Bize
Tibiran
Lombrès
Générest
Seich
Nistos
Sarp
Izaourt
Aveux
Loures-Barousse
Génos
Malvezie
Arbon
Cabanac-Cazaux
Payssous
Régades
Soueich
Couret
Ganties
Rouède
Arbas
Fougaron
Herran
Milhas
Sengouagnet
Juzet-d'Izaut
Izaut-de-l'Hôtel
Razecueillé
Portet-d'Aspet
Galey
Augirein
Orgibet
St Lary
Boutx
Couledoux
Melles
Fos
Argut-Dessus
Arlos
Chaum
Fronsac
Frontignan
Siradan
Saléchan
Esténos
Bezins-Garraux
Eup
Signac
Binos
Bachos
Guran
Burgalays
Lège
Cazaux-Layrisse
Baren
Cier-de-L.
Gouaux-de-Luchon
Cirès
Caubous
Mayrègne
Bourg-d'Oueil
Bordères-Louron
Bareilles
Ardengost
Sost
Esbareich
Ferrère
Ourde
Troubat
Thèbe
Antichan
Samuran
Bagiry
Ste Marie
Mont-de-Galié
Lourde
Ore
St Pé-d'Ardet
Moncaup
Antichan-de-Frontignes
Arguenos
Col de Portet d'Aspet
Col de Menté
Col des Ares
Col Bouchet
Col de Buret
Col d'Artigascou
Col d'Estivère
Col de l'Aouet
Col de Sarrieu
Col des Pérès
Pic de Cagire
Pic de Gar
Pic du Gar
Pic de Bacanère
Pic de Burat
Pic de Palarquère
Pic de Sacaube
Pic de Douly
Pic du Mt Aspet
Pic de Mt Las
Pic de Pouy Usclat
Pic de Montaut
Pic de Mont Caup
Pic de Bédat
Pic de Paloumère
Pic de la Calabasse
Pic de l'Escalette
Tuc de l'Etang
Tuc de Seneviès
Cap de la Pique
Cap de Gauch
Cap Nesté
Mont Né
Mgne d'Areng
Som! du Templa
Forêt de Barousse
Forêt de Gar
Forêt de Fabas
Forêt de Mauboussin
Forêt de Cardeilhac
Grotte de la Maouro
Gouffre de Saoule
Vallée d'Oueil
Vallée d'Aure
Garonne
Gesse
Gimone
Save
Louge
Noue
Neste
N 117
N 125
D 929
D 632
D 633
D 635
D 618
249
228
258
259

Auterive · Cintegabelle · Saverdun · Mazères · Pamiers · Varilhes · FOIX · Belpech · Mirepoix · Lavelanet · Castelnaud

MONTAGNES DU PLANTAUREL

MASSIF DE L'ARIZE

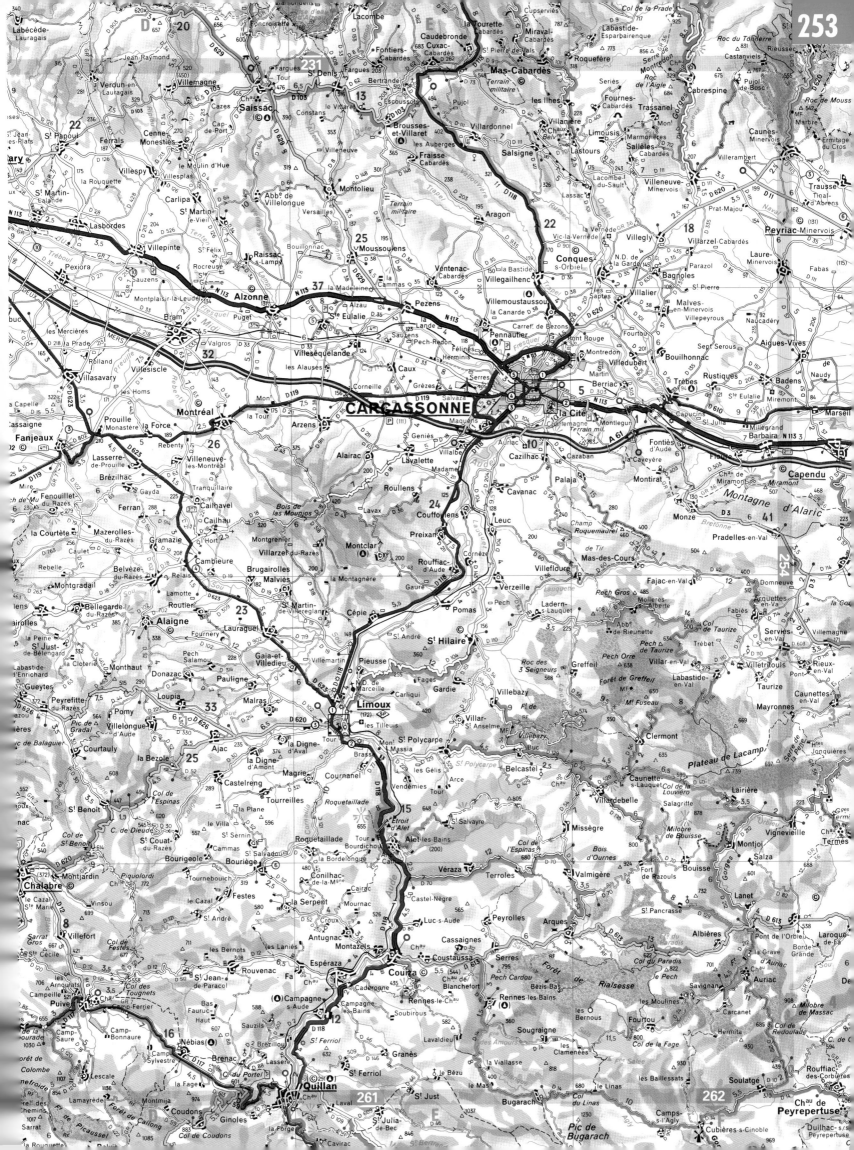

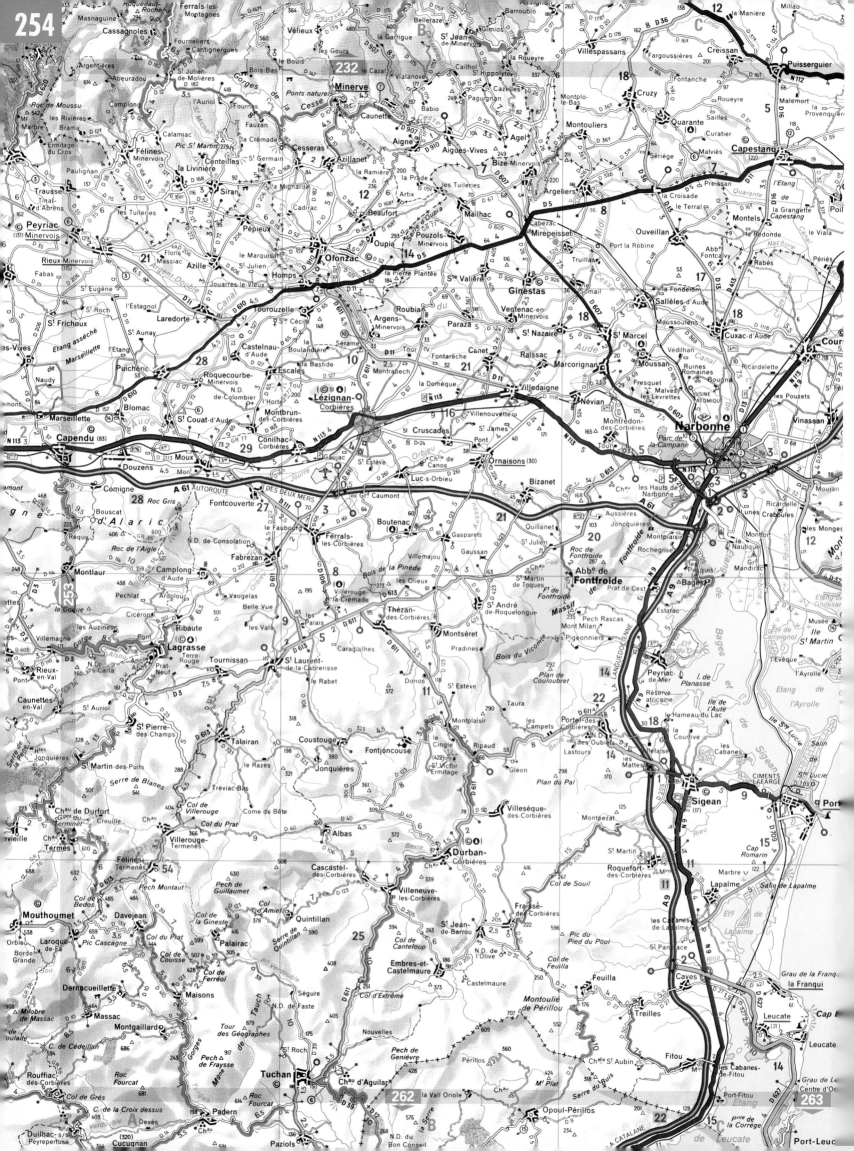

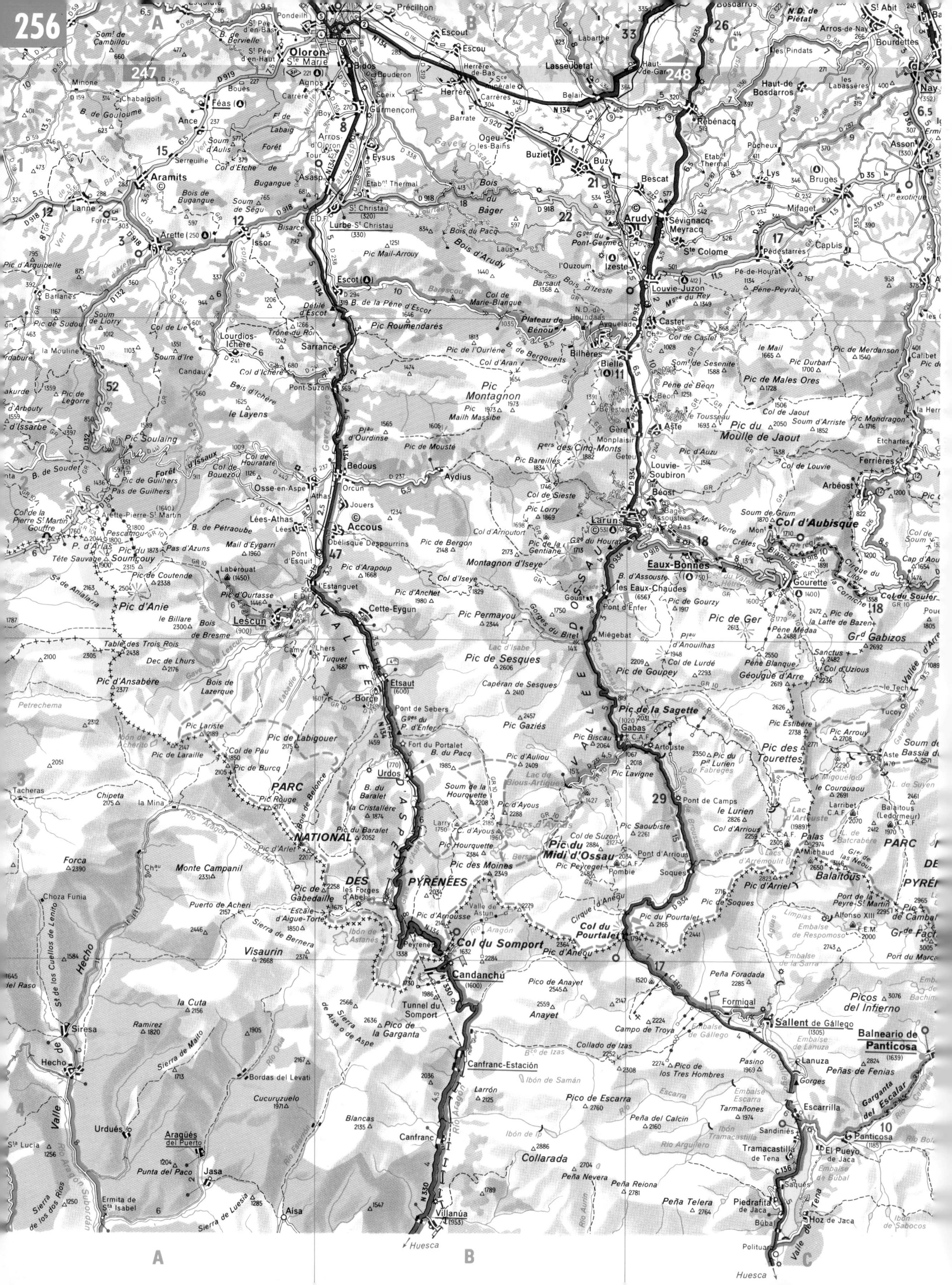

247
248

A   B   C

Oloron-Ste-Marie
N 134
Aramits
Arette
Lanne
Féas
Ance
Issor
Lurbe-St-Christau
Sarrance
Bedous
Osse-en-Aspe
Accous
Lées-Athas
Lescun
Etsaut
Borce
Urdos
Col du Somport
Candanchú
Tunnel du Somport
Canfranc-Estación
Canfranc
Villanúa
Aragüés del Puerto
Jasa
Aísa
Hecho
Siresa
Urdués

PARC NATIONAL DES PYRÉNÉES

Escout
Escou
Herrère
Lasseubetat
Belair
Buziet
Buzy
Bescat
Arudy
Izeste
Louvie-Juzon
Castet
Bielle
Bilhères
Aste-Béon
Louvie-Soubiron
Béost
Laruns
Eaux-Bonnes
les Eaux-Chaudes
Gabas
Artouste
Soques
Col du Pourtalet
Formigal
Sallent de Gállego
Lanuza
Escarrilla
Sandiniés
Tramacastilla de Tena
Panticosa
El Pueyo de Jaca
Piedrafita de Jaca
Balneario de Panticosa

Nay
Bruges
Mifaget
Capbis
Ste-Colome
Sévignacq-Meyracq
Col d'Aubisque
Gourette
Col du Soulor

Pic d'Anie
Pic du Midi d'Ossau
Balaitous
Collarada
Pic de Ger
Collada

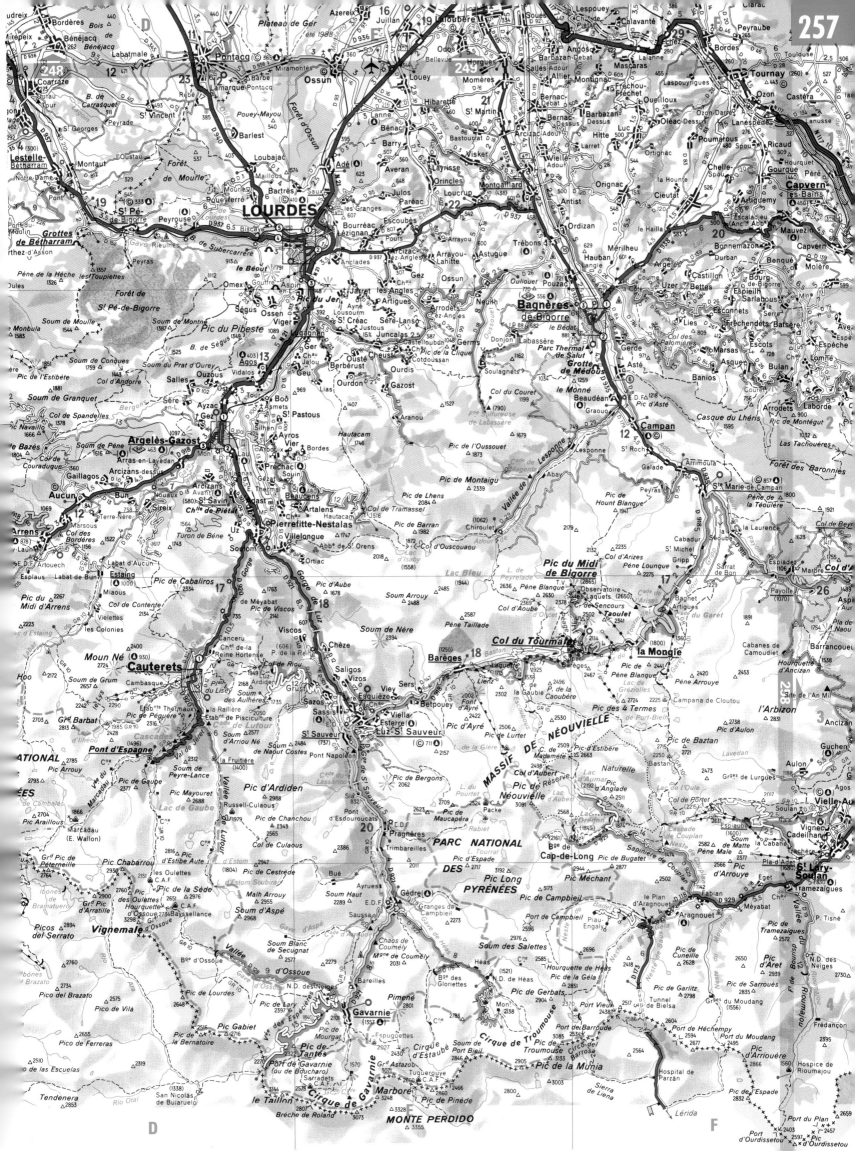

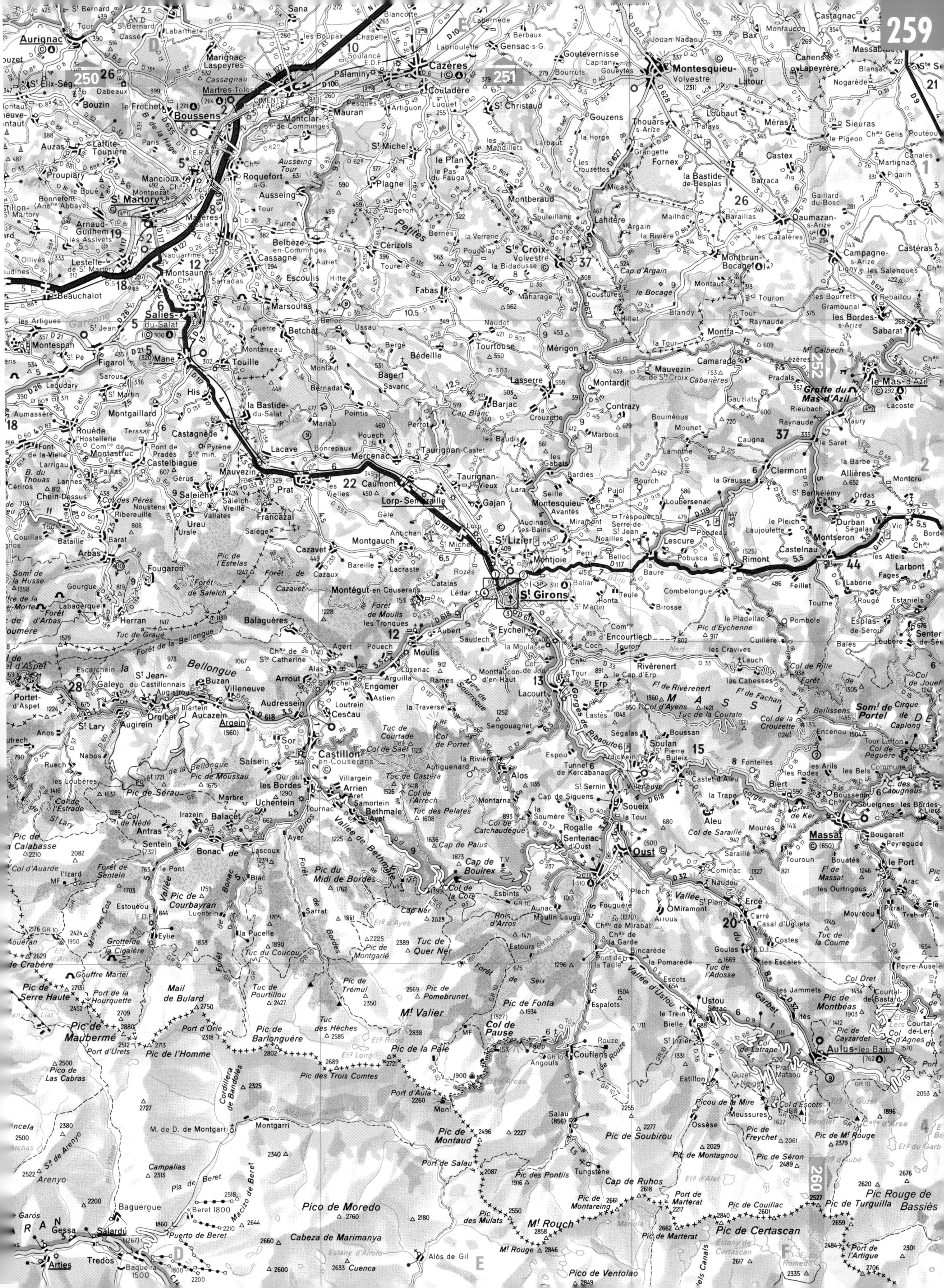

St Girons · St Lizier · Lorp-Sentaraille · St Martory · Boussens · Salies-du-Salat · Cazères · Montesquieu-Volvestre · Le Mas-d'Azil · Massat · Oust · Aulus-les-Bains · Castillon-en-Couserans · Sentein · Seix

Grid references: 250 · 251 · 252 · 260

Pic de Maubermé · Pic de Serre Haute · Mont Valier · Mont Rouch · Pic Rouge de Bassiès · Pic de Certascan · Pico de Moredo

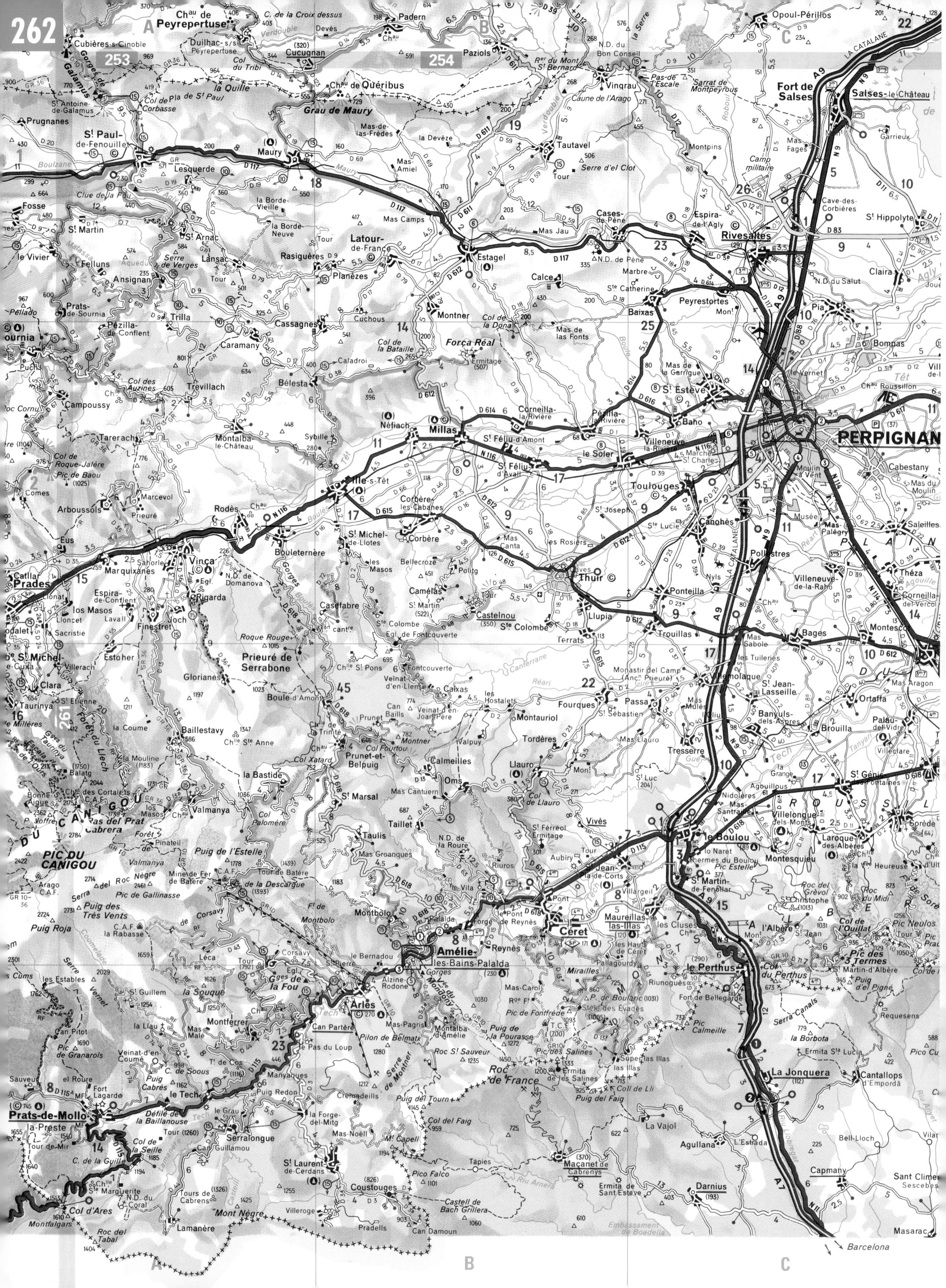
A
B
C
253
254
261
Chau de Peyrepertuse
Duilhac-s/s-Peyrepertuse
C. de la Croix dessus
Padern
Paziols
Cucugnan
Cubières-s-Cinoble
Gorges de Galamus
Chau de Quéribus
Grau de Maury
Col du Tribi
la Quille
Col de Pla de St Paul
Corbasse
St Antoine-de-Galamus
Prugnanes
St Paul-de-Fenouillet
Maury
Lesquerde
Clue de la Fou
Boulzane
Fosse
St Martin
le Vivier
Felluns
Ansignan
Prats-de-Sournia
Sournia
Pézilla-de-Conflent
St Arnac
Lansac
Serre de Verges
Trilla
Rasiguères
Planèzes
Latour-de-France
Cassagnes
Caramany
Col de la Bataille
Força Réal
Ermitage
Bélesta
Campoussy
Col des Auzines
Trevillach
Tarerach
Montalba-le-Château
Sybille
Col de Roque-Jalère
Pic de Baou
Comes
Arboussols
Marcevol
Rodès
Eus
Ille-s-Têt
Néfiach
Millas
Corneilla-la-Rivière
Pézilla-la-Rivière
St Féliu-d'Amont
St Féliu-d'Avall
le Soler
Villeneuve-la-Rivière
Baho
St Estève
Mas de la Garrigue
Estagel
Montner
Col de la Dona
Mas de las Fonts
Calce
Baixas
Peyrestortes
Cases-de-Pène
Mas Jau
N.D. de Pène
Espira-de-l'Agly
Rivesaltes
Tautavel
Serre d'el Clot
Vingrau
Pas-de-l'Escale
Sarrat de Montpeyroux
Caune de l'Arago
Opoul-Périllos
N.D. du Bon Conseil
Rer du Mont St Bernard
Fort de Salses
Salses-le-Château
LA CATALANE
Garrieux
Mas Fages
Montpins
Camp militaire
Cave-des-Corbières
St Hippolyte
Claira
N.D. du Salut
Pia
Bompas
Chau Roussillon
le Vernet
PERPIGNAN
Cabestany
Moulin à Vent
Mas du Moulin
Toulouges
Canohès
Musée
Mas Palégry
Saleilles
PLAINE
Théza
Corneilla-del-Vercol
Pollestres
Villeneuve-de-la-Raho
Montescot
Bages
Ortaffa
Palau-del-Vidre
Brouilla
Villeclare
St Génis-des-Fontaines
Sorède
Laroque-des-Albères
Villelongue-dels-Monts
Montesquieu
le Boulou
ROUSSILLON
Thuir
Ponteilla
Nyls
Trouillas
Llupia
Terrats
Castelnou
Ste Colombe
Camélas
Corbère-les-Cabanes
Corbère
St Michel-de-Llotes
Bouleternère
Vinça
Marquixanes
Prades
Espira-de-Conflent
Rigarda
Finestret
Joch
Los Masos
Eus
Catllar
Taurinya
Clara
Villerach
St Michel-de-Cuxa
Codalet
Estoher
Glorianes
Prieuré de Serrabone
Roque Rouge
Boule-d'Amont
Fontcouverte
Caixas
Fourques
Passa
St Sébastien
Montauriol
Tordères
Monastir del Camp
Tresserre
Banyuls-dels-Aspres
St Jean-Lasseille
Llauro
Calmeilles
Oms
Prunet-et-Belpuig
Col Xatard
St Marsal
Taillet
Baillestavy
la Bastide
Valmanya
Col de Palomère
Canigou
PIC DU CANIGOU
Pas del Prat Cabrera
Puig de l'Estelle
Tour de Batère
Col de la Descargue
Mines de Fer de Batère
Serra del Roc Nègre
Puig de Gallinasse
Puig des Très Vents
Puig Roja
la Rabasse
Montbolo
Amélie-les-Bains-Palalda
Reynès
Céret
Maureillas-las-Illas
St Jean-Pla-de-Corts
Vivès
St Ferréol Ermitage
N.D. de la Roure
Riuros
Taulis
Mas Groanques
le Perthus
Col du Perthus
Fort de Bellegarde
les Cluses
l'Albère
St Martin-de-Fenollar
Pic des 3 Termes
Col de l'Ouillat
Pic Neulos
Requesens
Arles
Corsavy
Gges de la Fou
la Souque
Montferrer
St Guillem
Serre Vernet
les Estables
Can Pitot
Pic de Granarols
Prats-de-Mollo
la Preste
Fort Lagarde
le Tech
Défilé de la Baillanouse
Serralongue
Col de la Seille
Col d'Ares
St Laurent-de-Cerdans
Coustouges
Lamanère
Roc de France
Pic des Salines
Ermita de les Salines
Col del Faig
Puig del Faig
Maçanet de Cabrenys
Darnius
Agullana
La Vajol
La Jonquera
Cantallops
Capmany
Sant Climent Sescebes
Masarac
Barcelona
Embassament de Boadella
Ermita de Sant Esteve
Castell de Bach Grillera
Mont Nègre
Roc del Tabal

Perpignan

Alsace-Lorraine (R.)........DX 2
Arago (Pl.)....................CY 3
Argenterie (R. de l')........DX 4
Barre (R. de la).............DX 6
Clemenceau (Bd).............BX
Louis-Blanc (R.)............DX 34
Marchands (R. des).........DX 36
Mirabeau (R.)...............DX 37
Péri (Pl. Gabriel)..........CY 39
Théâtre (R. du).............DY 46

Albert (Av. Marcelin)......BZ
Anatole-France (Bd).......FY

Anc.-Champ-de-Mars
  (Av. de l')...............BCV
Arago (Pont)................AV
Augustins (R. des)........DY
Baléares (Av. des)........DZ
Barcelone (Quai de)......BY
Bardou-Job (Pl.)..........BX 5
Bartissol (R. E.)..........DX 7
Batelo (Quai F.)...........DV 8
Bompas (Av. de).........DV
Bourrat (Bd Jean)........EFX
Briand (Bd Aristide)......EFZ
Brutus (Av. Gilbert)......BCZ
Cambre (R. Pierre).......EZ
Camus (Av. A.)...........FZ
Carnot (Quai Sadi)......DX 20
Cassanyes (Pl.)..........FY

Castillet (Pl. du)........DX 22
Castillet (R. du)........EV
Catalogne (Pl. de).....BY
Cathédrale..............DEX B
Côte-des-Carmes (R.)..EY 23
Courteline (R.).........AZ
Dalbiez (Av. Victor)....BZ
Desnoyés (Bd)..........ABV
Dugommier (R.).........CZ
Escarguel (Crs L.)......BXY
Esplanades (Pl. des)...EYZ
Foch (R. du Mar.)......BCY
Fontaine-Neuve (R.)....EY 27
Fusterie (R. de la).....DY
Gambetta (Pl.).........DX
Gaulle (Av. Gén.-de)...AY
Gde-Bretagne (Av.)....AX

Gde-la-Monnaie (R.)....DY 28
Grande-la-Réal (R.).....DY
Guillaut (Av. Gén.).....DZ 29
Guynemer (Av.).........FZ
Joffre (Av. Mar.).......CV
Joffre (Pont)...........DV
Kennedy (Bd)...........FZ 31
Lattre-de-T. (Quai de)...CY 32
Leclerc (Av. Mar.)......BX
Llucia (R.).............EY
Loge de Mer (R.).......DX D
Loge (R. de la)........DX 33
Lycée (Av. du)........BZ
Mailly (R.).............DY
Masso (R. Paul).......AYZ
Mercader (Bd Félix)...BCZ
Moulin (Pl. Jean).....EY

N.-D.-de-la-Réal (†)....EY
Palmarole (Cours).....DEV
Panchot (Av. J.)......AZ
Payra (R. Jean).......DV
Petite-la-Réal (R.)....EY
Platanes (Prom. des)..DEV
Poincaré (Bd Henri)...DEZ
Porte-de-l'Assaut (R.)..CDY 40
Prés.-Doumer (R.).....AZ
Pyrénées (Bd des).....BYZ
Remparts-la-Réal (R.)..DY 42
Résistance (Pl. de la)..DX 43
Ribère (Av.)...........AZ
Rigaud (Pl.)...........DEY
Rois-de-Majorque
  (R. des).............DZ
Rude (R. François).....AV

St-Jacques (†).........FY
St-Jean (R.)...........DX 44
St-Joseph (†).........AY
St-Martin (†).........AZ
St-Mathieu (†)........DY
St-Sacrement (†)......EX
Ste-Thérèse (†).......EZ
Soubielle (R. Cdt-E.)..ABY
Talut (R. Alphonse)....ABV
Torcatis (R. Louis)....ABV
Variétés (Pl. des).....DV 48
Vauban (Quai).........CDX
Vélodrome (R. du)....EFZ
Victoire (Pl. de la)...DX 49
Waldeck-Rousseau
  (R.)................EFZ
Wilson (Bd)...........DEV
Zola (R. Emile).......EY

Bastia

Campinchi (R. César)	Y	
Gaudin (Bd Auguste)	Z	
Napoléon (R.)	Y	23
Paoli (Bd)	YZ	
Sari (Av. Émile)	X	
Sébastiani (L' Av. Mar. 1.)	XY	37
Carbuccia (R. Gén.)	Z	2
Casale (R. Jean)	Y	3
Docteur-Favale (Cours)	Z	6
Donjon (Pl. du)	Z	7
Dragon (R. du)	Z	8
Evêché (R. de l')	Z	
Guasco (Pl.)	Z	13
Immaculée Conception (†)	Y	B

Jardins (R. des)	YZ	14
Landry (R. Adolphe)	X	15
Letteron (R. Chanoine)	Z	16
L.-de-Casabianca (R. Cdt)	X	18
Marine (R. de la)	YZ	19
Neuve-St-Roch (R.)	Y	25
Paroisse (R. de la)	Z	28
Pierangeli (Cours H.)	Y	29
Pietri (Av. François)	XY	30
Ste-Croix (†)	Z	K
Ste-Marie (†)	Z	F
St-François (R.)	Y	32
St-Jean (R.)	Y	33
St-Roch (R.)	Y	35
Salicetti (R. du Conventionnel)	Y	36
Terrasses (R. des)	Z	38
Zéphyrs (R. des)	Y	40

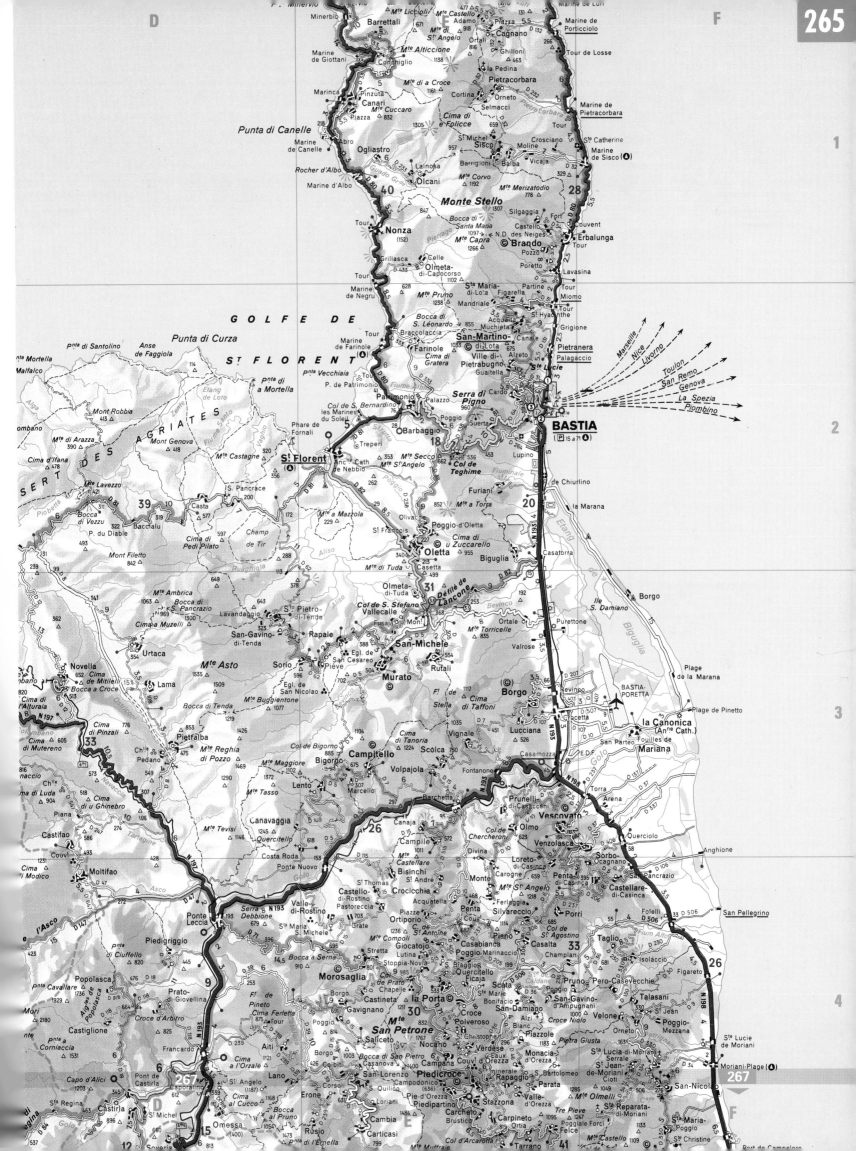

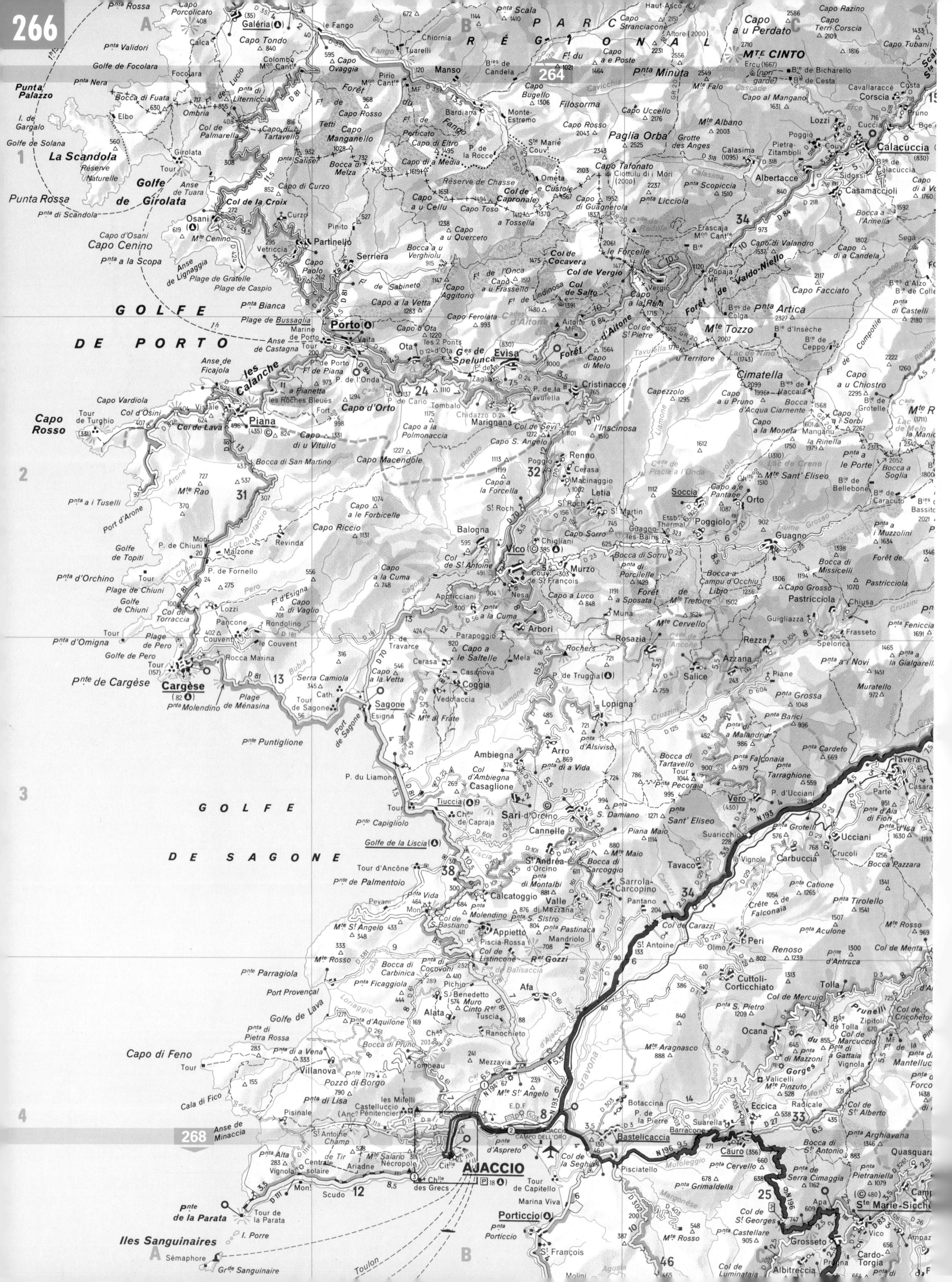

GOLFE DE PORTO

GOLFE DE SAGONE

GOLFE DE LAVA

Golfe de Girolata

PARC RÉGIONAL

La Scandola
Réserve Naturelle

Punta Rossa

Capo Rosso

Capo di Feno

Iles Sanguinaires

AJACCIO

Porticcio

Cargèse

Sagone

Porto

Piana

les Calanche

Calacuccia

Mte CINTO

Paglia Orba

Evisa

Vico

Soccia

Guagno

Bastelicaccia

Cauro

264

268

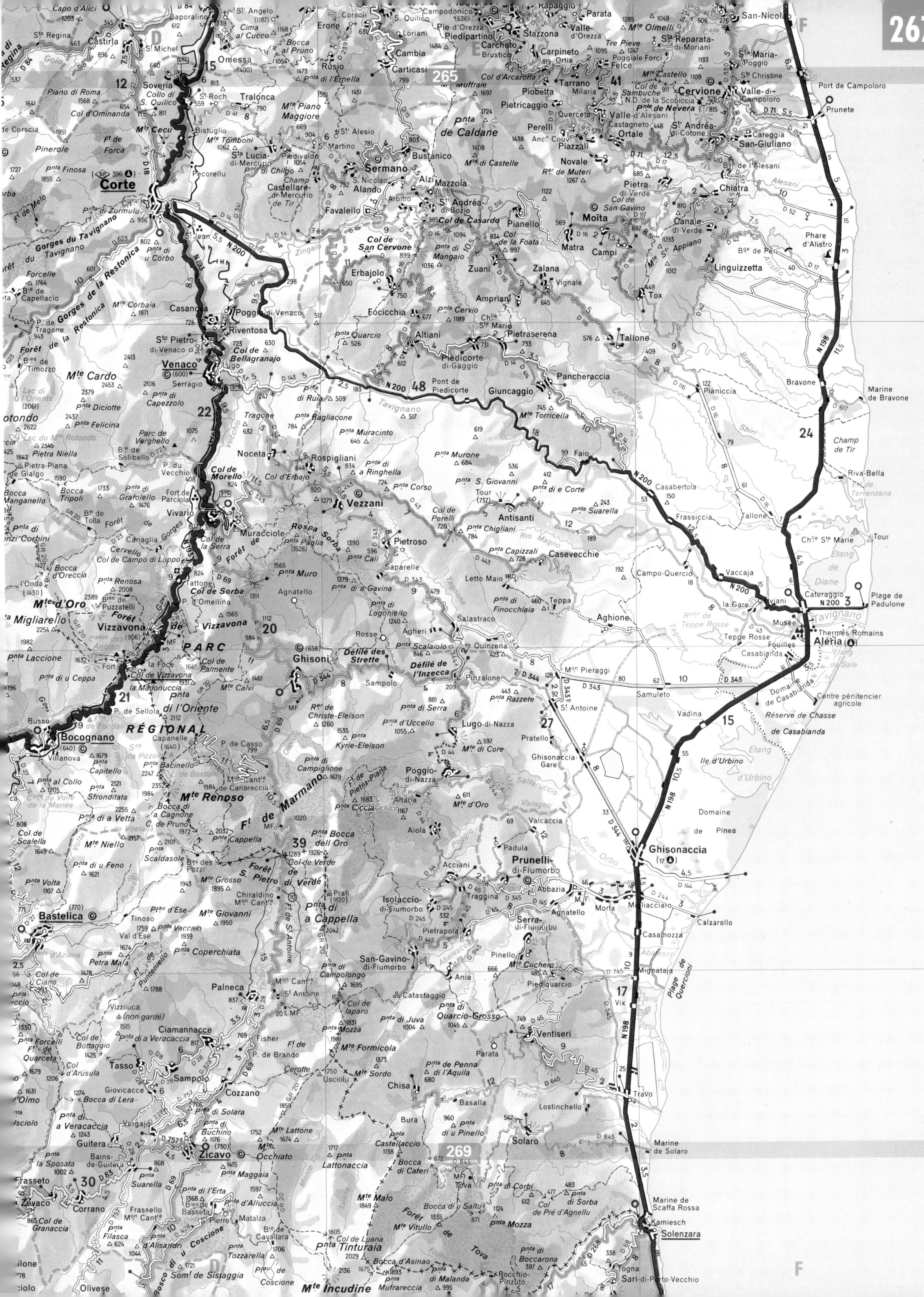

Corte

Gorges du Tavignano

Venaco

Vivario

Vizzavona

PARC

RÉGIONAL

Bocognano

Bastelica

Zicavo

Corte

Sermano

Piedicorte-de-Gaggio

Giuncaggio

Pancheraccia

Vezzani

Antisanti

Ghisoni

Prunelli-di-Fiumorbo

Ghisonaccia

Solenzara

Cervione

Moïta

Linguizzetta

Aléria

Thermes Romains

Casabianda

Réserve de Chasse de Casabianda

Travo

Ventiseri

Solaro

N 200

N 198

N 193

Mte Renoso

Mte d'Oro

Forêt de Marmano

Migliarello

Mte Cardo

Capo d'Alici

San-Nicolao

Maria-Poggio

San-Giuliano

Chiatra

Phare d'Alistro

Port de Campoloro

Prunete

Marine de Bravone

Plage de Padulone

Etang de Diane

Etang d'Urbino

Ile d'Urbino

Plage de Quercioni

Marine de Scaffa Rossa

Kamiesch

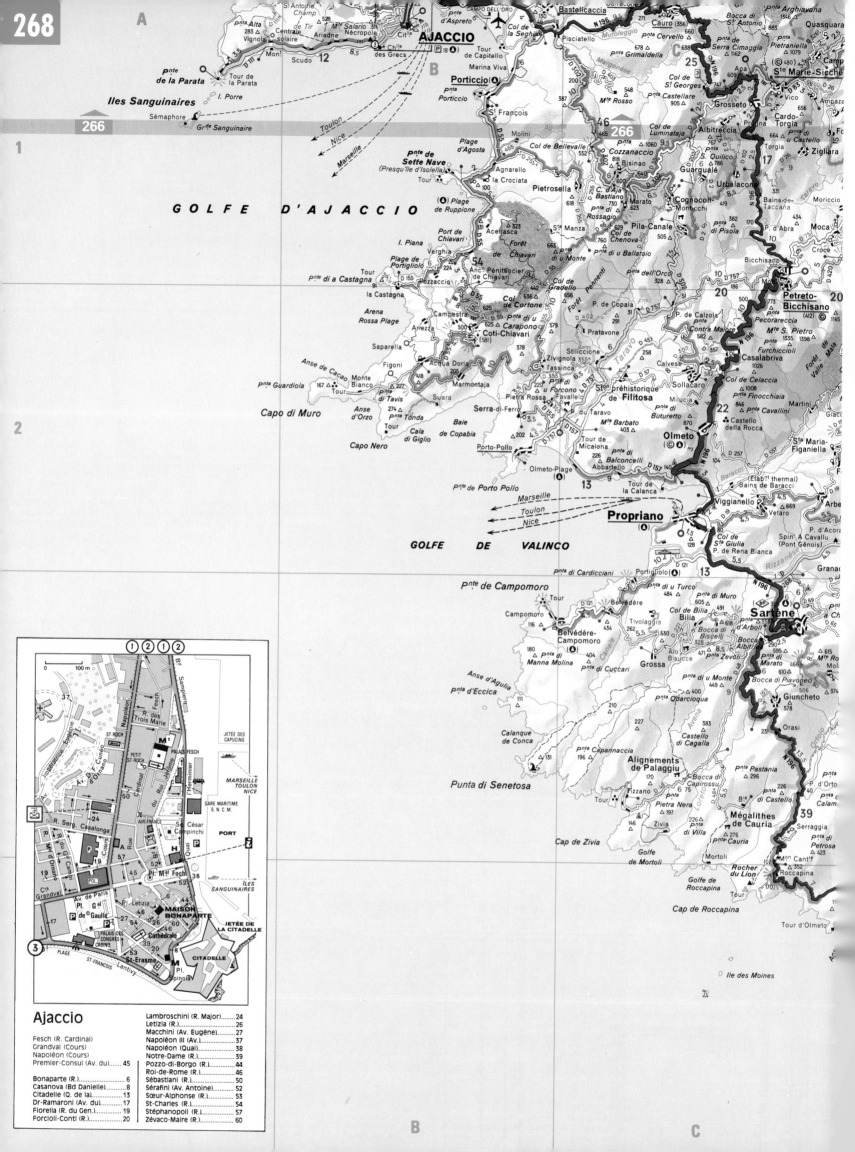

GOLFE D'AJACCIO

Iles Sanguinaires

GOLFE DE VALINCO

Capo di Muro

Capo Nero

Punta di Senetosa

Ajaccio

Fesch (R. Cardinal)
Grandval (Cours)
Napoléon (Cours)
Premier-Consul (Av. du)...... 45

Bonaparte (R.).................... 6
Casanova (Bd Danielle)......8
Citadelle (Q. de la)...........13
Dr-Ramaroni (Av. du)........17
Fiorella (R. du Gén.)..........19
Forcioli-Conti (R.).............20

Lambroschini (R. Major).....24
Letizia (R.)........................26
Macchini (Av. Eugène).......27
Napoléon III (Av.)..............37
Napoléon (Quai)................38
Notre-Dame (R.)................39
Pozzo-di-Borgo (R.)...........44
Roi-de-Rome (R.)...............46
Sébastiani (R.)...................50
Sérafini (Av. Antoine).........52
Sœur-Alphonse (R.)............53
St-Charles (R.)...................54
Stéphanopoli (R.)...............57
Zévaco-Maire (R.)..............60

Index Register

Comment se servir de cet index
How to use this index
Zum Gebrauch des Registers
Toelichting bij het register

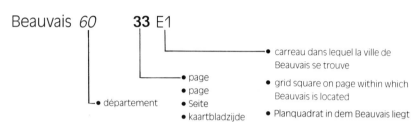

Beauvais *60* **33** E1

- département
- page
- page
- Seite
- kaartbladzijde

- carreau dans lequel la ville de Beauvais se trouve
- grid square on page within which Beauvais is located
- Planquadrat in dem Beauvais liegt
- vak op de kaartbladzijde waarin Beauvais te vinden is

Les sorties de ville indiquées par un numéro cerné de noir sont identiques sur les plans et les cartes au 1/200 000.

Die in schwarz gedruckten und durch Kreise hervorgehobenen Zahlen an den Seitenleisten der Übersichtspläne der wichtigsten Städte entsprechen in den Karten 1:200.000 der für Durchgangsstraßen verwendeten Numerierung.

The prominent black numbers in circles at the sides of the city maps correspond with the numbers given for main routes on the 1:200 000 maps.

De overzichtskaartjes van de grote steden geven de verbindingen aan voor het doorgaande verkeer. De omcirkelde zwarte cijfers aan de rand van deze kaartjes verwijzen naar de cijfers van de uitvalswegen op de kaartbladzijden in deze atlas.

Départements

01	Ain	2A	Corse-du-Sud	39	Jura	59	Nord
02	Aisne	2B	Haute-Corse	40	Landes	60	Oise
03	Allier	21	Côte-d'Or	41	Loir-et-Cher	61	Orne
04	Alpes-de-Haute-Provence	22	Côtes-du-Nord	42	Loire	62	Pas-de-Calais
05	Hautes Alpes	23	Creuse	43	Haute-Loire	63	Puy-de-Dôme
06	Alpes Maritimes	24	Dordogne	44	Loire-Atlantique	64	Pyrénées-Atlantiques
07	Ardèche	25	Doubs	45	Loiret	65	Hautes-Pyrénées
08	Ardennes	26	Drôme	46	Lot	66	Pyrénées-Orientales
09	Ariège	27	Eure	47	Lot-et-Garonne	67	Bas-Rhin
10	Aube	28	Eure-et-Loir	48	Lozère	68	Haut-Rhin
11	Aude	29	Finistère	49	Maine-et-Loire	69	Rhône
12	Aveyron	30	Gard	50	Manche	70	Haute-Saône
13	Bouches-du-Rhône	31	Haute-Garonne	51	Marne	71	Saône-et-Loire
14	Calvados	32	Gers	52	Haute-Marne	72	Sarthe
15	Cantal	33	Gironde	53	Mayenne	73	Savoie
16	Charente	34	Hérault	54	Meurthe-et-Moselle	74	Haute-Savoie
17	Charente-Maritime	35	Ille-et-Vilaine	55	Meuse	75	Paris
18	Cher	36	Indre	56	Morbihan	76	Seine-Maritime
19	Corrèze	37	Indre-et-Loire	57	Moselle		
		38	Isère	58	Nièvre		

77	Seine-et-Marne	
78	Yvelines	
79	Deux-Sèvres	
80	Somme	
81	Tarn	
82	Tarn-et-Garonne	
83	Var	
84	Vaucluse	
85	Vendée	
86	Vienne	
87	Haute-Vienne	
88	Vosges	
89	Yonne	
90	Territoire-de-Belfort	
91	Essonne	
92	Hauts-de-Seine	
93	Seine-St-Denis	
94	Val-de-Marne	
95	Val-d'Oise	

A

Aa 62,59	**3** E4	L'Abergement-de-Varey 01	**156** C4	Aboën 42	**186** B1
Aast 64	**249** D1	Abergement-le-Grand 39	**141** E1	Aboncourt 57	**40** C2
Abainville 55	**63** D4	Abergement-le-Petit 39	**141** E1	Aboncourt 54	**86** B2
Abancourt 59	**10** C3			Aboncourt-Gesincourt 70	**106** B2
Abancourt 60	**16** C3	Abergement-la-Ronce 39	**124** A4	Aboncourt-sur-Seille 57	**64** C2
Abaucourt 54	**64** C1	Abergement-St-Jean 39	**141** D1	Abondance 74	**159** D2
Abaucourt-Hautecourt 55	**39** D3	L'Abergement-Ste-Colombe 71	**140** B2	Abondant 28	**56** A3
Abbans-Dessous 25	**125** D3			Abos 64	**226** A4
Abbans-Dessus 25	**125** D3	Abergement-lès-Thésy 39	**142** A1	Abreschviller 57	**66** A3
Abbaretz 44	**93** E4	Abidos 64	**226** A4	Abrest 03	**153** D3
Abbécourt 02	**19** D4	Abilly 37	**133** D1	Les Abrets 38	**173** D3
Abbecourt 60	**33** E2	Abîme (Pont de l') 73	**173** F2	Abriès 05	**207** F1
Abbenans 25	**107** D4	Abitain 64	**225** E4	Abscon 59	**10** C2
Abbévillé-lès-Conflans 54	**39** E3	Abjat-sur-Bandiat 24	**163** F3	L'Absie 79	**130** C3
Abbeville 80	**8** B4	Ablain-St-Nazaire 62	**10** A2	Abzac 16	**148** B3
Abbeville-St-Lucien 60	**33** E1	Ablaincourt-Pressoir 80	**18** B2	Abzac 33	**178** A4
Abbévillers 25	**108** A4	Ablainzevelle 62	**10** A4	Accarias (Col) 38	**205** F2
Abbéville-la-Rivière 91	**79** F2	Ablancourt 51	**61** E2	Accolans 25	**107** E4
Abeilhan 34	**233** E4	Ableiges 95	**33** D4	Accolay 89	**102** B3
L'Aber-Wrac'h 29	**45** D1	Les Ableuvenettes 88	**87** D3	Accons 07	**203** D1
Abère 64	**227** D4	Ablis 78	**79** D1	Accous 64	**248** A3
L'Abergement-Clémenciat 01	**155** F3	Ablon-sur-Seine 94	**57** F3	Achain 57	**65** D1
L'Abergement-de-Cuisery 71	**140** B3			Achen 57	**42** A4
				Achenheim 67	**67** D3
				Achères 78	**57** D1
				Achères 18	**119** D2
				Achères-la-Forêt 77	**80** B2
				Achery 02	**19** E3
				Acheux-en-Amiénois 80	**9** F4

Acheux-en-Vimeu 80	**16** B1	Adelange 57	**41** D4	Agincourt 54	**64** B3
Acheville 62	**10** B2	Adelans 70	**107** D2	Agly 11,66	**262** B1
Achey 70	**105** F4	Aderville 65	**258** A3	Agmé 47	**195** F4
Achicourt 62	**10** A3	Adilly 79	**131** D3	Agnac 47	**195** F3
Achiet-le-Grand 62	**233** F4	Adinfer 62	**10** A4	Agnat 43	**184** C1
Achiet-le-Petit 62	**10** A4	Adissan 34	**233** D1	Agneaux 50	**27** E4
Achun 58	**121** D3	Adon 45	**101** D3	Agnetz 60	**33** F2
Achy 60	**33** D1	Les Adjots 16	**147** E3	Agnez-lès-Duisans 62	**9** F3
Acigné 35	**73** E3	Adour 32,40,		Agnicourt-et-Séchelles 02	**20** A3
Aclou 27	**31** D3	62	**65** B2	Agnières 62	**9** F2
Acon 27	**55** E3	Adrets 86	**148** B2	Agnières 80	**16** C3
Acq 62	**9** F2	Les Adrets 38	**189** F1	Agnières-en-Dévoluy 05	**205** F2
Acqualta 2B	**265** E2	Les Adrets-de-l'Estérel 83	**239** F3	Agnin 38	**187** E1
Acqueville 50	**24** C2	Afa 2a	**266** B4	Agnos 64	**248** A2
Acqueville 14	**52** B1	Affieux 19	**165** E4	Agny 62	**10** A3
Acquigny 27	**31** F3	Affléville 54	**39** E2	Agon-Coutainville 50	**26** C4
Acquin-Westbécourt 62	**3** E3	Affoux 69	**170** C1	Agonac 24	**179** F2
Acy 02	**35** E2	Affracourt 54	**86** C1	Agonès 34	**217** E4
Acy-en-Multien 60	**34** C4	Affringues 62	**3** E1	Agonges 03	**137** D3
Acy-Romance 08	**37** D1	Agassac 31	**250** C1	Agonnay 17	**161** D1
Adaincourt 57	**40** C4	Agay 83	**240** A3	Agos-Vidalos 65	**257** D2
Adainville 78	**56** B3	Agde 34	**255** F1	Agout 34,81	**230** C2
Adam-lès-Passavant 25	**125** F2	Agel 34	**254** B1	Agris 16	**163** D2
Adam-lès-Vercel 25	**26** A3	Agel (Mont) 06	**241** D4	Agudelle 17	**177** E1
Adamswiller 67	**66** B1	Agen 47	**211** F2	Aguessac 12	**216** B2
Adast 65	**257** D2	Agencourt 21	**123** E1	Aguilcourt 02	**36** B2
Adé 65	**249** D2	Agen-d'Aveyron 12	**215** E1	Aguts 81	**230** C3
		Agenville 80	**9** D4	Agy 14	**28** B3
		Agenvillers 80	**8** C4	Ahaxe-Alciette-Bascassan 64	**247** D2
		Les Ageux 60	**34** A2	Ahetze 64	**224** B4
		Agey 21	**123** D2	Ahéville 88	**87** D2
		Aghione 2b	**267** E2	Ahuillé 53	**74** C4
				Ahun 23	**150** C4
				Ahuy 21	**123** E1

Aillant-sur-Tholon 89	**101** F2	Alagnon 15, 43	**184** A3	Alleins 13	**236** C2
Aillas 33	**195** D4	Alagnon (Gorges de l') 15,43,63	**184** B1	Allemagne-en-Provence 04	**238** B1
Ailleux 42	**169** F2	Alaigne 11	**253** D3	Allemanche-Launay-et-Soyer 51	**60** A4
Aillevans 70	**107** D3	Alaincourt 70	**106** B1	Allemans 24	**178** C2
Ailleville 10	**84** B3	Alaincourt 02	**19** D3	Allemans-du-Dropt 47	**195** F3
Aillevillers-et-Lyaumont 70	**106** C1	Alaincourt-la-Côte 57	**64** C1	Allemant 51	**60** A3
Aillianville 52	**85** F2	Alairac 11	**253** E2	Allemant 02	**35** E1
Aillières-Beauvoir 72	**76** C1	Alaise 25	**125** E4	Allemond 38	**189** F3
Aillon-le-Jeune 73	**173** F3	Alan 31	**250** C2	Allenay 80	**8** B4
Aillon-le-Vieux 73	**174** A3	Alando 2b	**267** E1	Allenc 48	**201** E4
Ailloncourt 70	**107** D2	Alata 2b	**266** B4	Allenjoie 25	**108** A4
Ailly 27	**31** F4	Alba 07	**203** E3	Allennes-les-Marais 59	**10** B1
Ailly-le-Haut-Clocher 80	**8** C4	Alban 81	**215** D4	Allenwiller 67	**66** C3
Ailly-sur-Meuse 55	**63** D2	Albaret-le-Comtal 48	**200** C1	Allerey 21	**122** C3
Ailly-sur-Noye 80	**17** F3	Albaret-Ste-Marie 48	**201** D1	Allerey-sur-Saône 71	**140** B1
Ailly-sur-Somme 80	**17** E2	Albaron (Cluse de l') 01	**156** C4	Allériot 71	**140** A2
Aimargues 30	**235** D2	Albaron 13	**235** E3	Allery 80	**16** C1
Aimé (Mont) 51	**60** B2	Albas 11	**254** B3	Alles-sur-Dordogne 24	**196** C3
Ain 1,39	**141** E3	Albas 46	**197** E4	Les Alleuds 49	**114** A2
Ainay-le-Château 03	**136** B3	Albé 67	**89** D1	Les Alleuds 79	**147** D3
Ainay-le-Vieil 18	**136** A3	Albefeuille-Lagarde 82	**213** D3	Les Alleux 08	**37** F1
Aincille 64	**246** C2	Albens 73	**173** E2	Alleuze 15	**201** F1
Aincourt 95	**32** C4	Albepierre-Bredons 15	**183** F3	Allevard 38	**174** A4
Aincreville 55	**38** B2	L'Albère 66	**262** C3	Allèves 74	**173** F2
Aingeray 54	**64** A3	Albert 80	**18** A1	Allex 26	**204** A3
Aingeville 88	**86** A3	Albertacce 2b	**266** C1	Alleyrac 43	**202** B1
Aingoulaincourt 52	**85** E1	Albertville 73	**174** B2	Alleyras 43	**201** F1
Ainharp 64	**247** E1	Albestroff 57	**65** E1	Alleyrat 23	**150** C4
Ainhice-Mongelos 64	**247** D1	Albiac 31	**230** C2	Alleyrat 19	**166** C3
Ainhoa 64	**246** B1	Albiac 46	**198** B2	Allez-et-Cazeneuve 47	**211** F1
Ainvelle 88	**86** B4	Albias 82	**213** E3	Alliancelles 51	**62** A4
Ainvelle 70	**106** C1	Albières 11	**253** F4	Alliat 09	**260** B1
Airaines 80	**17** D1	Albiès 09	**260** B1	Allibaudières 10	**60** C4
Airan 14	**29** E4	Albiez-le-Jeune 73	**190** B2	Allichamps 52	**62** A4
Aire 08	**36** C1	Albiez-le-Vieux 73	**190** B2	Allier 3,18, 43,58,63	**184** C1
Aire 55	**37** F2	Albignac 19	**181** E3	Allier 65	**249** E2
Aire-sur-l'Adour 40	**226** C2	Albigny-sur-Saône 69	**171** E1	Allières 09	**259** F2
Aire-sur-la-Lys 62	**4** A4	Albine 81	**232** A4	Les Alliés 25	**126** A4
Les Aires 34	**233** D3	Albiosc 04	**238** B1	Alligny-Cosne 58	**120** A4
Airion 60	**33** F2	Albitreccia 2a	**268** C1	Alligny-en-Morvan 58	**122** A3
Airon-Notre-Dame 62	**8** B2	Albon 26	**187** E2	Allineuc 22	**71** D1
Airon-St-Vaast 62	**8** B2	Albon 07	**203** D1	Allinges 74	**158** C1
Airoux 11	**252** C1	Alboussière 07	**187** E4	Allogny 18	**118** C3
Airvault 79	**131** E2	Les Albres 12	**199** D4	Allogny (Forêt d') 07	**118** C3
Aiserey 21	**123** F3	Albussac 19	**181** F3	Allondans 25	**107** F4
Aisey-et-Richecourt 70	**106** B1	Alby-sur-Chéran 74	**173** F1	Allondaz 73	**174** B2
Aisey-sur-Seine 21	**104** A2	Alçay-Alcabéhéty-Sunharette 64	**247** E2	Allondrelle-la-Malmaison 54	**39** D1
Aisne 2,8, 51,55,60	**36** C1	Aldudes 64	**246** B2	Allonne 60	**33** E2
Aisonville-et-Bernoville 02	**19** E2	Aldudes (Vallée des) 64	**246** B2	Allonne 79	**131** D3
Aissey 25	**125** F2	Alembon 62	**3** D3	Allonnes 28	**78** C2
Aisy-sous-Thil 21	**122** B1	Alençon 61	**76** B1	Allonnes 49	**114** C2
Aisy-sur-Armançon 89	**103** E3	Alénya 66	**263** D2	Allonnes 72	**96** B1
Aiti 2b	**265** D4	Aléria 2b	**267** F2	Allons 47	**210** B2
Aiton 73	**174** B3	Alès 30	**218** A3	Allons 04	**222** C3
Aitone (Forêt d') 2A	**266** B2	Alet-les-Bains 11	**253** E3	Allonzier-la-Caille 74	**158** A4
Aix 19	**166** C3	Alette 62	**8** B1	Allos 04	**223** D1
Aix 59	**11** D1	Aleu 09	**259** F3	Allos (Col d') 04	**222** C2
Aix-les-Bains 73	**173** E2	Alex 74	**174** A1	Allouagne 62	**9** F1
Les Aix-d'Angillon 18	**119** E3	Alexain 53	**74** C3	Alloue 16	**148** A4
Aix-en-Ergny 62	**8** C1	Aleyrac 26	**204** A4	Allouis 18	**118** C3
Aix-en-Issart 62	**8** C1	Alfeld (Lac d') 88	**107** F2	Allouville-Bellefosse 76	**14** C4
Aix-en-Othe 10	**82** B3	Alfortville 94	**57** E2	Les Allues 73	**174** C4
Aix-en-Provence 13	**237** E3	Algajola 2b	**264** B3	Les Alluets-le-Roi 78	**56** C2
Aix-en-Diois 26	**205** D2	Algans 81	**230** C3	Alluy 58	**121** D4
Aix-la-Fayette 63	**169** D4	Algolsheim 68	**89** E4	Alluyes 28	**78** B3
Aix-Noulette 62	**10** A2	Algrange 57	**39** F2	Ally 15	**182** C3
Aixe-sur-Vienne 87	**164** B2	Alièze 39	**141** E3	Ally 43	**184** C3
Aizac 07	**203** D2	Alignan-du-Vent 34	**233** E4	Almayrac 81	**214** C3
Aizanville 52	**84** C4	Alincourt 08	**37** D2	Almenêches 61	**53** E3
Aize 36	**117** F4	Alincthun 62	**3** D3	Almon-les-Junies 12	**199** E3
Aizecourt-le-Bas 80	**18** C1	Alise-Ste-Reine 21	**103** F4	Alo Bisucce 2A	**268** C3
Aizecourt-le-Haut 80	**18** C1	Alissas 07	**203** E2	Alos 09	**259** E3
Aizecq 16	**147** E4	Alix 69	**171** D1	Alos 81	**214** A3
Aizelles 02	**36** A1	Alixan 26	**188** A4	Alos-Sibas-Abense 64	**247** E2
Aizenay 85	**128** C2	Alizay 27	**31** F2	Alouettes (Mont des) 85	**130** A1
Aizier 27	**30** C2	Allain 54	**64** A4	Aloxe-Corton 21	**123** E4
Aizy-Jouy 02	**35** F1	Allaines 80	**18** B1	L'Alpe d'Huez 38	**190** A3
Ajac 11	**253** D3	Allaines-Mervilliers 28	**79** D3	Alpes Mancelles 72	**75** F2
Ajaccio 2A	**266** B4	Allainville 78	**79** E1	Alpilles (Chaîne des) 13	**236** A1
Ajaccio (Golfe de) 2A	**268** B1	Allainville 28	**55** F3	Alpuech 12	**200** B2
Ajain 23	**150** C3	Allaire 56	**92** B3	Alquines 62	**3** D2
Ajat 23	**180** B3	Allamont 54	**39** E4	Alrance 12	**215** E3
Ajoncourt 57	**64** C2	Allamps 54	**63** F4	Alsting 57	**41** F3
Ajou 27	**54** C1	Allan 26	**203** F4	Altagène 2a	**269** D2
Ajoux 07	**203** E2	Allarmont 88	**66** A4	Alteckendorf 67	**67** D2
Ajustants (Route des) 19	**182** C1	Allas-Bocage 17	**177** E1	Altenach 68	**108** B3
Alland'Huy-et-Sausseuil 08	**37** E1	Allas-Champagne 17	**161** E4	Altenbach 68	**108** B1
Alland 2A	**36** A1	Allas-les-Mines 24	**197** D1	Altenheim 67	**66** C2
Albaret-...		Allassac 19	**181** D2	Altenstadt 67	**43** E4
		Allauch 13	**243** E2	Althen-des-Paluds 84	**219** F3
		Allègre 30	**218** B2	Altiani 2b	**267** E2
		Allègre 43	**185** F2	Altier 48	**202** A4
		Allègre (Château d') 30	**218** B2	Altillac 19	**181** F4
				Altkirch 68	**108** B3
				Altorf 67	**67** D4

Altrippe 57 41 E4
Altviller 57 41 E4
Altwiller 67 65 F1
Aluze 71 139 F2
Alvignac 46 198 B1
Alvimare 76 14 C4
Alzen 09 252 A4
Alzi 2b 267 E1
Alzing 57 41 D2
Alzon 30 217 D4
Alzonne 11 253 D2
Amage 70 107 D1
Amagne 08 37 E1
Amagney 25 125 E2
Amailloux 79 131 D2
Amance 54 64 C2
Amance 70 106 B2
Amance 10 84 A2
Amancey 25 125 E4
Amancy 74 158 B3
Amange 39 124 B3
Amanlis 35 73 E4
Amanty 55 63 E4
Amanvillers 57 40 A3
Amanzé 71 154 C2
Amareins-Franchelein 01 155 E3
Amarens 81 214 A3
Amathay-Vésigneux 25 125 F4
Amayé-sur-Orne 14 29 D4
Amayé-sur-Seulles 14 28 B4
Amazy 58 121 D2
Ambacourt 88 86 C2
Ambarès-et-Lagrave 33 177 E4
Ambax 31 250 C1
Ambazac 87 165 D1
Ambel 38 205 F1
Ambenay 27 54 C2
Ambérac 16 162 B1
Ambérieu-en-Bugey 01 156 C4
Ambérieux 69 171 E1
Ambérieux-en-Dombes 01 155 F4
Ambernac 16 148 A4
Amberre 86 132 A2
Ambert 63 169 E4
Ambès 33 177 E4
Ambeyrac 12 198 C4
Ambialet 81 215 D4
Ambiegna 2a 266 B3
Ambierle 42 154 A3
Ambiévillers 70 86 C4
Ambillou 37 115 E1
Ambillou-Château 49 114 A2
Ambilly 74 158 B2
Amblaincourt 55 62 C1
Amblainville 60 33 E3
Amblans-et-Velotte 70 107 D3
Ambleny 02 35 D2
Ambléon 01 173 D2
Ambleteuse 62 2 C3
Ambleville 16 162 A3
Ambleville 95 32 C4
Amblie 14 29 D3
Amblimont 08 22 A4
Ambloy 41 97 F3
Ambly-Fleury 08 37 D1
Ambly-sur-Meuse 55 38 C4
Amboise 37 116 B1
Ambon 56 91 F3
Ambonil 26 204 A1
Ambonnay 51 36 C4
Ambonville 52 84 C2
Ambourville 76 31 E1
Ambrault 36 135 D2
Ambres 81 230 C2
Ambricourt 62 9 D2
Ambrief 02 35 E2
Ambrières 51 62 A3
Ambrières-les-Vallées 53 75 D1
Ambrines 62 9 E3
Ambronay 01 156 C4
Ambrugeat 19 166 B4
Ambrumesnil 76 15 E2
Ambrus 47 211 D2
Ambutrix 01 156 C4
Amby (Gorges d') 38 172 B2
Amécourt 27 32 C2
Amel-sur-l'Étang 55 39 D3
Amelécourt 57 65 D2
Amélie-les-Bains-Palalda 66 262 B3
Amendeuix-Oneix 64 225 E4
Amenoncourt 54 65 E3
Amenucourt 95 32 C4
Ames 62 9 E1
Amettes 62 9 E1
Ameugny 71 139 F4
Ameuvelle 88 106 B1
Amfreville-la-Campagne 27 31 E3
Amfreville-les-Champs 76 15 D3
Amfreville-les-Champs 27 32 A2

Amfréville 14 29 E3
Amfreville 50 25 D3
Amfreville-sous-les-Monts 27 32 A2
Amfreville-sur-Iton 27 31 F4
Amfreville-la-Mi-Voie 76 31 E1
Amfroipret 59 11 F3
Amiens 80 17 E2
Amifontaine 02 36 B1
Amigny 50 27 E3
Amigny-Rouy 02 19 D4
Amillis 77 59 D3
Amilly 45 100 C1
Amilly 28 78 B1
260 A3
Amions 42 170 A1
Amirat 06 223 E4
Ammerschwihr 68 89 D3
Ammerzwiller 68 108 B2
Amné 72 76 A4
Amnéville 57 40 B3
Amoncourt 70 106 B2
Amondans 25 125 E3
Amont-et-Effreney 70 107 E1
Amorots-Succos 64 225 D4
Amou 40 226 A3
Ampilly-les-Bordes 21 104 A3
Ampilly-le-Sec 21 103 F2
Amplepuis 69 154 C4
Amplier 62 9 E4
Ampoigné 53 94 C2
Amponville 77 80 B3
Ampriani 2b 267 E1
Ampuis 69 171 E4
Ampus 83 239 D2
Amuré 79 146 A2
Amy 60 18 B4
Anais 17 145 E2
Anais 16 162 C2
Anan 31 250 C1
Ance 43 186 A4
Ance 64 247 F2
Anceaumeville 76 15 E4
Anceins 61 54 B2
Ancelle 05 206 B2
Ancemont 55 38 C4
Ancenis 44 112 C1
Ancerville 55 62 B3
Ancerville 57 40 C4
Ancerviller 54 95 F1
Ancey 21 123 E2
Anchamps 08 21 E2
Anché 37 115 D3
Anché 86 147 E2
Anchenoncourt-et-Chazel 70 106 C1
Anchin (Anc. abbaye d') 59 10 C2
Ancienville 02 35 D3
Ancier 70 124 C1
Ancinnes 72 76 B2
Ancizan 65 249 F4
Les Ancizes-Comps 63 167 E1
Ancône 26 203 F3
Ancourt 76 15 F2
Ancourteville-sur-Héricourt 76 14 C3
Ancretiéville-St-Victor 76 15 E4
Ancretteville-sur-Mer 76 14 C3
Ancteville 50 26 C4
Anctoville 14 28 B4
Anctoville-sur-Boscq 50 50 B2
Ancy 69 171 D1
Ancy-le-Franc 89 103 D2
Ancy-le-Libre 89 103 E2
Ancy-sur-Moselle 57 40 A4
Andaines (Forêt des) 61 52 B4
Andainville 80 16 C2
Andance 07 187 E2
Andancette 26 187 E2
Andard 49 114 A1
Andé 27 31 F3
Andechy 80 18 B3
Andel 22 51 D3
Andelain 02 19 D4
Andelaroche 03 153 F2
Andelarre 70 106 B3
Andelarrot 70 106 B3
Andelat 15 184 A3
Andelle 27,76 16 A4
Andelnans 90 108 A3
Andelot 52 85 D3
Andelot-en-Montagne 39 142 A1
Andelot-lès-St-Amour 39 156 C1
Andelu 78 56 C2
Andernay 52 62 B2
Andernos-les-Bains 33 194 C2
Anderny 54 39 E2
Andert-et-Condon 01 173 D2
Andevanne 08 38 A2
Andeville 60 33 E3

Andigné 49 94 C3
Andillac 81 214 A4
Andilly 95 57 E1
Andilly 54 63 F2
Andilly 74 158 A3
Andilly 17 145 E2
Andilly-en-Bassigny 52 105 E1
Andiran 47 211 D3
Andlau 67 89 D1
Andoins 64 248 C1
Andolsheim 68 89 D3
Andon 06 239 F1
Andornay 70 107 E3
Andorra la Vella 260 A3
Andouillé 53 74 C3
Andouillé-Neuville 35 79 E3
Andouque 81 214 C4
Andrein 64 225 E4
Andres 62 3 D2
Andrest 65 249 E1
Andrésy 78 57 D1
Andrezé 49 113 D3
Andrezel 77 58 B4
Andrézieux-Bouthéon 42 170 B4
Andryes 89 102 A4
Anduze 30 218 A3
Anéran-Camors 65 258 A3
Anères 65 250 A3
Anet 28 56 A2
Anetz 44 112 C1
Angais 64 248 C1
Angé 41 117 D2
Angeac-Champagne 16 161 F3
Angeac-Charente 16 162 B3
Angecourt 08 22 A4
Angeduc 16 162 B4
Angely 89 103 D4
Angeot 90 108 A2
Angers 49 95 D4
Angerville-la-Campagne 27 55 E1
Angerville 14 29 F3
Angerville 91 79 E2
Angerville-Bailleul 76 14 B4
Angerville-l'Orcher 76 14 B4
Angervilliers 91 57 D4
Angerville-la-Martel 76 14 B3
Angeville 82 212 B4
Angevillers 57 39 F2
Angey 50 50 B2
Angicourt 60 34 A2
Angiens 76 15 D2
Angirey 70 124 C1
Angivillers 60 34 A1
Anglade 33 177 D3
Anglais (Cascades des) 2B 267 D2
Anglards-de-St-Flour 15 184 B4
Anglards-de-Salers 15 183 D2
Anglars 46 198 C2
Anglars-Juillac 46 197 E4
Anglars-Nozac 46 197 F2
Anglars-St-Félix 12 199 D4
Anglefort 01 157 E4
Anglemont 88 87 F1
Angles 85 144 C1
Angles 04 222 C3
Anglès 81 232 A3
Les Angles 65 257 E2
Les Angles 30 219 E4
Les Angles 66 261 D2
Angles-sur-l'Anglin 86 133 D3
Les Angles-sur-Corrèze 19 181 F2
Anglesqueville-la-Bras-Long 76 15 D3
Anglesqueville-l'Esneval 76 14 A4
Anglet 64 224 B3
Angliers 17 145 E2
Anglure 51 60 B4
Anglure-sous-Dun 71 154 C2
Anglus 52 84 B1
Angluzelles-et-Courcelles 51 60 B3
Angoisse 24 180 B1
Angomont 54 65 F4
Angos 65 249 E2
Angoulême 16 162 C3
Angoulins 17 145 D3
Angoumé 40 225 D2
Angous 64 247 E1
Angoustrine 66 261 D3
Angoville 14 14 A3
Angoville-au-Plain 50 25 D1
Angoville-en-Saire 50 25 D1
Angoville-sur-Ay 50 26 C2
Angres 62 10 A2
Angresse 40 224 C2
Angrie 49 94 B4
Anguerny 29 D3
Anguilcourt-le-Sart 02 19 D4

Angviller-lès-Bisping 57 65 F2
Angy 60 33 F2
Anhaux 64 246 C2
Anhiers 59 10 C2
Aniane 34 234 A2
Aniche 59 10 C2
Anisy 14 29 D3
Anizy-le-Château 02 35 E1
Anjeux 70 106 C1
Anjony 15 183 D3
Anjou 38 187 E1
Anjouin 36 118 A3
Anjoutey 90 108 A2
Anla 65 250 B3
Anlezy 58 137 F1
Anlhiac 24 180 B1
Annay 72 10 B2
Annay 58 101 D4
Annay-la-Côte 89 102 C4
Annay-sur-Serein 89 102 C3
Annebault 14 29 F3
Annebecq 14 51 E1
Annecy 74 173 F4
Annecy (Lac d') 74 174 A1
Annecy-le-Vieux 74 158 A4
Annelles 08 37 D2
Annemasse 74 158 B2
Annéot 89 102 C4
Annepont 17 161 D1
Annequin 62 10 A1
Annesse-et-Beaulieu 24 179 D3
Annet-sur-Marne 77 58 B1
Anneux 59 10 C4
Anneville-Ambourville 76 31 E1
Anneville-en-Saire 50 25 E2
Anneville-sur-Mer 50 26 C3
Anneville-sur-Scie 76 15 F2
Annéville-la-Prairie 52 85 D3
Anneyron 26 187 E2
Annezay 17 145 F1
Annezin 62 10 A1
Annœullin 59 10 B1
Annoire 39 140 C1
Annois 02 19 D3
Annoisin-Chatelans 38 172 B2
Annoix 18 136 A1
Annonay 07 187 D2
Annonville 52 85 E1
Annot 04 222 D3
Annouville-Vilmesnil 76 14 B3
Annoux 89 103 D3
Annoville 50 50 B1
Anor 59 20 B1
Anos 64 226 C4
Anost 71 122 A4
Anould 88 88 B3
Anoux 54 39 E2
Anoye 64 227 D4
Anquetierville 76 31 D1
Anrosey 52 105 F2
Ansac-sur-Vienne 16 148 A4
Ansan 32 214 B2
Ansauvillers 60 17 F4
Anse 69 171 E1
Anserville 60 33 E3
Ansignan 66 262 A1
Ansigny 73 173 E1
Ansost 65 227 E4
Ansouis 84 237 E1
Anstaing 59 5 E4
Antagnac 47 210 B1
Anterrieux 15 200 C1
Anteuil 25 126 B1
Antezant-la-Chapelle 17 146 B4
Anthé 47 212 A1
Anthelupt 54 64 C3
Anthenay 51 36 A4
Antheny 08 21 D2
Antheuil 21 123 D3
Antheuil-Portes 60 34 B1
Anthien 58 121 E2
Anthon 38 172 A2
Anthy-sur-Léman 74 158 C1
Antibes 06 240 C2
Antibes (Cap d') 06 240 B2
Antichan 65 250 B3
Antichan-de-Frontignes 31 250 B4
Antifer (Cap d') 76 14 A3
Antignac 31 258 B3
Antignac 15 184 A3
Antigny 85 130 B3
Antigny 86 133 D4
Antigny-la-Ville 21 122 C4
Antilly 60 34 C4
Antilly 57 40 B3
Antin 65 249 F1
Les Antiques 13 236 B1
Antisanti 2b 267 E4
Antist 65 249 E1

Antogny 37 132 C1
Antoigné 49 114 B4
Antoigny 61 52 B4
Antoingt 63 168 B4
Antonaves 05 221 E1
Antonne-et-Trigonant 24 179 F2
Antony 92 57 E3
Antorpe 39 124 C3
Antraigues 07 203 D2
Antrain 35 73 E1
Antran 86 132 C2
Antras 09 259 D3
Antras 32 228 A2
Antrenas 48 201 D3
Antugnac 11 253 E4
Antully 71 139 E1
Anvéville 76 15 D3
Anville 16 162 A1
Anvin 62 9 D2
Any-Martin-Rieux 02 20 C2
Anzat-le-Luguet 63 184 A1
Anzeling 57 40 C2
Anzème 23 150 B2
Anzex 47 210 C1
Anzin 59 11 D2
Anzin-St-Aubin 62 10 A3
Anzy-le-Duc 71 154 B2
Aoste 38 173 D3
Aougny 51 36 A3
Aouste 08 20 C3
Aouste-sur-Sye 26 204 B2
Aouze 88 86 B1
Apach 57 40 C1
Apchat 63 184 A1
Apchon 15 183 F2
Apinac 42 185 F1
Apothicairerie (Crotte de l') 56 90 B4
Appelle 81 231 D3
Appenai-sous-Bellême 61 77 D2
Appenans 25 126 B1
Appenwihr 68 89 D4
Appeville 50 26 C2
Appeville-Annebault 27 31 D2
Appietto 2a 266 B3
Appilly 60 18 C4
Appoigny 89 102 A2
Apprieu 38 188 C1
Appy 09 260 C1
Apremont 01 157 D2
Apremont 08 38 F3
Apremont 60 34 A3
Apremont 85 128 C2
Apremont 73 173 E3
Apremont 70 124 B1
Apremont-la-Forêt 55 63 E2
Apremont-sur-Allier 18 137 D1
Apt 84 220 C4
Arabaux 09 252 B4
Arâches 74 159 D3
Aragnouet 65 257 F4
Aragon 11 253 E1
Aramits 64 247 E2
Aramon 30 219 D4
Aranc 01 156 C4
Arancou 64 225 E4
Arandas 01 172 C1
Arandon 38 172 C2
Araujuzon 64 225 F4
Araules 43 186 B3
Araux 64 225 F4
Aravis (Chaîne des) 73,74 158 C4
Aravis (Col des) 73,74 174 C1
Arbailles (Forêt des) 64 247 E2
Arbanats 33 194 B2
Arbas 31 259 D1
Arbecey 70 106 B2
Arbellara 2a 269 D2
Arbent 01 157 D2
Arbéost 65 256 C2
Arbérats-Sillègue 64 225 E4
Arbigneu 01 173 D2
Arbigny 01 140 B4
Arbigny-sous-Varennes 52 105 F1
Arbin 73 173 F3
Arbis 33 194 C2
Arblade-le-Bas 32 227 D2
Arblade-le-Haut 32 227 D1
Arbois 39 141 E1
Arbois (Mont d') 74 175 D1
Arbon 31 258 C2
Arbonne 64 224 B3
Arbonne-la-Forêt 77 80 B1
Arboras 34 233 F2
Arbori 2a 266 B2
Arbot 52 104 C2
Arbouans 25 107 D4
Arboucave 40 226 B2
Arbouet-Sussaute 64 225 E4
Arbourse 58 120 B2
Arboussols 66 262 A2
L'Arbresle 69 171 D1
Arbrissel 35 94 B1

Arbus 64 248 A1
Arbusigny 74 158 B3
Arc 73 190 B1
Arc-en-Barrois 52 104 C1
Arc-et-Senans 25 124 C4
Arc-lès-Gray 70 124 C1
Arc-sous-Cicon 25 126 A3
Arc-sous-Montenot 25 142 A1
Arc-sur-Tille 21 123 F2
Arcachon 33 192 C2
Arcachon (Bassin d') 33 192 C2
Arçais 79 145 F2
Arcambal 46 198 A3
Arcangues 64 224 B3
Arçay 18 135 F1
Arçay 86 131 F1
Arceau 21 123 F1
Arcenant 21 123 D3
Arcens 07 203 D1
Arces 17 160 C3
Arces 89 82 B4
Arcey 21 123 D2
Arcey 25 107 E4
Archail 04 222 B2
Archamps 74 158 A3
Archignac 24 180 C1
Archignat 03 151 E1
Archigny 86 132 C3
Archingeay 17 161 D1
Archon 02 20 B3
Arcine 74 157 F3
Arcinges 42 154 C3
Arcins 33 177 D3
Arcis-le-Ponsart 51 36 A3
Arcis-sur-Aube 10 60 C4
Arcizac-Adour 65 249 E2
Arcizac-ez-Angles 65 249 D2
Arcizans-Avant 65 257 D2
Arcizans-Dessus 65 257 D2
Arcomie 48 201 D1
Arcomps 18 135 F3
Arçon 25 126 A4
Arcon 42 154 A4
Arconcey 21 122 C3
Arçonnay 72 76 A2
Arconsat 63 169 E3
Arconville 10 84 B3
Arcouest (Pointe de l') 22 47 E1

Les Arcs 83 239 E3
Les Arcs 73 175 D3
Arcueil 94 57 E2
Arcy-Ste-Restitue 02 35 E4
Arcy-sur-Cure 89 102 B4
Ardelles 28 55 E4
Ardenais 18 135 F3
Ardenay-sur-Mérize 72 96 C1
Ardengost 65 249 F3
Ardentes 36 134 C2
Ardes 63 184 B1
Ardeuil-et-Montfauxelles 08 37 E3
Ardevon 50 50 C3
Ardiège 31 250 B3
Les Ardillats 69 155 D3
Ardillières 17 145 E3
Ardin 79 130 C4
Ardizas 32 229 D2
Ardoix 07 187 E2
Ardon 39 141 F2
Ardon 45 99 E2
Ardouval 76 15 F3
Ardres 62 3 D2
Arèches 73 175 D2
Aregno 2b 264 B3
Areines 41 98 A2
Aren 64 247 F2
Arengosse 40 209 D3
Arenthon 74 158 B3
Arès 33 192 C1
Ares (Col des) 31 258 C1
Ares (Col des) 66 262 A4
Aresches 39 142 A1
Aressy 64 248 B1
Arette 64 247 F2
Arette-Pierre-St-Martin 64 247 F3
Areu 64 247 F2
Arfeuille-Châtain 23 151 E4
Arfeuilles 03 153 F4
Arfons 81 231 E4
Argagnon 64 248 A1
Arganchy 14 28 C3
Argançon 10 84 C3
Argancy 57 40 B3
Argein 09 259 D3
Argelès-Gazost 65 257 D2
Argelès-sur-Mer 66 263 D3
Argeliers 34 234 A3
Argelliers 34 234 A2
Argelos 40 226 B3
Argelos 64 226 B4
Argelouse 40 209 E1
Argences 14 29 E4

Argens 83 239 D3
Argens 04 222 C3
Argens-Minervois 11 254 B2
Argens (Source d') 83 238 B3
Argent-sur-Sauldre 18 100 B4
Argentan 61 53 D3
Argentat 19 182 A3
Argentenay 89 103 D2
Argenteuil 95 57 E1
Argenteuil-sur-Armançon 89 103 E3
Argentière 74 159 E4
L'Argentière-la-Bessée 05 207 D1
Argentières 77 58 C4
Argentine 73 174 B4
Argentolles 52 84 C3
Argenton 47 210 C1
Argenton-Château 79 114 A4
Argenton-l'Église 79 114 A4
Argenton-Notre-Dame 53 95 D2
Argenton-sur-Creuse 36 134 A4
Argentré 53 74 C3
Argentré-du-Plessis 35 74 A4
Argenvières 18 120 A3
Argenvilliers 28 77 F4
Argers 51 37 F4
Arget 64 226 B3
Argiésans 90 107 F3
Argillières 70 105 F4
Argilliers 30 219 D3
Argilly 21 123 E4
Argis 01 156 C4
Argiusta-Moricciu 2a 269 D1
Argœuves 80 17 E2
Argol 29 ...
Argonay 74 158 A4
Argonne (Forêt d') 08,51,55 38 A4
Argouges 50 50 C4
Argoules 80 6 C4
Argueil 76 32 B1
Arguel 80 17 D2
Arguel 25 125 E4
Arguenos 31 258 C2
Argut-Dessous 31 258 C3
Argut-Dessus 31 258 C3
Argy 36 133 F2
Arhansus 64 247 D1
Aries-Espénan 65 250 A1
Arignac 09 252 A4
Arinthod 39 157 D1
Arith 73 173 F2
Arjuzanx 40 208 C3
Arlanc 63 185 E1
Arlay 39 141 E3
Arlebosc 07 187 D3
Arlempdes 43 202 B1
Arles 13 235 F2
Arles-sur-Tech 66 262 B4
Arleuf 58 ...
Arleux 59 10 C3
Arleux-en-Gohelle 62 10 B2
Arlos 31 258 B4
Armaillé 49 94 A3
Armainvilliers (Forêt d') 77 58 B3
Armançon 21, 89 102 C1
Armancourt 80 18 B4
Armancourt 60 34 B2
Armaucourt 54 64 C2
Armbouts-Cappel 59 3 F2
Armeau 89 81 F4
Armendarits 64 247 D1
Armenonville-les-Gâtineaux 28 56 B4
Armenteule 65 258 A3
Armentières 59 5 D4
Armentières-en-Brie 77 58 C1
Armentières-sur-Avre 27 54 C3
Armentières-sur-Ourcq 02 35 E3
Armentieux 32 227 E3
Armes 58 121 D3
Armillac 47 195 F3
Armissan 11 255 D2
Armix 01 172 C1
Armorique (Parc Régional d') 29 46 B4
Armous-et-Cau 32 227 F3
Armoy 74 158 C1
Arnac 15 182 B2
Arnac-Pompadour 19 181 D1
Arnac-la-Poste 87 149 E4
Arnage 72 96 B1
Arnancourt 52 84 B2
Arnas 69 155 E4
Arnaud-Guilhem 31 250 C2

Aix-en-Provence

Agard (Passage)	CY 2	Bon-Pasteur (R. du)	AX 9
Bagniers (R. des)	BY 4	Boulégon (R.)	BX 12
Clemenceau (R.)	BY	Brossolette (Av.)	AZ 13
Cordeliers (R. des)	BY 20	De-la-Roque (R.)	BX 25
Espariat (R.)	BY 26	Hôtel-de-Ville (Pl.)	BY 37
Fabrot (R.)	BY	Italie (R. d')	CY 42
Méjanes (R.)	BY 51	Lattre-de-T. (Av. de)	AY 46
Mirabeau (Cours)	BY	Matheron (R.)	BY 49
Paul-Bert (R.)	BX 66	Minimes (Crs des)	AY 52
Thiers (R.)	CY 80	Montigny (R. de)	BY 55
		Napoléon Bonaparte (Av.)	AY 57
		Nazareth (R.)	BY 58
		Opéra (R. de l')	CY 62
		Prêcheurs (Pl. des)	CY 70

Richelme (Pl.)	BY 72
St-Honoré (Pl.)	BY 73
St-Jean de Malte	CY V
St-Sauveur	BX R
St-Sauveur (Cloître)	BX N
Ste-Marie-Madeleine	CY Y
Saporta (R. G.-de)	BX 75
Thermes (Av. des)	AY 78
Verdun (Pl. de)	CY 86
4-Septembre (R.)	BZ 87

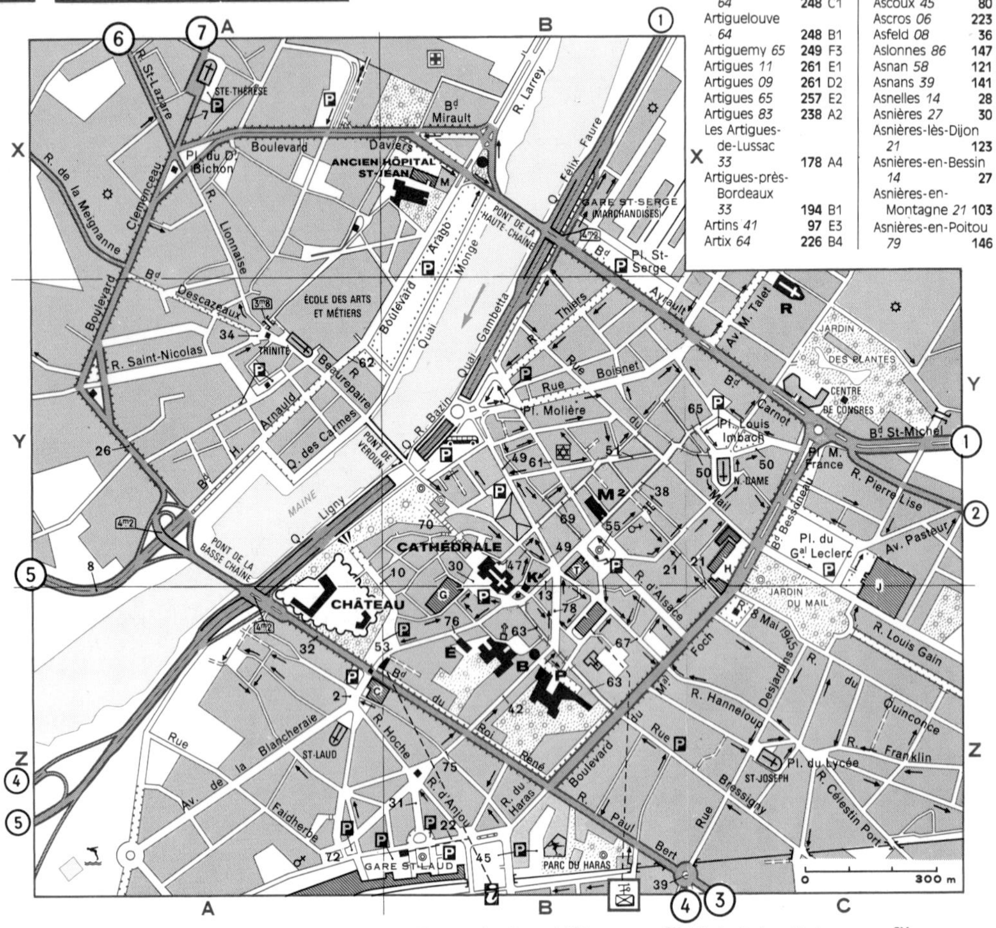

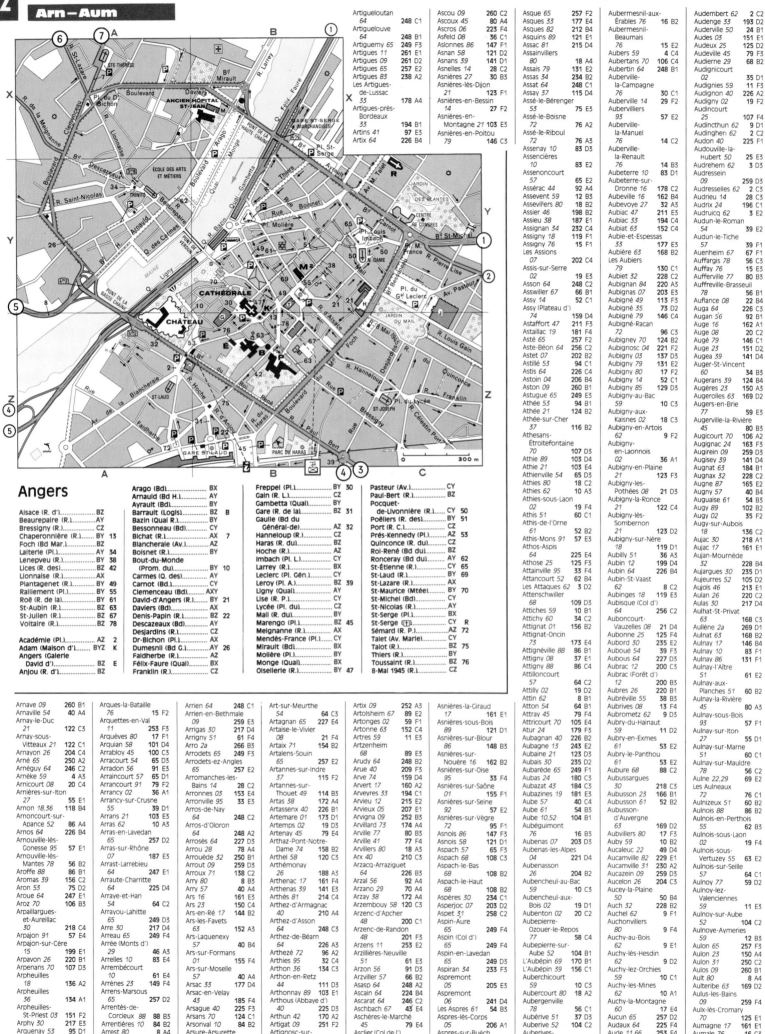

A
B
C
X
Y
Z
BOULEVARD
ANCIEN HÔPITAL ST-JEAN
ÉCOLE DES ARTS ET MÉTIERS
GARE ST-SERGE (MARCHANDISES)
PONT DE LA HAUTE CHAÎNE
PONT DE LA BASSE CHAÎNE
PONT DE VERDUN
CATHÉDRALE
CHÂTEAU
JARDIN DES PLANTES
CENTRE DE CONGRÈS
JARDIN DU MAIL
GARE ST-LAUD
PARC DU HARAS
ST-LAUD
ST-JOSEPH
STE-THÉRÈSE
TRINITÉ
MAINE
R. St-Lazare
R. de la Meignanne
Clemenceau
Boulevard
Bd Mirault
R. Larrey
Q. Félix Faure
Pl. du Dr Bichon
Lionnaise
Daviers
Arago
Monge
Quai
Bd Descazeaux
R. Saint-Nicolas
Arnauld
Beaurepaire
Q. des Carmes
Q. Ligny
Q. R. Bazin
Quai Gambetta
Thiers
Rue Boisnet
Pl. Molière
Pl. St-Serge
Ayrault
Av. M. Talet
Bd Carnot
Pl. L. Imbach
Bd St-Michel
Pl. M. France
R. Pierre Lise
Av. Pasteur
Pl. du Gal Leclerc
Bd Bessonneau
Mail
R. d'Alsace
Foch
R. Louis Gain
Desjardins
8 Mai 1945
R. Hanneloup
Quinconce
R. Franklin
Pl. du Lycée
Bressigny
R. Célestin Port
Bd du Roi René
Boulevard
Rue
Paul Bert
R. du Haras
R. d'Anjou
R. Hoche
Rue de la Blancheraie
Av. de Faidherbe
0 300 m

Angers

Alsace (R. d') BZ
Beaurepaire (R.) AY
Bressigny (R.) CZ
Chaperonnière (R.) BY 13
Foch (Bd Mar.) BZ
Laiterie (Pl.) AY 34
Lenepveu (R.) BY 38
Lices (R. des) BZ 42
Lionnaise (R.) AX
Plantagenet (R.) BY 49
Ralliement (Pl.) BY 55
Roë (R. de la) BY 61
St-Aubin (R.) BZ 63
St-Julien (R.) BZ 67
Voltaire (R.) BZ 78

Académie (Pl.) AZ 2
Adam (Maison d') BYZ K
Angers (Galerie David d') BZ E
Anjou (R. d') BZ
Arago (Bd) BX
Arnauld (Bd H.) AY
Ayrault (Bd) BY
Barrault (Logis) BZ B
Bazin (Quai R.) BY
Bessonneau (Bd) CY
Bichat (R.) AX 7
Blancheraie (Av.) AZ
Boisnet (R.) BY
Bout-du-Monde (Prom. du) BY 10
Carmes (Q. des) AY
Carnot (Bd.) CY
Clemenceau (Bd) AXY
David-d'Angers (R.) BY 21
Daviers (Bd) AX
Denis-Papin (R.) BZ 22
Descazeaux (Bd) AY
Desjardins (R.) CZ
Dr-Bichon (Pl.) AX
Dumesnil (Bd G.) AY 26
Faidherbe (R.) AZ
Félix-Faure (Quai) BX
Franklin (R.) CZ
Freppel (Pl.) BY 30
Gain (R. L.) CZ
Gambetta (Quai) BY
Gare (R. de la) BZ 31
Gaulle (Bd du Général-de) AZ 32
Hanneloup (R.) CZ
Haras (R. du) BZ
Hoche (R.) AZ
Imbach (Pl. L.) CY
Larrey (R.) BX
Leclerc (Pl. Gén.) CY
Leroy (Pl. A.) BZ 39
Ligny (Quai) AY
Lise (R. P.) CY
Lycée (Pl. du) CZ
Mail (R. du) BY
Marengo (Pl.) BZ 45
Meignanne (R.) AX
Mendès-France (Pl.) CY
Mirault (Bd) BX
Molière (Pl.) BY
Monge (Quai) BX
Oisellerie (R.) BY 47
Pasteur (Av.) CY
Paul-Bert (R.) BZ
Pocquet-de-Livonnière (R.) CY 50
Poëliers (R. des) BY 51
Port (R. C.) CZ
Prés-Kennedy (Pl.) AZ 53
Quinconce (R. du) CZ
Roi-René (Bd du) BZ
Ronceray (Bd du) AY 62
St-Étienne (R.) CY 65
St-Laud (R.) BY 69
St-Lazare (R.) AX
St-Maurice (Mtée) BY 70
St-Michel (Bd) CY
St-Nicolas (R.) AY
St-Serge (Pl.) BX
St-Serge (✝) CY R
Sémard (R. P.) AZ 72
Talet (Av. Marie) CY
Talot (R.) BZ 75
Thiers (R.) BY
Toussaint (R.) BZ 76
8-Mai 1945 (R.) CZ

Arnave *09* **260** B1
Arnaville *54* **40** A4
Arnay-le-Duc *21* **122** C3
Arnay-sous-Vitteaux *21* **122** C1
Arnayon *26* **204** C4
Arné *65* **250** A2
Arnéguy *64* **246** C2
Arnèke *59* **4** A3
Arnicourt *08* **20** C4
Arnières-sur-Iton *27* **55** E1
Arnon *18,36* **118** B4
Arnoncourt-sur-Apance *52* **86** A4
Arnos *64* **226** B4
Arnouville-lès-Gonesse *95* **57** E1
Arnouville-lès-Mantes *78* **56** B2
Aroffe *88* **86** B1
Aromas *39* **156** C2
Aron *53* **75** D2
Aroue *64* **247** E1
Aroz *70* **106** B3
Arpaillargues-et-Aureillac *30* **218** C4
Arpajon *91* **57** E4
Arpajon-sur-Cère *15* **199** E1
Arpavon *26* **220** B1
Arpenans *70* **107** D3
Arpheuilles *18* **136** A2
Arpheuilles *36* **134** A1
Arpheuilles-St-Priest *03* **151** F2
Arphy *30* **217** E3
Arquenay *53* **95** D1
Arques *62* **3** F3
Arques *11* **253** E4
Arques *12* **215** F1
Les Arques *46* **197** E3
Arques-la-Bataille *76* **15** F2
Arquettes-en-Val *11* **253** F3
Arquèves *80* **17** F1
Arquian *58* **101** D4
Arrabloy *45* **100** C3
Arracourt *54* **65** D3
Arradon *56* **91** E3
Arraincourt *57* **65** D1
Arrancourt *91* **79** F2
Arrancy *02* **36** A1
Arrancy-sur-Crusne *55* **39** D1
Arrans *21* **103** E3
Arras *62* **10** A3
Arras-en-Lavedan *65* **257** D2
Arras-sur-Rhône *07* **187** E3
Arrast-Larrebieu *64* **247** E1
Arraute-Charritte *64* **225** D4
Arraye-et-Han *54* **64** C2
Arrayou-Lahitte *65* **249** D3
Arre *30* **217** D4
Arreau *65* **249** F4
Arrée (Monts d') *29* **46** A3
Arrelles *10* **83** E4
Arrembécourt *10* **61** E4
Arrènes *23* **149** F4
Arrens-Marsous *65* **257** D2
Arrentès-de-Corcieux *88* **88** B3
Arrentières *10* **84** B2
Arrest *80* **8** A4
Arreux *08* **21** E2
Arriance *57* **40** C4
Arricau-Bordes *64* **227** D3
Arrien *64* **248** C1
Arrien-en-Bethmale *09* **259** E3
Arrigas *30* **217** D4
Arrigny *51* **61** F4
Arro *2a* **266** B3
Arrodets *65* **249** F3
Arrodets-ez-Angles *65* **257** E2
Arromanches-les-Bains *14* **28** C2
Arronnes *03* **153** E4
Arronville *95* **33** E3
Arros-de-Nay *64* **248** C2
Arros-d'Oloron *64* **248** A2
Arrosès *64* **227** D3
Arrou *28* **78** A4
Arrouède *32* **250** B1
Arrout *09* **259** D3
Arroux *71* **138** C2
Arry *80* **8** B3
Arry *57* **40** A4
Ars *16* **161** E3
Ars *23* **150** C4
Ars-en-Ré *17* **144** B2
Ars-les-Favets *63* **152** A3
Ars-Laquenexy *57* **40** B4
Ars-sur-Formans *01* **155** F4
Ars-sur-Moselle *57* **40** A4
Arsac *33* **177** D4
Arsac-en-Velay *43* **185** F4
Arsague *40* **225** F3
Arsans *70* **124** C1
Arsonval *10* **84** B2
Arsure-Arsurette *39* **142** B2
Les Arsures *39* **141** F1
Arsy *60* **34** B2
Art-sur-Meurthe *54* **64** C3
Artagnan *65* **227** E4
Artaise-le-Vivier *08* **21** F4
Artaix *71* **154** B2
Artalens-Souin *65* **257** E2
Artannes-sur-Indre *37* **115** F2
Artannes-sur-Thouet *49* **114** B3
Artas *38* **172** A4
Artassenx *40* **226** B1
Artemare *01* **173** D1
Artemps *02* **19** D3
Artenay *45* **79** E4
Arthaz-Pont-Notre-Dame *74* **158** B2
Arthel *58* **120** C3
Arthémonay *26* **188** A3
Arthenac *17* **161** F4
Arthenas *39* **141** E3
Arthès *81* **214** C4
Arthez-d'Armagnac *40* **210** A4
Arthez-d'Asson *64* **248** C3
Arthez-de-Béarn *64* **226** A3
Arthezé *72* **96** A2
Arthies *95* **32** C4
Arthon *36* **134** C3
Arthon-en-Retz *44* **111** D3
Arthonnay *89* **103** E1
Arthous (Abbaye d') *40* **225** D3
Arthun *42* **170** A2
Artigat *09* **251** F2
Artignosc-sur-Verdon *83* **238** B2
Artigue *31* **258** B3
Artiguedieu *32* **228** B3
Artigueloutan *64* **248** C1
Artiguelouve *64* **248** B1
Artiguemy *65* **249** F3
Artigues *11* **261** E1
Artigues *09* **261** D2
Artigues *65* **257** E2
Artigues *83* **238** A2
Les Artigues-de-Lussac *33* **178** A4
Artigues-près-Bordeaux *33* **194** B1
Artins *41* **97** E3
Artix *64* **226** B4
Artix *09* **252** A3
Artolsheim *67* **89** E2
Artonges *02* **59** F1
Artonne *63* **152** C4
Artres *59* **11** E3
Artzenheim *68* **89** E3
Arudy *64* **248** B2
Arue *40* **209** F3
Arve *74* **159** D4
Arvert *17* **160** A2
Arveyres *33* **194** C1
Arvieu *12* **215** E2
Arvieux *05* **207** E1
Arvigna *09* **252** B3
Arvillard *73* **174** A4
Arville *77* **80** B3
Arville *41* **77** F4
Arvillers *80* **18** A3
Arx *40* **210** C3
Arzacq-Arraziguet *64* **226** B3
Arzal *56* **92** A4
Arzano *29* **70** A4
Arzay *38* **172** A4
Arzembouy *58* **120** C3
Arzenc-d'Apcher *48* **200** C1
Arzenc-de-Randon *48* **201** F3
Arzens *11* **253** E2
Arzillières-Neuville *51* **61** E3
Arzon *56* **91** D3
Arzviller *57* **66** B2
Asasp *64* **248** A2
Ascain *64* **224** B4
Ascarat *64* **246** C2
Aschbach *67* **43** E4
Aschères-le-Marché *45* **79** E4
Asclier (Col de l') *30* **217** E3
Asco *2b* **264** C4
Asco (Gorges de l') *2B* **264** C4
Ascou *09* **260** C2
Ascoux *45* **80** A4
Ascros *06* **223** F4
Asfeld *08* **36** C1
Aslonnes *86* **147** F1
Asnan *58* **121** D2
Asnans *39* **141** D1
Asnelles *14* **28** C2
Asnières *27* **30** B3
Asnières-lès-Dijon *21* **123** F1
Asnières-en-Bessin *14* **27** F2
Asnières-en-Montagne *21* **103** E3
Asnières-en-Poitou *79* **146** C3
Asnières-la-Giraud *17* **161** E1
Asnières-sous-Bois *89* **121** D1
Asnières-sur-Blour *86* **148** B3
Asnières-sur-Nouère *16* **162** B2
Asnières-sur-Oise *95* **33** F4
Asnières-sur-Saône *01* **155** F1
Asnières-sur-Seine *92* **57** E2
Asnières-sur-Vègre *72* **95** F1
Asnois *86* **147** F3
Asnois *58* **121** D1
Aspach *57* **65** F3
Aspach *68* **108** C3
Aspach-le-Bas *68* **108** B2
Aspach-le-Haut *68* **108** B2
Aspères *30* **234** C1
Asperjoc *07* **203** D2
Aspet *31* **258** C2
Aspin-Aure *65* **249** F4
Aspin (Col d') *65* **249** F4
Aspin-en-Lavedan *65* **249** D3
Aspiran *34* **233** F3
Aspremont *05* **205** E3
Aspremont *06* **241** D4
Les Aspres *61* **54** B3
Aspres-lès-Corps *05* **206** A1
Aspres-sur-Buëch *05* **205** E3
Aspret-Sarrat *31* **258** C2
Asprières *12* **199** D3
Asque *65* **257** F2
Asques *33* **177** E4
Asques *82* **212** B4
Asquins *89* **121** E1
Assac *81* **215** D4
Assainvillers *80* **18** A4
Assais *79* **131** E2
Assas *34* **234** B2
Assat *64* **248** C1
Assay *37* **115** D4
Assé-le-Bérenger *53* **75** E3
Assé-le-Boisne *72* **76** A2
Assé-le-Riboul *72* **76** A3
Assenay *10* **83** D3
Assencières *10* **83** E2
Assenoncourt *57* **65** E2
Assérac *44* **92** A4
Assevent *59* **12** B3
Assevillers *80* **18** B2
Assier *46* **198** B2
Assieu *38* **187** E1
Assignan *34* **232** C4
Assigny *18* **119** F1
Assigny *76* **15** F1
Les Assions *07* **202** C4
Assis-sur-Serre *02* **19** E3
Asson *64* **248** C2
Asswiller *67* **66** B1
Assy *14* **52** C1
Assy (Plateau d') *74* **159** D4
Astaffort *47* **211** F3
Astaillac *19* **181** F4
Asté *65* **257** F2
Aste-Béon *64* **256** C2
Astet *07* **202** B2
Astillé *53* **94** C1
Astis *64* **226** C4
Astoin *04* **206** B4
Aston *09* **260** B1
Astugue *65* **249** E3
Athée *53* **94** B1
Athée *21* **124** B2
Athée-sur-Cher *37* **116** B2
Athesans-Étroitefontaine *70* **107** D3
Athie *89* **103** D4
Athie *21* **103** E4
Athienville *54* **65** D3
Athies *80* **18** C2
Athies *62* **10** A3
Athies-sous-Laon *02* **19** F4
Athis *51* **60** C1
Athis-de-l'Orne *61* **52** B2
Athis-Mons *91* **57** E3
Athos-Aspis *64* **225** E4
Athose *25* **125** F3
Attainville *95* **33** F4
Attancourt *52* **62** B4
Les Attaques *62* **3** D2
Attenschwiller *68* **109** D3
Attiches *59* **10** B1
Attichy *60* **34** C2
Attignat *01* **156** B2
Attignat-Oncin *73* **173** E4
Attignéville *88* **86** B1
Attigny *08* **37** E1
Attigny *88* **86** C4
Attilloncourt *57* **64** C2
Attilly *02* **19** D2
Attin *62* **8** B1
Atton *54* **64** B1
Attray *45* **79** F4
Attricourt *70* **105** E4
Atur *24* **179** F3
Aubagnan *40* **226** B2
Aubagne *13* **243** E2
Aubaine *21* **123** D3
Aubais *30* **235** D2
Aubarède *65* **249** F1
Aubas *24* **180** C3
Aubazat *43* **184** C3
Aubazines *19* **181** E3
Aube *57* **40** C4
Aube *61* **54** B3
Aube *10,52* **104** B1
Aubéguimont *76* **16** B3
Aubenas *07* **203** D3
Aubenas-les-Alpes *04* **221** D4
Aubenasson *26* **204** B2
Aubencheul-au-Bac *59* **10** C3
Aubencheul-aux-Bois *02* **19** D1
Aubenton *02* **20** C2
Aubepierre-Ozouer-le-Repos *77* **58** C4
Aubepierre-sur-Aube *52* **104** B1
L'Aubépin *69* **170** B1
L'Aubépin *39* **156** C1
Auberchicourt *59* **10** C3
Aubercourt *80* **18** A2
Aubergenville *78* **56** C1
Aubérive *51* **37** D3
Auberive *52* **104** C2
Auberives-en-Royans *38* **188** B3
Auberives-sur-Varèze *38* **171** E4
Aubermesnil-aux-Érables *76* **16** B2
Aubermesnil-Beaumais *76* **15** E2
Aubers *59* **4** C4
Aubertans *70* **106** C4
Aubertin *64* **248** B1
Auberville-la-Campagne *76* **30** C1
Auberville *14* **29** F2
Aubervilliers *93* **57** E2
Auberville-la-Manuel *76* **14** C2
Auberville-la-Renault *76* **14** B3
Aubeterre *10* **83** D1
Aubeterre-sur-Dronne *16* **178** C2
Aubeville *16* **162** B4
Aubevoye *27* **32** A3
Aubiac *47* **211** E3
Aubiac *33* **194** C4
Aubiat *63* **152** C4
Aubie-et-Espessas *33* **177** E3
Aubière *63* **168** B2
Les Aubiers *79* **130** C1
Aubiet *32* **228** C2
Aubignan *84* **220** A3
Aubignas *07* **203** E3
Aubigné *49* **113** F3
Aubigné *35* **73** D2
Aubigné *79* **146** C4
Aubigné-Racan *72* **96** C3
Aubigney *70* **124** B2
Aubignosc *04* **221** F2
Aubigny *03* **137** D3
Aubigny *79* **131** E2
Aubigny *80* **17** F2
Aubigny *14* **52** C1
Aubigny *85* **129** D3
Aubigny-au-Bac *59* **10** C3
Aubigny-aux-Kaisnes *02* **18** C3
Aubigny-en-Artois *62* **9** F2
Aubigny-en-Laonnois *02* **36** A1
Aubigny-en-Plaine *21* **123** F3
Aubigny-les-Pothées *08* **21** D3
Aubigny-la-Ronce *21* **122** C4
Aubigny-lès-Sombernon *21* **123** D2
Aubigny-sur-Nère *18* **119** D1
Aubilly *51* **36** A3
Aubin *12* **199** D4
Aubin *64* **226** B4
Aubin-St-Vaast *62* **8** C2
Aubinges *18* **119** E3
Aubisque (Col d') *64* **256** C2
Auboncourt-Vauzelles *08* **21** D4
Aubonne *25* **125** F4
Aubord *30* **235** E2
Auboué *54* **39** F3
Aubous *64* **227** D3
Aubrac *12* **200** C3
Aubrac (Forêt d') *12* **200** B3
Aubres *26* **220** B1
Aubréville *55* **38** B3
Aubrives *08* **13** F4
Aubrometz *62* **9** D3
Aubry-du-Hainaut *59* **11** D2
Aubry-en-Exmes *61* **53** E2
Aubry-le-Panthou *61* **53** E2
Aubure *68* **88** C2
Aubussargues *30* **218** C3
Aubusson *23* **166** B1
Aubusson *61* **52** B2
Aubusson-d'Auvergne *63* **169** D2
Aubvillers *80* **17** F3
Auby *59* **10** B2
Aucaleuc *22* **49** D4
Aucamville *82* **229** E1
Aucamville *31* **230** A2
Aucazein *09* **259** D3
Aucelon *26* **204** C3
Aucey-la-Plaine *50* **50** B4
Auch *32* **228** B2
Auchel *62* **9** F1
Auchonvillers *80* **9** F4
Auchy-au-Bois *62* **9** E1
Auchy-lès-Hesdin *62* **9** D2
Auchy-lez-Orchies *59* **10** C1
Auchy-les-Mines *62* **10** A1
Auchy-la-Montagne *60* **17** E4
Aucun *65* **257** D2
Audaux *64* **225** F4
Aude *11,66* **253** E4
Audéjos *64* **226** A4
Audelange *39* **124** C3
Audeloncourt *52* **85** F3
Audembert *62* **2** C2
Audenge *33* **193** D2
Auderville *50* **24** B1
Audes *03* **151** E1
Audeux *25* **125** D2
Audeville *45* **79** F3
Audierne *29* **68** B2
Audignicourt *02* **35** D1
Audignies *59* **11** F3
Audignon *40* **226** A2
Audigny *02* **19** F2
Audincourt *25* **107** F4
Audincthun *62* **9** D1
Audinghen *62* **2** C2
Audon *40* **225** F1
Audouville-la-Hubert *50* **25** E3
Audrehem *62* **3** D3
Audressein *09* **259** D3
Audresselles *62* **2** C3
Audrieu *14* **28** C3
Audrix *24* **196** C1
Audruicq *62* **3** E2
Audun-le-Roman *54* **39** E2
Audun-le-Tiche *57* **39** F1
Auenheim *67* **67** F1
Auffargis *78* **56** C3
Auffay *76* **15** E3
Aufferville *77* **80** B3
Auffreville-Brasseuil *78* **56** B1
Auflance *08* **22** B4
Auga *64* **226** C3
Augan *56* **92** B1
Auge *16* **162** A1
Auge *08* **20** C2
Augé *79* **146** C1
Auge *23* **151** D2
Augea *39* **141** D4
Auger-St-Vincent *60* **34** B3
Augerans *39* **124** B4
Augères *23* **150** A3
Augerolles *63* **169** D2
Augers-en-Brie *77* **59** E3
Augerville-la-Rivière *45* **80** B3
Augicourt *70* **106** A2
Augignac *24* **163** F3
Augirein *09* **259** D3
Augisey *39* **141** D4
Augnat *63* **184** B1
Augnax *32* **228** C2
Augne *87* **165** E2
Augny *57* **40** B4
Auguaise *61* **54** B3
Augy *89* **102** B2
Augy *02* **35** F2
Augy-sur-Aubois *18* **136** C2
Aujac *30* **218** A1
Aujac *17* **161** E1
Aujan-Mournède *32* **228** B4
Aujargues *30* **235** D1
Aujeurres *52* **105** D2
Aujols *46* **213** E1
Aulan *26* **220** C2
Aulas *30* **217** D4
Aulhat-St-Privat *63* **168** C3
Aullène *2a* **269** D1
Aulnat *63* **168** B2
Aulnay *17* **146** B4
Aulnay *10* **83** F1
Aulnay *86* **131** F1
Aulnay-l'Aître *51* **61** E2
Aulnay-aux-Planches *51* **60** B2
Aulnay-la-Rivière *45* **80** A3
Aulnay-sous-Bois *93* **57** F1
Aulnay-sur-Iton *27* **55** D1
Aulnay-sur-Marne *51* **60** C1
Aulnay-sur-Mauldre *78* **56** C2
Aulne *22,29* **69** E2
Les Aulneaux *72* **76** C1
Aulnizeux *51* **60** B2
Aulnois *88* **86** B2
Aulnois-en-Perthois *55* **62** B3
Aulnois-sous-Laon *02* **19** F4
Aulnois-sous-Vertuzey *55* **63** E2
Aulnois-sur-Seille *57* **64** C1
Aulnoy *77* **59** D2
Aulnoy-lez-Valenciennes *59* **11** E3
Aulnoy-sur-Aube *52* **104** C2
Aulnoye-Aymeries *59* **12** B3
Aulon *65* **257** F3
Aulon *23* **150** A4
Aulon *31* **250** C2
Aulos *09* **260** B1
Ault *80* **8** A4
Aulteribe *63* **169** D2
Aulus-les-Bains *09* **259** F4
Aulx-lès-Cromary *70* **125** E1
Aumagne *17* **161** E1
Aumale *76* **16** C3
Aumâtre *80* **16** C2
Aumelas *34* **234** A3
Auménancourt *51* **36** B2

Aumerval 62   9 E1
Aumes 34   233 F4
Aumessas 30   217 D4
Aumetz 57   39 F1
Aumeville-Lestre
50   25 E2
Aumont 80   17 D2
Aumont 39   141 E1
Aumont-Aubrac
48   201 D2
Aumont-en-Halatte
60   34 A3
Aumontzey
88   88 A3
Aumur 39   124 A4
Aunac 16   162 C1
Aunat 11   261 E1
Aunay-les-Bois
61   53 F4
Aunay-en-Bazois
58   121 E3
Aunay-sous-
Auneau 28   79 D1
Aunay-sous-Crécy
28   55 F3
Aunay-sur-Odon
14   28 C4
Auneau 28   79 D1
Auneuil 60   33 D2
Aunou-le-Faucon
61   53 E3
Aunou-sur-Orne
61   53 E4
Auppegard 76   15 E2
Aups 83   238 C2
Auquainville
14   30 B4
Auquemesnil
76   16 A2
Auradé 32   229 D3
Auradou 47   212 A1
Auragne 31   230 A4
Auray 56   91 D2
Aure 08   37 E3
Aurec-sur-Loire
43   186 B1
Aureil 87   165 D2
Aureilhan 65   249 E1
Aureilhan 40   208 B2
Aureille 13   236 B2
Aurel 26   204 C2
Aurel 84   220 C2
Aurelle-Verlac
12   200 C4
Aurensan 32   227 D2
Aurensan 65   249 E1
Aureville 31   230 A4
Auriac 19   182 B2
Auriac 64   226 C2
Auriac 11   253 F4
Auriac-du-Périgord
24   180 B3
Auriac-l'Eglise
15   184 B2
Auriac-Lagast
12   215 E3
Auriac-sur-Dropt
47   195 F3
Auriac-sur-
Vendinelle
31   230 C3
Auriat 23   165 E1
Auribail 31   251 E1
Auribeau 84   237 E1
Auribeau-sur-
Siagne 06   240 A2
Aurice 40   226 A1
Auriébat 65   227 E1
Aurières 63   167 F3
Aurignac 31   250 C2
Aurillac 15   183 D4
Aurimont 32   228 C2
Aurin 31   230 B3
Auriol 13   243 F2
Auriolles 33   195 D2
Auriolles 07   203 D4
Aurions-Idernes
64   227 D3
Auriples 26   204 A2
Auris 38   190 A3
Auron 06   223 E1
Auron 3,18   136 A2
Aurons 13   236 C2
Auros 33   194 C4
Aurouër 03   137 E3
Auroux 48   202 A2
Aussac 16   162 C2
Aussac 81   231 D1
Ausseing 31   251 D2
Aussevielle
64   226 B4
Aussillon 81   231 F4
Aussois 73   191 D2
Ausson 31   250 B3
Aussonce 08   37 D2
Aussonne 31   229 F2
Aussos 32   228 B4
Aussurucq 64   247 E2
Autainville 41   98 C2
Autechaux 25   126 A1
Autechaux-Roide
25   126 C1
Les Autels 02   20 C3
Les Autels-St-Bazile
14   53 E1
Les Autels-Villevillon
28   77 F3
Auterive 31   252 A1
Auterive 82   229 D1
Auterive 32   228 B3
Auterrive 64   225 E3
Autet 70   105 F4
Auteuil 78   56 C2
Auteuil 60   33 E2
Autevielle-
St-Martin-Bideren
64   225 E4
Authe 08   37 F1
Autheuil 61   54 C4
Autheuil 28   98 B1
Autheuil-
Authouillet
27   32 A4

Autheuil-en-Valois
60   34 C3
Autheux 80   9 D4
Authevernes
27   32 B3
Authezat 63   168 B3
Authie 62,80   9 D3
Authie 80   8 A3
Authie 14   29 D3
Authieule 80   9 E4
Les Authieux
27   55 E2
Les Authieux-
du-Puits 61   53 F3
Les Authieux-
Papion 14   29 F4
Authieux-Ratiéville
76   15 F4
Les Authieux-sur-
Calonne 14   30 B2
Les Authieux-sur-
le-Port-St-Ouen
76   31 F2
Authiou 58   120 C2
Authoison 70   106 C4
Authon 04   222 A1
Authon 41   97 F3
Authon-Ébéon
17   161 E1
Authon-la-Plaine
91   79 E1
Authon-du-Perche
28   77 E3
Authou 27   31 D3
Authuille 80   18 A1
Authume 39   124 B3
Authumes 71   140 C1
Autichamp
26   204 A2
Autignac 34   233 D3
Autigny 76   15 D3
Autigny-le-Grand
52   85 D1
Autigny-le-Petit
52   85 D1
Autigny-la-Tour
88   86 A1
Autingues 62   3 D3
L'Aution 06   241 E2
Autoire 46   198 B1
Autoreille 70   125 D1
Autouillet 78   56 C2
Autrac 43   184 B1
Autrans 38   189 D2
Autrèche 37   97 F4
Autrechêne
90   108 A3
Autrêches 60   35 D1
Autrecourt-
et-Pourron
08   22 A4
Autrécourt-sur-Aire
55   38 B4
Autremencourt
02   20 A3
Autrepierre 54   65 E3
Autreppes 02   20 A2
Autretot 76   15 D4
Autreville 88   86 B1
Autreville 02   19 D4
Autreville-
St-Lambert
55   22 A4
Autreville-sur-
Moselle 54   64 B2
Autreville-sur-
la-Renne 52   84 C3
Autrey 88   87 F2
Autrey 54   64 B4
Autrey-lès-Cerre
70   107 D3
Autrey-lès-Gray
70   105 E4
Autrey-le-Vay
70   107 D4
Autricourt 21   104 A1
Autruche 08   38 A1
Autruy-sur-Juine
45   79 F3
Autry 08   37 F3
Autry-le-Châtel
45   100 C4
Autry-Issards
03   137 D4
Autun 71   139 D1
Auty 82   213 D2
Auvare 06   223 E3
Auve 51   37 E4
Auvernaux 91   80 B1
Auvers 50   27 D2
Auvers 43   184 C4
Auvers-le-Hamon
72   95 E1
Auvers-St-Georges
91   79 F1
Auvers-sous-
Montfaucon
72   76 A4
Auvers-sur-Oise
95   33 E4
Auverse 49   96 B4
Auvet-et-la-
Chapelotte
70   105 E4
Auvézère 19,
24   180 C1
Auvillar 81   212 B3
Auvillars 14   29 F3
Auvillars-sur-Saône
21   123 F4
Auvilliers-les-Forges
08   21 D2
Auvilliers 76   16 B3
Auvilliers-en-
Gâtinais 45   100 B1
Aux-Aussat
32   227 F4
Aux Marais 60   33 D2
Auxais 50   27 D3
Auxange 39   124 C3
Auxant 21   122 C1
Auxelles-Bas
90   107 F2

Auxelles-Haut
90   107 F2
Auxerre 89   102 B2
Auxey-Duresses
21   123 D4
Auxi-le-Château
62   9 D3
Auxillac 48   201 D4
Auxon 10   82 C4
Auxon 70   106 C3
Auxonne 21   124 A3
Auxon-Dessous
25   125 D2
Auxon-Dessus
25   125 D2
Auxy 71   139 E1
Auxy 45   80 B4
Auzainvilliers
88   86 B2
Auzances 23   151 E4
Auzas 31   250 C2
Auzat 09   260 A1
Auzat-sur-Allier
63   168 C4
Auzay 85   130 A4
Auzebosc 76   15 D4
Auzécourt 55   62 B2
Auzelles 63   169 D3
Auzers 15   183 D2
Auzet 04   222 B1
Auzéville-
en-Argonne
55   38 B4
Auzeville-Tolosane
31   230 A3
Auzielle 31   230 B3
Auzits 31   199 E4
Auzon 43   184 C1
Auzouer-
en-Touraine
37   97 F4
Auzouville-
Auberbosc
76   14 C4
Auzouville-l'Esneval
76   15 D3
Auzouville-sur-Ry
76   32 A1
Auzouville-sur-
Saâne 76   15 E3
Availles-
en-Châtellerault
86   132 C2
Availles-Limouzine
86   148 A3

Availles-sur-Chizé
79   146 B3
Availles-sur-Seiche
35   94 A1
Availles-Thouarsais
79   131 E1
Avajan 65   258 A3
Avallon 89   102 C4
Avaloirs (Mont des)
53   75 F1
Les Avanchers
73   174 C4
Avançon 05   206 B3
Avançon 08   36 C1
Avanne 25   125 D2
Avant-lès-Marcilly
10   82 B1
Avant-lès-
Ramerupt 10   83 E3
Avanton 86   132 B3
Avapessa 2b   264 C3
Avaray 41   98 C3
Avaux 80   36 B1
Aveize 69   170 C2
Aveizieux 42   170 C3
Avelanges 21   104 C4
Avelesges 80   17 D2
Avelin 59   10 B1
Aveluy 80   18 A1
Aven Armand
48   216 C2
Avenas 69   155 D3
Avenay 14   29 D4
Avenay-Val-d'Or
51   36 B4
Avène 34   233 D2
Aveney 25   125 D3
Avenheim 67   67 D3
Les Avenières
38   172 C3
Avensac 32   229 D1
Avensan 33   176 C3
Aventignan
65   250 A3
Averan 65   249 D2
Averdoingt 62   9 E2
Averdon 41   98 B3
Avermes 03   137 E4
Avernes 95   32 C4
Avernes-
St-Gourgon
61   53 F1
Avernes-sous-
Exmes 61   53 E2

Avéron-Bergelle
32   227 E2
Avesnelles 59   12 B4
Avesnes 62   8 C1
Avesnes-les-Aubert
59   11 D3
Avesnes-
Bapaume 62   10 A4
Avesnes-Chaussoy
80   16 C2
Avesnes-le-Comte
62   9 E2
Avesnes-en-Bray
76   32 C1
Avesnes-
en-Saosnois
72   76 C3
Avesnes-en-Val
76   16 A2
Avesnes-le-Sec
59   11 D3
Avesnes-sur-Helpe
59   12 B4
Avessac 44   92 C3
Avessé 72   95 F1
Aveux 65   250 A3
Aveyron 12,
82   213 F4
Aveyron (Gorges de
l') 81,82   213 F4
Avezac-Prat
65   249 F3
Avezan 32   228 C1
Avèze 63   167 D3
Avèze 30   217 E4
Avezé 72   77 E3
Avèze (Gorges d')
63   167 D3
Aviernoz 74   158 B4
Avignon 84   219 E4
Avignon-lès-
St-Claude
39   157 E1
Avignonet 38   189 D4
Avignonet-
Lauragais
31   252 B1
Avillers 54   39 E2
Avillers 88   87 D2
Avillers-Ste-Croix
55   39 E4
Avilley 25   125 F1
Avilly-St-Léonard
60   34 A3

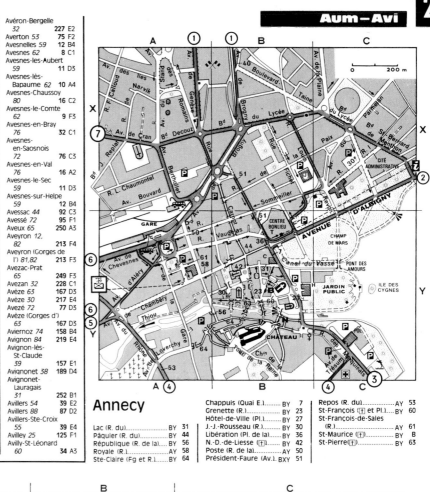

Annecy

Chappuis (Quai E.)......... BY 7
Grenette (R.)................... BY 23
Hôtel-de-Ville (Pl.)......... BY 27
J.-J.-Rousseau (R.)...... BY 30
Lac (R. du)...................... BY 31
Pâquier (R. du)............... BY 44
République (R. de la)..... BY 56
Royale (R.)...................... AY 58
Ste-Claire (Fg et R.)...... BY 64
Libération (Pl. de la)...... BY 36
N.-D.-de-Liesse (†)....... BY 42
Poste (R. de la)............. BY 50
Président-Faure (Av.)..... BXY 51

Repos (R. du)................. AY 53
St-François (†) et Pl.).... BY 60
St-François-de-Sales
(R.)............................. AY 61
St-Maurice (†)............... BY B
St-Pierre(†)................... BY 63

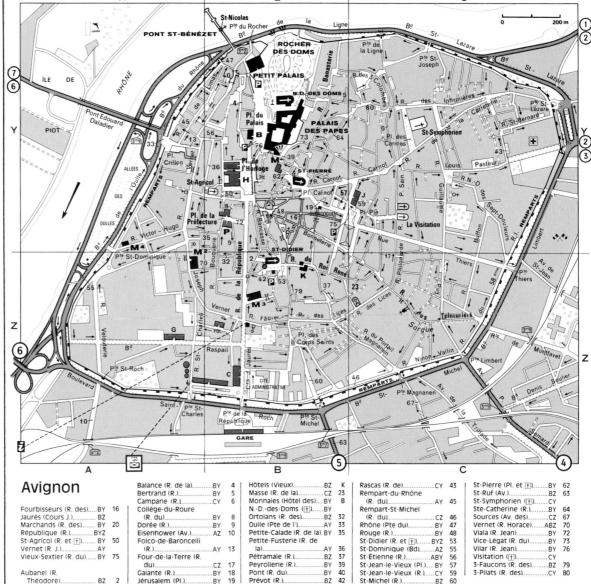

Avignon

Fourbisseurs (R. des).....BY 16
Jaurès (Cours J.)...........BZ
Marchands (R. des).......BY 20
République (R.)..............BYZ
St-Agricol (R. et †)......BY 50
Vernet (R. J.)................AY
Vieux-Sextier (R. du).....BY 75

Aubanel (R.
Théodore).................BZ 2

Balance (R. de la)..........BY 4
Bertrand (R.)..................BY 5
Campane (R.).................CY 6
Collège-du-Roure
(R. du)........................BY 8
Dorée (R.)......................BY 9
Eisenhower (Av.)............AZ 10
Folco-de-Baroncelli
(R.).............................BY 13
Four-de-la-Terre (R.
du)..............................CZ 17
Galante (R.)...................BY 18
Jérusalem (Pl.)..............BY 19

Hôtels (Vieux)................BZ K
Masse (R. de la)............CZ 23
Monnaies (Hôtel des).....BY
N.-D.-des-Doms (R.)......BY
Ortolans (R. des)...........BY 32
Ouille (Pte de l')............BY 33
Petite-Calade (R. de la)..BY 35
Petite-Fusterie (R. de
la)...............................BY 36
Pétramale (R.)................BZ 37
Peyrollerie (R.)...............BY 38
Pont (R. du)...................BY 40
Prévot (R.).....................BZ 42

Rascas (R. de)...............CY 43
Rempart-du-Rhône
(R. du).........................AY 45
Rempart-St-Michel
(R. du).........................CZ 46
Rhône (Pte du)..............BY 47
Rouge (R.).....................BY 48
St-Didier (R. et †)........BY 49
St-Dominique (Bd).........AZ 55
St-Étienne (R.)...............ABY 56
St-Jean-le-Vieux (Pl.).....CY 58
St-Jean-le-Vieux (R.).....CY 59
St-Michel (R.).................BZ 60

St-Pierre (Pl. et †).......BY 62
St-Ruf (R.).....................BZ 63
St-Symphorien (†).......CY
Ste-Catherine (R.)..........CY
Sources (Av. des)..........CZ 67
Vernet (R. Horace)........ABZ 70
Viala (R. Jean)...............BY 72
Vice-Légat (R. du).........BY 73
Vilar (R. Jean)................BY 76
Visitation (†)................CY
3-Faucons (R. des)........BZ 79
3-Pilats (R. des)............CY 80

Avion 62 10 A2
Avioth 55 22 C4
Aviré 49 94 C3
Avirey-Lingey 10 38 E4
Aviron 27 31 F4
Avize 51 60 B1
Avocourt 55 38 B3
Avoine 61 53 D3
Avoine 37 115 D3
Avoise 72 95 F2
Avolsheim 67 66 C3
Avon 79 147 D1
Avon 77 80 C2
Avon-la-Pèze 10 82 B2
Avon-les-Roches 37 115 E3
Avondance 62 9 D1
Avord 18 119 E4
Avoriaz 74 159 E2
Avosnes 21 122 C2
Avot 21 104 C3
Avoudrey 25 126 A3
Avrainville 52 62 B4
Avrainville 91 57 E4
Avrainville 54 64 A2
Avrainville 88 87 D1
Avranches 50 50 C3
Avranville 88 85 F1
Avre 80 17 F3
Avrechy 60 33 F2
Avrecourt 52 105 E1
Avrée 58 138 B2
Avremesnil 76 15 E2
Avressieux 73 173 D3
Avreuil 10 83 D4
Avricourt 60 18 B4
Avricourt 54 65 E3
Avricourt 57 65 E3
Avrieux 73 191 D2
Avrigney 70 124 C2
Avrigny 60 34 A2
Avril 54 39 F2
Avril-sur-Loire 58 137 E2
Avrillé 49 95 D4
Avrillé 85 129 D4
Avrilly 03 154 A2
Avrilly 61 52 A4
Avrilly 27 55 E2
Avrillé-les-Ponceaux 37 115 E3
Avroult 62 3 E4
Avy 17 161 E3
Awoingt 59 11 D4
Ax-les-Thermes 09 260 C2
Axat 11 261 E1
Axiat 09 260 C1
Ay 51 36 B4
Ay-sur-Moselle 57 40 B3
Ayat-sur-Sioule 63 152 B4
Aydat 63 168 A3
Aydat (Lac d') 63 168 A3
Aydie 64 227 D3
Aydius 64 248 A3
Aydoilles 88 87 E3
Ayen 19 180 C2
Ayencourt 80 18 A4
Ayette 62 10 A4
Ayguatébia-Talau 66 261 E3
Ayguemorte-les-Graves 33 194 B2
Ayguesvives 31 230 B4
Ayguetinte 32 228 A1
Ayherre 64 225 D4
Ayn 73 173 D3
Aynac 46 198 B2
Les Aynans 70 107 D3
Ayrens 15 182 C4
Ayron 86 131 F3
Ayros-Arbouix 65 257 D2
Ayse 74 158 C3
Ayssènes 12 215 F3
Aytré 17 145 D3
Les Ayvelles 08 21 E3
Ayzac-Ost 65 257 D2
Ayzieu 32 227 E1
Azannes-et-Soumazannes 55 38 C2
Azas 31 230 B2
Azat-Châtenet 23 150 A4
Azat-le-Riz 87 149 D2
Azay-le-Brûlé 79 146 C1
Azay-le-Ferron 36 133 E2
Azay-le-Rideau 37 115 E2
Azay-sur-Cher 37 116 B2
Azay-sur-Indre 37 116 B3
Azay-sur-Thouet 79 131 D3
Azé 71 155 E1
Azé 41 97 F2
Azé 53 95 D2
Azelot 54 64 C4
Azerables 23 149 F2
Azerailles 54 65 E4
Azerat 24 180 B3
Azérat 43 184 C1
Azereix 65 249 D2
Azet 65 258 A4
Azeville 50 25 E3
Azillanet 34 254 B1
Azille 11 254 A1

Azilone-Ampaza 2a 269 D1
Azincourt 62 9 D2
Azolette 69 155 D3
Azoudange 57 65 E2
Azur 40 224 C1
Azy 18 119 E3
Azy-sur-Marne 02 59 E1
Azy-le-Vif 58 137 E2
Azzana 2a 266 C3

B

Baâlon 55 38 B1
Baâlons 08 21 E4
Babeau-Bouldoux 34 232 C4
Baboeuf 60 18 C4
Baby 77 81 F2
Baccarat 54 87 F1
Baccon 45 99 D2
Bach 46 213 F1
Bachant 59 12 B3
Bachas 31 251 D2
Bachelard (Gorges du) 04 223 D1
La Bachellerie 24 180 B3
Bachivillers 60 33 D3
Bachos 31 250 B4
Bachy 59 10 C1
Le Bacon 48 201 D1
Baconnes 51 37 D3
La Baconnière 53 74 C3
Bacouël 60 17 F4
Bacouel-sur-Selle 80 17 E2
Bacourt 57 64 C1
Bacquepuis 27 31 E4
Bacqueville 27 32 A2
Bacqueville-en-Caux 76 15 E3
Badailhac 15 200 A1
Badaroux 48 201 E3
Badecon-le-Pin 36 134 B4
Badefols-d'Ans 24 180 B2
Badefols-sur-Dordogne 24 196 C1
Baden 56 91 D3
Badens 11 253 F2
Badevel 25 108 A4
Badinières 38 172 B4
Badménil-aux-Bois 88 87 E2
Badonviller 54 65 F4
Badonvilliers 55 63 E4
Baerendorf 67 66 A2
Baerenthal 57 42 C4
La Baffe 88 87 E3
Baffie 63 169 E4
Bagard 30 218 A3
Bagas 33 195 D3
Bagat-en-Quercy 46 212 C1
Bagatelle (Parc d'attractions de) 62 8 A2
Bâgé-le-Châtel 01 155 F2
Bâgé-la-Ville 01 155 F2
Bagert 09 259 E2
Bages 66 262 C2
Bages 11 254 C3
Bagiry 31 258 B2
Bagnac-sur-célé 46 199 D2
Bagneaux 89 82 B3
Bagneaux-sur-Loing 77 80 C3
Bagnères-de-Bigorre 65 257 E2
Bagnères-de-Luchon 31 258 B4
Bagneux 03 137 D3
Bagneux 92 57 E3
Bagneux 36 117 F3
Bagneux 02 35 D1
Bagneux 49 114 B2
Bagneux 51 60 B4
Bagneux 54 63 F4
Bagneux 79 114 B4
Bagneux-la-Fosse 10 103 E1
Bagnizeau 17 161 F1
Bagnoles 11 253 F1
Bagnoles-de-l'Orne 61 52 B4
Bagnolet 93 57 F2
Bagnols 63 167 E4
Bagnols 69 171 D1
Bagnols-les-Bains 48 201 E4
Bagnols-en-Forêt 83 239 F3
Bagnols-sur-Cèze 30 219 D2
Bagnot 21 123 F4
Baguer-Morvan 35 50 A4
Baguer-Pican 35 50 A4
Baho 66 262 C2
Bahus-Soubiran 40 226 C2
Baigneaux 33 194 C2
Baigneaux 41 98 B2
Baigneaux 28 79 D4
Baignes 70 106 B3
Baignes-Ste-Radegonde 16 177 F1

Baigneux-les-Juifs 21 104 A4
Baignolet 28 78 C3
Baigts 40 225 F2
Baigts-de-Béarn 64 225 F3
Baillargues 34 234 C2
Baillé 35 73 F1
Bailleau-l'Évêque 28 78 B1
Bailleau-le-Pin 28 78 B2
Baillestavy 66 262 A3
Baillet-en-France 95 33 E4
Bailleul 80 16 C1
Bailleul 61 53 D2
Bailleul 76 14 B3
Bailleul 59 4 C3
Le Bailleul 72 95 F2
Bailleul-aux-Comailles 62 9 E2
Bailleul-Neuville 76 16 A3
Bailleul-lès-Pernes 62 9 E1
Bailleul-Sir-Berthoult 62 10 A2
Bailleul-le-Soc 60 34 A2
Bailleul-sur-Thérain 60 33 E2
Bailleul-la-Vallée 27 30 B3
Bailleulmont 62 9 F3
Bailleulval 62 9 F3
Bailleval 60 33 E3
Baillolet 76 16 A3
Baillou 41 97 F1
Bailly 78 57 D2
Bailly 60 34 C1
Bailly-aux-Forges 52 84 C1
Bailly-Carrois 77 58 C4
Bailly-en-Rivière 76 16 A2
Bailly-le-Franc 10 84 B1
Bailly-Romainvilliers 77 58 B2
Bainghen 62 3 D3
Bain-de-Bretagne 35 103 D1
Bains 43 185 E4
Bains-les-Bains 88 87 D4
Bains de Guitara 2A 267 D4
Bains-sur-Oust 35 92 C2
Bainville-aux-Miroirs 54 87 D1
Bainville-aux-Saules 88 86 C3
Bainville-sur-Madon 54 64 B4
Bairols 06 223 F3
Bairon (Lac de) 08 37 F1
Bais 35 73 F4
Bais 53 75 E2
Baise 32,47, 65 211 D3
Baisieux 59 5 E4
Baissey 52 105 D2
Baives 59 12 C4
Baix 07 203 F2
Baixas 66 262 C1
Baizieux 80 17 F1
Le Baizil 51 60 A1
Bajamont 47 211 F2
Bajonnette 32 228 C1
Bajus 62 9 E2
Balacet 09 259 D3
Baladou 46 198 A1
Balagny-sur-Thérain 60 33 F3
Balaguères 09 259 D2
Balaguier d'Olt 12 198 C4
Balaguier-sur-Rance 12 215 E4
Balaine (Arboretum) 03 137 D3
Balaiseaux 39 124 B4
Balaives-et-Butz 08 21 E3
Balan 01 172 A1
Balan 08 21 F3
Balanod 39 141 D4
Balansun 64 226 A3
Balanzac 17 160 C2
Balaruc-les-Bains 34 234 A4
Balaruc-le-Vieux 34 234 A4
Balâtre 80 18 B3
Balazé 35 74 A3
Balazuc 07 203 D4
Balbigny 42 170 B2
Balbins 38 188 B1
Balbronn 67 66 C3
Baldenheim 67 89 E2
Baldersheim 68 108 C1
La Baleine 50 50 C1
Baleix 64 227 D4
Balesmes-sur-Marne 52 105 E2
Baleyssagues 47 195 E2
Balgau 68 109 D1
Balham 08 36 C1
Balignac 82 212 A4
Balignicourt 10 84 A1

Bâlines 27 55 D3
Balinghem 62 3 D2
Baliracq-Maumusson 64 226 C3
Baliros 64 248 C2
Balizac 33 194 B4
Ballainvilliers 91 57 E3
Ballaison 74 158 B2
Ballan-Miré 37 115 F2
Ballancourt-sur-Essonne 91 80 A1
Ballans 17 162 A1
Ballay 08 37 F1
Balledent 87 149 D3
Ballée 53 95 E1
Balleray 58 120 C4
Balleroy 14 28 C3
Ballersdorf 68 108 B3
Balléville 88 86 B2
Ballon 17 145 E3
Ballon 72 76 B3
Ballon d'Alsace 88 107 F1
Ballon de Servance 88 107 F1
Ballons 26 221 D1
Ballore 71 139 D4
Ballots 53 94 B1
Balloy 77 81 E2
Balma 31 230 A3
La Balme 73 173 D2
La Balme-de-Sillingy 74 173 E4
La Balme-de-Thuy 74 173 E4
La Balme-d'Épy 39 156 C1
La Balme-les-Grottes 38 172 B1
Balmont 74 173 F1
Balnot-la-Grange 10 103 E1
Balnot-sur-Laignes 10 83 E4
Balogna 2a 266 B2
Balot 21 103 F2
Balsac 12 215 D1
Balschwiller 68 108 B3
Balsièges 48 201 E4
Baltzenheim 68 89 E3
Balzac 16 162 C2
Bambecque 59 4 B2
Bambiderstroff 57 41 D3
Le Ban-St-Martin 57 40 B3
Ban-sur-Meurthe 88 88 B3
Banassac 48 201 D4
Banat 91 260 B1
Banca 64 246 B2
Bancigny 02 21 D2
Bancourt 62 10 B4
Bandol 83 243 F3
Baneins 01 155 F3
Baneuil 24 196 B1
Bangor 56 90 C4
Banios 65 257 F2
Banize 23 166 A1
Bannalec 29 69 F3
Bannans 25 142 B1
Bannay 57 40 C3
Bannay 18 119 F2
Bannay 51 60 A2
Banne 07 218 B1
Bannegon 18 136 B2
Bannes 51 60 B2
Bannes 52 105 E1
Bannes 46 198 C2
Bannes 53 95 E1
Banneville-la-Campagne 14 29 E3
Banneville-sur-Ajon 14 28 C4
Bannières 81 230 C3
Bannoncourt 55 63 D1
Bannost 77 59 D3
Banogne-Recouvrance 08 20 B4
Banon 04 221 D3
Banos 40 226 A2
Ban-de-Laveline 88 88 C2
Ban-de-Sapt 88 88 B1
Bans 39 124 C4
Bansat 63 158 C4
Bantanges 71 140 B3
Banteux 59 19 B1
Banthelu 95 32 C4
Bantheville 55 38 A2
Bantigny 59 10 C3
Bantouzelle 59 19 D1
Bantzenheim 68 109 D2
Banvillars 90 107 F3
Banville 14 28 C3
Banvou 61 52 A4
Banyuls-dels-Aspres 66 262 C3
Banyuls-sur-Mer 66 263 D3
Baon 89 103 D2
Baons-le-Comte 76 15 D4
Bapaume 62 10 A4
Bar 19 181 F1
Bar-lès-Buzancy 08 38 A1
Bar-le-Duc 55 62 B2
Bar-sur-Aube 10 84 B3
Le Bar-sur-Loup 06 240 B1

Bar-sur-Seine 10 83 E4
Baracé 49 95 E3
Baraigne 11 252 C1
Baraize 36 134 B4
Baralle 62 10 B3
Baraqueville 12 215 D2
Barastre 62 10 B4
Baratier 05 250 C3
Barbachen 65 227 E4
Barbaggio 2b 265 E2
Barbaira 11 253 F2
Barbaise 08 21 E3
Barbas 54 65 F3
Barbaste 47 211 D2
Barbâtre 85 127 D4
Barbazan 31 250 B2
Barbazan-Debat 65 249 E2
Barbazan-Dessus 65 249 E2
Barbechat 44 112 B2
La Barben 13 237 D2
Barbentane 13 237 D1
Barberaz 73 173 E3
Barberey-St-Sulpice 10 83 D2
Barberier 03 153 D1
Barbery 14 51 C1
Barbery 60 34 B3
Barbeville 14 28 B2
Barbey 77 81 E2
Barbey-Seroux 88 88 A3
Barbezières 16 162 B1
Barbezieux 16 162 A4
Barbières 26 188 B4
Barbirey-sur-Ouche 21 123 D2
Barbizon 77 80 B1
Barbonne-Fayel 51 60 B3
Barbonville 54 64 C4
Barbotan-les-Thermes 32 210 B4
Le Barboux 25 126 C3
Barbuise 10 59 F4
Barby 73 173 F3
Barby 08 37 D1
Barc 27 31 D4
Le Barcarès 66 263 D1
Barcelonne 26 204 B1
Barcelonne-du-Gers 32 226 C2
Barcelonnette 04 207 D4
Barchain 57 65 F2
Barcillonnette 05 205 F4
Barcugnan 32 228 A4
Barcus 64 247 F2
Barcy 77 58 C1
Bard 42 170 A3
Bard-lès-Époisses 21 103 E4
Bard-lès-Pesmes 70 124 C2
Bard-le-Régulier 21 122 B3
Bardenac 16 178 A3
Bardiana 2B 266 B1
Bardigues 82 212 B3
Bardos 64 225 D3
Bardou 24 196 B2
Bardouville 76 31 E1
Barèges 65 257 F3
Bareilles 65 250 A4
Barembach 67 66 A4
Baren 31 258 B3
Barentin 76 31 E1
Barenton 50 51 F4
Barenton-Bugny 02 19 F4
Barenton-Cel 02 19 F4
Barenton-sur-Serre 02 19 F4
Barésia-sur-l'Ain 39 141 E4
Barfleur 50 25 E1
Bargème 83 239 E1
Bargemon 83 239 E2
Barges 70 106 A1
Barges 21 123 F3
Barges 43 202 A1
Bargny 60 34 C3
Barie 33 195 D3
Les Barils 27 55 D1
Barinque 64 226 C4
Barisey-au-Plain 54 63 F4
Barisey-la-Côte 54 63 F4
Barisis 02 19 D4
Barizey 71 139 F2
Barjac 09 259 E2
Barjac 30 218 C1
Barjac 48 201 E4
Barjols 83 238 B3
Barjon 21 104 C3
Barjouville 28 78 C2
Barles 04 222 B1
Barlest 65 249 D2
Barleux 80 18 B2
Barlieu 18 119 E1
Barlin 62 9 F2
Barly 62 9 F3
Barly 80 17 E1
Barmainville 28 79 E3

Barnas 07 202 C2
Barnave 26 204 C2
Barnay 71 122 B4
Barnenez (Cairn de) 29 46 A2
Barneville-Carteret 50 24 B4
Barneville-la-Bertran 14 30 A2
Barneville-sur-Seine 27 31 D2
Barocaggio-Marghèse (Forêt de) 2A 269 D2
La Baroche-Gondouin 53 75 E1
Les Baroches 54 39 E3
Baromesnil 76 16 A1
Baron 33 194 C1
Baron 30 218 B3
Baron 71 139 D4
Baron 60 34 B3
Baron-sur-Odon 14 29 D4
Baronville 57 65 E1
Barou-en-Auge 14 53 D1
Baroville 10 84 B3
Le Barp 33 193 E3
Barquet 27 31 D4
Barr 67 89 D1
Barrais-Bussolles 03 153 F2
Barran 32 228 A3
Barrancoueu 65 249 F3
Les Barraques 05 206 A2
Barras 04 222 A2
Barraute-Camu 64 225 F4
Barraux 38 173 F4
Barrême 04 222 B4
Les Barres (Arboretum) 45 100 C2
Barret 16 162 A4
Barret-le-Bas 05 221 D1
Barret-de-Lioure 26 220 C2
Barretaine 39 141 E2
Barrettali 2b 264 B2
Barriac-les-Bosquets 15 182 C3
Barricourt 08 38 A1
Barro 16 147 E4
Barrou 37 133 D2
Le Barroux 84 220 A2
Barry 65 249 D2
Barry (Château du) 84 219 E1
Barry-d'Islemade 82 213 D3
Bars 24 180 B3
Bars 32 227 F3
Barsac 33 194 C2
Barsac 26 204 C2
Barst 57 41 F4
Bart 25 107 F4
Bartenheim 68 109 D3
Barthe 65 250 A1
La Barthe-de-Neste 65 249 F3
Bartherans 25 125 D4
Les Barthes 82 212 C3
Bartrès 65 249 D2
Barville 27 30 C3
Barville 88 86 B1
Barville 61 76 C1
Barville-en-Gâtinais 45 80 A4
Barzan 17 160 C4
Barzun 64 248 C2
Barzy-en-Thiérache 02 19 F1
Barzy-sur-Marne 02 35 F4
Bas de Chareil 03 152 C2
Bas-en-Basset 43 186 A2
Bas-et-Lezat 63 153 D4
Bas-Lieu 59 12 B4
Bas-Mauco 40 226 B1
Bascons 40 226 B1
Bascous 32 227 E1
Baslieux-lès-Fismes 51 36 A1
Baslieux 54 39 E1
Baslieux-sous-Châtillon 51 36 A4
Basly 14 29 D2
Bassac 16 178 B1
Bassan 34 233 E4
Bassanne 33 195 D3
Basse-Goulaine 44 126 C2
Basse-Ham 57 40 B1
Basse-Rentgen 57 40 B1

Basse-sur-le-Rupt 88 88 A4
La Basse-Vaivre 70 106 B1
La Bassée 59 10 A1
Bassemberg 67 88 C1
Basseneville 14 29 E3
Bassens 73 173 E3
Bassens 33 177 E4
Bassercles 40 226 A3
Basses 86 114 C4
Basseux 62 9 F3
Bassevelle 77 59 E1
Bassignac 15 182 C2
Bassignac-le-Bas 19 181 F4
Bassignac-le-Haut 19 182 B2
Bassigney 70 106 C2
Bassilac 24 179 F2
Bassillon-Vauzé 64 227 D4
Bassing 57 65 E1
Bassoles-Aulers 02 35 E1
Bassoncourt 52 85 F4
Bassou 89 102 A1
Bassoues 32 227 F3
Bassu 51 61 F2
Bassuet 51 61 F2
Bassurels 48 217 E2
Bassussarry 64 224 B3
Bassy 74 157 E4
Bastanès 64 225 F4
Bastelica 2a 267 D3
Bastelicaccia 2a 266 C4
Bastennes 40 225 F2
Bastia 2b 265 E2
La Bastide 83 239 E1
La Bastide 66 262 A3
La Bastide-de-Besplas 09 251 E2
La Bastide-de-Bousignac 09 252 C3
La Bastide-de-Lordat 09 252 B2
La Bastide-de-Sérou 09 251 F3
La Bastide-d'Engras 30 218 C3
La Bastide-des-Jourdans 84 237 F1
La Bastide-du-Salat 09 259 D2
La Bastide-l'Évêque 12 214 B1
La Bastide-Pradines 12 216 B4
La Bastide-Puylaurent 48 202 A3
La Bastide-Solages 12 215 D4
La Bastide-sur-l'Hers 09 252 C4
La Bastidonne 84 237 F2
La Bastie-d'Urfé 42 170 A2
Le Bastit 46 198 A3
Basville 23 166 C1
Bataille (Col de la) 26 204 C1
La Bataille 79 147 D3
Bathelémont-lès-Bauzemont 54 65 D3
Bathernay 26 187 F2
La Bâthie 73 174 C3
La Bâtie-des-Fonds 26 205 E3
La Bâtie-Divisin 38 173 D4
La Bâtie-Montgascon 38 172 C3
La Bâtie-Montsaléon 05 205 E4
La Bâtie-Neuve 05 206 B3
La Bâtie-Rolland 26 204 A3
La Bâtie-Vieille 05 206 B3
Les Bâties 70 106 B4
Batilly 54 40 A3
Batilly 61 52 C3
Batilly-en-Gâtinais 45 80 A4
Batilly-en-Puisaye 45 101 D4
La Batisse 63 168 A3
Bats 40 226 B2
Batsère 65 249 F3
Battenans-les-Mines 25 125 F1
Battenans-Varin 25 126 C2
Battenheim 68 108 C1
Battexey 88 86 C1
Battigny 54 86 B1
Battrans 70 124 C1
Batz (Ile de) 29 45 F1)
Batz-sur-Mer 44 110 A2
Baubigny 21 139 F1
Baubigny 50 24 C2
Baud 56 91 D1
Baudement 51 60 A4
Baudemont 71 154 C2

Baudignan 40 210 C3
Baudinard-sur-Verdon 83 238 C2
Baudoncourt 70 107 D2
Baudonvilliers 55 62 B3
Baudre 50 27 E4
Baudrecourt 57 65 D1
Baudrecourt 52 84 C1
Baudreix 64 248 C2
Baudrémont 55 63 D2
Baudres 36 117 D2
Baudreville 28 79 E2
Baudricourt 88 86 C2
Baudrières 71 140 B3
Bauduen 83 238 C1
Baugé 49 96 A4
Baugy 60 34 B1
Baugy 71 154 B2
Baugy 18 119 E4
Baulay 70 106 B2
Baule 45 99 D2
La Baule 44 110 A2
La Baule-Escoublac 44 110 B2
Baulme-la-Roche 21 123 D2
Baulne 91 80 A1
Baulne-en-Brie 02 59 F1
Baulny 55 38 B3
Baulon 35 72 C4
Baulou 09 252 A3
La Baume 48 201 D3
La Baume 74 159 D2
Baume (Cirque de) 39 141 E3
La Baume-Cornillane 26 204 B1
La Baume-de-Transit 26 219 E1
La Baume-d'Hostun 26 188 B3
Baume-les-Messieurs 39 141 E2
Bauné 49 95 E4
Baupte 50 27 D2
Bauquay 14 28 C4
Baurech 33 194 B2
La Baussaine 35 72 C2
Bauvin 59 10 B1
Les Baux-de-Breteuil 27 54 C2
Les Baux-de-Provence 13 236 B2
Les Baux-Ste-Croix 27 55 E1
Bauzemont 54 65 D3
Bauzy 41 98 C4
Bavans 25 107 F4
Bavay 59 11 F3
Bavelincourt 80 17 F1
Bavent 14 29 E3
Baverans 39 124 C4
Bavilliers 90 107 F3
Bavinchove 59 4 A3
Bavincourt 62 9 F3
Bax 31 251 E2
Bay 08 20 C3
Bay 70 124 C2
Bay-sur-Aube 52 104 C2
Bayac 24 196 B1
Bayard (Col) 05 206 A2
Bayas 33 177 F3
Baye 29 69 F4
Baye 51 60 A2
Bayecourt 88 87 E2
Bayel 10 84 B3
Bayencourt 80 9 F4
Bayenghem-lès-Éperlecques 62 3 E3
Bayenghem-lès-Seninghem 62 3 E4
Bayers 16 162 C1
Bayet 03 153 D2
Bayeux 14 28 B2
Bayon 54 87 D1
Bayon-sur-Gironde 33 177 D3
Bayonne 64 224 B3
Bayonville 08 38 A2
Bayonville-sur-Mad 54 40 A4
Bayonvillers 80 18 A2
Bazac 16 178 B2
Bazaiges 36 134 B4
Bazailles 54 39 E1
Bazainville 78 56 B2
Bazancourt 51 37 E2
Bazancourt 60 33 D2
Bazarnes 89 102 B3
Bazas 33 194 C4
Bazauges 17 162 A1
Bazegney 88 87 D2
Bazeilles 08 22 A3

Bazeilles-sur-Othain 55 38 C1
Bazelat 23 149 F2
Bazemont 78 56 C2
Bazens 47 211 E3
Bazentin 80 18 B1
Bazenville 14 28 C2
Bazet 65 249 E1
La Bazeuge 87 149 D2
Bazian 32 227 F2
Bazicourt 60 34 A2
Baziège 31 230 B4
Bazien 88 87 F1
Bazillac 65 249 E1
Bazincourt-sur-Epte 27 32 C2
Bazincourt-sur-Saulx 55 62 B3
Bazinghen 62 2 C3
Bazinval 76 16 B1
La Bazoche-Gouet 28 77 F3
Bazoches 58 121 E2
Bazoches-au-Houlme 61 52 C2
Bazoches-en-Dunois 28 78 C4
Bazoches-les-Gallerandes 45 79 E3
Bazoches-les-Hautes 28 79 D3
Bazoches-sur-le-Betz 45 81 D4
Bazoches-sur-Guyonne 78 56 C3
Bazoches-sur-Hoëne 61 54 B4
Bazoches-sur-Vesles 02 35 A2
La Bazoge 72 76 B4
La Bazoge 50 51 E3
La Bazoge-Montpinçon 53 75 D2
Bazoges-en-Paillers 85 129 F1
Bazoges-en-Pareds 85 130 A3
Bazoilles-et-Ménil 88 86 C2
Bazoilles-sur-Meuse 88 86 A2
Bazolles 58 121 D3
Bazoncourt 57 40 C4
La Bazoque 14 28 B3
La Bazoque 61 52 A4
Bazoques 27 30 C3
Bazordan 65 250 A2
La Bazouge-de-Chemeré 53 75 D4
La Bazouge-des-Alleux 53 75 D3
La Bazouge-du-Désert 35 74 A1
Bazougers 53 75 D4
Bazouges 53 94 C2
Bazouges-la-Pérouse 35 73 E1
Bazouges-sous-Hédé 35 73 D2
Bazouges-sur-le-Loir 72 95 F3
Bazuel 59 11 E4
Bazugues 32 227 F4
Bazus 31 230 A2
Bazus-Aure 65 258 A3
Bazus-Neste 65 249 F3
Le Béage 07 202 C1
Béal (Col du) 42,63 169 E3
Béalcourt 80 9 D3
Béalencourt 62 9 D2
Béard 58 137 E2
Beaubec-la-Rosière 76 16 B4
Beaubery 71 154 C1
Beaubigny 50 24 B3
Beaubray 27 55 D2
Beaucaire 30 235 F1
Beaucaire 32 228 A1
Beaucamps-le-Jeune 80 16 C3
Beaucamps-Ligny 59 4 C4
Beaucamps-le-Vieux 80 16 C2
Beaucé 35 74 A2
Beaucens 65 257 E2
Le Beaucet 84 220 A4
Beauchalot 31 250 C3
Beauchamp 95 57 D1
Beauchamps 80 16 B2
Beauchamps 50 50 C2
Beauchamps-sur-Huillard 45 100 B1
Beaucharmoy 52 86 A4
Beauchastel 07 203 F1
Beauche 28 55 D3
Beauchemin 52 105 D1
Beauchêne 41 97 F1
Beauchêne 61 51 F3
Beauchery-St-Martin 77 59 E4

Beauclair 55 38 B1
Beaucoudray 50 51 D1
Beaucourt 90 108 A4
Beaucourt-en-Santerre 80 18 A3
Beaucourt-sur-l'Ancre 80 10 A4
Beaucourt-sur-l'Hallue 80 17 F1
Beaucouzé 49 95 D4
Beaucroissant 38 188 C1
Beaudéan 65 257 F2
Beaudéduit 60 17 D4
Beaudignies 59 11 E3
Beaudricourt 62 9 E3
Beaufai 61 54 B3
Beaufay 72 76 C3
Beauficel 50 51 E3
Beauficel-en-Lyons 27 32 B2
Beaufin 38 205 F1
Beaufort 34 254 B2
Beaufort 73 174 C2
Beaufort 38 188 A1
Beaufort 39 141 D3
Beaufort 31 229 E4
Beaufort 59 12 B3
Beaufort-Blavincourt 62 9 F3
Beaufort-en-Argonne 55 38 B1
Beaufort-en-Santerre 80 18 A3
Beaufort-en-Vallée 49 114 B1
Beaufort-sur-Gervanne 26 204 B1
Beaufou 85 129 D1
Beaufour-Druval 14 29 F3
Beaufremont 88 86 A2
Beaugas 47 196 B4
Beaugeay 17 160 B1
Beaugency 45 99 D2
Beaugies-sous-Bois 60 18 C4
Beaujeu 69 155 D3
Beaujeu 04 222 B2
Beaujeu-St-Vallier-Pierrejux 70 105 F4
Beaulandais 61 52 B4
Beaulencourt 62 10 B4
Beaulieu 45 101 D4
Beaulieu 36 149 E1
Beaulieu 21 104 A3
Beaulieu 43 185 F3
Beaulieu 38 188 C2
Beaulieu 61 54 C3
Beaulieu 63 184 C1
Beaulieu 08 20 C2
Beaulieu 58 121 D2
Beaulieu 14 51 F1
Beaulieu 07 218 B1
Beaulieu 15 167 D4
Beaulieu 34 234 C2
Beaulieu-en-Argonne 55 38 B4
Beaulieu-en-Rouergue (Ancienne Abbaye de) 46 214 A2
Beaulieu-les-Fontaines 60 18 B4
Beaulieu-lès-Loches 37 116 C3
Beaulieu-sous-Bressuire 79 130 C1
Beaulieu-sous-Parthenay 79 131 E4
Beaulieu-sous-la-Roche 85 128 C3
Beaulieu-sur-Dordogne 19 181 F4
Beaulieu-sur-Layon 49 113 F2
Beaulieu-sur-Mer 06 241 E4
Beaulieu-sur-Oudon 53 74 B4
Beaulieu-sur-Sonnette 16 163 D1
Beaulon 03 138 A3
Beaumais 14 53 D2
Beaumarchés 32 227 E3
Beaumat 46 198 A3
Beaumé 02 20 B2
La Beaume 05 205 E3
Beaume (Gorges de la) 07 202 C4
Beauménil 88 87 F3
Beaumerie-St-Martin 62 8 B2
Beaumes-de-Venise 84 220 A3
Beaumesnil 27 54 C1
Beaumesnil 14 51 E1
Beaumettes 84 237 D1
Beaumetz 80 9 D4
Beaumetz-lès-Aire 62 9 D1
Beaumetz-lès-Cambrai 62 10 B4
Beaumetz-lès-Loges 62 10 A3
Beaumont 89 102 A1
Beaumont 32 211 D4
Beaumont 19 181 F1
Beaumont 24 196 B2
Beaumont 86 132 B2
Beaumont 63 168 B2
Beaumont 74 158 A3
Beaumont 43 184 C2
Beaumont 54 63 E2
Beaumont 50 24 B1
Beaumont 07 202 C3
Beaumont-les-Autels 28 77 F3
Beaumont-de-Lomagne 82 229 D1
Beaumont-de-Pertuis 84 237 F1
Beaumont-du-Gâtinais 77 80 B4
Beaumont-du-Lac 87 165 F2
Beaumont-du-Ventoux 84 220 A2
Beaumont-en-Argonne 08 22 A4
Beaumont-en-Auge 14 30 A3
Beaumont-en-Beine 02 18 C3
Beaumont-en-Cambrésis 59 11 D4
Beaumont-en-Véron 37 115 D3
Beaumont-en-Diois 26 205 D3
Beaumont-la-Ferrière 58 120 B3
Beaumont-Hamel 80 9 F4
Beaumont-le-Hareng 76 15 F4
Beaumont-Monteux 26 187 F4
Beaumont-les-Nonains 60 33 D2
Beaumont-Pied-de-Bœuf 72 96 C2
Beaumont-Pied-de-Bœuf 53 95 E1
Beaumont-lès-Randan 63 153 D4
Beaumont-le-Roger 27 31 D4
Beaumont-la-Ronce 37 97 E4
Beaumont-Sardolles 58 137 E1
Beaumont-sur-Dême 72 97 D3
Beaumont-sur-Grosne 71 140 A3
Beaumont-sur-Lèze 31 251 F1
Beaumont-sur-Oise 95 33 F4
Beaumont-sur-Sarthe 72 76 B3
Beaumont-sur-Vesle 51 36 C3
Beaumont-sur-Vingeanne 21 124 A1
Beaumont-lès-Valence 26 204 A1
Beaumont-Village 37 116 C3
Beaumontel 27 31 D4
Beaumotte-lès-Montbozon 70 125 E1
Beaumotte-lès-Pin 70 125 D2
Beaunay 51 60 B2
Beaune 21 123 D4
Beaune 73 190 C2
Beaune-d'Allier 03 152 B2
Beaune-la-Rolande 45 80 A4
Beaune-sur-Arzon 43 185 E2
Beaunotte 21 104 A3
Beaupont 01 156 B1
Beauport (Abbaye de) 22 47 E1
Beaupouyet 24 178 C4
Beaupréau 49 113 D3
Beaupuy 32 229 D2
Beaupuy 82 229 E1
Beaupuy 31 230 B2
Beaupuy 47 195 E3
Beauquesne 80 9 E4
Beaurain 59 11 E4
Beaurains 62 10 A3
Beaurains-lès-Noyon 60 18 C4
Beaurainville 62 8 C2
Beaurecueil 13 243 E1
Beauregard 41 98 B4
Beauregard 01 155 E4
Beauregard 46 213 F1
Beauregard-Baret 26 188 B4
Beauregard-de-Terrasson 24 180 C3
Beauregard-et-Bassac 24 179 E4
Beauregard-l'Évêque 63 168 C2
Beauregard-Vendon 63 152 C4
Beaurepaire 38 188 A1
Beaurepaire 60 34 A3
Beaurepaire 85 129 F1
Beaurepaire 76 14 A3
Beaurepaire-en-Bresse 71 141 D3
Beaurepaire-sur-Sambre 59 20 A1
Beaurevoir 02 19 D1
Beaurières 26 205 D3
Beaurieux 02 36 A2
Beaurieux 59 12 C4
Beauronne 24 179 D3
Beausemblant 26 187 E2
Beausoleil 06 241 E4
Beaussac 24 163 D4
Beaussais 79 146 C2
Beaussault 76 16 B3
Beausse 49 113 D2
Le Beausset 83 244 A2
Beauteville 31 252 B1
Beautheil 77 59 D3
Beautiran 33 194 B2
Beautor 02 19 D4
Beautot 76 15 E4
Beauvain 61 52 C4
Beauvais 60 33 E1
Beauvais-sur-Matha 17 162 A1
Beauvais-sur-Tescou 81 213 E4
Beauval 80 9 E4
Beauval-en-Caux 76 15 E3
Beauvallon 26 204 A1
Beauvau 49 95 F4
Beauvène 07 203 E1
Beauvernois 71 141 D1
Beauvezer 04 222 C2
Beauville 31 230 C4
Beauville 47 212 B2
Beauvilliers 89 121 F1
Beauvilliers 41 98 B2
Beauvilliers 28 78 C2
Beauvoir 50 50 B3
Beauvoir 60 17 E4
Beauvoir 77 58 C4
Beauvoir 03 153 E1
Beauvoir 89 101 F2
Beauvoir-de-Marc 38 172 A4
Beauvoir-en-Lyons 76 32 B1
Beauvoir-en-Royans 38 188 C3
Beauvoir-sur-Mer 85 128 A1
Beauvoir-sur-Niort 79 146 B3
Beauvoir-sur-Sarce 10 103 E1
Beauvoir-Wavans 62 9 D3
Beauvois 62 9 D2
Beauvois-en-Cambrésis 59 11 D4
Beauvois-en-Vermandois 02 18 C2
Beauvoisin 30 235 D2
Beauvoisin 39 141 D1
Beauvoisin 26 220 B1
Beaux 43 186 A2
Beauzac 43 186 A2
Beauzée-sur-Aire 55 62 C1
Beauzelle 31 229 F2
Beauziac 47 210 B1
Bébing 57 65 F2
Beblenheim 68 89 D3
Le Bec d'Allier 18 137 D1
Bec-de-Mortagne 76 14 B3
Le Bec-Hellouin 27 31 D3
Le Bec-Thomas 27 31 E3
Beccas 32 227 E4
Béceleuf 79 130 C4
Béchamps 54 39 E3
Bécherel 35 72 C2
Bécheresse 16 162 B4
Béchy 57 64 C1
Bécon-les-Granits 49 94 C4
Bécordel-Bécourt 80 18 A1
Bécourt 62 3 D4
Becquigny 80 18 A3
Becquigny 02 19 E1
Bédarieux 34 233 D3
Bédarrides 84 219 F3
Beddes 18 135 E3
Bédéchan 32 228 C3
Bédée 35 72 C3
Bédeilhac-et-Aynat 09 252 A4
Bédeille 64 249 D1
Bédeille 09 259 E2
Bedenac 17 177 F2
Bédoin 84 220 B2
Bédouès 48 217 E1
Bedous 64 248 A3
Béduer 46 198 C3
Beffes 18 120 A4
Beffia 39 141 E4
Beffu-et-le-Morthomme 08 38 A2
Beg-Meil 29 69 D4
Bégaar 40 225 F1
Bégadan 33 176 C1
Béganne 56 92 B3
Bégard 22 47 D2
Bègles 33 194 B1
Begnécourt 88 86 C3
Bégole 65 249 F2
Bégrolles-en-Mauges 49 113 D3
La Bégude-de-Mazenc 26 204 A3
Bègues 03 152 C3
Béguey 33 194 C2
Béguios 64 225 D4
Béhagnies 62 10 A4
Béhasque-Lapiste 64 247 D1
Béhen 80 16 C1
Béhencourt 80 17 F1
Béhéricourt 60 18 C4
Behlenheim 67 67 D3
Behonne 55 62 C2
Béhorléguy 64 247 D2
Béhoust 78 56 B2
Behren-lès-Forbach 57 41 F3
Béhuard 49 113 F1
Beignon 56 72 B4
Beillé 72 77 D4
Beine 89 102 B2
Beine-Nauroy 51 36 C3
Beinheim 67 67 F1
Beire-le-Châtel 21 123 F1
Beire-le-Fort 21 124 A2
Beissat 23 166 C2
Bel-Homme (Col du) 83 239 E2
Bélâbre 36 133 F4
Belan-sur-Ource 21 104 A1
Bélarga 34 233 F3
Bélaye 46 197 E4
Belberaud 31 230 B3
Belbèse 82 212 C4
Belbeuf 76 31 F2
Belbèze-de-Lauragais 31 230 B4
Belbèze-en-Comminges 31 251 D2
Belcaire 11 261 D1
Belcastel 12 214 C1
Belcastel 81 230 B2
Belcastel-et-Buc 11 253 E3
Belcodène 13 243 E1
Bélesta 66 262 A2
Bélesta 09 252 C4
Bélesta-en-Lauragais 31 230 C4
Beleymas 24 179 D4
Belfahy 70 107 F2
Belfays 25 126 C2
Belflou 11 252 B1
Belfonds 61 53 E4
Belfort 90 107 F3
Belfort-du-Quercy 46 213 E2
Belfort-sur-Rebenty 11 261 D1
Belgeard 53 75 D2
Belgentier 83 244 B2
Belgodère 2b 264 C3
Belhade 40 193 E4
Belhomert-Guéhouville 28 77 F1
Le Bélieu 25 126 B3
Béligneux 01 172 A1
Belin-Béliet 33 193 E3
Bélis 40 209 F3
Bellac 87 149 D3
Bellaffaire 04 206 B4
Bellagranajo (Col de) 2B 267 D2
Bellaing 59 11 D2
Bellancourt 80 8 C4
Bellange 57 65 D1
Bellavilliers 61 76 C1
Le Bellay-en-Vexin 95 33 D4
Belle-Église 60 33 E3
Belle-et-Houllefort 62 2 C3
Belle-Ile 56 90 B4
Belle-Isle-en-Terre 22 47 D3
Belleau 54 64 B2
Belleau 02 35 E4
Bellebat 33 194 C2
Bellebrune 62 2 C3
Bellechassagne 19 166 C3
Bellechaume 89 82 B4
Bellecombe 39 157 E2
Bellecombe-en-Bauges 73 174 A2
Bellecombe-Tarendol 26 220 C1
Bellefond 21 123 F1
Bellefond 33 195 C2
Bellefonds 86 132 C3
Bellefontaine 39 142 B3
Bellefontaine 50 51 E3
Bellefontaine 88 87 E4
Bellefontaine 95 34 A4
Bellefosse 67 88 C1
Bellegarde 81 214 C4
Bellegarde 32 228 B4
Bellegarde 45 100 B1
Bellegarde 30 235 E2
Bellegarde-du-Razès 11 253 D3
Bellegarde-en-Forez 42 170 C3
Bellegarde-en-Marche 23 151 D4
Bellegarde-en-Diois 26 204 C3
Bellegarde-Poussieu 38 187 F1
Bellegarde-Ste-Marie 31 229 E2
Bellegarde-sur-Valserine 01 157 E3
Belleherbe 25 126 B2
Bellemagny 68 108 B2
Bellême 61 77 D2
Bellenaves 03 152 C3
Bellencombre 76 15 F3
Belleneuve 21 124 A2
Bellenglise 02 19 D2
Bellengreville 14 29 E4
Bellengreville 76 15 F2
Bellenod-sur-Seine 21 104 A3
Bellenot-sous-Pouilly 21 122 C2
Bellentre 73 175 D3
Belleray 55 38 C4
Bellerive-sur-Allier 03 153 D3
Belleroche 42 155 D3
Belleserre 81 231 D4
Bellesserre 31 229 E1
Belleu 02 35 E2
Belleuse 80 17 D3
Bellevarde (Rocher de) 73 175 E4
Bellevaux 74 158 C2
Bellevesvre 71 141 D2
Belleville 54 64 B2
Belleville 69 155 E3
Belleville 79 146 A3
Belleville-en-Caux 76 15 E3
Belleville-sur-Bar 08 37 F1
Belleville-sur-Loire 18 119 F1
Belleville-sur-Mer 76 15 F1
Belleville-sur-Meuse 55 38 C3
Belleville-sur-Vie 85 129 D2
Bellevue 74 175 D1
Bellevue (Grotte de) 46 198 B3
Bellevue-la-Montagne 43 185 E2
Belley 01 173 D2
Belleydoux 01 157 E2
Bellicourt 02 19 D1
La Bellière 61 53 D4
La Bellière 76 16 B4
Bellignat 01 157 D2
Belligné 44 94 B4
Bellignies 59 11 F2
La Belliole 89 81 E3
Belloc 09 252 C3
Belloc-St-Clamens 32 228 A4
Bellocq 64 225 E3
Bellon 16 178 B2
Bellonne 62 10 B3
Bellot 77 59 E2
Bellou 14 53 E1
Bellou-en-Houlme 61 52 B3
Bellou-sur-Huisne 61 77 E1
Bellou-le-Trichard 61 77 D2
Belloy 60 34 B1
Belloy-en-France 95 33 F4
Belloy-en-Santerre 80 18 B2
Belloy-St-Léonard 80 16 C2
Belloy-sur-Somme 80 17 E1
Belluire 17 161 D4
Belmesnil 76 15 E3
Belmont 39 124 C4
Belmont 69 171 D1
Belmont 67 88 C1
Belmont 32 227 F2
Belmont 52 105 E3
Belmont 70 107 D2
Belmont 01 173 D1
Belmont 38 172 C4
Belmont 25 126 A2
Belmont-Bretenoux 46 198 C1
Belmont-lès-Darney 88 86 C3
Belmont-de-la-Loire 42 154 C3
Belmont-Ste-Foi 46 213 F2
Belmont-sur-Buttant 88 88 A2
Belmont-sur-Rance 12 232 B1
Belmont-sur-Vair 88 86 B2
Belmont-Tramonet 73 173 D3
Belmontet 46 212 C1
Belonchamp 70 107 E2
Belpech 11 252 B2
Belrain 55 62 C2
Belrupt 88 86 C4
Belrupt-en-Verdunois 55 38 C3
Bélus 40 225 D2
Belval 88 88 B1
Belval 08 21 E3
Belval 50 27 D4
Belval-Bois-des-Dames 08 38 A1
Belval-en-Argonne 51 62 B1
Belval (Parc de Vision) 08 38 A1
Belval-sous-Châtillon 51 36 B4
Belvédère 06 241 E2
Belvédère-Campomoro 2a 268 C3
Belvédère du Cirque 05 207 F2
Belverne 70 107 E3
Belvès 24 197 D2
Belvès-de-Castillon 33 195 D1
Belvèze 82 212 C1
Belvèze-du-Razès 11 253 D2
Belvézet 30 218 C3
Belvezet 48 202 A3
Belvianes-et-Cavirac 11 261 E1
Belvis 11 261 D1
Belvoir 25 126 B1
Belz 56 90 C2
Bémécourt 27 55 D2
Bénac 65 249 D2
Bénac 09 252 A4
Benagues 09 252 A3
Benais 37 115 D2
Bénaix 09 252 C4
Bénaménil 54 65 E4
Bénarville 76 14 C3
Benassay 86 131 F4
Bénat (Cap) 83 245 D3
La Benâte 17 146 A4
Benay 02 19 D3
Benayes 19 165 D4
Bendejun 06 241 D3
Bendorf 68 108 C4
Bénéjacq 64 248 C2
Benerville-sur-Mer 14 29 F2
Bénesse-lès-Dax 40 225 E2
Bénesse-Maremne 40 224 C2
Benest 16 147 F4
Bénestroff 57 65 E1
Bénesville 76 15 D3
Benet 85 146 A1
Beneuvre 21 104 C3
Bénévent-l'Abbaye 23 150 A3
Bénévent-et-Charbillac 05 206 A2
Beney-en-Woëvre 55 63 F1
Benfeld 67 89 E1
Bengy-sur-Craon 18 119 F4
Bénifontaine 62 10 A1
Béning-lès-St-Avold 57 41 E3
La Bénisson-Dieu 42 154 B3
Bénivay-Ollon 26 220 B1
Bennecourt 78 32 B4
Bennetot 76 14 C4
Benney 54 64 C4
Bennwihr 68 89 D3
Bénodet 29 69 D4
Benoisey 21 103 F4
Benoîtville 50 24 B2
Benon 17 145 F2
Bénonces 01 172 C1
Bénouville 76 14 A3
Bénouville 14 29 D3
Benqué 65 249 F3
Benque 31 250 C1
Benque-Dessous-et-Dessus 31 258 B3
Benquet 40 226 B1
Bentayou-Sérée 64 227 D4
Bény 01 156 B2
Le Bény-Bocage 14 51 F1
Bény-sur-Mer 14 29 D2
Béon 01 173 D1
Béon 89 101 F1
Béost 64 256 C2
La Bérarde 38 190 B4
Bérat 31 251 E1
Béraut 32 211 D4
Berbérust-Lias 65 257 E2
Berbezit 43 185 D2
Berbiguières 24 197 D1
Berc 48 201 D1
Bercé (Forêt de) 72 96 C2
Bercenay-en-Othe 10 82 C3
Bercenay-le-Hayer 10 82 B2
Berche 25 107 F4
Berchères-la-Maingot 28 56 A4
Berchères-les-Pierres 28 78 C2
Berchères-sur-Vesgre 28 56 A2
Berck 62 8 A2
Berclaux 17 161 E1
Berd'Huis 61 77 E2
Berdoues 32 228 A4
Bérelles 59 12 C3
Bérengeville-la-Campagne 27 31 F4
Berentzwiller 68 108 C3
Bérenx 64 225 F3
Béréziat 01 156 A1
Berfay 72 97 E1
Berg 67 66 B1
Berg-sur-Moselle 57 40 B1
Berganty 46 198 A4
Bergbieten 67 66 C3
Bergerac 24 196 A1
Bergères 10 84 B3
Bergères-sous-Montmirail 51 59 F2
Bergères-lès-Vertus 51 60 B2
Bergesserin 71 155 D1
Bergheim 68 89 D2
Bergholtz 68 108 B1
Bergholtzzell 68 108 B1
Bergicourt 80 17 D3
Bergnicourt 08 36 D2
Bergonne 63 168 B4
Bergouey 64 225 E4
Bergouey 40 226 A2
Bergueneuse 62 9 E2
Bergues 59 4 A2
Bergues-sur-Sambre 02 19 F1
Berguette 62 4 B4
Berhet 22 47 D2
Bérig-Vintrange 57 65 E1
Bérigny 50 28 A3
Berjou 61 52 B2
Berlaimont 59 11 F3
Berlancourt 60 18 C4
Berlancourt 02 20 A3
Berlats 81 232 A2
Berlencourt-le-Cauroy 62 9 E3
Berles-au-Bois 62 9 F3
Berles-Monchel 62 9 F2
La Berlière 08 38 A1
Berling 57 66 B2
Berlise 02 20 B4
Berlou 34 232 C4
Bermerain 59 11 E3
Berméricourt 51 36 B2
Bermeries 59 11 F3
Bermering 57 65 E1
Bermesnil 80 16 C2
Bermicourt 62 9 D2
Bermont 90 107 F3
Bermonville 76 14 C4
Bernac 81 214 B4
Bernac 16 147 E4
Bernac-Debat 65 249 E2
Bernac-Dessus 65 249 E2
Bernadets 64 226 C4
Bernadets-Debat 65 249 F1
Bernadets-Dessus 65 249 F2
Le Bernard 85 129 D4
La Bernardière 85 112 B4
Bernardswiller 67 66 C4
Bernardvillé 67 89 D1
Bernâtre 80 9 D4
Bernaville 80 9 D4
Bernay 27 30 C4
Bernay 72 76 A4
Bernay-en-Brie 77 58 C3
Bernay-en-Ponthieu 80 8 B3
Bernay-St-Martin 17 146 A3
Berné 56 70 B4
Bernécourt 54 63 F2
Bernède 32 226 C2
La Bernerie-en-Retz 44 111 D3
Bernes 80 18 C2
Bernes-sur-Oise 95 33 F4
Bernesq 14 28 A2
Berneuil 17 161 D3
Berneuil 16 178 A1
Berneuil 87 149 D4
Berneuil 80 9 D4
Berneuil-en-Bray 60 33 D2
Berneuil-sur-Aisne 60 34 C2
Berneval-le-Grand 76 15 F1
Berneville 62 9 F3
Bernex 74 159 D1
Bernienville 27 31 E4
Bernières 76 14 C4
Bernières-d'Ailly 14 53 D1
Bernières-le-Patry 14 51 F2
Bernières-sur-Mer 14 29 D2
Bernières-sur-Seine 27 32 A3
Bernieulles 62 8 B1
Bernin 38 189 E2
Bernis 30 235 D1
Bernolsheim 67 67 D2
Bernon 10 103 D1
Bernos-Beaulac 33 210 A1
Bernot 02 19 E2
Bernouil 89 102 C1
Bernouville 27 32 C3
Bernwiller 68 108 B2
Berny-en-Santerre 80 18 B2
Berny-Rivière 02 35 D2
Bérou-la-Mulotière 28 55 D3
Berrac 32 211 E3
Berre-des-Alpes 06 241 E3
Berre-l'Étang 13 242 C1
Berre (Étang de) 13 242 C1
Berriac 11 253 F2
Berrias 07 218 B1
Berric 56 91 F3
Berrie 86 114 B4
Berrien 29 46 B4
Berrieux 02 36 A1
Berrogain-Laruns 64 247 E1
Berru 51 36 C3
Berrwiller 68 108 B1
Berry-au-Bac 02 36 A2
Berry-Bouy 18 118 C4
Le Bersac 05 205 E4
Bersac-sur-Rivalier 87 149 F4
Bersaillin 39 141 E1
Bersée 59 10 C1
Bersillies 59 12 B3
Berson 33 177 D3
Berstett 67 67 D3
Berstheim 67 67 D2
Bert 03 153 F2
Bertangles 80 17 E1
Bertaucourt-Epourdon 02 19 E4
Berteaucourt-les-Dames 80 17 E1
Berteaucourt-lès-Thennes 80 17 F2
Bertheauville 76 14 C3
Berthecourt 60 33 E2
Berthegon 86 132 A1
Berthelange 25 124 C3
Berthelming 57 65 F2
Berthen 59 4 B3
Berthenay 37 115 E2
Berthenicourt 02 19 E3
Berthenonville 27 32 B3
La Berthenoux 36 135 E3
Berthez 33 194 C4
Bertholène 12 215 F1
Berthouville 27 30 C3
Bertignat 63 169 E3
Bertignolles 10 84 A3
Bertincourt 62 10 B4
Bertoncourt 08 37 D1
Bertrambois 54 65 F3
Bertrancourt 80 9 F4
Bertrange 57 40 B2
Bertre 81 230 C3
Bertren 65 250 B3
Bertreville 76 14 C3
Bertreville-St-Ouen 76 15 E3
Bertric-Burée 24 179 D2
Bertrichamps 54 88 A1
Bertricourt 02 36 B2
Bertrimont 76 15 E4
Bertrimoutier 88 88 B2
Bertry 59 11 D4
Béru 89 102 C2
Béruges 86 132 A4
Bérulle 10 82 B3
Bérus 72 76 A2
Berven 29 45 F2
Berville-la-Campagne 27 55 D1
Berville 95 33 D3
Berville 76 15 D3
Berville 14 53 D1
Berville-en-Roumois 27 31 D3
Berville-sur-Mer 27 30 B1
Berville-sur-Seine 76 31 E1
Berviller-en-Moselle 57 41 D2
Berzé-le-Châtel 71 155 E1
Berzé-la-Ville 71 155 E1
Berzème 07 203 E3
Berzieux 51 37 F3
Berzy-le-Sec 02 35 E2
Bès 04 222 B1
La Besace 08 21 F4
Besain 39 141 F2
Besançon 25 125 E2
Bésayes 26 188 A4
Besbre 03 153 E2
Bescat 64 248 B2
Bésignan 26 220 B1
Bésingrand 64 226 B4
La Beslière 50 50 C2
Beslon 50 51 D2
Besmé 02 35 D1
Besmont 02 20 B2
Besnans 70 125 F1
Besné 44 110 C1
Besneville 50 24 C4
Besny-et-Loizy 02 19 F4
Bessac 16 162 B4
Bessais-le-Fromental 18 136 B2
Bessamorel 43 186 A3
Bessan 34 255 E1
Bessancourt 95 57 D1
Bessans 73 191 E1
Bessas 07 218 B1
Le Bessat 42 187 D1
Bessay 85 129 F4
Bessay-sur-Allier 03 153 D1
Besse 38 190 A3
Besse 15 182 C3
Bessé 16 147 D4
Besse 24 197 D2
Besse-en-Chandesse 63 168 A4
Bessé-sur-Braye 72 97 E2
Besse-sur-Issole 83 238 C4
Bessède-de-Sault 11 261 E1
Bességès 30 218 A1
Bessenay 69 171 D2
Bessens 82 229 E1
Besset 09 252 C3
Bessey 42 187 D1
Bessey-lès-Cîteaux 21 123 F3
Bessey-la-Cour 21 122 C3
Bessey-en-Chaume 21 123 D4
La Besseyre-St-Mary 43 184 C4
Bessières 31 230 B1
Bessines 79 146 B2
Bessines-sur-Gartempe 87 149 E3
Bessins 38 188 B2
Besson 03 153 D1
Bessoncourt 90 108 A3
Bessonies 46 199 D1
Les Bessons 48 201 D2
Bessuéjouls 12 200 A4
Bessy 10 60 C4
Bessy-sur-Cure 89 102 B4
Bestiac 09 260 C1
Bétaille 46 181 E4
Betaucourt 70 106 B1
Betbèze 65 250 B1
Betbezer 40 210 A4
Betcave-Aguin 32 228 B4
Betchat 09 259 D2
Bétête 23 150 C2
Béthancourt-en-Valois 60 34 C3
Béthancourt-en-Vaux 02 19 D4
Bétharram (Grottes de) 64 257 D1
Béthelainville 55 38 B3
Béthemont-la-Forêt 95 33 E4
Béthencourt 59 11 D4

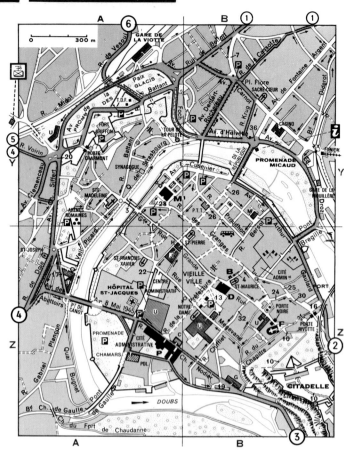

Besançon

Battant (R.)	AY	Bibliothèque	
Belfort (R. de)	BY	municipale	BZ B
Bersot (R.)	BZ	Bibliothèque (R. de la)	BZ 4
Carnot (Av.)	BY	Chaprais (R. des)	BY 7
Grande-Rue	ABZ	Fusillés-de-la-	
Granges (R. des)	BYZ	Résistance (R. des)	BZ 10
République (R. de la)	BY 26	Granvelle (Palais)	BZ D
		Granvelle (Prom.)	BZ 13
Battant (Pont)	AY 3	Jacobins (Pl. des)	BZ 16
		Janvier (R. Antide)	AZ 17
		Lattre-de-Tassigny	
		(Pl. Mar. de)	BZ 19

Leclerc (Pl. du Mar.)	AY 20		
Orme-de-Chamars (R.)	AZ 22		
Péclet (R.)	BZ 24		
Pontarlier (R. de)	BZ 25		
Révolution (Pl. de la)	AY 28		
Rivotte (Fg)	BZ 29		
Rivotte (R.)	BZ 30		
Ronchaux (R.)	BZ 32		
St-Jean (†)	BZ F		
1re-Armée Française			
(Pl.)	BY 36		

Béthencourt-sur-Mer 80	8 A4	Bettelainville 57	40 B3
Béthencourt-sur-Somme 80	18 C3	Bettembos 80	16 C3
Béthéniville 51	37 D2	Bettencourt-Rivière 80	17 D1
Béthény 51	36 B3	Bettencourt-St-Ouen 80	17 D1
Béthincourt 55	38 B3	Bettendorf 68	108 C3
Béthines 86	133 E4	Bettes 65	249 E3
Béthisy-St-Martin 60	34 B3	Betteville 76	31 D1
Béthisy-St-Pierre 60	34 B2	Bettignies 59	12 B2
Bethmale 09	259 E3	Betting-lès-St-Avold 57	41 E3
Bethmale (Vallée de) 09	259 E3	Bettlach 68	108 C4
Béthon 72	76 B2	Betton 35	73 D3
Bethon 51	59 F4	Betton-Bettonet 73	174 A3
Bethoncourt 25	107 F4	Bettoncourt 88	86 C2
Béthonsart 62	9 F2	Bettoncourt-le-Haut 52	85 E2
Béthonvilliers 28	77 E3	Bettrechies 59	11 F3
Bethonvilliers 90	108 A2	Bettviller 57	42 B3
Béthune 62	9 F1	Bettwiller 67	66 B4
Béthune 76	16 A3	Betz 60	34 C4
Bétignicourt 10	83 F1	Betz-le-Château 37	116 B4
Beton-Bazoches 77	59 D3	Beugin 62	9 F2
Betoncourt-lès-Brotte 70	107 D2	Beugnâtre 62	10 B4
Betoncourt-les-Ménétriers 70	106 A3	Beugneux 02	35 E3
		Beugnies 59	12 B3
Petoncourt-St-Pancras 70	106 C1	Beugnon 89	82 C4
		Le Beugnon 79	130 C3
Betoncourt-sur-Mance 70	106 A2	Beugny 62	10 B4
Bétous 32	227 E2	Beuil 06	223 F2
Betplan 32	227 E4	Le Beulay 88	88 B2
Betpouey 65	257 E3	Beulotte-St-Laurent 70	107 E1
Betpouy 65	250 A1	Beure 25	125 E2
Bétracq 64	227 D3	Beurey 10	83 F3
Betschdorf 67	185 E1	Beurey-Bauguay 21	122 B3
Bettaincourt-sur-Rognon 52	85 E2	Beurey-sur-Saulx 55	62 B3
Bettainvillers 54	39 F2	Beurières 63	185 E1
Bettancourt-la-Ferrée 52	62 B3	Beurizot 21	122 C2
Bettancourt-la-Longue 51	62 A2	Beurlay 17	160 C1
Bettant 01	156 C4	Beurville 52	84 B2
Bettborn 57	66 A2	Beussent 62	8 B1
Bettegney-St-Brice 88	87 D2	Beuste 64	248 C2
		Beutal 25	107 E4
		Beutin 62	8 B1
		Beuvardes 02	35 F4
		Beuveille 54	38 A2
		Beuvezin 54	86 B1
		Beuvillers 54	38 B1
		Beuvillers 14	30 B4
		Beuvrages 59	11 E2
		Beuvraignes 80	18 B4

Beuvray (Mont) 71	138 C1	Beyssenac 19	180 C1
Beuvrequen 62	2 C3	Le Bez 81	231 F3
Beuvreuil 76	32 C1	Bez-et-Esparon 30	217 D4
Beuvrigny 50	51 E1	Bézac 09	252 A2
Beuvron 41,45	98 C4	Bezalles 77	59 D3
Beuvron 58	121 D2	Bézancourt 76	32 B1
Beuvron-en-Auge 14	29 F3	Bezange-la-Grande 54	65 D2
Beuvry 62	10 A1	Bezange-la-Petite 57	65 D2
Beuvry-la-Forêt 59	10 C2	Bezannes 51	36 B3
Beux 57	40 C4	Bézaudun-les-Alpes 06	223 F4
Beuxes 86	115 D4	Bézaudun-sur-Bîne 26	204 B3
Beuzec-Cap-Sizun 29	68 B2	Bezaumont 54	64 B2
Beuzeville-la-Bastille 50	25 D4	Bèze 21	124 A1
Beuzeville-la-Grenier 76	14 B4	Bézenac 24	197 D1
Beuzeville-la-Guérard 76	14 C3	Bézenet 03	152 B2
Beuzeville 27	30 B3	Bézéril 32	228 C3
Beuzevillette 76	14 C4	Béziers 34	255 D1
Bévenais 38	188 C1	Bezinghem 62	3 D4
Bévéra 06	241 E2	Bezins-Garraux 31	250 B4
Beveuge 70	107 D4	La Bezole 11	253 D3
Béville-le-Comte 28	79 D1	Bezolles 32	228 A1
Bévillers 59	11 D4	Bezons 95	57 E1
Bevons 04	221 E2	Bezouce 30	235 E1
Bévy 21	123 E3	Bézouotte 21	124 A1
Bey 71	140 B2	Bézu-la-Forêt 27	32 B2
Bey 01	155 F2	Bézu-le-Guéry 02	59 D1
Bey-sur-Seille 54	64 C2	Bézu-St-Éloi 27	32 C3
Beychac-et-Caillau 33	194 B1	Bézu-St-Germain 02	35 F3
Beylongue 40	208 C4	Bézues-Bajon 32	228 B4
Beynac 87	164 B2	Biache-St-Vaast 62	10 B3
Beynac-et-Cazenave 24	197 D1	Biaches 80	18 B2
Beynat 19	181 E3	Bians-les-Usiers 25	125 F4
Beynes 78	56 C2	Biard 86	132 A4
Beynes 04	222 B3	Les Biards 50	51 E4
Beynost 01	171 E1	Biarne 39	124 B3
Beyrède-Jumet 65	249 F4	Biarre 80	18 B3
Beyren-lès-Sierck 57	40 B1	Biarritz 64	224 B4
Beyrie-en-Béarn 64	226 B4	Biars-sur-Cère 46	181 F4
Beyrie-sur-Joyeuse 64	226 B4	Bias 47	196 B4
Beyries 40	226 A3	Bias 40	208 B2
Beyssac 19	180 C1	Biaudos 40	224 C3
		Bibiche 57	40 C2
		Biblisheim 67	67 E1
		Bibost 69	171 D2
		Bichancourt 02	19 D4

Biches 58	121 D4	Billy-sur-Ourcq 02	35 E3
Bickenholtz 57	66 B2	Bilwisheim 67	67 D2
Bicqueley 54	64 A3	Bilzheim 68	89 D4
Bidache 64	225 D3	Bimont 62	8 C1
Bidarray 64	246 C1	Binarville 51	38 A3
Bidart 64	224 B3	Binas 41	98 C1
Bidestroff 57	65 E2	Bindernheim 67	89 D1
Biding 57	41 E4	Binges 21	124 A2
Bidon 07	219 D1	Binic 22	48 A3
Bidos 64	248 A2	Bining 57	42 B4
Biécourt 88	86 B2	Biniville 50	25 D3
Biederthal 68	109 D4	Binos 31	250 B4
Bief 25	126 C1	Binson-et-Orquigny 51	36 A4
Bief-des-Maisons 39	142 A2	Bio 46	198 B2
Bief-du-Fourg 39	142 B2	Biol 38	172 C4
Biefmorin 39	141 D1	La Biolle 73	173 E2
Biefvillers-lès-Bapaume 62	10 A4	Biollet 63	151 F4
Bielle 64	256 C2	Bion 50	51 E3
Bielsa (Tunnel de) 65	257 F4	Bioncourt 57	64 C2
Bienassis 38	172 B2	Bionville 54	66 A4
Biencourt 80	16 C1	Bionville-sur-Nied 57	40 C3
Biencourt-sur-Orge 55	62 C4	Biot 06	240 B2
Bienne 39	142 A4	Le Biot 74	159 D2
Bienville 52	62 B4	Bioule 82	213 E3
Bienville 60	34 B1	Bioussac 16	147 E4
Bienvillers-au-Bois 62	9 F4	Biozat 03	153 D4
Bienville-la-Petite 54	65 D3	Bile (Pointe du) 56	91 F4
Biermes 08	37 D1	Birac 16	162 B3
Biermont 60	18 B4	Birac 33	195 D4
Bierné 53	95 D2	Birac-sur-Trec 47	195 F4
Bierne 59	4 A2	Biran 32	228 A2
Biernes 52	84 C2	Biras 24	179 E2
Bierre-lès-Semur 21	122 B1	Biriatou 64	244 A4
Bierville 76	32 A1	Birieux 01	156 A4
Biesheim 68	89 E3	Birkenwald 67	66 C3
Biesles 52	85 E4	Birlenbach 67	43 E4
Bietlenheim 67	67 E2	Biron 17	161 E3
Bieujac 33	194 C3	Biron 64	225 F3
Bieuxy 02	35 D1	Biron 24	196 C3
Bieuzy 56	70 C4	Bisanne (Signal de) 73	174 C2
Biéville 50	28 B4	Biscarrosse 40	192 C4
Biéville-Beuville 14	29 D3	Bischheim 67	67 E3
Biéville-Quiétiéville 14	29 F4	Bischholtz 67	67 E1
Bièvre 78,91	57 D3	Bischoffsheim 67	66 C4
Bièvres 91	57 E3	Bischtroff-sur-Sarre 67	66 A1
Bièvres 08	22 B4	Bischwihr 68	89 D3
Bièvres 02	35 D2	Bischwiller 67	67 E2
Biffontaine 88	88 A2	Bisel 68	108 B3
Biganos 33	193 D2	Bisinchi 2b	265 E4
Bignac 16	162 B2	Bislée 55	63 D2
Bignan 56	91 E1	Bisping 57	65 F2
Bignay 17	161 D1	Bissert 67	65 F1
La Bigne 14	28 B4	Bisseuil 51	36 C1
Bignicourt 08	37 D2	Bissey-la-Côte 21	104 A1
Bignicourt-sur-Marne 51	61 E3	Bissey-la-Pierre 21	103 F2
Bignicourt-sur-Saulx 51	61 F2	Bissey-sous-Cruchaud 71	139 F2
Le Bignon 44	112 A3	Bissezeele 59	4 A2
Le Bignon-Mirabeau 45	81 D3	Bissières 14	29 E4
Le Bignon-du-Maine 53	95 D1	Bissy-la-Mâconnaise 71	140 A1
Bignoux 86	132 B3	Bissy-sous-Uxelles 71	139 F4
Bigorno 2b	265 E3	Bissy-sur-Fley 71	139 F3
La Bigottière 53	74 C3	Bisten-en-Lorraine 57	41 D3
Biguglia 2b	265 E2	Bistroff 57	41 D4
Bihorel 76	31 F1	Bitche 57	42 C4
Bihucourt 62	10 A4	Bithaine-et-le-Val 70	107 D3
Bilazais 79	131 E1	Bitry 58	120 B1
Bilhères 64	256 B2	Bitry 60	35 D2
Bilia 2a	268 C3	Bitschhoffen 67	67 D1
Bilieu 38	172 C4	Bitschwiller-lès-Thann 68	108 B1
Billac 19	181 E4	Bivès 32	228 C1
Billancelles 28	78 A1	Biviers 38	189 E2
Billancourt 80	18 B3	Biville-la-Baignarde 76	15 E3
Les Billanges 87	149 F4	Biville 50	24 B2
Billaude (Cascade de la) 39	142 A3	Biville-sur-Mer 76	15 F1
Les Billaux 33	177 F4	Bivilliers 61	54 B4
Billé 35	73 F2	Biville-la-Rivière 76	15 E3
Billecul 39	142 B2	Bizanet 11	254 B2
Billère 64	248 B1	Bizanos 64	248 B1
Billey 21	124 B3	Bize 52	105 F2
Billezois 03	153 E3	Bize 65	250 A3
Billiat 01	157 E3	Bize-Minervois 11	254 B1
Billième 73	173 E2	Bizeneuille 03	152 A1
Billiers 56	91 F4	Biziat 01	155 E2
Billio 56	91 F1	Bizonnes 38	172 B4
Billom 63	168 C2	Le Bizot 25	126 B3
Billy 41	117 E2	Les Bizots 71	139 E2
Billy 14	29 E4	Bizou 61	77 E1
Billy 03	153 D2	Bizous 65	250 A3
Billy-Berclau 62	10 A1	Blacé 69	155 E4
Billy-lès-Chanceaux 21	104 A1	Blaceret 69	32 C1
Billy-Chevannes 58	120 C4	Blacy 89	103 D4
Billy-le-Grand 51	36 C4	Blacy 51	61 E3
Billy-Montigny 62	10 B2	Blaesheim 67	67 E3
Billy-sous-les-Côtes 55	39 E4	Blagnac 31	230 A3
Billy-sous-Mangiennes 55	39 D2	Blagny 08	22 B4
Billy-sur-Aisne 02	35 E2	Blagny-sur-Vingeanne 21	124 A1
Billy-sur-Oisy 58	120 C1	Blaignac 33	195 D3
		Blaignan 33	176 C1
		Blain 44	94 B1
		Blaincourt 60	33 F3
		Blaincourt-sur-Aube 10	83 F2
		Blainville-Crevon 76	32 A1

Blainville-sur-l'Eau 54	64 C4	Blercourt 55	38 B4
Bléré 37	116 B2	Bléruais 35	72 B3
Blainville-sur-Mer 50	26 C4	Blésignac 33	194 B2
Blainville-sur-Orne 14	29 D3	Blesle 43	184 C2
Blainville 62	10 A3	Blesme 51	61 F2
Blaise 52	84 C2	Blesmes 02	59 E1
Blaise 51,52	84 C2	Blessac 23	166 B1
Blaise 08	37 E2	Blessey 21	123 D1
Blaise-sous-Arzillières 51	61 E3	Blessonville 52	84 C4
Blaison 49	114 A1	Blessy 62	3 F4
Blaisy 52	84 C3	Blet 18	136 B1
Blaisy-Bas 21	123 D2	Bletterans 39	141 D2
Blaisy-Haut 21	123 D2	Bleurville 88	86 B4
Blajan 31	250 B1	Bleury 28	79 D1
Blamont 25	126 C1	Blevaincourt 88	86 A3
Blâmont 54	65 F3	Blèves 72	76 C1
Blan 81	231 D3	Blévy 28	55 E4
Le Blanc 36	133 E3	Le Bleymard 48	201 F4
Le Blanc-Mesnil 93	57 F1	Blicourt 60	17 D4
Blanc (Pic du Lac) 38	190 A3	Blienschwiller 67	89 D1
Blancafort 18	100 B4	Blies-Ébersing 57	42 A3
Blancey 21	122 C2	Blies-Guersviller 57	41 F3
Blancfossé 60	17 E4	Bliesbruck 57	42 B3
Blanche-Église 57	65 E2	Blieux 04	222 B4
Blanchefontaine 25	126 C2	Blignicourt 10	83 A1
Blanchefosse-et-Bay 08	20 C3	Bligny 51	36 B3
Blancherupt 67	88 C1	Bligny 10	84 A3
Blancheville 52	85 E3	Bligny-lès-Beaune 21	123 D4
Blandainville 28	78 B2	Bligny-en-Othe 89	82 B4
Blandas 30	217 D4	Bligny-le-Sec 21	123 D1
Blandin 38	172 C4	Bligny-sur-Ouche 21	123 D3
Blandouet 53	75 E4	Blincourt 60	34 A2
Blandy 91	79 F2	Blingel 62	9 D2
Blandy 77	58 B4	Blis-et-Born 24	180 A2
Blangermont 62	9 D2	Blismes 58	121 E3
Blangerval-Blangermont 62	9 D3	Blodelsheim 68	109 D1
Blangy-le-Château 14	30 B3	Blois 41	98 B4
Blangy-sous-Poix 80	17 D3	Blois-sur-Seille 39	141 E2
Blangy-sur-Bresle 76	16 B2	Blomac 11	254 A2
Blangy-sur-Ternoise 62	9 D2	Blomard 03	152 B2
Blangy-Tronville 80	17 F2	Blombay 08	21 D2
Blannay 89	102 B4	Blond 87	148 C4
Blanot 21	122 A3	Blond (Monts de) 87	148 C4
Blanot 71	139 F4	Blondefontaine 70	106 A1
Blanquefort 33	177 D4	Blonville-sur-Mer 14	29 F2
Blanquefort 32	228 C2	Blosseville 76	15 D2
Blanquefort-sur-Briolance 47	197 D3	Blosville 50	25 E4
Blanzac 16	162 B4	Blot-l'Église 63	152 B4
Blanzac 43	185 E3	Le Bô 14	52 B1
Blanzac 87	149 D3	Bobigny 93	57 F2
Blanzac-lès-Matha 17	161 F1	Bobital 22	72 C2
Blanzaguet-St-Cybard 16	163 D4	Le Bocasse 76	15 E4
Blanzat 63	168 A2	Bocca Bassa 2B	264 A4
Blanzay 86	147 E3	Bocé 49	96 A4
Blanzay-sur-Boutonne 17	146 B4	Bocognano 2A	267 D3
Blanzée 55	39 D3	Bocquegney 88	87 D2
Blanzy 71	139 E3	Bocquencé 61	54 A2
Blanzy-lès-Fismes 02	36 A2	Le Bodéo 22	70 D1
Blanzy-la-Salonnaise 08	36 C1	Bodilis 29	45 F2
Blargies 60	16 C4	Boé 47	211 F2
Blarians 25	125 E1	Boécé 61	76 C1
Blaringhem 59	4 A4	Boëge 74	158 B2
Blars 46	198 B3	Boeil-Bezing 64	248 C2
Blaru 78	32 B4	Boën 42	170 A2
Blasimon 33	195 D2	Boërsch 67	66 C4
Blaslay 86	132 A2	Boeschepe 59	4 C3
Blassac 43	184 C3	Boëseghem 59	4 A4
Blaudeix 23	150 C2	Bœsenbiesen 67	89 E2
Blausasc 06	241 E3	Boësse 45	80 A3
Blauvac 84	220 B3	Boësse 79	113 F4
Blauzac 30	218 C4	Boëssé-le-Sec 72	77 D2
Blavet 56	71 D3	Boësses 45	80 B3
Blavignac 48	201 D1	Bœurs-en-Othe 89	82 B3
Blavozy 43	186 A3	Boffles 62	9 D3
Blay 14	28 B3	Boffres 07	187 D4
Blaye 33	177 D3	Bogève 74	158 C2
Blaye-les-Mines 81	214 B3	Bogny-sur-Meuse 08	21 D2
Blaymont 47	212 B1	Bogy 07	187 E2
Blaziert 32	211 E4	Bohain-en-Vermandois 02	19 F1
Blécourt 59	10 C3	Bohal 56	92 A2
Blécourt 52	84 C3	La Bohalle 49	114 A1
Blégiers 04	222 C2	Bohars 29	45 D3
Bleigny-le-Carreau 89	102 B2	Bohas 01	156 C3
Bleine (Col de) 06	239 F1	Boigneville 91	80 B3
Blémerey 88	86 C2	Boigny-sur-Bionne 45	99 E1
Blémerey 54	65 F3	Boinville-le-Gaillard 78	79 E1
Blendecques 62	3 F3	Boinville-en-Mantois 78	56 B2
Bléneau 89	101 D3	Boinville-en-Woëvre 55	39 D3
Blennes 77	81 D3		

Boinvilliers 78	56 B2		
Boiry-Becquerelle 62	10 A3		
Boiry-Notre-Dame 62	10 A4		
Boiry-St-Martin 62	10 A4		
Boiry-Ste-Rictrude 62	10 A3		
Bois 17	161 D4		
Le Bois 73	174 C4		
Bois-Anzeray 27	54 C1		
Bois-Arnault 27	54 C1		
Bois-Aubry (Abbaye de) 37	115 E4		
Bois Bellau 02	35 E4		
Bois-Bernard 62	10 A2		
Bois-Chenu (Basilique du) 88	86 A1		
Bois-Colombes 92	57 E2		
Bois-d'Amont 39	142 B4		
Bois-d'Arcy 78	56 D2		
Bois-d'Arcy 89	102 B4		
Bois-de-Céné 85	111 D4		
Bois-de-Champ 88	88 A2		
Le Bois-de-Cize 80	8 A4		
Bois-de-Gand 39	141 D2		
Bois-de-la-Pierre 31	251 E1		
Bois-d'Ennebourg 76	31 F2		
Le Bois-d'Oingt 69	171 D1		
Bois-l'Évêque 76	32 A1		
Bois-Grenier 59	4 C4		
Bois-Guilbert 76	32 B1		
Bois-Guillaume 76	31 F1		
Le Bois-Hellain 27	30 B3		
Bois-Héroult 76	16 A4		
Bois-Herpin 91	79 F2		
Bois-Himont 76	14 C4		
Bois-Jérôme-St-Ouen 27	32 B4		
Les Bois Noirs 63,42	169 E1		
Bois-Normand-près-Lyre 27	54 C2		
Bois-lès-Pargny 02	19 F3		
Le Bois-Plage-en-Ré 17	144 C2		
Le Bois-Robert 76	15 F2		
Bois-le-Roi 77	80 C1		
Bois-le-Roi 27	55 F2		
Bois-Ste-Marie 71	154 C2		
Bois-Sir-Amé (Château de) 18	135 F1		
Bois-Thibault (Château de) 53	75 D1		
Boisbergues 80	9 D4		
Boisbreteau 16	178 A1		
Boiscommun 45	80 A4		
Boisdinghem 62	3 E3		
Boisdon 77	57 D1		
Boisemont 95	57 D1		
Boisemont 27	32 B4		
Boisgasson 28	78 A4		
Boisgervilly 35	72 B3		
Boisjean 62	8 B2		
Le Boisle 62	8 C2		
Boisleux-au-Mont 62	10 A3		
Boisleux-St-Marc 62	10 A3		
Boismé 79	131 D2		
Boismont 54	39 E1		
Boismont 80	8 B4		
Boismorand 45	100 C2		
Boisney 27	30 C4		
Boisrault 80	16 C2		
Boisredon 17	177 E1		
Boisroger 50	26 C4		
Boissay 76	32 A1		
Boisse 24	196 B2		
La Boisse 01	171 F1		
Boisse-Penchot 12	199 D3		
Boisseau 41	98 B2		
Boisseaux 45	79 E3		
Boissède 31	228 C4		
Boisseede-la-Lande 61	53 D3		
Boisserolles 79	146 B3		
Boisseron 34	234 C2		
Boisset 43	186 A1		
Boisset 34	232 B4		
Boisset 15	199 E2		
Boisset-et-Gaujac 30	218 A3		
Boisset-les-Montrond 42	170 B3		
Boisset-les-Prévanches 27	55 F1		
Boisset-St-Priest 42	170 B4		

Boissets 78 56 B2
Boissettes 77 80 B1
Boisseuil 87 164 C2
Boisseuilh 24 180 B2
Boissey 14 29 F4
Boissey 01 156 A1
Boissey-le-Châtel 27 31 D3
Boissezon 81 231 F3
Boissia 39 141 F3
La Boissière 53 94 B2
La Boissière 34 234 A2
La Boissière 39 157 D1
La Boissière 27 55 F1
La Boissière 14 30 A4
La Boissière (Anc. Abbaye) 49 96 B4
La Boissière-d'Ans 24 180 A2
La Boissière-de-Montaigu 85 112 C4
La Boissière-des-Landes 85 129 D3
La Boissière-du-Doré 44 112 C2
La Boissière-École 78 56 B3
La Boissière-en-Gâtine 79 131 D4
La Boissière-sur-Évre 49 112 C2
Boissières 30 235 D1
Boissières 46 197 F3
Boissise-la-Bertrand 77 80 B1
Boissise-le-Roi 77 80 B1
Boissy-l'Aillerie 95 33 D4
Boissy-aux-Cailles 77 80 B2
Boissy-le-Bois 60 33 D3
Boissy-le-Châtel 77 59 D2
Boissy-le-Cutté 91 80 A1
Boissy-en-Drouais 28 55 E3
Boissy-Fresnoy 60 34 C4
Boissy-Lamberville 27 30 C3
Boissy-Maugis 61 77 E1
Boissy-Mauvoisin 78 56 B1
Boissy-lès-Perche 28 55 D3
Boissy-le-Repos 51 59 F2
Boissy-la-Rivière 91 79 F2
Boissy-St-Léger 94 58 A3
Boissy-sans-Avoir 78 56 C2
Boissy-le-Sec 91 79 F1
Boissy-sous-St-Yon 91 57 E4
Boissy-sur-Damville 27 55 E2
Boistrudan 35 73 E4
Boisville-la-St-Père 28 79 D2
Boisyvon 50 51 F2
Boitron 77 59 D2
Boitron 61 53 F4
Bolandoz 25 125 E4
Bolazec 29 46 B4
Bolbec 76 14 B4
Bollène 84 219 E2
La Bollène-Vésubie 06 241 E2
Bolleville 76 14 C4
Bolleville 50 26 C2
Bollezeele 59 3 F2
Bolliwiller 68 108 C1
Bologne 52 85 D3
Bolozon 01 156 C2
Bolquère 66 261 D3
Bolsenheim 67 89 E1
Bombon 77 58 C4
Bommes 33 194 B3
Bommiers 36 135 D2
Bommiers (Forêt de) 36 135 D2
Bompas 09 252 B4
Bompas 66 262 C2
Bomy 62 9 D1
Bon-Encontre 47 211 F2
Bona 58 120 C4
Bonac-Irazein 09 259 D3
Bonaguil (Château de) 47 197 D3
Bonas 32 228 A1
Bonboillon 70 124 C2
Boncé 28 78 C2
Bonchamp-lès-Laval 53 74 C4
Boncourt 28 55 E1
Boncourt 28 56 A2
Boncourt 54 39 E3
Boncourt 02 20 B4
Boncourt-le-Bois 21 123 E3
Boncourt-sur-Meuse 55 63 E2
Bondaroy 45 80 A3
Bondeval 25 107 F4
Bondigoux 31 230 A1
Les Bondons 48 217 E1

Bondoufle 91 57 E4
Bondues 59 5 D3
Bondy 93 57 F2
Bonette (Cime de la) 04 223 E1
Bongheat 63 168 C2
Le Bonhomme 68 88 C3
Bonhomme (Col du) 68 88 C3
Bonifacio 2a 269 D4
Bonifato (Cirque de) 2B 264 B4
Bonlier 60 33 E1
Bonlieu 39 141 F3
Bonlieu-sur-Roubion 26 204 A3
Bonloc 64 225 D4
Bonnac 09 252 A2
Bonnac 15 184 B2
Bonnac-la-Côte 87 164 C1
Bonnal 25 107 D4
Bonnard 89 102 A1
Bonnat 23 150 B2
Bonnaud 39 141 D3
Bonnay 71 139 F4
Bonnay 80 17 F2
Bonnay 25 125 E2
Bonne 74 158 B2
Bonne 38 189 F4
Bonnebosq 14 29 F3
Bonnecourt 52 105 E1
Bonnée 45 100 B2
Bonnefamille 38 172 A3
Bonnefoi 61 54 B3
Bonnefond 19 166 A4
Bonnefont 65 249 F1
Bonnefontaine 39 141 E2
Bonnefontaine (Ancienne Abbaye de) 08 20C A1
Bonnefoy (Anc. Chartreuse de) 07 202 C1
Bonnegarde 40 226 A3
Bonneil 02 59 E1
Bonnelles 78 57 D4
Bonnemain 35 49 F4
Bonnemaison 14 28 C4
Bonnemazon 65 249 F3
Bonnencontre 21 123 F3
Bonnes 16 178 C2
Bonnes 86 132 C3
Bonnesvalyn 02 35 E4
Bonnet 55 63 D4
Bonnétable 72 76 C3
Bonnétage 25 126 B2
Bonnetan 33 194 B1
Bonneuil 16 149 E1
Bonneuil 16 162 A3
Bonneuil-les-Eaux 60 17 E4
Bonneuil-en-France 95 57 F1
Bonneuil-en-Valois 60 34 C3
Bonneuil-Matours 86 149 F4
Bonneuil-sur-Marne 94 57 F3
Bonneval 73 174 C3
Bonneval 43 185 E2
Bonneval-sur-Arc 73 175 F4
Bonnevaux 74 159 D1
Bonnevaux 30 218 A1
Bonnevaux 25 142 B2
Bonnevaux-le-Prieuré 25 125 E3
Bonneveau 41 97 E2
Bonnevent-Velloreille 70 125 D1
Bonneville 16 162 B1
Bonneville 80 9 D4
Bonneville 74 158 C3
La Bonneville 50 25 D3
Bonneville-Aptot 27 31 D3
Bonneville-et-St-Avit-de-Fumadières 24 195 E1
La Bonneville-sur-Iton 27 55 D1
Bonneville-sur-Touques 14 30 A2
Bonneville-la-Louvet 14 30 B3
Bonnières 60 33 D1
Bonnières 62 9 D4
Bonnières-sur-Seine 78 56 B1
Bonnieux 84 237 D1
Bonningues-lès-Ardres 62 3 E3
Bonningues-lès-Calais 62 2 C1
Bonnœuil 72 94 A4
Bonnut 64 225 F2
Bonny-sur-Loire 45 101 D4
Bono 56 91 D3

Bonrepos 65 249 F2
Bonrepos-Riquet 31 230 B2
Bonrepos-sur-Aussonnelle 31 229 E3
Bons-en-Chablais 74 158 B2
Bons-Tassilly 14 51 C1
Bonsecours 76 31 F1
Bonsmoulins 61 54 B3
Bonson 42 170 B4
Bonson 06 241 D3
Bonvillard 73 174 B3
Bonvillaret 73 174 B3
Bonviller 54 65 D3
Bonvillers 60 17 F4
Bonvillet 88 86 C3
Bonvouloir (Tour de) 61 52 B4
Bony 02 19 D1
Bonzac 33 177 F4
Bonzée 55 39 D4
Boô-Silhen 65 257 D2
Boofzheim 67 89 E1
Boos 76 31 F2
Boos 40 208 C4
Bootzheim 67 89 E2
Boqueho 22 47 E4
Bor-et-Bar 12 214 B2
Boran-sur-Oise 60 33 F3
Borbes (Rocher de) 63 169 D2
Borce 64 256 B3
Borcq-sur-Airvault 79 131 F2
Bord-St-Georges 23 151 D2
Bordeaux 33 194 A1
Bordeaux-en-Gâtinais 45 80 B4
Bordeaux-St-Clair 76 14 A3
Bordères 64 248 C2
Bordères-et-Lamensans 40 226 C1
Bordères-Louron 65 258 A3
Bordères-sur-l'Échez 65 249 D1
Les Bordes 24 248 C1
Les Bordes 65 249 E2
Les Bordes 71 140 B1
Les Bordes 36 135 D1
Les Bordes 45 100 B2
Les Bordes 89 81 F4
Les Bordes-Aumont 10 83 D3
Bordes-de-Rivière 31 250 B3
Les Bordes-sur-Arize 09 251 F3
Les Bordes-sur-Lez 09 259 D3
Bordezac 30 218 A1
Bords 17 160 C1
Borée 07 202 C1
Le Boréon 06 241 D1
Boresse-et-Martron 17 178 A3
Borest 60 34 B3
Borey 70 107 D3
Borgo 2b 265 E3
Les Bories 24 180 A2
Bormes-les-Mimosas 83 245 D2
Le Born 31 230 A1
Le Born 48 201 F3
Bornambusc 76 14 B4
Bornay 39 141 E3
Borne 07 202 B3
Borne 43 185 E3
Borne (Gorges de la) 07 202 B3
Bornel 60 33 E3
Born-de-Champs 24 196 B2
Boron 90 108 A3
Borre 59 4 B3
Borrèze 24 181 D4
Bors 17 178 C1
Bors 16 178 A1
Bort-l'Étang 63 168 C2
Bort-les-Orgues 19 183 D1
Borville 54 87 D1
Bosas 07 187 D3
Le Bosc 12 215 D2
Le Bosc 34 233 E2
Le Bosc 09 251 F4
Bosc-Bénard-Commin 27 31 D2
Bosc-Bénard-Crescy 27 31 D2
Bosc-Bérenger 76 15 F4
Bosc-Bordel 76 16 A4
Bosc-Édeline 76 16 A4
Bosc-Guérard 76 31 F1
Bosc-le-Hard 76 15 F4
Bosc-Hyons 76 32 C1
Bosc-Mesnil 76 16 A4
Bosc-Renoult 61 54 B1
Bosc-Renoult-en-Ouche 27 54 C1

Bosc-Renoult-en-Roumois 27 31 D2
Le Bosc-Roger-en-Roumois 27 31 E3
Bosc-Roger-sur-Buchy 76 16 A4
Boscamnant 17 178 B2
Bosco di u Coscione 2A 269 D1
Boscodon (Forêt de) 05 206 C3
Bosdarros 64 248 B2
Bosgouet 27 31 D2
Bosguérard-de-Marcouville 27 31 D3
Bosjean 71 140 C2
Bosmie-l'Aiguille 87 164 C2
Bosmont-sur-Serre 02 20 A3
Bosmoreau-les-Mines 23 150 A4
Bosnormand 27 31 E3
Le Bosquel 80 17 E3
Bosquentin 27 32 B2
Bosrobert 27 31 E3
Bosroger 23 151 D4
Bossancourt 10 84 A2
Bossay-sur-Claise 37 133 E2
La Bosse 25 126 B3
La Bosse 72 77 D3
La Bosse-de-Bretagne 35 93 E1
Bossée 37 116 A3
Bosselshausen 67 66 C2
Bossendorf 67 67 D2
Bosserville 54 66 C3
Bosset 24 178 C4
Bosseval-et-Briancourt 08 21 F3
Bossey 74 158 A3
Bossieu 38 188 A1
Bossugan 33 195 D1
Bossus-lès-Rumigny 08 20 C2
Bost 03 153 E3
Bostens 40 209 F4
Bostz 03 152 C1
Bosville 76 14 C3
Botans 90 107 F3
Botmeur 29 46 A4
Botsorhel 29 46 B3
Les Bottereaux 27 54 C2
Botz-en-Mauges 49 113 D2
Bou 45 99 E2
Bouafle 78 56 C1
Bouafles 27 32 A3
Bouan 09 260 B1
Bouaye 44 111 E3
Boubers-lès-Hesmond 62 8 C1
Boubers-sur-Canche 62 9 D3
Boubiers 60 33 D3
Bouc-Bel-Air 13 237 E4
Boucagnères 32 228 B3
Boucard 12 119 E2
Boucau 64 224 B3
Boucle du Hom 14 52 B2
Boucé 03 153 E2
Boucé 61 53 D2
Boucey 50 50 B4
Le Bouchage 38 172 C2
Le Bouchage 16 147 F4
Bouchain 59 11 D3
Bouchamps-lès-Craon 53 94 B2
Le Bouchaud 03 154 A2
Le Bouchaud 39 141 E1
Bouchavesnes-Bergen 80 18 B1
Bouchemaine 49 113 F1
Boucheporn 57 41 D3
Bouchet 26 219 E1
Le Bouchet 86 132 A1
Le Bouchet 74 174 B1
Bouchet (Lac du) 43 202 A1
Le Bouchet-St-Nicolas 43 202 A1
Bouchevilliers 27 32 C2
Bouchoir 80 18 A3
Bouchon 80 17 D1
Le Bouchon-sur-Saulx 55 62 C4
Les Bouchoux 39 157 E2
Bouchy-St-Genest 51 59 F4
Boucieu-le-Roi 07 187 D3
Bouclans 25 125 F2
Boucoiran-et-Nozières 30 218 B4
Bouconville 08 37 F1
Bouconville-sur-Madt 55 63 E2

Bouconville-Vauclair 02 36 A1
Bouconvillers 60 33 D3
Boule d'Amont 66 262 A3
Boudes 63 168 B4
Boudeville 76 15 D3
Boudou 82 212 B3
Boudrac 31 250 A2
Boudreville 21 104 B1
Boudy-de-Beauregard 47 196 B3
Boué 02 19 F1
Bouée 44 111 D2
Boueilh-Boueilho-Lasque 64 226 C3
Bouelles 76 16 B3
Bouër 72 77 D4
Bouère 53 95 E2
Bouessay 53 95 E1
Bouesse 36 134 C3
Bouëx 16 163 E1
La Bouëxière 35 73 E3
Bouffémont 95 57 E1
Boufféré 85 112 B4
Bouffignereux 02 36 B2
Boufflers 80 8 C4
Bouffry 41 98 A1
Bougainville 80 17 D2
Bougarber 64 226 B4
Bougé-Chambalud 38 188 A2
Bouges-le-Château 36 117 E4
Bougey 70 106 A2
Bougival 78 57 D2
Bouglainval 28 56 C1
Bouglon 47 210 C1
Bougneau 17 161 E3
Bougnon 70 106 B3
Bougon 79 147 D1
Bougue 40 209 F4
Bouguenais 44 111 F3
Bougy 14 28 C4
Bougy-lez-Neuville 45 81 F4
Bouhans 71 140 C2
Bouhans-et-Feurg 70 105 E4
Bouhans-lès-Lure 70 107 F3
Bouhans-lès-Montbozon 70 106 C4
Bouhet 17 145 F3
Bouhey 21 123 D3
Bouhy 58 102 B1
Le Bouillon 33 177 E4
Bouilh-Devant 65 249 F1
Bouilh-Péreuilh 65 249 E1
Bouilhonnac 11 253 F2
Bouillac 12 199 D3
Bouillac 24 196 C2
Bouillac 82 229 E1
La Bouilladisse 13 243 E2
Bouillancourt-la-Bataille 80 17 F3
Bouillancourt-en-Séry 80 16 B1
Bouillancy 60 34 C4
Bouilland 21 123 D3
Bouillargues 30 235 E1
La Bouille 76 31 E2
Bouillé-Courdault 85 145 F1
Bouillé-Loretz 79 114 B4
Bouillé-Ménard 49 94 B2
Bouillé-St-Paul 79 114 A4
La Bouillie 22 48 C3
Bouillon 64 226 B3
Le Bouillon 61 53 E4
Bouillonville 54 64 B1
Bouilly 51 37 D3
Bouilly 89 102 B1
Bouilly 10 90 B1
Bouilly-en-Gâtinais 45 80 C3
Bouin 79 147 D3
Bouin 85 111 D4
Bouin-Plumoison 62 8 C2
Bouisse 11 253 F4
Bouix 21 103 F1
Boujailles 25 160 B4
Boujan-sur-Libron 34 280 B1
Boujeons 25 142 A3
Boulages 10 60 B4
Boulaincourt 88 94 A4
Boulancourt 77 80 B3
Boulange 57 39 F2
Le Boulay 88 87 F3
Le Boulay 37 130 C1
Boulay-les-Barres 45 80 A4
Boulay-les-Ifs 53 75 F1
Le Boulay-Morin 27 31 F4

Bourges

Auron (R. d')	Z	
Jaurès (Av. Jean)	Y	
Moyenne (R.)	YZ	
Armuriers (R. des)	Z	2
Branly (R. Edouard)	Y	4
Calvin (R.)	Y	6
Cambournac (R.)	Y	7
Chappe (R. de la)	Z	10
Commerce (R. du)	Y	13
Cujas (Hôtel)	E	
Dr-Témoin (R. du)	Y	17
Dormoy (Av. Marx)	Y	19
Échevins (Hôtel des)	D	
Hémerettes (R. des)	Z	29
Jacques-Cœur (R.)	Y	32
J.-J.-Rousseau (R.)	Z	33
Joyeuse (R.)	Y	35
Lallemant (Hôtel)	B	
Leblanc (R. N.)	Y	41
Mirebeau (R.)	Y	44
Notre-Dame (†)	Y	
Pelvoysin (R.)	Y	50
Poissonnerie (R. de la)	Y	52
Prinal (R. du)	Y	55
St-Bonnet (Pl. et †)	Y	60
St-Étienne (†)	Z	
St-Pierre (†)	Z	
Sarrebourg (R. de)	Z	66
Strasbourg (R. de)	Z	71
Tory (R. Geoffroy)	Y	72
Victor-Hugo (R.)	Z	74
95e-de-Ligne (R. du)	Z	75

Boulay-Moselle 57 40 C3
La Boulaye 71 138 C2
Boulazac 24 179 F3
Boulbon 13 236 A1
Boulc 26 205 D2
Bouleternère 66 262 A2
Bouleurs 77 58 C2
Bouleuse 51 36 A3
Bouliac 33 194 B1
Boulieu-lès-Annonay 07 187 D2
Bouligneux 01 156 A4
Bouligny 55 39 E2
Boulin 65 249 E1
Boullarre 60 34 C4
Boullay-les-Deux-Églises 28 55 F4
Le Boullay-Mivoye 28 55 F4
Le Boullay-Thierry 28 56 A4
Boullay-les-Troux 91 57 D3
Boulleret 18 101 F4
Boulleville 27 30 B2
Bouloc 31 230 A1
Bouloc 82 212 C1
Boulogne 85 129 E2
Boulogne 44, 85 129 D1
Boulogne-Billancourt 92 57 E2
Boulogne (Château de) 07 203 E1
Boulogne-la-Grasse 60 18 A4
Boulogne-sur-Gesse 31 250 B1
Boulogne-sur-Helpe 59 12 B4
Boulogne-sur-Mer 62 2 B3
Boulon 14 29 D4
Boulot 70 125 D1
Le Boulou 66 262 C3
Boult 70 125 E1
Boult-aux-Bois 08 37 F1
Boult-sur-Suippe 51 36 B1
Le Boulvé 46 197 D4

Boulzicourt 08 21 E3
Boumois 49 114 B2
Boumourt 64 226 B4
Bouniagues 24 196 A3
Le Boupère 85 130 A2
Bouquehault 62 3 D3
Bouquelon 27 30 C2
Bouquemaison 80 9 E3
Bouquemont 55 63 D1
Bouquet 30 218 B2
Bouquetot 27 31 D2
Bouqueval 95 57 F1
Bouranton 10 83 E2
Bouray-sur-Juine 91 80 A1
Bourbach-le-Bas 68 108 B2
Bourbach-le-Haut 68 108 A2
La Bourbansais 35 72 C1
Bourberain 21 105 D4
Bourbévelle 70 106 B1
Bourbon-l'Archambault 03 136 C4
Bourbon-Lancy 71 138 B3
Bourbonne-les-Bains 52 106 A1
La Bourboule 63 167 E3
Bourbourg 59 3 E2
Bourbriac 22 47 D3
Bourcefranc-le-Chapus 17 160 B1
Bourcia 39 156 C1
Bourcq 08 37 F2
Bourdainville 76 15 E3
Bourdalat 40 226 C1
Bourdeau 73 173 D3
Bourdeaux 26 204 B3
Bourdeilles 24 179 E3
Le Bourdeix 24 163 D4
Bourdelles 33 195 D3
Bourdenay 10 89 E1
Le Bourdet 79 145 F1

Bourdettes 64 248 C2
Bourdic 30 218 C4
La Bourdinière 28 78 B2
Bourdon 80 17 D1
Bourdonnay 57 65 E2
Bourdonné 78 56 B3
Bourdons-sur-Rognon 52 85 E3
Bourecq 62 9 E1
Bouresches 02 35 E4
Bouresse 86 148 A1
Bouret-sur-Canche 62 9 E3
Boureuilles 55 38 A3
Bourg 52 105 D2
Bourg 33 177 E3
Le Bourg 46 198 C1
Bourg-Achard 27 31 D2
Bourg-Archambault 86 148 C1
Bourg-Argental 42 187 D2
Bourg-Beaudouin 27 32 A2
Bourg-Blanc 29 45 D2
Bourg-Bruche 67 88 C1
Bourg-Charente 16 162 A2
Bourg-de-Bigorre 65 249 E3
Bourg-de-Péage 26 188 B1
Bourg-de-Sirod 39 142 A2
Bourg-de-Thizy 69 154 C1
Bourg-de-Visa 82 212 B2
Bourg-des-Comptes 35 93 D1
Bourg-des-Maisons 24 179 E2
Le Bourg-d'Hem 23 150 A3
Le Bourg-d'Iré 49 94 B3
Le Bourg-d'Oisans 38 206 C1
Le Bourg-d'Oueil 31 258 B3

Bourg-du-Bost 24 178 C2
Bourg-Dun 76 15 E2
Bourg-en-Bresse 01 156 B2
Bourg-et-Comin 02 35 F2
Bourg-l'Évêque 49 94 B2
Bourg-Fidèle 08 21 D2
Bourg-Lastic 63 167 D3
Bourg-Madame 66 261 D4
Bourg-la-Reine 92 57 E3
Bourg-le-Roi 72 76 B2
Bourg-St-Andéol 07 219 D1
Bourg-St-Bernard 31 230 B1
Bourg-St-Christophe 01 172 A1
Le Bourg-St-Léonard 61 53 E2
Bourg-St-Maurice 73 175 D2
Bourg-Ste-Marie 52 85 F3
Bourg-sous-Châtelet 90 108 A2
Bourg-lès-Valence 26 187 F4
Bourgaltroff 57 65 E1
Bourganeuf 23 165 F1
Bourgbarré 35 73 D4
Bourgeauville 14 29 F3
Bourges 18 119 C4
Le Bourget-du-Lac 73 173 D3
Bourget-en-Huile 73 174 A1
Bourget (Lac du) 73 173 D2
Bourgheim 67 89 E1
Bourghelles 59 10 C1
Bourgnac 24 179 D4
Bourgneuf 17 145 E3
Bourgneuf 73 174 A3

Bourgneuf-
en-Mauges
49   113 D2
Bourgneuf-en-Retz
44   111 D4
Le Bourgneuf-
la-Forêt 53   74 B3
Bourgogne 51   36 C2
Bourgoin-Jallieu
38   74 B3
Bourgon 53   74 B3
La Bourgonce
88   88 A2
La Bourgonnière
49   112 C1
Bourgougnague
47   196 A3
Bourgtheroulde-
Infreville 27   31 E2
Bourguébus
14   29 D4
Bourgueil 37   115 D2
Bourguenolles
50   50 C2
Le Bourguet
83   239 E1
Bourguignon
25   126 C1
Bourguignon-lès-
la-Charité
70   106 B4
Bourguignon-lès-
Conflans
70   106 C2
Bourguignon-lès-
Morey 70   105 F3
Bourguignon-sous-
Coucy
02   35 D1
Bourguignon-sous-
Montbavin
02   35 F1
Bourguignons
10   83 E3
Bourgvilain
71   155 E1
Bourideys 33   209 F1
Bouriège 11   253 D3
Bourigeole
11   253 D3
Bourisp 65   258 A3
Bourlens 47   197 D4
Bourlon 62   10 C4
Bourmont 52   85 F3
Bournainville-
Faverolles
27   30 C4
Bournan 37   116 A4
Bournand 86   188 C4
Bournazel 12   199 E4
Bournazel 81   214 A3
Bourne (Gorges de
la) 26,38   188 C3
Bourneau 85   130 A4
Bournel 47   196 B3
Bourneville 27 30 C2
Bournezeau
85   129 E3
Bourniquel
24   196 B1
Bournois 25   107 D4
Bournoncle-
St-Pierre
43   184 C1
Bournoncles
15   184 B4
Bournonville 62 3 D3
Bournos 64   226 B4
Bourogne 90   108 A3
Bourran 47   211 D1
Bourré 41   116 C2
Bourréac 65   249 E2
Bourret 82   212 C4
Bourriot-Bergonce
40   210 A3
Bourron-Marlotte
77   80 C2
Bourrou 24   179 E3
Bourrouillan
32   227 E1
Bours 65   249 E1
Bours 62   6 B2
Boursault 51   36 A4
Boursay 41   77 F4
Bourscheid 57   66 B2
Bourseul 22   49 D4
Bourseville 80   6 A4
Boursières 70 106 B3
Boursies 59   10 B4
Boursin 59   3 D3
Boursonne 60   34 C3
Bourth 27   54 C3
Bourthes 62   5 E4
Bourville 76   15 D3
Boury-en-Vexin
60   32 C3
Bousbach 57   41 F3
Bousbecque 59   4 C3
Le Bouscat 33 194 A1
Le Bouschet-
de-Pranles
07   203 E2
Bousies 59   11 E4
Bousignies 59   11 D3
Bousignies-sur-Roc
59   12 C3
Le Bousquet
11   261 E1
Le Bousquet-d'Orb
34   233 D2
Boussac 23   151 D2
Boussac 12   215 D2
Boussac 46   198 C3
La Boussac 35   50 B4
Boussac-Bourg
23   151 D2
Boussais 79   131 E2
Boussan 31   250 C2
Boussay 37   133 D2
Boussay 44   112 C4

Bousse 57   40 B2
Bousse 72   96 A2
Bousselange
21   124 A4
Boussenac 09   251 F4
Boussenois
21   105 D3
Boussens 31   251 D2
Bousseraucourt
70   86 B1
Boussès 47   210 C2
Bousseviller
57   42 C3
Boussey 21   122 C2
Boussicourt
80   18 A3
Boussières 25 125 D3
Boussières-
en-Cambrésis
59   11 D4
Boussières-sur-
Sambre 59   11 F3
Boussois 59   12 B3
Boussy 74   173 F1
Boussy-St-Antoine
91   58 A3
Boust 57   40 B1
Boustroff 57   41 D4
Bout-du-Pont-
de-Larn 81   231 F4
Boutancourt
08   21 E3
Boutavent 60   16 C4
La Bouteille 02 20 B2
Bouteilles-
St-Sébastien
24   178 C1
Boutenac 11   254 B2
Boutenac-Touvent
17   160 C4
Boutencourt
60   32 C2
Boutervilliers
91   79 E1
Bouteville 16 162 A3
Boutiers-St-Trojan
16   161 F2
Boutigny 77   58 C2
Boutigny-sur-
Essonne 91   80 A1
Boutigny-sur-
Opton 28   56 B3
Boutonne 17,
79   160 C1
Bouttencourt
80   16 B2
Boutteville 50 26 A4
Boutx 31   258 C3
Bouvaincourt-sur-
Bresle 80   16 B1
Bouvancourt
51   36 A2
Bouvante 26   188 B4
Bouvelinghem
62   3 D3
Bouvellemont
08   21 E4
Bouverans 25   142 B1
Bouvesse-Quirieu
38   172 C2
Bouvières 26   204 B3
Bouvignies 59   10 C2
Bouville 76   15 D4
Bouville 28   78 B3
Bouville 91   80 A1
Bouvincourt-
en-Vermandois
80   18 C2
Bouvines 59   10 C1
Bouvresse 60   16 C4
Bouvron 44   111 E1
Bouvron 54   63 F1
Boux-sous-Salmaise
21   122 C1
Bouxières-aux-Bois
88   87 D2
Bouxières-aux-
Chênes 54   64 C2
Bouxières-aux-
Dames 54   64 B2
Bouxières-sous-
Froidmont
54   64 B1
Bouxurulles
88   87 D2
Bouxwiller 68 108 C4
Bouxwiller 67   66 C3
Bouy 51   37 D4
Bouy-Luxembourg
10   83 E2
Bouy-sur-Orvin
10   82 A1
Bouyon 06   223 F4
Le Bouyssou
46   198 C2
Bouzais 18   136 A3
Bouzancourt
52   84 C2
Bouzanville 54 86 C1
Bouze-lès-Beaune
21   123 D4
Bouzèdes
(Belvédère des)
48   217 F1
Bouzel 63   168 C2
Bouzemont
88   87 D2
Bouzeron 71   139 F1
Bouzic 24   197 E2
Bouziès 46   198 A4
Bouzigues 34   234 A4
Bouzillé 49   112 C4
Bouzin 31   250 C2
Bouzincourt
80   18 A1
Bouzon-Gellenave
32   227 E2
Bouzonville 57 41 D2
Bouzonville-aux-
Bois 45   79 F4

Bouzonville-
en-Beauce
45   79 F3
Bouzy 51   36 C4
Bouzy-la-Forêt
45   100 A2
Bovée-sur-
Barboure 55   63 D3
Bovel 35   92 C1
Bovelles 80   17 E2
Boves 80   17 F2
Boviolles 55   63 D3
Boyaval 62   9 E1
Boyelles 62   10 A3
Boyer 71   140 A3
Boyer 42   154 C3
Boyeux-St-Jérôme
01   156 C4
Boynes 45   80 A4
Boz 01   155 F1
Bozel 73   175 D4
Bozouls 12   200 A4
Brabant-
en-Argonne
55   38 B4
Brabant-le-Roi
55   62 B2
Brabant-sur-Meuse
55   38 C3
Brach 33   176 C3
Brachay 52   84 C2
Braches 80   17 F3
Brachy 76   15 E2
Bracieux 41   98 C4
Bracon 39   141 F1
Bracquemont
76   15 F2
Bracquetuit
76   15 F4
Bradiancourt
76   16 A4
Braffais 50   51 D2
Bragassargues
30   49 A4
Bragayrac 31   229 A4
Brageac 15   182 C2
Bragelogne
10   103 E1
Bragny-sur-Saône
71   140 B1
Brahic 07   218 A1
Braillans 25   125 E2
Brailly-Cornehotte
80   8 C3
Brain 31   122 C1
Brain-sur-Allonnes
49   114 C2
Brain-sur-l'Authion
49   114 A1
Brain-sur-
Longuenée
49   94 C4
Brain-sur-Vilaine
35   74 B3
Brainans 39   141 E1
Braine 02   37 E2
Brains 44   111 E3
Brains-sur-Gée
72   76 A4
Brains-sur-les-
Marches 53   94 A1
Brainville 50   26 C4
Brainville 54   39 E3
Brainville-sur-
Meuse 52   85 F3
Braisnes 60   34 B1
Braize 03   136 B3
Bralleville 54 86 C1
Bram 11   253 D2
Bramabiau (Abîme
du) 30   217 D3
Bramans 73   191 D2
Brametot 76   15 E2
Bramevaque
65   250 A3
Bran 17   177 F1
Branceilles 19 181 E4
Branches 89   102 A2
Brancion 71   140 A4
Brancourt-
en-Laonnois
02   35 E1
Brancourt-le-Grand
02   19 E1
Brandérion 56   90 C1
Brandeville 55 38 B2
Brandivy 56   91 D2
Brando 2b   265 E1
Brandon 71   155 D1
Brandonnet
12   214 B1
Brandonvillers
51   61 E4
Branféré (Parc
Zoologique de)
56   92 A3
Branges 71   140 C3
Brangues 38   172 C2
Brannay 89   81 E3
Branne 25   126 A1
Branne 33   194 C3
Brannens 33   194 C3
Branoux-les-
Taillades 30   218 A2
Brans 39   124 B2
Bransat 03   152 C2
Branscourt 51   36 A3
Bransles 77   80 C3
Brantes 84   220 B2
Brantigny 88   87 D2
Brantôme 24   179 E1
Branville 14   29 E3
Branville-Hague
50   24 C2
Braquis 55   39 D3
Bras 83   238 B3
Bras-d'Asse
04   222 A4
Bras-sur-Meuse
55   38 C3
Brasc 12   215 E4
Brasles 02   35 E4
Braslou 37   115 D4

Brasparts 29   69 E1
Brassac 09   252 A4
Brassac 82   212 B2
Brassac 81   232 A3
Brassac-les-Mines
63   184 C1
Brasseitte 55   63 D2
Brasseuse 60   34 B3
Brassy 80   17 D3
Brassy 58   121 F2
Bratte 54   64 B2
Braucourt 52   62 A4
Braud-et-St-Louis
33   177 D2
Braus (Col de)
06   241 E3
Brauvilliers 55 62 C4
Braux 21   122 B1
Braux 04   223 D3
Braux 10   83 F1
Braux-le-Châtel
52   84 C4
Braux-St-Remy
51   62 A1
Braux-Ste-Cohière
51   37 F4
Brax 47   211 E2
Brax 31   229 E3
Bray 71   139 F4
Bray 27   31 D4
Bray-la-Campagne
14   29 E4
Bray-Dunes 59   4 B1
Bray-en-Val
45   100 A2
Bray-et-Lû 95   32 C4
Bray-lès-Mareuil
80   16 B1
Bray-St-Christophe
02   18 C3
Bray-sur-Seine
77   81 E1
Bray-sur-Somme
80   18 B2
Braye 02   35 E2
Braye-en-Laonnois
52   85 E1
Braye-en-Thiérache
02   20 B3
Braye-sous-Faye
37   115 E4
Braye-sur-Maulne
37   96 B4
Brazey-en-Morvan
21   122 B3
Brazey-en-Plaine
21   124 A3
Bréal-sous-
Montfort 35   72 C4
Bréal-sous-Vitré
35   74 B3
Bréançon 95   33 D4
Bréau 77   58 C4
Bréau-et-Salagosse
30   217 D4
Bréauté 76   14 B4
Bréban 51   61 D4
Brebières 62   10 B2
Brebotte 80   108 A3
Brécé 35   73 E3
Brecé 53   74 C1
Brécey 50   51 D3
Brech 56   91 D2
Brechainville
88   85 F2
Bréchamps 28   56 A3
Bréchaumont
68   108 B3
Brèche au Diable
14   52 C1
Brèches 37   96 C4
Breconchaux
25   125 F1
Brectouville
50   27 E4
Brécy 18   119 E3
Brécy 14   28 C3
Brécy 02   35 E4
Brécy-Brières
08   37 F2
La Brède 33   194 A2
Brée 53   75 D3
La Brée-les-Bains
17   144 C4
Bréel 61   52 B2
Brégnier-Cordon
01   173 D3
Brégy 60   34 B3
Bréhain 57   65 D1
Bréhain-la-Ville
54   39 E1
Bréhal 50   50 B1
Bréhan 56   71 E3
Bréhand 22   71 F1
Bréhémont
37   115 E2
Bréhéville 55   38 C2
Breidenbach
57   42 C3
Breil 49   115 D1
Le Breil-sur-Mérize
72   76 C4
Breil-sur-Roya
06   241 F2
Breilly 80   17 E2
La Breille-les-Pins
49   114 C2
Breistroff-la-Grande
57   40 B1
Breitenau 67   89 D2
Breitenbach
67   89 D1
Breitenbach-Haut-
Rhin 68   88 C1
Brêles 29   44 C2
Brélidy 22   47 F2
Brémént 54   65 F4
Brèmes 62   3 D2
Bremmelbach
67   43 E4
Brémoncourt 54 64 C1

Bremondans
25   126 A2
Brémontier-Merval
76   32 B1
Brémoy 14   51 F1
Brémur-et-Vaurois
21   104 A3
Bren 26   187 F3
Brenac 11   253 D4
Brenas 34   233 E2
Brenat 63   168 C4
Brénaz 01   157 E4
Brenelle 02   37 E2
Brengues 46   198 B3
Brennes 52   105 D2
Brennilis 29   46 A4
Brénod 01   157 D3
Brenon 83   239 E1
Brenouille 60   34 A2
Brenoux 48   201 E4
Brens 81   230 C1
Brens 01   173 D2
Brenthonne
74   158 B2
Breny 02   35 E3
La Bréole 04   206 B4
Brères 25   125 D4
Bréry 39   141 E2
Bresdon 17   162 A1
Les Bréseux
25   126 C2
Bresilley 70   124 C2
Bresle 80   18 A1
Bresle 76,80   16 A1
Bresles 60   33 E2
Bresnay 03   152 C1
Bresolettes 61 54 B4
La Bresse 88   88 B4
Bresse-sur-Grosne
71   139 F3
Bressey-sur-Tille
21   123 F2
Bressieux 38   188 B1
Bressolles 03 137 E4
Bressolles 01 172 A1
Bressols 82   213 D4
Bresson 38   189 E3
Bressoncourt
52   85 E1
Bressuire 79   130 C2
Brest 29   45 D3
Brestot 27   31 D2
Bretagne 90   108 A3
Bretagne 36   117 F4
Bretagne-
d'Armagnac
32   210 C4
Bretagne-
de-Marsan
40   226 B1
Bretagnolles
27   55 F1
Breteau 45   101 D3
Breteil 35   72 C3
Bretenière 21 123 F2
La Bretenière
25   125 F1
La Bretenière
39   124 C3
Bretenières
39   141 D1
Bretenoux 46   198 B1
Breteuil 27   55 D2
Breteuil 78   57 D3
Breteuil 60   17 E4
Brethel 61   54 B3
Brethenay 52   85 D3
Le Brethon
03   136 B1
Bretigney 25   107 E4
Bretigney-Notre-
Dame 25   125 F2
Bretignolles
79   130 C1
Bretignolles-sur-
Mer 85   128 B3
Brétigny 21   123 F1
Brétigny 27   31 D3
Brétigny 60   18 C4
Brétigny-sur-Orge
91   57 F4
Bretoncelles
61   77 E1
La Bretonnière
85   129 E4
Bretonvillers
25   126 B2
Brette 26   204 C3
Brette-les-Pins
72   76 C4
Bretten 68   108 B2
Brettes 16   147 D4
Bretteville 50   25 D2
Bretteville-
du-Grand-Caux
76   14 B4
Bretteville-
l'Orgueilleuse
14   28 C3
Bretteville-
St-Laurent
76   15 D3
Bretteville-sur-Ay
50   26 B2
Bretteville-sur-
Dives 14   29 F4
Bretteville-sur-Laize
14   29 D4
Bretteville-sur-
Odon 14   29 D3
Bretteville-le-Rabet
14   29 E4
Brettnach 57   41 D2
Bretx 31   229 E2
Breuches 70   106 C2
Breuchotte
70   107 D2
Breugnon 58   120 C1
Breuil 80   18 C3
Breuil 51   36 A2
Le Breuil 69   171 D1

Le Breuil 03   153 F3
Le Breuil 71   139 E2
Le Breuil 51   60 A1
Breuil-Barret
85   130 B3
Le Breuil-Bernard
79   130 C2
Breuil-Bois-Robert
78   56 B1
Breuil-Chaussée
79   130 C1
Le Breuil-en-Auge
14   30 A3
Le Breuil-en-Bessin
14   28 B3
Breuil-Magné
17   145 E4
Breuil-la-Réorte
17   145 F3
Breuil-le-Sec
60   33 F2
Le Breuil-sous-
Argenton
79   114 A4
Le Breuil-sur-Couze
63   184 B4
Breuil-sur-Marne
52   62 B4
Breuil-le-Vert
60   33 F2
Breuilaufa 87 149 D4
Breuilh 24   179 F3
Breuillet 17   160 B2
Breuillet 91   57 D4
Breuilpont 27   56 A1
Breurey-lès-
Faverney
70   106 C2
Breuschwickers-
heim 67   67 D3
Breuvannes 52 85 F4
Breuvery-sur-Coole
51   61 D2
Brévainville 41 98 B1
Bréval 78   56 A1
Brévands 50   27 E2
Brevans 39   124 B3
Le Brévedent
14   30 B3
Le Brévent 74 159 E4
Brèves 58   121 D1
Les Bréviaires
78   56 C3
Bréviandes 10   83 E1
La Brévière 14 53 E1
Bréville 16   161 F2
Bréville 14   29 E3
Bréville-sur-Mer
50   50 B1
Brévillers 62   9 E5
Brévillers 62   8 C2
Brevilliers 70 107 F3
Brévilly 08   22 A3
Brévonnes 10   83 F2
Bréxent-Énocq
62   8 B1
Brey-et-Maison-
du-Bois 25   142 B2
Brézé 49   114 C3
Brézellec (Pointe
de) 29   8 A2
Bréziers 05   206 B4
Brézilhac 11   253 D2
Brézins 38   188 B1
Brézolles 28   55 E3
Brezons 15   183 E4
Le Brézouard
68   88 C2
Briançon 05   191 D4
Briançonnet
06   223 D4
Brianny 21   122 B1
Briant 71   154 B2
Briantes 36   135 D4
Briare 45   100 C3
Briarres-sur-
Essonne 45   80 A3
Briastre 59   11 D4
Briatexte 81   230 C2
Briaucourt 70 106 C2
Briaucourt 52   85 D3
Bricon 52   84 C4
Briconville 28 78 B1
Bricot-la-Ville
51   59 F3
Bricquebec 50   24 C3
Bricquebosq
50   24 C2
Bricqueville-
la-Blouette
50   26 C4
Bricqueville 14 28 A2
Bricqueville-sur-
Mer 50   50 B1
Bricy 45   99 D1
Brides-les-Bains
73   174 C4
Bridiers 23   173 D2
La Bridoire 73 173 D3
Bridoré 37   116 C4
Brie 80   18 C2
Brie 09   252 A2
Brie 35   93 E1
Brie 02   19 E4
Brie 16   162 C2
Brie-Comte-Robert
77   58 B3
Brié-et-Angonnes
38   189 E3
Brie-sous-Archiac
17   161 F4
Brie-sous-
Barbezieux
16   178 B1
Brie-sous-Chalais
16   178 B1

Brie-sous-Matha
17   162 C2
Brie-sous-Mortagne
17   160 C4
Briec 29   69 D2
Le Broc 63   168 B4
Le Broc 06   241 D3
Brocas 40   209 E3
Brochon 21   123 E2
Brocourt 80   16 C2
Brocourt-
en-Argonne
55   38 B4
Broglie 27   54 B4
Brognard 25   107 F4
Brognon 21   123 F1
Brognon 08   20 C2
Broin 21   123 F4
Broindon 21   123 E3
Broissia 39   156 C1
Brombos 60   16 C4
Bromeilles 45   80 B3
Brommat 12   200 A1
Bromont-Lamothe
63   167 F2
Bron 69   171 F2
Broncourt 52   105 F2
Bronvaux 57   40 B3
Broons 22   72 A2
Broons-sur-Vilaine
35   73 E3
La Broque 45   89 D1
Broquiers 60   16 C4
Broquiès 12   215 F3
Brossac 16   178 A1
Brossainc 07   187 D1
Brossay 49   114 B3
Brosse 36   149 E1
La Brosse-
Montceaux
77   81 D2
Brosses 89   102 B4
Brosville 27   31 D1
Brotonne (Parc
Régional de)
76   31 D1
Brotonne (Pont de)
76   31 D1
Brotte-lès-Luxeuil
70   107 D2
Brotte-lès-Ray
70   106 A3
Brottes 52   85 D4
Brou 28   78 A3
Brou-sur-
Chantereine
77   58 A2
Brouage 17   160 B1
Brouains 50   51 D2
Broualan 35   50 B4
Brouay 14   28 C3
Brouchaud
24   180 A2
Brouchy 80   18 C3
Brouck 57   40 C3
Brouckerque
59   3 F2
Brouderdorff
57   66 A3
Broué 28   56 A3
Brouennes 55   38 B1
Le Brouilh 32 228 A2
Brouilla 66   262 C3
Brouillet 51   36 A4
Brouilly (Mont)
69   155 E3
Brouis (Col de)
06   241 E2
Brouqueyran
33   194 C4
Brousse 63   168 C3
Brousse 23   151 E4
Brousse 81   231 D1
La Brousse 17 161 F1
Brousse-le-Château
12   215 E4
Brousses-et-Villaret
11   253 E1
Brousseval 52   84 C1
Broussey-en-Blois
55   63 D3
Broussey-
en-Woëvre
55   63 D3
Broussy-le-Grand
51   60 A3
Broussy-le-Petit
51   60 A4
Broût-Vernet
03   153 D3
Brouthières
52   85 E1
Brouvelieures
88   87 F2
Brouville 54   66 B2
Brouviller 57   66 B2
Brouy 91   80 A2
Brouzet-lès-Alès
30   218 B3
Brouzet-lès-Quissac
30   234 C1
Les Brouzils
85   129 E1
Broxeele 59   3 F3
Broye 70   124 C2
Broye 71   139 D1
Broye-les-Loups-
et-Verfontaine
70   124 B1
Broyes 51   60 A3
Broyes 60   17 F4
Broze 81   214 A4
Brû 88   87 F1
Bruailles 71   140 C3
Bruay-en-Artois
62   9 F1
Bruay-sur-l'Escaut
59   11 E2
Bruc-sur-Aff
35   92 C2
Brucamps 80   9 D4
Bruch 47   211 D2
Brucheville 50 25 E4

Brucourt 14   29 E3
Brue-Auriac
83   238 B3
Bruebach 68   108 C2
Brueil-en-Vexin
78   56 C1
Bruère-Allichamps
18   135 F2
La Bruère-sur-Loir
72   96 C3
La Bruffière
85   112 C4
Brugairolles
11   253 D2
Le Brugeron
63   169 E2
Bruges 64   248 C2
Bruges 33   193 F1
Brugheas 03   153 D4
Brugnac 47   211 E1
Brugnens 32   228 C1
Brugny-
Vaudancourt
51   60 B1
La Bruguière
30   218 C3
Bruguières
31   229 F2
Bruille-lez-
Marchiennes
59   10 C2
Bruille-St-Amand
59   11 D1
Bruis 05   205 D4
Brûlain 79   145 F1
Les Brulais 35 92 C1
Brûlange 57   65 D1
La Brûlatte 53 74 B4
Bruley 54   63 F3
Brullemail 61   55 D2
Brulliolles 69 170 C2
Brûlon 72   95 F1
Brumath 67   67 D2
Brumetz 57   35 D4
Brunehamel
02   20 C3
Brunelles 28   77 E2
Les Brunels
11   231 D4
Brunembert 62   3 D3
Brunémont
59   10 C3
Brunet 04   222 B4
Bruneval 76   14 A4
Bruniquel 82   213 F3
Brunoy 91   57 F3
Brunstatt 68   108 C2
Brunville 76   15 F1
Brunvillers-la-Motte
60   17 F4
Brusque 12   232 C2
Le Brusquet
04   222 B2
Brussey 70   124 C2
Brussieu 69   171 D2
Brusson 51   61 F3
Brusvily 22   72 B1
Brutelles 80   8 A4
Bruville 54   39 F3
Brux 86   147 E2
La Bruyère 70 107 D2
Bruyères 88   87 F2
Bruyères-le-Châtel
91   57 D4
Bruyères-
et-Montbérault
02   35 F1
Bruyères-sur-Fère
02   35 E3
Bruyères-sur-Oise
95   33 F4
Bruys 02   35 F3
Bruz 35   72 C4
Bry 59   11 E3
Bry-sur-Marne
94   58 A2
Bryas 62   9 E2
Bû 28   56 A2
Le Bû-sur-Rouvres
14   29 E4
Buais 50   51 E4
Buanes 40   226 B2
Bubertré 61   54 B4
Bubry 56   70 C4
Buc 78   57 D3
Buc 90   107 F3
Bucamps 60   33 F1
Bucéels 14   28 C3
Bucey-en-Othe
10   82 C3
Bucey-lès-Gy
70   125 D1
Bucey-lès-Traves
70   106 B3
Buchelay 78   56 B1
Buchères 10   83 E1
Buchey 52   84 C2
Buchy 57   64 C1
Buchy 76   16 A4
Bucilly 02   20 B2
Bucquoy 62   10 A4
Bucy-lès-Cerny
02   19 E4
Bucy-le-Long
02   35 D1
Bucy-lès-Pierrepont
02   20 B4
Bucy-le-Roy
45   79 E4
Bucy-St-Liphard
45   99 D1
Budelière 23   151 E3
Buding 57   40 C2
Budling 57   40 C2
Budos 33   194 B3
Bué 18   99 F4
Buèges (Gorges de
la) 34   234 A1
Buèges (Source de
la) 34   234 A1
Bueil 27   56 A1
Bueil-en-Touraine
37   97 D3

Buellas 01 156 B2
Buet (Mont) 74 159 E3
Buethwiller 68 108 B3
Buffard 25 125 D4
Buffières 71 155 D1
Buffignécourt 70 106 B2
Buffon 21 103 E3
Bugarach 11 253 E4
Bugard 65 249 F1
Bugeat 19 166 A3
Bugnein 64 225 F4
Bugnicourt 59 10 C3
Bugnières 52 104 C1
Bugny 25 126 A4
Le Bugue 24 196 C1
Buhl 68 108 B1
Buhl 67 67 F1
Buhl-Lorraine 57 66 A2
Buhy 95 32 C1
Buicourt 60 32 C1
Buigny-l'Abbé 80 8 C4
Buigny-lès-Gamaches 80 16 B1
Buigny-St-Maclou 80 8 B4
Buire 02 20 B2
Buire-au-Bois 62 9 D3
Buire-Courcelles 80 18 C2
Buire-le-Sec 62 8 C2
Buire-sur-l'Ancre 80 18 A1
Buironfosse 02 20 A1
Le Buis 87 149 D4
Buis-les-Baronnies 26 220 B1
Buissard 05 206 B2
La Buisse 38 189 D1
La Buissière 38 173 F4
Buisson 84 219 F1
Le Buisson 48 201 D3
Le Buisson 51 61 F3
Le Buisson-Cussac 24 196 C1
Buissoncourt 54 64 C3
Buissy 62 10 B3
Bujaleuf 87 165 E2
Bulainville 55 62 C1
Bulan 65 249 F3
Bulat-Pestivien 22 47 D4
Bulcy 58 120 A3
Buléon 56 71 E4
Bulgnéville 88 86 B3
Bulhon 63 168 C1
Bullainville 28 78 C3
Bulle 25 142 B1
Bullecourt 62 10 B4
Bulles 60 33 F1
Bulligny 54 63 F4
Bullion 78 57 D4
Bullou 28 78 B3
Bully 14 29 D4
Bully 76 16 A3
Bully 69 171 D1
Bully 42 170 A1
Bully-les-Mines 62 10 A2
Bulson 08 21 F4
Bult 88 87 F2
Bun 65 257 D2
Buncey 21 104 A2
Buneville 62 9 E3
Buno-Bonnevaux 91 80 A2
Bunus 64 247 D1
Bunzac 16 163 D2
Buoux 84 237 D1
Burbach 67 44 A4
La Burbanche 01 172 C1
Burbure 62 9 E1
Burcin 38 172 C4
Burcy 14 51 F2
Burcy 77 80 B3
Burdignes 42 187 D2
Burdignin 74 158 C2
Buré 61 57 E4
Bure 55 63 D4
Bure-les-Templiers 21 104 B3
Burelles 02 20 A3
Bures 61 54 A4
Bures 54 65 D3
Bures-en-Bray 76 16 A3
Bures-les-Monts 14 51 E1
Bures-sur-Dives 14 29 E3
Bures-sur-Yvette 91 57 D3
Le Buret 53 105 E1
Burey 27 55 D1
Burey-la-Côte 55 63 E4
Burey-en-Vaux 55 63 E4
Burg 65 249 F2
Burgalays 31 250 B4
Burgaronne 64 225 E4
Le Burgaud 31 229 E1
Burgille 25 124 C2
Burgnac 87 164 B2
Burgy 71 140 A4
Burie 17 161 E2
Buriville 54 65 E4
Burlats 81 231 E3
Burlioncourt 57 65 D1
Burnand 71 139 F3

Burnevillers 25 127 D1
Burnhaupt-le-Bas 68 108 B2
Burnhaupt-le-Haut 68 108 B2
Buron (Château) 63 168 B3
Buros 64 226 C4
Burosse-Mendousse 64 226 C3
Burret 09 251 F4
Bursard 61 53 E4
Burthecourt-aux-Chênes 54 64 C4
Burtoncourt 57 40 C3
Burzet 07 202 C2
Burzy 71 139 F3
Bus 62 18 C1
Bus-lès-Artois 80 9 F4
Bus-la-Mésière 80 18 A4
Bus-St-Rémy 27 32 B4
Buschwiller 68 109 D3
Busigny 59 19 E1
Busloup 41 98 A2
Busnes 62 4 B4
Busque 81 231 D1
Bussac 24 179 E2
Bussac 17 161 D2
Bussac-Forêt 17 177 F2
Bussang 88 107 F1
Bussang (Col de) 68,88 108 A1
Le Busseau 79 130 C3
Busseaut 21 104 A3
Busséol 63 168 B3
Busserolles 24 163 E3
Busserotte-et-Montenaille 21 104 C3
Busset 03 153 E4
Bussiares 02 35 D4
La Bussière 45 100 C3
La Bussière 86 133 D3
Bussière-Badil 24 163 E3
Bussière-Boffy 87 148 C4
Bussière-Dunoise 23 150 A2
Bussière-Galant 87 164 B3
Bussière-Nouvelle 23 151 E4
Bussière-Poitevine 87 148 C2
Bussière-St-Georges 23 150 C1
La Bussière-sur-Ouche 21 123 D3
Bussières 63 151 F4
Bussières 77 59 D2
Bussières 89 122 A1
Bussières 42 170 B1
Bussières 21 125 D1
Bussières 71 155 E2
Bussières 71 104 C3
Bussières-lès-Belmont 52 105 F2
Bussières-et-Pruns 63 153 D4
Busson 52 85 E2
Bussu 80 18 C2
Bussunarits-Sarrasquette 64 247 D1
Bussurel 70 107 F4
Bussus-Bussuel 80 17 C4
Bussy 18 136 A1
Bussy 60 18 C4
Bussy-Albieux 42 170 A2
Bussy-le-Château 51 37 E4
Bussy-la-Côte 55 62 B2
Bussy-lès-Daours 80 17 F2
Bussy-en-Othe 89 82 A4
Bussy-le-Grand 21 103 F4
Bussy-Lettrée 51 61 D2
Bussy-la-Pesle 21 123 D2
Bussy-la-Pesle 58 120 C2
Bussy-lès-Poix 80 17 D2
Bussy-Rabutin 21 103 F4
Bussy-le-Repos 89 81 E4
Bussy-le-Repos 51 61 F2
Bussy-St-Georges 77 58 B2
Bussy-St-Martin 77 58 B2
Bust 67 44 B4
Bustanico 2b 267 E1
Bustince-Iriberry 64 246 C2
Busweiler 67 67 D2
Busy 25 125 D3
Butgnéville 55 39 E4
Buthiers 77 80 B2

Buthiers 70 125 E1
Butot 76 15 E4
Butot-Vénesse 76 14 C2
Butry-sur-Oise 95 33 E4
Butteaux 89 102 C1
Butten 67 42 B4
Buverchy 80 18 C3
Buvilly 39 141 E1
La Buxerette 36 134 C4
Buxerolles 21 104 B2
Buxerolles 86 132 B3
Buxeuil 55 63 E1
Buxeuil 10 83 F4
Buxeuil 36 117 F3
Buxeuil 86 132 C1
Buxières-d'Aillac 36 134 C3
Buxières-les-Mines 03 152 B1
Buxières-sous-les-Côtes 55 63 E1
Buxières-sous-Montaigut 63 152 B3
Buxières-sur-Arce 10 83 F3
Buxières-Villiers 52 84 C4
Buxy 71 158 A1
Buzan 09 259 D3
Buzancais 36 134 A1
Buzancy 02 35 E2
Buzancy 08 38 A1
Buzeins 12 216 A1
Buzet-sur-Baise 47 211 D2
Buzet-sur-Tarn 31 230 B1
Buziet 64 248 B2
Buzignargues 34 234 C1
Buzon 65 227 E4
Buzy 64 248 B2
Buzy-Darmont 55 39 E3
By 25 125 D4
Byans-sur-Doubs 25 125 D3

C
Cabanac 65 249 E1
Cabanac-Cazaux 31 258 C2
Cabanac-et-Villagrains 33 194 B3
Cabanac-Séguenville 31 229 D1
La Cabanasse 66 261 E3
Cabanès 12 214 C2
Cabanès 81 231 D2
Le Cabanial 31 230 C3
Cabannes 13 236 B1
Les Cabannes 81 214 A3
Les Cabannes 09 260 B1
Cabara 33 195 D1
Cabariot 17 160 C1
Cabas-Loumassès 32 250 B1
Cabestany 66 262 C2
Cabidos 64 226 B3
Cabourg 14 29 E2
Cabrerets 46 198 A4
Cabrerolles 34 233 D3
Cabrespine 11 253 F1
Cabrières 34 233 E3
Cabrières 30 218 C4
Cabrières-d'Aigues 84 237 E1
Cabrières-d'Avignon 84 220 A4
Cabriès 13 243 D1
Cabris 06 240 A2
Cachan 94 57 E3
Cachen 40 209 F3
Cachy 80 17 F2
Cadalen 81 231 D1
Cadarache (Barrage de) 04,84 237 F2
Cadarcet 09 252 A3
Cadarsac 33 194 C1
Cadaujac 33 194 B2
Cadéac 65 249 F4
Cadeilhan 32 228 C1
Cadeilhan-Trachère 65 258 A3
Cadeillan 32 228 C4
Cademène 25 125 E3
Caden 56 92 B3
Cadenet 84 237 D1
Caderousse 84 219 E4
La Cadière-d'Azur 83 243 F3
La Cadière-et-Cambo 30 217 F4
Cadillac 33 194 C3
Cadillac-en-Fronsadais 33 177 F4
Cadix 81 215 D4
Cadolive 13 243 E2

Cadouin 24 196 C1
Cadours 31 229 D2
Cadrieu 46 198 B4
Caen 14 29 D4
Caëstre 59 4 B3
Caffiers 62 3 D2
Cagnac-les-Mines 81 214 B4
Cagnano 2b 264 C2
Cagnes-sur-Mer 06 240 B2
Cagnicourt 62 10 B3
Cagnoncles 59 11 D4
Cagnotte 40 225 E2
Cagny 14 29 E2
Cagny 80 17 F2
Cahagnes 14 28 B4
Cahagnolles 14 28 B3
Cahaignes 27 32 B3
Cahan 61 52 B2
Caharet 65 249 F2
Cahon 80 8 B4
Cahors 46 197 F4
Cahus 46 182 A4
Cahuzac 47 196 A2
Cahuzac 11 252 C2
Cahuzac-sur-Adour 32 227 D2
Cahuzac-sur-Vère 81 214 A4
Caignac 31 252 B1
Le Cailar 30 235 D2
Cailhau 11 253 D2
Cailhavel 11 253 D2
Cailla 11 261 E1
Caillac 46 197 F4
Caillavet 32 228 A2
Caille 06 239 F1
La Caillère 85 130 A3
Cailleville 76 15 D2
Caillouël-Crépigny 02 18 C4
Caillouet-Orgeville 27 55 F1
Cailloux-sur-Fontaines 69 171 E1
Cailly 76 15 F4
Cailly-sur-Eure 27 31 F4
La Caine 14 28 C4
Cairanne 84 219 F2
Le Caire 04 206 A4
Cairon 14 29 D3
Caisnes 60 34 C1
Caissargues 30 235 E1
Caix 80 18 A3
Caixas 66 262 B3
Caixon 65 227 E4
Cajarc 46 198 B4
Calacuccia 2b 266 C1
Calais 62 3 D2
Calamane 46 197 F4
Calan 56 90 B1
Les Calanche 2A 266 A2
Calanhel 22 46 C4
Les Calanques 13 243 E3
Calavanté 65 249 E2
Calcatoggio 2a 266 B3
Calce 66 262 B1
Calenzana 2b 264 B4
Calès 24 196 C1
Calès 46 198 A1
Calignac 47 211 D3
Caligny 61 52 A2
Callac 56 91 F1
Callac 22 46 C4
Callas 83 239 E2
Callelongue 13 243 D3
Callen 40 209 F1
Callengeville 76 16 B3
Calleville 27 31 D3
Calleville-les-Deux-Églises 76 15 E3
Callian 83 239 F2
Callian 32 227 F2
Calmeilles 66 262 B3
Calmels-et-le-Viala 12 215 F4
La Calmette 30 218 B4
Calmont 31 252 B1
Calmont 12 215 D2
Calmoutier 70 106 C3
Caloire 42 186 B1
Calonges 47 211 D1
Calonne-Ricouart 62 9 E1
Calonne-sur-la-Lys 62 4 B4
Calorguen 22 78 B1
La Calotterie 62 8 B1
Caluire-et-Cuire 69 171 E2
Calvi 2b 264 B4
Calviac 46 198 C1
Calviac-en-Périgord 24 197 E1
Calvignac 46 198 B4
Calvinet 15 199 F1
Calvisson 30 235 D1
Calzan 09 252 B3
Camalès 65 227 E4
Camarade 09 259 F2
Camarès 12 232 C1
Camaret-sur-Aigues 84 219 E3
Camaret-sur-Mer 29 44 C4
Camargue 30,13 236 A3

Camargue (Parc Régional de) 13 236 A4
Camarsac 33 194 C1
Cambayrac 46 197 E4
La Cambe 14 28 A2
Cambernard 31 229 E4
Cambernon 50 27 D4
Cambes 46 198 C3
Cambes 33 194 C3
Cambes 47 195 F3
Cambes-en-Plaine 14 29 D3
Cambia 2b 267 E1
Cambiac 31 230 C4
Cambieure 11 253 D2
Camblain-l'Abbé 62 9 F2
Camblain-Châtelain 62 9 E1
Camblanes-et-Meynac 33 194 B2
Cambligneul 62 9 F2
Cambo-les-Bains 64 224 C4
Cambon 81 214 C4
Cambon-et-Salvergues 34 232 C3
Cambon-lès-Lavaur 81 230 C3
Camboulazet 12 215 D2
Camboulit 46 198 C3
Cambounès 81 231 F3
Cambounet-sur-le-Sor 81 231 D3
Le Cambout 22 71 E3
Cambrai 59 10 C4
Cambremer 14 29 F3
Cambrin 62 10 A1
Cambron 80 8 B4
Cambronne-lès-Clermont 60 33 F2
Cambronne-lès-Ribécourt 60 34 C1
Camburat 46 198 C3
Came 64 225 D3
Camélas 66 262 B2
Camelin 02 35 D1
Camembert 61 53 E2
Cametours 50 27 D4
Camiac-et-St-Denis 33 194 C1
Camiers 62 8 B2
Camiran 33 195 D3
Camjac 12 215 D2
Camlez 22 47 D1
Les Cammazes 81 231 D4
Camoël 56 92 A4
Camon 09 252 C2
Camon 80 17 F2
Camors 56 91 D1
Camou-Cihigue 64 247 E2
Camou-Mixe-Suhast 64 225 E4
Camous 65 249 F4
Campagna-de-Sault 11 261 D1
Campagnac 81 214 A3
Campagnac 12 200 C4
Campagnac-les-Quercy 24 197 D2
Campagnan 34 233 F3
Campagne 34 234 C1
Campagne 24 197 D1
Campagne 60 18 C4
Campagne 40 209 E4
Campagne-lès-Boulonnais 62 3 D4
Campagne-d'Armagnac 32 227 E1
Campagne-lès-Guînes 62 3 D3
Campagne-lès-Hesdin 62 8 C2
Campagne-sur-Arize 09 251 F2
Campagne-sur-Aude 11 253 D4
Campagne-Wardrecques 62 3 F3
Campagnolles 14 51 E1
Campana 2b 265 E4
Campandré-Valcongrain 14 52 B1
Camparan 65 249 F4
Campbon 44 111 D1
Campeaux 14 51 E1
Campeaux 60 16 C4
Campel 35 92 C1
Campénéac 56 72 A4
Campes 81 214 B3
Campestre-et-Luc 30 217 D4
Campet-et-Lamolère 40 209 E4

Camphin-en-Carembault 59 10 B1
Camphin-en-Pévèle 59 5 E4
Campi 2b 267 E1
Campigneulles-les-Grandes 62 8 B2
Campigneulles-les-Petites 62 8 B2
Campigny 27 30 C2
Campigny 14 28 B3
Campile 2b 265 E3
Campistrous 65 258 A1
Campitello 2b 265 E3
Camplong 34 233 D2
Camplong-d'Aude 11 254 A2
Campneuseville 76 16 B2
Campo 2b 266 C4
Campoloro (Port de) 2B 267 F1
Campôme 66 261 E2
Campomoro 2A 268 B3
Campouriez 12 199 F2
Campoussy 66 262 A2
Campremy 60 17 E4
Camprond 50 27 D4
Camps-en-Amiénois 80 17 D2
Camps-St-Mathurin-Léobazel 19 182 A4
Camps-la-Source 83 244 B1
Camps-sur-l'Agly 11 253 F4
Camps-sur-l'Isle 33 178 B4
Campsas 82 213 D4
Campsegret 24 197 E1
Campuac 12 199 F3
Campugnan 33 177 D2
Campuzan 65 250 A1
Camurac 11 260 C1
Canaille (Cap) 13 243 E3
Canale-di-Verde 2b 267 F1
Canals 82 229 F1
Canaples 80 17 E1
Canappeville 27 31 F4
Canapville 61 53 F1
Canapville 14 30 A2
Canaules-et-Argentières 30 218 A4
Canavaggia 2b 265 D3
Canaveilles 66 261 E3
Cancale 35 49 F3
Canche 63 167 E3
Canchy 80 8 C4
Canchy 14 28 A2
Cancon 47 196 B3
Candas 80 9 E4
Candé 49 94 B4
Candé-sur-Beuvron 41 117 D1
Candes-St-Martin 37 114 C3
Candillargues 34 234 C3
Candor 60 18 B4
Candresse 40 225 E2
Canehan 76 16 A1
Canéjan 33 194 A2
Canens 31 251 F1
Canenx-et-Réaut 40 209 F3
Canet 66 263 D2
Canet 34 254 B2
Canet 34 233 F3
Canet-de-Salars 12 215 E2
Canettemont 62 9 E3
Cangey 37 116 C1
Caniac-du-Causse 46 198 A3
Canigou (Pic du) 66 261 F3
Canihuel 22 70 C1
Canilhac 48 200 C4
Canisy 50 27 D4
Canlers 62 9 D1
Canly 60 34 B2
Cannectancourt 60 34 C1
Cannelle 2b 264 B1
Cannelle 2a 266 B3
Cannes 06 240 B3
Cannes-Écluse 77 81 D1
Cannes-et-Clairan 30 218 A4
Cannessières 80 16 C2
Le Cannet 32 227 E1
Le Cannet 06 240 B2
Le Cannet-des-Maures 83 239 D4
Canny-sur-Matz 60 18 B4
Canny-sur-Thérain 60 16 C4
Canohès 66 262 C2
Canon 14 29 E4
La Canonica 2B 265 F3
La Canourgue 48 201 D4

Canouville 76 14 C3
Cantaing-sur-Escaut 59 10 C4
Cantal (Monts du) 15 189 E3
Cantaous 65 250 A3
Cantaron 06 241 D4
Canté 09 252 A2
Canteleu 76 31 E2
Canteleux 62 9 E3
Canteloup 50 25 D2
Canteloup 14 29 E4
Cantenac 33 194 B1
Cantenay-Épinard 49 95 D4
Cantiers 27 32 B3
Cantigny 80 17 F4
Cantillac 24 179 E1
Cantin 59 10 C3
Cantoin 12 200 B1
Cantois 33 194 C2
Canville-les-Deux-Églises 76 15 D3
Canville-la-Rocque 50 26 C2
Cany-Barville 76 14 C3
Caorches-St-Nicolas 27 30 C4
Caouënnec 22 47 D2
Caours 80 8 B3
Cap Blanc-Nez 62 2 C2
Cap Corse 2B 264 C1
Cap-d'Ail 06 241 E4
Cap-Ferret 33 192 C2
Cap Gris-Nez 62 2 B2
Cap Roux (Pic du) 83 240 A3
Capbis 64 248 C2
Capbreton 40 224 C2
Capdenac 46 198 C3
Capdenac-Gare 12 199 D3
Capdrot 24 196 C2
La Capelle-lès-Boulogne 62 2 C3
Capelle-les-Grands 27 30 C4
La Capelle 59 11 F4
La Capelle 02 20 A1
La Capelle-Balaguier 12 198 C4
La Capelle-Bleys 12 214 C1
La Capelle-Bonance 12 200 C4
La Capelle-et-Masmolène 30 219 D3
Capelle-Fermont 62 9 F2
Capendu 11 254 A2
Capens 31 251 E1
Capestang 34 254 C1
Capian 33 194 C2
Capinghem 59 5 D4
Caplong 33 195 E2
Capoulet-et-Junac 09 260 B1
Cappel 57 41 E4
Cappelle-la-Grande 59 4 A1
Cappelle-Brouck 59 3 F2
Cappelle-en-Pévèle 59 10 C1
Cappy 80 18 B2
Captieux 33 210 A1
Capvern 65 249 F3
Capvern-les-Bains 65 249 F3
Caragoudes 31 230 B4
Caraman 31 230 C3
Caramany 66 262 A2
Carantec 29 46 A2
Carantilly 50 27 D4
Carayac 46 198 C3
Carbay 49 94 B2
Carbes 81 231 E3
Carbini 2a 269 D2
Carbon-Blanc 33 194 B1
Carbonne 31 251 F1
Carbonnière (Tour) 30 235 D3
Carbuccia 2a 266 C3
Carcagny 14 28 C3
Carcanières 09 261 D1
Carcans 33 192 C4
Carcarès-Ste-Croix 40 225 F1
Carcassonne 11 253 E2
Carcen-Ponson 40 209 D4
Carcès 83 238 C3
Carcheto-Brustico 2b 267 E1
Cardaillac 46 198 C2
Cardan 33 194 C2
Cardeilhac 31 250 B2
Cardesse 64 248 A1
Cardet 30 218 B4
Cardo-Torgia 2a 268 C1
Le Cardonnois 80 17 F4
Cardonnette 80 17 E1
Cardonville 14 27 F3
Cardroc 35 72 C1
Carelles 53 81 F1
Carency 62 10 A2
Carennac 46 199 D1
Carentan 50 27 D3
Carentoir 56 92 B2

Carges (Mont des) 71 155 D1
Cargèse 2a 266 A3
Carginac 2a 269 D2
Carignan 08 22 B4
Carignan-de-Bordeaux 33 194 B1
Carisey 89 102 C1
Carla-Bayle 09 251 F2
Carla-de-Roquefort 09 252 B3
Le Carlaret 09 252 B2
Carlat 15 199 F1
Carlencas-et-Levas 34 233 E2
Carlepont 60 34 C1
Carling 57 41 D3
Carlipa 11 253 D1
Carlit (Pic) 66 261 D3
Carlucet 46 198 A2
Carlus 81 231 D1
Carlux 24 197 E1
Carly 62 2 C4
Carmaux 81 214 C3
Carnac 56 90 C3
Carnac-Rouffiac 46 212 C1
Carnas 30 234 C1
La Carneille 61 52 B2
Carnet 50 50 C4
Carnetin 77 58 B2
Carneville 50 25 D1
Carnières 59 11 D4
Carnin 59 10 B1
Carnoët 22 70 A1
Carnoët (Forêt de) 29 90 A1
Carnoules 83 244 C1
Carnoux-en-Provence 13 243 E3
Carnoy 80 18 B1
Caro 56 92 B1
Caro 64 246 C2
Carolles 50 50 B2
Caromb 84 219 E3
Le Caroux 34 232 C3
Carpentras 84 220 A3
Carpineto 2b 267 E1
Carpiquet 14 29 D3
Carquebut 50 27 D3
Carquefou 44 112 A2
Carqueiranne 83 244 B3
Carrépuis 80 18 B3
Carrère 64 226 C3
Carresse 64 225 E3
Carrières-sous-Poissy 78 57 F1
Carrières-sur-Seine 78 57 E2
Carro 13 242 B2
Carros 06 240 C1
Carrouges 61 52 C4
Carry-le-Rouet 13 242 C2
Cars 33 177 D3
Les Cars 87 164 B3
Carsac-Aillac 24 197 E1
Carsac-de-Gurson 24 178 B4
Carsan 30 219 D2
Carsix 27 31 D4
Carspach 68 108 B3
Cartelègue 33 177 D2
Carteret 50 24 B4
Carticasi 2b 267 E1
Cartignies 59 11 F4
Cartigny 80 18 C2
Cartigny-l'Épinay 14 28 A3
Carves 24 197 D2
Carville-la-Folletière 76 15 D4
Carville-Pot-de-Fer 76 15 D3
Carvin 62 10 B1
Casabianca 2b 265 E4
Casaglione 2a 266 B3
Casalabriva 2a 268 C2
Casalta 2b 265 E4
Casamaccioli 2b 266 C1
Casanova 2b 267 D1
Cascastel-des-Corbières 11 254 B4
Casefabre 66 262 B2
Caseneuve 84 220 C4
Cases-de-Pène 66 262 B1
Casevecchie 2b 267 E2
Cassaber 64 225 E3
Cassagnabère-Tournas 31 250 C2
Cassagnas 48 217 E2
Cassagne 31 251 D2
La Cassagne 24 197 E1
Cassagnes 66 262 A2
Cassagnes 46 197 D3

Cassagnes-Bégonhès 12 215 E2
Cassagnoles 30 218 B3
Cassagnoles 34 232 A4
Cassaigne 32 211 E4
La Cassaigne 11 253 D2
Cassaignes 11 253 E4
Cassaniouze 15 199 F2
Cassano 2b 264 C3
Casse Déserte 05 207 E1
Cassel 59 4 A2
Casseneuil 47 196 B4
Les Cassés 11 230 C4
Casseuil 33 195 D3
Cassignas 47 212 A1
Cassis 13 243 E3
Casson 44 112 A1
Cassuéjouls 12 200 B2
Cast 29 69 D2
Casta 2B 265 D2
Castagnac 31 251 F1
Castagnède 31 259 D2
Castagnède 64 225 E3
Castagniers 06 241 D4
Castaignos-Souslens 40 226 A3
Castandet 40 226 C1
Castanet 82 214 A2
Castanet 12 214 C2
Castanet 81 214 B4
Castanet-le-Haut 34 232 C2
Castanet-Tolosan 31 230 A3
Castans 11 231 F4
Casteide-Cami 64 226 B4
Casteide-Candau 64 226 A3
Casteide-Doat 64 227 E4
Casteil 66 261 F3
Castel-Sarrazin 40 225 F2
Castelbajac 65 249 F3
Castelbiague 31 259 D2
Castelbouc (Château) 48 217 D1
Castelculier 47 211 F2
Castelferrus 82 212 C1
Castelfranc 46 197 E4
Castelgaillard 31 250 C1
Castelginest 31 230 A2
Casteljaloux 47 210 C1
Casteljau 07 202 C4
Castella 47 211 F1
Castellane 04 222 C4
Le Castellard 04 222 A2
Castellare-di-Casinca 2b 265 E4
Castellare-di-Mercurio 2b 267 D1
Le Castellet 83 243 E3
Le Castellet 04 223 C4
Castellet-St-Cassien 04 223 C4
Castellet-lès-Sausses 04 223 D3
Castelli (Pointe du) 44 110 A1
Castello d'Arraggio 2A 269 D2
Castello de Cucuruzzu 2A 269 D2
Castello-di-Rostino 2b 265 E4
Castelmary 12 214 C2
Castelmaurou 31 230 A2
Castelmayran 82 212 B3
Castelmoron-sur-Lot 47 196 A4
Castelmoron-d'Albret 33 195 D3
Castelnau-Barbarens 32 228 C3
Castelnau-Chalosse 40 225 F2
Castelnau (Château de) 46 198 B1
Castelnau-d'Anglès 32 227 F3
Castelnau-d'Arbieu 32 228 C1
Castelnau-d'Aude 11 254 A2

Castelnau-d'Auzan 32 210 C4
Castelnau-de-Brassac 81 232 A2
Castelnau-de-Guers 34 233 F4
Castelnau-de-Lévis 81 214 B4
Castelnau-de-Mandailles 12 200 B3
Castelnau-de-Médoc 33 176 C3
Castelnau-de-Montmiral 81 214 A4
Castelnau-d'Estrétefonds 31 229 F1
Castelnau-Durban 09 259 F2
Castelnau-le-Lez 34 234 B2
Castelnau-Magnoac 65 250 A1
Castelnau-Montratier 46 213 D2
Castelnau-Pégayrols 12 216 A3
Castelnau-Picampeau 31 251 D1
Castelnau-Rivière-Basse 65 227 D3
Castelnau-sur-l'Auvignon 32 211 E4
Castelnau-sur-Gupie 47 195 E3
Castelnau-Tursan 40 226 B2
Castelnau-Valence 30 218 B3
Castelnaud-la-Chapelle 24 197 D1
Castelnaud-de-Gratecambe 47 196 B4
Castelnaudary 11 252 C1
Castelnavet 32 227 E2
Castelner 40 226 B3
Castelnou 66 262 B2
Castelreng 11 253 D3
Castels 24 197 D1
Castelsagrat 82 212 B2
Castelsarrasin 82 212 C3
Castelvieilh 65 249 E1
Castelviel 33 195 D2
Castennec (Site de) 56 70 C4
Le Castéra 31 229 E2
Castéra-Bouzet 82 212 B4
Castéra-Lanusse 65 249 F2
Castéra-Lectourois 32 211 E4
Castéra-Lou 65 249 E1
Castéra-Loubix 64 227 D4
Castéra-Verduzan 32 228 A1
Castéra-Vignoles 31 250 C1
Castéras 09 251 F2
Casterets 65 250 B1
Castéron 32 212 A4
Castet 64 256 C2
Castet-Arrouy 32 211 F4
Castetbon 64 225 F4
Castétis 64 226 A3
Castetnau-Camblong 64 247 F1
Castetner 64 225 F4
Castetpugon 64 226 C3
Castets 40 208 B4
Castets-en-Dorthe 33 195 D3
Castex 09 251 E2
Castex 32 227 F4
Castex-d'Armagnac 32 227 D1
Casties-Labrande 31 251 D1
Castifao 2b 265 D3
Castiglione 2b 265 D4
Castillon 64 226 B3
Castillon 64 227 D3
Castillon 14 28 B3
Castillon 06 241 E3
Castillon 65 257 F1
Castillon (Barrage de) 04 222 C4
Castillon-la-Bataille 33 195 D1
Castillon (Col de) 06 241 E3
Castillon-en-Auge 14 53 E1
Castillon-en-Couserans 09 259 E3
Castillon-Massas 32 228 B2
Castillon-Savès 32 229 D3
Castillonnès 47 196 A3
Castillon-de-Castets 33 195 D3
Castillon-de-Larboust 31 258 B4
Castillon-de-St-Martory 31 250 C2
Castillon-Debats 32 227 F2
Castillon-du-Gard 30 219 D4
Castilly 14 27 E2
Castin 32 228 B2
Castineta 2b 265 E4
Castirla 2b 265 D4
Castre (Mont) 50 26 C2
Castres 02 19 D3
Castres 81 231 E3
Castres-Gironde 33 194 B2
Castries 34 234 C2
Le Cateau-Cambrésis 59 11 E4
Le Catelet 02 19 D1
Le Catelier 76 15 F3
Catenay 76 32 A1
Catenoy 60 34 A2
Cateri 2b 264 C3
Cathervielle 31 258 B3
Catheux 60 17 E4
Catigny 60 18 B4
Catillon-Fumechon 60 33 F1
Catillon-sur-Sambre 59 11 E4
Catllar 66 261 F2
Catonvielle 32 229 D2
Cattenières 59 11 D4
Cattenom 57 40 B1
Catteville 50 24 C4
Catus 46 197 E3
Catz 50 27 E2
Caubert (Monts de) 80 8 B4
Caubeyres 47 210 C2
Caubiac 31 229 D2
Caubios-Loos 64 226 B4
Caubon-St-Sauveur 47 195 E3
Caubous 31 258 B3
Caubous 65 250 A2
Caucalières 81 231 E3
La Cauchie 62 9 F3
Cauchy-à-la-Tour 62 9 E1
Caucourt 62 9 F2
Caudan 56 90 B1
Caudebec-lès-Elbeuf 76 31 E3
Caudebec-en-Caux 76 31 D1
Caudebronde 11 231 E4
Caudecoste 47 212 A3
Caudeval 11 252 C3
Caudiès-de-Conflent 66 261 E3
Caudiès-de-Fenouillèdes 66 261 F1
Caudrot 33 195 D3
Caudry 59 11 D4
Cauffry 60 33 F2
Caugé 27 55 D1
Caujac 31 251 F1
Caulaincourt 02 18 C2
Le Caule-Ste-Beuve 76 16 B3
Caulières 80 16 C3
Caullery 59 11 D4
Caulnes 22 72 B2
La Caume 13 236 B1
Caume (Mont) 83 244 A2
Caumont 33 195 D2
Caumont 02 19 D4
Caumont 32 227 D2
Caumont 27 31 E2
Caumont 09 259 E2
Caumont 82 212 B3
Caumont 62 8 C3
Caumont-l'Éventé 14 28 B4
Caumont-sur-Durance 84 219 F4
Caumont-sur-Garonne 47 195 E4
Caumont-sur-Orne 14 52 B1
Cauna 40 226 A1
Caunay 79 147 E3
Cauneille 40 225 E3
Caunes-Minervois 11 253 F1
La Caunette 34 254 B1
Caunette-sur-Lauquet 11 253 F3
Caunettes-en-Val 11 253 F3
Caupenne 40 226 A2
Caupenne-d'Armagnac 32 227 D1
La Caure 51 60 A2
Caurel 51 36 C2
Caurel 22 70 C2
Cauria (Mégalithes de) 2A 268 C3
Cauro 2a 266 C4
Cauroir 59 10 C4
Cauroy 08 37 D2
Cauroy-lès-Hermonville 51 36 B2
Le Causé 82 229 D1
Cause-de-Clérans 24 196 B1
Caussade 82 213 E2
Caussade-Rivière 65 227 E3
Causse-Bégon 30 216 C3
Causse de Gramat 46 198 B2
Causse-de-la-Selle 34 234 A1
Causse Méjean (Corniches du) 48 216 C2
Causse Noir (Corniche du) 12 216 C2
Caussens 32 211 D4
Causses-et-Veyran 34 233 D4
Caussiniojouls 34 233 D3
Caussols 06 240 A1
Caussou 09 260 C1
Cauterets 65 257 D3
Cauverville-en-Roumois 27 31 D2
Cauvicourt 14 29 E4
Cauvignac 33 195 D4
Cauvigny 60 33 E3
Cauville 76 14 A4
Cauville 14 52 B1
Caux 34 233 E3
Caux-et-Sauzens 11 253 E2
Cauzac 47 212 A2
Cavagnac 46 181 E4
Cavaillon 84 236 B1
Cavalaire-sur-Mer 83 245 E2
La Cavalerie 12 216 B4
Cavan 22 47 D2
Cavanac 11 253 E2
Cavarc 47 196 B2
Caveirac 30 235 D1
Caves 11 254 C4
Cavignac 33 177 E3
Cavigny 50 27 E3
Cavillargues 30 219 D3
Cavillon 80 17 D2
Cavron-St-Martin 62 8 C2
Caychax 09 260 C1
Cayeux-en-Santerre 80 18 A3
Cayeux-sur-Mer 80 8 A4
Le Cayla 81 214 A4
Le Caylar 34 233 E1
Caylus 82 213 F2
Cayolle (Col de la) 06 223 D1
Cayrac 82 213 E3
Cayres 43 185 E4
Cayriech 82 213 E2
Le Cayrol 12 200 A3
Cayrols 15 199 D1
Cazac 31 251 D1
Cazalis 33 209 F1
Cazalis 40 226 A2
Cazalrenoux 11 252 C2
Cazals 46 197 E3
Cazals 82 213 F3
Cazals-des-Baylès 09 252 C3
Cazaril-Laspènes 31 258 B4
Cazaril-Tambourès 31 250 A2
Cazarilh 65 250 B4
Cazats 33 194 C4
Cazaubon 32 210 B4
Cazaugitat 33 195 D2
Cazaunous 31 258 C2
Cazaux 09 252 A3
Cazaux-d'Anglès 32 277 F2
Cazaux-Debat 65 249 F4
Cazaux-Fréchet 65 258 A3
Cazaux-Layrisse 31 250 B4
Cazaux-Savès 32 229 D3
Cazaux-Villecomtal 32 227 E4
Cazavet 09 259 D2
Caze (Château de la) 48 216 C1
Cazeaux-de-Larboust 31 258 B4
Cazedarnes 34 232 C4
Cazenave-Serres-et-Allens 09 260 B1
Cazeneuve 32 210 C4
Cazeneuve-Montaut 31 250 C2
Cazères 31 251 D2
Cazères-sur-l'Adour 40 226 C1
Cazes-Mondenard 82 212 C2
Cazevieille 34 234 B1
Cazideroque 47 212 B1
Cazilhac 11 253 E2
Cazilhac 34 217 E4
Cazillac 46 181 E4
Cazoulès 24 197 F1
Cazouls-lès-Béziers 34 233 D4
Cazouls-d'Hérault 34 233 F3
Ceaucé 61 75 D1
Ceaulmont 36 134 B4
Céaux 50 50 C3
Céaux-d'Allègre 43 185 E2
Ceaux-en-Couhé 86 147 E2
Ceaux-en-Loudun 86 115 D4
Cébazan 34 232 C4
Cébazat 63 168 B2
Cecu (Monte) 2B 267 D1
Ceffonds 52 84 B1
Ceignes 01 156 C3
Ceilhes-et-Rocozels 34 233 D1
Ceillac 05 207 E2
Ceilloux 63 169 D3
Ceintrey 54 64 B4
La Celle-les-Bordes 78 56 C4
Celles-lès-Condé 02 59 F1
Célé 46 198 B4
La Celette 18 136 A3
Cellé 41 97 E2
La Celle 18 136 A2
La Celle 63 167 D1
La Celle 83 244 B1
La Celle 03 152 A2
La Celle-Condé 18 135 E2
La Celle-Dunoise 23 150 A2
La Celle-en-Morvan 71 122 A4
La Celle-Guenand 37 133 D1
Celle-Lévescault 86 147 E1
La Celle-St-Avant 37 115 F4
La Celle-St-Cloud 78 57 D2
La Celle-St-Cyr 89 101 F1
La Celle-sous-Chantemerle 51 60 A4
La Celle-sous-Gouzon 23 151 D3
La Celle-sous-Montmirail 02 59 E2
La Celle-sur-Loire 58 120 A1
La Celle-sur-Morin 77 58 C2
La Celle-sur-Nièvre 58 120 B3
La Celle-sur-Seine 77 80 C2
Cellefrouin 16 163 D1
Celles 24 179 D2
Celles 15 184 A3
Celles 09 252 B4
Celles 34 233 E2
Celles 17 161 E3
Celles-en-Bassigny 52 105 E1
Celles-sur-Aisne 02 35 E2
Celles-sur-Belle 79 146 C2
Celles-sur-Durolle 63 169 D1
Celles-sur-Ource 10 83 F4
Celles-sur-Plaine 88 88 B1
La Cellette 63 152 A3
La Cellette 23 150 C1
Cellettes 16 162 C1
Cellettes 41 98 B4
Le Cellier 44 112 B2
Cellier-du-Luc 07 202 B2
Celliers 73 174 B4
Cellieu 42 171 D4
Cellule 63 168 B1
Celon 36 134 B4
Celoux 15 184 B3
Celsoy 52 105 E2
Cély 77 80 B1
Cemboing 70 106 A2
Cempuis 60 17 D4
Cénac 33 194 B1
Cénac-et-St-Julien 24 197 E2
Cenans 70 125 E1
Cendras 30 218 A2
Le Cendre 63 168 B2
Cendrecourt 70 106 B2
Cendrey 25 125 F1
Cendrieux 24 179 F4
Cénevières 46 198 B4
Cenne-Monestiés 11 253 D1
Cenon 33 194 B1
Cenon-sur-Vienne 86 132 C2
Censeau 39 142 B2
Censerey 21 122 B3
Censy 89 103 D3
Les Cent-Acres 76 15 F3
Centrès 12 215 D2
Centuri 2b 264 B1
Centuri-Port 2B 264 B1
Cenves 69 155 E2
Cépet 31 230 A2
Cépie 11 253 E3
Cepoy 45 80 C4
Céran 32 228 B1
Cérans-Foulletourte 72 96 B2
Cerbère 66 263 D4
Cerbois 18 118 B4
Cercamp (Château de) 62 9 E3
Cercié 69 155 E3
Cercier 74 158 A4
Cercles 24 179 D1
Cercottes 45 99 E1
Cercoux 17 177 F3
Le Cercueil 61 53 D4
Cercy-la-Tour 58 138 A2
Cerdon 45 100 A3
Cerdon 01 156 C3
Cère 40 209 E3
Cère 15,46 183 D4
Cère (Pas de) 15 183 E4
Céré-la-Ronde 37 116 C2
Cerelles 37 97 E4
Cérences 50 50 C1
Céreste 04 237 F1
Céret 66 262 B3
Cerfontaine 59 12 B3
Le Cergne 42 154 C3
Cergy 95 57 D1
Cergy-Pontoise 95 57 D1
Cérilly 21 103 F2
Cérilly 89 82 B3
Cérilly 03 136 B3
Cerisé 61 76 B1
Cerisi (Mont de) 61 52 A2
Cerisières 52 85 D2
Cerisiers 89 82 A4
Cerisy 80 18 A2
Cerisy-Belle-Étoile 61 52 A2
Cerisy-Buleux 80 16 C1
Cerisy-la-Forêt 50 28 A3
Cerisy-la-Salle 50 27 D4
Cerizay 79 130 B2
Cérizols 09 251 D2
Cerizy 02 19 D3
La Cerlangue 76 30 B1
La Cerleau 08 21 D3
Cernans 39 142 A1
Cernay 86 132 A2
Cernay 28 78 A2
Cernay 68 108 B2
Cernay 14 53 F1
Cernay-l'Église 25 126 C2
Cernay-en-Dormois 51 37 F3
Cernay-lès-Reims 51 36 C3
Cernay-la-Ville 78 57 C3
Cerneux 77 59 E3
Cernex 74 158 A3
Cerniébaud 39 142 B2
Cernion 08 21 D3
Cernon 51 61 D2
Cernon 39 157 D1
Cernoy 60 34 A2
Cernoy-en-Berry 45 100 C4
Cernusson 49 113 F3
Cerny 91 80 A1
Cerny-lès-Bucy 02 19 E4
Cerny-en-Laonnois 02 35 F1
Ceron 71 154 A2
Cérons 33 194 C3
Cerqueux 14 53 F1
Les Cerqueux-de-Maulévrier 49 113 E4
Les Cerqueux-sous-Passavant 49 113 F3
Cerre-lès-Noroy 70 107 D3
Cers 34 255 E1
Cersay 79 114 A4
Cerseuil 02 35 F2
Cersot 71 139 F3
Certilleux 88 86 A2
Certines 01 156 B3
Cervens 74 158 C2
Cervières 05 191 D4
Cervières 42 169 E1
Cerville 54 64 C3
Cervione 2b 267 F1
Cervon 58 121 E3
Cerzat 43 185 D3
Cesancey 39 141 D3
Césarches 73 174 B2
Césarville-Dossainville 45 80 A3
Cescau 64 226 B4
Cescau 09 259 E3
Cesny-aux-Vignes-Ouézy 14 29 E4
Cesny-Bois-Halbout 14 52 B1
Cessac 33 194 C2
Cessales 31 230 C4
Cesse 55 38 B1
Cesseins 01 155 F3
Cessenon 34 233 D4
Cessens 73 173 E1
Cesseras 34 254 B1
Cesset 03 152 C2
Cesseville 27 31 E3
Cessey 25 125 D3
Cessey-sur-Tille 21 124 A2
Cessières 02 19 E4
Cessieu 38 172 C3
Cesson 77 58 A4
Cesson-Sévigné 35 73 E3
Cessoy-en-Montois 77 81 E1
Cessy 01 158 A1
Cessy-les-Bois 58 120 B2
Cestas 33 193 E2
Cestayrols 81 214 B4
Ceton 61 77 E3
Cette-Eygun 64 256 B2
Cévennes (Corniche des) 30,48 217 E2
Cévennes (Parc National des) 30,48 217 E1
Cevins 73 174 C3
Ceyras 34 233 F2
Ceyrat 63 168 A2
Ceyreste 13 243 F3
Ceyroux 23 150 A4
Ceyssac 43 185 E4
Ceyssat 63 167 F2
Ceyzériat 01 156 C3
Ceyzérieu 01 173 D1
Cézac 33 177 E3
Cézac 46 213 D1
Cezais 85 130 A3
Cézallier 15, 63 183 F2
Cézan 32 228 A1
Cezay 42 169 F2
Cèze 30 219 D2
Cézens 15 183 F4
Cézia 39 157 D1
Cézy 89 101 F1
Chaâlis (Abbaye de) 60 34 B4
Chabanais 16 163 E1
La Chabanne 03 153 F4
Chabestan 05 205 F4
Chabeuil 26 188 A4
Chablis 89 102 C2
Châbons 38 172 C4
La Chabotterie 85 129 D1
Chabottes 05 206 B2
Chabournay 86 132 A2
Chabrac 16 163 F1
Chabreloche 63 169 E1
Chabrières (Clue de) 04 222 B3
Chabrignac 19 180 C2
Chabrillan 26 204 A2
Chabris 36 117 F3
Chacé 49 114 B3
Chacenay 10 84 A4
Chacrise 02 35 E2
Chadeleuf 63 168 B3
Chadenac 17 161 E3
Chadenet 48 201 F4
Chadrac 43 185 F3
Chadron 43 185 F4
Chadurie 16 162 C4
Le Chaffal 26 204 B1
Le Chaffaut-St-Jurson 04 222 A3
Chaffois 25 142 C1
Chagey 70 107 F3
Chagnon 42 171 D4
Chagny 08 21 E4
Chagny 71 140 A1
Chahaignes 72 97 D3
Chahains 61 53 D4
Chaignay 21 123 F1
Chaignes 27 56 A1
Chail 79 147 D2
Chaillac 36 149 E1
Chaillac-sur-Vienne 87 164 A1
Chailland 53 74 C3
Chaillé-sous-les-Ormeaux 85 129 E3
Chailles 41 98 B4
Chaillevette 17 160 B2
Chaillevois 02 35 F1
Chaillexon (Lac de) 25 126 C3
Chailley 89 82 B4
Chaillol (Vieux) 05 206 B2
Chaillon 55 63 E1
Chailloué 61 53 E3
Chailly-en-Bière 77 80 B1
Chailly-en-Brie 77 59 D3
Chailly-en-Gâtinais 45 100 B1
Chailly-lès-Ennery 57 40 B3
Chailly-sur-Armançon 21 122 C2
Chaillé-les-Marais 85 145 E1
Chainaz-les-Frasses 74 173 F2
Chaînée-des-Coupis 39 141 D1
Chaingy 45 99 D2
Chaintré 71 155 E2
Chaintreaux 77 80 C3
Chaintrix-Bierges 51 60 C2
La Chaise 10 84 B2
La Chaise-Baudouin 50 51 D2
La Chaise-Dieu 43 185 E2
Chaise-Dieu-du-Theil 27 54 C3
Chaix 85 145 F1
La Chaize-Giraud 85 128 B3
La Chaize-le-Vicomte 85 129 E3
Chalabre 11 253 D4
Chalagnac 24 179 E3
Chalain-le-Comtal 42 170 B3
Chalain (Lac de) 39 141 F3
Chalaines 55 63 E4
Chalain-d'Uzore 42 170 A3
Chalais 36 133 F4
Chalais 16 178 B2
Chalais 86 131 F1
Chalame (Crêt de) 01 157 E2
Chalamont 01 156 B4
Chalampé 68 109 D2
Chalancey 52 105 D3
Chalancon 26 204 C3
Chalandray 86 131 F3
Chalandrey 50 51 D3
Chalandry 02 19 F3
Chalandry-Elaire 08 21 E3
Le Chalange 61 53 F4
Le Chalard 87 164 B4
Chalard (Saut du) 24 163 F4
Chalautre-la-Grande 77 59 E4
Chalautre-la-Petite 77 81 F1
Chalaux 58 121 F2
Challes-les-Eaux 73 173 F3
Chaleins 01 155 F4
Chaleix 24 164 A4
Chalencon 07 203 E1
Chalencon (Château de) 43 185 F2
Les Chalesmes 39 142 A2
Châlette-sur-Loing 45 100 C1
Chalette-sur-Voire 10 83 F1
Chaley 01 157 D4
Chalèze 25 125 E2
Chalezeule 25 125 E2
Chaliers 15 184 B4
Chalifert 77 58 B2
Chaligny 54 64 B3
Chalinargues 15 184 A3
Chalindrey 52 105 E2
Chalivoy-Milon 18 136 B2
Challain-la-Potherie 49 94 B3
Challans 85 128 B1
Challement 58 121 D2
Challerange 08 37 F2
Challes 01 156 C3
Challes 72 96 C1
Challet 28 55 F4
Challex 01 157 F2
Challignac 16 178 A1
Challonges 74 157 E4
Challuy 58 137 D1
Chalmaison 77 81 E1
Chalmazel 42 169 E2
Chalmessin 52 104 C3
Chalmont (Butte de) 02 35 E3
Chalmoux 71 138 B3
Chalo-St-Mars 91 79 E1
Le Chalon 26 188 A3
Chalon-sur-Saône 71 140 A2
Chalonnes-sous-le-Lude 49 96 B4
Chalonnes-sur-Loire 49 113 E2
Châlons 38 171 F4
Châlons-du-Maine 53 75 D3
Châlons-sur-Marne 51 61 D1
Châlons-sur-Vesle 51 36 B3
Châlonvillars 70 107 F3
Chalou-Moulineux 91 79 E2
Chaltrait 51 60 B1
Chalus 63 168 B4
Châlus 87 164 B3
Chalusset (Château de) 87 164 C2
Chalvignac 15 182 C2
Chalvraines 52 85 F3
Chamadelle 33 178 A3
Chamagne 88 87 D1
Chamagnieu 38 172 A2
Chamalières 63 168 A2
Chamalières-sur-Loire 43 186 A2
Chamaloc 26 204 C1
Chamant 60 34 B3
Chamarande 91 79 F1
Chamarandes 52 85 D4
Chamaret 26 204 A4
La Chamba 42 169 E2
Chambain 21 104 B2
Chambeire 21 124 A2
Chambellay 49 95 D3
Chambéon 42 170 B3
Chambérat 03 151 E1
Chamberaud 23 150 C4
Chamberet 19 165 E3
Chambéria 39 141 E4
Chambéry 73 173 E3
Chambeugle 89 101 E2
Chambezon 43 184 B1
Chambilly 71 154 A2
Chamblac 27 54 B1
Chamblanc 21 123 F4
Chamblay 39 124 C4
Chambles 42 170 B4
Chamblet 03 152 A2
Chambley-Bussières 54 39 E4
Chambly 60 33 E3
Chambœuf 21 123 E2
Chambœuf 42 170 C3
Chambois 61 53 E2
Chambolle-Musigny 21 123 E3
Chambon 37 133 D2
Chambon 18 135 F2
Chambon 17 145 F3
Chambon 30 218 A1
Le Chambon 07 203 D1
Chambon (Barrage du) 38 190 A3
Chambon-le-Château 48 201 F1
Le Chambon-Feugerolles 42 186 B1
Chambon-la-Forêt 45 80 A4
Chambon (Lac) 63 167 F4
Chambon (Lac de) 36 149 F1
Chambon-Ste-Croix 23 150 A2
Chambon-sur-Cisse 41 98 A4
Chambon-sur-Dolore 63 169 D4
Chambon-sur-Lac 63 167 F4
Le Chambon-sur-Lignon 43 186 B3
Chambon-sur-Voueize 23 151 E3
Chambonas 07 202 C4
Chambonchard 23 151 E3
La Chambonie 42 169 E2
Chamborand 23 149 F3
Chambord 27 54 B2
Chambord 41 98 C4
Chamboret 87 149 D4
Chamborigaud 30 218 A1
Chambornay-lès-Bellevaux 70 125 E1
Chambornay-lès-Pin 70 125 D2
Chambors 60 32 C3
Chambost-Allières 69 155 D4
Chambost-Longessaigne 69 170 C2
La Chambotte 73 173 E2
Chamboulive 19 181 E1
Chambourcy 78 57 D2
Chambourg-sur-Indre 37 116 B3
Chambray 27 32 A4
Chambray-lès-Tours 37 116 A2
La Chambre 73 190 B1
Chambrecy 51 36 A3
Les Chambres 50 50 C2
Chambretaud 85 130 A1
Chambrey 57 65 D2
Chambroncourt 52 85 E2
Chambroutet 79 130 C1
Chambry 02 19 F4
Chambry 77 58 C1
Chaméane 63 168 C4
Chamelet 69 155 D4
Chamery 51 36 B3
Chamesey 25 126 B2
Chamesol 25 126 C1
Chamesson 21 103 F2
Chameyrat 19 181 E2
Chamigny 77 59 D1
Chamilly 71 139 F1
Chammes 53 75 E4
Chamole 39 141 E1
Chamonix 74 159 E4
Chamouillac 17 177 E1
Chamouille 02 35 F1
Chamouilley 52 62 B4
Chamousset 73 174 A3
Chamoux 89 121 D1
Chamoux-sur-Gelon 73 174 A3
Chamoy 10 82 C4
Champ-de-Bataille 27 31 E3
Le Champ-de-la-Pierre 61 52 C4
Champ-d'Oiseau 21 103 E4
Champ-Dolent 27 55 D1
Champ-du-Boult 14 51 E2
Champ du Feu 67 88 C1
Champ-le-Duc 88 87 F3
Champ-Haut 61 53 F3
Champ-Laurent 73 174 B3
Le Champ-près-Froges 38 189 F1
Le Champ-St-Père 85 129 E4
Champ-sur-Barse 10 83 F3
Champ-sur-Drac 38 189 E3
Le Champ-sur-Layon 49 113 F2
Champagnac 17 161 E4
Champagnac 15 182 C1
Champagnac-de-Belair 24 179 E1
Champagnac-la-Noaille 19 182 A2
Champagnac-la-Prune 19 182 A3
Champagnac-la-Rivière 87 164 A2
Champagnac-le-Vieux 43 185 D1
Champagnat 71 141 D4
Champagnat 23 151 D4
Champagnat-le-Jeune 63 168 C4
Champagne 28 56 A3
Champagne 17 160 C1
Champagne 07 187 E2
Champagné 72 76 C4
Champagne-au-Mont-d'Or 69 171 E2
Champagne-en-Valromey 01 173 D1
Champagne-et-Fontaine 24 179 D1
Champagné-les-Marais 85 145 D1
Champagne-Mouton 16 147 F4
Champagné-St-Hilaire 86 147 F2
Champagné-le-Sec 86 147 E3
Champagne-sur-Loue 39 125 D4
Champagne-sur-Oise 95 33 E4
Champagne-sur-Seine 77 80 C2
Champagne-sur-Vingeanne 21 124 B1
Champagne-Vigny 16 162 B4
Champagneux 73 173 D3
Champagney 25 125 D2
Champagney 70 107 E2
Champagney 39 124 B2
Champagnier 38 189 E3
Champagnole 39 141 F2
Champagnolles 17 161 D4
Champagny 21 123 D1
Champagny-en-Vanoise 73 175 D4
Champagny-sous-Uxelles 71 139 F3
Champallement 58 121 D3
Champanges 74 158 C1
Champaubert 51 60 A2
Champcella 05 207 D2
Champcenest 77 59 E3

Champcerie 61 52 C2
Champcervon 50 50 C2
Champcevinel 24 179 F2
Champcevrais 89 101 D3
Champcey 50 50 C3
Champclause 43 186 B4
Champcourt 52 84 C2
Champcueil 91 80 B1
Champdeniers 79 131 D4
Champdeuil 77 58 B4
Champdieu 42 170 A3
Champdivers 39 124 B4
Champdolent 17 160 C1
Champdor 01 157 D4
Champdôtre 21 124 A3
Champdray 88 88 A3
Champeau 21 122 A2
Champeaux 50 50 B2
Champeaux 79 131 D4
Champeaux 77 58 B4
Champeaux 35 73 F3
Les Champeaux 61 53 E2
Champeaux-et-la-Chapelle-Pommier 24 163 F4
Champeaux-sur-Sarthe 61 54 A4
Champeix 63 168 B3
Champenard 27 32 A4
La Champenoise 36 134 C1
Champenoux 54 64 C2
Champéon 53 75 D2
Champétières 63 169 E4
Champey 70 107 E3
Champey-sur-Moselle 54 64 B1
Champfleur 72 76 B2
Champfleury 51 36 B3
Champfleury 10 60 B4
Champforgeuil 71 140 A2
Champfrémont 53 75 F1
Champfromier 01 157 E2
Champgenéteux 53 75 E2
Champguyon 51 59 F3
Champhol 28 78 C1
Champien 80 18 B3
Champier 38 172 B4
Champigné 49 95 D3
Champignelles 89 101 E2
Champigneul-Champagne 51 60 C1
Champigneul-sur-Vence 08 21 E3
Champigneulle 08 38 A2
Champigneulles 54 64 B3
Champigneulles-en-Bassigny 52 86 A3
Champignol-lez-Mondeville 10 84 B3
Champignolles 27 54 C1
Champignolles 21 122 C4
Champigny 89 101 D3
Champigny 51 36 B2
Champigny-en-Beauce 41 98 B3
Champigny-la-Futelaye 27 55 F2
Champigny-lès-Langres 52 105 D1
Champigny-le-Sec 86 131 F3
Champigny-sous-Varennes 52 105 F1
Champigny-sur-Aube 10 60 C4
Champigny-sur-Marne 94 58 A2
Champigny-sur-Veude 37 115 D4
Champillet 36 135 E4
Champillon 51 36 B4
Champis 07 187 E4
Champlan 91 57 E3
Champlat-et-Boujacourt 51 36 A4
Champlay 89 102 A1
Champlecy 71 139 D4
Champlemy 58 120 C2
Champlin 08 20 C2
Champlin 58 120 C3
Champlitte 70 105 E3
Champlitte-la-Ville 70 105 E3
Champlive 25 125 F2
Champlon 55 39 D4
Champlost 89 82 B4
Champmillon 16 162 B3
Champmotteux 91 80 A2
Champnétery 87 165 E2
Champneuville 55 38 C3
Champniers 86 147 F2
Champniers 16 162 C2
Champniers-et-Reilhac 24 163 F3
Champoléon 05 206 B2
Champoly 42 169 E1
Champosoult 61 53 E2
Champougny 55 63 E4
Champoulet 45 101 D3
Champoux 25 125 E1
Champrenault 21 123 D1
Champrepus 50 50 C2
Champrond 72 77 E4
Champrond-en-Gâtine 28 77 F2
Champrond-en-Perchet 28 77 E2
Champrougier 39 141 D1
Champs 61 54 B4
Champs 02 35 D1
Champs 63 152 C4
Champs (Col des) 04,06 223 D2
Les Champs-de-Losque 50 27 D3
Les Champs-Géraux 22 72 C1
Champs-Romain 24 163 F4
Champs-sur-Marne 77 58 A2
Champs-sur-Tarentaine-Marchal 15 183 D1
Champs-sur-Yonne 89 102 B3
Champsac 87 164 A2
Champsanglard 23 150 B2
Champsecret 61 52 B4
Champseru 28 78 C1
Champtercier 04 222 A2
Champteussé-sur-Baconne 49 95 D3
Champtocé-sur-Loire 49 113 D1
Champtoceaux 49 112 B2
Champtonnay 70 124 C1
Champvallon 89 101 F1
Champvans 70 124 B1
Champvans 39 124 B3
Champvans-les-Moulins 25 125 D2
Champvert 58 137 F2
Champvoisy 51 35 F4
Champvoux 58 120 B3
Chamrousse 38 189 E3
Chamvres 89 101 F1
Chanac 48 201 D4
Chanac-les-Mines 19 181 F2
Chanaleilles 43 201 E1
Chanas 38 187 E1
Chanat-la-Mouteyre 63 168 A2
Chanay 01 157 E4
Chanaz 73 173 E1
Chançay 37 116 B1
Chancé 35 73 E4
Chanceaux 21 104 B4
Chanceaux-près-Loches 37 116 B3
Chanceaux-sur-Choisille 37 116 A1
Chancelade 24 179 E2
Chancenay 52 62 B3
Chancey 70 124 C1
Chancia 39 157 D1
Chandai 61 54 C3
Chandelais (Forêt de) 49 96 A4
Chandolas 07 202 C4
Chandon 42 154 C3
Chaneac 07 186 C4
Chaneins 01 155 F3
Change 71 155 E2
Changé 72 96 C1
Changé 53 74 C4
Le Change 24 180 A2
Changey 52 105 E1
Changis-sur-Marne 77 58 C1
Changy 42 154 A3
Changy 51 61 F2
Changy 71 154 C1
Chaniat 43 185 D2
Chaniers 17 161 E2
Channay 21 103 E2
Channay-sur-Lathan 37 115 D1
Channes 10 103 E1
Chanonat 63 168 B3
Chanos-Curson 26 187 F3
Chanousse 05 221 D1
Chanoy 52 105 D1
Chanoz-Châtenay 01 156 A3
Chanteau 45 99 E1
Chantecoq 45 81 D4
Chantecorps 79 131 E4
Chanteheux 54 65 D3
Chanteix 19 181 E3
Chantelle 03 152 C2
Chanteloup 27 55 D2
Chanteloup 79 130 C2
Chanteloup 77 58 B2
Chanteloup 35 73 D4
Chanteloup 50 50 C1
Chanteloup-les-Bois 49 113 E3
Chanteloup (Pagode de) 37 116 B1
Chanteloup-les-Vignes 78 57 D1
Chantelouve 38 189 F4
Chantemerle-les-Blés 26 187 F3
Chantemerle-lès-Grignan 26 203 F4
Chantemerle 51 60 A4
Chantemerle-sur-la-Soie 17 146 A4
Chantenay-St-Imbert 58 137 D3
Chantenay-Villedieu 72 96 A3
Chantepie 35 73 D3
Chantérac 24 179 D3
Chanterelle 15 183 D2
Chanterelle 15 183 E1
Chantes 70 106 B3
Chantesse 38 188 C2
Chanteuges 43 185 D3
Chantillac 16 177 F1
Chantilly 60 34 A3
Chantôme 36 149 F1
Chantonnay 85 129 F3
Chantraine 88 87 E3
Chantraines 52 85 E3
Chantrans 25 125 E4
Chantrigné 53 75 E1
Chanu 61 52 A3
Chanville 57 40 C4
Chanzeaux 49 113 E2
Chaon 41 99 F4
Chaouilley 54 86 C1
Chaource 10 103 D1
Chaourse 02 20 B3
Chapaize 71 139 F4
Chapareillan 38 173 F4
Chapdes-Beaufort 63 167 F1
Chapdeuil 24 179 D1
Chapeau 03 137 F4
Chapeauroux 48 202 A1
La Chapelaine 51 61 E4
La Chapelaude 03 151 E1
La Chapelle 56 92 A1
La Chapelle 03 153 E3
La Chapelle 16 162 B1
La Chapelle 08 22 A3
La Chapelle 73 174 B4
La Chapelle-Achard 85 128 C3
La Chapelle-Agnon 63 169 D3
La Chapelle-Anthenaise 53 74 C3
La Chapelle-au-Mans 71 138 C3
La Chapelle-au-Moine 61 52 A3
La Chapelle-au-Riboul 53 75 E2
La Chapelle-Aubareil 24 180 B4
La Chapelle-aux-Bois 88 87 D4
La Chapelle-aux-Brocs 19 181 E3
La Chapelle-aux-Chasses 03 137 F3
La Chapelle-aux-Choux 72 96 B3
La Chapelle-aux-Filzméens 35 73 D1
La Chapelle-aux-Lys 85 130 B3
La Chapelle-aux-Naux 37 115 C3
La Chapelle-aux-Saints 19 181 E4
La Chapelle-Baloue 23 150 A1
La Chapelle-Basse-Mer 44 112 B2
La Chapelle-Bâton 17 146 B4
La Chapelle-Bâton 79 131 D4
La Chapelle-Bâton 86 147 F3
La Chapelle-Bayvel 27 30 B3
La Chapelle-Bertin 43 185 E3
La Chapelle-Bertrand 79 131 E3
La Chapelle-Biche 61 52 A3
La Chapelle-Blanche 73 173 F4
La Chapelle-Blanche 22 72 B2
La Chapelle-Blanche-St-Martin 37 116 B4
La Chapelle-Bouëxic 35 92 C1
La Chapelle-Cécelin 50 51 D2
La Chapelle-Chaussée 35 72 C2
La Chapelle-Craonnaise 53 94 C1
La Chapelle-d'Abondance 74 159 D1
La Chapelle-d'Alagnon 15 183 F3
La Chapelle-d'Aligné 72 95 F2
La Chapelle-d'Andaine 61 52 B4
La Chapelle-d'Angillon 18 119 D2
La Chapelle-d'Armentières 59 5 D4
La Chapelle-d'Aunainville 28 79 D1
La Chapelle-d'Aurec 43 186 B1
La Chapelle-de-Bragny 71 140 A3
La Chapelle-de-Guinchay 71 155 E2
La Chapelle-de-Mardore 69 154 C4
La Chapelle-de-Surieu 38 187 E1
La Chapelle-de-la-Tour 38 172 C3
La Chapelle-des-Bois 25 142 B3
La Chapelle-des-Fougeretz 35 73 D3
La Chapelle-des-Marais 44 92 B4
La Chapelle-des-Pots 17 161 E2
La Chapelle-devant-Bruyères 88 88 A3
La Chapelle-d'Huin 25 142 B1
La Chapelle-du-Bard 38 174 A4
La Chapelle-du-Bois 72 77 D3
La Chapelle-du-Bois-des-Faulx 27 31 F4
La Chapelle-du-Bourgay 76 15 F2
La Chapelle-du-Châtelard 01 156 A3
La Chapelle-du-Fest 50 28 A4
La Chapelle-du-Genêt 49 113 D3
La Chapelle-du-Lou 35 72 C2
La Chapelle-du-Mont-de-France 71 155 D1
La Chapelle-du-Mont-du-Chat 73 173 E2
La Chapelle-du-Noyer 28 78 B4
La Chapelle-en-Juger 50 27 E3
La Chapelle-en-Lafaye 42 170 A4
La Chapelle-en-Serval 60 34 A4
La Chapelle-en-Valgaudémar 05 206 B1
La Chapelle-en-Vercors 26 188 C4
La Chapelle-en-Vexin 95 32 C3
La Chapelle-Enchérie 41 98 B2
La Chapelle-Engerbold 14 52 A1
La Chapelle-Erbrée 35 74 B3
La Chapelle-Faucher 24 179 F1
La Chapelle-Felcourt 51 37 F4
La Chapelle-Forainvilliers 28 56 A3
La Chapelle-Fortin 28 54 C4
La Chapelle-Gaceline 56 92 C2
La Chapelle-Gaudin 79 131 D1
La Chapelle-Gaugain 72 97 E2
La Chapelle-Gauthier 27 54 B1
La Chapelle-Gauthier 77 58 C4
La Chapelle-Geneste 43 185 E1
La Chapelle-Glain 44 94 A3
La Chapelle-Gonaguet 24 179 E2
La Chapelle-Grésignac 24 179 D1
Chapelle-Guillaume 28 77 E4
La Chapelle-Hareng 27 30 B4
La Chapelle-Haute-Grue 14 53 E1
La Chapelle-Hermier 85 128 C2
La Chapelle-Heulin 44 112 B3
La Chapelle-Hugon 18 136 C1
La Chapelle-Hullin 49 94 B2
La Chapelle-Huon 72 97 E2
La Chapelle-Iger 77 58 B3
La Chapelle-Janson 35 74 A2
La Chapelle-Largeau 79 130 B1
La Chapelle-Lasson 51 60 B4
La Chapelle-Launay 44 111 D1
La Chapelle-Laurent 15 184 B3
La Chapelle-Marcousse 63 184 B1
La Chapelle-Montabourlet 24 179 D1
La Chapelle-Montbrandeix 87 164 A3
La Chapelle-Monthodon 02 59 F1
La Chapelle-Montligeon 61 77 D1
La Chapelle-Montlinard 18 120 A3
La Chapelle-Montmartin 41 117 F2
La Chapelle-Montmoreau 24 163 E4
La Chapelle-Montreuil 86 131 F4
La Chapelle-Morthemer 86 132 C4
La Chapelle-Moulière 86 132 C3
La Chapelle-Naude 71 140 C3
La Chapelle-Neuve 56 91 D1
La Chapelle-Neuve 22 46 C1
La Chapelle-Onzerain 45 78 C4
La Chapelle-Orthemale 36 134 A2
La Chapelle-Palluau 85 128 C2
La Chapelle-Pêchaud 24 197 D2
La Chapelle-Pouilloux 79 147 D3
La Chapelle-près-Sées 61 53 E4
La Chapelle-Rablais 77 81 D1
La Chapelle-Rainsouin 53 75 D4
La Chapelle-Rambaud 74 158 B3
La Chapelle-Réanville 27 32 A4
La Chapelle-Rousselin 49 113 E2
Chapelle-Royale 28 77 F3
La Chapelle-St-André 58 120 C1
La Chapelle-St-Aubert 35 73 F2
La Chapelle-St-Aubin 72 76 B4
La Chapelle-St-Étienne 79 130 C3
La Chapelle-St-Florent 49 112 C2
La Chapelle-St-Fray 72 76 A4
La Chapelle-St-Géraud 19 182 A4
La Chapelle-St-Jean 24 180 B2
La Chapelle-St-Laud 49 95 F3
La Chapelle-St-Laurent 79 130 C2
La Chapelle-St-Laurian 36 117 F4
La Chapelle-St-Luc 10 83 D2
La Chapelle-St-Martial 23 150 B4
La Chapelle-St-Martin 73 173 D3
La Chapelle-St-Martin-en-Plaine 41 98 B3
La Chapelle-St-Maurice 74 174 A1
La Chapelle-St-Melaine 35 92 C2
La Chapelle-St-Mesmin 45 99 D2
La Chapelle-St-Ouen 76 32 B1
La Chapelle-St-Quillain 70 106 A4
La Chapelle-St-Rémy 72 76 C4
La Chapelle-St-Sauveur 71 140 C2
La Chapelle-St-Sauveur 44 113 D1
La Chapelle-St-Sépulcre 45 101 D1
La Chapelle-St-Sulpice 77 59 D4
La Chapelle-St-Ursin 18 118 C4
La Chapelle-Souëf 61 77 D2
La Chapelle-sous-Brancion 71 140 A4
La Chapelle-sous-Dun 71 154 C2
La Chapelle-sous-Orbais 51 60 A2
La Chapelle-sous-Uchon 71 139 D2
Chapelle-Spinasse 19 182 B1
La Chapelle-sur-Aveyron 45 101 D2
La Chapelle-sur-Chézy 02 59 E1
La Chapelle-sur-Coise 69 171 D3
La Chapelle-sur-Dun 76 15 D2
La Chapelle-sur-Erdre 44 112 A2
La Chapelle-sur-Furieuse 39 125 D4
La Chapelle-sur-Loire 37 115 D2
La Chapelle-sur-Oreuse 89 81 F2
La Chapelle-sur-Oudon 49 94 C3
La Chapelle-sur-Usson 63 168 C4
La Chapelle-Taillefert 23 150 B3
La Chapelle-Thècle 71 140 B4
La Chapelle-Thémer 85 130 A4
La Chapelle-Thireuil 79 130 C4
La Chapelle-Thouarault 35 72 C3
La Chapelle-Urée 50 51 D3
Chapelle-Vallon 10 83 D1
La Chapelle-Vaupelteigne 89 102 B2
La Chapelle-Vendômoise 41 98 A3
La Chapelle-Véronge 77 59 E3
La Chapelle-Vicomtesse 41 97 F1
La Chapelle-Viel 61 54 B3
La Chapelle-Villars 42 171 E4
Chapelle-Viviers 86 132 C4
Chapelle-Voland 39 141 D2
La Chapelle-Yvon 14 30 B4
Les Chapelles 53 75 E1
Les Chapelles 73 175 D3
Les Chapelles-Bourbon 77 58 B3
La Chapelle-lès-Luxeuil 70 107 D2
Chapelon 45 80 B4
La Chapelotte 18 119 E2
La Chapelle-la-Reine 77 80 B2
Chapeiry 74 158 A4
Chapet 78 56 C1
Chapieux (Vallée des) 73 175 D2
Chapois 39 142 A1
Chaponnay 69 171 F3
Chaponost 69 171 E3
Chappes 10 83 E3
Chappes 63 168 B1
Chappes 08 20 C4
Chappes 03 152 B1
Chaptelat 87 164 C1
Chaptuzat 63 152 C4
Charancieu 38 173 D4
Charancin 01 157 D4
Charantonnay 38 172 A3
Charavines 38 172 C4
Charbogne 08 37 E1
Charbonnat 71 138 C2
Charbonnier-les-Mines 63 184 C1
Charbonnières 71 155 E1
Charbonnières 28 77 F3
Charbonnières-les-Bains 69 171 E2
Charbonnières-les-Sapins 25 125 F3
Charbonnières-les-Varennes 63 168 A1
Charbonnières-les-Vieilles 63 152 B4
Charbuy 89 102 A2
La Charce 26 205 D4
Charcé-St-Ellier-sur-Aubance 49 114 A2
Charcenne 70 124 C1
Charchigné 53 75 E1
Charchilla 39 141 F4
Charcier 39 141 F3
Chard 23 167 D1
Chardeny 08 37 E2
Chardes 17 161 F4
Chardogne 55 62 B2
Chardonnay 71 140 A4
Chareil-Cintrat 03 152 C2
Charencey 21 123 D1
Charency 39 142 A2
Charency-Vezin 54 39 D1
Charens 26 205 D3
Charensat 63 151 F4
Charentay 69 155 E4
Charente 16, 17 162 B1
Charentenay 70 106 A3
Charentenay 89 102 A3
Charentilly 37 115 F1
Charenton-le-Pont 94 57 F2
Charentonnay 18 119 F3
Charette 38 172 B1
Charette 71 140 C1
Charey 54 39 E4
Charézier 39 141 E3
Chargé 37 116 C1
Chargey-lès-Gray 70 105 F4
Chargey-lès-Port 70 106 B2
Chariez 70 106 B3
La Charité-sur-Loire 58 120 A3
Charix 01 157 D2
Charlas 31 250 B2
Charleval 13 237 D2
Charleval 27 32 B3
Charleville 51 60 A4
Charleville-Mézières 08 21 E3
Charleville-sous-Bois 57 40 C3
Charlieu 42 154 B3
Charly 02 59 E1
Charly 18 136 B1
Charly 69 171 E3
Charly-Oradour 57 40 B3
Charmant 16 162 C4
Charmant-Som 38 189 E1
Charmauvillers 25 126 C2
Charmé 16 147 E4
La Charme 39 141 E1
Le Charme 45 101 D2
La Charmée 71 140 A2
Charmeil 03 153 D3
Charmensac 15 184 B2
Charmentray 77 58 B1
Charmes 02 19 E4
Charmes 21 124 A1
Charmes 52 105 D1
Charmes 88 87 D1
Charmes-la-Côte 54 63 F3
Charmes-en-l'Angle 52 84 C2
Charmes-la-Grande 52 84 C2
Charmes-St-Valbert 70 105 F2
Charmes-sur-l'Herbasse 26 187 F3
Charmes-sur-Rhône 07 203 F1
Charmoille 25 126 B2
Charmoille 70 106 B3
Charmoilles 52 105 E1
Charmois 54 64 C4
Charmois 90 108 A3
Charmois-devant-Bruyères 88 87 E3
Charmois-l'Orgueilleux 88 87 D3
Charmont 51 62 A2
Charmont 95 32 C4
Charmont-en-Beauce 45 79 F3
Charmont-sous-Barbuise 10 83 D1
Les Charmontois 51 62 B1
Charmoy 52 105 F2
Charmoy 10 82 B2
Charmoy 71 139 D2
Charmoy 89 102 A1
Charnas 07 187 E1
Charnat 63 168 C1
Charnay 25 125 D3
Charnay 69 171 D1
Charnay-lès-Chalon 71 140 B2
Charnay-lès-Mâcon 71 155 E2
Charné 53 74 B2
Charnècles 38 189 D1
Charnizay 37 133 E1
Charnod 39 156 C1
Charnois 08 13 F4
Charnoz 01 172 B1
Charny 77 58 B1
Charny 89 101 E2
Charny 21 122 B2
Charny-le-Bachot 10 60 B4
Charny-sur-Meuse 55 38 C3
Charolles 71 154 C1
Charols 26 204 A3
Charonville 28 78 B2
Chârost 18 135 E1
Charousse 74 159 D4
Charpentry 55 38 A3
Charpey 26 188 A4
Charpont 28 56 A1
Charquemont 25 126 C2
Charrais 86 132 A3
Charraix 43 185 E3
Charras 16 163 D4
Charre 64 247 E1
Charrecey 71 139 F2
Charrey 21 103 F1
Charrey-sur-Saône 21 123 F3
Charrin 58 137 F2
Charritte-de-Bas 64 247 E1
Charron 23 151 F4
Charron 17 145 D2
Charroux 86 147 F3
Charroux 03 152 C3
Chars 95 33 D4
Charsonville 45 98 C1
Chartainvilliers 28 56 A4
Chartèves 02 59 E1
La Chartre-sur-le-Loir 72 97 D3
Chartrené 49 96 A4
Chartres 28 78 C1
Chartres-de-Bretagne 35 73 D3
Chartrettes 77 80 C1
Chartreuse du Liget 37 116 C2
Chartreuse (Massif de la) 38 189 D1
Chartier-Ferrière 19 181 D3
Chartronges 77 59 D1
Chartuzac 17 177 E1
Charvieu-Chavagneux 38 172 A2
Charvonnex 74 158 A4
Chas 63 168 C2
Chaserey 10 103 D1
Chasnais 85 129 E4
Chasnans 25 125 F3
Chasnay 58 120 B3
Chasné-sur-Illet 35 73 E2
Chaspinhac 43 185 F3
Chaspuzac 43 185 E3
La Chassagne 39 141 D1
Chassagne-Montrachet 21 139 F2
Chassagne-St-Denis 25 125 E3
Chassagnes 07 202 C3
Chassagnes 43 185 D2
Chassagny 69 171 E3
Chassaignes 24 178 C2
Chassal 39 157 E1
Chassant 28 77 F2
Chassé 72 76 B1
Chasse-sur-Rhône 38 171 F4
Chasseguey 50 51 D3
Chasselas 71 155 E2
Chasselay 69 171 E1
Chasselay 38 188 B2
Chassemy 02 35 F2
Chassenard 03 154 A1
Chasseneuil 36 134 B3
Chasseneuil-du-Poitou 86 132 B3
Chasseneuil-sur-Bonnieure 16 163 D2
Chassenon 16 163 F1
Chasseradès 48 202 A3
Chassey 21 122 C1
Chassey-Beaupré 55 85 E1
Chassey-le-Camp 71 139 F1
Chassey-lès-Montbozon 70 107 D4
Chassey-lès-Scey 70 106 B3
Chassezac (Belvédère du) 48 202 B4
Chassiecq 16 163 D1
Chassiers 07 203 D3
Chassieu 69 171 F2
Chassignelles 89 103 E2
Chassignieu 38 172 C4
Chassignolles 43 185 D1
Chassignolles 36 135 D4
Chassigny 52 105 E3
Chassigny-sous-Dun 71 154 C2
Chassillé 72 75 F4
Chassors 16 162 C1
Chassy 89 101 F2
Chassy 18 119 F4
Chassy 71 138 C2
Le Chastang 19 181 F4
Chastang (Barrage du) 19 182 A3
Chastanier 48 202 A2
Chasteaux 19 181 D3
Chastel 43 184 C3
Chastel-Arnaud 26 204 C2
Chastel-Nouvel 48 201 E3
Chastel-sur-Murat 15 183 F2
Chastellux-sur-Cure 89 136 B4
Chasteloy 03 136 B4
Chastenay 89 101 F3
Chastreix 63 167 F4
La Châtaigneraie 85 130 B3
Chatain 86 147 F4
Châtaincourt 28 55 E3
Château 71 155 D1
Château-l'Abbaye 59 11 D1
Château-Arnoux 04 221 F3
Château Bas 13 237 D2
Château-Bernard 38 189 D4
Château-Bréhain 57 65 D1
Château-Chalon 39 141 E2
Château-Chervix 87 164 C3
Château-Chinon 58 121 F4

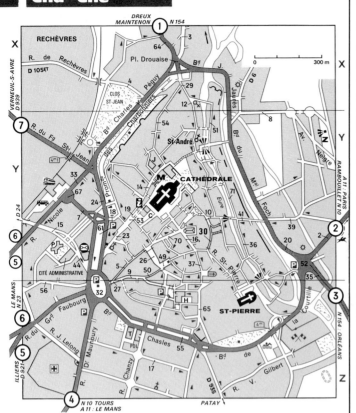

Chartres

Ballay (R. Noël).............Y 5
Bois-Merrain (R. du)........Y 9
Changes (R. des)............Y 16
Delacroix (R.)..............Z 27
Guillaume (R. Porte)........Y 41
Marceau (Pl.)...............Y 49
Marceau (R.)................Y 50
Soleil-d'Or (R. du).........Y 70

Ablis (R. d')...............Y 2
Aligre (Av. d').............X 3
Alsace-Lorraine (R. d').....X 4
Aviateurs militaires
(Monument des)..........Y Z

Beauce (Av. Jehan de).......Y 7
Bethouart (Av.).............Y 8
Bourg (R. du)...............Y 10
Brèche (R. de la)..........X 12
Cardinal-Pie (R. du)........Y 14
Casanova (R. Danièle).......Y 15
Châteaudun (R. de)..........Z 17
Châtelet (Pl.)..............Y 18
Cheval-Blanc (R. du)........Y 19
Clemenceau (R.).............Y 20
Collin-d'Harleville (R.)....Y 23
Couronne (R. de la).........Y 24
Cygne (R. du)...............Y 25
Drouaise (R. Porte).........X 29
Écuyers (R. des)............Y 30
Épars (Pl. des).............Z 32
Félibien (R.)...............Y 33

Ferrière (R. de)............Y 35
Foulerie (R. de la).........Y 36
Grenets (R. des)............Y 37
Guillaume (R. du Fg)........Y 39
Kœnig (R. du Gén.)..........Y 44
Massacre (R.)...............Y 51
Morard (Pl.)................Y 52
Moulin (Pl. Jean)...........Y 53
Muret (R.)..................Y 54
Pasteur (R.)................Z 55
Péri (R. Gabriel)...........Z 56
Résistance (Bd de la).......Y 61
St-Maurice (R.).............X 64
St-Michel (R.)..............Z 65
Sémard (Pl. Pierre).........Y 67
Tannerie (R. de la).........Y 71

Le Château-d'Almenêches 61 — 53 E3
Château-des-Prés 39 — 142 A4
Château-d'If (Ile du) 13 — 243 D1
Le Château-d'Oléron 17 — 160 A1
Château-d'Olonne 85 — 128 C4
Château-du-Loir 72 — 96 C3
Château-l'Évêque 24 — 179 E2
Château-Gaillard 01 — 156 B4
Château-Garnier 86 — 147 F2
Château-Gombert 13 — 243 D2
Château-Gontier 53 — 95 D2
Château-Guibert 85 — 129 E3
Château Guillaume 36 — 149 D1
Château-l'Hermitage 72 — 96 B2
Château-Lambert 70 — 107 F1
Château-Landon 77 — 80 C3
Château-Larcher 86 — 147 F1
Château-Porcien 08 — 36 C1
Château-Queyras 05 — 207 E1
Château-Renault 37 — 97 E4
Château-Rouge 57 — 41 D2
Château-Salins 57 — 65 D2
Château-sur-Allier 03 — 136 C2
Château-sur-Cher 63 — 151 F3
Château-sur-Epte 27 — 32 B3
Château-Thierry 02 — 35 E4
Château-la-Vallière 37 — 96 C4
Château-Verdun 09 — 260 B1
Château-Ville-Vieille 05 — 207 E1

Château-Voué 57 — 65 D2
Châteaubernard 16 — 161 F3
Châteaubleau 77 — 59 D4
Châteaubourg 35 — 73 E3
Châteaubourg 07 — 187 E4
Châteaubriant 44 — 93 F2
Châteaudouble (Gorges de) 83 — 239 E2
Châteaudouble 26 — 204 B1
Châteaudouble 83 — 239 D2
Châteaudun 28 — 78 B4
Châteaufort 04 — 221 F1
Châteaufort 78 — 57 D3
Châteaugay 63 — 168 A1
Châteaugiron 35 — 73 E4
Châteaulin 29 — 69 D1
Châteaumeillant 18 — 135 E4
Châteauneuf 73 — 174 A3
Châteauneuf 71 — 154 C2
Châteauneuf 21 — 123 D3
Châteauneuf 42 — 171 D4
Châteauneuf 85 — 128 B1
Châteauneuf-les-Bains 63 — 152 B4
Châteauneuf-de-Bordette 26 — 220 A1
Châteauneuf-de-Chabre 05 — 221 E1
Châteauneuf-de-Contes 06 — 241 D3
Châteauneuf-de-Gadagne 84 — 219 F4
Châteauneuf-de-Galaure 26 — 187 F2
Châteauneuf-de-Randon 48 — 201 F3

Châteauneuf-de-Vernoux 07 — 187 D4
Châteauneuf-d'Entraunes 06 — 223 E2
Châteauneuf-d'Ille-et-Vilaine 35 — 49 F3
Châteauneuf-d'Oze 05 — 205 F3
Châteauneuf-du-Faou 29 — 69 E2
Châteauneuf-du-Pape 84 — 219 E3
Châteauneuf-du-Rhône 26 — 203 F4
Châteauneuf-en-Thymerais 28 — 55 E4
Châteauneuf-la-Forêt 87 — 165 E2
Châteauneuf-Grasse 06 — 240 A2
Châteauneuf-les-Martigues 13 — 242 C2
Châteauneuf-Miravail 04 — 221 D2
Châteauneuf-lès-Moustiers 04 — 239 D1
Châteauneuf-le-Rouge 13 — 237 F3
Châteauneuf-sur-Charente 16 — 162 B3
Châteauneuf-sur-Cher 18 — 135 F2
Châteauneuf-sur-Isère 26 — 187 F4
Châteauneuf-sur-Loire 45 — 100 A4
Châteauneuf-sur-Sarthe 49 — 105 D3
Châteauneuf-Val-de-Bargis 58 — 120 B2
Châteauneuf-Val-St-Donat 04 — 221 F3
Châteauponsac 87 — 149 E3
Châteauredon 04 — 222 B3
Châteaurenard 45 — 101 D1
Châteaurenard 13 — 219 E4

Châteaurenaud 71 — 140 C3
Châteauroux 05 — 206 C2
Châteauroux 36 — 134 C2
Châteauthébaud 44 — 112 A3
Châteauvert 83 — 238 B3
Châteauvieux 05 — 206 A3
Châteauvieux 83 — 239 E1
Châteauvieux 41 — 117 D3
Châteauvieux-les-Fossés 25 — 125 F4
Châteauvilain 38 — 172 B4
Châteauvillain 52 — 34 C4
Le Châtel 73 — 190 B1
Châtel-Censoir 89 — 102 B4
Chatel-Chéhéry 08 — 38 A2
Châtel-de-Joux 39 — 141 F4
Châtel-de-Neuvre 03 — 153 D1
Châtel-Gérard 89 — 103 D3
Châtel-Montagne 03 — 153 F3
Châtel-Moron 71 — 139 F2
Châtel-St-Germain 57 — 40 A3
Châtel-sur-Moselle 88 — 88 B3
Châtelaillon-Plage 17 — 145 F2
Châtelain 53 — 95 D2
La Châtelaine 39 — 141 F1
Châtelais 49 — 94 B2
Le Châtelard 23 — 164 C3
Le Châtelard 73 — 174 A1
Châtelaudren 22 — 47 F3
Chatelay 39 — 124 C4
Châtelblanc 25 — 142 B3
Châteldon 63 — 153 E4
Le Châtelet 18 — 135 E4
Le Châtelet-en-Brie 77 — 80 C1

Le Châtelet-sur-Retourne 08 — 37 D2
Le Châtelet-sur-Sormonne 08 — 21 D2
Les Châtelets 28 — 55 D4
Le Chateley 39 — 141 E1
Châtelguyon 63 — 168 B1
Le Châtelier 37 — 133 D1
Le Châtelier 35 — 73 F1
Le Châtelier 51 — 62 A1
Châtelot 21 — 122 C3
Châtellerault 86 — 132 B2
Le Châtellier 35 — 52 B3
Les Châtelliers-Châteaumur 85 — 130 B1
Les Châtelliers-Notre-Dame 28 — 78 A2
Châtelneuf 42 — 170 A3
Châtelneuf 39 — 142 A3
Châtelperron 03 — 153 F1
Châtelraould-St-Louvent 51 — 61 E3
Châtelus 42 — 170 C3
Châtelus 38 — 188 C3
Châtelus 03 — 153 F3
Châtelus-Malvaleix 23 — 150 C2
Châtelus-le-Marcheix 23 — 149 F4
Châtenay 01 — 156 B4
Châtenay 71 — 154 C2
Châtenay 28 — 79 E2
Châtenay 38 — 188 B1
Châtenay-en-France 95 — 33 F4
Châtenay-Mâcheron 52 — 105 E2
Châtenay-Malabry 92 — 57 E3
Châtenay-sur-Seine 77 — 81 E1
Chatenay-Vaudin 52 — 105 E2
Le Châtenet-en-Dognon 87 — 165 D1
Châtenay 70 — 106 C3
Châtenois 88 — 86 B2
Châtenois 70 — 106 C3
Châtenois 67 — 89 D2
Châtenois 39 — 124 B3
Châtenois-les-Forges 90 — 107 F3
Châtenoy 45 — 100 A1
Châtenoy 77 — 80 B3
Châtenoy-en-Bresse 71 — 140 A1
Châtenoy-le-Royal 71 — 140 A2
Châtignac 16 — 178 B1
Chatignonville 91 — 79 E1
Châtillon 86 — 147 E2
Châtillon 39 — 141 E3
Châtillon 92 — 57 E2
Châtillon 69 — 171 D1
Châtillon 03 — 152 C1
Châtillon-la-Borde 77 — 58 B4
Châtillon-Coligny 45 — 101 D2
Châtillon (Crêt de) 74 — 173 F1
Châtillon-le-Duc 25 — 125 D4
Châtillon-en-Bazois 58 — 121 E4
Châtillon-en-Michaille 01 — 157 E3
Châtillon-en-Vendelais 35 — 74 A3
Châtillon-en-Diois 26 — 205 D2
Châtillon-en-Dunois 28 — 78 A4
Châtillon-Guyotte 25 — 125 E2
Châtillon-la-Palud 01 — 156 B4
Châtillon-le-Roi 45 — 79 F1
Châtillon-St-Jean 26 — 188 B3
Châtillon-lès-Sons 02 — 19 E3
Châtillon-sous-les-Côtes 55 — 39 F3
Châtillon-sur-Bar 08 — 37 F1
Châtillon-sur-Broué 51 — 61 F4
Châtillon-sur-Chalaronne 01 — 155 F3
Châtillon-sur-Cher 41 — 117 E2
Châtillon-sur-Cluses 74 — 159 D3
Châtillon-sur-Colmont 53 — 74 C2
Châtillon-sur-Indre 36 — 133 F1

Châtillon-sur-Lison 21 — 125 D3
Châtillon-sur-Loire 45 — 100 C4
Châtillon-sur-Marne 51 — 36 A4
Châtillon-sur-Morin 51 — 59 F3
Châtillon-sur-Oise 02 — 19 E3
Châtillon-sur-Saône 88 — 106 A1
Châtillon-sur-Seiche 35 — 73 D4
Châtillon-sur-Seine 21 — 103 F2
Châtillon-sur-Thouet 79 — 131 E3
Châtin 58 — 121 E4
Chatoillenot 52 — 105 D3
Châtonnay 38 — 172 B4
Chatonnay 39 — 157 D1
Chatonrupt 52 — 85 D1
Chatou 78 — 57 D2
La Châtre 36 — 135 D4
La Châtre-Langlin 36 — 149 E1
Châtres 24 — 180 C3
Châtres 77 — 58 B3
Châtres 10 — 82 C1
Châtres-la-Forêt 53 — 75 E3
Châtres-sur-Cher 41 — 118 A2
Châtrices 51 — 38 A4
Chattancourt 55 — 38 B3
Chatte 38 — 188 B2
Chatuzange-le-Goubet 26 — 188 A4
Chaucenne 25 — 125 D2
Chauchailles 48 — 200 C2
Chauché 85 — 129 E1
Le Chauchet 23 — 151 D3
Chauchigny 10 — 82 C1
Chauconin-Neufmontiers 77 — 58 B1
Chaudanne (Barrage de) 04 — 222 C4
Chaudardes 02 — 36 A2
Chaudebonne 26 — 204 C4
Chaudefonds-sur-Layon 49 — 113 E2
Chaudefontaine 51 — 37 F4
Chaudefontaine 25 — 125 E1
Chaudefour (Vallée de) 63 — 167 F4
Chaudenay 52 — 105 E2
Chaudenay 71 — 140 A1
Chaudenay-le-Château 21 — 122 C3
Chaudenay-la-Ville 21 — 122 C3
Chaudeney-sur-Moselle 54 — 64 A3
Chaudes-Aigues 15 — 200 C1
Chaudeyrac 48 — 202 A3
Chaudeyrolles 43 — 186 B4
La Chaudière 26 — 204 C4
Chaudon 28 — 56 A3
Chaudon-Norante 04 — 222 B4
Chaudron-en-Mauges 49 — 113 D2
Chaudun 02 — 35 D2
Chauffailles 71 — 154 C3
Chauffayer 05 — 206 A2
Chauffecourt 88 — 86 C2
Chauffour-lès-Bailly 10 — 83 E3
Chauffour-lès-Étréchy 91 — 79 F1
Chauffour-sur-Vell 19 — 181 E4
Chauffours 28 — 78 B2
Chauffourt 52 — 105 E1
Chauffry 77 — 59 D2
Chaufour-lès-Bonnières 78 — 56 A1
Chaufour-Notre-Dame 72 — 76 A4
Chaugey 21 — 104 C2
Chaulgnes 58 — 120 C2
Chaulhac 48 — 201 D1
Chaulieu 50 — 51 E3
La Chaulme 63 — 169 F4
Chaulnes 80 — 18 B3
Chaum 31 — 250 B4
Chaumard 58 — 121 F3
La Chaume 21 — 104 B2

Chaume-lès-Baigneux 21 — 104 A3
Chaume-et-Courchamp 21 — 105 D4
Chaumeil 19 — 166 A4
Chaumercenne 70 — 124 C2
Chaumeré 35 — 73 E4
Chaumergy 39 — 141 D1
Chaumes-en-Brie 77 — 58 C3
Chaumesnil 10 — 84 A2
Chaumont 61 — 53 F2
Chaumont 18 — 136 B2
Chaumont 52 — 85 D4
Chaumont 89 — 81 E2
Chaumont 71 — 139 E4
Chaumont-le-Bois 21 — 103 A1
Chaumont-le-Bourg 63 — 169 E4
Chaumont-d'Anjou 49 — 95 F4
Chaumont-devant-Damvillers 55 — 38 C2
Chaumont-en-Vexin 60 — 33 D3
Chaumont-Porcien 08 — 20 C4
Chaumont-sur-Aire 55 — 62 C1
Chaumont-sur-Loire 41 — 116 C1
Chaumont-sur-Tharonne 41 — 99 F2
Chaumont-la-Ville 52 — 86 A3
Chaumontel 95 — 33 F4
Chaumot 58 — 121 D2
Chaumot 89 — 81 E4
Chaumousey 88 — 87 D3
Chaumoux-Marcilly 18 — 119 F3
Chaumussay 37 — 133 D2
La Chaumusse 39 — 142 A3
Chaunac 17 — 177 F1
Chaunay 86 — 147 E2
Chauny 02 — 19 D4
Chauray 79 — 146 B1
Chauriat 63 — 168 C2
Chausey (Iles) 50 — 50 A2
La Chaussade 23 — 151 D4
La Chaussaire 49 — 112 C3
La Chaussée 76 — 15 F2
La Chaussée 86 — 131 F1
La Chaussée-d'Ivry 28 — 56 A3
La Chaussée-St-Victor 41 — 98 B4
La Chaussée-sur-Marne 51 — 61 E2
La Chaussée-Tirancourt 80 — 17 E2
Chaussenac 15 — 182 C3
Chaussenans 39 — 141 F2
Chausseterre 42 — 169 E1
Chaussin 39 — 124 B4
Chaussoy-Epagny 80 — 17 E3
Chaussy 95 — 32 C4
Chaussy 45 — 79 E3
Le Chautay 18 — 136 C1
Chauvac 26 — 204 C3
Chauve (Mont) 06 — 241 D4
Chauvency-le-Château 55 — 38 B1
Chauvency-St-Hubert 55 — 22 B4
Chauvigné 35 — 73 E1
Chauvigny 86 — 132 C4
Chauvigny-du-Perche 41 — 98 A1
Chauvincourt-Provemont 27 — 32 C3
Chauvirey-le-Châtel 70 — 106 A2
Chauvirey-le-Vieil 70 — 106 A2
Chauvoncourt 55 — 63 D1
Chauvry 95 — 57 E1
Chaux 90 — 107 F2
La Chaux 71 — 140 C2
La Chaux 61 — 52 C4
La Chaux 25 — 126 A4
Chaux-Champagny 39 — 141 F1
Chaux-lès-Clerval 25 — 126 B1
Chaux-des-Crotenay 39 — 142 A3

Chaux-des-Prés 39 — 141 F4
La Chaux-du-Dombief 39 — 142 A3
La Chaux-en-Bresse 39 — 141 D2
Chaux (Forêt de) 39 — 124 C4
Chaux-la-Lotière 70 — 125 D1
Chaux-Neuve 25 — 142 B3
Chaux-lès-Passavant 25 — 125 F2
Chaux-lès-Port 70 — 106 B3
Chauzon 07 — 203 D4
Chavagnac 24 — 180 C3
Chavagnac 15 — 183 F3
Chavagne 35 — 72 C4
Chavagnes 49 — 114 A2
Chavagnes-en-Paillers 85 — 129 E1
Chavagnes-les-Redoux 85 — 130 A2
Chavaignes 49 — 96 A4
Chavanac 19 — 166 B3
Chavanat 23 — 166 A1
Chavanatte 90 — 108 B3
Chavanay 42 — 187 E1
Chavanges 10 — 61 E4
Chavaniac-Lafayette 43 — 185 D3
Chavannaz 74 — 157 F3
Chavanne 70 — 107 E4
La Chavanne 73 — 173 F4
Chavannes 26 — 187 F3
Chavannes 18 — 135 F2
Les Chavannes-en-Maurienne 73 — 174 B4
Chavannes-les-Grands 90 — 108 B3
Chavannes-sur-l'Étang 68 — 108 B3
Chavannes-sur-Reyssouze 01 — 156 A1
Chavannes-sur-Suran 01 — 156 C2
Chavanod 74 — 173 F1
Chavanoz 38 — 172 A2
Chavaroux 63 — 168 B1
La Chavatte 80 — 18 B3
Chaveignes 37 — 115 D4
Chavelot 88 — 87 E2
Chavenat 16 — 162 C4
Chavenay 78 — 57 E2
Chavençon 60 — 33 D3
Chavéria 39 — 141 E4
Chaveroche 19 — 166 C3
Chaveyriat 01 — 156 A3
Chavignon 02 — 35 F1
Chavigny 54 — 64 B3
Chavigny 02 — 35 E2
Chavigny-Bailleul 27 — 56 B3
Chaville 92 — 57 E2
Chavin 36 — 134 B4
Chavonne 02 — 35 F2
Chavornay 01 — 173 F1
Chavot-Courcourt 51 — 60 B1
Chavoy 50 — 51 F4
Chavroches 03 — 153 E1
Chay 25 — 125 D4
La Chay 17 — 160 C3
Chazay-d'Azergues 69 — 171 E1
La Chaze-de-Peyre 48 — 201 D2
Chazé-Henry 49 — 94 B2
Chazé-sur-Argos 49 — 94 C3
Chazeaux 07 — 203 D3
Chazelet 36 — 134 A4
Chazelles 16 — 163 D3
Chazelles 43 — 185 D4
Chazelles 16 — 163 D3
Chazelles 15 — 184 C3
Chazelles-sur-Albe 54 — 65 E3
Chazelles-sur-Lavieu 42 — 170 A4
Chazelles-sur-Lyon 42 — 170 C3
Chazelot 25 — 107 D4
Chazemais 03 — 171 E1
Chazeron 63 — 168 A1
Chazeuil 21 — 105 D4
Chazey-Bons 01 — 173 D1
Chazey-sur-Ain 01 — 172 B1
Chazilly 21 — 122 C3
Chazot 25 — 126 A3
Chazoy 25 — 125 D2
Chécy 45 — 99 E2
Chédigny 37 — 116 B3
Chef-Boutonne 79 — 147 D3
Chef-du-Pont 50 — 25 D4

Chef-Haut 88 — 86 C2
Cheffes 49 — 95 E3
Cheffois 85 — 130 B3
Cheffreville-Tonnencourt 14 — 53 E1
Le Chefresne 50 — 51 D1
Chéhéry 08 — 23 D1
Cheignieu-la-Balme 01 — 173 D1
Cheillé 37 — 115 E2
Cheilly-lès-Maranges 71 — 139 F1
Chein-Dessus 31 — 259 D2
Cheissoux 87 — 165 E2
Le Cheix 63 — 168 B3
Cheix-en-Retz 44 — 111 E3
Chélan 32 — 250 B1
Chelers 62 — 9 F2
Chélieu 38 — 172 C4
Chelle-Debat 65 — 249 F1
Chelle-Spou 65 — 249 E2
Chelles 60 — 34 C2
Chelles 77 — 58 A2
Chelun 35 — 94 A1
Chemaudin 25 — 125 D2
Chemault 45 — 80 A4
Chemazé 53 — 94 C2
Chemellier 49 — 114 A2
Chemenot 39 — 141 E1
Chémeré 44 — 113 D3
Chémeré-le-Roi 53 — 95 E1
Chémery 57 — 41 D4
Chémery 41 — 117 E2
Chémery-les-Deux 57 — 40 C2
Chémery-sur-Bar 08 — 21 F4
Chemilla 39 — 157 D1
Chemillé 49 — 113 E3
Chemillé-sur-Dême 37 — 97 E3
Chemillé-sur-Indrois 37 — 116 C3
Chemilli 61 — 76 C2
Chemilly 70 — 106 B3
Chemilly 03 — 153 F1
Chemilly-sur-Serein 89 — 102 C2
Chemilly-sur-Yonne 89 — 102 B2
Chemin 39 — 124 A4
Le Chemin 51 — 62 B1
Le Chemin des Dames 02 — 35 F1
Cheminas 07 — 187 E3
Cheminon 51 — 62 B1
Cheminot 54 — 64 B1
Chemiré-en-Charnie 72 — 75 F4
Chemiré-le-Gaudin 72 — 96 A1
Chemiré-sur-Sarthe 49 — 95 F3
Chemy 59 — 10 B1
Chenac-St-Seurin-d'Uzet 17 — 160 C2
Chenailler-Mascheix 19 — 181 F3
La Chenalotte 25 — 126 C3
Chénas 69 — 155 E2
Chenaud 24 — 178 B2
Chenay 79 — 147 D2
Chenay 51 — 36 B2
Chenay 72 — 76 B1
Chenay-le-Châtel 71 — 154 A2
Le Chêne 10 — 60 C4
Chêne-Arnoult 89 — 101 E1
Chêne-Bernard 39 — 141 D1
Chêne-Chenu 28 — 55 F4
Chêne-en-Semine 74 — 157 E3
Chêne-Sec 39 — 141 D1
Chenebier 70 — 107 E3
Chenecey-Buillon 25 — 125 D3
Cheneché 86 — 132 A2
Chênedollé 14 — 51 F2
Chênedouit 61 — 52 C3
Chênehutte-les-Tuffeaux 49 — 114 B2
Chénelette 69 — 155 D3
Chénérailles 23 — 151 D3
Chénereilles 42 — 170 B4
Chénereilles 43 — 186 B3
Chenevelles 86 — 132 C2
Chenevières 54 — 65 E3
Chenevrey-et-Morogne 70 — 124 C2
Chênex 74 — 157 F3
Cheney 89 — 102 C1
Chenicourt 54 — 64 C2
Chenières 54 — 40 C1
Cheniers 51 — 61 D2
Cheniers 23 — 150 B2
Chenillé-Changé 49 — 95 D3

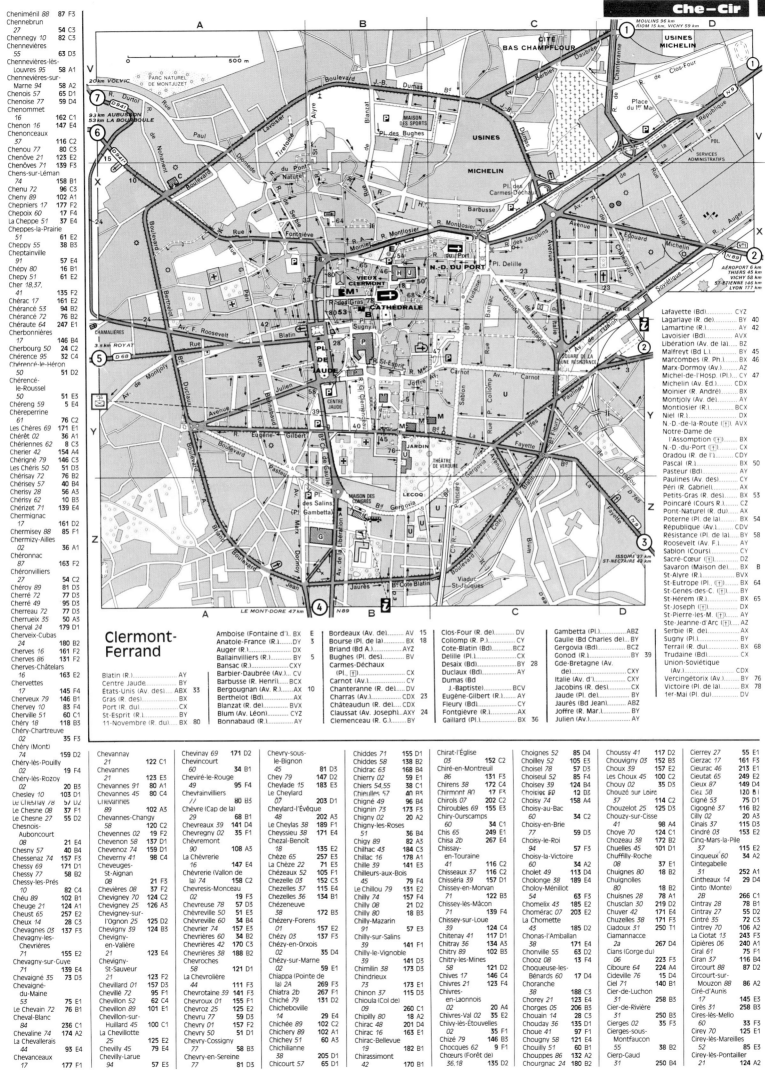

Cheniménil 88 — 87 F3
Chennebrun 27 — 54 C3
Chennegy 10 — 82 C3
Chennevières 55 — 63 D3
Chennevières-lès-Louvres 95 — 58 A1
Chennevières-sur-Marne 94 — 58 A2
Chenois 57 — 65 D1
Chenoise 77 — 59 D4
Chenommet 16 — 162 C1
Chenon 16 — 147 E4
Chenonceaux 37 — 116 C2
Chenou 77 — 80 C1
Chenôve 21 — 123 E2
Chenôves 71 — 139 F3
Chens-sur-Léman 74 — 158 B1
Chenu 72 — 96 C3
Cheny 89 — 102 A1
Chepniers 17 — 177 F2
Chepoix 60 — 17 F4
La Cheppe 51 — 37 E4
Cheppes-la-Prairie 51 — 61 E2
Cheppy 55 — 38 B3
Cheptainville 91 — 57 E4
Chépy 80 — 16 B1
Chepy 51 — 61 E2
Cher 18,37, 41 — 135 F2
Chérac 17 — 161 E2
Chérancé 53 — 94 B2
Chérancé 72 — 76 B2
Chéraute 64 — 247 E1
Cherbonnières 17 — 146 B4
Cherbourg 50 — 24 C2
Chérence 95 — 32 C4
Chérencé-le-Héron 50 — 51 D2
Chérencé-le-Roussel 50 — 51 E3
Chéreng 59 — 5 E4
Chéreperrine 61 — 76 C2
Les Chères 69 — 171 E1
Cherêt 02 — 36 A1
Chériennes 62 — 8 C3
Cherier 42 — 154 A4
Chérigné 79 — 146 C3
Les Chéris 50 — 51 D3
Chérisay 72 — 76 B2
Chérisey 57 — 40 B4
Chérisy 28 — 56 A3
Chérisy 62 — 10 B3
Chérizet 71 — 139 E4
Chermignac 17 — 161 D2
Chermisey 88 — 85 F1
Chermizy-Ailles 02 — 36 A1
Chéronnac 87 — 163 F2
Chéronvilliers 27 — 54 C2
Chéroy 89 — 81 D3
Cherré 72 — 77 D3
Cherré 49 — 95 D3
Cherreau 72 — 77 D3
Cherrueix 35 — 50 A3
Cherval 24 — 179 D1
Cherveix-Cubas 24 — 180 B2
Cherves 16 — 161 F2
Cherves 86 — 161 E2
Cherves-Châtelars 16 — 163 E2
Chervettes 17 — 145 F4
Cherveux 79 — 146 B1
Chervey 10 — 83 F4
Cherville 51 — 60 C1
Chéry 18 — 118 B3
Chéry-Chartreuve 02 — 35 F3
Chéry (Mont) 74 — 159 D2
Chéry-lès-Pouilly 02 — 19 F4
Chéry-lès-Rozoy 02 — 20 B3
Chesley 10 — 103 D1
Le Chesnay 78 — 57 D2
Le Chesne 08 — 37 F1
Le Chesne 27 — 55 D2
Chesnois-Auboncourt 08 — 21 E4
Chesny 57 — 40 B4
Chessenaz 74 — 157 F3
Chessy 69 — 171 D1
Chessy 77 — 58 B2
Chessy-les-Prés 10 — 82 C4
Chéu 89 — 102 B1
Cheuge 21 — 124 A1
Cheust 65 — 257 E2
Cheux 14 — 28 C3
Chevagnes 03 — 137 F3
Chevagny-les-Chevrières 71 — 155 E2
Chevagny-sur-Guye 71 — 139 E4
Chevaigné 35 — 73 D3
Chevaigné-du-Maine 53 — 75 E1
Le Chevain 72 — 76 B1
Cheval-Blanc 84 — 236 C1
Chevaline 74 — 174 A2
La Chevallerais 44 — 93 E4
Chevanceaux 17 — 177 F1

Chevannay 21 — 122 C1
Chevannes 21 — 123 E3
Chevannes 91 — 80 A1
Chevannes 80 — 80 C4
Chevannes 89 — 102 A3
Chevannes-Changy 58 — 120 C2
Chevennes 02 — 19 F2
Chevenon 58 — 137 D1
Chevenoz 74 — 159 D1
Cheverny 41 — 98 C4
Cheveuges-St-Aignan 08 — 21 E3
Chevières 08 — 37 F2
Chevigney 70 — 124 C2
Chevigney 25 — 126 A3
Chevigney-sur-l'Ognon 25 — 125 D2
Chevigny 39 — 124 B3
Chevigny-en-Valière 21 — 123 E4
Chevigny-St-Sauveur 21 — 123 F2
Chevillard 01 — 157 D3
Chevillé 72 — 95 F1
Chevillon 52 — 62 C4
Chevillon 89 — 101 E1
Chevillon-sur-Huillard 45 — 100 C1
La Chevillotte 25 — 125 E2
Chevilly 45 — 79 E4
Chevilly-Larue 94 — 57 E3

Chevinay 69 — 171 D2
Chevincourt 60 — 34 B1
Cheviré-le-Rouge 49 — 95 F4
Chevrainvilliers 77 — 80 B3
Chèvre (Cap de la) 29 — 68 B1
Chevreaux 39 — 141 D4
Chevregny 02 — 35 F1
Chèvremont 90 — 108 A3
La Chèvrerie 16 — 147 E4
Chèvrerie (Vallon de la) 08 — 21 E3
Chevresis-Monceau 02 — 19 F3
Chevreuse 78 — 57 D3
Chèvreville 60 — 34 B4
Chèvreville 50 — 51 E3
Chevrier 74 — 157 F3
Chevrières 60 — 34 B2
Chevrières 42 — 170 C3
Chevrières 38 — 188 B2
Chevroches 58 — 121 D1
La Chevrolière 44 — 111 F3
Chevrotaine 39 — 141 F3
Chevroux 01 — 155 F1
Chevroz 25 — 125 E2
Chevru 77 — 58 B3
Chevry 01 — 157 F2
Chevry-Cossigny 77 — 58 A3
Chevry-en-Sereine 77 — 81 D3

Chevry-sous-le-Bignon 45 — 81 D3
Chey 79 — 147 D2
Cheylade 15 — 183 E3
Le Cheylard 07 — 203 D1
Cheylard-l'Évêque 48 — 202 A3
Le Cheylas 38 — 189 F1
Cheyssieu 38 — 171 E4
Chezal-Benoît 18 — 135 E2
La Chèze 22 — 71 E3
Chézeaux 52 — 105 F1
Chezelle 03 — 152 C3
Chezelles 37 — 115 E4
Chezelles 36 — 134 B1
Chézeneuve 38 — 172 B3
Chézery-Forens 01 — 157 F2
Chézy 03 — 137 F3
Chézy-en-Orxois 02 — 35 D4
Chézy-sur-Marne 02 — 59 E1
Chiappa (Pointe de la) 2A — 269 F3
Chiatra 2b — 267 F1
Chiché 79 — 131 D2
Chicheboville 14 — 29 E4
Chichée 89 — 102 C2
Chichery 89 — 102 A1
Chichey 51 — 60 A3
Chichilianne 38 — 205 D3
Chicourt 57 — 65 D1

Chiddes 71 — 155 D1
Chiddes 58 — 138 B2
Chidrac 63 — 168 B4
Chierry 02 — 59 E1
Chiers 54,55 — 38 C1
Chieulles 57 — 40 B3
Chigné 49 — 96 B4
Chignin 73 — 173 F3
Chigny 02 — 20 A2
Chigny-les-Roses 51 — 36 B4
Chigy 89 — 82 A3
Chilhac 43 — 184 C3
Chillac 16 — 178 A1
Chille 39 — 141 E3
Chilleurs-aux-Bois 45 — 79 F4
Le Chillou 79 — 131 E2
Chilly 74 — 157 F4
Chilly 08 — 21 D2
Chilly 80 — 18 B3
Chilly-Mazarin 91 — 57 E3
Chilly-sur-Salins 39 — 141 F1
Chilly-le-Vignoble 39 — 141 D1
Chilly-sur-Marne 39 — 141 D1
Chimilin 38 — 173 D3
Chindrieux 73 — 173 E1
Chinon 37 — 115 D3
Chioula (Col de) 09 — 260 C1
Chipilly 80 — 18 A2
Chirac 48 — 201 D4
Chirac 16 — 163 E1
Chirac-Bellevue 19 — 182 B1
Chirassimont 42 — 170 B1

Chirat-l'Église 03 — 152 C2
Chiré-en-Montreuil 86 — 131 F3
Chirens 38 — 172 C4
Chirmont 80 — 17 F3
Chirols 07 — 202 C2
Chiroubles 69 — 155 E3
Chiry-Ourscamps 60 — 34 C1
Chis 65 — 249 E1
Chisa 2b — 267 E4
Chissay-en-Touraine 41 — 116 C2
Chisseaux 37 — 116 C2
Chisséria 39 — 157 D1
Chissey-en-Morvan 71 — 122 B3
Chissey-lès-Mâcon 71 — 139 F4
Chissey-sur-Loue 39 — 124 C4
Chitenay 41 — 117 D1
Chitray 36 — 134 A3
Chitry 89 — 102 B3
Chitry-les-Mines 58 — 121 D2
Chives 17 — 146 C4
Chives 21 — 123 F4
Chivres 21 — 123 F4
Chivres-en-Laonnois 02 — 20 A4
Chivres-Val 02 — 35 E2
Chivy-lès-Étouvelles 02 — 35 F1
Chizé 79 — 146 B3
Chocques 62 — 3 E1

Choignes 52 — 85 D4
Choilley 52 — 105 E3
Choisel 78 — 57 D3
Choiseul 52 — 85 F4
Choisey 39 — 124 B4
Choisies 59 — 12 D3
Choisy 74 — 158 A4
Choisy-au-Bac 60 — 34 C2
Choisy-en-Brie 77 — 59 D3
Choisy-le-Roi 94 — 57 F3
Choisy-la-Victoire 60 — 34 A2
Cholet 49 — 116 B4
Cholonge 38 — 189 D4
Choloy-Ménillot 54 — 63 F3
Chomelix 43 — 185 E2
Chomérac 07 — 203 D2
La Chomette 43 — 185 D2
Chonas-l'Amballan 38 — 171 E4
Chonville 55 — 63 D2
Chooz 08 — 13 F4
Choqueuse-les-Bénards 60 — 17 D4
Choranche 38 — 188 C3
Chorey 21 — 123 E4
Chorges 05 — 206 B3
Chouain 14 — 28 C3
Chouday 36 — 135 D1
Choué 41 — 97 F1
Chougny 58 — 121 E4
Chouilly 51 — 60 B1
Chouppes 86 — 132 A2
Chœurs (Forêt de) 36,18 — 135 D2

Choussy 41 — 117 D2
Chouvigny 03 — 152 B3
Choux 39 — 157 E2
Les Choux 45 — 100 C2
Chouy 02 — 35 D3
Chouzé-sur-Loire 37 — 114 C2
Chouzelot 25 — 125 D3
Chouzy-sur-Cisse 41 — 98 A4
Choye 70 — 124 C1
Chozeau 38 — 172 B2
Chuelles 45 — 101 D1
Chuffilly-Roche 08 — 37 E1
Chuignes 80 — 18 B2
Chuignolles 80 — 18 B2
Chuisnes 28 — 78 A1
Chusclan 30 — 219 D2
Chuyer 42 — 171 E4
Chuzelles 38 — 171 F3
Ciadoux 31 — 250 T1
La Ciotat 13 — 243 F3
Cipières 06 — 240 A1
Ciral 61 — 75 F1
Ciran 37 — 116 B4
Circourt 88 — 87 D2
Circourt-sur-Mouzon 88 — 86 A2
Ciré-d'Aunis 17 — 145 E3
Cirès 31 — 258 B3
Cires-lès-Mello 60 — 33 F3
Cirey 70 — 125 E1
Cirey-lès-Mareilles 52 — 85 E3
Cirey-lès-Pontailler 21 — 124 A2

Cierrey 27 — 55 E1
Cierzac 17 — 161 F3
Cieurac 46 — 213 E1
Cieutat 65 — 249 E2
Cieux 87 — 149 D4
Ciez 58 — 120 B1
Cigné 53 — 75 D1
Cigogné 37 — 116 B2
Cilly 02 — 20 A3
Cinais 37 — 115 D3
Cindré 03 — 153 E2
Cinq-Mars-la-Pile 37 — 115 E2
Cinqueux 60 — 34 A2
Cintegabelle 31 — 252 A1
Cintheaux 14 — 29 A3
Cinto (Monte) 2B — 266 C2
Cintray 28 — 78 B1
Cintray 27 — 55 D2
Cintré 35 — 72 C3
Cintrey 70 — 106 A2

Clermont-Ferrand

Amboise (Fontaine d'). BX E
Anatole-France (R.).... DY 3
Auger (R.)............. DX
Ballainvilliers (R.).... BY 5
Bansac (R.)........... CXY
Barbier-Daubrée (Av.). CV
Barbusse (R. Henri)... BCX
Bergougnan (Av. R.)... AX 10
Berthelot (Bd.)........ BX
Blanzat (R. de)........ BVX
Blum (Av. Léon)....... CYZ
Bonnabaud (R.)........ AY

Blatin (R.)............. AY
Centre Jaude.......... BY
États-Unis (Av. des)... ABX 33
Gras (R. des).......... BX
Port (R. du)........... CX
St-Esprit (R.)......... BY
11-Novembre (R. du)... BX 80

Bordeaux (Av. de)..... AV 15
Bourse (Pl. de la)..... BX 18
Briand (Bd A.)......... AYZ
Bughes (Pl. des)...... BV
Carmes-Déchaux (Pl.)... CX
Carnot (Av.).......... CY
Chanteranne (R. de)... DV
Charras (R.).......... CDX 23
Châteaudun (R. de)... CDX
Claussat (Av. Joseph)... AXY 24
Clemenceau (R. G.)... BY

Clos-Four (R. de)..... DV
Collomp (R. P.)....... CY
Cote-Blatin (Bd.)..... BCZ
Delille (Pl.).......... CX
Desaix (Bd.).......... BY 28
Duclaux (Bd.)........ CXY
Dumas (Bd J.-Baptiste)... BCV
Eugène-Gilbert (R.)... BY
Fleury (Bd.).......... CY
Fontgiève (R.)........ AX
Gaillard (Pl.)......... BX 36

Gambetta (Pl.)....... ABZ
Gaulle (Bd Charles de)... BY
Gergovia (Bd.)....... BCZ
Gonod (Av.).......... BY 39
Gde-Bretagne (Av. de)... CXY
Italie (Av. d')....... CXY
Jacobins (R. des).... CX
Jaude (Pl. de)........ BY
Jaurès (Bd Jean)..... ABZ
Joffre (R. Mar.)...... AY
Julien (Av.)......... AY

Lafayette (Bd.)............ CYZ
Lagarlaye (R. de)........ BY 40
Lamartine (R.)............ AY 42
Lavoisier (Bd.)........... AVX
Libération (Av. de la)... BZ
Malfreyt (Bd L.).......... BY 45
Marcombes (R. Ph.)..... BX 46
Marx-Dormoy (Av.)....... AZ
Michel-de-l'Hosp. (Pl.)... CY 47
Michelin (Av. Éd.)....... CDX
Moinier (R. André)....... BX
Montjoly (Av.)........... AY
Montlosier (R.).......... BCX
Niel (R.)................. DX
N.-D.-de-la-Route (†)... AVX
Notre-Dame de l'Assomption (†)... BX
N.-D.-du-Port (†)....... CX
Oradou (R. de l')....... CDY
Pascal (R.)............. BX 50
Pasteur (Bd.).......... AY
Paulines (Av. des)..... AX
Péri (R. Gabriel)....... AX
Petits-Gras (R. des)... BX 53
Poincaré (Cours R.).... CZ
Pont-Naturel (R. du)... AX
Poterne (Pl. de la).... BX 54
République (Av. F.).... CDV
Résistance (Pl. de la)... BY 58
Roosevelt (Av. F.)..... AY
Sablon (Cours)......... CY
Sacré-Cœur (†)....... DZ
Savaron (Maison de)... BX B
St-Alyre (R.).......... BVX
St-Eutrope (Pl.)....... BX 64
St-Genès-des-C. (†)... BX
St-Hérem (†).......... BX 65
St-Joseph (†).......... DX
St-Pierre-les-M. (†)... AY
Ste-Jeanne-d'Arc (†)... AZ
Serbie (Av.)........... AX
Sugny (Bd.)............ BX
Terrail (R. du)........ BX 68
Trudaine (Bd.)......... AY
Union-Soviétique (Av.)... CDX
Vercingétorix (Av.)..... BY 76
Victoire (Pl. de la).... BX 78
1er-Mai (Pl. du)....... DV

Cirey-sur-Blaise 52 84 C2
Cirey-sur-Vezouze 54 65 F3
Cirfontaines-en-Azois 52 84 C4
Cirfontaines-en-Ornois 52 85 E1
Cirière 79 130 C2
Ciron 36 133 F3
Ciry-le-Noble 71 139 D3
Ciry-Salsogne 02 35 E2
Cisai-St-Aubin 61 53 F2
Cisery 89 103 D4
Cissac-Médoc 33 176 C2
Cissé 86 147 E1
Cisternes-la-Forêt 63 167 E2
Cistrières 43 185 D2
Citeaux (Abbaye de) 21 123 F3
Citerne 80 16 C1
Citers 70 107 D2
Citey 70 124 C1
Citou 11 253 F1
Citry 77 59 D1
Civaux 86 148 B1
Civens 42 170 B2
Civières 27 32 B3
Civrac-de-Blaye 33 177 E3
Civrac-de-Dordogne 33 195 D1
Civrac-en-Médoc 33 176 C1
Civray 86 147 E3
Civray 18 135 E1
Civray-de-Touraine 37 116 C2
Civray-sur-Esves 37 116 A4
Civrieux 01 171 E1
Civrieux-d'Azergues 69 171 E1
Civry 28 78 C4
Civry-en-Montagne 21 122 C2
Civry-la-Forêt 78 56 B2
Cizancourt 80 18 B2
Cizay-la-Madeleine 49 114 B3
Cize 01 156 C2
Cize 39 142 A2
Cizely 58 137 F1
Cizos 65 250 A1
Clacy-et-Thierret 02 35 F1
Cladech 24 197 D1
Clain 16,86 147 F2
Claira 66 262 C1
Clairac 47 211 D1
Clairavaux 23 166 B2
Clairefontaine-en-Yvelines 78 56 C4
Clairefougère 61 52 A2
Clairegoutte 70 107 E3
Clairfayts 59 12 C4
Clairfontaine 02 20 B1
Clairmarais 62 3 F3
Clairoix 60 34 B2
Clairvaux 10 84 B3
Clairvaux-d'Aveyron 12 199 E4
Clairvaux-les-Lacs 39 141 E3
Clairy-Saulchoix 80 17 E2
Clais 76 16 A3
Claix 39 189 D3
Claix 16 162 B4
Clam 17 161 E4
Clamanges 51 60 C2
Clamart 92 57 E2
Clamecy 58 121 D1
Clamecy 02 35 E2
Clamensane 04 221 F1
Clamerey 21 122 B1
Clamouse (Grotte de) 34 241 D2
Clans 06 241 D2
Clans 70 106 B3
Clansayes 26 219 E1
Le Claon 55 38 A3
Clape (Montagne de la) 11 255 D2
Le Clapier 12 233 D1
Clapiers 34 234 B2
Clara 66 262 A3
Clarac 31 250 B3
Clarac 65 249 F2
Claracq 64 226 C3
Clarafond 74 157 F3
Clarbec 14 30 A3
Clarens 65 250 A3
Clarensac 30 235 D1
Claret 04 206 A4
Claret 34 234 B1
Clarques 62 3 F4
Clary 59 11 D4
Classun 40 226 B2
Clastres 02 19 D3
Clasville 76 14 C3
Le Clat 11 261 E1
Claudon 88 86 C4
Le Claux 15 183 E3
Clavans-en-Haut-Oisans 38 190 A3
Clavé 79 131 E4

Claveisolles 69 155 D3
Clavette 17 145 E3
Claveyson 26 187 F2
Clavières 15 184 C4
Claviers 83 239 E2
Claville 27 31 E4
Claville-Motteville 76 15 F4
Clavy-Warby 08 21 D3
La Clave 85 129 E4
Claye-Souilly 77 58 B1
Clayes 35 72 C3
Les Clayes-sous-Bois 78 57 D2
La Clayette 71 154 C2
Clayeures 54 64 C4
Clazay 79 130 C2
Clécy 14 52 B1
Cléden-Cap-Sizun 29 68 A2
Cléden-Poher 29 69 F1
Cléder 29 45 F1
Clèdes 40 226 C2
Cleebourg 67 43 E4
Clefcy 88 88 B3
Clefmont 52 85 F4
Clefs 49 96 A3
Les Clefs 74 174 B1
Cléguer 56 90 B1
Cléguérec 56 70 C3
Clelles 38 205 E1
Clémencey 21 123 E2
Clémensat 63 168 B4
Clémery 54 64 B1
Clémont 18 100 A4
Clénay 21 123 F1
Clenleu 62 8 C1
Cléon 76 31 E2
Cléon-d'Andran 26 204 A3
Cleppé 42 170 B2
Clérac 17 177 F2
Cléré-du-Bois 36 133 E1
Cléré-les-Pins 37 115 E1
Cléré-sur-Layon 49 114 A3
Clérey 10 83 E3
Clérey-la-Côte 88 86 A1
Clérey-sur-Brenon 54 64 B4
Clergoux 19 182 A2
Clérieux 26 187 F3
Les Clérimois 89 82 A3
Le Clerjus 88 87 D4
Clerlande 63 168 B1
Clermain 71 155 D1
Clermont 40 225 E2
Clermont 60 33 F2
Clermont 74 157 E4
Clermont 09 259 F2
Clermont (Abbaye de) 53 74 B4
Clermont-Créans 72 96 A3
Clermont-de-Beauregard 24 179 E4
Clermont-Dessous 47 211 E2
Clermont-d'Excideuil 24 180 B1
Clermont-en-Argonne 55 38 A4
Clermont-en-Auge 14 29 F3
Clermont-les-Fermes 02 20 A4
Clermont-Ferrand 63 168 B2
Clermont-le-Fort 31 240 A4
Clermont-l'Hérault 34 233 E2
Clermont-Pouyguillès 32 228 A4
Clermont-Savès 32 229 D3
Clermont-Soubiran 47 212 A3
Clermont-sur-Lauquet 11 253 F3
Cléron 25 125 E3
Clerques 62 3 D3
Clerval 25 126 A1
Cléry 73 174 B2
Cléry 21 124 B2
Cléry-en-Vexin 95 32 C4
Cléry-Grand 55 38 B2
Cléry-Petit 55 38 B2
Cléry-St-André 45 99 D2
Cléry-sur-Somme 80 18 B1
Clesles 51 60 B4
Clessé 79 131 D3
Clessé 71 155 F1
Clessy 71 138 C4
Cléty 62 3 E4
Cleurie 88 87 E4
Cleuville 76 14 C3
Cléville 14 29 E3
Cléville 76 14 C3
Clévilliers 28 55 F4
Cleyrac 33 195 D1
Cleyzieu 01 172 C1
Clézentaine 88 87 E1

Clichy 92 57 E2
Clichy-sous-Bois 93 58 A2
Climbach 67 43 E4
Clinchamp 52 85 F3
Clinchamps-sur-Orne 14 29 D4
Le Clion-sur-Mer 44 161 E4
Cliousclat 26 203 F2
Cliponville 76 14 C3
Cliron 08 21 E2
La Clisse 17 160 C2
Clisson 44 112 B3
Clitourps 50 25 D2
Clohars-Carnoët 29 90 A1
Clohars-Fouesnant 29 69 D4
Le Cloître-Pleyben 29 69 E1
Le Cloître-St-Thégonnec 29 46 B3
Clomot 21 122 C3
Clonas-sur-Varèze 38 187 E1
Clos de Vougeot 21 123 E3
Clos-Fontaine 77 59 E2
La Clotte 17 178 A3
Clouange 57 40 A2
Cloué 49 114 E1
Les Clouzeaux 85 129 D3
Cloyes-sur-le-Loir 28 98 A1
Cloyes-sur-Marne 51 61 D3
Cl,res 76 15 E4
Clucy 39 125 D4
Clugnat 23 150 C2
Cluis 36 134 C4
Clumanc 04 222 B2
Cluny 71 155 E1
La Clusaz 74 174 C1
La Cluse 05 205 F2
La Cluse-et-Mijoux 25 142 C1
Cluses 74 159 D3
Clussais-la-Pommeraie 79 147 D3
Clux 71 140 C1
Coadout 22 47 D3
Coaraze 06 241 D3
Coarraze 64 248 C2
Coat-Méal 29 45 D2
Coatascorn 22 47 D1
Coatréven 22 47 D1
Cobonne 26 204 B2
Cobrieux 59 10 C1
Cocalière (Grotte de la) 30 218 B1
La Cochère 61 53 E3
Cocherel 77 59 D1
Cocherel 27 32 A4
Cocheren 57 41 E3
Coclois 10 83 E1
Cocquerel 80 17 D1
Cocumont 47 195 D4
Cocurès 48 217 E1
Codalet 66 261 F2
Codognan 30 235 D2
Codolet 30 219 E3
Cœsmes 35 93 F1
Coëtlogon 22 71 E2
Coëtmieux 22 48 B4
Cœuvres-et-Valsery 02 35 D2
Coëx 85 128 C2
Coggia 2a 266 B3
Coglès 35 73 F1
Cogna 39 141 F3
Cognac 16 161 F2
Cognac-la-Forêt 87 164 B1
Cognat-Lyonne 03 153 D3
Cogners 72 97 E2
Cognet 38 189 E4
Cognières 70 106 C4
Cognin 73 173 E3
Cognin-les-Gorges 38 188 C2
Cognocoli-Monticchi 2a 268 C1
Cogny 69 155 E4
Cogny 18 136 B2
Cogolin 83 245 D2
Cohade 43 184 C1
Cohennoz 73 174 C2
Cohiniac 22 47 F4
Cohons 52 105 D2
Coiffy-le-Bas 52 105 F1
Coiffy-le-Haut 52 105 F1
Coigneux 80 9 F4
Coignières 78 56 C3
Coigny 50 27 D2
Coimères 33 194 C4
Coin-lès-Cuvry 57 40 B4
Coin-sur-Seille 57 40 B4
Coinces 45 99 D1
Coinches 88 88 B2
Coincourt 54 65 D3
Coincy 57 40 B4
Coincy 02 35 E4
Coings 36 134 C1
Coingt 02 20 B3
Coirac 33 194 C2
Coiron (Plateau du) 07 203 E3
Coise 69 172 A2
Coise-St-Jean-Pied-Gauthier 73 174 A3

Coiserette 39 157 E1
Coisevaux 70 107 E3
Coisia 39 157 D2
Coisy 80 17 E1
Coivert 17 146 B3
Coivrel 60 34 A1
Coizard-Joches 51 60 B2
Colamine-sous-Vodable 63 168 B4
Colayrac-St-Cirq 47 211 E2
Colembert 62 3 D3
Coligny 01 156 C1
Coligny 51 60 B2
Colincamps 80 9 F4
Collan 89 102 C2
La Collancelle 58 121 D3
Collandres 15 183 E2
Collandres-Quincarnon 27 54 C1
Collanges 63 184 B1
Collat 43 185 D2
La Colle-sur-Loup 06 240 B1
Collégien 77 58 B2
Collemiers 89 81 E3
Colleret 59 12 C3
Le Collet-de-Dèze 48 217 F2
Colletot 27 30 C2
Colleville 76 14 B3
Colleville-Montgomery 14 29 D3
Colleville-sur-Mer 14 28 B2
Collias 30 218 C4
Colligis-Crandelain 02 35 F1
Colligny 57 40 C4
Colline-Beaumont 62 8 B2
Collinée 22 71 F2
Collioure 66 263 D3
Collobrières 83 244 C2
Collonge-en-Charollais 71 139 D2
Collonge-la-Madeleine 71 139 E1
Collonges 01 157 E3
Collonges-au-Mont-d'Or 69 171 E1
Collonges-lès-Bévy 21 123 D3
Collonges-lès-Premières 21 124 A2
Collonges-la-Rouge 19 181 E3
Collonges-sous-Salève 74 158 A3
Collongues 65 249 E1
Collongues 06 223 E4
Collorec 29 69 E1
Collorgues 30 218 B3
Colmar 68 89 D3
Colmars 04 222 C2
Colmen 57 40 C2
Colméry 58 120 B2
Colmesnil-Manneville 76 15 E2
Colmey 54 39 D1
Colmier-le-Bas 52 104 C2
Colmier-le-Haut 52 104 C2
Colognac 30 217 F3
Cologne 32 229 D2
Colomars 06 240 C1
Colombe 38 188 C1
La Colombe 41 98 B2
La Colombe 50 51 D1
Colombe-la-Fosse 10 84 B2
Colombé-le-Sec 10 84 B3
Colombe-lès-Vesoul 70 106 C3
Colombelles 14 29 D3
Colombes 92 57 E2
Colombey-les-Belles 54 64 A4
Colombey-les-Choiseul 52 86 A4
Colombey-les-Deux-Églises 52 84 C3
Colombier 03 152 A2
Colombier 42 187 D1
Colombier 21 123 D3
Colombier 70 106 C3
Colombier 24 196 A2
Colombier-le-Cardinal 07 187 E2
Colombier-Châtelot 25 126 B1
Colombier-en-Brionnais 71 154 C1
Colombier-Fontaine 25 107 E4
Colombier-le-Jeune 07 187 E4
Colombier-Saugnieu 69 172 A2
Colombier-le-Vieux 07 187 E4

Colombière (Col de la) 74 158 C4
Colombières 14 28 A2
Colombières-sur-Orb 34 232 C3
Colombiers 61 76 A1
Colombiers 17 161 E3
Colombiers 18 136 A3
Colombiers 34 255 D1
Colombiers 86 132 B2
Colombiers-du-Plessis 53 74 C1
Colombiers-sur-Seulles 14 28 C2
Colombiès 12 215 D1
Colombotte 70 106 C3
Colomby 50 25 D3
Colomby de Gex (Mont) 01 157 F1
Colomby-sur-Thaon 14 29 D3
Colomiers 31 229 F3
Colomieu 01 173 D2
Colonard-Corubert 61 77 D1
Colondannes 23 150 A2
Colonfay 02 19 F2
Colonne 39 141 E1
Colonne de la Grande Armée 62 2 C3
Colonzelle 26 204 A4
Colorado de Rustrel 84 220 C4
Colpo 56 91 E1
Colroy-la-Grande 88 88 C2
Colroy-la-Roche 67 88 C1
Colle St-Michel (Col de la) 04 222 C3
Coltainville 28 78 C1
Coltines 15 184 A3
Coly 24 180 C3
Combaillaux 34 234 B2
Combas 30 234 C1
La Combe-de-Lancey 38 189 E2
Combe Genin 73 190 B2
Combe Laval 26 188 C4
Combeaufontaine 70 106 B3
Combefa 81 214 B3
Comberanche-et-Épeluche 24 178 C2
Comberjon 70 106 C3
Comberouger 82 229 E1
Combertault 21 123 F4
Combes 34 233 D3
Les Combes 25 126 B3
Combiers 16 163 D4
Comblanchien 21 123 E3
Combles 80 18 B1
Combles-en-Barrois 55 62 B3
Comblessac 35 92 C1
Combleux 45 99 E2
Comblot 61 77 D1
Comblux 74 159 D4
Combon 27 31 E4
Combourg 35 73 D1
Combourtillé 35 74 A2
Combovin 26 204 B1
Combrailles 63 167 D2
Combrand 79 130 B1
Combray 14 52 B1
Combre 42 154 C4
Combrée 49 94 B3
Combres 28 77 F2
Combres-sous-les-Côtes 55 39 D4
Combressol 19 166 B4
Combret 12 232 B1
Combreux 45 100 A1
Combrimont 88 88 C2
Combrit 29 68 C4
Combronde 63 152 C4
Combs-la-Ville 77 57 E3
La Comelle 71 138 C1
Comiac 46 182 A4
Comigne 11 254 A2
Comines 59 5 D1
Commana 29 46 A4
Commarin 21 122 C2
Commeaux 61 53 D2
Commelle (Étangs de) 60 34 A4
Commelle 38 172 B4
Commelle-Vernay 42 154 B4
Commenailles 39 141 D2
Commenchon 02 18 C4
Commensacq 40 209 D2
Commentry 03 152 A2

Commeny 95 33 D4
Commequiers 85 128 B2
Commer 53 75 D3
Commercy 55 63 D2
Commerveil 72 76 C2
Commes 14 28 B2
Commissey 89 103 D2
Communailles-en-Montagne 39 142 B2
Communay 69 171 E3
Compaing (Pas de) 15 183 E4
Compains 63 183 F1
Compainville 76 16 B4
Compans 77 58 B1
Le Compas 23 151 E2
Compertrix 51 61 D1
Compeyre 12 216 B2
Compiègne 60 34 B2
Compigny 89 81 E2
Compolibat 12 214 C1
La Compôte 73 174 A2
Comprégnac 12 216 A3
Compreignac 87 149 E4
Comps 30 235 F1
Comps 33 177 D3
Comps 26 204 B3
Comps-la-Grand-Ville 12 215 E2
Comps-sur-Artuby 83 239 E1
La Comté 62 9 E2
Comus 11 260 C1
Conan 41 98 B3
Conand 01 172 C1
Conat 66 261 F2
Conca 2a 269 E2
Concarneau 29 69 D4
Concevreux 02 36 A2
Concèze 19 180 C1
Conches 77 58 B2
Conches-en-Ouche 27 55 D1
Conchez-de-Béarn 64 227 D1
Conchil-le-Temple 62 8 B2
Conchy-les-Pots 60 18 B4
Conchy-sur-Canche 62 9 D3
Les Concluses 30 218 C2
Concorès 46 197 F3
Concoret 56 72 B3
Concots 46 213 F1
Concoules 30 217 F1
Concourson-sur-Layon 49 114 A3
Concremiers 36 133 E4
Concressault 18 119 E1
Concriers 41 98 C2
Condac 16 147 E4
Condal 71 140 C4
Condamine 39 141 D3
Condamine 01 157 D3
La Condamine-Châtelard 04 207 E3
Condat 46 181 E4
Condat 15 183 E1
Condat-en-Combraille 63 167 D1
Condat-lès-Montboissier 63 169 D4
Condat-sur-Ganaveix 19 165 E4
Condat-sur-Trincou 24 179 E2
Condat-sur-Vézère 24 180 C3
Condat-sur-Vienne 87 164 C2
Condé 36 135 D1
Condé-lès-Autry 08 37 F3
Condé-en-Barrois 55 62 C2
Condé-en-Brie 02 59 F1
Condé-Folie 80 17 D1
Condé-lès-Herpy 08 36 C1
Condé-Northen 57 40 C3
Condé-Ste-Libiaire 77 58 B2
Condé-sur-Aisne 02 35 E2
Condé-sur-l'Escaut 59 11 E2
Condé-sur-Huisne 61 77 E2
Condé-sur-Ifs 14 29 E4
Condé-sur-Iton 27 55 D2
Condé-sur-Marne 51 36 C4
Condé-sur-Noireau 14 52 B2

Condé-sur-Risle 27 30 C2
Condé-sur-Sarthe 61 76 A1
Condé-sur-Seulles 14 28 C3
Condé-sur-Suippe 02 36 B2
Condé-sur-Vesgre 78 56 B3
Condé-sur-Vire 50 27 E4
Condeau 61 77 E2
Condécourt 95 56 C1
Condeissiat 01 156 A3
Condéon 16 178 A1
Condes 39 157 D1
Condes 52 85 D3
Condette 62 2 C1
Condezaygues 47 196 C3
Condillac 26 203 F3
Condom 32 211 D4
Condom-d'Aubrac 12 200 B3
Condorcet 26 204 B4
Condren 02 19 D4
Condrieu 69 171 E4
Conflandey 70 106 B2
Conflans-en-Jarnisy 54 39 E4
Conflans-Ste-Honorine 78 57 D1
Conflans-sur-Anille 72 97 E1
Conflans-sur-Lanterne 70 106 C2
Conflans-sur-Loing 45 101 D1
Conflans-sur-Seine 51 60 A4
Confolens 16 148 B4
Confolens (Cascade de) 38 189 F4
Confolent-Port-Dieu 19 167 D4
Confort 01 157 E3
Confracourt 70 106 A3
Confrançon 01 156 A2
Congé-sur-Orne 72 76 B3
Congénies 30 235 D1
Congerville-Thionville 91 79 E2
Congis-sur-Thérouanne 77 58 C1
Congrier 53 94 A2
Congy 51 60 A2
Conie-Molitard 28 78 B4
Conilhac-Corbières 11 254 A2
Conilhac-de-la-Montagne 11 253 E4
Conjux 73 173 E2
Conlie 72 76 A3
Conliège 39 141 E3
Connac 12 215 E4
Connangles 43 185 D2
Connantray-Vaurefroy 51 60 C3
Connantre 51 60 B3
Connaux 30 219 D3
Conne-de-Labarde 24 196 A2
Connelles 27 32 A3
Connerré 72 76 C4
Connezac 24 163 D4
Connigis 02 59 F1
Conquereuil 44 93 D3
Conques 12 199 E3
Conques-sur-Orbiel 11 253 E1
Le Conquet 29 44 B3
Conqueyrac 30 217 F4
Cons-la-Grandville 54 39 D1
Cons-Ste-Colombe 74 174 B2
Consac 17 161 D4
Conségudes 06 223 F4
Consenvoye 55 38 B2
Consigny 52 85 E3
Consolation (Cirque de) 25 126 B3
Consolation-Maisonnettes 25 126 B3
Contalmaison 80 18 B1
Contamine-Sarzin 74 157 F4
Contamine-sur-Arve 74 158 B3
Les Contamines-Montjoie 74 175 D1
Contault 51 61 E1
Contay 80 17 F1
Conte 39 142 A2
Contes 06 241 E3
Contes 62 8 C2
Contescourt 02 19 D3
Contest 53 75 D2
Conteville-lès-Boulogne 62 2 C3
Conteville 14 29 E4
Conteville 76 16 B3

Conteville 62 9 E2
Conteville 80 9 D4
Conteville 27 30 B2
Conteville 60 17 D4
Conthil 57 65 E1
Contigné 49 95 E3
Contigny 03 153 D2
Contilly 72 76 C1
Continvoir 37 115 D1
Contoire 80 18 A3
Contrazy 09 259 E2
Contré 17 146 C4
Contre 80 17 D3
Contréglise 70 106 B2
Contremoulins 76 14 B3
Contres 36 134 A2
Contres 41 117 E1
Contreuve 08 37 E2
Contrevoz 01 173 D1
Contrexéville 88 86 B3
Contrières 50 50 C1
Contrisson 55 62 B2
Conty 80 17 E3
La Copechagnière 85 129 E1
Copeyre (Belvédère de) 46 198 A1
Copponex 74 158 A3
Coquainvilliers 14 30 A3
Coquelles 62 2 C2
La Coquille 24 164 A4
Corancez 28 78 C2
Corancy 58 121 F4
Coray 29 69 E2
Corbara 2b 264 C3
Corbarieu 82 213 D4
Corbas 69 171 F3
Corbehem 62 10 B2
Corbeil 51 61 E4
Corbeil-Cerf 60 33 E3
Corbeil-Essonnes 91 58 A4
Corbeilles 45 80 B4
Corbel 73 173 E4
Corbelin 38 172 C3
Corbenay 70 106 C1
Corbeny 02 36 A1
Corbère 66 262 B2
Corbère-Abères 64 227 D4
Corbère-les-Cabanes 66 262 B2
Corbères 04 237 F1
Corbie 80 18 A1
La Corbière 70 107 D2
Corbières 11 252 C1
Corbières 04 237 F1
Corbigny 58 121 E2
Corbon 14 29 F4
Corbon 61 77 D1
Corbonod 01 157 E4
Corbreuse 91 79 E1
La Corbière 70 107 D2
Corcelles-les-Arts 21 140 A1
Corcelles-lès-Cîteaux 21 123 F3
Corcelle-Mieslot 25 126 A1
Corcelles 01 157 D4
Corcelles 70 107 E4
Corcelles-en-Beaujolais 69 155 E4
Corcelles-Ferrières 25 125 D2
Corcelles-les-Monts 21 123 E2
Corcieux 88 88 B3
Corcondray 25 125 D2
Corconne 30 234 B1
Corcoué-sur-Logne 44 111 F4
Corcy 02 35 E2
Cordéac 38 205 F1
Cordebugle 14 30 B4
Cordelle 42 170 A1
Cordemais 44 111 E2
Cordes 81 214 A3
Cordès 63 167 F3
Cordes-Tolosannes 82 212 C4
Cordesse 71 122 B4
Cordey 14 52 C2
Cordieux 01 172 A1
Cordon 74 159 D4
Cordonnet 70 125 D1
Cordouan (Phare de) 33 160 A3
Coren 15 184 B3
Corenc 38 189 E2
Corent 63 168 B3
Corfélix 51 60 A2
Corgengoux 21 123 E4
Corgirnon 52 105 E2
Corgnac-sur-l'Isle 24 180 A1
Corgoloin 21 123 E4
Corlay 22 70 C1
Corlée 52 105 D2
Corlier 01 156 C1
Cormainville 28 78 C4

Cormatin 71 139 F4
Corme-Écluse 17 160 C3
Corme-Royal 17 160 C2
Cormeilles 60 17 D4
Cormeilles 27 30 B3
Cormeilles-en-Parisis 95 57 E2
Cormeilles-en-Vexin 95 33 D4
Cormelles-le-Royal 14 29 D3
Le Cormenier 79 146 B3
Cormenon 41 97 F3
Cormeray 50 50 C4
Cormeray 41 117 E1
Cormery 37 116 B2
Cormes 72 77 D5
Cormet de Roselend 73 175 D2
Cormicy 51 36 A2
Le Cormier 27 55 F1
Cormolain 14 28 B3
Cormont 62 8 B1
Cormontreuil 51 36 B3
Cormoranche-sur-Saône 01 155 F2
Cormost 10 83 D3
Cormot-le-Grand 21 139 F1
Cormoyeux 51 36 B4
Cormoz 01 140 C4
Corn 46 198 C3
Cornac 46 198 C1
Cornant 89 81 E4
Cornas 07 187 E4
Cornay 08 38 A2
Corné 49 114 A1
Cornebarrieu 31 229 F2
Corneilhan 34 233 D4
Corneilla-de-Conflent 66 261 F3
Corneilla-del-Vercol 66 262 C2
Corneillan 32 226 C2
Corneilla-la-Rivière 66 262 B2
Corneuil 27 55 E2
Corneville-la-Fouquetière 27 31 D4
Corneville-sur-Risle 27 30 C2
Corniche Angevine 49 113 E2
Corniche Bretonne 22 46 C1
Corniche de l'Armorique 22 46 B2
Corniche du Pail 53 75 F1
Corniche Sublime 83 239 D1
Cornier 74 158 A3
Corniéville 55 63 E2
Cornil 19 181 E2
Cornillac 26 204 C4
Cornille 24 179 F2
Cornillé 35 73 F4
Cornillé-les-Caves 49 95 F4
Cornillon 42 186 B1
Cornillon 30 218 C2
Cornillon-Confoux 13 236 C3
Cornillon-sur-l'Oule 26 204 C4
Cornimont 88 88 B4
Cornod 39 157 D2
Cornot 70 106 A3
La Cornuaille 49 94 B4
Cornus 12 216 B3
Cornusse 18 136 B1
Corny 27 32 B3
Corny-Machéroménil 08 21 D4
Corny-sur-Moselle 57 40 A4
Coron 49 113 E3
Corong (Gorges du) 22 70 B1
Corpe 85 129 F3
Corpeau 21 139 F1
Corpoyer-la-Chapelle 21 104 A4
Corps 38 205 F1
Corps-Nuds 35 73 D4
Corquilleroy 45 80 C4
Corquoy 18 135 F1
Corrano 2a 267 D2
Corravillers 70 107 E1
Corre 70 06 B1
Corrençon-en-Vercors 38 188 C3
Correns 83 238 B3
Corrèze 19 181 E1
Corribert 51 60 A1
Corrobert 51 59 F2
Corrombles 21 103 E4
Corronsac 31 230 A4
Corroy 51 60 B3

Corsaint 21 103 E4
Corsavy 66 262 A3
Corscia 2b 266 C1
Corse (Parc Régional) 2A,2B 264 B4
Corse (Cap) 2B 264 C1
Corsept 44 111 D2
Corseul 22 49 D4
Cortambert 71 139 F4
Corte 2b 267 D1
Cortevaix 71 139 F4
Cortone (Col de) 2A 268 B2
Cortrat 45 100 C2
Les Corvées-les-Yys 28 78 A2
Corveissiat 01 156 C1
Corvol-d'Embernard 58 120 C2
Corvol-l'Orgueilleux 58 120 C1
Corzé 49 95 E4
Cos 09 252 A4
Coscione (Plateau de) 2A 269 D1
Cosges 39 141 D2
Coslédaà-Lube-Boast 64 226 C4
Cosmes 53 94 C1
Cosnac 19 181 E3
Cosne-d'Allier 03 152 A1
Cosne-sur-Loire 58 120 A1
Cosnes-et-Romain 54 23 D4
Cosqueville 50 25 D1
Cossaye 58 137 F2
Cossé-d'Anjou 49 113 E3
Cossé-en-Champagne 53 95 F1
Cossé-le-Vivien 53 94 C1
Cossesseville 14 52 B1
Cosswiller 67 66 C3
Costa 2b 264 C3
Costaros 43 202 A1
Les Costes 05 206 A2
Les Costes-Gozon 12 215 F3
La Côte 70 107 E3
La Côte 2000 38 189 D3
La Côte-d'Aime 73 175 D3
La Côte-d'Arbroz 74 159 D2
Côte de Jade 44 110 C3
La Côte-en-Couzan 42 169 E2
La Côte-St-André 38 188 B1
Côte Sauvage 56 90 C3
Côte Vermeille 66 263 D3
Le Coteau 42 154 B4
Côtebrune 25 125 F2
Les Côtes-d'Arey 38 171 E4
Les Côtes-de-Corps 38 205 F1
Coti-Chiavari 2a 268 B2
Cotignac 83 238 C3
Cottance 42 170 B2
Cottenchy 80 17 F3
Cottévrard 76 15 F4
Cottier 25 124 C2
Cottun 14 28 B2
Cou (Col de) 74 158 C2
La Couarde 79 146 C2
La Couarde-sur-Mer 17 144 C2
Couargues 18 120 A2
Coubert 77 58 B3
Coubeyrac 33 195 D1
Coubisou 12 200 A3
Coubjours 24 180 C2
Coublanc 71 154 C3
Coublanc 52 105 E3
Coublevie 38 189 D1
Coublucq 64 226 C3
Coubon 43 185 F4
Coubre (Forêt de la) 17 160 A2
Coubre (Phare de la) 17 160 A2
Coubron 93 58 A2
Couches 71 139 E1
Couchey 21 123 E2
La Coucourde 26 203 F3
Coucouron 07 202 B1
Coucy 08 37 D1
Coucy-le-Château-Auffrique 02 37 D3
Coucy-lès-Eppes 02 20 A4
Coucy-la-Ville 02 35 E1
Couddes 41 117 D2
Coudehard 61 53 E2
Coudekerque 59 4 A1
Coudekerque-Branche 59 4 A1
Coudes 63 168 B3

Coudeville 50 50 B1
Coudons 11 253 D4
Coudoux 13 237 D3
Coudray 53 95 D2
Coudray 45 80 A3
Coudray 27 32 B2
Le Goudray 28 78 C1
Coudray-au-Perche 28 77 E3
Le Coudray-Macouard 49 114 B3
Le Coudray-Montceaux 91 58 A4
Coudray-Rabut 14 30 A2
Le Coudray-St-Germer 60 32 C2
Coudray-Salbart (Château) 79 146 B1
Le Coudray-sur-Thelle 60 33 E3
La Coudre 79 130 C1
Coudreceau 28 77 F2
Coudrecieux 72 97 D1
Coudres 27 55 E2
Coudroy 45 100 B2
Coudun 60 34 B1
Coudures 40 226 B2
Coueilles 31 250 C1
Couëron 44 111 E2
Couesmes 37 96 C4
Couesmes-en-Froulay 53 74 C1
Couesnon 35 73 E2
Couesque (Barrage de) 12 199 F2
Couffé 44 112 B1
Couffi 41 117 E2
Couffoulens 11 253 E2
Couffy-sur-Sarsonne 19 166 C3
Coufflens 09 259 E4
Coufouleux 81 230 B1
Cougnat (Grottes de) 46 197 F2
Couhé 86 147 E2
Couilly-Pont-aux-Dames 77 58 C2
Couin 62 9 F4
Couiza 11 253 E4
Couladère 31 251 D2
Coulaines 72 76 B4
Coulandon 03 137 E4
Coulangeron 89 102 A3
Coulanges 41 98 A4
Coulanges 03 138 B4
Coulanges-lès-Nevers 58 120 B4
Coulanges-sur-Yonne 89 102 A4
Coulanges-la-Vineuse 89 102 B3
Coulans-sur-Gée 72 76 A4
Coulans-sur-Lizon 25 125 E4
Coulaures 24 180 A2
Couledoux 31 258 C3
Couleuvre 03 136 C3
Coulevon 70 106 C3
Coulgens 16 162 C2
Coulimer 61 76 C1
Coullemelle 80 17 F4
Coullemont 62 9 E3
Coullons 45 100 B4
Coulmer 61 53 F3
Coulmier-le-Sec 21 103 F2
Coulmiers 45 99 D1
Coulobres 34 233 E4
Coulogne 62 3 D2
Coulomb 50 34 C2
Coulombiers 72 76 B2
Coulombiers 86 132 A4
Coulombs 28 56 A3
Coulombs 14 28 C3
Coulombs-en-Valois 77 35 D4
Coulombby 62 3 D4
Coulommes 77 58 C2
Coulommes-et-Marqueny 08 37 E1
Coulommes-la-Montagne 51 36 B3
Coulommiers 77 59 D2
Coulommiers-la-Tour 41 98 A2
Coulon 79 146 A1
Coulonces 14 51 E2
Coulonces 61 53 D2
La Coulonche 61 52 B3
Coulongé 72 96 B3
Coulonge-sur-Charente 17 161 D1
Coulonges 17 161 E3
Coulonges 16 162 B1
Coulonges 86 149 D1
Coulonges-Cohan 02 35 F3
Coulonges-les-Sablons 61 77 E1

Coulonges-sur-l'Autize 79 130 C4
Coulonges-sur-Sarthe 61 52 A4
Coulonges-Thouarsais 79 131 D1
Coulonvillers 80 8 C4
Couloumé-Mondebat 32 227 E2
Coulounieix-Chamiers 24 179 E3
Coulours 89 82 B3
Couloutre 58 120 B1
Coulouvray-Boisbenâtre 50 51 D2
Coulvain 14 28 B4
Coulx 47 196 A4
Coume 57 41 D3
Counozouls 11 261 E2
Coupelle-Neuve 62 9 D1
Coupelle-Vieille 62 9 D1
Coupesarte 14 30 A4
Coupetz 51 61 D2
Coupéville 51 61 E1
Coupiac 12 215 E4
Coupray 52 104 B1
Coupru 02 59 E1
Couptrain 53 75 E1
Coupvray 77 58 B2
Couquèques 33 176 C1
Cour-Cheverny 41 98 C4
Cour-et-Buis 38 171 F4
Cour-l'Évêque 52 104 C1
La Cour-Marigny 45 100 C2
Cour-St-Maurice 25 126 C2
Cour-sur-Loire 41 98 B3
Courances 91 80 B1
Courant 17 146 A4
Courban 21 104 A1
La Courbe 61 52 C3
Courbehaye 28 78 C3
Courbépine 27 30 C4
Courbes 02 19 E3
Courbesseaux 54 64 C3
Courbette 39 141 E3
Courbeveille 53 74 B4
Courbevoie 92 57 E2
Courbiac 47 212 B1
Courbillac 16 162 B3
Courboin 02 59 E1
Courbons 04 222 A2
Courbouzon 39 141 D3
Courbouzon 41 98 C3
Courboyer 61 77 D2
Courçais 03 151 E1
Courçay 37 116 B2
Courcebœufs 72 76 B3
Courcelles-le-Comte 62 10 A4
Courcelette 80 18 B1
Courcelles-la-Forêt 72 96 A2
Courcelles-lès-Gisors 60 32 C3
Courcelles-lès-Lens 62 10 B2
Courcelles 54 86 C1
Courcelles 25 125 D3
Courcelles 58 120 C1
Courcelles 45 80 A4
Courcelles 17 146 A4
Courcelles 90 108 B4
Courcelles-au-Bois 80 9 F4
Courcelles-Chaussy 57 40 C3
Courcelles-de-Touraine 37 115 D1
Courcelles-en-Barrois 55 63 D2
Courcelles-en-Bassée 77 81 D2
Courcelles-en-Montagne 52 105 D2
Courcelles-Epayelles 60 18 A4
Courcelles-Frémoy 21 122 A1
Courcelles-Sapicourt 51 36 A3
Courcelles-sous-Châtenois 88 86 B2
Courcelles-sous-Moyencourt 80 17 D3
Courcelles-sous-Thoix 80 17 D3
Courcelles-sur-Aire 55 62 C1
Courcelles-sur-Blaise 52 84 C1
Courcelles-sur-Nied 57 40 B4
Courcelles-sur-Seine 27 32 A3

Courcelles-sur-Vesle 02 35 F2
Courcelles-sur-Viosne 95 33 D4
Courcelles-sur-Voire 10 84 A1
Courcelles-Val-d'Esnoms 52 105 D3
Courcelles-lès-Montbard 21 103 E4
Courcelles-lès-Montbéliard 25 107 F4
Courcelles-lès-Semur 21 122 B1
Courcemain 51 60 B4
Courcemont 72 76 C3
Courcerac 17 161 F1
Courcerault 61 77 D1
Courceroy 10 81 F1
Courchamp 77 59 E4
Courchamps 02 35 D4
Courchamps 49 114 B3
Courchapon 25 124 C2
Courchaton 70 107 E4
Courchelettes 59 10 B2
Courchevel 1850 73 174 C4
Courcité 53 75 E2
Courcival 72 76 C3
Courcôme 16 147 E4
Courçon 17 145 F2
Courcoué 37 115 E4
Courcouronnes 91 57 F4
Courcoury 17 161 D2
Courcuire 70 125 D2
Courcy 50 27 D4
Courcy 51 36 B2
Courcy 14 53 D1
Courcy-aux-Loges 45 79 F4
Courdemanche 72 97 D2
Courdemanche 27 55 E2
Courdemanges 51 61 E3
Courdimanche 95 56 C1
Courdimanche-sur-Essonne 91 80 A2
Couret 31 258 C2
Courgains 72 76 B2
Courgeac 16 178 B1
Courgenard 72 77 E3
Courgenay 89 82 A2
Courgent 78 56 B2
Courgeon 61 77 D1
Courgeoût 61 77 D1
Courgis 89 102 B2
Courgivaux 51 59 F3
Courgoul 63 168 A4
Courgoul (Gorges de) 63 168 A4
Courjeonnet 51 60 A2
Courlac 16 178 B2
Courlandon 51 36 A2
Courlans 39 141 D3
Courlaoux 39 141 D3
Courlay 79 130 C2
Courléon 49 115 D1
Courlon 21 104 C3
Courlon-sur-Yonne 89 81 E2
Courmangoux 01 156 C1
Courmas 51 36 B3
Courmelles 02 36 A4
Courmemin 41 117 F1
Courménil 61 53 E2
Courmont 70 107 E3
Courmont 02 35 F4
Cournanel 11 233 E3
La Courneuve 93 57 F2
Courniou 34 232 B4
Cournols 43 168 A3
Cournon 56 92 C2
Cournon-d'Auvergne 63 168 B2
Cournonsec 34 234 A3
Cournonterral 34 234 A3
La Couronne 16 162 B3
Courouvre 55 62 C1
Courpalay 77 58 C3
Courpiac 33 194 C2
Courpière 63 169 D2
Courpignac 17 177 E1
Courquetaine 77 58 B3
Courrensan 32 227 F1
Courrières 62 10 B2
Courris 81 215 D4
Courry 30 218 B1
Cours 47 211 E1
Cours 79 130 C4
Cours 46 198 A4
Cours 58 120 A1
Le Cours 56 92 A2
Cours-les-Bains 33 210 B1

Cours-les-Barres 18 120 A4
Cours-de-Monségur 33 195 E2
Cours-de-Pile 24 196 A1
Cours-la-Ville 69 154 C3
Coursac 24 179 E3
Coursan 11 254 C2
Coursan-en-Othe 10 82 C4
Coursegoules 06 240 A1
Courset 62 3 D4
Courseulles-sur-Mer 14 29 D2
Courson 14 51 D2
Courson-les-Carrières 89 102 A4
Courson-Monteloup 91 57 D4
Court d'Aron 85 129 E4
Courtacon 77 59 E3
Courtagnon 51 36 B4
Courtalain 28 78 A4
Courtanvaux 72 97 E2
Courtaoult 10 82 C4
Courtauly 11 253 D3
Courtavon 68 108 B4
Courtefontaine 39 125 D3
Courtefontaine 25 126 C1
Courteilles 27 55 D3
Courteix 19 166 C3
Courtelevant 90 108 B4
Courtemanche 80 18 A4
Courtemaux 45 81 D4
Courtémont 51 37 F4
Courtemont-Varennes 02 35 F4
Courtempierre 45 80 B4
Courtenay 45 81 D4
Courtenay 38 172 B2
Courtenot 10 83 E3
Courteranges 10 83 F4
Courteron 10 83 F4
Courtes 01 140 B4
Courtesoult-et-Gatey 70 105 F3
Courtetain-et-Salans 25 126 A2
La Courtète 11 253 D2
Courteuil 60 34 A3
Courthézon 84 219 F3
Courthiézy 51 35 F4
Courties 32 227 D2
Courtieux 60 35 D2
Courtillers 72 95 F1
Courtils 50 50 C3
La Courtine 23 166 C3
Courtisols 51 61 E1
Courtivron 21 104 C4
Courtoin 89 81 F3
Courtois-sur-Yonne 89 81 E3
Courtomer 61 53 F4
Courtomer 77 58 C4
Courtonne-les-Deux-Églises 14 30 B4
Courtonne-la-Meurdrac 14 30 B4
Courtry 77 58 A2
Courvaudon 14 28 C4
Courvières 25 142 B1
Courville 51 36 A3
Courville-sur-Eure 28 76 C3
Courzieu 69 171 D2
Cousance 39 141 D4
Cousances-au-Bois 55 63 D2
Cousances-les-Forges 55 63 D2
Cousin 21,89 122 A2
Cousolre 59 12 C3
Coussa 09 252 B3
Coussac-Bonneval 87 164 C4
Coussan 65 249 E2
Coussay 86 132 A2
Coussay-les-Bois 86 133 D2
Coussegrey 10 103 D1
Coussergues 12 200 B4
Coussey 88 86 A1
Coust 18 136 A3
Coustaussa 11 253 E4
Coustouge 11 254 B3
Coustouges 66 262 B4
Coutances 50 26 C4
Coutansouze 03 152 B3

Coutarnoux 89 102 C4
Coutençon 77 81 D1
Couterne 61 52 B4
Couternon 21 123 F2
Couteuges 43 185 D2
Coutevroult 77 58 B2
Couthenans 70 107 F3
Couthures-sur-Garonne 47 195 E4
Coutiches 59 10 C2
Coutières 79 131 E4
Coutouvre 42 154 C3
Coutras 33 178 A3
Couture 16 162 C1
La Couture 62 10 A1
La Couture 85 129 E4
La Couture-Boussey 27 55 F2
Couture-d'Argenson 79 147 D4
Couturelle 62 9 F1
Coutures 49 114 A1
Coutures 82 212 B4
Coutures 24 179 D1
Coutures 57 65 D2
Coutures 33 195 D3
Couvains 61 54 B2
Couvains 50 27 E3
La Couvertoirade 12 216 C4
Couvertpuis 55 62 C4
Couvignon 10 84 B3
Couville 50 24 C3
Couvonges 55 62 B2
Couvrelles 02 35 E2
Couvron-et-Aumencourt 02 19 E4
Couvrot 51 61 E3
Coux 07 203 E2
Coux 17 177 E1
Coux-et-Bigaroque 24 197 D1
Couy 18 119 F3
La Couyère 35 93 E1
Couze 87 149 D3
Couze d'Ardes 63 184 B1
Couze-et-St-Front 24 196 B1
Couzeix 87 164 C1
Couziers 37 114 C3
Couzon 03 137 D3
Couzon-au-Mont-d'Or 69 171 E1
Couzou 46 198 A2
Cox 31 229 D2
Coye-la-Forêt 60 34 A4
Coyecques 62 3 E4
Coyolles 02 34 C3
Coyrière 39 157 E1
Coyron 39 141 E4
Coyviller 54 64 C4
Cozes 17 160 C3
Cozzano 2a 267 D4
Crach 56 91 D3
Crachier 38 172 B3
Crain 89 102 A4
Craincourt 57 64 C1
Craintilleux 42 170 B3
Crainvilliers 88 86 B3
Cramaille 02 35 E3
Cramans 39 124 C4
Cramant 51 60 B1
Cramchaban 17 145 F2
Craménil 61 52 B3
Cramoisy 60 33 F3
Cramont 80 9 D4
Crampagna 09 252 A3
Cran-Gevrier 74 158 A4
Crancey 10 82 B1
Crandelles 15 182 C4
Crannes-en-Champagne 72 96 A1
Cranou (Forêt du) 29 45 F4
Crans 01 156 B4
Crans 39 142 A2
Cransac 12 199 E4
Cranves-Sales 74 158 B2
Craon 53 94 C2
Craon 86 131 F2
Craonne 02 36 A1
Craonnelle 02 36 A1
Crapaud (Puy) 85 130 B2
Crapeaumesnil 60 18 B4
Craponne 69 171 E2
Craponne-sur-Arzon 43 185 E1
Crapuillots (Monument des) 02 35 E1
Cras 09 252 A2
Cras 38 188 C2
Cras-sur-Reyssouze 01 156 B2
Crastatt 67 66 C3
Crastes 32 228 C2
Crasville 50 25 D2
Crasville 27 31 F3

Crasville-la-Mallet 76 15 D3
Crasville-la-Rocquefort 76 15 D3
La Crau 83 244 B3
Crau (Plaine de la) 13 236 B3
Cravanche 90 107 F3
Cravans 17 161 D3
Cravant 45 98 C2
Cravant 89 102 B3
Cravant-les-Côteaux 37 115 E3
Cravencères 32 227 E1
Cravent 78 56 A1
Crayssac 46 197 E4
Crazannes 17 161 D1
Cré 72 95 F3
Créances 17 26 C3
Créancey 52 84 C4
Créancey 21 122 C2
Crécey-sur-Tille 21 104 C4
La Crèche 79 146 C1
Crèches-sur-Saône 71 155 E2
Créchets 65 250 A3
Créchy 03 153 D2
Crécy-au-Mont 02 35 F2
Crécy-la-Chapelle 77 58 C2
Crécy-Couvé 28 55 F3
Crécy-en-Ponthieu 80 8 C3
Crécy-sur-Serre 02 19 F3
Crédin 56 92 A1
Crédogne 63 169 D1
Crégols 46 198 B4
Crégy lès Meaux 77 58 C1
Créhange 57 41 D4
Créhen 22 49 D3
Creil 60 34 A3
Creissan 34 254 C1
Creissels 12 216 B3
Crémarest 62 3 D4
Cremeaux 42 169 F1
Crémery 80 18 B3
Crémieu 38 172 B2
Crempigny-Bonneguête 74 157 E4
Cremps 46 213 E1
Crenans 39 141 F4
Crenay 52 85 D4
Creney-près-Troyes 10 83 D2
Crennes-sur-Fraubée 53 75 F2
Creno (Lac de) 2A 266 C2
Créon 33 194 C3
Créon-d'Armagnac 40 210 B3
Créot 71 139 F1
Crépand 21 103 E4
Crépey 54 64 A4
Crépion 55 38 C2
Crépol 26 188 A2
Crépon 14 28 C2
Crépy 02 19 E4
Crépy 62 9 D1
Crépy-en-Valois 60 34 C3
Créquy 62 8 C1
Le Crès 34 234 B3
Cresancey 70 124 C1
Crésantignes 10 83 D3
Les Cresnays 50 51 D3
Crespian 30 234 C1
Crespières 78 56 C2
Crespin 81 214 C2
Crespin 59 11 E2
Crespin 12 214 C4
Crespinet 81 214 C4
Crespy-le-Neuf 10 84 A2
Cressac-St-Genis 16 162 B4
Cressanges 03 152 C1
Cressat 23 150 C3
Cressé 17 162 A1
Cresserons 14 29 D2
Cresseveuille 14 29 F3
Cressia 39 141 D4
Cressin-Rochefort 01 173 D2
La Cressonnière 14 53 F1
Cressonsacq 60 34 A1
Cressy 76 15 F3
Cressy-Omencourt 80 18 C3
Cressy-sur-Somme 71 138 B3
Crest 26 204 B2
Le Crest 63 168 B3
Crest-Voland 73 174 C1
Creste 63 168 A4
Crestet 84 220 A4
Crestet 07 187 D4
Crestot 27 31 E3
Crêt du Maure (Forêt du) 74 173 F1
Créteil 94 57 F3
Crêtes (Route des) 15 183 D1

Créton 27 55 E2
Cretteville 50 26 C2
Creuë 55 63 E1
Creully 14 28 C2
Creuse 80 17 E2
Creuse 23,36, 37,86 134 B4
La Creuse 70 107 E4
Le Creusot 71 139 E2
Le Creux 03 136 B4
Creuzier-le-Neuf 03 153 E2
Creuzier-le-Vieux 03 153 E2
Crevans-et-la-Chapelle-lès-Granges 70 107 E4
Crevant 36 150 B4
Crevant-Laveine 63 168 C1
Crévéchamps 54 64 C4
Crèvecœur-sur-l'Escaut 59 10 C4
Crèvecour-en-Auge 14 29 F4
Crèvecour-en-Brie 77 58 C3
Crèvecour-le-Grand 60 17 D4
Crèvecour-le-Petit 60 17 F4
Creveney 70 106 C3
Crévic 54 64 C3
Crévoux 05 207 D3
Creys-et-Pusignieu 38 172 C2
Creyssac 24 179 E2
Creysse 46 198 A1
Creysse 24 196 A1
Creysseilles 07 203 E1
Creyssensac-et-Pissot 24 179 E3
Crézançay-sur-Cher 18 135 F2
Crézancy 02 59 F1
Crézancy-en-Sancerre 18 119 E3
Crézières 79 146 C3
Crézilles 54 63 F4
Cricquebœuf 14 30 A2
Cricqueville-en-Auge 14 29 E3
Cricqueville-en-Bessin 14 27 F2
Criel-sur-Mer 76 15 F1
Crillon 60 33 D1
Crillon-le-Brave 84 220 A2
Crimolois 21 123 F2
Crion 54 65 D3
La Crique 76 15 F3
Criquebeuf-en-Caux 76 14 B3
Criquebeuf-sur-Seine 27 31 F2
Criquetot-l'Esneval 76 14 A4
Criquetot-le-Mauconduit 76 14 C3
Criquetot-sur-Longueville 76 15 E3
Criquetot-sur-Ouville 76 15 D3
Criquiers 76 16 B4
Crisenoy 77 58 B4
Crisolles 60 18 C4
Crissay-sur-Manse 37 115 E3
Crissé 72 76 A3
Crissey 39 124 B4
Crissey 71 140 A2
Cristinacce 2a 266 B2
Cristot 14 28 C3
Criteuil-la-Magdeleine 16 162 A4
Critot 76 15 F4
Croce 2b 265 E4
Crochte 59 4 A2
Crocicchia 2b 265 E4
Crocq 23 166 C1
Le Crocq 60 17 E4
Crocy 14 52 C2
Croettwiller 67 43 F4
Croignon 33 194 C3
Croisances 43 201 F1
Croisette 62 9 D2
La Croisille 87 150 A4
La Croisille-sur-Briance 87 165 E3
Croisilles 61 53 F3
Croisilles 62 10 B3
Croisilles 28 56 A4
Croismare 54 65 D3
Croissanville 14 29 E4
Croissy-Beaubourg 77 58 B2
Croissy-sur-Celle 60 17 E3
Croissy-sur-Seine 78 57 D2
Le Croisty 56 70 B3

Croisy 18 136 B1
Croisy-sur-Andelle 76 32 A1
Croisy-sur-Eure 27 55 F1
Croix 90 108 A4
Croix 59 5 E4
La Croix-aux-Bois 08 37 F2
La Croix-aux-Mines 88 88 B2
La Croix-Avranchin 50 50 C4
La Croix-Blanche 47 211 F1
Croix-Caluyau 59 11 E4
Croix-Chapeau 17 145 E2
Croix (Col de la) 2A 266 A1
La Croix-Comtesse 17 146 B3
Croix-de-Fer (Col de la) 73 190 A2
La Croix-de-la-Rochette 73 174 A4
La Croix-du-Perche 28 77 F2
La Croix-en-Brie 77 59 D4
La Croix-en-Champagne 51 37 E4
Croix-en-Ternois 62 9 E2
La Croix-en-Touraine 37 116 B2
Croix-Fonsommes 02 19 E2
Croix-Fry (Col de la) 74 174 B1
Croix Haute (Col de la) 26,38 205 E2
La Croix-Helléan 56 71 F4
Croix-Mare 76 15 D4
Croix-Moligneaux 80 18 C3
Croix (Plateau de la) 74 175 D1
La Croix-St-Leufroy 27 32 A4
La Croix-sur-Gartempe 87 148 C3
La Croix-sur-Ourcq 02 35 E3
La Croix-sur-Roudoule 06 223 D4
La Croix-Valmer 83 245 E2
Croixanvec 56 71 D3
Croixdalle 76 16 A3
La Croixille 53 74 B3
Croixrault 80 17 D3
Croizet-sur-Gand 42 170 B1
Crolles 38 189 E1
Crollon 50 50 C4
Cromac 87 149 E2
Cromary 70 125 E1
Cronat 71 138 A3
Cronce 43 184 C3
La Cropte 53 95 E1
Cropus 76 15 F3
Cros 63 167 D4
Cros 30 217 F4
Le Cros 34 233 E1
Cros-de-Géorand 07 202 C2
Cros-de-Montvert 15 182 B3
Cros-de-Ronesque 15 199 F1
Crosey-le-Grand 25 126 B1
Crosey-le-Petit 25 126 A1
Crosmières 72 95 F2
Crosne 91 57 F3
Crossac 44 110 C1
Crosses 18 119 E4
Crosville-sur-Douve 50 25 D4
Crosville-sur-Scie 76 15 E2
Crosville-la-Vieille 27 31 E3
Crotelles 37 97 E4
Crotenay 39 141 F2
Croth 27 55 F2
Le Crotoy 80 8 A3
Crots 05 206 C3
Crottes-en-Pithiverais 45 79 E4
Crottet 01 155 F2
Le Crouais 35 72 B2
Crouay 14 28 B2
La Croupte 14 53 F1
Crouseilles 64 227 D3
Croutelle 86 132 A4
Les Croûtes 10 102 C1
Croutoy 60 34 C2
Crouttes 61 53 E2
Crouttes-sur-Marne 02 59 E1
Crouy 02 35 F2
Crouy-en-Thelle 60 33 F3
Crouy-sur-Cosson 41 98 C3
Crouy-sur-Ourcq 77 35 D4

Le Crouzet 25 142 B2
Crouzet-Migette 25 125 E4
La Crouzille 63 153 A3
Crouzilles 37 115 E3
Crozant 23 150 A1
Croze 23 166 B2
Crozes-Hermitage 26 187 E3
Crozet 01 157 F2
Le Crozet 42 154 A3
Les Crozets 39 141 F4
Crozon 29 45 D4
Crozon-sur-Vauvre 36 150 D3
Cruas 07 203 F2
Crucey-Villages 28 55 D3
Crucheray 41 98 A3
Cruéjouls 12 200 B4
Cruet 73 173 F3
Crugey 21 123 D3
Crugny 51 36 A3
Cruguel 56 91 F1
Cruis 04 221 E3
Crulai 61 54 C3
Crupies 26 204 B3
Crupilly 02 19 F2
Cruscades 11 254 B2
Cruseilles 74 158 A3
Crusnes 54 39 E1
Crussol (Château de) 07 187 E4
Cruviers-Lascours 30 218 B3
Crux-la-Ville 58 121 D3
Cruzille 71 140 A4
Cruzilles-lès-Mépillat 01 155 F2
Cruzy 34 254 C1
Cruzy-le-Châtel 89 103 E2
Cry 89 103 E3
Cubelles 43 185 E4
Cubières 48 202 A4
Cubières-sur-Cinoble 11 253 F4
Cubiérettes 48 202 A4
Cubjac 24 180 A2
Cublac 19 180 C3
Cublize 69 154 C4
Cubnezais 33 177 E3
Cubrial 25 107 D4
Cubry 25 107 D4
Cubry-lès-Faverney 70 106 C2
Cubry-lès-Soing 70 106 B3
Cubzac-les-Ponts 33 177 E4
Cucharmoy 77 59 D4
Cuchery 51 36 A4
Cucq 62 8 B1
Cucugnan 11 262 A4
Cucuron 84 237 E1
Cudos 33 210 A1
Cudot 89 101 E1
Cuébris 06 223 F4
Cuélas 32 250 A1
Cuers 83 244 B2
Cuffies 02 35 E2
Cuffy 18 137 D1
Cugand 85 112 B4
Cuges-les-Pins 13 243 F1
Cugnaux 31 229 F3
Cugney 70 124 C1
Cugny 02 18 C3
Cuguen 35 73 D1
Cuguron 31 250 A1
Cuhon 86 131 F2
Cuignières 60 34 A1
Cuigy-en-Bray 60 32 C2
Cuillé 53 94 B1
Cuinchy 62 10 A1
Cuincy 59 10 B2
Le Cuing 31 250 B2
Cuinzier 42 154 C3
Cuirieux 02 20 A3
Cuiry-lès-Chaudardes 02 36 A2
Cuiry-Housse 02 35 F3
Cuiry-lès-Iviers 02 20 B3
Cuis 51 60 B1
Cuise-la-Motte 60 34 C2
Cuiseaux 71 141 D4
Cuiserey 21 124 A1
Cuisery 71 140 B4
Cuisia 39 141 D4
Cuisiat 01 156 C2
Cuisles 51 36 A4
Cuissai 61 76 A1
Cuissy-et-Geny 02 36 A2
Cuisy 51 38 B3
Cuisy 77 58 B1
Cuisy-en-Almont 02 35 D2
La Cula 71 171 D3
Culan 18 135 F4
Culètre 21 122 C3
Culey-le-Patry 14 52 B1
Culhat 63 168 C1
Culin 38 172 B4
Cully 14 28 C3
Culmont 52 105 E2
Culoz 01 173 E1
Culles-les-Roches 71 139 F3
Cult 70 124 C2

Cultures 48 201 D4
Cumières 51 36 B4
Cumières-le-Mort-Homme 55 38 B3
Cumiès 11 252 C1
Cumont 82 229 D1
Cunac 81 214 C4
Cunault 49 114 B2
Cuncy-lès-Varzy 58 120 C2
Cunèges 24 195 F2
Cunel 55 38 B2
Cunelières 90 108 A3
Cunfin 10 84 B4
Cuon 49 114 B1
Cuperly 51 37 D4
Cuq 47 211 F3
Cuq 81 231 D2
Cuq-Toulza 81 230 C3
Cuqueron 64 248 A1
Curac 16 178 B2
Curan 12 215 F2
Curbans 04 206 A4
Curbigny 71 154 C2
Curçay-sur-Dive 86 114 C4
Curchy 80 18 B3
Curciat-Dongalon 01 140 C4
Curcy-sur-Orne 14 52 B1
Curdin 71 138 C3
Cure 89 102 B3
Curel 04 221 D2
Curel 52 85 D1
Curemonte 19 181 E4
Cures 72 76 A4
Curey 50 56 B4
Curgies 59 11 E2
Curgy 71 122 B4
Curienne 73 173 F3
Curières 12 200 B3
Curis-au-Mont-d'Or 69 171 E1
Curley 21 123 E3
Curlu 80 18 B1
Curmont 52 84 C2
Curnier 26 204 C4
Cursan 33 194 C1
Curtafond 01 156 A2
Curtil-St-Seine 21 123 E1
Curtil-sous-Buffières 71 155 D1
Curtil-sous-Burnand 71 139 F3
Curtil-Vergy 21 123 E3
Curvalle 81 215 D4
Curzay-sur-Vonne 86 131 F4
Curzon 85 129 E4
Cusance 25 126 A1
Cuse-et-Adrisans 25 107 D4
Cusey 52 105 E3
Cussac 87 164 A2
Cussac 15 184 A4
Cussac-Fort-Médoc 33 177 D3
Cussac-sur-Loire 43 185 F4
Cussangy 10 83 D4
Cussay 37 116 A4
Cusset 03 153 E3
Cussey-les-Forges 21 104 C3
Cussey-sur-Lison 25 125 D4
Cussey-sur-l'Ognon 25 125 D4
Cussy 14 28 B2
Cussy-le-Châtel 21 122 C3
Cussy-la-Colonne 21 123 D4
Cussy-en-Morvan 71 122 A4
Cussy-les-Forges 89 121 F1
Custines 54 64 B2
Cusy 89 103 D2
Cusy 74 173 F2
Cutry 54 39 E1
Cutry 02 35 D2
Cuts 60 35 D1
Cutting 57 65 E1
Cuttoli-Corticchiato 2a 266 C4
Cuttura 39 157 E1
Cuvat 74 158 A4
Cuve 70 106 C1
Cuvergnon 60 34 C3
Cuverville 14 29 E3
Cuverville 76 14 B4
Cuverville 27 32 A3
Cuverville-sur-Yères 76 16 A1
Cuvier 39 142 B1
Cuvillers 59 10 C3
Cuvilly 60 34 B1
Cuvry 57 40 B4
Cuxac-Cabardès 11 253 E1
Cuxac-d'Aude 11 254 C2
Cuy 89 81 E3
Cuy 60 18 B4
Cuy-St-Fiacre 76 32 C1
Cuzac 46 199 D3

Cuzance 46 181 D4
Cuzieu 42 170 B3
Cuzieu 01 173 D1
Cuzion 36 139 B4
Cuzorn 47 196 C3
Cuzy 71 138 C2
Cys-la-Commune 02 35 F2
Cysoing 59 10 C1

D

Dabo 57 66 B3
Dachstein 67 67 D3
Dadonville 45 80 A3
Daglan 24 197 E2
Dagneux 01 172 A1
Dagny 77 59 D3
Dagny-Lambercy 02 20 B3
Dagonville 55 63 D2
La Daguenière 49 114 A1
Dahlenheim 67 66 C3
Daignac 33 194 C1
Daigny 08 22 A3
Daillancourt 52 84 C2
Daillecourt 52 85 F4
Dainville 62 10 A3
Dainville-Bertheléville 55 83 F1
Daix 21 123 E2
Dalem 57 41 D3
Dalhain 57 65 D1
Dalhunden 67 67 F2
Dallet 63 168 B2
Dallon 02 19 D2
Dalou 09 252 B3
Dalstein 57 40 C2
Daluis 06 223 E3
Daluis (Gorges de) 06 223 E3
Damas-aux-Bois 88 87 E1
Damas-et-Bettegney 88 87 D3
Damazan 47 211 D1
Dambach 67 43 D4
Dambach-la-Ville 67 89 D1
Dambelin 25 126 B1
Dambenois 25 108 A4
Dambenoît-lès-Colombe 70 107 D2
Damblain 88 86 A4
Damblainville 14 53 D1
Dambron 28 79 E4
Dame-Marie 61 77 D2
Dame-Marie 27 55 D2
Dame-Marie-les-Bois 37 98 A4
Damelevières 54 64 C4
Daméraucourt 60 17 D3
Damerey 71 140 B2
Damery 51 36 B4
Damery 80 18 B3
Les Dames de Meuse 08 22 A4
Damgan 56 91 F4
Damiatte 81 231 D2
Damigni 61 76 A1
Damloup 55 39 D3
Dammard 02 35 D4
Dammarie 28 78 C2
Dammarie-en-Puisaye 45 101 D4
Dammarie-les-Lys 77 80 B1
Dammarie-sur-Loing 45 101 D2
Dammarie-sur-Saulx 55 62 C4
Dammartin 39 124 B2
Dammartin-en-Goële 77 34 A4
Dammartin-en-Serve 78 56 B2
Dammartin-sur-Meuse 52 85 F4
Dammartin-sur-Tigeaux 77 58 C2
Dammartin-les-Templiers 25 125 F2
Damousies 59 12 B3
Damouzy 08 21 E3
Damparis 39 124 B3
Dampierre 14 27 F4
Dampierre 52 105 E1
Dampierre 10 61 D4
Dampierre 39 124 C3
Dampierre-au-Temple 51 37 D4
Dampierre-les-Bois 25 108 A4
Dampierre-le-Château 51 61 F1
Dampierre-lès-Conflans 70 106 C2
Dampierre-en-Bresse 71 140 C2
Dampierre-en-Burly 45 100 B3
Dampierre-en-Crot 18 119 E1

Dampierre-en-Graçay 18 118 B3
Dampierre-en-Montagne 21 122 C1
Dampierre-en-Yvelines 78 56 C3
Dampierre-et-Flée 21 105 E4
Dampierre-St-Nicolas 76 15 F2
Dampierre-sous-Bouhy 58 120 B1
Dampierre-sous-Brou 28 78 A3
Dampierre-sur-Avre 28 55 E3
Dampierre-sur-Blévy 28 55 E4
Dampierre-sur-Boutonne 17 146 B3
Dampierre-sur-le-Doubs 25 107 F4
Dampierre-sur-Linotte 70 106 C4
Dampierre-sur-Loire 49 114 C2
Dampierre-sur-Moivre 51 61 E2
Dampierre-sur-Salon 70 105 F4
Dampjoux 25 137 E2
Dampleux 02 35 D3
Dampmart 77 58 D2
Dampniat 19 181 E3
Damprichard 25 126 C2
Les Damps 27 31 F2
Dampsmesnil 27 32 B3
Dampvalley-lès-Colombe 70 106 C3
Dampvalley-St-Pancras 70 106 C1
Dampvitoux 54 39 E4
Damrémont 52 105 F1
Damville 27 55 E2
Damvillers 55 38 C2
Damvix 85 145 F2
Dancé 42 170 A1
Dancé 61 77 E2
Dancevoir 52 104 B1
Dancourt 76 16 B2
Dancourt-Popincourt 80 18 B4
Dancy 28 78 C2
Danestal 14 29 F3
Dangé-St-Romain 86 132 C1
Dangeau 28 78 B3
Dangers 28 78 B1
Dangeul 72 76 B3
Dangolsheim 67 66 C3
Dangu 27 32 C3
Dangy 50 27 D4
Danizy 02 19 E4
Danjoutin 90 107 F3
Danne-et-Quatre-Vents 57 66 B2
Dannelbourg 57 66 B2
Dannemarie 78 56 B3
Dannemarie 68 108 B3
Dannemarie 25 126 C1
Dannemarie-sur-Crète 25 125 D2
Dannemoine 89 102 C1
Dannemois 91 80 B1
Dannes 62 2 C4
Dannevoux 55 38 B2
Danvou-la-Ferrière 14 52 A1
Danzé 41 97 F2
Daon 53 94 C1
Daoulas 29 45 E3
Daoulas (Gorges de) 22 70 C2
Daours 80 17 F2
Darazac 19 182 B3
Darbonnay 39 141 E2
Darbres 07 203 E3
Darcey 21 104 A4
Dardenac 33 194 C1
Dardenay 52 105 E3
Dardez 27 31 F4
Dardilly 69 171 E2
Dareizé 69 171 D2
Dargies 60 17 D3
Dargilan (Grotte de) 48 216 C2
Dargnies 80 16 B2
Dargoire 42 171 E3
Darmannes 52 85 D3
Darmont 55 39 E3
Darnac 87 148 C3
Darnétal 76 31 F1
Darnets 19 182 B1
Darney 88 86 C4
Darney-aux-Chênes 88 86 B3
Darnieulles 88 87 D3
Darois 21 123 E1
Darvault 77 80 C3
Darvoy 45 99 F2
Dasle 25 108 A4
Daubensand 67 89 F1

Daubeuf-la-Campagne 27 31 E3
Daubeuf-près-Vatteville 27 32 A3
Daubeuf-Serville 76 14 B3
Daubèze 33 195 D2
Daudet (Moulin de) 13 236 A2
Dauendorf 67 67 D1
Daumazan-sur-Arize 09 251 F2
Daumeray 49 95 E3
Dauphin 04 221 E4
Dausse 47 212 B1
Daux 31 229 F2
Dauzat-sur-Vodable 63 168 B4
Davayat 63 168 B1
Davayé 71 155 E2
Davejean 11 254 A4
Davenescourt 80 18 A3
Davézieux 07 187 D2
Davignac 19 166 B4
Davrey 10 82 C4
Davron 78 56 C2
Dax 40 225 E2
Deauville 14 29 F2
Deaux 30 218 B3
Débats-Rivière-d'Orpra 42 169 F2
Decazeville 12 199 D3
Dechy 59 10 C2
Décines-Charpieu 69 171 F2
Decize 58 137 E2
Dédeling 57 65 D1
Dégagnac 46 197 E2
Degré 72 76 A4
Dehault 72 77 D3
Dehéries 59 11 D2
Dehlingen 67 42 A4
Deinvillers 88 87 E1
Delain 70 105 F4
Delettes 62 3 D4
Delincourt 60 32 C3
Delle 90 108 A4
Delme 57 64 C1
Delouze 55 63 D4
Le Déluge 60 33 E3
Delut 55 38 C1
Deluz 25 107 F3
Demandolx 04 222 C4
Demange-aux-Eaux 55 63 D4
Demangevelle 70 106 B1
Demi-Quartier 74 174 C1
La Demie 70 106 C3
Demigny 71 140 A1
Demoiselles (Grotte des) 34 217 E4
Démouville 14 29 E3
Dému 32 227 F1
Démuin 80 18 A3
Denain 59 11 D2
Dénat 81 231 E1
Denazé 53 94 C1
Denée 49 113 F1
Dénestanville 76 15 F3
Deneuille-lès-Chantelle 03 152 A1
Deneuille-les-Mines 03 151 F2
Deneuvre 54 87 F1
Denèvre 70 105 F4
Dénezé-sous-Doué 49 114 B2
Dénezé-sous-le-Lude 49 96 B4
Denezières 39 141 F3
Denguin 64 226 B4
Denicé 69 155 E4
Denier 62 9 E3
Denipaire 88 88 B1
Dennebrœucq 62 9 D1
Denneville 50 26 B2
Dennevy 71 139 F1
Denney 90 108 A3
Denonville 28 79 D2
Denting 57 41 D3
Déols 36 134 C2
Der-Chantecoq (Lac du) 51,52 62 A4
Derbamont 88 87 D2
Dercé 86 132 A1
Derchigny 76 15 F2
Dercy 02 19 F3
Dernacueillette 11 254 A4
Dernancourt 80 18 A1
Derval 44 93 E3
Désaignes 07 187 D4
Désandans 25 107 E4
Descartes 37 133 D1
Le Deschaux 39 141 D1
Le Désert 14 51 F1
Désertines 53 74 C1
Désertines 03 151 F2
Les Déserts 73 173 F3
Déservillers 25 125 E4
Desges 43 184 C4
Desingy 74 157 E4
Desmonts 45 80 B4
Desnes 39 141 D2
Desseling 57 65 F2
Dessenheim 68 89 E4
Dessia 39 156 C1

Dessoubre 25 126 B2
Destord 88 87 F2
La Destrousse 13 243 E2
Destry 57 65 D1
Desvres 62 3 D4
Détain-et-Bruant 21 123 D3
Détrier 73 174 A4
Le Détroit 14 52 C2
Les Détroits 48 216 C1
Dettey 71 138 C2
Dettwiller 67 66 C2
Deuil-la-Barre 95 57 E1
Deuillet 02 19 D4
Deûlémont 59 5 D1
Les Deux-Alpes 38 190 A3
Deux-Amants (Côte des) 27 32 A2
Deux-Chaises 03 152 C1
Deux-Évailles 53 75 D3
Les Deux-Fays 39 141 D1
Deux-Jumeaux 14 28 A2
Deux-Verges 15 200 C2
Les Deux-Villes 08 22 B3
Deuxnouds-aux-Bois 55 63 E1
Deuxnouds-devant-Beauzée 55 62 C1
Deuxville 54 65 D3
Devay 58 137 F2
Devecey 25 125 E2
Devesset 07 186 C3
Devèze 65 250 A1
Devèze (Grotte de la) 34 232 B4
Deviat 16 178 B1
Dévillac 47 196 C3
Déville-lès-Rouen 76 31 F1
La Devinière 37 115 D3
Devise 80 18 C2
Devrouze 71 140 C2
Deycimont 88 87 F3
Deyme 31 230 B4
Deyvillers 88 87 F2
Le Dézert 50 27 E3
Dezize-lès-Maranges 71 139 F1
D'Huison-Longueville 91 80 A1
Dhuisy 77 59 D1
Dhuizel 02 35 F2
Dhuizon 41 99 D4
Diable (Pont du) 73 174 A2
Diable (Roches du) 29 70 A4
Diancey 21 122 B3
Diane-Capelle 57 65 F2
Diant 77 81 D3
Diarville 54 86 C1
Diconne 71 140 B2
Dicy 89 101 E1
Didenheim 68 108 C2
Die 26 204 C2
Diebling 57 41 F3
Diebolsheim 67 89 E2
Diedendorf 67 66 A1
Dieffenbach-au-Val 67 89 D1
Dieffenbach-lès-Wœrth 67 67 E1
Dieffenthal 67 89 D2
Dieffmatten 68 108 B3
Dième 69 155 D4
Diemeringen 67 66 B1
Diémoz 38 172 A3
Diénay 21 104 C4
Dienné 86 148 A1
Dienne 15 183 E1
Diennes-Aubigny 58 137 F1
Dienville 10 84 A2
Dieppe 76 15 E2
Dieppe-sous-Douaumont 55 39 D3
Dierre 37 116 B2
Dierrey-St-Julien 10 82 C2
Dierrey-St-Pierre 10 82 C2
Diesen 57 41 D3
Dietwiller 68 108 C2
Dieudonné 60 33 E3
Dieue-sur-Meuse 55 63 E1
Dieulefit 26 204 B3
Dieulivol 33 195 E2
Dieulouard 54 64 B2
Dieupentale 82 229 E1
Dieuze 57 65 E2
Diéval 62 9 E2
Diffembach-lès-Hellimer 57 41 E4
Diges 89 102 A3
Dignac 16 162 C4
La Digne-d'Amont 11 253 D3
La Digne-d'Aval 11 253 E3
Dignonville 88 87 E2

Digny 28 55 E4
Digoin 71 138 B3
Digoine 71 139 D3
Digosville 50 24 B1
Digulleville 50 24 B1
Dijon 21 123 F2
Dilo 89 82 A4
Dimancheville 45 80 B3
Dimbsthal 67 66 B3
Dimechaux 59 12 B3
Dimont 59 12 B3
Dinan 22 49 E4
Dinan (Pointe de) 29 68 B1
Dinard 35 49 E3
Dinéault 29 69 D1
Dingé 35 73 D1
Dingsheim 67 67 D3
Dingy-en-Vuache 74 157 F3
Dingy-St-Clair 74 158 B4
Dinozé 88 87 E3
Dinsac 87 149 D2
Dinsheim 67 66 C4
Dinteville 52 84 B4
Dio-et-Valquières 34 233 D2
Dionay 38 188 B2
Dions 30 218 B4
Diors 36 134 C2
Diosaz (Gorges de la) 74 159 E4
Diou 36 118 B4
Diou 03 138 A4
Dirac 16 162 C3
Dirinon 29 45 E3
Dirol 58 121 D2
Dissais 85 129 E4
Dissangis 89 102 C4
Dissay 86 132 B3
Dissay-sous-Courcillon 72 97 D3
Dissé-sous-Ballon 72 76 B3
Dissé-sous-le-Lude 72 96 B3
Distré 49 114 B2
Distroff 57 40 B2
Diusse 64 227 D3
Divajeu 26 204 A2
Dives 14,61 29 F4
Dives-sur-Mer 14 29 E3
Divion 62 9 F2
Divonne-les-Bains 01 158 A1
Dixmont 89 82 A4
Dizimieu 38 172 B2
Dizy 51 36 B4
Dizy-le-Gros 02 20 B4
Doazit 40 226 A2
Doazon 64 226 B4
Docelles 88 87 F3
Dœuil-sur-le-Mignon 17 146 A3
Dognen 64 247 F1
Dogneville 88 87 E2
Dohem 62 3 E4
Dohis 02 20 B3
Doignies 59 10 B4
Doingt 80 18 C2
Doissat 24 197 D2
Doissin 38 172 C4
Doix 85 145 F1
Doizieux 42 187 D1
Dol-de-Bretagne 35 50 A4
Dolaincourt 88 86 B2
Dolancourt 10 84 A2
Dolcourt 54 64 A4
Dole 39 124 B3
Dolignon 02 20 B3
Doller 68 107 F2
Dolleren 68 108 A2
Dollon 72 77 D4
Dollot 89 81 F3
Dolmayrac 47 211 E1
Dolo 22 52 A1
Dolomieu 38 172 C3
Dolus-d'Oléron 17 144 C2
Dolus-le-Sec 37 116 B3
Dolving 57 66 A2
Dom (Forêt du) 83 245 D2
Dom-le-Mesnil 08 21 F3
Domagné 35 73 F4
Domaize 63 169 D3
Domalain 35 74 A4
Domancy 74 159 D4
Domarin 38 172 B3
Domart-en-Ponthieu 80 17 E1
Domart-sur-la-Luce 80 17 F2
Domats 89 81 E4
Dombasle-devant-Darney 88 86 C3
Dombasle-en-Argonne 55 38 B3
Dombasle-en-Xaintois 88 86 C2
Dombasle-sur-Meurthe 54 64 C3
Domblans 39 141 E2
Dombras 55 38 C2
Dombrot-le-Sec 88 86 B3
Dombrot-sur-Vair 88 86 B2

Dôme (Puy de) 63 167 F2
Domecy-sur-Cure 89 121 E1
Domecy-sur-le-Vault 89 121 E1
Doméliers 60 17 E4
Domène 38 189 E2
Domérat 03 151 E1
Dômes (Monts) 63 167 F2
Domesmont 80 9 D4
Domessargues 30 218 B4
Domessin 73 173 D3
Domèvre-en-Haye 54 64 A2
Domèvre-sous-Montfort 88 86 C2
Domèvre-sur-Avière 88 87 D3
Domèvre-sur-Durbion 88 87 E2
Domèvre-sur-Vezouze 54 65 E4
Domeyrat 43 185 D2
Domeyrot 23 150 C2
Domezain-Berraute 64 247 E1
Domfaing 88 88 A2
Domfessel 67 66 A1
Domfront 60 18 A4
Domfront 61 52 A4
Domfront-en-Champagne 72 76 A4
Domgermain 54 63 F3
La Dominelais 35 93 E2
Dominois 80 8 C3
Domjean 50 51 E1
Domjevin 54 65 E4
Domjulien 88 86 C2
Domléger-Longvillers 80 9 D4
Domloup 35 73 F4
Dommarie-Eulmont 54 86 C1
Dommarien 52 105 E3
Dommartemont 54 64 B3
Dommartin 69 171 E1
Dommartin 80 17 E3
Dommartin 58 121 E4
Dommartin 25 142 C1
Dommartin 01 156 A2
Dommartin (Anc. abbaye de) 62 8 C3
Dommartin-aux-Bois 88 87 D3
Dommartin-la-Chaussée 54 39 E4
Dommartin-le-Coq 10 83 E1
Dommartin-lès-Cuiseaux 71 140 C4
Dommartin-le-Franc 52 84 C1
Dommartin-Lettrée 51 61 D3
Dommartin-la-Montagne 55 39 D4
Dommartin-lès-Remiremont 88 87 F4
Dommartin-le-St-Père 52 84 C1
Dommartin-sous-Amance 54 64 C2
Dommartin-sous-Hans 51 37 F4
Dommartin-sur-Vraine 88 86 B2
Dommary-Baroncourt 55 39 D2
Domme 24 197 E2
Dommery 08 21 D3
Dommiers 02 35 D2
Domnom-lès-Dieuze 57 65 E1
Domont 95 57 E1
Dompaire 88 87 D2
Dompcevrin 55 63 D1
Dompierre 60 18 A4
Dompierre 61 52 B3
Dompierre 88 87 E2
Dompierre-aux-Bois 55 63 D1
Dompierre-Becquincourt 80 18 B2
Dompierre-du-Chemin 35 74 A2
Dompierre-les-Églises 87 149 E2
Dompierre-en-Morvan 21 122 A1
Dompierre-sous-Sanvignes 71 139 D3

Dompierre-sur-Authie 80 8 C3
Dompierre-sur-Besbre 03 138 A4
Dompierre-sur-Chalaronne 01 155 F3
Dompierre-sur-Charente 17 161 E2
Dompierre-sur-Helpe 59 12 B4
Dompierre-sur-Héry 58 121 D2
Dompierre-sur-Mer 17 145 E2
Dompierre-sur-Mont 39 141 E3
Dompierre-sur-Nièvre 58 120 B3
Dompierre-sur-Veyle 01 156 B3
Dompierre-sur-Yon 85 129 E2
Dompierre-les-Tilleuls 25 142 B1
Dompnac 07 202 B3
Domprel 25 126 A2
Dompremy 51 61 F2
Domprix 54 39 E2
Domps 87 165 E3
Domptail 88 87 E1
Domptail-en-l'Air 54 64 C4
Domptin 02 59 E1
Domqueur 80 9 D4
Domremy-aux-Bois 55 63 D3
Domremy-la-Canne 55 39 D2
Domremy-en-Ornois 52 85 E2
Domremy-la-Pucelle 88 86 A1
Domsure 01 156 B1
Domvallier 88 86 C2
Domvast 80 8 C3
Don 59 10 B1
Donazac 11 253 D3
Donchery 08 21 F3
Doncières 88 87 F1
Doncourt-aux-Templiers 55 39 E4
Doncourt-lès-Conflans 54 39 E4
Doncourt-lès-Longuyon 54 39 D1
Doncourt-sur-Meuse 52 85 F3
Dondas 47 212 A2
Donges 44 111 D1
Donjeux 52 85 D2
Donjeux 57 64 C1
Le Donjon 03 153 F2
Donnay 14 52 B1
Donnazac 81 214 A4
Donnelay 57 65 E2
Donnemain-St-Mamès 28 78 B4
Donnemarie 52 85 E4
Donnemarie-Dontilly 77 81 E1
Donnement 10 83 F1
Donnenheim 67 67 D2
Donnery 45 99 F1
Donneville 31 230 A4
Donnezac 33 177 E2
Donon 67 66 B4
Donon (Col du) 88 66 B4
Dontreix 23 151 F4
Dontrien 51 37 D3
Donville-les-Bains 50 50 B2
Donzac 82 212 A3
Donzac 33 194 C2
Donzacq 40 225 F2
Le Donzeil 23 150 C4
Donzenac 19 181 D2
Donzère 26 203 F4
Donzère-Mondragon (Ouvrages de) 84 219 E1
Donzy 58 120 B2
Donzy-le-National 71 155 D1
Donzy-le-Pertuis 71 155 E1
Doranges 63 185 D1
Dorans 90 107 F3
Dorat 63 168 C1
Le Dorat 87 149 D2
Dorceau 61 77 E1
Dordives 45 80 C4
Dordogne 19, 24,33,46 196 A1
Dore 63 169 D3
Dore-l'Église 63 185 E1
La Dorée 53 74 B1
Dorengt 02 19 F1
Dorlisheim 67 66 C4
Dormans 51 35 F4
Dormelles 77 81 D2
La Dornac 24 180 C4
Dornas 07 203 D1
Dornecy 58 121 D1
Dornes 58 137 E3
Dornot 57 40 A4
Dorres 66 261 D3
Dortan 01 157 D1
Dosches 10 83 E2
Dosnon 10 61 D4
Dossenheim-Kochersberg 67 67 D3

Dossenheim-sur-
Zinsel 67   66 C2
Douadic 36   133 E3
Douai 59   10 B2
Douains 27   55 F1
Douarnenez
29   68 C2
Douaumont
55   38 C3
Douaumont (Fort
de) 55   38 C3
Double (Forêt de la)
24   178 C3
Doubs 25,39   126 A1
Doubs 25   142 C1
Doubs (Saut du)
25   126 C3
Doucelles 72   76 B3
Douchapt 24   179 D2
Douchy 45   101 E1
Douchy 02   18 C3
Douchy-lès-Ayette
62   10 A4
Douchy-les-Mines
59   11 D3
Doucier 39   141 F3
Doucy 73   174 F3
Doucy-en-Bauges
73   174 A2
Doudeauville 62   3 D4
Doudeauville
76   16 B4
Doudeauville-
en-Vexin 27   32 B2
Doudelainville
80   16 C1
Doudeville 76   15 D3
Doudrac 47   196 B3
Doue 77   59 D2
Doué-la-Fontaine
49   114 B3
Douelle 46   197 É4
Le Douhet 17   161 D1
Douillet 72   76 A2
Douilly 80   18 C3
Doulaincourt
52   85 D2
Doulaize 25   125 D4
Doulcon 08   38 B2
Doulevant-
le-Château
52   84 C4
Doulevant-le-Petit
52   84 C4
Doulezon 33   195 D1
Le Doulieu 59   4 C4
Doullens 80   9 E4
Doumely-Bégny
08   20 C4
Doumy 64   226 A1
Dounoux 88   87 E3
Dourbie 50,
48   216 C3
Dourbie (Gorges de
la) 30,48   216 C3
Dourbies 30   217 D3
Dourdain 35   73 F3
Dourdan 91   79 E1
Dourdan (Forêt de)
78,91   79 E1
Dourges 62   10 B2
Dourgne 81   231 D4
Douriez 62   8 C3
Dourlers 59   12 B4
Le Dourn 81   215 D3
Dournazac 87   164 A3
Dournon 39   142 A1
Dours 65   249 E1
Doussard 74   174 A2
Doussay 86   132 A2
Douvaine 74   158 B1
Douve 50   27 D2
Douville 24   179 E4
Douville-en-Auge
14   29 F3
Douville-sur-
Andelle 27   32 A2
Douvrend 76   15 F2
Douvres 01   156 C4
Douvres-
la-Délivrande
14   29 D2
Douvrin 62   10 A1
Doux 79   131 F2
Doux 08   37 D1
Doux (Gorges du)
07   187 E3
Douy 28   78 A4
Douy-la-Ramée
77   34 C1
Douzains 47   196 A3
Douzat 16   162 B2
La Douze 24   180 A3
Douzens 11   254 A2
Douzillac 24   179 D3
Douzy 08   22 A3
Doville 50   26 C2
Doye 39   142 A2
Doyet 03   152 A2
Dozulé 14   29 F3
Drac 5,38   189 D4
Drac Blanc 05   206 B1
Drac (Corniche du)
38   189 D4
Dracé 69   155 E3
Draché 37   115 F4
Drachenbronn
67   43 E4
Dracy 89   101 F3
Dracy-lès-Couches
71   139 E1
Dracy-le-Fort
71   139 F2
Dracy-St-Loup
71   122 B4
Dragey 50   50 B3
Draguignan
83   239 E3
Draillant 74   178 C4
Drain 49   112 C2
Draix 04   222 B2
Draize 08   20 C4
Drambon 21   124 A2

Dramelay 39   157 D1
Drancy 93   57 F2
Drap 06   241 E4
Dravegny 02   35 F3
Draveil 91   57 F3
Drée 21   123 D2
Drée 71   154 C2
Drefféac 44   92 C4
Drémil-Lafage
31   230 B3
Le Drennec 29   45 E2
Dreslincourt
60   34 C1
Dreuil-lès-Amiens
80   17 E2
Dreuil-lès-Molliens
80   17 D2
Dreuilhe 09   252 C4
Dreux 28   55 F3
Drevant 18   136 A3
Dricourt 08   37 E2
Driencourt 80   18 C2
Drignac 15   182 C3
Drincham 59   3 F1
Drocourt 78   32 C4
Drocourt
62   10 B2
Droisy 74   157 E4
Droisy 27   55 E2
Droiturier 03   153 F2
Droizy 02   35 E3
Drom 01   156 C2
Drôme 26   204 A2
Dromesnil 80   16 C2
Dronne 24,33   163 F4
Drosay 76   15 D3
Drosnay 51   61 E4
Droué 41   77 F4
Droue-sur-
Drouette 28   56 B4
Drouges 35   94 A1
Drouilly 51   61 E3
Droupt-St-Basle
10   82 C1
Droupt-Ste-Marie
10   82 C1
Drouville 54   64 C3
Drouvin-le-Marais
62   9 F1
Droux 87   149 D3
Droyes 52   84 B1
Drubec 14   30 A3
Drucat 80   8 C4
Drucourt 27   30 C4
Drudas 31   229 E2
Druelle 12   215 D1
Drugeac 15   182 C2
Druillat 01   156 B3
Drulhe 12   199 D4
Drulingen 67   66 B1
Drusenheim
67   67 E2
Druy-Parigny
58   137 E2
Druye 37   115 E2
Druyes-les-Belles-
Fontaines
89   102 A4
Dry 45   99 D2
Duault 22   70 B1
Ducey 50   50 C3
Duclair 76   31 E1
Ducy-Ste-
Marguerite
14   28 C3
Duerne 69   171 D2
Duesme 21   104 A3
Duffort 32   250 A1
Dugny 93   57 E1
Dugny-sur-Meuse
55   38 C4
Duhort-Bachen
40   226 C2
Duilhac-sous-
Peyrepertuse
11   262 A1
Duingt 74   174 A1
Duisans 62   10 A3
Dullin 73   173 D3
Dumes 40   226 B2
Dun 09   252 B3
Dun (Montagne de)
71   154 C2
Dun-le-Palestel
23   150 A2
Dun-le-Poëlier
36   117 F3
Dun-sur-Auron
18   136 A1
Dun-sur-Grandry
58   121 E4
Dun-sur-Meuse
55   38 B2
Duneau 72   77 D4
Dunes 82   212 A3
Dunet 36   149 E1
Dung 25   107 F4
Dunière-sur-Eyrieux
07   203 E1
Dunières 43   186 C2
Dunkerque 59   3 F1
Duntzenheim
67   66 C2
Duppigheim
67   67 D4
Duran 32   228 B2
Durance 4,
5,13,84   221 F3
Durance 47   210 C2
Duranus 06   241 D3
Duranville 27   30 C4
Duras 47   195 E2
Duravel 46   197 D4
Durban 32   228 B3
Durban-Corbières
11   254 B3
Durban-sur-Arize
09   259 F2

Durbans 46   100 D2
Durcet 61   52 B3
Durdat-Larequille
03   151 F2
Dureil 72   96 A2
Durenque 12   215 E3
Durfort 81   231 D4
Durfort 09   251 F2
Durfort-et-St-
Martin-de-
Sossenac 30   218 A4
Durfort-Lacapelette
82   212 C2
Durlinsdorf
68   108 C4
Durmenach
68   108 C4
Durmignat
63   152 B3
Durnes 25   125 F3
Durrenbach
67   67 D3
Durrenentzen
67   67 D1
Durstel 67   66 B1
Durtal 49   95 F3
Durtol 63   168 A2
Dury 02   18 C3
Dury 62   17 D3
Dury 80   17 E2
Dussac 24   180 B1
Duttlenheim
67   67 D4

Duvy 60   54 B5
Duzey 55   39 D2
Dyé 89   102 C1
Dyo 71   154 C1

E
Éance 35   94 A2
Eaubonne 95   57 E1
Eaucourt-sur-
Somme 80   16 C1
Eaunes 31   229 F4
Eaux-Bonnes
64   256 C2
Eaux-Puiseaux
10   82 C4
Eauze 32   227 E1
Eawy (Forêt d')
76   15 F3
Ébaty 21   140 A1
Ebblinghem 59   4 A3
Ébéon 17   161 D1
Eberbach-Seltz
67   43 F4
Eberbach-Wœrth
67   67 D1
Ebersheim 67   89 E2
Ebersmunster
67   89 E1
Ébersviller 57   40 C2
Éblange 57   40 C2
Ébouleau 02   19 E2
Ébréon 16   162 B1
Ébreuil 03   152 C3

L'Écaillé 08   36 D2
Écaillon 59   10 C2
Écajeul 14   29 F4
Écalgrain (Baie d')
50   24 B1
Écalles-Alix 76   15 D4
Écaquelon 27   31 D3
Écardenville-
la-Campagne
27   31 D4
Écardenville-sur-
Eure 27   32 A4
Écausseville
50   25 D3
Écauville 27   31 E4
Eccica-Suarella
2a   266 C4
Eccles 59   12 C2
Échallat 16   162 B2
Échallon 01   157 E1
Échalot 21   104 B3
Échalou 61   52 B3
Échandelys
63   169 D4
Échannay 21   123 D2
Écharcon 91   57 F4
Échassières
03   152 B3
Échauffour 61   53 F3
Échavanne
70   106 B3
Échay 25   125 D4
Échebrune 17   161 E3

Les Échelles de la
Mort 25   126 C2
L'Échelle 08   21 D3
L'Échelle-St-Aurin
80   18 A3
Les Échelles
73   173 E4
Échemines 10   82 C2
Échenans 25   107 E4
Échenans-sous-
Mont-Vaudois
70   107 F3
Échenevex
01   157 F1
Échenon 21   124 A3
Échenoz-la-Méline
70   106 B3
Échenoz-le-Sec
70   106 C4
Échevanne
70   124 C1
Échevannes
21   125 F3
Échevannes
25   105 D4
Échevis 26   188 C3
Échevronne
21   123 E3
Échigey 21   123 F3
Échillais 17   160 C2
Échilleuses 45   80 B3
Échinghen 62   2 B4
Échiré 79   146 B1
Échirolles 38   189 D1

Échouboulains
77   81 D1
Échourgnac
24   178 C3
Eckartswiller
67   66 B2
Eckbolsheim
67   67 D3
Eckmühl (Phare d')
29   68 B4
Eckwersheim
67   67 D2
Éclaibes 59   12 B3
Éclaires 51   62 B1
Éclance 10   84 B2
Éclans 39   124 C3
Éclaron 52   62 A4
Éclassan 07   187 E3
Écleux 39   124 C3
Éclimeux 62   9 D2
Éclose 38   172 B3
Écluse (Défilé de l')
01   157 E1
Éclusier-Vaux
80   18 B2
Écluzelles 28   55 F3
Écly 08   36 C1
Écoche 42   154 C3
Écoivres 62   9 E3
Écot 25   126 C1
Écot-la-Combe
52   85 E3
Écotay-l'Olme
42   170 A3
Écots 14   53 D1
Écouen 95   57 E1
Écouflant 49   95 D4
Écouis 27   32 B3
Écoust-St-Mein
62   10 C3
Écouves (Forêt d')
61   53 D4
Écouviez 55   22 C4
Écoyeux 17   161 E1
Écquedecques
62   9 E1
Écquevilly 78   56 C1

Ecoquenéauville
50   27 D1
Écorcei 61   54 B3
Les Écorces
25   126 C2
Écorches 61   53 E2
Écordal 08   37 E1
Écorpain 72   97 E1
Écos 27   32 B4
Écot 25   126 C1
Écrainville 76   14 B4
Écrammeville
14   28 A2
Les Écrennes
77   81 D1
Écretteville-lès-
Baons 76   14 C4
Écretteville-sur-Mer
76   14 B3
Écriennes 51   61 F3
Écrille 39   141 E4
Écrins (Parc
National des)
05,38   206 C1
Écromagny
70   107 E2
Écrosnes 28   56 B4
Écrouves 54   63 F3
Ectot-l'Auber
76   15 E4
Ectot-lès-Baons
76   15 D4
Écublé 28   55 F4
Écueil 51   36 B3
Écueillé 36   117 D4
Écuélin 59   12 B3
Écuelle 70   105 E4
Écuelles 77   80 C2
Écuelles 71   140 B1
Écuillé 49   95 D3
Écuires 62   8 C2
Écuisses 71   139 E2
Éculleville 50   24 B1
Écully 69   171 E2

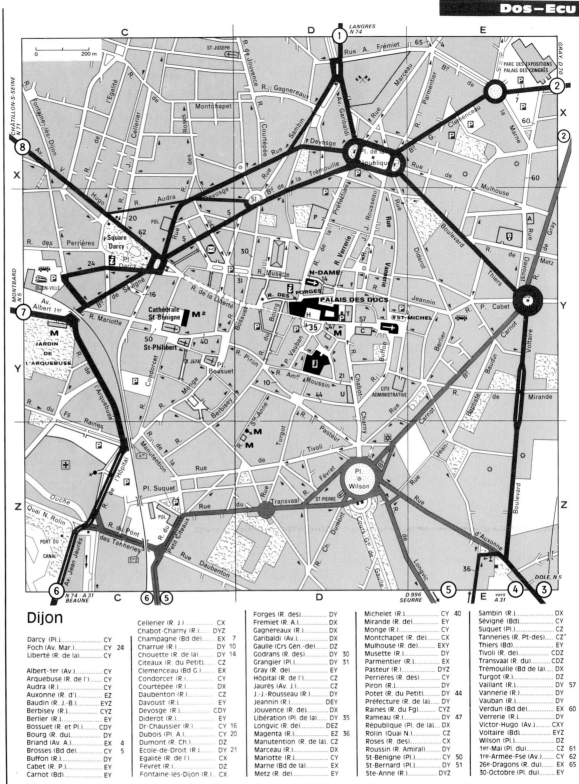

Dijon

Cellerier (R. J.) CX
Chabot-Charny (R.) ... DYZ
Champagne (Bd de) .. EX   7
Charrue (R.) .... DY 10
Chouette (R. de la) .... DY 14
Citeaux (R. du Petit) .. CZ
Clemenceau (Bd G.) .. EX
Condorcet (R.) .... CY
Courtépée (R.) .... DX
Daubenton (R.) .... CZ
Davout (R.) .... EY
Devosge (R.) .... CDY
Diderot (R.) .... EY
Dr-Chaussier (R.) ...... CY 16
Dubois (Pl. A.) .... CY 20
Dumont (R. Ch.) .... DZ
École-de-Droit (R.) .... DY 21
Égalité (R. de l') CX
Fèvret (R.) .... DZ
Fontaine-lès-Dijon (R.) .. CX

Forges (R. des) .... DY
Fremiet (R. A.) .... DX
Gagnereaux (R.) .... DX
Garibaldi (Av.) .... DX
Gaulle (Crs Gén.-de) .. DZ
Godrans (R. des) .... DY 30
Grangier (Pl.) .... DY 31
Gray (R. de) .... EY
Hôpital (R. de l') .... CZ
Jaurès (R. J.) .... CZ
Jeannin (R.) .... DEY
Jouvence (R. de) ...... DX
Libération (Pl. de la) .. DY 35
Longvic (R. de) .... DEZ
Magenta (R.) .... EZ 36
Manutention (R. de la) .. DX
Marceau (R.) .... DX
Mariotte (R.) .... CY
Marne (Bd de la) ...... EX
Metz (R. de) .... EY

Michelet (R.) .... CY 40
Mirande (R. de) .... EY
Monge (R.) .... CY
Montchapet (R. de) CX
Mulhouse (R. de) ...... EXY
Musette (R.) .... DY
Parmentier (R.) .... EX
Pasteur (R.) .... DYZ
Perrières (R. des) ..... CY
Piron (R.) .... CY
Potet (R. du Petit) ..... DY 44
Préfecture (R. de la) .. DY
Raines (R. du Fg) ...... CYZ
Rameau (R.) .... DY 47
République (Pl. de la) .. DY
Rolin (Quai N.) .... CZ
Roses (R. des) CX
Roussin (R. Amiral) ... CX
St-Bénigne (Pl.) .... DY 50
St-Bernard (Pl.) .... DY 51
Ste-Anne (R.) .... DYZ

Sambin (R.) .... DX
Sévigné (Bd) .... CY
Suquet (Pl.) .... CY
Tanneries (R. Pt-des) .. CZ
Thiers (Bd) .... EY
Tivoli (R. de) .... CDZ
Transvaal (R. du) ...... CDZ
Trémouille (Bd de la) .. DX
Turgot (R.) .... DZ
Vaillant (R.) .... DY 57
Vannerie (R.) .... DY
Vauban (R.) .... DY
Verdun (Bd de) .... EX 60
Verrerie (R.) .... DY
Victor-Hugo (Av.) ..... CXY
Voltaire (Bd) .... EYZ
Wilson (Pl.) .... DZ
1er-Mai (Pl. du) .... CZ 61
1re-Armée-Fse (Av.) .. CY 62
26e-Dragons (R. du) .. EX 65
30-Octobre (Pl. du) .. EY

Darcy (Pl.) .... CY
Foch (Av. Mar.) .... CY 24
Liberté (R. de la) ...... CY

Albert-1er (Av.) .... CY
Arquebuse (R. de l') .. CY
Audra (R.) .... CY
Auxonne (R. d') .... EZ
Baudin (R. J.-B.) ...... EYZ
Berbisey (R.) .... CYZ
Berlier (R.) .... EY
Bossuet (R. et Pl.) .... CDY
Bourg (R. du) .... DY
Briand (Av. A.) .... EX 4
Brosses (Bd de) ...... CY 5
Buffon (R.) .... DY
Cabet (R. P.) .... EY
Carnot (Bd) .... EY

Écuras 16 163 E3
Écurat 17 161 D2
Écurcey 25 126 C1
Écurey-en-Verdunois 55 38 C2
Écurie 62 10 A2
Écury-le-Repos 51 60 C2
Écury-sur-Coole 51 61 D2
Écutigny 21 123 D4
Écuvilly 60 18 C4
Edern 29 69 D2
Édon 16 163 D4
Les Éduts 17 146 C4
Eecke 59 4 B3
Effiat 63 153 D4
Effincourt 52 85 E1
Effry 02 20 B2
Égat 66 261 D3
Égleny 89 101 F2
Égletons 19 182 A1
Égligny 77 81 E1
Églingen 68 108 B3
Église-Neuve-de-Vergt 24 179 E3
Église-Neuve-d'Issac 24 179 D4
Égliseneuve-d'Entraigues 63 183 E1
Égliseneuve-des-Liards 63 168 C4
Égliseneuve-près-Billom 63 168 C2
Les Églises d'Argenteuil 17 146 B4
Églisolles 63 169 F4
Les Églisottes-et-Chalaures 33 178 B3
Égly 91 57 E4
Égreville 77 81 D3
Égrisielles-le-Bocage 89 81 E4
Égry 45 80 A4
Éguelshardt 57 42 C4
Éguenigue 90 108 A3
L'Éguille 17 160 B2
Éguilles 13 237 D3
Éguilly 21 122 C2
Éguilly-sous-Bois 10 84 A3
Éguisheim 68 89 D3
Éguzon 36 149 F1
Éhuns 70 106 C2
Eichhoffen 67 89 D1
Eincheville 57 41 D4
Einvaux 54 64 C4
Einville-au-Jard 54 65 D3
Eix 55 39 D3
Élan 08 21 E3
Élancourt 78 56 C3
Elbach 68 108 B3
Elbeuf 76 31 E3
Elbeuf-en-Bray 76 32 C1
Elbeuf-sur-Andelle 76 32 A1
Élencourt 60 16 C3
Élesmes 59 12 B3
Életot 76 14 C2
Éleu-Dit-Leauwette 62 10 A2
Élincourt 59 19 D1
Élincourt-Ste-Marguerite 60 34 B1
Élise-Daucourt 51 37 F4
Ellecourt 76 16 C3
Elliant 29 69 E3
Ellon 14 28 C3
Elne 66 263 D3
Elnes 62 3 E4
Éloie 90 107 F2
Éloise 74 157 E3
Elorn 29 45 F2
Éloyes 88 87 F3
Elsenheim 67 89 E3
Elvange 57 41 D4
Elven 56 91 F2
Elzange 57 40 B2
Émagny 25 125 D2
Émalleville 27 31 F4
Émancé 78 56 B4
Émanville 27 31 E4
Émanville 76 15 E4
Emberménil 54 65 E3
Embiez (île des) 83 243 F4
Embourie 16 147 D4
Embres-et-Castelmaure 11 254 B4
Embreville 80 16 B1
Embrun 05 206 C3
Embry 62 8 C1
Émerainville 77 58 A2
Émerchicourt 59 10 C3
Émeringes 69 155 E2
Éméville 60 34 C3
Émiéville 14 29 D3
Emlingen 68 108 C3
Emmerin 59 10 B1
Émondeville 50 25 D3
Empeaux 31 229 E3
Empurany 07 187 D4
Empuré 16 147 D4
Empury 58 121 E2

En Calcat 81 231 E4
Encausse 32 229 D2
Encausse-les-Thermes 31 258 C2
Enchanet (Barrage d') 15 182 B3
Enchastrayes 04 207 E4
Enchenberg 57 42 B4
Encourtiech 09 259 E2
Endoufielle 32 229 D3
Énencourt-Léage 60 32 C2
Énencourt-le-Sec 60 33 D3
Enfer (Gouffre d') 42 186 C1
Enfonvelle 52 106 A1
Engayrac 47 212 A2
Engente 10 84 B2
Enghien-les-Bains 95 57 E1
Engins 38 189 D2
Englancourt 02 20 A2
Englebelmer 80 18 A1
Englefontaine 59 11 E3
Englesqueville-en-Auge 14 30 A2
Englesqueville-la-Percée 14 27 F2
Englos 59 5 D4
Engomer 09 259 E3
Engraviès 09 252 B3
Enguialès 12 199 F3
Enguinegatte 62 3 F4
Engwiller 67 67 D1
Ennemain 80 18 C2
Ennery 95 33 E4
Ennery 57 40 B3
Ennetières-en-Weppes 59 5 D4
Ennevelin 59 10 C1
Ennezat 63 168 B1
Ennordres 18 119 D1
Enquin-les-Mines 62 3 F4
Enquin-sur-Baillons 62 8 C1
Ens 65 258 A4
Ensérune (Oppidum d') 34 255 D1
Ensigné 79 146 C3
Ensisheim 68 108 C1
Ensués-la-Redonne 13 242 C2
Entrages 04 222 B2
Entraigues 38 189 F4
Entraigues 63 168 B1
Entraigues-sur-Sorgues 84 219 F3
Entrains-sur-Nohain 58 120 B1
Entrammes 53 74 C4
Entrange 57 40 A1
Entraunes 06 223 D2
Entraygues-sur-Truyère 12 199 F3
Entre-deux-Eaux 88 88 B2
Entre-deux-Guiers 38 173 E4
Entre-deux-Monts 39 142 A3
Entrecasteaux 83 238 C3
Entrechaux 84 220 A2
Entremont 74 158 C4
Entremont-le-Vieux 73 173 E4
Entrepierres 04 221 F2
Entrevaux 04 223 E3
Entrevennes 04 221 F4
Entrevernes 74 174 A1
Entzheim 67 67 D4
Enval 63 168 A1
Enveitg 66 261 D4
Envermeu 76 15 F2
Environville 76 14 C4
Éourres 05 221 D2
Éoux 31 258 B1
Épagne 10 83 F2
Épagne-Epagnette 80 16 C1
Épagny 74 158 A4
Épagny 02 35 D1
Épaignes 27 30 C3
Épaney 14 53 D1
Épannes 79 146 A2
Éparcy 02 20 B2
Les Éparges 55 39 D4
Épargnes 17 160 C3
Les Éparres 38 172 B4
Épaumesnil 80 16 C2
Épaux-Bézu 02 35 E4

Épeigné-les-Bois 37 116 C2
Épeigné-sur-Dême 37 97 D3
Épénancourt 80 18 B3
Épenède 16 148 A4
Épenouse 25 126 A2
Épenoy 25 126 A3
Épense 51 62 A1
Épercieux-St-Paul 42 170 B2
Éperlecques 62 3 E3
Épernay 51 36 B4
Épernay-sous-Gevrey 21 123 E3
Épernon 28 56 B4
Éperrais 61 77 D1
Épersy 73 173 E2
Épertully 71 139 E1
Épervans 71 140 A2
Les Epesses 85 130 A1
Épeugney 25 126 A2
Épfig 67 89 D1
Épiais 41 98 B2
Épiais-lès-Louvres 95 58 A1
Épiais-Rhus 95 33 E4
Épieds 49 114 C3
Épieds 02 35 E4
Épieds 27 55 F1
Épieds-en-Beauce 45 98 C1
Épierre 73 174 B4
Épiez-sur-Chiers 54 39 D1
Épiez-sur-Meuse 55 63 D3
Épinac 71 122 C4
Épinal 88 87 E3
Épinant 52 85 F4
Épinay 27 54 B1
Épinay-Champlâtreux 95 33 F4
L'Épinay-le-Comte 61 74 C1
Épinay-sous-Sénart 91 57 E1
Épinay-sur-Duclair 76 31 D1
Épinay-sur-Odon 14 28 C4
Épinay-sur-Orge 91 57 E3
Épinay-sur-Seine 93 57 E1
L'Épine 05 205 E4
L'Épine 51 61 E1
L'Épine-aux-Bois 02 59 E2
Épine (Col de l') 73 173 E3
Épineau-les-Voves 89 102 A1
Épineu-le-Chevreuil 72 75 F4
Épineuil 89 102 C2
Épineuil-le-Fleuriel 18 136 A4
Épineuse 60 34 A2
Épineux-le-Seguin 53 95 E1
Épiniac 35 50 A4
Épinonville 55 38 B2
Épinouze 26 187 F1
Épinoy 62 10 C3
Épiry 58 121 E3
Épisy 77 80 C2
Épizon 52 85 E3
Éplessier 80 17 D3
Éply 54 64 B1
Époisses 21 103 E4
Épône 78 56 C1
Épothémont 10 84 B1
Épouville 76 14 A4
Époye 51 36 C3
Eppe-Sauvage 59 12 C4
Eppes 02 36 A1
Eppeville 80 18 C3
Epping 57 42 B3
Épretot 76 30 B1
Épreville 76 14 B3
Épreville-en-Lieuvin 27 30 C3
Épreville-en-Roumois 27 31 D2
Épreville-près-le-Neubourg 27 31 E4
Épron 14 29 D3
Eps 62 9 E2
Epte 27,60,95 32 C3
Épuisay 41 97 F1
Épy 39 156 C1
Équancourt 80 18 C1
Équemauville 14 30 A2
Équennes-Éramecourt 80 17 D3
Équeurdreville-Hainneville 50 24 C2
Équevilley 70 106 C2
Équevillon 39 142 A2
Équihen-Plage 62 2 B4
Équilly 50 50 C2
Équirre 62 9 D1
Éragny 95 57 D1
Éragny-sur-Epte 60 32 C2
Éraines 14 53 D1
Éraville 16 162 A3
Erbajolo 2b 267 E1
Erbéviller-sur-Amezule 54 64 C3

Erbray 44 93 F3
Erbrée 35 74 A3
Ercé 09 259 F3
Ercé-en-Lamée 35 93 E2
Ercé-près-Liffré 35 73 E2
Erceville 45 79 E3
Erches 80 18 A3
Ercheu 80 18 C3
Erchin 59 10 C3
Erching 57 42 B3
Erckartswiller 67 66 B1
Ercourt 80 16 C1
Ercuis 60 33 F3
Erdeven 56 90 C3
Erdre 44 112 A1
Éréac 22 72 A2
Ergersheim 67 66 C3
Ergnies 80 8 C1
Ergny 62 8 C1
Ergué-Gabéric 29 69 D3
Erin 62 9 D2
Éringes 21 103 F4
Eringhem 59 3 F2
Érize-la-Brûlée 55 62 C2
Érize-la-Grande 55 62 C1
Érize-la-Petite 55 62 C1
Érize-St-Dizier 55 62 C2
Erlon 02 19 F3
Erloy 02 20 A2
Ermenonville-la-Grande 28 78 B2
Ermenonville 60 34 B4
Ermenonville-la-Petite 28 78 B2
Ermenouville 76 15 D3
Ermitage (Château de l') 59 11 F4
Ermont 95 57 E1
Ernecourt 55 63 D3
Ernée 53 74 B2
Ernemont-Boutavent 60 16 C4
Ernemont-sur-Buchy 76 32 A1
Ernemont-la-Villette 76 32 C1
Ernes 14 53 D1
Ernestviller 57 41 F4
Ernolsheim-Bruche 67 67 D3
Ernolsheim-lès-Saverne 67 66 C2
Erny-St-Julien 62 3 F4
Érôme 26 187 E3
Érondelle 80 16 C1
Érone 2b 265 E4
Éroudeville 50 25 D3
Erp 09 259 E3
Erquery 60 33 F2
Erquinghem-Lys 59 4 C4
Erquinghem-le-Sec 59 5 D4
Erquinvillers 60 34 A1
Erquy 22 48 C3
Err 66 261 D4
Erre 59 11 D2
Errevet 70 107 F3
Errouville 54 39 F1
Ersa 2b 264 B1
Erstein 67 89 E1
Erstroff 57 41 E4
Ervauville 45 81 D4
Ervillers 62 10 A4
Ervy-le-Châtel 10 84 A3
Esbareich 65 250 A4
Esbarres 21 124 A3
Esbly 77 58 B2
Esboz-Brest 70 107 D2
Escala 65 250 A3
Escalans 40 210 B4
Escales 11 254 B2
Escalette (Pas de) 34 233 E1
Escalles 62 2 C2
Escalquens 31 230 B3
Escames 60 32 C1
Escamps 89 102 B1
Escamps 46 213 F1
Escandolières 12 199 E4
Escanecrabe 31 250 B1
L'Escarène 06 241 E3
Escarmain 59 11 E3
Escaro 66 261 F3
Escassefort 47 195 F5
Escatalens 82 230 B1
Escaudain 59 11 D2
Escaudes 33 210 A1
Escaudœuvres 59 11 D3
Escaufourt 02 19 E1
Escaunets 65 249 D1
Escaut 2,59 10 C3
Escautpont 59 11 E2
Escazeaux 82 229 D1
Eschau 67 67 D4
Eschbach 67 67 D2
Eschbach-au-Val 68 89 D4
Eschbourg 67 66 B2
Eschentzwiller 68 108 C2

Escherange 57 39 F1
Eschwiller 67 66 A1
Esclagne 09 252 C4
Esclainvillers 80 17 F3
Esclanèdes 48 201 E4
Esclassan-Labastide 32 224 B4
Esclauzels 46 198 A4
Esclavelles 76 16 A3
Esclavolles-Lurey 51 60 A4
Escles 88 87 D3
Escles-St-Pierre 60 16 C3
Esclottes 47 195 E2
Escobecques 59 5 D4
Escœuilles 62 3 D3
Escoire 24 179 F2
Escolives-Ste-Camille 89 102 B3
Escombres-et-le-Chesnois 08 22 A3
Escondeaux 65 249 E1
Esconnets 65 249 E2
Escorailles 15 182 C3
Escornebœuf 32 229 D2
Escorpain 28 55 E3
Escos 64 225 E4
Escosse 09 252 A2
Escot 64 248 A3
Escots 65 257 F2
Escou 64 248 A3
Escoubès 64 226 C4
Escoubès-Pouts 65 249 D2
Escouloubre 11 261 E2
Escource 40 208 B2
Escoussans 33 194 C2
Escoussens 81 231 E3
Escout 64 248 A2
Escoutoux 63 169 D3
Escoville 14 29 E3
Escragnolles 06 239 F1
Escrennes 45 79 F4
Escrignelles 45 100 C3
Escroux 81 232 A2
Escueillens 11 252 C3
Escurès 64 227 D4
Escures-sur-Favières 14 29 E4
Escurolles 03 153 D3
Ésery 74 158 B3
Eslettes 76 31 E1
Esley 88 87 D1
Essegney 88 87 D1
Eslourenties-Daban 64 249 D1
Esmans 77 81 D2
Esmery-Hallon 80 18 C3
Esmoulières 70 107 E1
Esmoulins 70 124 B1
Esnandes 17 145 D2
Esnans 25 125 F1
Esnes 59 11 D4
Esnes-en-Argonne 55 38 B3
Esnoms-au-Val 52 105 D3
Esnon 89 102 B1
Esnouveaux 52 85 E3
Espagnac 19 182 A2
Espagnac-Ste-Eulalie 46 198 B3
Éspagne (Pont d') 65 257 D3
Espagnols (Pointe des) 29 45 D3
Espalais 82 212 B3
Espalem 43 184 B2
Espalion 12 200 A4
Espaly-St-Marcel 43 185 F4
Espanès 31 230 A4
Espaon 32 228 C4
Esparron 83 238 A3
Esparron 31 250 C1
Esparron 05 205 F4
Esparron-la-Bâtie 04 222 A1
Esparron-de-Verdon 04 238 B1
Esparros 65 249 F3
Esparsac 82 212 B4
Espartignac 19 181 E1
Espas 32 227 E1
Espaubourg 60 32 C2
Espèche 65 249 F2
Espéchède 64 248 C1
Espédaillac 46 198 B3
Espelette 64 244 A4
Espeluche 26 203 F4
Espenel 26 204 C2
Espérausses 81 232 A2
Espéraza 11 253 E4
Esperce 31 251 F1
Espère 46 198 A3
Espès-Undurein 64 247 D1
Espeyrac 12 199 F3
Espeyroux 46 198 C2

Espezel 11 261 D1
Espieilh 65 257 F2
Espiens 47 211 D3
Espinas 82 214 A2
Espinasse 63 152 A4
Espinasse 15 200 B3
Espinasse-Vozelle 03 153 D3
Espinasses 05 206 B3
Espinchal 63 183 F1
Espins 14 52 B1
Espira-de-l'Agly 66 262 C1
Espira-de-Conflent 66 262 A2
Espirat 63 168 C2
Espiute 64 225 E4
Esplantas 43 201 E1
Esplas 09 252 A2
Esplas-de-Sérou 09 251 F4
Espoey 64 248 C1
Espondeilhan 34 233 D4
Esprels 70 107 D4
Esquay-Notre-Dame 14 29 D4
Esquay-sur-Seulles 14 28 C3
Esquéhéries 02 19 F1
Esquelbecq 59 4 A2
Esquennoy 60 17 E4
Esquerchin 59 10 B2
Esquerdes 62 3 E4
Esquibien 29 68 B2
Esquièze-Sère 65 257 E3
Esquiule 64 247 F2
Les Essards 37 115 D2
Les Essards 16 178 B2
Les Essards 17 161 D2
Les Essards-Taignevaux 39 141 D1
Essarois 21 104 B2
Essars 62 9 F1
Les Essarts 27 55 D2
Les Essarts 41 97 E3
Les Essarts 85 129 E2
Les Essarts-le-Roi 78 56 C3
Les Essarts-lès-Sézanne 51 60 A3
Les Essarts-le-Vicomte 51 59 F3
Essavilly 39 142 B2
Essay 61 53 E4
Esse 16 148 A4
Essé 35 93 F1
Essegney 88 87 D1
Les Esseintes 33 195 D3
Essert 89 102 C3
Essert 90 107 F2
Essert-Romand 74 159 D2
Essertaux 80 17 E3
Essertenne 71 139 E2
Essertenne-et-Cecey 70 124 B1
Essertines-en-Châtelneuf 42 169 F3
Essertines-en-Donzy 42 170 C2
Esserts-Blay 73 174 B3
Esserts-Salève 74 158 B3
Essey 21 122 C2
Essey-la-Côte 54 87 E1
Essey-les-Eaux 52 85 E4
Essey-et-Maizerais 54 63 F1
Essey-lès-Nancy 54 64 C3
Essey-les-Ponts 52 84 C4
Essia 39 141 E3
Essigny-le-Grand 02 19 D3
Essigny-le-Petit 02 19 E1
Essises 02 59 E1
Essômes-sur-Marne 02 59 E1
Esson 14 52 B1
Essonne 45 80 A3
Essoyes 10 84 A4
Essuiles 60 33 E1
Les Estables 48 201 E4
Les Estables 43 202 C1
Establet 26 205 D3
Estadens 31 258 C2
Estagel 66 262 B1
Estaing 12 200 A3
Estaing 65 257 D2
Estaires 59 4 C4
Estal 46 198 C1
Estampes 32 249 F1
Estampures 65 227 F4
Estancarbon 31 258 B1
Estandeuil 63 168 C3

Estang 32 227 D1
L'Estaque 13 243 D2
Estaque (Chaîne de l') 13 242 C2
Estarvielle 65 258 A4
Estavar 66 261 D3
Esteil 63 168 C4
Esténos 31 250 B4
Estensan 65 258 A4
Esterel (Massif de l') 83 249 D3
Estérençuby 64 246 C2
Esternay 51 59 F3
Esterre 65 257 E3
Estevelles 62 10 B1
Esteville 76 15 F4
Estézargues 30 219 D4
Estialescq 64 248 A2
Estibeaux 40 225 F2
Estigarde 40 210 B3
Estillac 47 211 E2
Estipouy 32 228 A3
Estirac 65 227 E3
Estissac 10 82 C2
Estivals 19 181 D4
Estivareilles 42 186 A1
Estivareilles 03 151 F2
Estivaux 19 181 D2
Estoher 66 262 A3
Estos 64 248 A2
Estoublon 04 222 A4
Estouches 91 79 F2
Estourmel 59 11 D4
Estouteville-Écalles 76 16 A4
Estouy 45 80 A3
Estrablin 38 171 F4
Estramiac 32 228 C1
Estrebay 08 20 C2
Estrébœuf 80 8 A1
L'Estréchure 30 217 F3
Estrée 62 8 B1
Estrée-Blanche 62 9 E1
Estrée-Cauchy 62 9 F2
Estrée-Wamin 62 9 E3
Estrées 21 123 D3
Estrées 59 19 D1
Estrées-la-Campagne 14 52 C1
Estrées-lès-Crécy 80 8 B3
Estrées-Deniécourt 80 18 B2
Estrées-en-Chaussée 80 18 C1
Estrées-Mons 80 18 C2
Estrées-sur-Noye 80 17 E3
Estrennes 88 86 C2
Estreux 59 11 E2
Estry 14 51 F1
Esves-le-Moutier 37 116 A4
Esvres 37 115 D3
Eswars 59 10 C3
Étable 73 174 A4
Étables 07 187 E3
Étables-sur-Mer 22 48 A2
Étagnac 16 163 F1
Étaimpuis 76 15 F4
Étain 55 39 D3
Étaing 62 10 B3
Étainhus 76 14 B4
Étais 21 103 F3
Étais-la-Sauvin 89 120 C1
Étalans 25 125 F3
Étalante 21 104 B3
Étalle 08 21 D2
Étalleville 76 15 D3
Étalon 80 18 B3
Étalondes 76 16 A1
Étampes 91 79 F1
Étampes-sur-Marne 02 59 E1
L'Étang-Bertrand 50 24 C3
Étang-sur-Arroux 71 138 C2
L'Étang-la-Ville 78 57 D2
Les Étangs 57 40 C3
Étaples 62 8 B1
Étaule 89 102 C4
Étaules 21 104 B4
Étaules 17 160 B2
Étauliers 33 177 E2
Étaux 74 158 B3

Étigny 89 81 F3
Les Étilleux 28 77 E3
Étiolles 91 57 F4
Étival 39 141 F4
Étival-Clairefontaine 88 88 A1
Étival-lès-le-Mans 72 96 B1
Étivey 89 103 D3
Étobon 70 107 E3
Étoges 51 60 B2
Étoile (Chaîne de l') 13 243 D2
Étoile (Chapelle de l') 73 173 C2
L'Étoile 80 17 D1
L'Étoile 39 141 E2
Étoile-St-Cyrice 05 221 D1
Étoile-sur-Rhône 26 204 A1
Éton 55 39 D2
Étormay 21 104 A4
Étouars 24 163 E3
Étourvy 10 103 D1
Étoutteville 76 15 D3
Étouvans 25 107 E4
Étouvelles 02 35 F1
Étouvy 14 51 E1
Étouy 60 33 F2
Étrabonne 25 124 C2
Étrappe 25 107 E4
Étray 25 126 A3
Étrave-Wavrille 55 38 C2
Étréaupont 02 20 A2
Étrechet 36 134 C2
Étréchy 18 119 E3
Étréchy 51 60 B2
Étréchy 91 79 F1
Étréham 14 28 B2
Étréjust 80 16 C2
Étrelles 35 74 A4
Étrelles-et-la-Montbleuse 70 106 A4
Étrelles-sur-Aube 10 60 B4
Étrembières 74 158 B2
Étrépagny 27 32 B3
Étrépigney 39 124 C3
Étrépigny 08 21 E3
Étrépilly 77 58 C1
Étrépilly 02 35 E4
Étrepy 51 62 A3
Étretat 76 14 A3
Étreux 02 19 F1
Étreval 54 87 D1
Étréville 27 31 D2
Étrez 01 156 B1
Étriac 16 162 B4
Étriché 49 95 E3
Étricourt-Manancourt 80 18 C1
Étrigny 71 140 A3
Étrochey 21 103 F1
Étrœungt 59 20 A1
Étroitefontaine 70 107 D3
Étroits (Défilé des) 05 205 F2
Les Étroits (Défilé) 74 158 C4
Étroussat 03 152 C3
Étrun 59 10 C3
Étrun 62 10 A3
Étsaut 64 256 B3
Ettendorf 67 67 D2
Etting 57 42 A4
Étueffont 90 108 A2
Etufs (Cascade d') 21 104 C2
Étupes 25 108 A4
Éturqueraye 27 31 D2
Étusson 79 113 F4
Étuz 70 125 D1
Etzling 57 41 F3
Eu 76 16 A1
Eu (Haute Forêt d') 76 16 B2
Euffigneix 52 84 C3
Eugénie-les-Bains 40 226 C2
Euilly-et-Lombut 08 22 A4
Eulmont 54 64 B2
Eup 31 250 B4
Eurville 52 62 B4
Eus 66 262 A2
Euvezin 54 63 F1
Euville 55 63 E3
Euvy 51 60 C3
Euzet 30 218 B3
Évaillé 72 97 D1
Évans 39 124 C3
Évaux-et-Ménil 88 87 D2
Évaux-les-Bains 23 151 E2
Ève 60 34 A4
Éveaux (Gorge des) 74 158 C3
Évecquemont 78 56 C1
Évenos 83 244 A2
Éverly 77 81 E1
Évette 90 107 F3
Éveux 69 171 D1
Évian-les-Bains 74 143 D4
Évigny 08 21 E3
Évillers 25 125 F4

Évin-Malmaison 62 10 B2
Évires 74 158 B3
Évisa 2A 266 B2
Évosges 01 156 C4
Évran 22 72 C1
Évrecy 14 28 C4
Évres 55 62 B1
Évreux 27 55 E1
Évricourt 60 18 B4
Évriguet 56 71 F3
Évron 53 75 E3
Évry 91 57 F4
Évry 89 81 E3
Évry-lès-Châteaux 77 58 A3
Excenevex 74 158 B1
Excideuil 24 180 B1
Exermont 08 38 A4
Exideuil 16 163 E1
Exincourt 25 107 F4
Exireuil 79 146 C1
Exmes 61 53 E3
Exoudun 79 147 D1
Expiremont 17 177 F1
Eybens 38 189 E2
Eybouleuf 87 165 D2
Eyburie 19 165 E1
Eycheil 09 259 E2
Eydoche 38 172 B4
Eygalayes 26 221 D2
Eygalières 13 236 B1
Eygaliers 26 220 B2
Eygliers 05 207 D3
Eygluy-Escoulin 26 204 B1
Eygues 5,26 220 A1
Eyguians 05 221 E1
Eyguières 13 236 C2
Eygurande 19 167 D3
Eygurande-Gardedeuil 24 178 B3
Eyjeaux 87 165 D2
Eyliac 24 180 A3
Eymet 24 195 F2
Eymeux 26 188 B3
Eymouthiers 16 163 E3
Eymoutiers 87 165 E2
Eyne 66 261 D4
Eynesse 33 195 E1
Eyragues 13 236 B1
Eyrans 33 177 D2
Eyre 33,40 193 D3
Eyrein 19 182 A1
Eyres-Moncube 40 226 B2
Eyrieux (Vallée de l') 07 203 E1
Eyroles 26 204 C4
Eysines 33 194 A1
Eysson 25 126 A2
Eysus 64 248 A2
Évvirat 24 179 F1
Eywiller 67 66 A1
Eyzahut 26 204 A3
Eyzerac 24 180 A1
Les Eyzies-de-Tayac 24 180 A4
Eyzin-Pinet 38 171 F4
Ézanville 95 57 E1
Èze 06 241 E4
Ézy-sur-Eure 27 55 F2

F

Fa 11 253 D4
Fabas 09 251 D3
Fabas 31 250 C1
Fabas 82 229 F1
Fabras 07 203 D3
Fabrègues 34 234 B3
Fabrezan 11 254 A2
Faches-Thumesnil 59 5 D4
Fâchin 58 121 F4
Fades (Viaduc des) 63 152 A4
Fage (Gouffre de la) 19 181 D3
La Fage-Montivernoux 48 200 C2
La Fage-St-Julien 48 201 D2
Le Faget 31 230 C3
Faget-Abbatial 32 228 B3
Fagnières 51 61 D1
Fagnon 08 21 E3
Fahy-lès-Autrey 70 105 E4
Failly 57 40 B3
Faimbe 25 107 E4
Fain-lès-Montbard 21 103 F3
Fain-lès-Moutiers 21 103 E4
Fains 27 55 F1
Fains-la-Folie 28 78 C3
Fains-les-Sources 55 62 B2
Fajac-en-Val 11 253 F2
Fajac-la-Relenque 11 252 B1
Fajoles 46 198 A2
La Fajolle 11 261 D2
Fajolles 82 212 B4
Falaise 08 37 F2
Falaise 14 52 C1
La Falaise 78 56 C1
Falck 57 41 D3
Faleyras 33 194 C2

Falga 31 230 C4
Le Falgoux 15 183 E3
Falgoux (Cirque du) 15 183 E3
Falgoux (Vallée du) 15 183 D3
Falgueyrat 24 196 A4
Falicon 06 241 D4
Falkenstein (Château de) 57 42 C4
Falkwiller 68 108 B2
Fallencourt 76 16 B2
Fallerans 25 125 F3
Falleron 85 128 C1
Falletans 39 124 B3
Fallon 70 107 D4
La Faloise 80 17 E3
Fals 47 211 F3
Falvy 80 18 C2
Famars 59 11 E3
Famechon 80 17 D3
Famechon 62 9 E4
Fameck 57 40 B2
Familly 14 54 A1
Fampoux 62 10 A3
Fanget (Col du) 04 222 B1
Fango 2B 266 B1
Fanjeaux 11 253 D2
Fanlac 24 180 B3
Le Faou 29 45 E4
Le Faouët 22 47 E2
Le Faouët 56 70 A3
Faramans 01 172 A1
Faramans 38 188 B1
Farbus 62 10 A2
Farceaux 27 32 B3
La Fare-en-Champsaur 05 206 A2
La Fare-les-Oliviers 13 237 D3
Farébersviller 57 41 E3
Fareins 01 155 E4
Faremoutiers 77 58 C2
Farges 01 157 F3
Les Farges 24 180 B3
Farges-Allichamps 18 135 F2
Farges-lès-Chalon 71 140 A2
Farges-en-Septaine 18 119 E4
Farges-lès-Mâcon 71 140 A4
Fargniers 02 19 D4
Fargues 40 226 B2
Fargues 46 197 E4
Fargues 33 194 C3
Fargues-St-Hilaire 33 194 B1
Fargues-sur-Ourbise 47 210 C2
Farincourt 52 105 F3
Farinole 2b 265 E2
La Farlède 83 244 B2
Farnay 42 171 D4
Faron (Mont) 83 244 A3
Faronville 45 86 C4
Farschviller 57 41 E3
Fassault 08 21 D4
Fatines 72 76 C4
Fatouville-Grestain 27 30 B2
Le Fau 15 183 B4
Fau-de-Peyre 48 201 D2
Fauch 81 231 E1
Faucigny 74 158 B3
Faucille (Col de la) 01 157 F1
Faucogney-et-la-Mer 70 107 E1
Faucompierre 88 87 F3
Faucon 84 220 B1
Fauconcourt 88 87 E1
Faucon-de-Barcelonnette 04 207 D4
Faucon-du-Caire 04 206 A4
Faucoucourt 02 35 E1
Faudoas 82 229 D1
Le Fauga 31 229 F4
Faugères 07 202 C4
Faugères 34 233 D3
Fauguernon 14 30 B3
Fauguerolles 47 195 F4
Fauillet 47 195 F4
Le Faulq 14 30 B3
Faulquemont 57 41 D4
Faulx 54 64 B2
Faumont 59 10 C2
Fauquembergues 62 3 E4
La Faurie 05 205 E3
Faurilles 24 196 B2
Fauroux 82 212 B2
Faussergues 81 215 D3
La Faute-sur-Mer 85 144 C1
Fauverney 21 123 F2
Fauville 27 55 E1
Fauville-en-Caux 76 14 C4
Faux 08 31 D1
Faux 24 196 B3
Faux-Fresnay 51 60 B4
Faux-Mazuras 23 165 F1
Faux-la-Montagne 23 166 A2

Faux-Vésigneul 51 61 D2
Faux-Villecerf 10 82 B2
Favalello 2b 267 E1
Favars 19 181 E2
Faveraye-Mâchelles 49 113 F2
Faverdines 18 136 A3
Faverelles 45 101 D4
Faverges 74 174 B2
Faverges-de-la-Tour 38 172 C3
Faverney 70 106 B2
Faverois 90 108 B4
Faverolles-la-Campagne 27 55 D1
Faverolles 02 35 D3
Faverolles 28 56 B3
Faverolles 80 18 A4
Faverolles 61 52 C3
Faverolles 36 117 D3
Faverolles 15 184 B4
Faverolles-et-Coëmy 51 36 A3
Faverolles-sur-Cher 41 116 C2
Faverolles-lès-Lucey 21 104 B2
La Favière 39 142 A2
Favières 80 8 B3
Favières 77 58 B5
Favières 54 86 B1
Favières 28 56 B4
Favresse 51 61 F3
Favreuil 62 10 A4
Favrieux 78 56 B1
Le Favril 28 30 C1
Le Favril 27 30 C3
Le Favril 59 11 F4
Fay 72 76 A4
Fay 61 54 A3
Fay 80 18 B2
Le Fay 71 141 E3
Fay-aux-Loges 45 99 F1
Fay-le-Clos 26 187 E2
Fay-de-Bretagne 44 111 E1
Fay-en-Montagne 39 141 E2
Fay-les-Étangs 60 33 D3
Fay-lès-Marcilly 10 82 B2
Faÿ-lès-Nemours 77 80 C3
Le Fay-St-Quentin 60 33 E1
Fay-sur-Lignon 43 186 B4
Faycelles 46 198 C3
Faye 41 98 A2
La Faye 16 147 E4
Faye-l'Abbesse 79 131 D2
Faye-d'Anjou 49 113 F2
Faye (Pas de la) 06 240 A1
Faye-sur-Ardin 79 146 B1
Faye-la-Vineuse 37 132 B1
Le Fayel 60 34 B2
Fayence 83 239 F2
Fayet 02 19 D2
Fayet 12 232 C1
Le Fayet 74 159 D4
Fayet-le-Château 63 168 C3
Fayet-Ronaye 63 185 D1
Fayl-Billot 52 105 F2
Faymont 70 107 E3
Faymoreau 85 130 B4
Fays 88 87 F3
Fays 52 84 C1
Fays-la-Chapelle 10 83 D4
Fayssac 81 214 B4
Féas 64 247 F2
Febvin-Palfart 62 9 E1
Fécamp 76 14 B3
Féchain 59 10 C4
Fêche-l'Église 90 108 A4
Fécocourt 54 86 B1
Fédry 70 106 A3
Fegersheim 67 67 D4
Fégréac 44 92 C3
Feigères 74 158 A3
Feigneux 60 34 C3
Feignies 59 12 B3
Feillens 01 155 F2
Feings 61 84 B1
Feings 41 117 D1
Feins 35 73 D2
Feins-en-Gâtinais 45 101 D3
Feissons-sur-Isère 73 174 C2
Feissons-sur-Salins 73 174 C3
Fel 61 53 E2
Felce 2b 267 E1
Feldbach 68 108 C4
Feldkirch 68 108 C1
Feliceto 2B 264 C3
Félines 07 187 E1
Félines 43 185 E2
Félines-Minervois 34 254 A1
Félines-sur-Rimandoule 26 204 B3

Félines-Termenès 11 254 A3
Felleries 59 12 B4
Fellering 68 108 A1
Felletin 23 166 B1
Felluns 66 262 A1
Felon 90 108 A2
Felzins 46 199 D3
Fenain 59 11 D2
Fénay 21 123 F2
Fendeille 11 252 C1
Fénelon 24 197 F1
Fénery 79 131 D3
Fénétrange 57 66 A1
Feneu 49 95 D4
Féneyrols 82 214 A3
Féniers 09 252 A4
Féniers (Abbaye de) 15 183 E2
Fenioux 79 130 C4
Fenioux 17 161 D1
Fenneviller 54 65 F4
Fénols 81 231 D1
Le Fenouiller 85 128 B2
Fenouillet 66 261 F1
Fenouillet 31 229 F2
Fenouillet-du-Razès 11 253 D2
Fépin 08 21 E1
Fer à Cheval (Cirque de) 74 159 E3
Fer à Cheval (Cirque du) 39 141 F1
Ferayola 2B 264 A4
Fercé 44 93 F2
Fercé-sur-Sarthe 72 96 A1
Ferdrupt 88 107 E1
La Fère 02 19 E4
Fère-Champenoise 51 60 B3
Fère (Château de) 02 35 F3
Fère-en-Tardenois 02 35 F3
Fèrebrianges 51 60 A2
La Férée 08 20 C3
Férel 56 92 A4
Ferfay 62 9 E1
Féricy 77 80 C1
Férin 59 10 C3
Fermanville 50 25 D1
La Fermeté 58 137 E1
Fermont (Fort de) 54 39 D1
Ferney-Voltaire 01 158 A2
Fernoël 63 166 C2
Férolles 45 99 F2
Férolles-Attilly 77 58 A3
Féron 59 20 B1
Ferques 62 2 C3
Ferrals-les-Corbières 11 254 B2
Ferrals-les-Montagnes 34 232 A4
Ferran 11 253 D2
Ferrassières 26 220 C2
Ferrat (Cap) 06 240 C2
Ferrensac 47 196 B3
Ferrère 65 250 A4
Les Ferres 06 223 F4
Ferrette 68 108 C4
Ferreux 10 82 B1
La Ferrière 22 71 E3
La Ferrière 85 129 E2
La Ferrière 38 190 A1
La Ferrière-Airoux 86 147 F2
La Ferrière-au-Doyen 14 28 B4
La Ferrière-au-Doyen 61 54 B3
La Ferrière-aux-Étangs 61 52 B3
La Ferrière-Béchet 61 53 E4
La Ferrière-Bochard 61 76 B4
La Ferrière-de-Flée 49 94 C2
La Ferrière-en-Parthenay 79 131 D2
Ferrière-et-Lafolie 52 85 D1
Ferrière-la-Grande 59 12 B3
La Ferrière-Harang 14 51 E1
Ferrière-Larçon 37 116 B4
La Ferrière-la-Petite 59 12 B3
La Ferrière-sur-Beaulieu 37 116 C3
La Ferrière-sur-Risle 27 54 C1
Ferrières 45 80 C4
Ferrières 65 256 C2
Ferrières 50 51 E4
Ferrières 74 158 A4
Ferrières 54 64 C4
Ferrières 17 145 F2
Ferrières 81 231 F2
Ferrières 80 17 F4
Ferrières 17 57 B2
Ferrières-les-Bois 25 125 D2

Ferrières-en-Bray 76 32 C1
Ferrières-Haut-Clocher 27 55 D1
Ferrières-le-Lac 25 126 C2
Ferrières-Poussarou 34 232 C4
Ferrières-lès-Ray 70 106 A3
Ferrières-St-Hilaire 27 54 B1
Ferrières-St-Mary 15 184 A3
Ferrières-lès-Scey 70 106 B3
Ferrières-sur-Ariège 09 252 A4
Ferrières-sur-Sichon 03 153 F4
Ferrières-la-Verrerie 61 53 F3
Ferrières-les-Verreries 34 234 B1
Ferrussac 43 184 C3
Fertans 25 125 E4
La Ferté 39 141 E1
La Ferté-Alais 91 80 A1
La Ferté-Beauharnais 41 99 E4
La Ferté-Bernard 72 77 D3
La Ferté-Chevresis 02 19 F3
La Ferté-Frênel 61 54 B2
La Ferté-Gaucher 77 59 E3
La Ferté-Hauterive 03 153 D1
La Ferté-Imbault 41 118 B2
La Ferté-Loupière 89 101 F2
La Ferté-Macé 61 52 C4
La Ferté-Milon 02 35 D3
La Ferté-St-Aubin 45 99 E3
La Ferté-St-Cyr 41 99 D3
La Ferté-St-Samson 76 16 B4
La Ferté-sous-Jouarre 77 59 D1
La Ferté-sur-Chiers 08 22 B4
La Ferté-Vidame 28 55 D4
La Ferté-Villeneuil 28 98 B1
Fertrève 58 137 F1
Fervaches 50 51 E1
Fervaques 14 30 B4
Fescamps 80 18 A4
Fesches-le-Châtel 25 108 A4
Fesmy-le-Sart 02 19 F1
Fesques 76 16 B3
Fessanvilliers-Mattanvilliers 28 55 D3
Fessenheim 68 109 D1
Fessenheim-le-Bas 67 66 C3
Fessevillers 25 126 C2
Les Fessey 70 107 D2
Fessy 74 158 C2
Festalemps 24 178 C2
Festes-et-St-André 11 253 D4
Festieux 02 36 A1
Festigny 89 102 A4
Festigny 51 36 A4
Festre (Col du) 05 205 F2
Festubert 62 10 A1
La Fête 21 122 B3
Féternes 74 158 C1
Fétigny 39 141 E4
Feucherolles 78 57 D2
Feuchy 62 10 A3
Feugarolles 47 211 D2
Feugères 50 27 D3
Feuges 10 83 D2
Feuguerolles 27 31 E4
Feuguerolles-Bully 14 29 D4
Feuguerolles-sur-Seulles 14 28 B4
Feuilla 11 254 C4
Feuillade 16 163 D3
La Feuillade 24 181 D2
La Feuillée 29 46 A4
Feuillères 80 18 B2
La Feuillie 76 32 B1
La Feuillie 50 27 D2
Feule 25 126 C1
Feuquières 60 16 C4
Feuquières-en-Vimeu 80 16 B1
Feurs 42 170 B2
Feusines 36 135 E4
Feux 18 119 F3
Fèves 57 40 B3
Fey 57 40 B4
Fey-en-Haye 54 64 A1

Feyt 19 167 D3
Feytiat 87 164 C2
Feyzin 69 171 E3
Fiac 81 230 C2
Ficaja 2b 265 E4
Ficheux 62 10 A3
Fichous-Riumayou 64 226 B3
Le Fidelaire 27 54 C1
Le Fied 39 141 E2
Le Fief-Sauvin 49 112 D2
Fieffes-Montrelet 80 17 E1
Fiefs 62 9 E1
Fiennes 62 3 D1
Fienvillers 80 9 D4
Fier (Gorges du) 74 158 A4
Fier (Val du) 01,74 157 E4
Fierville-Bray 14 29 D4
Fierville-les-Mines 50 24 C3
Fierville-les-Parcs 14 30 B3
Le Fieu 33 178 C4
Fieulaine 02 19 E2
Fieux 47 211 D3
Figanières 83 239 E2
Figari 2A 269 D4
Figarol 31 259 D2
Figeac 46 198 C3
Fignévielle 88 86 A4
Fignières 80 18 A3
Filain 70 106 C4
Filain 02 35 F1
Filières 76 14 B4
Filitosa (Station Préhistorique de) 2A 268 C2
Fillé 72 96 B1
Fillières 54 39 E1
Fillièvres 62 9 D3
Fillinges 74 158 B2
Fillols 66 261 F3
Filstroff 57 41 D2
Fiménil 88 87 F3
Finestret 66 262 A2
Finhan 82 212 C4
Finiels (Col de) 48 202 A4
Fins 80 18 C1
Les Fins 25 126 B3
Fiquefleur-Équainville 27 30 B2
Firbeix 24 164 B3
Firfol 14 30 B4
Firmi 12 199 E3
Firminy 42 186 B1
Fislis 68 108 C4
Fismes 51 36 A3
Fitignieu 01 157 D4
Fitilieu 38 172 C3
Fitou 11 254 C4
Fitz-James 60 33 F2
Fix-St-Geneys 43 185 E3
Fixem 57 40 B1
Fixin 21 123 E2
Flabas 55 38 C2
Flacey 28 78 B3
Flacey 21 123 F1
Flacey-en-Bresse 71 141 D3
La Flachère 38 173 E4
Flachères 38 172 B4
Flacourt 78 56 B1
Flacy 89 82 B3
Flagey 52 105 D2
Flagey 25 125 D2
Flagey-lès-Auxonne 21 124 B3
Flagey-Echézeaux 21 123 E3
Flagey-Rigney 25 107 D4
Flagnac 12 199 D3
Flagy 70 107 D3
Flagy 77 81 D2
Flagy 71 139 F4
Flaignes-Havys 08 21 D2
Flainval 54 65 D1
Flamanville 50 24 B2
Flamanville 76 15 D4
Flamarens 32 212 A3
La Flamengrie 59 11 F3
La Flamengrie 02 20 A1
Flamets-Frétils 76 16 B3
Flammerans 21 124 B2
Flammerécourt 52 85 D2
Flancourt-Catelon 27 31 D2
Flangebouche 25 126 A3
Flaran (Ancienne Abbaye de) 32 211 D4
Flassan 84 220 B3
Flassans-sur-Issole 83 244 C1
Flassigny 55 39 E3
Flastroff 57 40 C2
Flat 63 168 C3
Flaucourt 80 18 B2
Flaugeac 24 196 B3
Flaujac-Gare 46 198 B2
Flaujac-Poujols 46 213 D1

Flaujagues 33 195 D1
Flaumont-Waudrechies 59 12 B4
Flaux 30 219 D3
Flavacourt 60 32 C2
Flaviac 07 203 F2
Flavignac 87 164 B2
Flavignerot 21 123 E2
Flavigny 51 60 C1
Flavigny 18 136 B1
Flavigny-le-Grand-et-Beaurain 02 19 F2
Flavigny-sur-Moselle 54 64 B4
Flavigny-sur-Ozerain 21 103 F4
Flavin 12 215 D2
Flavy-le-Martel 02 19 D3
Flavy-le-Meldeux 60 18 C3
Flaxieu 01 173 D1
Flaxlanden 68 108 C2
Flayat 23 166 C2
Flayosc 83 239 D3
Fléac 16 161 E4
Fléac-sur-Seugne 17 161 E1
La Flèche 72 96 A3
Fléchères 01 155 E4
Fléchin 62 9 E1
Fléchy 60 17 F4
Fleckenstein (Château de) 67 43 D4
Flée 21 122 B1
Flée 72 97 D3
Fleigneux 08 22 B2
Fleisheim 57 66 B2
Le Fleix 24 195 F1
Le Fleix 86 133 D4
Fléré-la-Rivière 36 116 C4
Flers 61 52 B3
Flers 62 9 D3
Flers 80 18 B1
Flers-en-Escrebieux 59 10 B2
Flers-sur-Noye 80 17 E3
Flesquières 59 10 C4
Flesselles 80 17 E1
Flétrange 57 41 D4
Fléty 58 138 B2
Fleurac 16 162 B2
Fleurac 24 180 B4
Fleurance 32 228 B1
Fleurat 23 150 A2
Fleurbaix 62 4 C4
Fleuré 61 53 D3
Fleuré 86 132 C4
Fleurey 21 126 C2
Fleurey-lès-Faverney 70 106 B2
Fleurey-lès-Lavoncourt 70 106 A3
Fleurey-sur-Ouche 21 123 D2
Fleurie 69 155 E3
Fleuriel 03 152 C2
Fleurieu-sur-Saône 69 171 E1
Fleurieux-sur-l'Arbresle 69 171 D1
Fleurigné 35 74 A2
Fleurigny 89 81 F2
Fleurines 60 34 A3
Fleurville 71 155 F1
Fleury 11 255 D2
Fleury 50 50 C2
Fleury 57 40 B4
Fleury 60 17 D3
Fleury 62 9 D2
Fleury 80 33 D3
Fleury-devant-Douaumont 55 38 C2
Fleury-en-Bière 77 80 B1
Fleury-la-Forêt 27 32 B2
Fleury-la-Montagne 71 154 B3
Fleury-la-Rivière 51 36 B4
Fleury-sur-Aire 55 62 B1
Fleury-sur-Andelle 27 32 A2
Fleury-sur-Loire 58 137 E2
Fleury-sur-Orne 14 29 D3
Fleury-la-Vallée 89 102 A2
Fléville 08 38 A2
Fléville-devant-Nancy 54 64 B3
Fléville-Lixières 54 39 E3
Flévy 57 40 B3
Flexanville 78 56 B2
Flexbourg 67 66 C3
Fley 71 139 F3
Fleys 89 102 C2
Flez-Cuzy 58 137 F1
Fligny 08 20 C2
Flin 54 65 E4

Flines-lez-Raches 59 10 C2
Flines-lès-Mortagne 59 11 D1
Flins-Neuve-Église 78 56 B2
Flins-sur-Seine 78 56 C1
Flipou 27 32 A3
Flirey 54 63 F2
Flixecourt 80 17 D1
Flize 08 21 E3
La Flocellière 85 130 A1
Flocourt 57 64 C1
Flocques 76 16 A1
Flogny-la-Chapelle 89 102 C1
Floing 08 21 F3
Floirac 33 194 B1
Floirac 46 198 A1
Floirac 17 160 C4
Florac 48 217 E1
Florange 57 40 B2
Florémont 88 87 D1
Florensac 34 255 E1
Florent-en-Argonne 51 38 A4
Florentia 39 156 C1
Florentin 81 231 D1
Florentin-la-Capelle 12 200 A3
Floressas 46 197 D4
Florimont 90 108 B4
Florimont-Gaumier 24 197 E2
Floringhem 62 9 E1
Flornoy 52 62 B4
La Flotte 17 144 C2
Flottemanville 50 25 D3
Flottemanville-Hague 50 24 C2
Floudès 33 195 D3
Floure 11 253 F2
Flourens 31 230 B3
Floursies 59 12 B4
Floyon 59 20 A1
Flumen (Gorges du) 39 157 F1
Flumet 73 174 C1
Fluquières 02 19 D3
Fluy 80 17 D2
Foameix-Ornel 55 39 D3
Foce 20 269 D3
Focicchia 2b 267 E1
Foëcy 18 118 C3
Le Foeil 22 47 F4
Foisches 08 13 F4
Foissac 12 198 C4
Foissac 30 218 C3
Foissiat 01 156 B1
Foissy 21 122 C3
Foissy-sur-Vanne 89 82 A3
Foissy-lès-Vézelay 89 121 E1
Foix 09 252 A4
Folcarde 31 230 C4
Folembray 02 35 D1
Folgensbourg 68 109 D3
Le Folgoët 29 45 E2
La Folie 14 28 A4
Folies 80 18 A3
Folkling 57 41 E3
Follainville-Dennemont 78 56 B1
Folles 87 149 F3
La Folletière 76 15 D4
La Folletière-Abenon 14 54 A1
Folleville 80 17 F4
Folleville 27 30 C3
Folligny 50 50 C3
Folschviller 57 41 D4
Fomerey 88 87 D2
Fomperron 79 131 F3
Fonbeauzard 31 230 A2
Foncegrive 21 104 C3
Fonches-Fonchette 80 18 C3
Foncine-le-Bas 39 142 B3
Foncine-le-Haut 39 142 B3
Foncquevillers 62 9 F4
Fondettes 37 115 F1
Fondremand 70 106 B4
Fongalop 24 197 D2
Fongrave 47 211 E1
Fonguesemare 76 14 B3
Fonroque 24 196 A3
Fons 07 203 D3
Fons 46 198 C3
Fons 30 218 B4
Fons-sur-Lussan 30 218 C2
Fonsommes 02 19 E2
Fonsorbes 31 229 F3
Font-Romeu 66 261 D3
La Font-Sainte 15 183 E3
Fontain 25 125 E3
Fontaine 10 84 B3
Fontaine 90 108 A3
Fontaine 38 189 D2
Fontaine-l'Abbé 27 31 D4
Fontaine-au-Bois 59 11 E4

Fontaine-au-Pire 59 11 D4
Fontaine-les-Bassets 61 53 D2
Fontaine-Bellenger 27 32 A3
Fontaine-Bonneleau 60 17 E4
Fontaine-le-Bourg 76 15 F4
Fontaine-Chaalis 60 34 B3
Fontaine-Chalendray 17 146 A2
Fontaine-Denis-Nuisy 51 60 A4
Fontaine-en-Bray 76 16 A4
Fontaine-en-Dormois 51 37 F3
Fontaine-l'Étalon 62 9 D3
Fontaine-Étoupefour 14 29 D3
Fontaine-Fourches 77 81 F2
Fontaine-Française 21 105 E4
Fontaine-la-Gaillarde 89 81 F3
Fontaine-les-Grès 10 82 C2
Fontaine-Guérard (Abbaye de) 27 32 A2
Fontaine-Guérin 49 95 F4
Fontaine-la-Guyon 28 78 B1
Fontaine Henry 14 29 D3
Fontaine-Henry 14 29 D3
Fontaine-les-Hermans 62 9 E1
Fontaine-Heudebourg 27 31 F4
Fontaine-Lavaganne 60 17 D4
Fontaine-la-Louvet 27 30 B3
Fontaine-les-Luxeuil 70 106 C1
Fontaine-Mâcon 10 82 A1
Fontaine-la-Mallet 76 14 A4
Fontaine-Milon 49 95 F4
Fontaine-Notre-Dame 02 19 E2
Fontaine-Notre-Dame 59 10 C4
Fontaine-le-Pin 14 52 C1
Fontaine-le-Port 77 80 C1
Fontaine-le-Puits 73 174 C4
Fontaine-Raoul 41 98 A1
Fontaine-les-Ribouts 28 55 E4
Fontaine-la-Rivière 91 79 F2
Fontaine-St-Lucien 60 33 E1
La Fontaine-St-Martin 72 96 B2
Fontaine-le-Sec 80 16 C2
Fontaine-Simon 28 77 F1
Fontaine-la-Soret 27 31 D4
Fontaine-sous-Jouy 27 32 A4
Fontaine-sous-Montaiguillon 77 59 F4
Fontaine-sous-Montdidier 80 17 F4
Fontaine-sous-Préaux 76 31 F1

Fontaine-sur-Maye 80 8 C3
Fontaine-sur-Somme 80 17 D1
Fontaine-Uterte 02 19 D2
Fontaines-lès-Vervins 02 20 A2
Fontainebleau 77 80 B1
Fontainebrux 39 141 D3
Fontaines 89 101 F3
Fontaines 71 139 F2
Fontaines 85 145 E3
Fontaines-d'Ozillac 17 177 F1
Fontaines-en-Sologne 41 98 C4
Fontaines-en-Duesmois 21 103 F3
Fontaines-St-Clair 55 38 B2
Fontaines-St-Martin 69 171 E1
Fontaines-les-Sèches 21 103 E2
Fontaines-sur-Marne 52 62 B4
Fontaines-sur-Saône 69 171 E1
Fontains 77 81 D1
Fontan 06 241 F2
Fontanes 46 213 E1
Fontanès 42 170 C4
Fontanès 34 234 B1
Fontanes 48 202 A2
Fontanès 30 234 C1
Fontanes-de-Sault 11 261 D1
Fontanges 15 183 D3
Fontangy 21 122 B2
Fontanières 23 151 E3
Fontanil-Cornillon 38 189 D2
Fontannes 43 184 C2
Fontans 48 201 D2
Fontarèches 30 218 C3
Fontcaude (Abbaye de) 34 233 D4
Fontclaireau 16 162 C1
Fontcouverte 11 254 A2
Fontcouverte 73 190 B2
Fontcouverte 17 161 D2
La Fontelaye 76 15 E3
Fontenai-les-Louvets 61 53 D4
Fontenai-sur-Orne 61 53 D3
Fontenailles 89 102 A3
Fontenailles 77 58 C4
Fontenay 76 14 A4
Fontenay 88 87 E2
Fontenay 27 32 B3
Fontenay 71 139 F1
Fontenay 50 51 E3
Fontenay 36 117 D2
Fontenay (Ancienne Abbaye de) 21 103 F3
Fontenay-aux-Roses 92 57 F2
Fontenay-lès-Briis 91 57 D4
Fontenay-le-Comte 85 130 B4
Fontenay-de-Bossery 10 82 A1
Fontenay-en-Parisis 95 34 A4
Fontenay-le-Fleury 78 57 D2
Fontenay-le-Marmion 14 29 D4
Fontenay-le-Pesnel 14 28 C4
Fontenay-près-Chablis 89 102 C2
Fontenay-près-Vézelay 89 121 E1
Fontenay-St-Père 78 56 B1
Fontenay-sous-Bois 94 57 F2
Fontenay-sous-Fouronnes 89 102 B4
Fontenay-sur-Conie 28 79 D3
Fontenay-sur-Eure 28 78 B2
Fontenay-sur-Loing 45 80 C4
Fontenay-sur-Mer 50 25 D4
Fontenay-sur-Vègre 72 95 F1
Fontenay-Torcy 60 16 C4
Fontenay-Trésigny 77 58 C3

Fontenay-le-Vicomte 91 57 F4
Fontenelle 21 105 E4
Fontenelle 02 20 A1
Fontenelle 90 108 A3
La Fontenelle 41 77 F4
La Fontenelle 35 73 E1
Fontenelle-en-Brie 02 59 F2
Fontenelle-Montby 25 107 D4
Les Fontenelles 25 126 C2
Fontenermont 14 51 D2
Fontenet 17 161 E1
Fontenille 79 146 C3
Fontenille 16 162 C1
Fontenilles 31 229 E3
Les Fontenis 70 125 E1
Fontenois-lès-Montbozon 70 106 C4
Fontenois-la-Ville 70 106 C1
Fontenotte 25 125 F1
Fontenouilles 89 101 E2
Fontenoy 89 101 F3
Fontenoy 02 35 D2
Fontenoy-le-Château 88 87 D4
Fontenoy-la-Joûte 54 87 F1
Fontenoy-sur-Moselle 54 64 A3
Fontenu 39 141 F3
Fonteny 57 65 D1
Fonteny 39 142 A1
Fonters-du-Razès 11 252 C2
Fontès 34 233 E3
Fontet 33 195 D3
Fontette 10 84 A4
Fontevraud-l'Abbaye 49 114 C3
Fontfroide (Abbaye de) 11 254 C2
Fontgombault 36 133 E3
Fontguenand 36 117 E3
Fontienne 04 221 E3
Fontiers-Cabardès 11 253 E1
Fontiès-d'Aude 11 253 F2
Fontirou (Grottes de) 47 211 F1
Fontjoncouse 11 254 B3
Fontoy 57 39 F2
Fontpédrouse 66 261 E3
Fontrabiouse 66 261 D2
Fontrailles 65 249 F1
Fontvannes 10 82 C2
Fontvieille 13 236 A2
Forbach 57 41 E3
Forca Réal 66 262 B2
Forcalqueiret 83 244 B1
Forcalquier 04 221 E4
Forcé 53 74 C4
La Force 11 253 D2
La Force 24 195 F1
Forcelles-St-Gorgon 54 86 C1
Forcelles-sous-Gugney 54 86 C1
Forceville 80 18 A1
Forceville-en-Vimeu 80 16 C1
Forcey 52 85 E3
Forciolo 2a 269 D1
La Forclaz 74 159 D1
Forclaz (Col de la) 74 174 B1
Forest-l'Abbaye 80 8 C3
Forest-en-Cambrésis 59 11 E4
La Forest-Landerneau 29 45 E3
Forest-Montiers 80 8 B3
Forest-St-Julien 05 206 B2
Forest-sur-Marque 59 5 E4
Foreste 02 18 C3
La Forestière 51 59 F3
Forestière (Aven de la) 07 218 C1
La Forêt-Auvray 61 52 C2
La Forêt-de-Tessé 16 147 D3
Forêt d'Orient (Lac de) 10 83 E2
Forêt d'Orient (Parc Régional de la) 10 84 A2
La Foret-du-Parc 27 55 E1
La Forêt-du-Temple 23 150 B1
La Forêt-la-Folie 27 32 B3
La Forêt-Fouesnant 29 69 D3
La Forêt-le-Roi 91 79 E1
La Forêt-Ste-Croix 91 79 F2
La Forêt-sur-Sèvre 79 130 B2
Forez (Monts du) 63,42 169 E3
Forfry 77 34 B4
La Forge 88 88 A3
Forges 77 81 D1
Forges 61 76 B1
Forges 17 145 E3
Forgès 19 181 F3
Forges 49 114 B3
Les Forges 88 87 D3
Les Forges 79 131 F4
Les Forges 56 71 E4
Les Forges 23 151 D3
Forges-les-Bains 91 57 D4
Forges-les-Eaux 76 16 B4
Forges-la-Forêt 35 94 A1
Forges-sur-Meuse 55 38 B3
Forgues 31 229 D4
La Forie 63 169 E3
Forléans 21 122 A1
Formentin 14 30 A3
Formerie 60 16 C4
Formigny 14 28 B2
Formiguères 66 261 D2
Fornex 09 251 E2
Fors 79 146 B2
Forstfeld 67 67 F1
Forstheim 67 67 D1
Fort-du-Plasne 39 142 A3
Fort-Louis 67 67 F1
Fort-Mahon-Plage 80 8 A2
Fort-Mardyck 59 3 F1
Fort-Moville 27 30 B2
Fortan 41 97 F2
Fortel-en-Artois 62 9 D3
La Forteresse 38 188 C1
Fortschwihr 68 89 D3
Fos 31 258 C3
Fos 34 233 E3
Fos (Port de) 13 236 B4
Fos-sur-Mer 13 242 B1
Le Fossat 09 251 F2
Fossé 41 98 B3
Fossé 08 38 A1
Fosse 66 261 F1
Le Fossé 76 16 B4
La Fosse-Corduan 10 82 B1
La Fosse-de-Tigné 49 114 A3
Fossemagne 24 180 A3
Fossemanant 80 17 E3
Fosses 95 34 A4
Les Fosses 79 146 B3
Fossès-et-Baleyssac 33 195 E3
Fosseuse 60 33 E3
Fosseux 62 9 F3
Fossieux 57 64 C2
Fossoy 02 35 E4
Fou (Gorges de la) 66 262 A4
Foucarmont 76 16 B2
Foucart 76 14 C4
Foucarville 50 25 E3
Foucaucourt-en-Santerre 80 18 B2
Foucaucourt-Hors-Nesle 80 16 C2
Foucaucourt-sur-Thabas 55 62 B1
Fouchécourt 70 106 B2
Fouchécourt 88 86 B4
Foucherans 25 125 E3
Foucherans 39 124 B3
Fouchères 89 81 E3
Fouchères 10 83 E3
Fouchères-aux-Bois 55 62 C3
Foucherolles 45 81 D4
Fouchy 67 88 C2
Foucrainville 27 55 F2
Fouday 67 88 C1
Fouencamps 80 17 F2
Fouesnant 29 69 D4
Foufflin-Ricametz 62 9 E2
Foug 54 63 F3
Fougaron 31 259 D2
Fougax-et-Barrineuf 09 252 C4
Fougeré 85 129 E3
Fougères 35 74 A2
Fougères (Forêt de) 35 74 A1
Fougères-sur-Bièvre 41 117 D1
Les Fougerêts 56 92 B2
Fougerolles 36 135 D4
Fougerolles 70 107 D1
Fougerolles-du-Plessis 53 74 B1
Fougueyrolles 24 195 E1
La Fouillade 12 214 B2
Fouilleuse 60 34 A2
Fouillouse 05 206 A4
La Fouillouse 42 170 C4
Le Fouilloux 17 178 A2
Fouilloy 60 16 C3
Fouilloy 80 17 F2
Fouju 77 58 B4
Foulain 52 85 D4
Foulangues 60 33 F3
Foulayronnes 47 211 F2
Foulbec 27 30 B2
Foulcrey 57 65 E3
Fouleix 24 179 E4
Foulenay 39 141 D1
Fouligny 57 40 C4
Foulletorte 53 75 E3
Foulognes 14 28 B3
Foulzy 08 20 C2
Fouquebrune 16 163 C4
Fouquenies 60 33 D1
Fouquereuil 62 9 F1
Fouquerolles 60 33 E1
Fouquescourt 80 18 B3
Fouqueure 16 162 B1
Fouqueville 27 31 E3
Fouquières-lès-Béthune 62 F9144
Fouquières-lès-Lens 62 10 B2
Four 38 172 B3
Fouras 17 145 D4
Fourbanne 25 125 F2
Fourcatier-et-Maison-Neuve 25 142 C2
Fourcès 32 210 C4
Fourchambault 58 120 B4
Fourchaud 03 153 D1
Fourches 14 53 D2
Fourcigny 80 16 C3
Fourdrain 02 19 E4
Fourdrinoy 80 17 D1
Fourg 25 125 D3
Fourges 27 32 B4
Les Fourgs 25 142 C1
Fourilles 03 152 C2
Fourmagnac 46 198 C3
Fourmetot 27 30 C2
Fourmies 59 20 B1
Fournaudin 89 82 B3
Fourneaux 42 170 B1
Fourneaux 73 191 D2
Fourneaux 50 51 E1
Fourneaux-le-Val 14 52 C2
Fournels 48 200 C1
Fournès 30 219 D4
Fournes-Cabardès 11 253 F1
Fournes-en-Weppes 59 4 C4
Le Fournet 14 30 A3
Fournet-Blancheroche 25 126 C3
Fourneville 14 30 B2
Fournival 60 33 F1
Fournols 63 169 D4
Fournoulès 15 199 E2
Fouronnes 89 102 B4
Fourques 66 262 B3
Fourques 30 235 F2
Fourques-sur-Garonne 47 195 E4
Fourqueux 78 57 D2
Fourquevaux 31 230 B3
Fours 33 177 D2
Fours 58 138 A2
Fours-en-Vexin 27 32 B3
Fourtou 11 253 F4
Foussais-Payré 85 130 B4
Foussemagne 90 108 A3
Le Fousseret 31 251 D1
Foussignac 16 162 A2
Fouvent-le-Bas 70 105 F3
Fouvent-le-Haut 70 105 F3
Fouzilhon 34 233 E4
Foville 57 64 C1
Fox-Amphoux 83 238 C2
La Foye-Monjault 79 146 A3
Fozières 34 233 E2
Fozzano 2a 269 D2
Fragnes 71 140 A2
Frahier-et-Chatebier 70 107 F3
Fraignot-et-Vesvrotte 21 104 B3
Fraillicourt 08 20 C4
Fraimbois 54 65 D4
Frain 88 86 B4
Frais 90 108 A3
Fraisans 39 124 C3
Fraisnes-en-Saintois 54 86 C1
Fraisse 24 178 C4
Fraisse-Cabardès 11 253 E1
Fraissé-des-Corbières 11 254 B4
Fraisse-sur-Agout 34 232 B3
Fraisses 42 186 B1
Fraissines 81 215 D4
Fraissinet-de-Fourques 48 217 D2
Fraissinet-de-Lozère 48 217 E1
Fraize 88 88 B3
Fralignes 10 83 E3
La Framboisière-la-Saucelle 28 55 D4
Frambouhans 25 126 C2
Framecourt 62 9 E2
Framerville-Rainecourt 80 18 A2
Framicourt 80 16 B1
Framont 70 105 F4
Frampas 52 62 A4
Francalmont 70 106 C2
Francaltroff 57 65 E1
Francarville 31 230 B3
Francastel 60 17 D4
Françay 41 98 A4
Francazal 31 259 D2
France (Roc de) 66 262 B4
Francescas 47 211 E3
Franchesse 03 136 C3
Francheval 08 22 A3
Franchevelle 70 107 D2
Francheville 54 64 A3
Francheville 27 54 C2
Francheville 39 141 D2
Francheville 61 53 D3
Francheville 21 123 E1
Francheville 69 171 E2
Francheville 51 61 E2
La Francheville 08 21 E3
Francières 60 34 B1
Francières 80 16 B1
Francillon 36 134 B1
Francillon-sur-Roubion 26 204 B3
Francilly-Selency 02 19 D2
Francin 73 173 F4
Franclens 74 157 E3
François 79 146 B1
Francon 31 251 D1
Franconville 54 65 D4
Franconville 95 57 E1
Francoulès 46 197 F3
Francourt 70 106 A3
Francourville 28 79 D2
Francs 33 178 B4
Francueil 37 116 C2
Franey 25 125 D2
Frangy 74 157 F4
Frangy-en-Bresse 71 141 D2
Franken 68 108 C3
Frankenbourg 67 89 D2
Franleu 80 8 B4
Franois 25 125 D2
Franquevielle 31 250 A2
Franqueville 02 20 A2
Franqueville 27 31 D3
Franqueville 80 9 D4
Franqueville-St-Pierre 76 31 F2
Frans 01 155 E4
Fransart 80 18 B3
Fransèches 23 150 C4
Fransu 80 9 D4
Fransures 80 17 E3
Franvillers 80 17 F1
Franxault 21 124 A4
Frapelle 88 88 B2
Fraquelfing 57 65 F3
Fraroz 39 142 B2
Frasnay-Reugny 58 121 D4
Frasne 25 142 B1
Frasne 39 124 B3
Frasne-le-Château 70 106 B4
La Frasnée 39 141 F3
Le Frasnois 39 141 F3
Frasnoy 59 11 E3
La Frasse 74 159 D3
Frasseto 2a 267 D4
Frauenberg 57 42 A3
Frausseilles 81 214 A3
Fravaux 10 84 B3
Le Fraysse 81 215 D4
Frayssinet 46 197 F3
Frayssinet-le-Gélat 46 197 E3
Frayssinhes 46 198 C1
Frazé 28 77 F3
Fréauville 76 16 A2
Frebécourt 88 86 A1
Frébuans 39 141 D3
Le Frêche 40 210 A4
Fréchède 65 227 F4
Fréchencourt 80 17 F1
Fréchendets 65 257 F2
Le Fréchet 31 250 C2
Fréchet-Aure 65 249 F4
Fréchou 47 211 D3
Fréchou-Fréchet 65 249 E2
Frécourt 52 105 E1
Frédéric-Fontaine 70 107 E3
La Frédière 17 161 D1
Frédille 36 117 E4
Frégimont 47 211 E2
Frégouville 32 229 D3
Fréhel (Cap) 22 49 D2
Freigné 49 94 A4
La Freissinouse 05 206 A3
Freistroff 57 40 C2
Freix-Anglards 15 182 C4
Fréjairolles 81 231 E1
Fréjeville 81 231 D3
Fréjus 83 239 F3
Fréjus (Tunnel du) 73 191 D2
Fréland 68 88 C3
Frelinghien 59 5 D3
Frémainville 95 32 C4
Frémécourt 95 33 D4
Fréménil 54 65 E4
Frémeréville-sous-les-Côtes 55 63 E2
Frémery 57 65 D1
Frémestroff 57 41 E4
Frémicourt 62 10 B4
Fremifontaine 88 87 F2
Frémontiers 80 17 D3
Frémonville 54 65 F3
La Frénaye 76 30 C1
Frencq 62 8 B1
Frêne (Col du) 73 174 A3
Frenelle-la-Grande 88 86 C2
Frenelle-la-Petite 88 86 C2
Frênes 61 52 A2
Freneuse 78 32 B4
Freneuse 76 31 F2
Freneuse-sur-Risle 27 31 D3
Freney 73 191 D2
Le Freney-d'Oisans 38 190 A3
Fréniches 60 18 C4
Frénois 21 104 B4
Frénois 88 86 C3
La Frénouse 53 94 C1
Frénouville 14 29 E4
Frépillon 95 57 E1
Fresles 76 16 A3
La Fresnaie-Fayel 61 53 E2
La Fresnais 35 49 F3
Fresnay 10 84 B2
Fresnay-le-Comte 28 78 C2
Fresnay-en-Retz 44 111 D4
Fresnay-l'Évêque 28 79 D3
Fresnay-le-Gilmert 28 78 B1
Fresnay-le-Long 76 15 E4
Fresnay-le-Samson 61 53 E2
Fresnay-sur-Sarthe 72 76 A2
La Fresnaye-au-Sauvage 61 52 C3
La Fresnaye-sur-Chédouet 72 76 B1
Le Fresne 51 61 E2
Le Fresne 27 55 D1
Fresne-l'Archevêque 27 32 A3
Le Fresne-Camilly 14 28 C3
Fresne-Cauverville 27 30 C3
Fresne-Léguillon 60 33 D3
Fresné-la-Mère 14 53 D2
Fresne-le-Plan 76 32 A2
Le Fresne-Poret 50 51 F3
Fresne-St-Mamès 70 106 A4
Le Fresne-sur-Loire 44 113 D1
Fresneaux-Montchevreuil 60 33 D3
Fresnes 21 103 F4
Fresnes 02 35 E1
Fresnes 94 57 E3
Fresnes 41 117 D1
Fresnes 89 103 D2
Fresnes-au-Mont 55 63 D1
Fresnes-en-Saulnois 57 65 D2
Fresnes-en-Tardenois 02 35 F4
Fresnes-en-Woëvre 55 39 D4
Fresnes-Mazancourt 80 18 B2
Fresnes-lès-Montauban 62 10 B3
Fresnes-lès-Reims 51 36 C2
Fresnes-sur-Apance 52 106 A1
Fresnes-sur-Escaut 59 11 E2
Fresnes-sur-Marne 77 58 B1
Fresnes-Tilloloy 80 16 C1
Fresneville 80 16 C2
Fresney 27 55 F1
Fresney-le-Puceux 14 29 D4
Fresney-le-Vieux 14 52 B1
Fresnicourt-le-Dolmen 62 9 F2
Fresnières 60 18 B4
Fresnois-la-Montagne 54 39 D1
Fresnoy 62 9 D2
Fresnoy-Andainville 80 16 C2
Fresnoy-au-Val 80 17 D2
Fresnoy-le-Château 10 83 E3
Fresnoy-en-Bassigny 52 86 A4
Fresnoy-en-Chaussée 80 18 A3
Fresnoy-en-Gohelle 62 10 B2
Fresnoy-en-Thelle 60 33 E3
Fresnoy-Folny 76 16 A2
Fresnoy-le-Grand 02 19 E1
Fresnoy-le-Luat 60 34 B3
Fresnoy-la-Rivière 60 34 C3
Fresnoy-lès-Roye 80 18 B3
Frespech 47 212 A1
Fresquienne 76 15 E4
Fressac 30 217 F4
Fressain 59 10 C3
Fressancourt 02 19 E4
Fresse 70 107 E2
Fresse-sur-Moselle 88 107 F1
Fresselines 23 150 A1
Fressenneville 80 16 B1
Fressies 59 10 C3
Fressin 62 8 C2
Fressines 79 146 C2
Fressinières 05 206 C1
Le Frestoy-Vaux 60 18 A4
Fresville 50 25 D3
Fréterive 73 174 A3
Fréteval 41 98 A2
Fréthun 62 3 D2
Fretigney-et-Velloreille 70 106 B4
Frétigny 28 77 F2
Fretin 59 10 C1
Frétoy 77 59 D3
Frétoy-le-Château 60 18 C4
La Frette 38 188 C1
La Frette 71 140 B3
La Frette-sur-Seine 95 57 D1
Frettecuisse 80 16 C2
Frettemeule 80 16 B1
Frettemolle 80 16 C3
Fretterans 71 140 C1
Frettes 52 105 F3
Le Fréty 08 20 C3
Freulleville 76 15 F2
Frévent 62 9 E3
Fréville 88 85 F2
Fréville 76 15 D4
Fréville-du-Gâtinais 45 100 B1
Frévillers 62 9 F2
Frévin-Capelle 62 9 F2
Freybouse 57 41 E4
Freycenet-la-Cuche 43 202 B1
Freycenet-la-Tour 43 186 A4
Freychenet 09 252 B4
Freyming-Merlebach 57 41 E3
Freyssenet 07 203 E2
Friaize 28 78 A1
Friardel 14 54 A1
Friaucourt 80 8 A4
Friauville 54 39 E3
Fribourg 57 65 F2
Fricamps 80 17 D2
Frichemesnil 76 15 F4
Fricourt 80 18 A1
Fridefont 15 200 C1
Friedolsheim 67 66 C2
Frières-Faillouël 02 19 D3
Friesen 68 108 B3
Friesenheim 67 89 E2
Frignicourt 51 61 E3
Frise 80 18 B2
Friville-Escarbotin 80 8 A4
Frizon 88 87 D2
Froberville 76 14 B3
Frocourt 60 33 E2
Frœningen 68 108 C2
Frœschwiller 67 43 D4
Froges 38 189 F1
Frohen-le-Grand 80 9 D3
Frohen-le-Petit 80 9 D4
Frohmuhl 67 66 B1
Froideconche 70 107 D2
Froidefontaine 39 142 B2
Froidefontaine 90 108 A3
Froidestrées 02 20 A2
Froideterre 70 107 E2
Froidevaux 25 126 C2
Froideville 39 141 D2
Froidfond 85 128 C1
Froidmont-Cohartille 02 19 F3
Froidos 55 38 B4
Froissy 60 17 E4
Frôlois 21 104 A4
Frolois 54 64 B4
Fromelennes 08 13 F4
Fromelles 59 4 C4
Fromental 87 149 E3
Fromentières 51 60 A2
Fromentières 53 95 D2
Fromeréville-les-Vallons 55 38 B3
Fromezey 55 39 D3
Fromont 77 80 B3
Fromy 08 22 B4
Froncles 52 85 D2
Fronsac 33 177 F4
Fronsac 31 250 B4
Frontenac 46 198 C3
Frontenac 33 195 D2
Frontenard 71 140 B1
Frontenas 69 171 D1
Frontenaud 71 140 C4
Frontenay 39 141 E2
Frontenay-Rohan-Rohan 79 146 A2
Frontenay-sur-Dive 86 131 F2
Frontenex 73 174 B3
Frontignan 34 234 A4
Frontignan-Savès 31 229 D4
Frontignan-de-Comminges 31 250 B4
Fronton 31 229 F1
Frontonas 38 172 A3
Fronville 52 85 D1
Frossay 44 111 D2
Frotey-lès-Lure 70 107 E3
Frotey-lès-Vesoul 70 106 C3
Frouard 54 64 B2
Frouville 95 33 E4
Frouzins 31 229 F3
Froville 54 87 D1
Froyelles 80 8 C3
Frozes 86 131 F3
Frucourt 80 16 C1
Frugères-les-Mines 43 184 C1
Fruges 62 9 D1
Frugières-le-Pin 43 185 D2
Fruncé 28 78 A2
Fry 76 32 B1
Fuans 25 126 B3
Fublaines 77 58 C1
Le Fugeret 04 223 D3
Le Fuilet 49 112 C2
Fuilla 66 261 F3
Fuissé 71 155 E2
Fuligny 10 84 B2
Fulleren 68 108 B3
Fultot 76 15 D3
Fulvy 89 103 D3
Fumay 08 21 E1
Fumel 47 197 D4
Fumichon 14 30 B3
Furchhausen 67 66 C2
Furdenheim 67 66 C3
Furiani 2b 265 E2
Furmeyer 05 205 F3
Fussey 21 123 D3
Fussy 18 119 D3
Fustérouau 32 227 E2
Fustignac 31 251 D1
Futeau 55 38 A4
Fuveau 13 237 F4
Fyé 72 76 A2

G

Gaas 40 225 E2
Gabarnac 33 194 C3
Gabarret 40 210 B4
Gabaston 64 226 C4
Gabat 64 225 E4
Gabian 34 233 E3
Gabillou 24 180 B2
Gabre 09 251 F3
Gabriac 12 200 A4
Gabriac 48 217 E2
Gabrias 48 201 D3
Gacé 61 53 F2
La Gacilly 56 92 B2
Gâcogne 58 121 E3
Gadancourt 95 32 C4
Gadencourt 27 55 F1
Gaël 35 72 B3
Gageac-et-Rouillac 24 195 F2
Gagnac-sur-Cère 46 181 F4
Gagnac-sur-Garonne 31 229 F2
Gagnières 30 218 A1
Gagny 93 58 A2
Gahard 35 73 E2
Gailhan 30 234 C1
Gaillac 81 214 A4
Gaillac-d'Aveyron 12 216 A1
Gaillac-Toulza 31 252 A2
Gaillagos 65 257 D2
Gaillan-en-Médoc 33 176 C1
Gaillard 74 158 B2
Gaillardbois-Cressenville 27 32 A2
La Gaillarde 76 15 D2
Gaillefontaine 76 16 B4
Gaillères 40 209 F4
Gaillon 27 32 A4
Gaillon-sur-Montcient 78 56 C1
Gainneville 76 30 B1
Gaja-et-Villedieu 11 253 D3
Gaja-la-Selve 11 252 C2
Gajac 33 195 D4
Gajan 30 218 B4
Gajan 09 259 E2
Gajoubert 87 148 B3
Galametz 62 9 D2
Galamus (Gorges de) 66 262 A1
Galan 65 249 F2
Galapian 47 211 D1
Galargues 34 234 C2
Galéria 2b 264 A4
Galey 09 259 D3
Galez 65 250 A2
Galfingue 68 108 B2
Galgan 12 199 D4
Galgon 33 177 F4
Galiax 32 227 E3
Galibier (Col du) 05 190 C3
Galié 31 250 B3
Galinagues 11 261 D1
Gallardon 28 79 D1
Gallargues-le-Montueux 30 235 D2
Le Gallet 60 17 D4
Galluis 78 56 C3
Galoperie (Étang de la) 59 20 B1
Le Galz 68 88 C3
Gamaches 80 16 B1
Gamaches-en-Vexin 27 32 B3
Gamarde-les-Bains 40 225 F1
Gamarthe 64 247 D1
Gambais 78 56 B3
Gambaiseuil 78 56 B3
Gambsheim 67 67 E2
Gan 64 248 B1
Ganac 09 252 A4
Ganagobie 04 221 E3
Gancourt-St-Étienne 76 32 C1
Gandelain 61 76 A1
Gandelu 02 35 D4
Gandrange 57 40 B2
Ganges 34 217 E4
Gannat 03 152 C3
Gannay-sur-Loire 03 138 A3
Gannes 60 17 F4
Gans 33 195 D4
Ganties 31 258 C2
Ganzeville 76 14 B3
Gap 05 206 A3
Gapennes 80 8 C4
Gâprée 61 53 F4
Garabit (Viaduc de) 15 184 B4
Garac 31 229 E2
Garancières 78 56 B2
Garancières-en-Beauce 28 79 E1
Garancières-en-Drouais 28 55 E3
Garanou 09 260 C1
Garat 16 162 C3
Garcelles-Secqueville 14 29 D4
Garches 92 57 D2
Garchizy 58 120 B4
Garchy 58 120 B2
Gard 30,48 218 C4
Gard (Abbaye du) 80 17 D1
Gardanne 13 237 E4
La Garde 38 190 A3
La Garde 83 244 B3
La Garde 04 222 C4
La Garde-Adhémar 26 203 F4
La Garde-Freinet 83 245 D1
La Garde-Guérin 48 202 B4
Gardefort 18 119 F2
Gardegan-et-Tourtirac 33 195 D1
Gardères 65 249 D1
Les Gardes 49 113 E3
Gardes-le-Pontaroux 16 162 C4
Gardie 11 253 E3
Gardon (Gorges du) 30 218 C4
Gardonne 24 195 F1
Gardouch 31 230 B4
Garein 40 209 E3
Garencières 27 55 E1
La Garenne-Colombes 92 57 E2
Garennes-sur-Eure 27 56 A2
Garentreville 77 80 B3
Garéoult 83 244 B1
Gargan (Mont) 87 165 E3
Garganvillar 82 212 B4
Gargas 31 230 A2
Gargas 84 220 C4
Gargas (Mont) 38 205 F1
Gargenville 78 56 C1
Garges-lès-Gonesse 95 57 F1
Gargilesse-Dampierre 36 134 B4
Garidech 31 230 A2
Gariès 82 229 D1
Garigny 18 119 F4
Garin 31 258 B4
Garindein 64 247 E2
Garlan 29 46 B2
Garlède-Mondebat 64 226 C3
Garlin 64 226 C3
Le Garn 30 218 C1
La Garnache 85 128 B1
Garnat-sur-Engièvre 03 138 A3
Garnay 28 55 F3
Garnerans 01 155 F2
Garnetot 14 53 D1
Garonne 31, 33,47,65,82 194 B2
Garons 30 235 E1
Garos 64 226 B3
Garravet 32 229 D4
Garrebourg 57 66 B2
Garrevaques 81 231 D4
Garrey 40 225 E2
Le Garric 81 214 C4
Garrigues 81 230 B2
Garrigues 34 234 C1
Garrigues-Ste-Eulalie 30 218 C4
Garrosse 40 208 C3
Gars 06 223 E4
Gartempe 23 150 A3
Gartempe 23, 86,87 149 E3
Gas 28 56 B4
Gascogne (Golfe de) 224 B2
Gasny 27 32 B4
Gasques 82 212 B2
Gassin 83 245 E2
Le Gast 14 51 D2
Gastes 40 208 B1
Gastines 53 94 B1
Gastins 77 58 C4
Gasville 28 78 C1
Gâtelles 28 55 E4
Gatey 39 141 D1

Gathemo 50 51 E2
Gats (Gorges des) 26 205 D2
Gatteville-le-Phare 50 25 E1
Gattières 06 240 B1
Gatuzières 48 217 D2
Gaube (Lac de) 65 257 D3
Gaubertin 45 80 A4
La Gaubretière 85 112 C4
Gauchin-Légal 62 9 F2
Gauchin-Verloingt 62 9 E2
Gauchy 02 19 D2
Gauciel 27 55 E1
La Gaudaine 28 77 F2
La Gaude 06 240 B1
Gaudechart 60 17 D4
Gaudent 65 250 A3
Gaudiempré 62 9 F4
Gaudiès 09 252 B2
Gaudonville 32 228 C1
Gaudreville-la-Rivière 27 55 D1
Gaugeac 24 196 C2
Gaujac 32 228 C4
Gaujac 47 195 E4
Gaujac 30 219 D3
Gaujacq 40 226 A2
Gaujan 32 228 C4
Le Gault-Perche 41 77 F4
Le Gault-St-Denis 28 78 C3
Le Gault-Soigny 51 59 F2
Gauré 31 230 B3
Gauriac 33 177 D3
Gauriaguet 33 177 E3
Gaussan 65 250 A2
Gausson 22 71 E2
Gauville-la-Campagne 27 31 F4
Gauville 80 16 C3
Gauville 61 54 B2
Gavarnie 65 257 E4
Gavarnie (Cirque de) 65 257 E4
Gavarret-sur-Aulouste 32 228 B1
Gavaudun 47 196 C3
Gave d'Aspe 64 248 A2
Gave d'Oloron 64 225 E3
Gave d'Ossau 64 248 A2
Gavignano 2b 265 E4
Gavisse 57 40 B1
Gavray 50 50 C1
Le Gâvre 44 93 D4
Gâvre (Forêt du) 44 93 D4
Gavrelle 62 10 B3
Gâvres 56 90 B2
Gavrinis (I) 56 91 D3
Gavrus 14 28 C4
Gayan 65 249 E1
Gaye 51 60 A3
Gayon 64 227 D3
Gazaupouy 32 211 E4
Gazave 65 250 A3
Gazax-et-Baccarisse 32 227 F3
Gazeran 78 56 B4
Gazon du Faing 68,88 88 C3
Gazost 65 257 E2
Géanges 71 140 A1
Geaune 40 226 C2
Geay 17 160 C1
Geay 79 131 D1
Gèdre 65 257 E4
Gée 49 114 B1
Gée-Rivière 32 227 D2
Geffosses 50 26 C3
Géfosse-Fontenay 14 25 F4
Géhard (Cascade du) 88 87 E4
Gehée 36 117 E4
Geishouse 68 108 B1
Geispitzen 68 108 C2
Geispolsheim 67 67 D4
Geiswasser 68 89 E4
Geiswiller 67 66 C2
Gélacourt 54 65 E4
Gélannes 10 82 B1
Gélaucourt 54 86 C1
Gellainville 28 78 C2
Gellenoncourt 54 64 C3
Gelles 63 167 E2
Gellin 25 142 B2
Gelos 64 248 B2
Geloux 40 209 E3
Gelucourt 57 65 E2
Gelvécourt-et-Adompt 88 87 D3
Gémages 61 77 D2
Gemaingoutte 88 88 C2
Gembrie 65 250 B3
Gemeaux 21 104 C4
Géménos 13 243 F2
Gémigny 45 99 D1
Gémil 31 230 B2
Gemmelaincourt 88 86 B2
Gémonval 25 107 E4
Gémonville 54 86 B1
Gémozac 17 161 D3
Genac 16 162 B2
Genainville 95 32 C4
Genas 69 171 F2
Génat 09 260 B1
Genay 21 103 E4
Genay 69 171 E1
Gençay 86 147 F1
Gendreville 88 86 A2
Gendrey 39 124 C3
Gené 49 94 C3
Génébrières 82 213 E4
Genech 59 10 C1
Génelard 71 139 D4
Générac 33 177 E2
Générac 30 235 E2
Générargues 30 218 A3
Générest 65 250 A3
Generville 11 252 C2
Geneslay 61 52 B4
Le Genest-St-Isle 53 74 C3
Genestelle 07 203 D2
Geneston 44 112 A4
La Genête 71 140 B4
La Génétouze 85 129 D2
La Genétouze 17 178 B2
Genêts 50 50 B3
Les Genettes 61 54 B3
Geneuille 25 125 D2
La Genevraie 61 53 F3
La Genevraye 77 80 C2
Genevreuille 70 107 D3
Genevrey 70 107 D2
Genevrières 52 105 F3
La Genevroye 52 85 D2
Geney 25 107 E4
La Geneytouse 87 165 D2
Génicourt 95 33 E4
Génicourt-sous-Condé 55 62 B2
Génicourt-sur-Meuse 55 38 C4
Genillé 37 116 C3
Genin (Lac) 01 157 D2
Génis 24 180 B2
Génissac 33 194 C1
Génissiat (Barrage de) 74 157 E3
Génissieux 26 188 A3
Genlis 21 124 A2
Gennes 25 125 E2
Gennes 49 114 B2
Gennes-Ivergny 62 9 D3
Gennes-sur-Glaize 53 95 D2
Gennes-sur-Seiche 35 74 A4
Genneteil 49 96 B4
Gennetines 03 137 E3
Genneton 79 114 A4
Genneville 14 30 B2
Gennevilliers 92 57 E1
Genod 39 156 C1
Génolhac 30 217 F1
Génos 65 258 A4
Génos 31 250 B3
Genouillac 23 150 C2
Genouillac 16 163 E1
Genouillé 86 147 F3
Genouillé 17 145 F4
Genouilleux 01 155 F3
Genouilly 18 118 A3
Genouilly 71 139 E3
Genrupt 52 105 F1
Gensac 82 212 B4
Gensac 33 195 E1
Gensac 65 227 E4
Gensac-de-Boulogne 31 250 B1
Gensac-la-Pallue 16 161 F3
Gensac-sur-Garonne 31 251 E2
Genté 16 161 F3
Gentelles 80 17 F2
Gentilly 94 57 E2
Gentioux 23 166 A2
Genvry 60 18 C4
Georfans 70 107 E4
Géovreisset 01 157 D2
Géovreissiat 01 157 D2
Ger 65 257 E2
Ger 50 51 F3
Ger 64 249 D1
Geraise 39 125 D4
Gérardmer 88 88 A3
Géraudot 10 83 E3
Gérauvilliers 55 63 D4
Gerbaix 73 173 D3
Gerbamont 88 88 A4
Gerbécourt 57 65 D2
Gerbécourt-et-Haplemont 54 64 B4
Gerbépal 88 88 B3
Gerberoy 60 32 C1
Gerbéviller 54 65 D4
Gerbier de Jonc 07 202 C1
Gercourt-et-Drillancourt 55 38 B2
Gercy 02 20 A3
Gerde 65 257 F2
Gerderest 64 227 D4
Gère-Bélesten 64 256 B2
Gergny 02 20 A2
Gergovie (Plateau de) 63 168 B2
Gergueil 21 123 D2
Gergy 71 140 A1
Gerland 21 123 E3
Germ 65 258 A4
Germagnat 01 156 C2
Germagny 71 139 F3
Germaine 02 18 C3
Germaine 51 36 B4
Germaines 52 104 C2
Germainville 28 56 A3
Germainvilliers 52 86 A3
Germay 52 85 E1
Germéfontaine 25 126 A2
Germenay 58 121 D2
Germignac 17 161 E3
Germigney 39 124 C4
Germigney 70 124 B1
Germignonville 28 79 D3
Germigny 89 102 C1
Germigny 51 36 A3
Germigny-des-Prés 45 100 A2
Germigny-l'Évêque 77 58 C1
Germigny-l'Exempt 18 136 C1
Germigny-sous-Coulombs 77 35 D4
Germigny-sur-Loire 58 120 A4
Germinon 51 60 C2
Germiny 54 64 B4
Germisay 52 85 E1
Germolles-sur-Grosne 71 155 D2
Germond-Rouvre 79 131 D4
Germondans 25 125 F1
Germont 08 37 F1
Germonville 54 87 D1
Germs-sur-l'Oussouet 65 257 E2
Gernelle 08 21 F3
Gernicourt 02 36 B1
Géronce 64 247 F1
Gerponville 76 14 C3
Gerrots 14 29 F3
Gers 32,47,65 211 F3
Gerstheim 67 89 E1
Gertwiller 67 89 D1
Geruge 39 141 E3
Gervans 26 187 E3
Gerville-la-Forêt 50 26 C2
Gerville 76 14 B3
Géry 55 62 C2
Gerzat 63 168 B2
Gesnes 53 75 D3
Gesnes-en-Argonne 55 38 A2
Gesnes-le-Gandelin 72 76 A2
Gespunsart 08 21 F2
Gestas 64 225 E4
Gesté 49 112 C3
Gestel 56 90 B1
Gestiès 09 260 B1
Gesvres 53 75 F2
Gesvres-le-Chapitre 77 58 C1
Gétigné 44 112 B3
Les Gets 74 159 D2
Geu 65 257 E2
Geudertheim 67 67 E2
Géus-d'Arzacq 64 226 B3
Geüs-d'Oloron 64 247 F1
Gévezé 35 73 D2
Gevigney-et-Mercey 70 106 A2
Gevingey 39 141 D3
Gevresin 25 125 E4
Gevrey-Chambertin 21 123 E2
Gevrolles 21 104 B1
Gevry 39 124 B4
Gex 01 157 F1
Geyssans 26 188 A3
Gez 65 249 D3
Gez-ez-Angles 65 257 E1
Gézaincourt 80 9 E4
Gezier-et-Fontenelay 70 125 D1
Gézoncourt 54 64 A2
Ghisonaccia 2b 267 F3
Ghisoni 2b 267 D3
Ghissignies 59 11 E3
Ghyvelde 59 4 B1
Giat 63 167 D2
Gibeaumeix 54 63 E4
Gibel 31 252 B1
Gibercourt 02 19 D3
Giberville 14 29 D3
Gibles 71 154 C2
Gibourne 17 161 F1
Gibret 40 225 F2
Le Gicq 17 162 A1
Gidy 45 99 E1
Giel-Courteilles 61 52 C3
Gien 45 100 C3
Gien-sur-Cure 58 122 A3
Giens 83 244 B3
Giens (Presqu'île de) 83 244 C3
Gières 38 189 E2
La Giettaz 73 174 C1
Giéville 50 28 A4
Gièvres 41 117 F2
Giey-sur-Aujon 52 104 C1
Giez 74 174 B2
Gif-sur-Yvette 91 57 D3
Giffaumont-Champaubert 51 61 F4
Gigean 34 234 A3
Gignac 84 221 D4
Gignac 34 233 F2
Gignac 46 181 D4
Gignac-la-Nerthe 13 242 C2
Gignat 63 168 B4
Gignéville 88 86 B3
Gigney 88 87 D2
Gigny 89 103 E2
Gigny 39 141 D4
Gigny-Bussy 51 61 E4
Gigny-sur-Saône 71 140 B3
Gigondas 84 219 F2
Gigors 04 206 B4
Gigors-et-Lozeron 26 204 B1
Gigouzac 46 197 F3
Gijounet 81 232 A2
Gildwiller 68 108 B2
Gilette 06 241 D3
Gilhac-et-Bruzac 07 203 F1
Gilhoc-sur-Ormèze 07 187 D4
Gillancourt 52 84 C3
Gillaumé 52 85 E1
Gilles 28 56 A2
Gilley 52 105 F3
Gilley 25 126 A4
Gillois 39 142 A2
Gillonnay 38 188 B1
Gilly-lès-Cîteaux 21 123 E3
Gilly-sur-Isère 73 174 B2
Gilly-sur-Loire 71 138 B4
Gilocourt 60 34 C3
Gimat 82 229 D1
Gimbrède 32 212 F3
Gimbrett 67 67 D2
Gimeaux 63 168 B1
Gimécourt 55 63 D2
Gimel-les-Cascades 19 181 F2
Gimeux 16 161 E3
La Gimond 42 170 C3
Gimont 32 229 D3
Gimouille 58 137 D1
Ginai 61 53 E3
Ginals 82 214 A2
Ginasservis 83 238 A2
Ginchy 80 18 B1
Gincla 11 261 F1
Gincrey 55 39 D3
Gindou 46 197 E3
Ginestas 11 254 B1
Ginestet 24 196 A1
Gingsheim 67 67 D2
Ginoles 11 253 D4
Ginouillac 46 198 A2
Gintrac 46 198 B1
Giocatojo 2b 265 E4
Gionges 51 60 B1
Giou-de-Mamou 15 184 D4
Gioux 23 166 B2
Gipcy 03 137 D4
Girac 46 198 B1
Girancourt 88 87 D3
Giraumont 54 39 F3
Giraumont 60 34 B1
Girauvoisin 55 63 E2
Gircourt-lès-Viéville 88 87 D2
Girecourt-sur-Durbion 88 87 E2
Girefontaine 70 106 C1
Giremoutiers 77 58 C2
Girgols 15 183 D4
Giriviller 54 87 E1
Girmont 88 87 E2
Girmont-Val-d'Ajol 88 87 E4
Girolata 2A 266 A1
Girolles 45 80 C4
Girolles 89 102 C4
Giromagny 90 107 F2
Giron 01 157 E2
Gironcourt-sur-Vraine 88 86 B2
Gironde 17, 33 160 C4
Gironde-sur-Dropt 33 195 D3
Girondelle 08 21 D2
Gironville 77 80 B3
Gironville-et-Neuville 28 55 F4
Gironville-sous-les-Côtes 55 63 E2
Gironville-sur-Essonne 91 80 A2
Le Girouard 85 128 C3
Giroussens 81 230 C2
Giroux 36 118 A4
Giry 58 120 C3
Gisay-la-Coudre 27 54 B1
Giscaro 32 229 D3
Giscos 33 210 A1
Gisors 27 32 C3
Gissac 12 232 C1
Gissey-sous-Flavigny 21 104 A4
Gissey-sur-Ouche 21 123 D2
Gissey-le-Vieil 21 122 C2
Gisy-les-Nobles 89 81 E3
Giuncaggio 2b 267 E2
Giuncheto 2a 268 C3
Givardon 18 136 C2
Givarlais 03 151 F1
Givenchy-lès-la-Bassée 62 10 A1
Givenchy-en-Gohelle 62 10 A2
Givenchy-le-Noble 62 9 E3
Giverny 27 32 B4
Giverville 27 30 C3
Givet 08 13 F4
Givonne 08 22 A3
Givors 69 171 E3
Givraines 45 80 A3
Givrand 85 128 B2
Givrauval 55 62 C3
Le Givre 85 129 D4
Givrezac 17 161 D3
Givron 08 20 C4
Givry 89 102 C4
Givry 08 37 E1
Givry 71 139 F2
Givry-en-Argonne 51 62 A1
Givry-lès-Loisy 51 60 B2
Givrycourt 57 65 F1
Gizaucourt 51 37 F4
Gizay 86 147 F1
Gizeux 37 115 D1
Gizia 39 141 D4
Gizy 02 20 A4
La Glacerie 50 25 D2
Glacière (Grotte de la) 25 126 A2
Glageon 59 20 B1
Glaignes 60 34 B3
Glainans 25 126 B1
Glaine-Montaigut 63 168 C2
Glaire 08 21 F3
Le Glaizil 05 206 A1
Glamondans 25 125 F2
Gland 89 103 E2
Gland 02 35 E4
Glandage 26 205 E2
Glandieu (Cascade de) 01 173 D2
Glandon 87 164 C4
Glandon (Col du) 73 190 A2
Glanes 46 198 C1
Glanges 87 165 D3
Glannes 51 61 E3
Glanon 21 123 F4
Glanville 14 29 F2
Glatens 82 212 B4
Glatigny 60 33 D1
Glatigny 57 40 C3
Glatigny 50 26 C2
Glavenas 43 186 A3
Glay 25 126 C1
Gleizé 69 155 E4
Glénac 56 92 B2
Glénat 15 199 D1
Glénay 79 131 E1
Glénic 23 150 B2
Glennes 02 36 A2
Glénouze 86 114 C4
Glère 25 127 D1
Glicourt 76 15 F2
Glisolles 27 55 D1
Glisy 80 17 F2
Glomel 22 70 B2
Glonville 54 65 E4
Glorianes 66 262 A3
Glos 14 30 B4
Glos-la-Ferrière 61 54 B2
Glos-sur-Risle 27 31 D3
Glozel 03 153 E4
Gluiras 07 203 E1
Glun 07 187 E4
Glux-en-Glenne 58 138 C1
Goas 82 229 D1
La Godefroy 50 50 C3
Godenvillers 60 18 A4
Goderville 76 14 B4
Godewaersvelde 59 4 B3
Godisson 61 53 F4
La Godivelle 63 183 F1
Godoncourt 88 86 B4
Gœrlingen 67 66 A2
Gœrsdorf 67 43 D4
Goès 64 248 A2
Goetzenbruck 57 64 C4
Gœulzin 59 10 B3
Gogney 54 65 F3
Gognies-Chaussée 59 12 B2
La Gohannière 50 51 D3
Gohier 49 114 A1
Gohory 28 78 A3
Goin 57 64 B1
Goincourt 60 33 D2
Golancourt 60 18 C3
Golbey 88 87 E3
Gold Beach 14 28 C2
Goldbach 68 108 B1
Golfech 82 212 A3
Golinhac 12 199 F3
Golleville 50 25 D3
Golo 2b 265 F3
Gombergean 41 98 A3
Gomelange 57 40 C2
Gomené 22 71 F3
Gomer 64 248 C1
Gometz-le-Châtel 91 57 D3
Gometz-la-Ville 91 57 D3
Gomiécourt 62 10 A4
Gommecourt 78 32 B4
Gommecourt 62 9 F4
Gommegnies 59 11 E3
Gommenec'h 22 47 E2
Gommersdorf 68 108 B3
Gommerville 28 79 E2
Gommerville 76 14 B4
Gomméville 21 103 F1
Gomont 08 36 C1
Gonaincourt 52 85 F3
Goncelin 38 189 F1
Goncourt 52 85 F2
Le Gond-Pontouvre 16 162 C3
Gondecourt 59 10 B1
Gondenans-Montby 25 126 A1
Gondenans-les-Moulins 25 107 D4
Gondeville 16 162 A3
Gondrecourt-Aix 54 39 E3
Gondrecourt-le-Château 55 63 D4
Gondreville 54 64 A3
Gondreville 45 80 C4
Gondreville 60 34 C3
Gondrexange 57 65 E3
Gondrexon 54 65 E3
Gondrin 32 210 C4
Les Gonds 17 161 D2
Gonesse 95 57 F1
Gonez 65 249 E2
Gonfaron 83 244 C1
Gonfreville 50 27 D3
Gonfreville-Caillot 76 14 B4
Gonfreville-l'Orcher 76 30 B1
La Gonfrière 61 54 B2
Gonnehem 62 9 F1
Gonnelieu 59 19 D1
Gonnetot 76 15 E3
Gonneville 50 25 D2
Gonneville-en-Auge 14 29 E3
Gonneville-sur-Honfleur 14 30 B2
Gonneville-sur-Mer 14 29 F2
Gonneville-sur-Scie 76 15 E3
Gonneville-la-Mallet 76 14 A4
Gonsans 25 125 F2
Gontaud-de-Nogaret 47 195 F4
La Gonterie-Boulouneix 24 179 E1
Gonvillars 70 107 E4
Gonzeville 76 15 D3
Goos 40 225 F1
Gorbio 06 241 E3
Gorcy 54 23 D4
Gordes 84 220 B4
Gorenflos 80 8 C4
Gorges 50 27 D2
Gorges 44 112 B3
Gorges 80 9 D4
La Gorgue 59 4 C4
Gorhey 88 87 D3
Gornac 33 194 C2
Gorniès 34 234 A1
Gorre 87 164 A2
Gorrevod 01 155 F1
Gorron 53 74 C1
Gorses 46 198 C2
Gorze 57 39 F4
Gosnay 62 9 F1
Gosné 35 73 E2
Gosselming 57 65 F2
Gotein-Libarrenx 64 247 E2
Gottenhouse 67 66 C2
Gottesheim 67 66 C2
Gouaix 77 81 F1
Goualade 33 210 A1
Gouarec 22 70 C2
Gouaux 65 249 F4
Gouaux-de-Larboust 31 258 B4
Gouaux-de-Luchon 31 258 B3
Gouberville 50 25 E1
Gouchaupre 76 16 A2
Goudargues 30 218 C2
Goudelancourt-lès-Berrieux 02 36 A1
Goudelancourt-lès-Pierrepont 02 20 A4
Goudelin 22 47 E3
Goudet 43 202 B1
Goudex 31 229 D4
Goudon 65 249 F1
Goudourville 82 212 B3
Gouesnach 29 69 D3
La Gouesnière 35 49 F3
Gouesnou 29 45 D3
Gouex 86 148 B1
Gouézec 29 69 D2
Gougenheim 67 67 D2
Gouhelans 25 107 D4
Gouhenans 70 107 D3
Gouillons 28 79 D2
Gouise 03 153 D1
Goujounac 46 197 E3
La Goulafrière 27 54 A1
Goulet 61 53 D3
Goulien 29 68 B2
Goulier 09 260 A1
Goulles 19 182 B4
Les Goulles 21 104 B1
Gouloux 58 122 A3
Goult 84 220 B4
Goulven 29 45 E1
Goumois 25 126 D2
Goupillières 76 15 E4
Goupillières 27 31 D4
Goupillières 14 28 C4
Goupillières 78 56 C2
Gouraincourt 55 39 D2
Le Gouray 22 71 F1
Gourbera 40 225 E1
Gourbesville 50 25 D3
Gourbit 09 260 B1
Gourchelles 60 16 C3
Gourdan-Polignan 31 250 A3
Gourdièges 15 183 F4
Gourdon 07 203 D2
Gourdon 71 139 E3
Gourdon 06 240 A1
Gourdon 46 197 F2
Gourdon-Murat 19 166 A4
Gourette 64 256 C2
Gourfaleur 50 27 E4
Gourfouran (Gouffre de) 05 207 D1
Gourgançon 51 60 C3
Gourgé 79 131 E2
Gourgeon 70 106 A3
Gourgue 65 249 F2
Gourhel 56 72 A4
Gourin 56 69 F2
Gourlizon 29 68 C3
Gournay 79 147 D3
Gournay 36 134 C4
Gournay-en-Bray 76 32 C1
Gournay-le-Guérin 27 54 C3
Gournay-sur-Aronde 60 34 B1
Gournay-sur-Marne 93 58 A2
Gours 33 178 B4
Les Gours 16 147 D4
Gourvieille 11 252 B1
Gourville 16 162 B1
Gourvillette 17 162 A1
Goury 50 24 B1
Gourzon 52 62 B4
Goussaincourt 55 86 A1
Goussainville 95 57 F1
Goussainville 28 56 A3
Goussancourt 02 35 F3
Gousse 40 225 F1
Goussonville 78 56 B2
Goustranville 14 29 E3
Gout-Rossignol 24 179 D1
Goutelas 42 170 A2
La Goutelle 63 167 E1
Goutevernisse 31 251 E2
Goutrens 12 199 E4
Gouts 40 225 F1
Gouts 82 212 B1
Gouttières 63 152 A4
Gouttières 27 54 C1
Goutz 32 228 C1
Gouvernes 77 58 B2
Gouves 62 9 F3
Gouvets 50 51 D1
Gouvieux 60 33 F3
Gouville 27 55 D2
Gouville-sur-Mer 50 26 C4
Gouvix 14 29 D4
Goux 39 124 B4
Goux 32 227 D3
Goux-lès-Dambelin 25 126 B1
Goux-sous-Landet 25 125 D3
Goux-les-Usiers 25 125 F4
Gouy 76 31 F2
Gouy 02 19 D1
Gouy-en-Artois 62 9 F3
Gouy-en-Ternois 62 9 E3
Gouy-les-Groseillers 60 17 E3
Gouy-l'Hôpital 80 17 D2
Gouy-St-André 62 8 C2
Gouy-Servins 62 9 F2
Gouy-sous-Bellonne 62 10 B3
Gouzangrez 95 33 D4
Gouze 64 226 A4
Gouzeaucourt 59 18 C1
Gouzens 31 251 E2
Gouzon 23 151 D3
Gouzougnat 23 151 D3
Goven 35 72 C4
Goviller 54 64 B4
Goxwiller 67 66 C4
Goyencourt 80 18 B3
Goyrans 31 230 A4
Gozzi (Rocher) 2A 266 B3
Grabels 34 234 B2
Graçay 18 118 A3
Grâce-Uzel 22 71 E2
Grâces 22 47 D3
Gradignan 33 194 A1
Graffigny-Chemin 52 86 A3
Gragnague 31 230 B2
Graignes 50 27 D3
Grailhen 65 258 A3
Graimbouville 76 14 B4
Graincourt-lès-Havrincourt 62 10 C4
Grainville 27 32 A2
Grainville-Langannerie 14 52 C1
Grainville-sur-Odon 14 28 C3
Grainville-sur-Ry 76 32 A1
Grainville-Ymauville 76 14 B4
Grainville-la-Teinturière 76 14 C3
Le Grais 61 52 C3
Graissac 12 200 A2
Graissessac 34 233 D2
Graix 42 187 D1
Gramat 46 198 B2
Gramazie 11 253 D2
Grambois 84 237 F1
Grammond 42 170 C3
Grammont 70 107 E4
Gramond 12 215 D2
Gramont 82 212 A4
Granace 2a 268 C2
Grancey-le-Château-Neuvelle 21 104 C3
Grancey-sur-Ource 21 84 A4
Grand 88 85 F1
Le Grand-Abergement 01 157 D4
Grand Arc 34 234 A1
Grand-Auverné 44 93 F3
Grand-Ballon 68 108 B1
Grand Bois (Col du) 42 186 C1
Le Grand-Bornand 74 158 C4
Le Grand-Bourg 23 150 A3
Grand-Brassac 24 179 D2
Grand-Camp 27 30 C4
Grand-Camp 76 14 C4
Grand-Castang 24 196 B1
Le Grand-Celland 50 51 D3
Grand-Champ 56 91 E2
Grand-Charmont 25 107 F4
Grand Colombier 01 173 D1
La Grand-Combe 30 218 A2
Grand-Corent 01 156 C2
Grand-Couronne 76 31 E2
La Grand-Croix 42 171 D4
Grand-Failly 54 39 D1
Grand-Fayt 59 11 F4
Grand Fenestrez 01 173 D1
Grand-Fort-Philippe 59 3 E1
Grand-Fougeray 35 93 D2
Grand-Laviers 80 8 B4
Le Grand-Lemps 38 188 C1
Grand-Lieu (Lac de) 44 111 F3
Le Grand-Lucé 72 97 D2
Le Grand-Madieu 16 163 D1
Grand Morin 51,77 58 C2
Le Grand-Pressigny 37 133 D1
Le Grand-Quevilly 76 31 E2
Grand-Rhône 13 236 A3
Grand Roc (Grotte du) 24 180 A4
Grand-Rozoy 02 35 E3
Grand-Rullecourt 62 9 E3
Le Grand-Serre 26 188 A2
Grand Soldat 57 66 B3
Grand Taureau 25 142 C1
Grand Testavoyre 43 186 B3
Grand-Vabre 12 199 E3
Grand Ventron 88 108 A1
Grand-Verly 02 19 E2
Le Grand-Village-Plage 17 160 A1
Grandcamp-Maisy 14 25 F1
Grandchain 27 30 C4
Grandchamp 52 105 E3
Grandchamp 89 101 E2
Grandchamp 08 21 D4
Grandchamp 78 56 B3
Grandchamp 72 76 B2
Grandchamp-le-Château 14 30 A4
Grandchamps-des-Fontaines 44 111 F1
Grand'Combe-Châteleu 25 126 B4
Grand'Combe-des-Bois 25 126 C3
Grandcourt 76 16 A2
Grandcourt 80 10 A4
Grande Belle-Vue 67 89 D1
Grande Casse (Pointe de la) 73 175 E4
Grande Charnie (Forêt de) 53,72 75 F4
La Grande-Fosse 88 88 B1
La Grande-Motte 34 234 C3
La Grande-Paroisse 77 81 D2
La Grande-Résie 70 124 B2
Grande-Rivière 39 142 A4
La Grande Rochette 73 175 D4
Grande-Sassière (Aiguille de la) 73 175 E3
Grande-Synthe 59 3 F1
La Grande-Verrière 71 138 C1
Grandecourt 70 106 A3
Les Grandes-Armoises 08 38 A1
Les Grandes-Chapelles 10 83 D1
Les Grandes-Loges 51 37 D4
Les Grandes-Ventes 76 15 F3
Grandeyrolles 63 168 A3
Grandfontaine 67 66 B4
Grandfontaine 25 125 D3
Grandfontaine-Fournets 25 126 B3
Grandfontaine-sur-Creuse 25 126 A2
Grandfresnoy 60 34 B2
Grandham 08 37 F2
Grandjean 17 161 D1

Grenoble

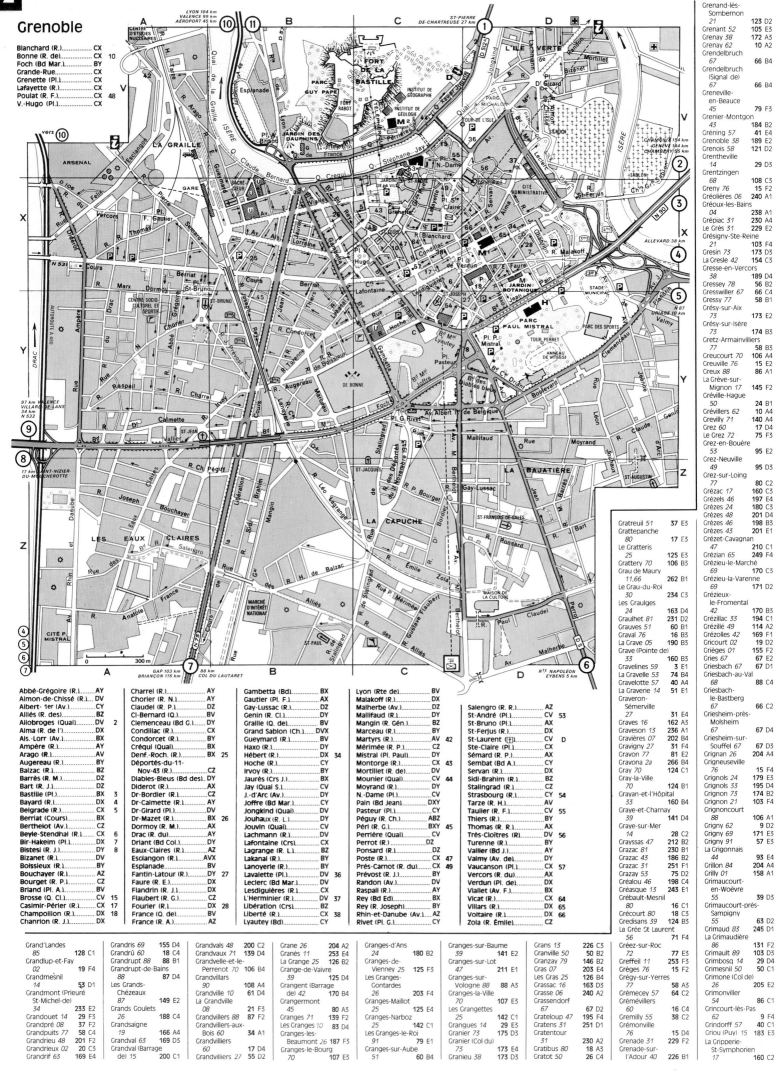

Blanchard (R.)..............CX
Bonne (R. de)...............CX 10
Foch (Bd Mar.)..............BY
Grande-Rue..................CX
Grenette (Pl.)..............CX
Lafayette (R.)..............CX
Poulat (R. F.)..............CX 48
V.-Hugo (Pl.)...............CX

LYON 104 km
VALENCE 99 km
AÉROPORT 45 km

Abbé-Grégoire (R.)..........AY
Aimon-de-Chissé (R.)........DV
Albert-1er (Av.)............CY
Alliés (R. des).............BZ
Allobroges (Quai)...........DV 2
Alma (R. de l')............DX
Als.-Lorr. (Av.)...........BX
Ampère (R.)................AY
Arago (R.).................AV
Augereau (R.)..............BY
Balzac (R.)................BZ
Barrès (R. M.).............DZ
Bart (R.)..................DZ
Bastille (Pl.).............BX 3
Bayard (R.)................DX 4
Belgrade (R.)..............CX 5
Berriat (Cours)............BX
Berthelot (R.).............CZ
Beyle-Stendhal (R.)........CX 6
Bir-Hakeim (Pl.)...........DX 7
Bistesi (R.)...............DY 8
Bizanet (R.)...............DV
Boissieux (R.).............BY
Bouchayer (R.).............AZ
Bourget (R. P.)............CZ
Briand (R.)................BV
Brosse (Q. Cl.)............CV 15
Casimir-Périer (R.)........CX 17
Champollion (R.)...........DX 18
Chanrion (R. J.)...........DX

Charrel (R.)...............AY
Chorier (R. N.)............AY
Claudel (R. P.)............DZ
Cl.-Bernard (Q.)...........BV
Clemenceau (Bd G.).........DY
Condillac (R.).............CX
Condorcet (R.).............BY
Créqui (Quai)..............CV
Denf.-Roch. (R.)...........BX 25
Déportés-du-11-Nov-43 (R.).CZ
Diables-Bleus (Bd des).....DX
Diderot (R.)...............AY
Dr-Bordier (R.)............CZ
Dr-Calmette (R.)...........AY
Dr-Girard (Pl.)............DV
Dr-Mazet (R.)..............BX 26
Dormoy (R. M.).............AV
Drac (R. du)...............AY
Driant (Bd Col.)...........DY
Eaux-Claires (R.)..........AY
Esclangon (R.).............AVX
Esplanade..................BV
Fantin-Latour (R.).........DY 27
Faure (R.).................DX
Flandrin (R. J.)...........DX
Flaubert (R. G.)...........CZ
Fourier (R.)...............DX 28
France (Q. de).............BV
France (R. A.).............AZ

Gambetta (Bd)..............BX
Gautier (Pl. F.)...........AX
Gay-Lussac (R.)............DZ
Genin (R. Cl.).............DY
Graille (Q. de)............DV
Grand Sablon (Ch.).........DVX
Gueymard (R.)..............BV
Haxo (R.)..................DX
Hébert (R.)................DX 34
Hoche (R.).................CY
Irvoy (R.).................AY
Jaurès (Crs J.)...........BX
Jay (Quai S.)..............CV
J.-d'Arc (Av.).............DY
Joffre (Bd Mar.)...........CY
Jongkind (Quai)............DV
Jouhaux (R. L.)............DY
Jouvin (Quai)..............CV
Lachmann (R.)..............AV
Lafontaine (Crs)...........CX
Lagrange (R. L.)...........BZ
Lakanal (R.)...............BY
Lanoyerie (R.).............CY
Lavalette (Pl.)............DV 36
Leclerc (Bd Mar.)..........DV
Lesdiguières (R.)..........CV
L'Herminier (R.)...........DV 37
Liberté (R.)...............CX 38
Lyautey (Bd)...............CY

Lyon (Rte de)..............BV
Malakoff (R.)..............DX
Malherbe (Av.).............DZ
Mallifaud (R.).............DY
Mangin (R. Gén.)...........BZ
Marceau (R.)...............BY
Martyrs (R.)...............AV 42
Mérimée (R. P.)............CZ
Mistral (Pl. Paul).........CX 43
Montorge (R.)..............CX 43
Mortillet (R. de)..........CX
Mounier (Quai).............CV 44
Moyrand (R.)...............DZ
N.-Dame (Pl.)..............CV
Pain (Bd Jean).............CVY
Pasteur (R.)...............CY
Péguy (R. Ch.).............AZ
Péri (R. G.)...............BXY 45
Perrière (Quai)............CV
Perrot (R.)................DZ
Ponsard (R.)...............DZ
Poste (R.).................CX 47
Prés-Carnot (R. du)........CX 49
Prévost (R. J.)............CY
Randon (Av.)...............DV
Raspail (R.)...............AY
Rey (Bd Ed.)...............CV
Rey (R. Joseph)............DY
Rhin-et-Danube (Av.).......AZ
Rivet (Pl. G.).............CY

Salengro (R. R.)...........AZ
St-André (Pl.).............CV 53
St-Bruno (Pl.).............AX
St-Ferjus (R.).............DX
St-Laurent (R.)............CV D
Ste-Claire (Pl.)...........CV
Sémard (R. P.).............AX
Sembat (Bd A.).............CX
Servan (R.)................DX
Sidi-Brahim (R.)...........BZ
Stalingrad (R.)............CY
Strasbourg (R.)............CY 54
Tarze (R. H.)..............CV
Taulier (R. F.)............CV 55
Thiers (R.)................BY
Thomas (R. A.).............AV
Très-Cloîtres (R.).........DV 56
Turenne (R.)...............AV
Vallier (Bd J.)...........AY
Valmy (Av. de).............DX
Vaucanson (Pl.)............CX 57
Vercors (R. du)............AX
Verdun (Pl. de)............CX
Viallet (Av. F.)...........BX
Vicat (R.).................CX 64
Villars (R.)...............CX 65
Voltaire (R.)..............DX 66
Zola (R. Émile)............CZ

Grenand-lès-Sombernon 21 123 D2
Grenant 52 105 E3
Grenay 38 172 A3
Grenay 62 10 A2
Grendelbruch 67 66 B4
Grendelbruch (Signal de) 67 66 B4
Greneville-en-Beauce 45 79 F3
Grenier-Montgon 43 184 B2
Gréning 57 41 E4
Grenoble 38 189 E2
Grenois 58 121 D2
Grentheville 14 29 D3
Grentzingen 68 108 C3
Greny 76 15 F2
Gréolières 06 240 A1
Gréoux-les-Bains 04 238 A1
Grépiac 31 230 A4
Le Grès 31 229 E2
Grésigny-Ste-Reine 21 103 F4
Gresin 73 173 D3
La Gresle 42 154 C3
Gresse-en-Vercors 38 189 D4
Gressey 78 56 B2
Gresswiller 67 66 C4
Gressy 77 58 B1
Grésy-sur-Aix 73 173 E2
Grésy-sur-Isère 73 174 B3
Gretz-Armainvilliers 77 58 B3
Greucourt 70 106 A4
Greuville 76 15 E2
Greux 88 86 A1
La Grève-sur-Mignon 17 145 F2
Gréville-Hague 50 24 B1
Grévillers 62 10 A4
Grevilly 71 140 A4
Grez 60 17 D4
Le Grez 72 75 F3
Grez-en-Bouère 53 95 D2
Grez-Neuville 49 95 D3
Grez-sur-Loing 77 80 C2
Grézac 17 160 C3
Grézels 46 197 E4
Grèzes 24 180 C3
Grèzes 48 201 D4
Grèzes 46 198 B3
Grèzes 43 201 E1
Grézet-Cavagnan 47 210 C1
Grézian 65 249 F4
Grézieu-le-Marché 69 170 C3
Grézieu-la-Varenne 69 171 D2
Grézieux-le-Fromental 42 170 B3
Grézillac 33 194 C1
Grézillé 49 114 A2
Grézolles 42 169 F1
Gricourt 02 19 D4
Grièges 01 155 F2
Gries 67 67 E2
Griesbach 67 67 D1
Griesbach-au-Val 68 88 C4
Griesbach-le-Bastberg 67 66 C2
Griesheim-près-Molsheim 67 67 D4
Griesheim-sur-Souffel 67 67 D3
Grignan 26 204 A4
Grigneuseville 76 15 F4
Grignols 24 175 D4
Grignols 33 195 D4
Grignon 73 174 B2
Grignon 21 103 F4
Grignoncourt 88 106 A1
Grigny 62 9 D2
Grigny 69 171 D2
Grigny 91 57 E3
La Grigonnais 44 93 E4
Grillon 84 204 A4
Grilly 01 158 A1
La Grimaudière 86 131 F2
Grimault 89 103 D3
Grimbosq 14 29 D4
Grimesnil 50 50 C1
Grimone (Col de) 26 205 E2
Grimonviller 54 86 C1
Grincourt-lès-Pas 62 9 F4
Grindorff 57 40 C1
Criou (Puy) 15 183 E1
La Gripperie-St-Symphorien 17 160 D2

Gratreuil 51 37 E3
Grattepanche 80 17 E3
Le Gratteris 25 125 E3
Grattery 70 106 B3
Grau de Maury 11,66 262 B1
Le Grau-du-Roi 30 234 C3
Les Graulges 24 163 D4
Graulhet 81 231 D2
Grauves 51 60 B1
Graval 76 16 B3
La Grave 05 190 B3
Grave (Pointe de) 33 160 B3
Gravelines 59 3 E1
La Gravelle 53 74 B4
Gravelotte 57 40 A4
La Graverie 14 51 E1
Graveron-Sémerville 27 31 E4
Graves 16 162 A3
Graveson 13 236 A1
Gravières 07 202 B4
Gravigny 27 31 F4
Gravon 77 81 E2
Gravona 2a 266 B4
Gray 70 124 C1
Gray-la-Ville 70 124 B1
Grayan-et-l'Hôpital 33 160 B4
Graye-et-Charnay 39 141 D4
Graye-sur-Mer 14 28 C2
Grayssas 47 212 B2
Grazac 81 230 B1
Grazac 43 186 B2
Grazac 31 251 F1
Gréalou 46 198 C4
Gréasque 13 243 E1

Grand'Landes 85 128 C1
Grandlup-et-Fay 02 19 F4
Grandmesnil 14 53 D1
Grandmont (Prieuré St-Michel-de) 34 233 E2
Grandouet 14 29 F3
Grandpré 08 37 F2
Grandpuits 77 58 C4
Grandrieu 48 201 E2
Grandrieux 02 20 C3
Grandrif 63 169 E4

Grandris 69 155 D4
Grandrû 60 18 C4
Grandrupt 88 88 B1
Grandrupt-de-Bains 88 87 D4
Les Grands-Chézeaux 87 149 E2
Grands Goulets 26 188 B4
Grandsaigne 19 188 B4
Grandval 63 169 D3
Grandval (Barrage de) 15 200 C1

Grandvals 48 200 C2
Grandvaux 71 139 D4
Grandvelle-et-le-Perrenot 70 106 B4
Grandvillars 90 108 A4
Grandville 10 61 D4
La Grandville 08 21 F3
Grandvillers 88 87 F2
Grandvillers-aux-Bois 60 34 A1
Grandvilliers 27 55 D2
Grandvilliers 60 17 D4

Grane 26 204 A2
Granès 11 253 E4
La Grange 25 126 B2
Grange-de-Vaivre 39 125 D4
Grangent (Barrage de) 42 170 B4
Grangermont 45 80 A3
Granges 71 142 C1
Granges 24 188 C4
Granges-les-Beaumont 26 187 F3
Granges-le-Bourg 70 107 E3

Granges-d'Ans 24 180 B2
Granges-de-Viennay 25 125 F3
Les Granges-Gontardes 26 203 F4
Les Granges-Maillot 25 125 E4
Granges-Narboz 25 142 C1
Les Grangettes 25 142 C1
Granges 14 29 E3
Les Granges-le-Roi 91 79 F3
Granges-sur-Aube 51 60 B1

Granges-sur-Baume 39 141 E2
Granges-sur-Lot 47 211 E1
Granges-sur-Vologne 88 88 A3
Les Granges-la-Ville 70 107 E3
Granier 73 175 D3
Granier (Col du) 73 173 E4

Grans 13 226 C3
Granville 50 50 B2
Granzay 79 146 B2
Gras 07 203 E4
Les Gras 25 125 E4
Grassac 16 163 D3
Grasse 06 240 A2
Grassendorf 67 67 D2
Grateloup 47 67 D2
Gratens 31 251 D1
Gratentour 31 230 A2
Gratibus 80 18 A3
Gratot 50 26 C4
Grenade 31 229 F2
Grenade-sur-l'Adour 40 226 B1

Gripport 54 87 D1
Gript 79 146 B2
Griscourt 54 64 B2
Griselles 21 103 E2
Griselles 45 80 C4
Grisolles 82 229 F1
Grisolles 02 35 E4
Grisy 14 53 D1
Grisy-les-Plâtres 95 33 D4
Grisy-Suisnes 77 58 B3
Grisy-sur-Seine 77 81 F1
Grives 24 197 D2
Grivesnes 80 17 F3
Grivillers 80 18 A4
Grivy-Loisy 08 37 E2
Groffliers 62 8 A2
La Groise 59 11 E4
Groises 18 119 F3
Groissiat 01 157 D2
Groisy 74 158 A3
Groix 56 90 B3
Groix (Île de) 56 90 B3
Groléjac 24 197 E1
Gron 18 119 E3
Gron 89 81 E3
Gronard 02 20 A3
Le Gros Cerveau 83 244 A3
Gros-Chastang 19 182 A2
Gros-Réderching 57 42 B4
Le Gros-Theil 27 31 D3
Grosbliederstroff 57 41 F3
Grosbois 25 125 F1
Grosbois-en-Montagne 21 122 C2
Grosbois-lès-Tichey 21 124 A4
Grosbreuil 85 128 C3
Les Groseillers 79 131 D4
Groslay 95 57 E1
Groslée 01 172 C2
Grosley-sur-Risle 27 31 D4
Grosmagny 90 108 A2
Grosne 71 139 A3
Grosne 90 108 A3
Grospierres 07 203 D4
Grosrouvre 78 56 C3
Grosrouvres 54 63 F2
Grossa 2a 268 C3
Grosseto-Prugna 2a 268 C1
Grossœuvre 27 55 E1
Grossouvre 18 136 C2
Grostenquin 57 41 D4
Grosville 50 24 C3
Grouches-Luchuel 80 9 E4
Grougis 02 19 E2
Grouin (Pointe du) 35 49 F2
La Groutte 18 136 A3
Grozon 39 141 E1
Gruchet-St-Siméon 76 15 E2
Gruchet-le-Valasse 76 14 C4
Grues 85 144 C1
Gruey-lès-Surance 88 87 D4
Gruffy 74 173 F2
Grugé-l'Hôpital 49 94 B2
Grugies 02 19 D3
Grugny 76 15 E4
Gruissan 11 255 D3
Grumesnil 76 16 B4
Grun 24 179 E3
Grundviller 57 41 F4
Gruny 80 18 B3
Grury 71 138 B3
Gruson 59 5 E4
Grusse 39 141 D3
Grussenheim 68 89 D3
Grust 65 257 E3
Gruyères 08 21 E3
Le Gua 17 160 C2
Le Gua 38 189 D3
Guagno 2a 266 C2
Guagno-les-Bains 2A 266 C2
Guainville 28 56 A2
Guarbecque 62 4 B4
Guargualé 2a 268 C1
Guchan 65 258 A3
Guchen 65 249 F4
Gudas 09 252 B3
Gudmont 52 85 D2
Le Gué-d'Alleré 17 145 F2
Le Gué-de-la-Chaîne 61 77 D2
Le Gué-de-Longroi 28 79 D1
Le Gué-de-Velluire 85 145 E1
Gué-d'Hossus 08 21 D1
Le Gué-Péan 41 117 D2
Guebenhouse 57 41 F4
Gueberschwihr 68 89 D4
Guébestroff 57 65 E2
Guéblange-lès-Dieuze 57 65 E2
Guébling 57 65 E1
Guebwiller 68 108 B1
Guécélard 72 96 B2
Le Guédéniau 49 96 A4
Guégon 56 71 F4
Guéhébert 50 50 C1
Guéhenno 56 91 F1
Gueltas 56 71 D3
Guémappe 62 10 B3
Guémar 68 89 D2
Guémené-Penfao 44 93 D3
Guémené-sur-Scorff 56 70 B3
Guémicourt 80 16 C3
Guemps 62 3 D2
Guénange 57 40 B2
Guengat 29 68 C2
Guénin 56 71 D4
Guenroc 22 72 B2
Guenrouet 44 92 C4
Guenviller 57 41 E3
Guêprei 61 53 D2
Guer 56 92 C1
Guérande 44 110 B1
Guérard 77 58 C2
Guerbigny 80 18 A3
La Guerche 37 133 D1
La Guerche-de-Bretagne 35 94 A1
La Guerche-sur-l'Aubois 18 136 C1
Guercheville 77 80 B3
Guerchy 89 102 A2
Guéreins 01 155 E3
Guéret 23 150 B3
Guerfand 71 140 B2
Guérigny 58 120 B4
Guérin 47 195 E4
La Guérinière 85 110 C4
Guerlédan (Lac de) 22 70 C2
Guerlesquin 29 46 C3
Guermange 57 65 E2
Guermantes 77 58 B2
Guern 56 70 C3
Guernanville 27 54 C2
Guernes 78 56 B1
Le Guerno 56 92 A3
Guerny 27 32 C3
Guéron 14 28 B3
La Guéroulde 27 55 D2
Guerpont 55 62 C3
Guerquesalles 61 53 E2
Les Guerreaux 71 138 B4
Guerstling 57 41 D2
Guerting 57 41 D3
Guerville 78 56 B1
Guerville 76 16 B1
Gueschart 80 8 C3
Guesnain 59 10 C2
Guesnes 86 132 A1
Guessling-Hémering 57 41 D4
Guéthary 64 224 B4
Guétin (Pont-Canal du) 18 137 D1
Gueudecourt 80 18 B1
Gueugnon 71 138 C3
Gueures 76 15 E2
Gueutteville-les-Grès 76 15 D2
Gueutteville 76 15 E4
Gueux 51 36 B3
Guevenatten 68 108 B2
Guewenheim 68 108 B2
Gueytes-et-Labastide 11 253 D3
Gueyze 47 210 C3
Gugnécourt 88 87 F2
Gugney 54 86 C1
Gugney-aux-Aulx 88 87 D2
Guibermesnil 80 16 C2
Guibeville 91 57 E4
Guichainville 27 55 E1
Guiche 64 225 D3
La Guiche 71 139 E4
Guichen 35 72 C4
Guiclan 29 46 A3
Guidel 56 90 A1
Guidon du Bouquet 30 218 B3
La Guierche 72 76 B4
Guiers Mort (Gorges du) 38 189 E1
Guiers, Vif (Gorges du) 38,73 173 E4
Guignecourt 60 33 E1
Guignemicourt 80 17 E2
Guignen 35 93 D1
Guignes 77 58 B4
Guigneville 45 79 F3
Guigneville-sur-Essonne 91 80 A1
Guignicourt 02 36 B1
Guignicourt-sur-Vence 08 21 E3
Guignonville 45 79 F3
Guigny 62 8 C3
Guilberville 50 51 E1
Le Guildo 22 49 D3
Guiler-sur-Goyen 29 68 C3
Guilers 29 45 D3
Guilherand 07 187 E4
Guillac 56 92 A1
Guillac 33 194 C1
Guillaucourt 80 18 A2
Guillaumes 06 223 E2
Guillemont 80 18 B1
La Guillermie 03 153 F4
Guillerval 91 79 F2
Guillestre 05 207 D2
Guilleville 28 79 D3
Guilliers 56 72 A4
Guilligomarc'h 29 70 A4
Guillon 89 103 D4
Guillon-les-Bains 25 126 A2
Guillonville 28 79 D4
Guillos 33 194 B3
Guilly 36 117 F4
Guilly 45 100 A2
Guilmécourt 76 16 A1
Guilvinec 29 68 C4
Guimaëc 29 46 B2
Guimiliau 29 45 F2
Guimps 16 161 F4
Guinarthe-Parenties 64 225 E4
Guincourt 08 21 E4
Guindrecourt aux Ormes 52 84 C1
Guindrecourt-sur-Blaise 52 84 C2
Guinecourt 62 9 D2
Guînes 62 3 D2
Guingamp 22 47 E3
Guinglange 57 40 C4
Guinkirchen 57 40 C3
Guinzeling 57 65 E1
Guipavas 29 45 D3
Guipel 35 73 D2
Guipronvel 29 44 C2
Guipry 35 93 D2
Guipy 58 121 D3
Guirlange 57 40 C3
Guiry-en-Vexin 95 32 C4
Guiscard 60 18 C4
Guiscriff 56 69 F3
Guise 02 19 F2
Guiseniers 27 32 B3
Le Guislain 50 51 D1
Guissény 29 45 D1
Guisy 62 8 C2
Guitalens 81 231 D3
Guitera-les-Bains 2a 267 D4
Guitinières 17 161 E4
Guitrancourt 78 56 C1
Guîtres 33 178 A3
Guitry 27 32 B3
Guitté 22 72 B2
Guivry 02 18 C4
Guizancourt 80 17 D3
Guizengeard 16 178 A2
Guizerix 65 250 A1
Gujan-Mestras 33 193 D2
Gumbrechtshoffen 67 67 D1
Gumery 10 82 A1
Gumiane 26 204 C3
Gumières 42 169 F4
Gumond 19 182 A2
Gundershoffen 67 67 D1
Gundolsheim 68 108 C1
Gungwiller 67 66 A1
Gunsbach 68 88 C3
Gunstett 67 67 D1
Guntzviller 57 66 B2
Guny 02 35 D1
Guran 31 258 B3
Gurat 16 178 C1
Gurcy-le-Châtel 77 81 E1
Gurgy 89 102 A2
Gurgy-le-Château 21 104 B2
Gurgy-la-Ville 21 104 B2
Gurmançon 64 248 A2
Gurs 64 247 F1
Gurunhuel 22 47 D3
Gury 60 18 B4
Gussainville 55 39 D3
Gussignies 59 11 F2
Guyancourt 78 57 D3
Guyans-Durnes 25 125 F3
Guyans-Vennes 25 126 B3
Guyencourt 02 36 A2
Guyencourt-Saulcourt 80 18 C1
Guyencourt-sur-Noye 80 17 F3
La Guyonnière 85 112 B4
Guyonvelle 52 105 F2
Guzargues 34 234 B2
Gy 70 125 D1
Gy-en-Sologne 41 117 E2
Gy-l'Évêque 89 102 A3
Gy-les-Nonains 45 101 D1
Gye 54 63 F3
Gyé-sur-Seine 10 83 F4

H

L'Haÿ-les-Roses 94 57 E3
Habarcq 62 9 F3
Habas 40 225 E3
Habère-Lullin 74 158 C2
Habère-Poche 74 158 C2
Hablainville 54 65 E4
Habloville 61 52 C2
Haboudange 57 65 D1
Habsheim 68 108 C2
Hachan 65 250 A1
Hackenberg (Fort de) 57 40 C2
Hâcourt 52 85 F3
Hacqueville 27 32 B3
Hadancourt-le-Haut-Clocher 60 33 D3
Hadigny-les-Verrières 88 87 E2
Hadol 88 87 E3
Hadonville-lès-Lachaussée 55 39 E4
Haegen 67 66 B2
Hagécourt 88 86 C2
Hagedet 65 227 D3
Hagen 57 40 B1
Hagenbach 68 108 B3
Hagenthal-le-Bas 68 109 D4
Hagenthal-le-Haut 68 109 D4
Haget 32 227 E4
Hagetaubin 64 226 A3
Hagetmau 40 226 B2
Hagéville 54 39 E4
Hagnéville-et-Roncourt 88 86 B2
Hagnicourt 08 21 D4
Hagondange 57 40 B3
Hague (Cap de la) 50 24 B1
Haguenau 67 67 D1
La Haie-Fouassière 44 112 B3
La Haie-Traversaine 53 75 D2
Les Haies 69 171 E4
Haigneville 54 64 C4
Haillainville 88 87 E1
Le Haillan 33 194 A1
Hailles 80 17 F3
Haillicourt 62 9 F1
Haimps 17 161 F1
Haims 86 133 D4
Hainvillers 60 18 A4
Haironville 55 62 B3
Haisnes 62 10 A1
Halatte (Forêt d') 60 34 A3
Haleine 61 52 B4
Halinghen 62 2 C4
Hallencourt 80 16 C1
Hallennes-lez-Haubourdin 59 5 D4
Hallering 57 41 D3
Les Halles 69 170 C2
Halles-sous-les-Côtes 55 38 B1
Hallignicourt 52 62 A3
Hallines 62 3 E3
Halling-lès-Boulay 57 40 C3
Hallivillers 80 17 E3
La Hallotière 76 32 B1
Halloville 54 65 F4
Halloy 62 9 E4
Halloy 60 17 D4
Halloy-lès-Pernois 80 17 E1
Hallu 80 18 B3
Halluin 59 5 E3
Halsou 64 224 C4
Halstroff 57 40 C1
Ham 80 18 C3
Le Ham 50 25 D3
Le Ham 53 75 E2
Ham-en-Artois 62 9 E1
Ham-les-Moines 08 21 D3
Ham (Roches de) 50 28 A4
Ham-sous-Varsberg 57 41 D3
Ham-sur-Meuse 08 13 F4
Hamars 14 52 B1
Hambach 57 41 F4
Hambers 53 75 E2
Hamblain-les-Prés 62 10 B3
Hambye 50 51 D1
Hamel 59 10 C3
Le Hamel 60 17 D4
Le Hamel 80 18 A2
Hamelet 80 18 A2
Hamelin 50 51 D4
Hamelincourt 62 10 A4
Hames-Boucres 62 3 D2
Hammeville 54 64 B4
Hamonville 54 63 F2
Hampigny 10 84 A1
Hampont 57 65 D2
Han-lès-Juvigny 55 38 C1
Han-sur-Meuse 55 63 D2
Han-sur-Nied 57 40 C4
Hanau (Étang de) 57 42 C4
Hanc 79 147 D3
Hanches 28 56 B4
Hancourt 80 18 C2
Handschuheim 67 67 D3
Hangard 80 17 F2
Hangenbieten 67 67 D3
Hangest-en-Santerre 80 18 A3
Hangest-sur-Somme 80 17 D1
Hangviller 57 66 B2
Hannaches 60 32 C1
Hannapes 02 19 F1
Hannappes 08 20 C2
Hannescamps 62 9 F4
Hannocourt 57 65 D1
Hannogne-St-Martin 08 21 F3
Hannogne-St-Rémy 08 20 B4
Hannonville-sous-les-Côtes 55 39 D4
Hannonville-Suzémont 54 39 E4
Han-Devant-Pierrepont 55 39 D2
Le Hanouard 76 14 C3
Hans 51 37 F4
Hantay 59 10 B1
Hanvec 29 45 E4
Hanviller 57 42 C3
Hanvoile 60 33 D1
Haplincourt 62 10 B4
Happencourt 02 19 D3
Happonvilliers 28 78 A2
Haramont 02 34 C3
Haraucourt 54 64 C3
Haraucourt 08 21 F4
Haraucourt-sur-Seille 57 65 D2
Haraumont 55 38 B2
Haravesnes 62 9 D3
Haravilliers 95 33 D3
Harbonnières 80 18 A2
Harbouey 54 65 F4
Harcanville 76 15 D3
Harchéchamp 88 86 B1
Harcigny 02 20 B3
Harcourt 27 31 D3
Harcy 08 21 D2
Hardancourt 88 87 E1
Hardanges 53 75 E2
Hardecourt-aux-Bois 80 18 B1
Hardelot-Plage 62 2 B4
Hardencourt-Cocherel 27 55 F1
Hardifort 59 4 B3
Hardinghen 62 3 D3
Hardinvast 50 24 C2
Hardivillers 60 17 E4
Hardivillers-en-Vexin 60 33 D3
La Hardoye 08 20 C3
Hardricourt 78 56 C1
La Harengère 27 31 E3
Haréville 88 86 C3
Harfleur 76 30 A1
Hargarten-aux-Mines 57 41 D3
Hargeville 78 56 B2
Hargeville-sur-Chée 55 62 B2
Hargicourt 80 17 F3
Hargicourt 02 19 D1
Hargnies 59 11 F3
Hargnies 08 21 E1
Harly 02 19 D2
Harméville 52 85 E1
Harmonville 88 86 B1
La Harmoye 22 71 D1
Harnes 62 10 B2
Harol 88 87 D3
Haroué 54 86 C1
Harponville 80 17 F1
Harprich 57 65 D1
Harquency 27 32 B3
Harreberg 57 66 B3
Harréville-les-Chanteurs 52 86 A2
Harricourt 52 84 C2
Harricourt 08 38 A1
Harsault 88 87 D4
Haskirchen 67 66 A1
Hartennes-et-Taux 02 35 E3
Hartmannswiller 68 108 B1
Hartzviller 57 66 A3
Harville 55 39 E4
Hary 02 20 B3
Haselbourg 57 66 B3
Hasnon 59 11 D2
Hasparren 64 224 C4
Haspelschiedt 57 42 C3
Haspres 59 11 D3
Hastingues 40 225 D3
Hatrize 54 39 F3
Hatten 67 67 E1
Hattencourt 80 18 B3
Hattenville 76 14 C4
Hattigny 57 65 F3
Hattmatt 67 66 C2
Hattonchâtel 55 63 E1
Hattonville 55 63 E1
Hattstatt 68 89 D4
Hauban 65 249 E3
Haubourdin 59 5 D4
Hauconcourt 57 40 B3
Haucourt 62 10 B3
Haucourt 60 33 D1
Haucourt 76 16 B4
Le Haucourt 02 19 D2
Haucourt-en-Cambrésis 59 11 D4
Haucourt-Moulaine 54 39 E1
Haucourt-la-Rigole 55 39 E2
Haudainville 55 38 C4
Haudiomont 55 39 D4
Haudivillers 60 33 E1
Haudonville 54 65 D4
Haudrecy 08 21 E3
Haudricourt 76 16 B3
Haulchin 59 11 D3
Haulies 32 228 B3
Haulmé 08 21 E2
Haumont-lès-Lachaussée 55 39 E4
Hauriet 40 226 A2
Hausgauen 68 108 C3
Haussez 76 16 B4
Haussignémont 51 61 F3
Haussimont 51 60 C3
Haussonville 54 64 C4
Haussy 59 11 D3
Haut-Asco 2B 264 C4
Haut-Barr (Château du) 67 66 B2
Haut-Clocher 57 66 A2
Le Haut-Corlay 22 70 C1
Haut-de-Bosdarros 64 248 B2
Haut-du-Them 70 107 E1
Haut-Konigsbourg (Château du) 67 89 D2
Haut Languedoc (Parc Régional du) 34,81 232 B2
Haut-Lieu 59 12 B4
Haut-Loquin 62 3 D3
Haut-Mauco 40 226 B1
Hautaget 65 250 A3
Hautbos 60 16 C4
Haute-Avesnes 62 9 F2
La Haute-Beaume 05 205 E3
La Haute-Chapelle 61 52 A4
Haute Corniche (Belvédères de la) 07 218 C1
Haute-Epine 60 17 D4
Haute-Goulaine 44 112 B2
Haute-Isle 95 32 B4
Haute-Kontz 57 40 B1
La Haute-Maison 77 58 C2
Haute-Rivoire 69 170 C2
Haute-Vigneulles 57 41 D4
Hautecloque 62 9 E2
Hautecombe (Abbaye de) 73 173 E2
Hautecôte 62 9 D3
Hautecour 39 141 F3
Hautecour 73 174 C3
Hautecourt-lès-Broville 55 39 D3
Hautecourt-Romanèche 01 156 C3
Hautefage 19 182 A3
Hautefage-la-Tour 47 212 A1
Hautefaye 24 163 D4
Hautefeuille 77 58 C3
Hautefond 71 154 B1
Hautefontaine 60 35 D2
Hautefort 24 180 B2
Hauteluce 73 174 C2
Hautepierre-le-Châtelet 25 125 F4
Hauterive 61 76 B1
Hauterive 03 153 E4
Hauterive 89 102 B1
Hauterive-la-Fresse 25 126 A4
Hauterives 26 188 A2
Hauteroche 21 104 A4
Hautes-Duyes 04 222 A2
Les Hautes-Rivières 08 21 F2
Hautesvignes 47 195 F4
Hautevelle 70 106 C1
Hautevesnes 02 35 D4
Hauteville-lès-Dijon 21 123 E2
Hauteville-la-Guichard 50 27 D3
Hauteville 51 61 F3
Hauteville 02 19 E2
Hauteville 08 20 C4
Hauteville 73 174 A3
Hauteville 62 9 F3
La Hauteville 78 56 B3
Hauteville-Lompnes 01 157 D4
Hauteville-sur-Fier 74 173 E1
Hauteville-sur-Mer 50 50 B1
Haution 02 20 A2
Hautmont 59 12 B3
Hautmougey 88 87 D4
Hautot-l'Auvray 76 15 D3
Hautot-St-Sulpice 76 15 D3
Hautot-sur-Mer 76 15 E2
Hautot-sur-Seine 76 31 E2
Hautot-le-Vatois 76 14 C4
Hautteville-Bocage 50 25 D3
Hautvillers 51 36 B4
Hautvillers-Ouville 80 8 B4
Hauville 27 31 D2
Hauviné 08 37 D2
Haux 64 247 E2
Haux 33 194 B2
Havange 57 39 F2
Havelu 28 56 A2
Haveluy 59 11 D2
Havernas 80 17 E1
Haverskerque 59 4 B4
Le Havre 76 30 A1
Le Havre-Antifer 76 14 A4
Havrincourt 62 10 C4
Hayange 57 40 A2
Haybes 08 21 E1
La Haye 76 32 B1
La Haye 88 87 D4
La Haye-Aubrée 27 31 D2
La Haye-Bellefond 50 51 D1
La Haye-le-Comte 27 31 F3
La Haye-de-Calleville 27 31 D3
La Haye-de-Routot 27 31 D2
La Haye-d'Ectot 50 24 C3
La Haye-du-Puits 50 26 C2
La Haye-du-Theil 27 31 E3
La Haye-Malherbe 27 31 E3
La Haye-Pesnel 50 50 C2
La Haye-St-Sylvestre 27 54 B2
Hayes 57 40 C3
Les Hayes 41 97 E3
Haynecourt 59 10 C3
Les Hays 39 141 D1
Hazebrouck 59 4 B3
Hazembourg 57 65 F1
Le Heaulme 95 33 D4
Héauville 50 24 B2
Hébécourt 80 17 E3
Hébécourt 27 32 C2
Hébécrevon 50 27 E3
Héberville 76 15 D3
Hébuterne 62 9 F4
Hèches 65 249 F3
Hecken 68 108 B2
Hecmanville 27 30 C3
Hécourt 27 55 F1
Hécourt 60 32 C1
Hecq 59 11 E4
Hectomare 27 31 E3
Hédauville 80 18 A1
Hédé 35 73 D2
Hédouville 95 33 E4
Hegeney 67 67 D1
Hégenheim 68 109 D3
Heidolsheim 67 89 E2
Heidwiller 68 108 C3
Heiligenberg 67 66 C4
Heiligenstein 67 89 D1
Heillecourt 54 64 B3
Heilles 60 33 E2
Heilly 80 17 F2
Heiltz-l'Évêque 51 61 F2
Heiltz-le-Hutier 51 61 F3
Heiltz-le-Maurupt 51 62 A2
Heimersdorf 68 108 C3
Heimsbrunn 68 108 B2
Heining-lès-Bouzonville 57 41 D2
Heippes 55 62 C1
Heiteren 68 89 E4
Heiwiller 68 108 C3
Hélesmes 59 11 D2
Hélette 64 246 C1
Helfaut 62 3 F4
Helfrantzkirch 68 108 C3
Helléan 56 71 F4
Hellemmes-Lille 59 5 D4
Hellenvilliers 27 55 E2
Hellering-lès-Fénétrange 57 66 A2
Helleville 50 24 B2
Hellimer 57 41 E4
Héloup 61 76 A1
Helpe Majeure 59 12 A4
Helstroff 57 40 C3
Hem 59 5 E4
Hem-Hardinval 80 9 E4
Hem-Lenglet 59 10 C3
Hem-Monacu 80 18 B2
Hémevez 50 25 D3
Hémévillers 60 34 B1
Hémilly 57 40 C4
Héming 57 65 F3
Hémonstoir 22 71 D3
Hénaménil 54 65 D3
Hénanbihen 22 48 C3
Hénansal 22 48 C3
Hendaye 64 244 A4
Hendecourt-lès-Cagnicourt 62 10 B3
Hendecourt-lès-Ransart 62 10 A3
Hénencourt 80 18 A1
Henflingen 68 108 C3
Hengoat 22 47 E2
Hengwiller 67 66 B3
Hénin-Beaumont 62 10 B2
Hénin-sur-Cojeul 62 10 A3
Héninel 62 10 B3
Hennebont 56 90 C1
Hennecourt 88 87 D3
Hennemont 55 39 D3
Henneveux 62 3 D3
Hennezel 88 86 C4
Hennezis 27 32 B3
Hénon 22 71 E1
Hénonville 60 33 D3
Hénouville 76 31 E1
Henrichemont 18 119 D2
Henridorff 57 66 B2
Henriville 57 41 E3
Hénu 62 9 F4
Henvic 29 46 A2
Hérange 57 66 B2
Hérault 30,34 234 A2
Herbault 41 98 A4
Herbécourt 80 18 B2
Herbelles 62 3 F4
Herbeuval 08 22 B4
Herbeuville 55 39 D4
Herbeville 78 56 C2
Herbéviller 54 65 E4
Herbeys 38 189 E3
Les Herbiers 85 129 F1
Herbignac 44 92 A4
Herbinghen 62 3 D3
Herbisse 10 60 C4
Herbitzheim 67 42 A4
Herblay 95 57 D1
Herbsheim 67 89 E1
Hercé 53 74 C1
Herchies 60 33 D1
La Hérelle 60 17 F4
Hérenguerville 50 50 C1
Hérépian 34 233 D3
Hères 65 227 E3
Hergnies 59 11 E1
Hergugney 88 87 D1
Héric 44 111 F1
Héric (Gorges d') 34 232 C3
Héricourt 62 9 E2
Héricourt 70 107 F3
Héricourt-en-Caux 76 15 D3
Héricourt-sur-Thérain 60 16 C4
Héricy 77 80 C1
La Hérie 02 20 B2
Le Hérie-la-Viéville 02 19 F2
Hériménil 54 65 D4
Hérimoncourt 25 108 A4
Hérin 59 11 D2
Hérissart 80 17 F1
Hérisson 03 136 B4
Hérisson (Cascades du) 39 141 F3
Herleville 80 18 B2
La Herlière 62 9 F3
Herlies 59 10 A1
Herlin-le-Sec 62 9 E2
Herlincourt 62 9 E2
Herly 62 8 C1
Herly 80 18 B3
Herm 40 225 D1
L'Herm 09 252 B4
Hermanville-sur-Mer 14 29 D2
Les Hermaux 48 200 C4
Hermaville 62 9 F3
Hermé 77 81 F1
Hermelange 57 66 A3
Hermelinghen 62 3 D3
Herment 63 167 D2
Hermeray 78 56 B4
Hermerswiller 67 43 E4
Hermes 60 33 E2
Hermeville 76 14 A4
Herméville-en-Woëvre 55 39 D3
Hermies 62 10 B4
Hermillon 73 190 B1
Hermin 62 9 F2
Les Hermites 37 97 E3
Hermival-les-Vaux 14 30 B3
Hermonville 51 36 B2
Hernicourt 62 9 E2
Herny 57 40 C4
Le Héron 76 32 A1
Héronchelles 76 32 A1
Hérouville 95 33 E4
Hérouville-St-Clair 14 29 D3
Hérouvillette 14 29 E3
Herpelmont 88 87 F3
Herpont 51 61 F1
Herpy-l'Arlésienne 08 36 C1
Herqueville 27 32 A3
Herqueville 50 24 B1
Herran 31 259 D2
Herré 40 210 B3
Herrère 64 248 A2
Herrin 59 10 B1
Herrlisheim 67 67 E2
Herrlisheim-près-Colmar 68 89 D4
Herry 18 120 A3
Herserange 54 23 E4
Hersin-Coupigny 62 9 F2
Hertzing 57 65 F3
Hervelinghen 62 2 C2
Hervilly 80 18 B2
Héry 58 121 D2
Héry 89 102 B2
Héry-sur-Alby 74 173 F1
Herzeele 59 4 B2
Hesbécourt 80 18 B2
Hescamps 80 16 C3
Hesdigneul-lès-Béthune 62 9 F1
Hesdigneul-lès-Boulogne 62 2 C4
Hesdin 62 8 C2
Hesdin-l'Abbé 62 2 C4
Hésingue 68 109 D3
Hesmond 62 8 C2
Hesse 57 66 A3
Hessenheim 67 89 E2
Hestroff 57 40 C2
Hestrud 59 12 C3
Hestrus 62 9 E2
Hétomesnil 60 17 D4
Hettange-Grande 57 40 B1
Hettenschlag 68 89 E4
Heubécourt-Haricourt 27 32 B4
Heuchin 62 9 E1
Heucourt-Croquoison 80 16 D2
Heudebouville 27 32 A3
Heudicourt 80 18 C1
Heudicourt 27 32 C2
Heudicourt-sous-les-Côtes 55 63 E1
Heudreville-en-Lieuvin 27 30 C3
Heudreville-sur-Eure 27 31 F4
Heugas 40 225 E2
Heugleville-sur-Scie 76 15 E3
Heugnes 36 117 E4

Heugon 61 54 A2
Heugueville-sur-Sienne 50 26 C4
Heuilley-Cotton 52 105 E2
Heuilley-le-Grand 52 105 E2
Heuilley-sur-Saône 21 124 B2
Heuland 14 29 F3
Heume-l'Église 63 167 E2
La Heunière 27 32 A4
Heuqueville 27 32 A3
Heuqueville 76 14 A4
Heuringhem 62 3 F4
Heurteauville 76 31 D1
Heurtevent 14 53 E1
Heussé 50 51 E4
Heutrégiville 51 36 C2
Heuzecourt 80 9 D4
Heyrieux 38 172 A3
Hézecques 62 9 D1
Le Hézo 56 91 E3
Hibarette 65 249 D2
Hières-sur-Amby 38 172 B2
Hierges 08 13 F4
Hiermont 80 9 D3
Hiers-Brouage 17 160 B1
Hiersac 16 162 B3
Hiesse 16 148 A4
Hiesville 50 25 E4
Hiéville 14 53 D1
Higuères-Souye 64 226 C4
Hiis 65 249 E2
Hilbesheim 57 66 A2
Hillion 22 48 B3
Hilsenheim 67 89 E2
Hilsprich 57 41 E4
Hinacourt 02 19 D3
Hinckange 57 40 C3
Hindisheim 67 67 D4
Hindlingen 68 108 B3
Hinges 62 9 F1
Le Hinglé 22 79 D1
Hinsbourg 67 66 B1
Hinsingen 67 65 F1
Hinx 40 225 E1
Hippoltskirch 68 108 C4
Hipsheim 67 67 D4
Hirel 35 49 F3
Hirschland 67 66 A2
Hirsingue 68 108 B3
Hirson 02 20 B2
Hirtzbach 68 108 B3
Hirtzfelden 68 108 C1
His 31 259 D2
Hitte 65 249 E2
Hoc (Pointe du) 14 27 F1
Hochfelden 67 67 D2
Hochstatt 68 108 C2
Hochstett 67 67 D2
Hocquigny 50 50 C2
Hocquincourt 80 16 C1
Hocquinghen 62 3 D2
Hodenc-en-Bray 60 33 D1
Hodenc-l'Évêque 60 33 E2
Hodeng-au-Bosc 76 16 B2
Hodeng-Hodenger 76 32 B1
Hodent 95 32 C4
Hœdic (île de) 56
Hœnheim 67 67 E3
Hœrdt 67 67 E2
Hœville 54 65 D3
Hoffen 67 43 E4
Les Hogues 27 32 A2
La Hoguette 14 53 D2
Hohatzenheim 67 67 D2
Hohengœft 67 66 C3
Hohfrankenheim 67 67 D2
Hohneck 88 88 B4
Hohrod 68 88 C3
Le Hohwald 67 89 D1
Hohwiller 67 43 E4
Holacourt 57 65 D1
Holcarté (Crevasses d') 64 247 E3
Holling 57 40 C2
Holnon 02 19 D2
Holque 59 3 E2
Holtzheim 67 67 D3
Holtzwihr 69 88 C3
Holving 57 41 F4
LE Hom 14 52 B1
Hombleux 80 18 C3
Homblières 02 19 E2
Hombourg 68 109 D2
Hombourg-Budange 57 40 C2
Hombourg-Haut 57 41 E3
L'Hôme-Chamondot 61 54 C4
Homécourt 54 39 F3

Hommarting 57 66 B2
Hommert 57 66 B3
Hommes 37 115 D1
Le Hommet-d'Arthenay 50 27 E3
Homps 11 254 A1
Homps 32 228 C1
Hon-Hergies 59 11 F2
Hondainville 60 33 F2
Hondeghem 59 4 B3
Hondevilliers 77 59 E2
Hondouville 27 31 D2
Hondschoote 59 4 B2
Honfleur 14 30 B1
Honguemare-Guenouville 27 31 D2
Honnechy 59 19 E1
Honnecourt-sur-Escaut 59 19 D1
L'Honor-de-Cos 82 213 D3
Honskirch 57 65 F1
Hontanx 40 226 C1
L'Hôpital 57 41 E3
Hôpital-Camfrout 29 45 E4
L'Hôpital-d'Orion 64 225 F4
L'Hôpital-du-Grosbois 25 125 F3
L'Hôpital-le-Grand 42 170 B3
L'Hôpital-le-Mercier 71 154 A1
L'Hôpital-St-Blaise 64 247 F1
L'Hôpital-St-Lieffroy 25 126 A1
L'Hôpital-sous-Rochefort 42 169 F2
Hôpitaux (Cluse des) 01 172 C1
Les Hôpitaux-Neufs 25 142 C2
Les Hôpitaux-Vieux 25 142 C2
Horbourg 68 89 D3
Hordain 59 11 D3
La Horgne 08 21 E4
Horgues 65 249 E2
L'Horme 42 171 D4
Hornaing 59 11 D2
Hornoy-le-Bourg 80 16 C2
Le Horps 53 75 E1
Horsarrieu 40 226 A4
Hortes 52 105 E1
Horville-en-Ornois 55 85 E1
Les Hosmes 27 55 D2
L'Hospitalet 04 221 D3
L'Hospitalet-du-Larzac 12 216 C4
L'Hospitalet-près-l'Andorre 09 260 C3
Hossegor 40 224 C2
Hosta 64 247 D2
Hoste 57 41 E4
Hostens 33 193 F4
Hostias 01 172 C1
Hostun 26 188 B3
L'Hôtellerie 14 30 B4
L'Hôtellerie-de-Flée 49 94 C2
Hotonnes 01 157 E4
Hotot-en-Auge 14 29 F3
Hottot-les-Bagues 14 28 C3
Hottviller 57 42 B4
La Houblonnière 14 30 A4
Les Houches 74 159 E4
Houchin 62 9 F1
Houdain 62 9 F1
Houdain-lez-Bavay 59 11 F3
Houdan 78 56 B3
Houdancourt 60 34 B2
Houdelaincourt 55 63 D4
Houdelaucourt-sur-Othain 55 39 D2
Houdelmont 54 64 B4
Houdemont 54 64 B3
Houdetot 76 15 D2
Houdilcourt 08 36 C2
Houdreville 54 64 B4
Houécourt 88 86 B2
Houeillès 47 210 B2
Houesville 50 27 D2
Houetteville 27 31 F4
Houéville 88 86 B1
Houeydets 65 249 E2
Le Houga 32 227 D1
Houilles 78 57 D2
Houlbec-Cocherel 27 32 A4
Houlbec-près-le-Gros-Theil 27 31 D3

Houldizy 08 21 E2
Houlette 16 162 A2
Houlgate 14 29 E2
Houlle 62 3 E3
Le Houlme 76 31 E1
L'Houmeau 17 145 D2
Hounoux 11 252 C2
Houplin-Ancoisne 59 10 B1
Houplines 59 5 D4
Houppeville 76 31 F1
Houquetot 76 14 B4
Hourc 65 249 E1
Hourges 51 36 A3
Hours 64 248 C2
Hourtin 33 176 B2
Hourtous (Roc des) 48 216 C2
Houry 02 20 A3
Houssay 53 94 C1
Houssay 41 97 F3
La Houssaye 27 54 C1
La Houssaye-Béranger 76 15 E4
La Houssaye-en-Brie 77 58 C3
Le Housseau 53 75 D1
Houssen 68 89 D3
Housseras 88 88 A2
Housset 02 19 F3
Housséville 54 86 C1
La Houssière 88 88 A3
La Houssoye 60 33 D2
Houtaud 25 142 C1
Houtkerque 59 4 B2
Houtteville 50 27 D2
Houville-la-Branche 28 78 C1
Houville-en-Vexin 27 32 A3
Houvin-Houvigneul 62 9 E2
Houx 28 56 B4
Hoymille 59 4 A2
Huanne-Montmartin 25 125 F1
Hubersent 62 8 B1
Hubert-Folie 14 29 D4
Huberville 50 25 D3
Huby-St-Leu 62 8 C2
Huchenneville 80 16 C1
Huchet (Courant d') 40 208 A4
Huclier 62 9 E2
Hucqueliers 62 8 C1
Hudimesnil 50 50 B2
Hudiviller 54 64 C3
Huelgoat 29 46 B4
Huest 27 55 E1
Huêtre 45 99 D1
Huez 38 190 A3
Hugier 70 124 C2
Hugleville-en-Caux 76 15 E4
Huillé 49 95 F3
Huilliécourt 52 85 F3
Huilly-sur-Seille 71 140 B3
Huiron 51 61 E3
Huismes 37 115 D1
Huisne 61,72 77 D4
Huisnes-sur-Mer 50 50 C3
Huisseau-en-Beauce 41 97 F3
Huisseau-sur-Cosson 41 98 C4
Huisseau-sur-Mauves 45 99 D2
Huiles (Vallée des) 73 174 A4
Hulluch 62 10 A1
Hultehouse 57 66 B3
Humbauville 51 61 D3
Humbécourt 52 62 A4
Humbercamps 62 9 F4
Humbercourt 80 9 D4
Humbert 62 8 C1
Humberville 52 85 E2
Humbligny 18 119 E2
Humerœuille 62 9 D2
Humes 52 105 D1
Humières 62 9 D2
Hunaudaie (Château de) 22 49 D3
Hunawihr 68 89 D3
Hundling 57 41 F3
Hundsbach 68 108 C3
Huningue 68 109 E3
Hunspach 67 43 E4
Hunting 57 40 C1
Huos 31 250 B3
Huparlac 12 200 A2
Huppain 14 28 B2
Huppy 80 16 C1
Hurbache 88 88 B1
Hure 33 195 D3
Hurecourt 70 106 B1
Hures-la-Parade 48 216 C2
Huriel 03 151 E1
Hurigny 71 155 E1
Hurlevents (Site des) 03 153 E3
Hurtières 38 189 F1

Hurtigheim 67 67 D3
Husseren-les-Châteaux 68 89 D4
Husseren-Wesserling 68 108 A1
Hussigny-Godbrange 54 39 E1
Husson 50 51 E4
Huttendorf 67 67 D2
Huttenheim 67 89 E1
Hyds 03 152 A2
Hyémondans 25 126 B1
Hyencourt-le-Grand 80 18 B2
Hyenville 50 26 C4
Hyères 83 244 B3
Hyères (Îles d') 83 245 D3
Hyet 70 106 B4
Hyèvre-Magny 25 126 A1
Hyèvre-Paroisse 25 126 A1
Hymont 88 86 C2

I

Ibarrolle 64 247 D2
Ibigny 57 65 F3
Ibos 65 249 D2
Ichtratzheim 67 67 D4
Ichy 77 80 B3
Idaux-Mendy 64 247 E2
Idrac-Respaillès 32 228 A3
Idron 64 248 C1
Ids-St-Roch 18 135 E3
If (Château d') 13 243 D3
Iffendic 35 78 B3
Les Iffs 35 72 C2
Ifs 14 29 D4
Les Ifs 76 16 A2
Igé 71 155 E1
Igé 61 171 E3
Ignaucourt 80 18 A2
Ignaux 09 260 C2
Igney 88 87 E2
Igney 54 65 E3
Ignol 18 136 C1
Igny 57 65 E3
Igny 70 106 A4
Igny (Abbaye d') 52 36 A3
Igny-Comblizy 51 60 A1
Igon 64 248 C2
Igornay 71 122 B4
Igoville 27 31 F2
Iguerande 71 154 B3
Iholdy 64 247 D1
Île-aux-Moines 56 91 E3
L'Île-Bouchard 37 115 E3
Île d'Aix 17 145 D4
Île-de-Batz 29 46 A1
Île-de-Bréhat 22 47 F1
L'Île d'Elle 85 33 E4
Île-d'Houat 56 91 D4
L'Île-d'Olonne 85 128 B3
L'Île-d'Yeu 85 128 A2
L'Île-Rousse 2b 264 C2
L'Île-St-Denis 93 57 E2
Île-Savary 36 133 F1
L'Île-sur-Têt 66 262 B2
Illeville-sur-Montfort 27 31 D2
Illfurth 68 108 C2
Illhaeusern 68 89 D2
Illiat 01 155 F2
Illier-et-Laramade 09 260 B1
Illiers-Combray 28 78 A2
Illiers-l'Évêque 27 55 E2
Illies 59 10 A1
Illifaut 22 72 A3
Illkirch-Graffenstaden 67 67 D4
Illois 76 16 B3
Illoud 52 85 F3
Illy 08 21 F3
Illzach 68 108 C2
Ilonse 06 223 F3
Imbleville 76 15 E3
Imbsheim 67 66 C2
Imécourt 08 38 A1
Imling 57 66 A2
Imphy 58 137 E1
Inaumont 08 20 C4
Incarville 27 31 F3
Incheville 76 16 A1
Inchy 59 11 D4
Inchy-en-Artois 62 10 B3
Incourt 62 9 D2

Incudine (Monte) 2A 269 E1
Indevillers 25 127 D1
Indre 44 111 F2
Indre 36,37 116 B3
Indre 31 116 C3
Ineuil 18 135 F2
Les Infournas 05 206 A2
Ingenheim 67 66 C2
Ingersheim 68 89 D3
Inghem 62 3 F4
Inglange 57 40 B2
Ingolsheim 67 43 E4
Ingouville 76 15 D2
Ingrandes 36 133 E4
Ingrandes 49 113 D1
Ingrandes 86 132 C1
Ingrandes-de-Touraine 37 115 D2
Ingrannes 45 100 A1
Ingré 45 99 D1
Inguiniel 56 70 B4
Ingwiller 67 66 C1
Injoux-Génissiat 01 157 E3
Innenheim 67 67 D4
Innimond 01 172 C2
Inor 55 22 B4
Insming 57 65 F1
Insviller 57 65 F1
Intraville 76 15 F2
Intres 07 186 C4
Intréville 28 79 E2
Intville-la-Guétard 45 79 F3
Inval-Boiron 80 16 C2
Inxent 62 8 B1
Inzecca (Défilé de l') 2B 267 E3
Inzinzac-Lochrist 56 90 C1
Ippécourt 55 38 B4
Ippling 57 41 F3
Irai 61 54 C3
Irais 79 131 E1
Irancy 89 102 B3
Iraty (Forêt d') 64 247 D3
Iré-le-Sec 55 38 C1
Irigny 69 171 E3
Irissarry 64 246 C1
Irles 80 10 A4
Irmstett 67 66 C3
Irodouër 35 72 C2
Iron 02 19 F1
Irouléguy 64 246 C2
Irreville 27 31 F4
Is-en-Bassigny 52 85 F4
Is-sur-Tille 21 104 C4
Isbergues 62 4 A4
Isches 88 86 B4
Isdes 45 100 A3
Isenay 58 138 A1
Iseran (Col de l') 73 175 F4
Isère 26,38, 73 174 B3
Isigny-le-Buat 50 51 D3
Isigny-sur-Mer 14 27 E2
Island 89 121 E1
Isle 87 164 C2
Isle 24,33 164 B4
L'Isle-Adam 95 33 E4
L'Isle-Arné 32 228 C3
Isle-Aubigny 10 61 D4
Isle-Aumont 10 83 D3
L'Isle-Bouzon 32 211 F4
L'Isle-d'Abeau 38 172 B3
L'Isle-de-Noé 32 228 A3
L'Isle-d'Espagnac 16 162 C3
L'Isle-en-Dodon 31 228 C4
Isle-et-Bardais 03 136 B3
L'Isle-Jourdain 32 229 E3
L'Isle-Jourdain 86 148 B2
Isle-St-Georges 33 194 B2
L'Isle-sur-le-Doubs 25 107 E4
Isle-sur-Marne 51 61 F3
L'Isle-sur-Serein 89 103 D4
Les Isles-Bardel 14 52 C2
Isles-sur-Suippe 51 36 C2
Les Islettes 55 38 A4
Isles-les-Meldeuses 77 58 C1
Isneauville 76 31 F1
Isola 2000 06 223 F2
Isola 06 223 F2
Isolaccio-di-Fiumorbo 2b 267 E3
Isômes 52 105 D3
Ispagnac 48 217 D1
Ispoure 64 246 C2
Isques 62 2 C4
Issac 24 179 D4
Les Issambres 83 239 F4
Issamoulenc 07 203 D1
Issancourt-et-Rumel 08 21 F3

Issanlas 07 202 B2
Issans 25 107 F4
Les Issards 09 252 B3
Issarlès 07 202 B1
Isse 51 36 C4
Issé 44 93 F3
Issel 11 252 C1
Issendolus 46 198 B2
Issenhausen 67 66 C2
Issenheim 68 108 C1
Issepts 46 198 C3
Isserpent 03 153 E3
Isserteaux 63 168 C3
Issigeac 24 196 B2
Issirac 30 218 C2
Issoire 63 168 B4
Issolud (Puy d') 46 181 E4
Issoncourt 55 62 C1
Issor 64 248 C1
Issou 78 56 C1
Issoudun 36 135 D1
Issoudun-Létrieix 23 150 C4
Issus 31 230 A4
Issy-l'Évêque 71 138 C3
Issy-les-Moulineaux 92 57 E2
Istres 13 236 C4
Les Istres-et-Bury 51 60 C1
Isturits 64 225 D4
Isturits et d'Oxocelhaya (Grottes d') 64 225 D4
Isles-lès-Villenoy 77 58 B2
Itancourt 02 19 E3
Iteuil 86 132 A4
Ithorots-Olhaïby 56 247 E1
Iton 27 31 F4
Ittenheim 67 67 D3
Itterswiller 67 89 E1
Itteville 91 80 A1
Itxassou 64 224 C4
Itzac 81 214 A3
Ivergny 62 9 E3
Iverny 77 58 B1
Iviers 02 20 B3
Iville 27 31 E3
Ivors 60 34 C3
Ivory 39 141 F1
Ivoy-le-Pré 18 119 D2
Ivrey 39 125 D4
Ivry-la-Bataille 27 56 A2
Ivry-en-Montagne 21 122 C4
Ivry-sur-Seine 94 57 E2
Ivry-le-Temple 60 33 D3
Iwuy 59 11 D3
Izaourt 65 250 B3
Izaut-de-l'Hôtel 31 258 C2
Izaux 65 249 F3
Izé 53 75 E3
Izeaux 38 188 C1
Izel-lès-Equerchin 62 10 B2
Izel-lès-Hameaux 62 9 F3
Izenave 01 157 D4
Izernore 01 157 D2
Izeron 38 188 C3
Izeste 64 256 B1
Izeure 21 123 F3
Izier 21 123 F2
Izieu 01 173 D3
Izoard (Col d') 05 207 E1
Izon 33 177 E4
Izon-la-Bruisse 26 221 D1
Izotges 32 227 D2
Izy 45 79 E4

J

Jametz 55 38 C1
Janailhac 87 164 C3
Janaillat 23 150 A4
Jancigny 21 124 B1
Jandun 08 21 D3
Janneyrias 38 172 A2
Jans 44 93 E3
Janville 60 34 C2
Janville 28 79 E3
Janville 14 29 E3
Janvilliers 51 60 A2
Janvry 51 36 B3
Janvry 91 57 D4
Janzé 35 93 F1
Jarcieu 38 187 F1
Jarcy (Moulin de) 94 58 A3
La Jard 17 161 E3
Jard-sur-Mer 85 144 B1
Jardin 38 171 F4
Le Jardin 19 182 B2
Jardres 86 132 C4
Jargeau 45 99 F2
Jarjayes 05 206 A3
Jarménil 88 87 E3
Jarnac 16 162 B2
Jarnac-Champagne 17 161 E3
Jarnages 23 150 C3
La Jarne 17 145 D3
Jarnioux 69 155 E4
Jarnosse 42 154 C3
Jarny 54 39 E3
Jarret 65 257 E2
Jarrie 38 189 E3
La Jarrie 17 145 E3
La Jarrie-Audouin 17 146 A4
Jarrier 73 190 B1
Jars 18 119 E1
Jarsy 73 174 A2
Jarville-la-Malgrange 54 64 C3
Jarzé 49 95 F4
Jas 42 170 C2
Jasney 70 106 C1
Jassans-Riottier 01 155 E4
Jasseines 10 83 E1
Jasseron 01 156 B2
Jasses 64 247 F1
Jastres 07 203 D3
Jatxou 64 224 C4
Jau (Col de) 66 261 E2
Jau-Dignac-et-Loirac 33 160 B4
La Jaubernie 07 203 E2
Jaucourt 10 84 B3
La Jaudonnière 85 130 A3
Jaudrais 28 55 E4
Jaujac 07 203 D2
Jauldes 16 162 C2
Jaulges 89 102 C2
Jaulgonne 02 35 F4
Jaulnay 37 132 B1
Jaulnes 77 81 F1
Jaulny 54 64 A1
Jaulzy 60 34 C2
Jaunac 07 186 C4
Jaunay-Clan 86 132 B3
Jaures 24 179 D4
Jausiers 04 207 E4
Jaux 60 34 B2
Jauzé 72 76 C3
Javaugues 43 185 D2
Javené 35 74 A2
Javerdat 87 164 B1
Javerlhac-et-la-Chapelle-St-Robert 24 163 E3
Javernant 10 83 D4
La Javie 04 222 B2
Javols 48 201 D2
Javrezac 16 161 E2
Javron-les-Chapelles 53 75 E1
Jax 43 185 D3
Jaxu 64 247 D2
Jayac 24 180 C4
Jayat 01 156 A1
Jazeneuil 86 131 F4
Jazennes 17 161 D3
Jeancourt 02 19 D2
Jeandelaincourt 54 64 C2
Jeandelize 54 39 E3
Jeanménil 88 87 F2
Jeansagnière 42 169 E2
Jeantes 02 20 B3
Jebsheim 68 89 D3
Jegun 32 228 A2
Jenlain 59 11 E3
Jenzat 03 152 C2
Jésonville 88 87 D3
Jessains 10 84 A2
Jetterswiller 67 66 C3
Jettingen 68 108 C3

Jeuxey 88 87 E3
Jevoncourt 54 86 C1
Jezainville 54 64 B2
Jézeau 65 249 F4
Joannas 07 202 C3
Job 63 169 E3
Jobourg 50 24 B1
Jobourg (Nez de) 50 24 B1
Joch 66 262 A2
Jœuf 54 39 F3
Joffre (Route) 68 88 C3
Joganville 50 25 D3
Joigny 89 102 A1
Joigny-sur-Meuse 08 21 E2
Joinville 52 85 D1
Joinville-le-Pont 94 57 E2
Joiselle 51 59 F3
Jolimetz 59 11 E3
Jolivet 54 65 D3
Jonage 69 172 A2
Joncels 34 233 D2
La Jonchère 85 129 E4
La Jonchère-St-Maurice 87 149 F4
Jonchères 26 205 D3
Joncherey 90 108 A4
Jonchery 52 85 D3
Jonchery-sur-Suippe 51 37 E3
Jonchery-sur-Vesle 51 36 A3
Joncourt 02 19 D2
Joncreuil 10 61 E4
Joncy 71 139 E3
Jongieux 73 173 E2
Jonquerets-de-Livet 27 54 B1
Jonquerettes 84 219 F4
Jonquery 51 36 A4
Jonquières 60 34 B2
Jonquières 11 254 B3
Jonquières 81 231 E2
Jonquières 84 219 E3
Jonquières-St-Vincent 30 235 F1
Jons 69 172 A2
Jonte (Gorges de la) 12,48 216 C2
Jonval 08 21 E4
Jonvelle 70 106 A1
Jonville-en-Woëvre 55 39 E4
Jonzac 17 161 E4
Jonzier-Épagny 74 157 F3
Jonzieux 42 186 C1
Joppécourt 54 39 E2
Jorquenay 52 105 D1
Jort 14 53 D1
Jorxey 88 87 D2
Josat 43 185 D2
Joserand 63 152 C4
Josnes 41 98 C2
Josse 40 225 D2
Josselin 56 71 F4
Jossigny 77 58 B2
Jou-sous-Monjou 15 183 E4
Jouac 87 149 E2
Jouaignes 02 35 F4
Jouancy 89 103 D3
Jouarre 77 59 D2
Jouars-Pontchartrain 78 56 C3
Jouaville 54 39 F3
Joucas 84 220 B4
Joucou 11 261 E1
Joudes 71 141 D4
Joudreville 54 39 E2
Joué-l'Abbé 72 76 B4
Joué-du-Bois 61 52 C4
Joué-du-Plain 61 53 D3
Joué-en-Charnie 72 75 F4
Joué-sur-Erdre 44 93 F3
Joué-lès-Tours 37 115 D2
Jouet-sur-l'Aubois 18 120 A4
Jouey 21 122 C3
Jougne 25 142 C2
Jouhe 39 124 B3
Jouhet 86 133 D4
Jouillat 23 150 B3
Jouques 13 237 F2
Jouqueviel 81 214 B2
Jourgnac 87 164 C2
Journans 01 156 C3
Journet 86 148 C1
Journia 24 180 A4
Journy 62 3 D3
Jours-lès-Baigneux 21 104 A3
Jours-en-Vaux 21 122 C3
Joursac 15 184 B3
Joussé 86 148 A3
Jouvençon 71 140 C1
Joux 69 170 C1
Joux (Château de) 25 142 C2
Joux (Forêt de la) 39 142 A1

Joux-la-Ville 89 102 C4
Jouy 89 81 D3
Jouy 28 78 C1
Jouy-aux-Arches 57 40 A4
Jouy-le-Châtel 77 59 D3
Jouy-en-Argonne 55 38 B4
Jouy-en-Josas 78 57 E3
Jouy-en-Pithiverais 45 79 F4
Jouy-Mauvoisin 78 56 B1
Jouy-le-Moutier 95 57 D1
Jouy-le-Potier 45 99 D3
Jouy-lès-Reims 51 36 B3
Jouy-sous-les-Côtes 55 63 E2
Jouy-sous-Thelle 60 33 D2
Jouy-sur-Eure 27 32 A4
Jouy-sur-Morin 77 59 E2
Joyeuse 07 202 C4
Joyeux 01 156 A4
Joze 63 168 C2
Jû-Belloc 32 227 E3
Juan-les-Pins 06 240 B2
Juaye-Mondaye 14 28 C3
Jubainville 88 86 A1
La Jubaudière 49 113 D3
Jubécourt 55 38 B4
Jublains 53 75 D2
Le Juch 29 68 C2
Jugazan 33 194 C3
Jugeals-Nazareth 19 181 D3
Jugon-les-Lacs 22 72 A1
Jugy 71 140 A3
Juicq 17 161 D1
Juif 71 140 C3
Juignac 16 178 C1
Juigné-Béné 49 95 D4
Juigné-des-Moutiers 44 94 A3
Juigné-sur-Loire 49 113 F1
Juigné-sur-Sarthe 72 95 F2
Juignettes 27 54 B2
Juillac 19 180 C2
Juillac 33 195 D1
Juillac 32 227 E3
Juillac-le-Coq 16 161 F3
Juillaguet 16 162 C4
Juillan 65 249 D2
Juillé 79 146 C3
Juillé 72 76 B3
Juillé 16 162 C1
Juillenay 21 122 B2
Juilles 32 228 C3
Juilley 50 50 C4
Juilly 21 122 B1
Juilly 77 58 B1
Juine 91 80 A1
Jujols 66 261 F3
Jujurieux 01 156 C3
Julianges 48 184 C4
Juliénas 69 155 E2
Julienne 16 162 A2
Julianges 43 155 E2
Jullié 69 155 E2
Jullouville 50 50 B2
Jully 89 103 E2
Jully-lès-Buxy 71 139 F3
Jully-sur-Sarce 10 83 E4
Julos 65 249 D2
Julvécourt 55 38 B4
Jumeauville 78 56 B2
Jumeaux 63 184 C1
Les Jumeaux 79 131 E2
Jumel 80 17 F3
Jumelles 27 55 D2
Jumelles 49 114 B1
La Jumellière 49 113 E2
Jumencourt 02 35 E1
Jumièges 76 31 E1
Jumigny 02 36 A2
Jumilhac-le-Grand 24 164 B4
Junas 30 235 D2
Junay 89 102 C2
Juncalas 65 257 E2
Jungholtz 68 108 B1
Junhac 15 199 E2
Les Junies 46 199 D2
Juniville 08 37 D2
Juno Beach 14 29 D2
Jupilles 72 96 C2
Jurançon 64 248 B1
Juranville 45 80 B4
Juré 42 169 F1
Jurignac 16 162 B4
Jurques 14 28 B4
Jurvielle 31 258 B3
Jury 57 40 B4
Juscorps 79 146 A2
Jusix 47 195 E3
Jussac 15 183 F3
Jussarup 88 88 A3
Jussas 17 177 F2
Jussecourt-Minecourt 51 61 F2

Jussey 70 106 A2
Jussy 02 19 D3
Jussy 89 102 B3
Jussy 57 40 A4
Jussy-Champagne 18 136 B3
Jussy-le-Chaudrier 18 120 A3
Justian 32 227 F1
Justine-Herbigny 08 20 C4
Justiniac 09 252 A2
Jutigny 77 81 E1
Juvaincourt 88 86 C2
Juvancourt 10 84 B4
Juvanzé 10 84 A2
Juvardeil 49 95 E3
Juvelize 57 67 E3
Juvignac 34 234 B3
Juvigné 53 74 B3
Juvignies 60 33 E1
Juvigny 02 35 E1
Juvigny 74 158 B2
Juvigny 51 61 D1
Juvigny-en-Perthois 55 62 C4
Juvigny-sous-Andaine 61 52 B4
Juvigny-sur-Loison 55 38 C1
Juvigny-sur-Orne 61 53 D3
Juvigny-sur-Seulles 14 28 C3
Juvigny-le-Tertre 50 51 E3
Juville 57 64 C1
Juvinas 07 202 C2
Juvincourt-et-Damary 02 36 A2
Juvisy-sur-Orge 91 57 E3
Juvrecourt 54 65 D2
Juxue 64 247 D1
Juzanvigny 10 84 A1
Juzennecourt 52 84 C3
Juzes 31 230 C4
Juzet-de-Luchon 31 258 B4
Juzet-d'Izaut 31 258 C2
Juziers 78 56 C1

K

Kakouetta (Gorges de) 64 247 E3
Kalhausen 57 42 A4
Kaltenhouse 67 67 E2
Kanfen 57 40 A1
Kappelen 68 109 D3
Kappelkinger 57 65 F1
Katzenthal 68 88 C3
Kauffenheim 67 67 F1
Kaysersberg 68 88 C3
Kédange-sur-Canner 57 40 C2
Keffenach 67 43 E4
Kembs 68 109 D2
Kemplich 57 40 C2
Kerazan-en-Loctudy 29 68 C4
Kerbach 57 41 F3
Kerbors 22 47 E1
Kerdévot 29 69 D3
Kerfons (Chapelle de) 22 46 C2
Kerfot 22 47 D1
Kerfourn 56 71 D3
Kergloff 29 69 F1
Kergrist 56 71 D3
Kergrist-Moëlou 22 70 B1
Kerien 22 47 D4
Kerjean 29 45 F2
Kerlaz 29 68 C2
Kerling-lès-Sierck 57 40 C1
Kerlouan 29 45 E1
Kermaria 22 47 F2
Kermaria-Sulard 22 47 D1
Kermoroc'h 22 47 D2
Kernascléden 56 70 B4
Kernével 29 69 E3
Kernilis 29 45 D2
Kernouës 29 45 D2
Kerpert 22 70 C1
Kerprich-aux-Bois 57 65 F2
Kersaint-Plabennec 29 45 D2
Kertzfeld 67 89 D1
Kervignac 56 90 C2
Keskastel 67 65 F1
Kesseldorf 67 67 F1
Kienheim 67 67 D3
Kientzheim 68 89 D3
Kiffis 68 108 C4
Killem 59 4 B2
Kilstett 67 67 F3
Kindwiller 67 67 D1
Kingersheim 68 108 C2
Kirchberg 68 108 B1
Kirchheim 67 66 C3
Kirrberg 67 66 C2
Kirsch-lès-Sierck 57 40 C1
Kirschnaumen 57 40 C1

Kirviller 57 65 F1
Klang 57 40 C2
Kleinfrankenheim 67 67 D3
Kleingoft 67 66 C2
Klingenthal 67 66 C3
Knœringue 68 108 C3
Knœrsheim 67 66 C3
Knutange 57 39 F2
Kœnigsmacker 57 40 B1
Kœstlach 68 108 C4
Kœtzingue 68 108 C3
Kœur-la-Grande 55 63 D2
Kœur-la-Petite 55 63 D2
Kogenheim 67 89 E1
Kolbsheim 67 67 D3
Krautergersheim 67 67 D4
Krautwiller 67 67 D2
Le Kremlin-Bicêtre 94 57 E2
Kriegsheim 67 67 D2
Kruth 68 108 A1
Kuhlendorf 67 67 E1
Kunheim 68 89 E3
Kuntzig 57 40 B2
Kurtzenhouse 67 67 E2
Kuttolsheim 67 66 C3
Kutzenhausen 67 43 E4

L

L'Hermitage 35 73 D3
L'Huisserie 53 74 C4
L'Écluse 66 262 C3
L'Écouvotte 25 125 F1
L'Église-aux-Bois 19 165 F3
L'Épine 85 110 B4
L'Étang-Vergy 21 123 E3
L'Habit 27 55 F2
L'Herbergement 85 129 D1
L'Hermenault 85 130 A4
L'Hermitage-Lorge 22 71 E1
L'Hermitière 61 77 D2
Laà-Mondrans 64 225 F4
Laas 32 227 F4
Laas 45 79 F4
Laàs 64 225 F4
Labalme 01 156 C3
Labarde 33 177 D4
Labaroche 68 88 C3
Labarrère 32 210 C4
Labarthe 32 228 B4
Labarthe 82 213 D2
Labarthe-Bleys 81 214 A3
Labarthe-Inard 31 258 C1
Labarthe-Rivière 31 250 B3
Labarthe-sur-Lèze 31 229 F4
Labarthète 32 227 D2
Labassère 65 257 E2
Labastide 65 249 F3
Labastide-Beauvoir 31 230 B4
Labastide-Castel-Amouroux 47 210 C1
Labastide-Cézéracq 64 256 C2
Labastide-Chalosse 40 226 A2
Labastide-Clairence 64 225 D4
Labastide-Clermont 31 251 D1
Labastide-d'Anjou 11 252 C1
Labastide-d'Armagnac 40 210 A4
Labastide-de-Juvinas 07 202 C2
Labastide-de-Lévis 81 214 B2
Labastide-de-Penne 82 213 E2
Labastide-de-Virac 07 218 C1
Labastide-Dénat 81 214 E1
Labastide-du-Haut-Mont 46 199 D1
Labastide-du-Temple 82 212 C3
Labastide-du-Vert 46 197 E4
Labastide-en-Val 11 253 F3
Labastide-Esparbairenque 11 231 F4
Labastide-Gabausse 81 214 B3
Labastide-Marnhac 46 213 D1
Labastide-Monréjeau 64 226 B4
Labastide-Murat 46 198 A3

Labastide-Paumès 46 198 C2
Labastide-Rouairoux 81 232 A4
Labastide-St-Georges 81 230 C2
Labastide-St-Pierre 82 214 B3
Labastide-St-Sernin 31 230 A2
Labastide-Savès 32 229 D3
Labastide-Villefranche 64 225 E3
Labastidette 31 229 E4
Labathude 46 198 C2
Labatie-d'Andaure 07 187 D4
Labatmale 64 248 C2
Labatut 40 225 E3
Labatut 64 227 D4
Labatut 09 252 A2
Labatut-Rivière 65 227 E3
Labbeville 95 33 E4
Labeaume 07 203 D4
Labécède-Lauragais 11 231 D4
Labège 31 230 A3
Labégude 07 203 D3
Labéjan 32 228 A3
Labenne 40 224 C2
Labergement-lès-Auxonne 21 124 B3
Labergement-du-Navois 25 125 E4
Labergement-Foigney 21 124 A2
Labergement-Ste-Marie 25 142 C2
Labergement-lès-Seurre 21 123 F4
Laberlière 60 18 B4
Labescau 33 195 D4
Labesserette 15 199 F3
Labessette 63 167 D4
Labessière-Candeil 81 231 D1
Labeuville 55 39 E4
Labeuvrière 62 9 F1
Labeyrie 64 226 A3
Lablachère 07 202 C4
Laboissière-en-Santerre 80 18 A4
Laboissière-en-Thelle 60 33 E3
Laboissière-St-Martin 80 16 C2
Laborde 65 249 F3
Laborel 26 221 D1
Labosse 60 33 D2
Labouheyre 40 208 C2
Labouiche (Rivière Souterraine de) 09 252 A3
Laboulbène 81 231 E2
Laboule 07 202 C3
Labouquerie 24 196 C2
Labouret (Col du) 04 222 B1
Labourgade 82 212 C4
Labourse 62 10 A1
Laboutarie 81 231 D1
Labrède 33 194 A2
Labretonie 47 195 F4
Labrihe 32 229 D2
Labrit 40 209 E3
Labroquère 31 250 A3
Labrosse 45 80 A3
Labrousse 15 199 F1
Labroye 62 8 C3
Labruguière 81 231 E3
Labruyère 21 123 F4
Labruyère 60 34 A2
Labruyère-Dorsa 31 230 A4
Labry 54 39 E4
Labuissière 62 9 F1
Laburgade 46 213 E1
Lac-des-Rouges-Truites 39 142 A3
Le Lac-d'Issarlès 07 202 B1
Lacabarède 81 232 A4
Lacadée 64 226 A3
Lacajunte 40 226 B3
Lacalm 12 200 B2
Lacam-d'Ourcet 46 198 C1
Lacamp (Plateau de) 11 253 F3
Lacanau 33 176 B4
Lacanau (Étang de) 33 176 B4
Lacanau-Océan 33 176 A3
Lacanche 21 122 C4
Lacapelle-Barrès 15 183 E4
Lacapelle-Biron 47 196 C3
Lacapelle-Cabanac 46 213 D1
Lacapelle-del-Fraisse 15 199 E4
Lacapelle-Livron 82 213 F2

Lacapelle-Marival 46 198 C2
Lacapelle-Pinet 81 214 C3
Lacapelle-Ségalar 81 214 B3
Lacapelle-Viescamp 15 199 D1
Lacarre 64 247 D2
Lacarry-Arhan-Charritte-de-Haut 64 247 E2
Lacassagne 65 249 E1
Lacaugne 31 251 E1
Lacaune 81 232 B2
Lacaune (Monts de) 81 232 A2
Lacaussade 47 196 C4
Lacave 46 198 A1
Lacave 09 259 D2
Lacave (Grottes de) 46 198 A1
Lacaze 81 232 A2
Lacelle 19 165 F3
Lacenas 69 173 D1
Lacépède 47 211 E1
Lachaise 16 161 F4
Lachalade 55 38 A3
Lachambre 57 41 E4
Lachamp 48 201 D3
Lachamp-Raphaël 07 202 C1
Lachapelle 54 88 A1
Lachapelle 82 212 A4
Lachapelle 47 195 F3
Lachapelle 80 17 D3
Lachapelle-aux-Pots 60 33 D1
Lachapelle-Auzac 46 181 D4
Lachapelle-en-Blaisy 52 84 C3
Lachapelle-Graillouse 07 202 B1
Lachapelle-St-Pierre 60 33 E3
Lachapelle-sous-Aubenas 07 203 D3
Lachapelle-sous-Chanéac 07 186 C4
Lachapelle-sous-Chaux 90 107 F2
Lachapelle-sous-Gerberoy 60 33 D1
Lachapelle-sous-Rougemont 90 108 A2
Lachassagne 69 171 E1
Lachau 26 221 D2
Lachaussée 55 39 E4
Lachaussée-du-Bois-d'Écu 60 17 E4
Lachaux 63 153 E4
Lachelle 60 34 B1
Lachens (Montagne de) 83 239 E1
Lachy 51 60 A3
Lacollonge 90 108 A3
Lacombe 11 231 E4
Lacommande 64 248 A1
Lacoste 34 233 F2
Lacoste 84 237 D2
Lacougotte-Cadoul 81 230 C2
Lacour 82 212 B1
Lacour-d'Arcenay 21 122 A2
Lacourt 09 259 D3
Lacourt-St-Pierre 82 213 D4
Lacq 64 226 A4
Lacquy 40 210 A4
Lacrabe 40 226 A2
Lacres 62 2 C4
Lacroisille 81 230 C3
Lacroix-Barrez 12 199 F2
Lacroix-Falgarde 31 230 A4
Lacroix-St-Ouen 60 34 B2
Lacroix sur Meuse 55 63 D1
Lacropte 24 179 F4
Lacrost 71 140 B4
Lacrouzette 81 231 E2
Lacs 36 135 D4
Ladapeyre 23 150 C2
Ladaux 33 194 C2
Ladern-sur-Lauquet 11 253 E3
Ladevèze-Rivière 32 227 E3
Ladevèze-Ville 32 227 E3
Ladignac-le-Long 87 164 B3
Ladignac-sur-Rondelles 19 181 F2
Ladinhac 15 199 F2
Ladirat 46 198 C1
Ladiville 16 162 B4
Ladon 45 100 B1
Lados 33 194 C4
Ladoye (Cirque de) 39 142 B2
Ladoye-sur-Seille 39 141 E2
Laduz 89 112 B3
Lafage 11 252 C2
Lafage-sur-Sombre 19 182 B2
Lafare 84 220 A4
Lafarre 43 202 B1

Lafarre 07 187 D3
Lafat 23 150 A2
Lafauche 52 85 F2
Laféline 03 151 F4
Laferté-sur-Amance 52 105 F2
Laferté-sur-Aube 52 84 B4
Lafeuillade-en-Vézie 15 199 F2
Laffaux 02 35 E1
Laffite-Toupière 31 250 C2
Laffrey 38 189 E3
Laffrey (Lac de) 38 189 E3
Lafigère 07 202 B4
Lafitole 65 227 E4
Lafitte 82 212 C4
Lafitte-sur-Lot 47 211 E1
Lafitte-Vigordane 31 251 E1
Lafox 47 211 F2
Lafrançaise 82 212 C3
Lafraye 60 33 F1
Lafresnoye 80 16 C3
Lafrimbolle 57 66 A3
Lagamas 34 233 F2
Lagarde 09 252 C3
Lagarde 31 252 B1
Lagarde 65 249 D1
Lagarde 57 65 E3
Lagarde 32 211 E4
Lagarde d'Apt 84 220 C3
Lagarde-Enval 19 181 F2
Lagarde-Hachan 32 228 A4
Lagarde-Paréol 84 219 E2
Lagarde-sur-le-Né 16 162 A4
Lagardelle 46 197 D4
Lagardelle-sur-Lèze 31 229 F4
Lagardère 32 227 F1
Lagardiolle 81 231 D3
Lagarrigue 81 231 E3
Lagarrigue 47 211 D1
Lageon 79 131 E2
Lagery 51 36 A3
Lagesse 10 83 D4
Laglorieuse 40 209 F4
Lagnes 84 220 A4
Lagney 54 63 F3
Lagnicourt-Marcel 62 10 B4
Lagnieu 01 172 B1
Lagny 60 34 B4
Lagny-le-Sec 60 34 B4
Lagny-sur-Marne 77 58 B2
Lagor 64 226 A4
Lagorce 07 203 D4
Lagorce 33 178 A3
Lagord 17 145 D2
Lagos 64 248 C2
Lagrâce-Dieu 31 251 F1
Lagrand 05 221 E1
Lagrange 40 210 B4
Lagrange 90 108 A2
Lagrange 65 249 F2
Lagrasse 11 254 A3
Lagraulas 32 227 F1
Lagraulet-du-Gers 32 210 C4
Lagraulet-St-Nicolas 31 229 F2
Lagraulière 19 181 E1
Lagrave 81 214 B4
Lagruère 47 195 E4
Laguenne 19 181 F2
Laguépie 82 214 B3
Laguian-Mazous 32 227 F4
Laguinge-Restoue 64 247 E2
Laguiole 12 200 B2
Laguépie 01 195 E3
Lahage 31 229 D4
Laharmand 52 85 D3
Lahas 32 228 C2
Lahaye-St-Romain 80 17 D3
Lahaymeix 55 63 D1
Lahayville 55 63 F1
Laheycourt 55 62 B2
Lahitère 31 251 E2
Lahitte 65 249 F3
Lahitte 32 228 B2
Lahitte-Toupière 65 227 D4
Lahonce 64 224 C3
Lahontan 64 225 E3
Lahosse 40 225 F2
Lahourcade 64 226 A4
Lahoussoye 80 17 F2
Laifour 08 21 E4
Laifour (Roches de) 08 21 E2
La Laigne 17 145 F2
Laigné 53 94 C2
Laigné-en-Belin 72 96 C2
Laignelet 35 74 A1
Laignes 21 103 E2
Laigny 02 20 A2
Laigue (Forêt de) 60 34 C1
Laillé 35 73 D4

Lailly 89 82 A3
Lailly-en-Val 45 99 D2
Laimont 55 62 B2
Lain 89 101 F4
Laines-aux-Bois 10 83 D3
Lains 39 156 C1
Lainsecq 89 101 F4
Lainville 78 32 C4
Laire 25 107 F4
Lairière 11 253 F3
Lairoux 85 129 E4
Laissac 12 215 F1
Laissaud 73 173 F4
Laissey 25 125 F2
Laître-sous-Amance 54 64 C2
Laives 71 140 A3
Laix 54 39 E1
Laizé 71 155 F2
Laize-la-Ville 14 29 D4
Laizy 71 139 D1
Lajo 48 201 E1
Lajoux 39 157 F1
Lalacelle 61 75 F1
Lalande 89 101 F3
Lalande-en-Son 60 32 C2
Lalandelle 60 33 D2
Lalandusse 47 196 A3
Lalanne 65 250 B1
Lalanne 32 228 C1
Lalanne-Arqué 32 250 B1
Lalanne-Trie 65 249 F1
Lalaye 67 88 C1
Lalbarède 81 231 D2
Lalbenque 46 213 E1
Laleu 61 54 A4
Laleu 80 17 D2
Lalevade-d'Ardèche 07 203 D3
Lalheue 71 140 A3
Lalinde 24 196 B4
Lalizolle 03 152 B3
Lallaing 59 10 C2
Lalley 38 205 E2
Lalleyriat 01 157 D1
Lalobbe 08 21 D3
Lalœuf 54 86 C1
Lalongue 64 226 C4
Lalonquette 64 226 C3
Laloubère 65 249 E2
Lalouret-Laffiteau 31 250 B2
Lalouvesc 07 187 D3
Laluque 40 208 C4
Lama 2b 265 D2
Lamadeleine-Val-des-Anges 90 108 A2
Lamagdelaine 46 197 F4
Lamagistère 82 212 A3
Lamaguère 32 228 B3
Lamaids 03 151 E2
Lamalou-les-Bains 34 233 D3
Lamancine 52 85 D3
Lamanère 66 262 A4
Lamanon 13 236 C2
Lamarche 88 86 B4
Lamarche-en-Woëvre 55 63 E1
Lamarche-sur-Saône 21 124 B2
Lamargelle 21 104 B4
Lamargelle-aux-Bois 52 104 C3
Lamaronde 80 16 C3
Lamarque 33 177 D3
Lamarque-Pontacq 65 248 C2
Lamarque-Rustaing 65 249 F1
Lamasquère 31 229 E4
Lamastre 07 187 D4
Lamath 54 65 D4
Lamativie 46 182 B4
Lamayou 64 227 D4
Lamazère 32 228 A3
Lamazière-Basse 19 182 B1
Lamazière-Haute 19 166 C3
Lambach 57 42 B4
Lambader 29 45 F2
Lamballe 22 48 C4
Lambersart 59 5 D4
Lamberville 50 28 A4
Lamberville 76 15 E3
Lambesc 13 237 D2
Lamblore 28 55 D4
Lambres 62 4 A3
Lambres-lez-Douai 59 10 B2
Lambrey 70 106 B2
Lambruisse 04 222 C3
Laméac 65 249 E1
Lamécourt 60 34 A1
Lamelouze 30 217 F2
Lamenay-sur-Loire 58 137 D2
Lamérac 16 161 F4
Lametz 08 37 E1
Lamillarié 81 231 E1
Lammerville 76 15 E3

Lamnay 72 77 D4
Lamongerie 19 165 E4
Lamontélarié 81 232 A3
Lamontgie 63 168 C4
Lamontjoie 47 211 E3
Lamonzie-Montastruc 24 196 B3
Lamonzie-St-Martin 24 195 F1
Lamorlaye 60 33 F1
Lamorville 55 63 D1
Lamothe 40 226 A1
Lamothe 43 184 C2
Lamothe-Capdeville 82 213 D3
Lamothe-Cassel 46 197 F3
Lamothe-Cumont 82 229 D1
Lamothe-en-Blaisy 52 84 C3
Lamothe-Fénelon 46 197 F1
Lamothe-Goas 32 228 B1
Lamothe-Landerron 33 195 E3
Lamothe-Montravel 24 195 D1
Lamotte-Beuvron 41 99 F4
Lamotte-Brebière 80 17 F2
Lamotte-Buleux 80 8 C4
Lamotte-du-Rhône 84 219 D2
Lamotte-Warfusée 80 18 A2
Lamouilly 55 38 C1
Lamoura 39 157 F1
Lampaul-Guimiliau 29 45 F2
Lampaul-Plouarzel 29 44 C2
Lampaul-Ploudalmézeau 29 44 C2
Lampertheim 67 67 D3
Lampertsloch 67 43 D4
Lamure-sur-Azergues 69 155 D3
Lanans 25 126 A2
Lanarce 07 202 B2
Lanarvily 29 45 D2
Lanas 07 203 D3
Lancé 41 98 A3
Lancebranlette 73 175 E2
Lanches-St-Hilaire 80 9 D4
Lanchy 02 18 C2
Lancié 69 155 E3
Lancieux 22 49 D3
Lançon 41 98 A3
Lançon 08 37 F3
Lançon-Provence 13 236 C3
Lancôme 41 98 A3
Lancon 65 249 F4
Lancrans 01 157 E3
Landal (Château de) 35 50 A4
Landange 57 65 F3
Landas 59 11 D1
Landaul 56 91 D2
Landaville 88 86 A2
Landavran 35 73 F3
Landean 35 74 A1
Landebaëron 22 47 D2
Landébia 22 48 C3
La Landec 22 49 D4
Landécourt 54 65 D3
Landéda 29 45 D1
Landéhen 22 48 C3
Landeleau 29 69 F1
Landelles 28 78 A1
Landelles-et-Coupigny 14 51 E2
Landemont 49 112 C2
Landepéreuse 27 54 B1
Landerneau 29 45 E3
Landeronde 85 129 D3
Landerrouat 33 195 E2

Landerrouet-sur-Ségur 33 195 D2
Landersheim 67 66 C2
Landes 17 146 A4
Landes 35 93 D2
Landes 41 118 A2
Landes 33 194 C3
Le Langon 85 145 E3
Langonnet 56 70 A3
Langouet 35 73 D2
Les Landes-Genusson 85 129 F2
Landes-le-Gaulois 41 98 A3
Les Landes (Gorges de la) 39 142 A4
Landes-sur-Ajon 14 28 C4
Landes-Vieilles-et-Neuves 76 16 B3
Landévant 56 90 C2
Landévennec 29 45 E4
Landevieille 85 128 B3
Landéville 52 85 E2
Landeyrat 15 183 F2
Landifay-et-Bertaigne-mont 02 19 F3
Landigou 61 52 B3
Landiras 33 194 B3
Landisacq 61 52 A3
Landivisiau 29 45 F2
Landivy 53 74 B1
Landogne 63 167 E1
Landonvillers 57 40 C3
Landorthe 31 250 C2
Landos 43 202 A1
Landouzy-la-Cour 02 20 B2
Landouzy-la-Ville 02 20 B2
Landrais 17 145 E3
Le Landreau 44 112 B2
Landrecies 59 11 E4
Landrecourt-Lempire 55 38 C4
Landremont 54 64 B2
Landres 54 39 E2
Landres-et-St-Georges 08 38 A2
Landresse 25 126 A2
Landrethun-lès-Ardres 62 3 D3
Landrethun-le-Nord 62 2 C2
Landréville 10 84 A4
Landreville 10 83 F4
Landricourt 02 35 E1
Landricourt 51 61 F4
Landroff 57 65 D1
Landry 73 175 D2
Landsberg (Château de) 67 89 D1
Landser 68 108 C2
Landudal 29 69 D2
Landudec 29 68 C3
Landujan 35 72 C3
Landunvez 29 44 C1
Lanespède 65 249 F2
Lanester 56 90 B1
Lanet 11 253 F4
Laneuvelle 52 105 F1
Laneuvelle-aux-Bois 54 64 C3
Laneuveville-aux-Bois 54 65 E3
Laneuveville-derrière-Foug 54 63 F3
Laneuveville-devant-Bayon 54 87 D1
Laneuveville-devant-Nancy 54 64 C2
Laneuveville-en-Saulnois 57 65 D1
Laneuveville-lès-Lorquin 57 66 A3
Laneuville à Bayard 52 62 A4
Laneuville-à-Rémy 52 84 C1
Laneuville-au-Bois 52 85 E1
Laneuville-au-Pont 52 62 A4
Laneuville-sur-Meuse 55 38 B1
Lanfains 22 71 D1
Lanfroicourt 54 64 C2
Langan 35 72 C2
Langast 22 71 E2
Langatte 57 65 F2
Langé 36 117 E4
Langeac 43 185 D3
Langeais 37 115 E2
Langensoultzbach 67 43 D4
Langeron 58 137 D2
Langesse 45 100 C2
Langey 28 78 A4
Langlade 30 235 D1
Langley 88 87 D1
Langoat 22 46 C2
Langoëlan 56 70 B2

Langogne 48 202 A2
Langoiran 33 194 B2
Langon 29 69 E2
Langon 35 93 D2
Langon 41 118 A2
Langon 33 194 C3
Le Langon 85 145 E3
Langonnet 56 70 A3
Langouet 35 73 D2
Langourla 22 71 F2
Langres 52 105 E2
Langrolay-sur-Rance 22 49 E3
Langrune-sur-Mer 14 29 D2
Languédias 22 72 B1
Languenan 22 72 B1
Langueux 22 48 B3
Languevoisin-Quiquery 80 18 B3
Languidic 56 90 C1
Languimberg 57 65 F2
Langy 03 153 E2
Lanhélin 35 49 F4
Lanhères 55 39 E3
Lanhouarneau 29 45 E2
Laning 57 41 E4
Laniscat 22 70 C2
Laniscourt 02 35 F1
Lanleff 22 47 D1
Lanloup 22 47 D1
Lanmérin 22 47 D2
Lanmeur 29 46 B2
Lanmodez 22 47 D1
Lanne 65 249 D2
Lanne-en-Barétous 64 247 F2
Lanne-Soubiran 32 227 D2
Lannéanou 29 46 B3
Lannebert 22 47 E2
Lannecaube 64 226 C3
Lannédern 29 69 E1
Lannemaignan 32 210 A4
Lannemezan 65 258 A1
Lannepax 32 227 F1
Lanneplaà 64 225 F3
Lanneray 28 78 A4
Lannes 52 105 D1
Lannes 47 211 D3
Lanneuffret 29 45 E2
Lannilis 29 45 D1
Lannion 22 46 C1
Lannoy 59 5 E4
Lannoy-Cuillère 60 16 C3
Lannux 32 226 C2
Lano 2b 265 D4
Lanobre 15 183 D1
Lanouaille 24 180 B1
Lanouée 56 71 E4
Lanoux 09 251 F3
Lanquais 24 196 B3
Lanques-sur-Rognon 52 85 E4
Lanquetot 76 14 C4
Lanrelas 22 72 A2
Lanrigan 35 73 D1
Lanrivain 22 70 C1
Lanrivoaré 29 44 C2
Lanrodec 22 47 E3
Lans 71 140 A2
Lans-en-Vercors 38 189 D3
Lansac 66 249 E2
Lansac 33 177 E3
Lansac 11 262 A1
Lansargues 34 234 C3
Lanslebourg-Mont-Cenis 73 191 D1
Lanslevillard 73 191 E1
Lanta 31 230 B3
Lantabat 64 247 D1
Lantages 10 83 E4
Lantan 18 136 B1
Lantéfontaine 54 39 E3
Lantenay 21 123 E2
Lantenay 01 157 E3
Lahtenne-Vertière 25 124 C2
La Lanterne-et-les-Armonts 70 107 E2
Lanteuil 19 181 E3
Lanthenans 25 126 B1
Lanthes 21 124 A4
Lantheuil 14 28 C3
Lantic 22 71 D1
Lantignié 69 154 E3
Lantilly 21 103 E4
Lanton 33 194 B1
Lantosque 06 241 D2
Lantriac 43 186 A4
Lanty 58 138 B2
Lanty-sur-Aube 52 84 B4
Lanuéjols 48 201 F4
Lanuéjols 30 216 C3
Lanuéjouls 12 199 D4
Lanvallay 22 49 E4
Lanvaudan 56 70 B4
Lanvaux (Landes de) 56 91 F2

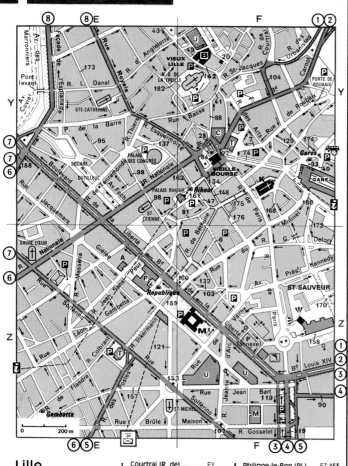

Lille

Béthune (R. de)........FYZ	
Esquermoise (R.)....EFY	
Faidherbe (R.)..........FY 74	
Gambetta (R. Léon)....EZ	
Gaulle (Pl. Gén.-de)	
(Grand Place)........FY 84	
Grande Chaussée (R. de la)........FY 88	
Monnaie (R. de la)....FY 142	
Nationale (R.)..........EYZ	
Neuve (R.)..............FY 148	

Amiens (R. d')..........FZ 6
Anatole-France (R.)....FY 7
Angleterre (R. d')......FY
Aris (R. des).............FY
Barre (R. de la)..........EFY
Basse (R.).................EFY
Bettignies (R. L. de)....FY 20
Bourse (R. de la)........FY 28
Brûle-Maison (R.)........EFZ
Buisses (R. des)..........FZ 33
Carnot (R.)................FY
Casernes (R. des).........FY 40
Chats-Bossus (R. des)...FY 41
Colbart (R.)................EZ
Collégiale (R. de la)......EY 43
Comédie (R. de la)........FY 47
Comtesse (Hospice)......B
Comtesse (R.)..............FY 49

Courtrai (R. de)..........FY
Cuvier (Av.).................EY
Danel (R. L.)..............EY
Delory (R.).................FZ
Esplanade (Façade de l')..........EY
Flandre (R. de)............EZ
Foch (Av.).................EY
Fosses (R. des)............FY 81
Gosselet (R.)..............FZ
Guérin (R. Camille)......FZ 90
Halloterie (R. de la)......EY 95
Hôpital-Militaire (R.)....FY 98
Inkermann (R.)............EZ
Jacquart (Pl.).............FZ 103
Jacquemars-Giélée (R.).........EYZ
Jardins (R. des)..........FY 104
Jean-Bart (R.)............FZ 107
Jeanne-d'Arc (Pl.)........FZ
Lebas (Bd J.-B.)...........FZ 119
Leblanc (R. Nicolas)......EZ 121
Liberté (Bd de la)........EYZ
Lombart (R. du)...........FY 129
Louis XIV (Bd)...........FZ
Maillotte (R.)..............FZ 132
Manneliers (R. des).......FY 134
Marronniers (Av. des)....EY
Masséna (R.)...............EZ
Mendès France (Pl.).......EY 137
Molinel (R. du)...........FYZ
Paris (R. de)..............FYZ

Philippe-le-Bon (Pl.)....EZ 153
Postes (R. des)...........FZ
Président-Kennedy (Av. du)..........FZ
Pyramides (R. des).......FZ 157
Réduit (R. du).............FZ 158
République (Pl. de la)...EZ 159
Richebé (Pl.)..............EFZ 160
Rihour (R.)................FY 161
Roisin (R. Jean)..........FY 162
Roubaix (R. de)...........FY
Royale (R.)................FY
St-Genois (R.)............FY 168
St-Jacques (R.)...........FY
St-Maurice (R.)..........FY K
St-Sauveur (R.)..........FY
St-Venant (Av. Ch.).....FYZ 172
Ste-Catherine (R.).......EY 173
Sans Pavé (R.)............EY 174
Sec-Arembault (R. du)...FY 175
Solférino (R.)............EZ
Tanneurs (R. des)........FYZ 176
Tenremonde (R. des)....FY 177
(Petite Place)
Théâtre (Pl. du)
Thiers (R.)................EY
Tournai (R. de)...........FY 180
Trois-Mollettes (R. des).EY 182
Urbanistes (R. des)......EY
Valmy (R. de).............FZ
Vauban (Bd)..............EY 188

Lanvellec 22 .... 46 C2
Lanvénégen 56 .... 70 A4
Lanvéoc 29 .... 45 D4
Lanvézéac 22 .... 47 D3
Lanvollon 22 .... 47 E2
Lanzac 46 .... 197 F1
Laon 02 .... 19 F4
Laons 28 .... 55 E3
Laouzas (Lac de) 81 .... 232 B2
Lapalisse 03 .... 153 E2
Lapalme 11 .... 254 C4
Lapalud 84 .... 219 D1
Lapan 18 .... 55 F4
Lapanouse 12 .... 216 A1
Lapanouse-de-Cernon 12 .... 216 B4
Laparade 47 .... 211 E1
Laparrouquial 81 .... 214 B3
Lapège 09 .... 260 B1
Lapenche 82 .... 213 E2
Lapenne 09 .... 252 B2
Lapenty 50 .... 156 A4
Laperche 47 .... 196 A3
Laperrière-sur-Saône 21 .... 124 A3
Lapeyre 65 .... 249 F1
Lapeyrère 31 .... 251 E2
Lapeyrouse 63 .... 152 B3
Lapeyrouse 01 .... 156 A4
Lapeyrouse-Fossat 31 .... 236 A4
Lapeyrouse-Mornay 26 .... 187 F1
Lapeyrugue 15 .... 199 F2

Lapleau 19 .... 182 B2
Laplume 47 .... 211 E3
Lapoutroie 68 .... 88 C3
Lapouyade 33 .... 177 F3
Lappion 02 .... 20 B4
Laprade 16 .... 178 D2
Laprade 11 .... 231 E4
Laprugne 03 .... 153 F4
Laps 63 .... 168 B3
Lapte 43 .... 186 B2
Lapugnoy 62 .... 9 F1
Laquenexy 57 .... 44 B4
Laqueuille 63 .... 167 E3
Laragne-Montéglin 05 .... 221 E1
Larajasse 69 .... 171 D3
Laramière 46 .... 214 A1
Laran 65 .... 250 A2
Larbey 40 .... 226 A2
Larbont 09 .... 251 F3
Larbroye 60 .... 18 C4
Larcan 31 .... 250 B2
Larcat 09 .... 260 B1
Larçay 37 .... 116 A2
Larceveau-Arros-Cibits 64 .... 247 D1
Larchamp 61 .... 52 A3
Larchamp 53 .... 74 B2
Larchant 77 .... 80 B2
Larche 04 .... 181 D3
Larche 19 .... 207 D3
Le Larderet 39 .... 142 A4
Lardier-et-Valença 05 .... 206 A4
Lardy 91 .... 57 E4

Laredorte 11 .... 254 A2
Larée 32 .... 210 B4
Laréole 31 .... 229 D2
Largeasse 79 .... 130 C3
Largentière 07 .... 202 C3
Largillay-Marsonnay 39 .... 141 E4
Largitzen 68 .... 108 B3
Largny-sur-Automne 02 .... 34 C3
Largoët (Forteresse de) 56 .... 91 F2
Larians-et-Munans 70 .... 125 F1
Larina (Plateau de) 38 .... 172 B2
Larivière 90 .... 108 A3
Larivière-sur-Apance 52 .... 86 A4
Larmor-Baden 56 .... 91 D3
Larmor-Plage 56 .... 90 B2
Larnage 26 .... 187 E3
Larnagol 46 .... 198 B4
Larnas 07 .... 203 E4
Larnaud 39 .... 260 B1
Larnaud 39 .... 141 D2
Larnod 25 .... 125 D3
Laroche-près-Feyt 19 .... 167 D3
Laroche-St-Cydroine 89 .... 102 A4
Larochemillay 58 .... 138 C1
Larodde 63 .... 167 D4
Laroin 64 .... 248 B1

Larone (Col de) 2A 269 E4
Laronxe 54 .... 65 D4
Laroque 34 .... 217 E4
Laroque 33 .... 194 C2
Laroque-de-Fa 11 .... 254 A4
Laroque-des-Albères 66 .... 262 C3
Laroque-des-Arcs 46 .... 197 F4
Laroque-d'Olmes 09 .... 252 C4
Laroque-Timbaut 47 .... 212 A1
Laroquebrou 15 .... 182 B4
Laroquevieille 15 .... 183 D4
Larouillies 59 .... 20 A1
Larra 31 .... 229 E2
Larrau 64 .... 247 E3
Larrau (Port de) 64 .... 247 E3
Larrazet 82 .... 212 B4
Larré 61 .... 76 B1
Larré 56 .... 91 F2
Larressingle 32 .... 211 D4
Larressore 64 .... 224 B4
Larret 70 .... 105 F3
Larreule 65 .... 227 E4
Larreule 64 .... 226 B3
Larrey 21 .... 103 F1
Larribar-Sorhapuru 64 .... 247 D1
Larringes 74 .... 158 C1
Larrivière 40 .... 226 B1
Larrivoire 39 .... 157 E1
Laroque 81 .... 213 F4

Larroque 31 .... 250 B2
Larroque 65 .... 250 A1
Larroque-Engalin 32 .... 228 A1
Larroque-St-Sernin 32 .... 211 D4
Larroque-sur-l'Osse 32 .... 211 D4
Larroque-Toirac 46 .... 198 C4
Lartigue 32 .... 228 C3
Lartigue 33 .... 210 B2
Laruns 64 .... 256 B2
Laruscade 33 .... 177 F3
Larzac 24 .... 197 D2
Larzac (Causse du) 12,34 .... 233 E1
Larzicourt 51 .... 61 F3
Lasalle 30 .... 217 F2
Lasbordes 11 .... 253 D1
Lascabanes 46 .... 213 D1
Lascaux 19 .... 180 C1
Lascaux (Grotte de) 24 .... 180 B3
Lascazères 65 .... 227 E4
Lascelle 15 .... 183 D4
Lasclaveries 64 .... 226 C4
Lasfaillades 81 .... 232 A3
Lasgraisses 81 .... 231 D1
Laslades 65 .... 249 E2
Lassales 65 .... 250 A2
Lassay-les-Châteaux 53 .... 75 D1
Lassay-sur-Croisne 41 .... 117 E2
Lasse 64 .... 246 C2
Lasse 49 .... 96 A4
Lasserade 32 .... 227 E2
Lasséran 32 .... 228 B3
Lasserre 31 .... 229 D4
Lasserre 64 .... 227 D3
Lasserre 09 .... 259 E2
Lasserre 47 .... 211 D3
Lasserre-de-Prouille 11 .... 253 D2
Lasseube 64 .... 248 B1
Lasseube-Propre 32 .... 228 B3
Lasseubetat 64 .... 248 B2
Lassicourt 10 .... 83 F1
Lassigny 60 .... 18 A4
Lassois (Mont) 21 .... 103 F1
Lasson 14 .... 29 D3
Lasson 89 .... 82 C4
Lassouts 12 .... 200 B4
Lassur 09 .... 260 C1
Lassy 35 .... 72 C4
Lassy 14 .... 52 A1
Lassy 95 .... 33 F4
Lastic 15 .... 184 B3
Lastic 63 .... 167 D2
Lastioulles (Barrage de) 15 .... 183 E1
Lastours 11 .... 253 F1
Lataule 60 .... 34 B1
La Latette 39 .... 142 B2
Lathuile 74 .... 174 A1
Lathus-St-Rémy 86 .... 148 C2
Latillé 86 .... 131 F3
Latilly 02 .... 35 E4
Latoue 31 .... 250 C2
Latouille-Lentillac 46 .... 198 C1
Latour 31 .... 251 E2
Latour-Bas-Elne 66 .... 263 D3
Latour-de-Carol 66 .... 260 C3
Latour-de-France 66 .... 262 B1
Latour-en-Woëvre 55 .... 39 E4
Latrape 31 .... 251 D2
Latrecey 52 .... 104 B1
Latresne 33 .... 194 C1
Latrille 40 .... 226 C2
Latronche 19 .... 182 C2
Latronquière 46 .... 199 D2
Lattainville 60 .... 32 C3
Latte (Fort la) 22 .... 49 D2
Lattes 34 .... 234 B3
Lattre-St-Quentin 62 .... 9 F3
Lau-Balagnas 65 .... 257 D2
Laubach 67 .... 67 D1
Laubert 48 .... 201 F3
Les Laubies 48 .... 201 E2
Laubressel 10 .... 83 E2
Laubrières 53 .... 94 B1
Lauch (Lac de la) 68 .... 105 D4
Laucourt 80 .... 18 B4
Laudrefang 57 .... 44 B3
Laudun 30 .... 219 D3
Laugnac 82 .... 212 B4
Laujuzan 32 .... 227 D1
Laulne 50 .... 26 C2
Les Laumes 21 .... 103 F4
Laumesfeld 57 .... 40 C2
Launac 31 .... 229 E2
Launaguet 31 .... 230 B4
Launay 27 .... 30 C3
Launay 27 .... 31 D4
Launay-Villiers 53 .... 74 B3
Launois-sur-Vence 08 .... 21 D4
Launoy 02 .... 35 D4
Launstroff 57 .... 40 C1
La Laupie 26 .... 203 F3

Laurabuc-et-Mireval 11 .... 230 C2
Laurac 11 .... 252 C2
Laurac-en-Vivarais 07 .... 202 C3
Lauraët 32 .... 211 D4
Lauraguel 11 .... 253 D3
Laure-Minervois 11 .... 253 F1
Laurède 40 .... 225 F1
Laurenan 22 .... 71 F2
Laurens 34 .... 233 D3
Lauresses 46 .... 199 D2
Lauret 34 .... 234 B1
Lauret 40 .... 226 C3
Laurie 15 .... 184 B2
Laurière 87 .... 149 F4
Lauris 84 .... 220 C1
Lauroux 34 .... 233 E2
Laussac 12 .... 200 A1
Laussonne 43 .... 186 A4
Laussou 47 .... 196 A3
Lautaret (Col du) 05 .... 190 C3
Lautenbach 68 .... 108 B1
Lautenbachzell 68 .... 108 B1
Lauter 67 .... 43 F4
Lauterbourg 67 .... 43 F4
Lauthiers 86 .... 133 D3
Lautignac 31 .... 229 D4
Lautrec 81 .... 231 D2
Lauw 68 .... 108 A2
Lauwin-Planque 59 .... 10 B2
Laux-Montaux 26 .... 221 D1
Lauzach 56 .... 91 F2
Lauzerte 82 .... 212 C2
Lauzerville 31 .... 230 B3
Lauzès 46 .... 198 A3
Le Lauzet-Ubaye 04 .... 206 C4
Lauzun 47 .... 196 A3
Lava (Col de) 2A 266 A2
Lavacquerie 60 .... 17 D3
Laval 53 .... 74 C4
Laval 38 .... 189 F2
Laval-Atger 48 .... 201 F1
Laval-d'Aix 26 .... 205 D2
Laval-d'Aurelle 07 .... 202 B3
Laval-de-Cère 46 .... 182 A4
Laval-du-Tarn 48 .... 216 C1
Laval-en-Brie 77 .... 81 D1
Laval-en-Laonnois 02 .... 35 F1
Laval-Morency 08 .... 21 D2
Laval-Pradel 30 .... 218 A2
Laval-le-Prieuré 25 .... 126 B2
Laval-Roquecezière 12 .... 232 A1
Laval-St-Roman 30 .... 219 D1
Laval-sur-Doulon 43 .... 185 D1
Laval-sur-Luzège 19 .... 182 B2
Laval-sur-Tourbe 51 .... 37 E4
Laval-sur-Vologne 88 .... 87 F3
Lavalade 24 .... 196 C4
Lavaldens 38 .... 189 E4
Lavalette 31 .... 230 B3
Lavalette 34 .... 253 D1
Lavalette 11 .... 253 D1
Lavalette (Barrage de) 43 .... 186 B3
Lavallée 55 .... 62 C2
Le Lavancher 74 .... 159 E4
Lavancia-Epercy 39 .... 157 D1
Le Lavandou 83 .... 245 D3
Lavangeot 39 .... 142 C1
Lavannes 51 .... 36 C2
Laz 29 .... 69 E2
Lazenay 18 .... 118 B4
Lazer 05 .... 221 E1
Léalvillers 80 .... 17 F1
Léaupartie 14 .... 29 F4
Léaz 01 .... 157 E3
Lebetain 90 .... 108 B4
Lebeuville 54 .... 87 D1
Lebiez 62 .... 8 C2
Leboulin 32 .... 228 B2
Lebreil 46 .... 212 C1
Lebucquière 62 .... 10 B4
Lécaude 14 .... 29 F4
Lecci 2a 269 E2
Lécelles 59 .... 11 D1
Lecey 52 .... 105 D2
Lechâtelet 21 .... 158 C1
La Léchelle 62 .... 18 C1
Léchelle 77 .... 59 E4
La Léchère 73 .... 174 C3
Les Lèches 24 .... 179 D4
Lécluse 59 .... 10 B3
Lécousse 35 .... 74 A1
Lecques 30 .... 234 C1
Les Lecques 83 .... 243 F3
Lect 39 .... 157 D1
Lectoure 32 .... 211 F4
Lécussan 31 .... 250 A2
Lédas-et-Penthiès 81 .... 215 D3
Lédat 47 .... 196 B4

Lavaur 24 .... 197 D3
Lavaur 81 .... 230 C2
Lavaurette 82 .... 213 F2
Lavausseau 86 .... 131 F4
Laveissenet 15 .... 183 F3
Laveissière 15 .... 184 E3
Lavelanet 09 .... 252 C4
Lavelanet-de-Comminges 31 .... 251 E1
Laveline-devant-Bruyères 88 .... 88 A3
Laveline-du-Houx 88 .... 87 F3
Lavenay 72 .... 107 F2
Laventie 62 .... 4 C4
Laveraët 32 .... 227 F3
Lavercantière 46 .... 197 E3
Laverdines 18 .... 119 E4
Lavergne 46 .... 198 B2
Lavergne 47 .... 195 F3
Lavernat 72 .... 96 C3
Lavernay 25 .... 141 D1
Lavernhe 12 .... 216 A1
Lavernose-Lacasse 31 .... 229 E4
Lavernoy 52 .... 105 F1
Laverrière 60 .... 17 D3
Laversine 02 .... 35 D2
Laversines 60 .... 33 E2
Laveyron 26 .... 187 E2
Laveyrune 07 .... 202 A3
Lavezzi (Iles) 2A 269 E4
Lavieu 42 .... 170 A4
Laviéville 80 .... 18 A1
Lavigerie 15 .... 183 E3
Lavignac 87 .... 179 D2
Lavigney 70 .... 106 A3
Lavigny 39 .... 141 E2
Lavillatte 07 .... 202 B2
Laville-aux-Bois 52 .... 85 F4
Lavilledieu 07 .... 203 D3
Lavilleneuve 52 .... 85 F4
Lavilleneuve-au-Roi 52 .... 84 C3
Lavilleneuve-aux-Fresnes 52 .... 84 C3
Lavilletertre 60 .... 33 D3
Lavincourt 55 .... 62 C3
Laviolle 07 .... 203 D2
Laviron 25 .... 126 B2
Lavit 82 .... 212 B4
Lavoine 03 .... 153 F4
Lavoncourt 70 .... 106 A3
Lavours 01 .... 173 D1
Lavoûte-Chilhac 43 .... 184 B1
Lavoûte-Polignac 43 .... 185 F3
Lavoûte-sur-Loire 43 .... 185 F3
Lavoux 86 .... 132 C3
Lavoye 55 .... 38 B4
Lawarde-Mauger-l'Hortoy 80 .... 17 E3
Laxou 54 .... 64 B3
Lay 42 .... 144 C1
Lay 42 .... 154 C4
Lay-Lamidou 64 .... 247 F1
Lay-St-Christophe 54 .... 64 B2
Lay-St-Remy 54 .... 63 E3
Laye 05 .... 206 A2
Laymont 32 .... 229 D4
Layrac 47 .... 211 F3
Layrac-sur-Tarn 31 .... 230 B1
Layrisse 65 .... 257 E1
Lays-sur-Doubs 71 .... 140 C1
Laz 29 .... 69 E2

Lédenon 30 .... 218 C4
Lédergues 12 .... 215 D3
Lederzeele 59 .... 3 F3
Ledeuix 64 .... 248 A1
Lédignan 30 .... 218 B4
Ledinghem 62 .... 3 D4
Ledringhem 59 .... 4 A1
Lée 64 .... 248 C1
Leers 59 .... 5 E4
Lées-Athas 64 .... 248 A3
Lefaux 62 .... 8 B1
Leffard 14 .... 52 C1
Leffincourt 08 .... 37 E2
Leffonds 52 .... 105 D1
Leffrinckoucke 59 .... 4 A1
Leforest 62 .... 10 B2
Lège 31 .... 250 B4
Legé 44 .... 129 D3
Lège-Cap-Ferret 33 .... 192 C1
Légéville-et-Bonfays 88 .... 86 C3
Léglantiers 60 .... 34 A1
Légna 39 .... 157 D1
Légny 69 .... 171 D1
Léguevin 31 .... 229 E3
Léguillac-de-l'Auche 24 .... 179 E2
Léguillac-de-Cercles 24 .... 179 D4
Léhélec 56 .... 92 B3
Léhon 22 .... 49 E4
Leigné-les-Bois 86 .... 133 D2
Leigné-sur-Usseau 86 .... 132 B1
Leignes-sur-Fontaine 86 .... 133 D4
Leigneux 42 .... 169 F3
Leimbach 68 .... 108 B2
Leintrey 54 .... 65 E3
Leiterswiller 67 .... 67 E1
Lélex 01 .... 157 F2
Lélin-Lapujolle 32 .... 227 D2
Lelling 57 .... 41 D4
Lemainville 54 .... 64 C4
Leman (Lac) 74 .... 143 D4
Lembach 67 .... 43 D4
Lemberg 57 .... 42 C4
Lembeye 64 .... 227 D4
Lembras 24 .... 196 A1
Lème 64 .... 226 C3
Lemé 02 .... 20 A2
Leménil-Mitry 54 .... 87 D1
Lémeré 37 .... 115 E4
Lemmecourt 88 .... 86 A2
Lemmes 55 .... 38 C4
Lemoncourt 57 .... 64 C1
Lempaut 81 .... 231 D3
Lempdes 43 .... 184 B1
Lempdes 63 .... 168 B2
Lempire 02 .... 19 F1
Lempire-aux-Bois 55 .... 38 C4
Lemps 07 .... 187 E3
Lemps 26 .... 220 C1
Lempty 63 .... 168 C2
Lempzours 24 .... 179 F1
Lemud 57 .... 40 C4
Lemuy 39 .... 142 A1
Lénault 14 .... 52 A1
Lenax 03 .... 153 F2
Lencloître 86 .... 132 B2
Lencouacq 40 .... 209 F3
Lendresse 64 .... 226 A4
Lengelsheim 57 .... 42 C3
Lengronne 50 .... 54 C1
Lenharrée 51 .... 60 C3
Léning 57 .... 65 E1
Lénizeul 52 .... 85 F4
Lennon 29 .... 69 E1
Lenoncourt 54 .... 64 C3
Lens 62 .... 10 A2
Lens-Lestang 26 .... 188 A2
Lent 39 .... 142 A2
Lent 01 .... 156 B2
Lentigny 42 .... 154 A4
Lentillac-Lauzès 46 .... 198 A3
Lentillac-St-Blaise 46 .... 198 A3
Lentillères 07 .... 203 D3
Lentilles 10 .... 84 A1
Lentilly 69 .... 171 D2
Lentiol 38 .... 188 A1
Lento 2b 265 E3
Léobard 46 .... 197 E2
Léogeats 33 .... 194 B3
Léognan 33 .... 194 C2
Léojac 82 .... 213 D3
Léon 40 .... 208 A4
Léoncel 26 .... 188 B4
Léotoing 43 .... 184 B1
Léouville 45 .... 79 F3
Léoville 17 .... 177 F1
Lépanges-sur-Vologne 88 .... 87 F3
Lépaud 23 .... 151 E2
Lépin-le-Lac 73 .... 173 D3
Lépinas 23 .... 150 B4
Lépine 62 .... 8 B2
Lépron-les-Vallées 08 .... 21 D3
Lepuix 90 .... 107 F2

Lepuix-Neuf 90 .... 108 B3
Léran 09 .... 252 C3
Lercoul 09 .... 260 B1
Léré 18 .... 117 E1
Lérigneux 42 .... 169 F3
Lérins (Iles de) 06 .... 240 B3
Lerm-et-Musset 33 .... 210 B1
Lerné 37 .... 114 C4
Lérouville 55 .... 63 D2
Lerrain 88 .... 86 C3
Léry 27 .... 31 F3
Léry 21 .... 104 B4
Lerzy 02 .... 20 A2
Lesbœufs 80 .... 18 B1
Lesbois 53 .... 74 C1
Lescar 64 .... 248 B1
Leschaux 74 .... 174 A2
Leschelles 02 .... 19 F1
Lescheraines 73 .... 173 F2
Leschères 39 .... 141 F4
Leschères-sur-le-Blaiseron 52 .... 85 D2
Lescherolles 77 .... 59 E3
Lescheroux 01 .... 58 B2
Lesches 77 .... 59 E3
Lesches-en-Diois 26 .... 205 D3
Lescouët-Gouarec 22 .... 70 B2
Lescousse 09 .... 252 A2
Lescout 81 .... 231 D3
Lescun 64 .... 256 A2
Lescuns 31 .... 251 D2
Lescure 09 .... 259 F2
Lescure-d'Albigeois 81 .... 214 C4
Lescure-Jaoul 12 .... 214 B2
Lescurry 65 .... 249 E1
Lesdain 59 .... 10 C4
Lesdins 02 .... 19 D2
Lesges 02 .... 35 F2
Lesgor 40 .... 208 C4
Lésignac-Durand 16 .... 133 D2
Lésigny 77 .... 58 A3
Le Leslay 22 .... 47 E4
Lésigny 86 .... 133 D2
Lesme 71 .... 138 C3
Lesménils 54 .... 64 B1
Lesmont 10 .... 83 F1
Lesneven 29 .... 45 E2
Lesparre-Médoc 33 .... 176 B1
Lesparrou 09 .... 252 C4
Lesperon 40 .... 208 B4
Lespéron 07 .... 202 A3
Lespesses 62 .... 9 E1
Lespielle 64 .... 227 D4
Lespignan 34 .... 233 F2
Lespinasse 31 .... 229 F2
Lespinassière 11 .... 232 A4
Lespinoy 62 .... 8 C1
Lespiteau 31 .... 258 C2
Lespouey 65 .... 249 E2
Lespourcy 64 .... 227 D4
Lespugue 31 .... 250 B2
Lesquerde 66 .... 262 A1
Lesquielles-St-Germain 02 .... 19 F2
Lesquin 59 .... 5 D4
Lessac 16 .... 148 B4
Lessard-en-Bresse 71 .... 140 B2
Lessard-et-le-Chêne 14 .... 30 A4
Lessard-le-National 71 .... 140 A1
Lessay 50 .... 26 C3
Lesse 57 .... 65 D1
Lesseux 88 .... 88 C2
Lessières (Pointe des) 73 .... 175 F4
Lesson 85 .... 146 A1
Lessy 57 .... 40 A3
Lestanville 76 .... 15 E3
Lestards 19 .... 165 F4
Lestelle-Bétharram 64 .... 248 C2
Lestelle-de-St-Martory 31 .... 250 C2
Lesterps 16 .... 148 B4
Lestiac-sur-Garonne 33 .... 194 B2
Lestiou 41 .... 98 C2
Lestournelles (Grottes de) 47 .... 211 F1
Lestrade-et-Thouels 12 .... 215 E3
Lestre 50 .... 25 E3
Létanne 08 .... 22 A4
Léthuin 28 .... 79 D2
Letia 2a 266 B2
Létra 69 .... 155 D4
Létricourt 54 .... 64 C1
Lettret 05 .... 206 A4
Leubringhen 62 .... 2 C2
Leuc 11 .... 253 E3
Leucamp 15 .... 199 F2
Leucate 11 .... 254 C4
Leucate (Cap) 11 .... 254 C4
Leuchey 52 .... 105 D3
Leudeville 91 .... 57 E4
Leudon-en-Brie 77 .... 59 E4
Leuglay 21 .... 104 B2
Leugny 89 .... 101 F3
Leugny 86 .... 132 C2
Leuilly-sous-Coucy 02 .... 35 E1

Leulinghem 62 3 E3
Leulinghen-Bernes 62 2 C3
Leurville 52 85 E2
Leury 02 35 E2
Leutenheim 67 67 F1
Leuville-sur-Orge 91 57 E4
Leuvrigny 51 36 A4
Le Leuy 40 226 A1
Leuze 02 20 C2
Levainville 28 79 D1
Leval 90 108 A2
Leval 59 11 F4
Levallois-Perret 92 57 E2
Levant (Ile du) 83 245 D3
Levaré 53 74 B1
Levécourt 52 85 F3
Levens 06 241 D3
Levergies 02 19 D2
Levernois 21 123 E4
Lèves 28 78 C1
Les Lèves-et-Thoumeyragues 33 195 E1
Levesville-la-Chenard 28 79 D2
Levet 18 135 F1
Levie 2a 269 D2
Levier 25 125 E4
Lévignac 31 229 E2
Lévignac-de-Guyenne 47 195 E3
Lévignacq 40 208 B3
Lévignen 60 34 C3
Lévigny 10 84 B2
Levis 89 101 F3
Lévis-St-Nom 78 56 C3
Levoncourt 68 108 B4
Levoncourt 55 63 D2
Levroux 36 134 B1
Lewarde 59 10 C2
Lexy 54 39 E1
Ley 57 65 E2
Leychert 09 252 B4
Leydé (Pointe de) 29 68 C2
Leyme 46 198 C2
Leymen 68 109 D4
Leyment 01 172 B1
Leynes 71 155 E2
Leynhac 15 199 E2
Leyr 54 64 C2
Leyrat 23 151 D2
Leyrieu 38 172 B2
Leyritz-Moncassin 47 210 C1
Leyssard 01 156 C3
Leyvaux 15 184 A2
Leyviller 57 41 E4
Lez 31 250 B4
Lez-Fontaine 59 12 B4
Lézan 30 218 A3
Lézardrieux 22 47 E1
Lézat 39 142 A4
Lézat-sur-Lèze 09 251 F1
Lezay 79 147 D2
Lezennes 59 5 E4
Lezéville 52 85 E1
Lezey 57 65 D2
Lézignac-Durand 16 163 E2
Lézignan 65 249 D2
Lézignan-la-Cèbe 34 233 F4
Lézignan-Corbières 11 254 B2
Lézigné 49 95 F3
Lézigneux 42 170 A3
Lézinnes 89 103 D2
Lezoux 63 168 C2
Lhéraule 60 33 D1
Lherm 46 197 E3
Lherm 31 229 E4
Lhéry 51 36 A3
Lhez 65 249 E2
Lhommaizé 86 148 A1
Lhomme 72 97 D3
Lhôpital 01 157 E4
Lhor 57 65 F1
Lhospitalet 46 213 D1
Lhoumois 79 131 E3
Lhuis 01 172 C2
Lhuître 10 61 D4
Lhuys 02 35 F3
Liac 65 227 E4
Liancourt 60 34 A2
Liancourt-Fosse 80 18 B3
Liancourt-St-Pierre 60 33 D3
Liart 08 20 C3
Lias 32 229 E3
Lias-d'Armagnac 32 227 D1
Liausson 34 233 E2
Libaros 65 249 F1
Libercourt 62 10 B1
Libermont 60 18 C3
Libourne 33 177 F4
Licey-sur-Vingeanne 21 105 E4
Lichans-Sunhar 64 247 E2
Lichères 16 162 C1
Lichères-près-Aigremont 89 102 C3
Lichères-sur-Yonne 89 121 D1
Lichos 64 247 E1
Lichtenberg 67 66 C1
Licourt 80 18 B2
Licq-Athérey 64 247 E3
Licques 62 3 D3
Licy-Clignon 02 35 D4
Lidrezing 57 65 E1
Liebenswiller 68 109 D4
Liebsdorf 68 108 C4
Liebvillers 25 126 C1
Liederschiedt 57 42 C3
Lieffrans 70 106 B4
Le Liège 37 116 C3
Liéhon 57 40 B4
Liencourt 62 9 E3
Lieoux 31 250 C2
Liépvre 68 88 C2
Liéramont 80 18 C1
Liercourt 80 17 D1
Lières 62 9 E1
Liergues 69 155 E4
Liernais 21 122 B3
Liernolles 03 153 F1
Lierval 02 35 F1
Lierville 60 33 D3
Lies 65 257 F2
Liesle 25 125 D4
Liesse 02 20 A4
Liessies 59 12 B4
Liesville-sur-Douve 50 27 D2
Liettres 62 3 F4
Lieu-St-Amand 59 11 D3
Lieuche 06 223 F3
Lieucourt 70 124 C1
Lieudieu 38 172 B4
Lieurac 09 252 B4
Lieuran-lès-Béziers 34 233 E4
Lieuran-Cabrières 34 233 E3
Lieurey 27 30 C3
Lieuron 35 92 C1
Lieury 14 53 D1
Lieusaint 50 25 D3
Lieusaint 77 58 A4
Lieutadès 15 200 B1
Lieuvillers 60 34 A1
Liévans 70 107 D3
Liévin 62 10 A2
Lièvremont 25 126 A4
Liez 02 19 D3
Liez 85 145 F1
Liézey 88 88 A3
Liffol-le-Grand 88 85 F2
Liffol-le-Petit 52 85 F2
Liffré 35 73 E3
Ligardes 32 211 E3
Ligescourt 80 8 C3
Liget (Chartreuse du) 37 116 C3
Liginiac 19 182 C1
Liglet 86 133 E4
Lignac 36 149 D1
Lignairolles 11 252 C3
Lignan-sur-Orb 34 233 D4
Lignan-de-Bazas 33 194 C4
Lignan-de-Bordeaux 33 194 B1
Lignareix 19 166 C3
Ligné 44 112 B1
Ligné 16 162 B1
Lignères 61 53 F3
Lignereuil 62 9 F3
Lignerolles 21 104 B1
Lignerolles 27 55 E2
Lignerolles 03 151 E2
Lignerolles 61 54 B4
Lignerolles 36 135 E4
Lignéville 88 86 B3
Ligneyrac 19 181 E4
Lignières 18 135 E2
Lignières 41 98 A2
Lignières 10 102 C1
Lignières 80 18 A4
Lignières-la-Carelle 72 76 B1
Lignières-Châtelain 80 16 C3
Lignières-de-Touraine 37 115 E2
Lignières-La-Doucelle 53 52 C4
Lignières-en-Vimeu 80 16 C2
Lignières-Sonneville 16 162 A3
Lignières-sur-Aire 55 63 D2
Lignol 56 70 B3
Lignol-le-Château 10 84 B3
Lignon 51 61 E4
Lignorelles 89 102 B2
Lignou 61 52 C3
Ligny-lès-Aire 62 9 E1
Ligny-le-Châtel 89 102 B2
Ligny-en-Barrois 55 62 C3
Ligny-en-Brionnais 71 154 B2
Ligny-Haucourt 59 11 D4
Ligny-le-Ribault 45 99 D3
Ligny-St-Flochel 62 9 E2
Ligny-sur-Canche 62 9 D3
Ligny-Thilloy 62 10 A4
Ligré 37 115 D3
Ligron 72 96 A2
Ligsdorf 68 108 C4
Ligueil 37 116 B4
Ligueux 24 179 F2
Ligueux 33 195 F2
Ligugé 86 132 A4
Lihons 80 18 B2
Lihus 60 17 D4
Les Lilas 93 57 F2
Lilhac 31 250 C1
Lilignod 01 157 D4
Lille 59 5 D4
Lillebonne 76 30 C1
Lillemer 35 49 F3
Lillers 62 9 F1
Lilly 27 32 B2
Limalonges 79 147 E3
Limans 04 221 D3
Limanton 58 138 A1
Limas 69 155 E4
Limay 78 56 B1
Limbrassac 09 252 C3
Limé 02 35 F2
Limeil-Brévannes 94 57 F3
Limendous 64 248 C1
Limeray 37 116 C1
Limersheim 67 67 D4
Limerzel 56 92 A3
Limésy 76 15 E4
Limetz-Villez 78 32 B4
Limeuil 24 196 C1
Limeux 18 118 B4
Limeux 80 16 C1
Limey-Remenauville 54 64 A1
Limeyrat 24 180 A3
Limoges 87 164 C2
Limoges-Fourches 77 58 B4
Limogne-en-Quercy 46 213 F1
Limoise 03 137 D3
Limon 58 137 E1
Limonest 69 171 E1
Limons 63 153 D4
Limont-Fontaine 59 12 B3
Limony 07 187 E1
Limours 91 57 D4
Limousis 11 253 F1
Limoux 11 253 E3
La Limouzinière 44 114 F4
La Limouzinière 85 129 E3
Limpiville 76 14 B3
Linac 46 199 D3
Linard 23 150 B2
Linards 87 165 D3
Linars 16 162 B3
Linas 91 57 E4
Linay 08 22 B4
Linazay 86 147 E3
Lincel 04 221 D4
Lincheux-Hallivillers 80 17 D2
Lindebeuf 76 15 D3
Le Lindois 16 163 E2
Lindre-Basse 57 65 E2
Lindre-Haute 57 65 E2
Lindry 89 102 A2
Linexert 70 107 D2
Lingé 36 133 E2
Lingeard 50 51 E3
Lingèvres 14 28 B3
Linghem 62 4 A4
Lingolsheim 67 67 D3
Lingreville 50 50 B1
Linguizzetta 2b 267 F1
Linières-Bouton 49 114 C1
Liniers 86 132 C3
Liniez 36 117 F4
Linsdorf 68 108 C4
Linselles 59 5 D3
Linthal 68 188 C4
Linthelles 51 60 B3
Linthes 51 60 B3
Lintot 76 14 C4
Lintot-les-Bois 76 15 E3
Linxe 40 208 A4
Liny-devant-Dun 55 38 B2
Linzeux 62 9 D2
Liocourt 57 64 C1
Liomer 80 16 C2
Lion-en-Beauce 45 79 E4
Lion-en-Sullias 45 100 B3
Lion-sur-Mer 14 29 D2
Le Lion-d'Angers 49 95 D3
Lion-devant-Dun 55 38 B1
Liorac-sur-Louyre 24 196 B1
Le Lioran 15 183 E3
Liouc 30 218 A4
Liourdres 19 198 B1
Liouville 55 63 E2
Lioux 84 220 B4
Lioux-les-Monges 23 167 D1
Liposthey 40 208 C1
Lipsheim 67 67 D4
Lirac 30 219 D3
Liré 49 112 C1
Lirey 10 83 D3
Lironcourt 88 106 A1
Lironville 54 64 A2
Liry 08 37 E2
Lisbourg 62 9 D1
Lisieux 14 30 B3
Lisle 24 179 E2
Lisle 41 98 A2
Lisle-en-Barrois 55 62 B1
Lisle-en-Rigault 55 62 B3
Lisle-sur-Tarn 81 230 C1
Lislet 02 20 B3
Lison 14 27 E3
Lison (Source du) 25 125 E4
Lisores 14 53 E1
Lisors 27 32 B2
Lissac 09 252 A1
Lissac 43 185 E3
Lissac-et-Mouret 46 198 C3
Lissac-sur-Couze 19 181 D3
Lissay-Lochy 18 135 F1
Lisse 47 211 D3
Lisse-en-Champagne 51 61 E2
Lisses 91 57 F4
Lisseuil 63 152 B4
Lissey 55 38 C2
Lissieu 69 171 E1
Lissy 77 58 B4
Listrac-de-Durèze 33 195 D2
Listrac-Médoc 33 176 C3
Lit-et-Mixe 40 208 A3
Lithaire 50 26 C2
Litteau 14 28 A3
Littenheim 67 66 C2
Litz 60 33 F2
Livaie 61 76 A1
Livarot 14 53 E1
Liverdun 54 64 B2
Liverdy-en-Brie 77 58 B3
Livernon 46 198 B3
Livers-Cazelles 81 214 B3
Livet 53 75 E3
Livet-en-Saosnois 72 76 B2
Livet-et-Gavet 38 189 F3
Livet-sur-Authou 27 30 C3
Livilliers 95 33 E4
Livinhac-le-Haut 12 199 D3
La Livinière 34 254 A1
Livradois-Forez (Parc Régional du) 63,42 169 E3
Livradois (Monts du) 63 169 D4
Livré 53 94 B1
Livré-sur-Changeon 35 73 F3
Livron 64 249 D2
Livron-sur-Drôme 26 203 F2
Livry 14 28 B4
Livry 58 137 D2
Livry-Gargan 93 58 A2
Livry-Louvercy 51 37 D4
Livry-sur-Seine 77 80 C1
Lixhausen 67 66 C2
Lixheim 57 66 B2
Lixing-lès-Rouhling 57 41 F3
Lixing-lès-St-Avold 57 41 E4
Lixy 89 81 E3
Lizac 82 212 C3
Lizant 86 147 F3
Lizeray 36 135 D1
Lizières 23 149 F3
Lizine 25 125 E4
Lizines 77 81 E1
Lizio 56 91 F1
Lizos 65 249 E1
Lizy 02 35 E1
Lizy-sur-Ourcq 77 58 C1
La Llagonne 66 261 E3
Llauro 66 262 B3
Llo 66 261 D4
Llupia 66 262 B2
Lobsann 67 43 E4
Loc-Brévalaire 29 45 D2
Loc Dieu (Ancienne Abbaye) 12 214 A1
Loc-Eguiner 29 45 F3
Loc-Eguiner-St-Thégonnec 29 46 A3
Loc-Envel 22 46 C3
Locarn 22 70 B1
Loché 71 155 E2
Loché-sur-Indrois 37 117 D4
Loches 37 116 B3
Loches-sur-Ource 10 84 A4
Le Locheur 14 28 C4
Lochieu 01 157 E4
Lochwiller 67 66 C2
Locmalo 56 70 C3
Locmaria 56 90 C4
Locmaria-Berrien 29 46 B4
Locmaria-Grand-Champ 56 91 E2
Locmaria-Plouzané 29 44 C3
Locmariaquer 56 91 D3
Locmélar 29 45 F3
Locminé 56 91 E1
Locmiquélic 56 90 B2
Locoal-Mendon 56 90 C2
Locon 62 9 F1
Loconville 60 33 D3
Locqueltas 56 91 E2
Locquénolé 29 46 A2
Locquignol 59 11 E3
Locquirec 29 46 B2
Locronan 29 68 C2
Loctudy 29 68 C4
Locunolé 29 70 A4
Loddes 03 153 F2
Lodes 31 250 B2
Lodève 34 233 E2
Lods 25 125 F4
Lœuilley 70 124 B1
Lœuilly 80 17 E3
Loffre 59 10 C2
La Loge 62 8 C2
La Loge-aux-Chèvres 10 83 F2
Loge-Fougereuse 85 130 B3
La Loge-Pomblin 10 83 D4
Logelheim 68 89 D4
Les Loges 52 105 E2
Les Loges 14 28 B4
Les Loges 76 14 B3
Les Loges-en-Josas 78 57 D3
Les Loges-Marchis 50 51 D4
Les Loges-Margueron 10 83 D4
Les Loges-Saulces 14 52 C2
Les Loges-sur-Brécey 50 51 D2
Lognes 77 58 A2
Logny-lès-Aubenton 02 20 C2
Logny-Bogny 08 21 D3
Logny-lès-Chaumont 08 20 C4
Logonna-Daoulas 29 45 E4
Logrian-Florian 30 218 A4
Logron 28 78 A3
Loguivy-Plougras 22 66 C3
Lohéac 35 93 D1
Lohitzun-Oyhercq 64 247 E1
Lohr 67 66 B1
Lohuec 22 46 C3
Loigné-sur-Mayenne 53 94 C1
Loigny-la-Bataille 28 79 D4
Loing 45,77, 89 101 E3
Loiré 49 94 B3
Loire 3,7, 18,34,37, 41,42,43, 45,49,58,71 115 E2
Loire-les-Marais 17 145 E4
Loiré-sur-Nie 17 146 B4
Loire-sur-Rhône 69 171 E3
Loiron 53 74 B4
Loisail 61 77 D1
Loisey-Culey 55 62 C2
Loisia 39 141 D4
Loisieux 73 173 D2
Loisin 74 158 B2
Loison 55 39 D2
Loison-sous-Lens 62 10 B2
Loison-sur-Créquoise 62 8 C2
Loisy 71 140 B3
Loisy 54 64 B2
Loisy-en-Brie 51 60 B2
Loisy-sur-Marne 51 61 E3
Loivre 51 36 B2
Loix 17 144 C2
Loizé 79 147 D3
Lolif 50 50 C3
Lolme 24 196 C2
Lombard 39 141 D2
Lombard 25 125 D3
Lombers 81 231 E1
Lombez 32 229 D4
Lombia 64 249 D1
Lombrès 65 250 A3
Lombreuil 45 100 C1
Lombrives (Grotte de) 09 260 B1
Lombron 72 76 C4
Lomme 59 5 D4
Lommerange 57 39 F2
Lommoye 78 56 A1
Lomné 65 249 F3
Lomont 70 107 E3
Lomont (Montagnes du) 25 126 B1

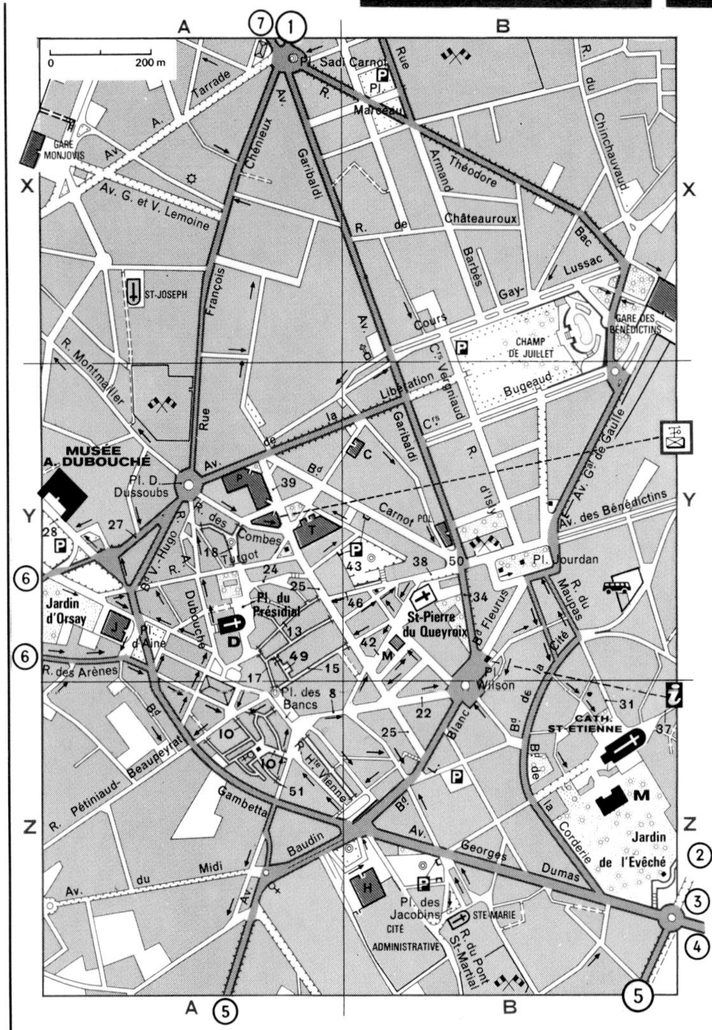
A
B
X
Y
Z
0
200 m
Pl. Sadi Carnot
Marceau
Tarrade
Chénieux
Garibaldi
Armand
Théodore
Chinchauvaud
GARE MONJOVIS
Av. G. et V. Lemoine
Châteauroux
Barbès
Lussac
Gay-
Bac
ST-JOSEPH
François
Cours
CHAMP DE JUILLET
GARE DES BÉNÉDICTINS
Montmailler
Libération
Vergniaud
Bugeaud
Av. Gal de Gaulle
MUSÉE A. DUBOUCHÉ
Pl. D. Dussoubs
Carnot
Av. des Bénédictins
Pl. Jourdan
Jardin d'Orsay
Pl. du Présidial
St-Pierre du Queyroix
R. des Arènes
Pl. des Bancs
Wilson
CATH. ST-ÉTIENNE
Pétiniaud-Beaupeyrat
Gambetta
Haute-Vienne
Baudin
Midi
Av. Georges Dumas
Corderie
Jardin de l'Évêché
Pl. des Jacobins
CITÉ ADMINISTRATIVE
STE-MARIE
R. du Pont St-Martial

Limoges

Clocher (R. du)...... AY 13
Consulat (R. du)...... AY 15
Jaurès (R. Jean)...... ABYZ 25
République (Pl. de la)...... BY 43

Aine (Pl. d')...... AY
Arènes (R. des)...... AY
Bac (R. Théodore)...... BX
Bancs (Pl. des)...... AZ
Barbès (R. Armand)...... BX
Baudin (Av.)...... AZ
Bénédictins (Av. des)...... BY
Berthet (R. Elie)...... ABZ 8
Boucherie (R. de la)...... AZ 10
Bugeaud (Cours)...... BY
Carnot (Bd)...... ABY
Carnot (Pl. Sadi)...... AX
Châteauroux (R. de)...... BX
Chénieux (R. François)...... AX
Chinchauvaud (R. du)...... BX
Cité (Bd de la)...... BYZ
Combes (R. des)...... AY
Corderie (Bd de la)...... BZ
Dubouché (R. A.)...... AY
Dumas (Av. Georges)...... BZ
Dussoubs (Pl. D.)...... AY
Ferrerie (R.)...... AY 17
Fleurus (Bd)...... BY
Fontaines-des-Barres (Pl.)...... AY 18
Gambetta (Bd)...... AZ
Garibaldi (Av.)...... AX
Gaulle (Av. Gén.-de)...... BY
Gay-Lussac (Cours)...... BX
Guesde (R. Jules)...... BZ 22
Hte-de-la-Comedie (R.) AY 24
Haute-Vienne (R.)...... AZ
Isly (R. d')...... BY
Jacobins (Pl. des)...... BZ
Jourdan (Pl.)...... BY
Lemoine (Av. G. et V.)...... AX
Libération (Av. de la).. ABY
Louis-Blanc (Bd)...... BZ
Louvrier-de-Lajolais (R.)...... AY 27
Marceau (Pl.)...... BX
Maupas (R. du)...... BY
Mauvendière (R. de la). AY 28
Midi (Av. du)...... AZ
Montmailler (R.)...... AY
Neuve-St-Étienne (R.)...... BZ 31
Perin (R. Georges)...... BY 34
Petiniaud-Beaupeyrat (R.)...... AZ
Pont-St-Martial (R. du). BZ
Porte-Panet (R.)...... BZ 37
Porte-Tourny (R.)...... BY 38
Préfecture (R. de la)...... AY 39
Présidial (Pl.)...... AY
Rafilhoux (R.)...... BY 42
St-Martial (R.)...... BY 46
St-Michel-des-Lions (†)...... AY D
Tarrade (Av. A.)...... AX
Temple (Cours du)...... AY 49
Tourny (Carrefour)...... BY
Turgot (R.)...... AY 50
Vergniaud (Cours)...... BXY
Victor-Hugo (Bd)...... AY
Vigne-de-Fer (R.)...... AZ 51
Wilson (Pl.)...... BYZ

Lomont-sur-Crête 25 126 A1
Lompnas 01 172 C1
Lompnieu 01 157 D4
Lompret 59 5 D4
Lonçon 64 226 B3
La Londe 76 31 E2
La Londe-les-Maures 83 244 C3
Londigny 16 147 E3
Londinières 76 16 A2
Long 80 17 D1
Longages 31 251 E1
Longaulnay 35 72 C2
Longavesnes 80 18 C1
Longchamp 88 87 E2
Longchamp 21 124 A2
Longchamp 52 85 F3
Longchamp-sous-Châtenois 88 86 B2
Longchamp-sur-Aujon 10 84 B3
Longchamps 27 32 B2
Longchamps-sur-Aire 55 62 C1
Longchaumois 39 142 A4
Longcochon 39 142 B2
Longeau 52 105 D2
Longeault 21 124 A2
Longeaux 55 62 C3
Longechaux 25 126 A3
Longechenal 38 172 B4
Longecourt-lès-Culètre 21 122 C3
Longecourt-en-Plaine 21 123 F3
Longefoy 73 175 D3
Longemaison 25 126 A3
Longepierre 71 140 C1
Le Longeron 49 112 C4
Longes 69 171 E4
Longessaigne 69 170 C2
Longevelle 70 107 D3
Longevelle-sur-Doubs 25 107 E4
Longevelle-lès-Russey 25 126 B2
Longèves 17 145 E2
Longèves 85 130 A4
La Longeville 25 126 A4
Longeville 25 125 F4
Longeville-en-Barrois 55 62 C3
Longeville-sur-la-Laines 52 84 B1
Longeville-sur-Mer 85 129 D4
Longeville-sur-Mogne 10 83 D3
Longevilles-Mont-d'Or 25 142 C2
Longeville-lès-Metz 57 40 B3
Longeville-lès-St-Avold 57 41 D3
Longfossé 62 3 D4
La Longine 70 107 E1
Longjumeau 91 57 E3
Longlaville 54 23 E4
Longmesnil 76 16 B4
Longnes 78 56 B2
Longnes 72 76 A4
Longny-au-Perche 61 54 C4
Longperrier 77 34 A4
Longpont 02 35 D3
Longpont-sur-Orge 91 57 E4
Longpré-les-Corps-Saints 80 17 D1
Longpré-le-Sec 10 84 A3
Longraye 14 28 B3
Longré 16 147 D4
Longroy 76 16 B1
Longsols 10 83 E1
Longué-Jumelles 49 114 B1
Longueau 80 17 F2
Longuefuye 53 95 D2
Longueil 76 15 E2
Longueil-Annel 60 34 B1
Longueil-Ste-Marie 60 34 B2
Longuenesse 62 3 E3
Longuenoë 61 53 D4
Longuerue 76 32 A1
Longues-sur-Mer 14 28 C2
Longuesse 95 33 D4
Longueval 80 18 B1
Longueval-Barbonval 02 35 F2
La Longueville 59 11 B3
Longueville 14 28 A2
Longueville 62 3 D3
Longueville 77 81 E1
Longueville 47 195 E4
Longueville 50 50 B2
Longueville-sur-Aube 10 60 B4
Longueville-sur-Scie 76 15 E3
Longuevillette 80 9 E4
Longuyon 54 39 D1
Longvic 21 123 F2
Longvillers 14 28 C4
Longvillers 80 9 D4
Longvillers 62 8 B1
Longvilliers 78 57 D4
Longwé 08 37 F2
Longwy 54 23 D4
Longwy-sur-le-Doubs 39 141 D1
Lonlay-l'Abbaye 61 51 F3
Lonlay-le-Tesson 61 52 C3
Lonnes 16 162 C1
Lonny 08 21 D2
Lonrai 61 76 A1
Lons 64 248 B1
Lons-le-Saunier 39 141 E3

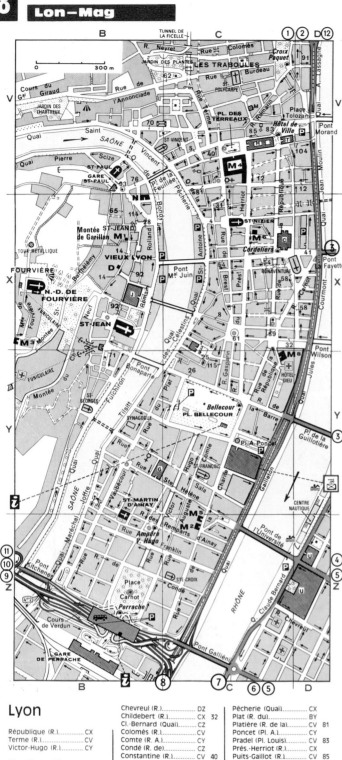

Lyon

République (R.)......CX
Terme (R.).......CV
Victor-Hugo (R.)......CY

Alnay (Remp. d')... CZ
Albon (Pl.)......CX 4
Algérie (R. d')......CX 5
Anc.-Préfect (R.)......CX 8
Annonciade (R.)......BV
Barre (R. de la)......CY
Bât-d'Argent (R.)......CV 12
Bellecour (Pl.)......CY
Bœuf (R. du)......BX 14
Bondy (Quai de)......CX
Brest (R. de)......CX
Burdeau (R.)......CV
Carnot (Pl.)......BZ
Carnot (R.)......DX
Célestins (R. des)......CY 25
Célestins (Q. des)......CY
Chambonnet (R.)......CY 26
Change (Pl. du)......BX 28
Charité (R. de la)......CY
Ch.-Neuf (Montée)......BX
Chenavard (R. P.)......CX 31

Chevreul (R.)......DZ
Childebert (R.)......CX 32
Cl.-Bernard (Quai)......CZ
Colomès (R.)......CV
Comte (R. A.)......CY
Condé (R. de)......CY
Constantine (R.)......CY 40
Cordeliers (Pl.)......DX 41
Courmont (Quai J.)......DX
Fourvière (Mtée de)......BX
Franklin (R.)......CZ
Fulchiron (Quai)......BX
Gailleton (Quai)......CY
Gasparin (R.)......CY
Giraud (Crs Gén.)......BV
Grenette (R.)......CX 54
Grolée (R.)......DX 58
Guignol (Théâtre de)......BX N
Jacobins (Pl. des)......CX 61
Jardin-Plantes (R.)......CV 63
Joffre (Quai Mar.)......BZ
Juiverie (R.)......BX 65
Lassagne (Quai A.)......DV
Martinière (R.)......BY 70
Max (Av. Adolphe)......CY 71
Moulin (Quai J.)......DV
Neyret (R.)......BV
Octavio-Mey (R.)......BV 76

Pêcherie (Quai)......CX
Plat (R. du)......BY
Platière (R. de la)......CY 81
Poncet (Pl. A.)......CY
Pradel (Pl. Louis)......CV 83
Prés.-Herriot (R.)......CX
Puits-Gaillot (R.)......CV 85
République (Pl.)......CX 89
Romain-Rolland (Quai)......BX
Romarin (R.)......CV
Royale (R.)......DV 91
St-Antoine (Quai)......CX
St-Barthélemy (Mtée)......BX
St-Jean (R.)......BX 92
St-Paul (R.)......BX 93
St-Vincent (Quai)......BV
Ste-Hélène (R.)......CY
Sala (Rue)......CY
Scize (Quai Pierre)......BV
Serlin (R. J.)......CV 104
Terreaux (Pl. des)......CV
Tilsitt (Quai)......BY
Tolozan (Pl.)......CV
Vaubécour (R.)......BY
Verdun (Cours de)......BY
Vernay (R. Fr.)......BX 114
Zola (R. Emile)......CY 115

Lortet 65 249 F3
Los Masos 66 262 A3
Loscouët-sur-Meu 22 72 A3
Losne 21 124 A3
Losse 47 210 B3
Lostanges 19 181 E3
Lostroff 57 65 E1
Lot 48 200 B4
Lot 12,46,47 198 A4
Lothey 29 69 D1
Le Lou-du-Lac 35 72 C2
Louan 77 59 F4
Louannec 22 47 D1
Louans 37 116 A3
Louargat 22 47 D3
Louâtre 02 35 D3
Loubajac 65 249 D2
Loubaresse 07 202 B3
Loubaresse 15 184 B4
Loubaut 09 251 E2
Loube (Montagne de la) 83 244 B1
Loubédat 32 227 E2
Loubejac 24 197 D3
Loubens 09 252 A3
Loubens 33 195 D3
Loubens-Lauragais 31 230 C3
Loubers 81 214 A3
Loubersan 32 228 A3
Loubès-Bernac 47 195 F4
Loubeyrat 63 168 A1
Loubieng 64 225 F4
La Loubière 12 215 E1
Loubière (Grottes) 13 243 D2
Loubières 09 252 A3
Loubigné 79 146 C3
Loubillé 79 147 D4
Loublande 79 113 D4
Loubressac 46 198 B1
Loucé 61 53 D4
Loucelles 14 28 C3
Louch (Cascade de) 06 223 F2
Louchats 33 193 F3
Louches 62 3 E1
Louchy-Montfand 03 153 D2
Loucrup 65 249 E2
Loudéac 22 71 D4
Loudenvielle 65 258 A4
Loudervielle 65 258 A4
Loudes 43 185 E3
Loudet 31 250 B2
Loudrefing 57 65 F2
Loudun 86 114 C4
Loue 25,39 124 C4
Louer 40 225 F1
Louerre 49 114 A2
Louesme 21 104 B1
Louesme 89 101 E2
Louestault 37 97 D3
Loueuse 60 16 C4
Louey 65 249 D2
Lougé-sur-Maire 61 53 F2
Lougratte 47 196 B3
Lougres 25 107 E4
Louhans 71 140 C3
Louhossoa 64 264 A4
Louignac 19 180 C2
Louin 79 131 E2
Louit 65 249 E1
Loulans-Verchamp 70 125 F1
Loulay 17 146 A4
Loulle 39 142 A2
Loup (Gorges du) 06 240 A1
La Loupe 28 77 D1
Loupeigne 02 35 F3
Loupershouse 57 41 E4
Loupes 33 194 B3
Loupfougères 53 75 E2
Loupia 11 253 D3
Loupiac 15 182 C3
Loupiac 46 197 F1
Loupiac 12 198 C3
Loupiac 33 194 C3
Loupiac 81 230 C1
Loupiac-de-la-Réole 33 195 D3
Loupian 34 234 A4
Loupmont 55 63 E2
Louppy-le-Château 55 62 B2
Louppy-sur-Chée 55 62 B2
Louppy-sur-Loison 55 38 C1

Louresse-Rochemenier 49 114 A2
Lourmais 35 73 D1
Lourmarin 84 237 D1
Lournand 71 155 E1
Lourouer-St-Laurent 36 135 D3
Le Louroux 37 116 A3
Le Louroux-Béconnais 49 94 C4
Louroux-Bourbonnais 03 136 B4
Louroux-de-Beaune 03 152 B2
Louroux-de-Bouble 03 152 B2
Louroux-Hodement 03 152 A1
Lourquen 40 225 F2
Lourties-Monbrun 32 228 B4
Loury 45 99 F1
Louslitges 32 227 E3
Loussous-Débat 32 227 E2
Loutehel 35 92 C1
Loutremange 57 40 C3
Loutzviller 57 42 B3
Louvagny 14 53 D1
Louvaines 49 94 C3
Louvatange 39 124 C3
Louveciennes 78 57 D2
Louvemont 52 62 A4
Louvemont 80 9 F4
Louvencourt 80 17 D2
Louvergny 08 21 E4
Louverné 53 74 C3
Le Louverot 39 141 E2
Louversey 27 55 D1
Louvetot 76 14 C4
Louvie-Juzon 64 248 C2
Louvie-Soubiron 64 256 C2
La Louvière-Lauragais 11 252 B1
Louvières 14 28 A2
Louvières 52 85 E4
Louvières-en-Auge 61 53 D2
Louvigné 27 31 F3
Louvigné 53 75 D4
Louvigné-de-Bais 35 73 F4
Louvigné-du-Désert 35 74 B1
Louvignies-Quesnoy 59 11 E3
Louvigny 64 226 B3
Louvigny 72 76 B2
Louvigny 14 29 D3
Louvigny 57 64 B1
Louvil 59 10 C1
Louville-la-Chenard 28 79 D2
Louvilliers-en-Drouais 28 55 E3
Louvilliers-lès-Perche 28 55 E4
Louvois 51 36 C4
Louvrechy 80 17 F3
Louvres 95 58 A1
Louvroil 59 12 B3
Louye 27 55 F2
Louzac-St-André 16 161 E2
Louze 52 84 B1
Louzes 72 76 C1
Louzignac 17 162 A1
Louzouer 45 81 D4
Louzy 79 114 B4
Lovagny 74 158 A4
Loxéville 55 63 D3
Loyat 56 71 F4
La Loye 39 124 C4
Loye-sur-Arnon 18 135 F3
La Loyère 71 140 A2
Loyes 01 156 B4
Loyettes 01 172 B2
Lozanne 69 171 D1
Lozari 2B 264 C2
Lozay 17 146 A4
Loze 82 213 F2
Lozère (Mont) 48 202 A4
Lozinghem 62 9 E1
Lozon 50 27 D5
Lozzi 2b 266 C1
Luant 36 134 B3
Le Luart 72 77 D3
Lubbon 40 210 B3
Lubécourt 57 65 D2
Lubéron (Montagne du) 84 237 D1
Lubéron (Parc Régional du) 04,84 237 E1
Lubersac 19 180 C1
Lubey 54 39 E3
Lubilhac 43 184 B2
Lubine 88 88 C2
Lublé 37 96 C4
Lubret-St-Luc 65 249 F1
Luby-Betmont 65 249 F1

Luc-en-Diois 26 205 D3
Luc-sur-Aude 11 253 E4
Luc-sur-Mer 14 29 D2
Luc-sur-Orbieu 11 254 B2
Lucarré 64 227 D4
Luçay-le-Libre 36 118 A4
Luçay-le-Mâle 36 117 E3
Lucbardez-et-Bargues 40 209 F4
Lucciana 2b 265 E3
Lucé 28 78 B1
Lucé 61 52 A4
Lucé-sous-Ballon 72 76 B3
Luceau 72 96 C3
Lucelle 68 108 C4
Lucenay 69 171 E1
Lucenay-lès-Aix 58 137 F3
Lucenay-le-Duc 21 103 F4
Lucenay-l'Évêque 71 122 B4
Lucéram 06 241 E3
Lucerne (Abbaye de la) 50 50 C2
La Lucerne-d'Outremer 50 50 C2
Lucey 73 173 E2
Lucey 54 63 F3
Lucey 21 104 B2
Lucgarier 64 248 C1
Luchapt 86 148 B3
Luchat 17 160 C2
Luché-Pringé 72 96 B3
Luché-sur-Brioux 79 146 C3
Luché-Thouarsais 79 131 D1
Lucheux 80 9 E4
Luchy 60 33 E1
Lucinges 74 158 B2
Lucmau 33 210 A1
Luçon 85 129 E4
Lucq-de-Béarn 64 248 A1
Lucquy 08 37 D1
Les Lucs-sur-Boulogne 85 129 D1
Lucy 76 16 A3
Lucy 57 65 D1
Lucy 51 60 A1
Lucy-le-Bocage 02 35 E4
Lucy-le-Bois 89 102 C4
Lucy-sur-Cure 89 102 B3
Lucy-sur-Yonne 89 102 B4
Le Lude 72 96 B3
Ludes 51 36 B4
Ludesse 63 168 B3
Ludiès 09 252 B3
Ludon-Médoc 33 177 D4
Ludres 54 64 B3
Lüe 40 208 C2
Lué-en-Baugeois 49 95 F4
Luemschwiller 68 108 C3
Luère (Col de la) 69 171 D2
Lugagnac 46 213 F1
Lugagnan 65 257 D4
Lugaignac 33 194 C3
Lugan 81 230 B2
Lugan 12 199 E4
Lugarde 15 183 E2
Lugasson 33 194 C2
Luglon 40 209 D3
Lugny 02 20 A3
Lugny 71 140 A4
Lugny-Bourbonnais 18 136 B1
Lugny-Champagne 18 119 F3
Lugny-lès-Charolles 71 154 B1
Lugo-di-Nazza 2b 267 E3
Lugon-et-l'Île-du-Carnay 33 177 F4
Lugos 33 193 D2
Lugrin 74 159 D1
Lugy 62 9 D1
Le Luhier 25 126 B3
Luigné 49 114 A2
Luigny 28 77 F3
Luisandre (Mt) 01 156 C4
Luisans 25 126 B3
Luisant 28 78 C1
Luisetaines 77 18 C1
Luitré 35 74 A2
Lullin 74 158 C2
Lully 74 158 C2
Lumbin 38 189 E1
Lumbres 62 3 E3
Lumeau 28 78 C4
Lumes 08 21 E3
Luméville-en-Ornois 55 85 E1
Lumigny 77 58 C3
Lumio 2b 264 B3
Lunac 12 214 B2
Lunan 46 199 D3
Lunas 34 233 D2
Lunas 24 179 D4
Lunax 31 250 B1

Lunay 41 97 F2
Luneau 03 154 A1
Lunegarde 46 198 B2
Lunel 34 235 D2
Lunel-Viel 34 234 C2
Luneray 76 15 E2
Lunery 18 135 E1
Lunéville 54 65 D4
Le Luot 50 50 C2
Lupcourt 54 64 C3
Lupé 42 187 D1
Lupersat 23 151 D4
Lupiac 32 227 F2
Luplanté 28 78 B2
Luppé-Violles 32 227 D2
Lupsault 16 147 D4
Lupstein 67 65 E2
Luquet 65 249 D1
Lurais 36 133 E2
Luray 28 55 F3
Lurbe-St-Christau 64 248 A2
Lurcy 01 155 E1
Lurcy-le-Bourg 58 120 C3
Lurcy-Lévis 03 136 C3
Lure 70 107 D3
Luré 42 169 F1
Lure (Montagne de) 04 221 E2
Lureuil 36 133 E2
Luri 2b 264 C1
Luriecq 42 170 A4
Lurs 04 221 E3
Lury-sur-Arnon 18 118 B4
Lus-la-Croix-Haute 26 205 E2
Lusanger 44 93 E3
Lusans 25 125 F1
Luscan 31 250 B3
Lusignac 24 178 C3
Lusignan 86 147 E1
Lusignan-Petit 47 211 E2
Lusigny 03 137 F4
Lusigny-sur-Barse 10 83 E1
Lusigny-sur-Ouche 21 123 D4
Lussac 17 161 E4
Lussac 16 163 D1
Lussac 33 178 A4
Lussac-les-Châteaux 86 148 B1
Lussac-les-Églises 87 149 D2
Lussagnet 40 226 C1
Lussagnet-Lusson 64 226 C4
Lussan 30 218 C2
Lussan 32 229 E4 (?)
Lussan-Adeilhac 31 251 D1
Lussant 17 145 F4
Lussas 07 203 D3
Lussas-et-Nontronneau 24 163 E4
Lussat 23 151 D3
Lussat 63 168 B2
Lussault-sur-Loire 37 116 B1
Lusse 88 88 C3
Lusseray 79 146 C3
Lustar 65 249 F1
Luthenay-Uxeloup 58 137 D2
Luthézieu 01 173 D1
Lutilhous 65 249 F2
Luttange 57 40 B2
Luttenbach 68 88 C4
Lutter 68 108 C4
Lutterbach 68 108 C2
Lutz-en-Dunois 28 78 B4
Lutzelbourg 57 66 B2
Lutzelhouse 67 66 B4
Luvigny 88 66 A4
Lux 31 230 C4
Lux 71 140 A2
Lux 21 105 D4
Luxé 16 162 C1
Luxe-Sumberraute 64 225 E4
Luxémont-et-Villotte 51 61 E3
Luxeuil-les-Bains 70 107 D2
Luxey 40 209 E1
Luxiol 25 125 F1
Luyères 10 83 E2
Luynes 37 115 F1
Luz-St-Sauveur 65 257 E3
Luzancy 77 59 D1
Luzarches 95 58 A1
Luzay 79 131 E1
Luzé 37 115 E4
Luzech 46 198 A3
Luzenac 09 260 C1
Luzeret 36 134 A4
La Luzerne 50 27 E3
Luzillat 63 168 C1
Luzillé 37 116 C2
Luzinay 38 171 F3
Luzoir 02 20 B2
Luzy 58 138 C2
Luzy-St-Martin 55 38 B1
Luzy-sur-Marne 52 85 D4
Ly-Fontaine 02 19 D3

Lyas 07 203 E2
Lyaud 74 158 C1
Lye 36 117 D3
Lynde 59 4 A3
Lyoffans 70 107 E3
Lyon 69 171 E2
Lyons-la-Forêt 27 32 B2
Lyons (Forêt de) 76,27 32 B2
Lys 58 121 D2
Lys 64 248 B2
Lys-lez-Lannoy 59 5 E4
Lys-St-Georges 36 134 C3
Lys (Vallée du) 31 258 B4

M
Maast-et-Violaine 02 35 E3
Maâtz 52 105 E3
Mably 42 154 B3
Macau 33 177 D4
Macaye 64 224 C4
Macé 61 53 E3
Macey 10 82 C2
Macey 50 50 C4
Machault 77 80 C1
Machault 08 37 E2
Maché 85 128 C2
Machecoul 44 111 E4
Mâchecourt 02 20 A4
Machemont 60 34 C1
Macheren 57 41 E3
Machézal 42 170 C1
Machiel 80 8 B3
Machilly 74 158 B2
La Machine 58 137 F1
Machy 80 8 B3
Machy 10 83 D3
Macinaggio 2B 264 C1
Mackenheim 67 89 E2
Mackwiller 67 66 A1
Maclas 42 187 D1
Macogny 02 35 D3
Mâcon 71 155 F2
Maconcourt 52 85 D1
Maconcourt 88 86 B1
Maconge 21 122 C3
Macornay 39 141 E3
Mâcot-la-Plagne 73 175 D3
Macqueville 17 162 A2
Macquigny 02 19 E2
Madaillan 47 211 E1
Madecourt 88 86 C2
Madegney 88 87 D2
La Madelaine-sous-Montreuil 62 8 B2
La Madeleine 59 5 D4
La Madeleine-Bouvet 61 77 E1
Madeleine (Col de la) 73 174 B4
La Madeleine-de-Nonancourt 27 55 E3
La Madeleine-sur-Loing 77 80 C3
La Madeleine-Villefrouin 41 98 B2
Madeloc (Tour) 66 263 D3
Madic 15 183 D1
Madière 09 252 A3
Madine (Lac de) 55 63 E1
Madirac 33 194 B2
Madiran 65 227 D2
Madon 54,88 64 B4
Madone d'Utelle 06 241 D3
Madonne-et-Lamerey 88 87 D2
Madranges 19 165 F4
Madré 53 75 E1
Madriat 63 184 B1
Maël-Carhaix 22 70 A1
Maël-Pestivien 22 47 D4
Maennolsheim 67 66 C2
Maffliers 95 33 F4
Maffrécourt 51 37 F4
Magalas 34 233 E4
La Magdeleine 16 147 D2
La Magdeleine-sur-Tarn 31 230 A1
Magenta 51 36 A4
Les Mages 30 217 F3
Magescq 40 225 D1
Magland 74 159 D3
Magnac-Bourg 87 165 D3
Magnac-Laval 87 149 D2
Magnac-Lavalette-Villars 16 162 C4
Magnac-sur-Touvre 16 162 C3
Magnan 32 227 D1
Magnant 10 83 F3
Magnanville 78 56 B1

Le Lonzac 19 165 E4
Lonzac 17 161 E3
Looberghe 59 3 F2
Loon-Plage 59 3 E1
Loos 59 5 D4
Loos-en-Gohelle 62 10 A2
Looze 89 102 A1
Lopérec 29 45 F4
Loperhet 29 45 E3
Lopigna 2a 266 B3
Loqueffret 29 46 A4
Lor 02 36 B1
Loray 25 126 A3
Lorcières 15 184 C4
Lorcy 45 80 B4

Lordat 09 260 C1
Loré 61 75 D1
Lorentzen 67 66 B1
Loreto-di-Casinca 2b 265 E3
Loreto-di-Tallano 2a 269 D2
Lorette 42 171 D4
Le Loreur 50 50 C2
Loreux 41 118 A1
Le Lorey 50 27 D4
Lorey 54 64 C4
Lorges 41 98 C2
Lorgies 62 10 A1
Lorgues 83 239 D3
Lorient 56 90 B2

Loriges 03 153 D2
Lorignac 17 161 D4
Lorigné 79 147 D3
Loriol-du-Comtat 84 219 F3
Loriol-sur-Drôme 26 203 F2
Lorlanges 43 184 B1
Lorleau 27 32 B2
Lormaison 60 33 E3
Lormaye 28 56 A4
Lormes 58 121 E2
Lormont 33 194 B1
Lornay 74 157 F4
Loromontzey 54 87 D1

Le Loroux 35 74 B1
Le Loroux-Botteau 44 112 B2
Lorp-Sentaraille 09 259 D2
Lorquin 57 66 A3
Lorraine (Parc Régional de) 54,55 63 F1
Lorrez-le-Bocage-Préaux 77 81 D3
Lorris 45 100 B2
Lorry-Mardigny 57 64 B1
Lorry-lès-Metz 57 40 B3

Magnas 32 211 F4
Magnat-l'Étrange 23 166 C2
Magné 79 146 A2
Magné 86 147 F1
Magnet 03 153 E2
Magneux 51 36 A3
Magneux 52 62 B4
Magneux-Haute-Rive 42 170 B3
Magneville 50 24 C3
Magnicourt 10 83 E1
Magnicourt-en-Comte 62 9 F2
Magnicourt-sur-Canche 62 9 E3
Magnien 21 122 C4
Magnières 54 87 E1
Magnieu 01 173 D2
Les Magnils-Reigniers 85 129 E4
Magnivray 70 107 D2
Magnoncourt 70 106 C1
Le Magnoray 70 106 B4
Le Magny 88 106 C1
Le Magny 36 135 D4
Les Magny 70 107 D4
Magny 68 108 B3
Magny 89 121 F1
Magny-lès-Aubigny 21 123 F3
Magny-la-Campagne 14 29 E4
Magny-Châtelard 25 125 F2
Magny-Cours 58 137 D1
Magny-Danigon 70 107 E3
Magny-le-Désert 61 52 C4
Magny-en-Bessin 14 28 C2
Magny-en-Vexin 95 32 C4
Magny-la-Fosse 02 19 D2
Magny-Fouchard 10 84 A3
Magny-la-Freule 14 29 E4
Magny-les-Hameaux 78 57 D3
Magny-le-Hongre 77 58 B2
Magny-Jobert 70 107 E3
Magny-lès-Jussey 70 106 B1
Magny-Lambert 21 121 E2
Magny-Lormes 58 121 E2
Magny-Montarlot 21 124 A2
Magny-St-Médard 21 124 A1
Magny-sur-Tille 21 123 F2
Magny-Vernois 70 107 D3
Magny-la-Ville 21 122 B1
Magny-lès-Villers 21 123 E3
Magoar 22 47 D4
Magrie 11 253 D3
Magrin 81 230 C3
Magstatt-le-Bas 68 108 C2
Magstatt-le-Haut 68 108 C1
Maguelone 34 234 B4
Mahalon 29 68 B2
Mahéru 61 54 A3
Maîche 25 126 C2
Maidières 54 64 B1
Maignaut-Tauzia 32 211 D4
Maigné 72 96 A1
Maignelay-Montigny 60 34 A1
Mailhac 11 254 B1
Mailhac-sur-Benaize 87 149 E2
Mailhat 63 168 C4
Mailhoc 81 214 B4
Mailholas 31 251 E2
Maillane 13 236 A1
Maillas 40 210 A2
Maillat 01 157 D3
Maillé 86 131 F3
Maillé 85 145 F1
Maillé 37 145 E4
Maillebois 28 55 E4
La Mailleraye-sur-Seine 76 31 D1
Maillères 40 209 F3
Mailleroncourt-Charette 70 106 C2
Mailleroncourt-St-Pancras 70 106 B1
Maillet 36 134 B4
Maillet 03 151 E4
Mailley-et-Chazelot 70 106 B4
Maillezais 85 145 F1
Maillot 89 81 F3
Mailly 71 154 B2
Mailly-le-Camp 10 60 C3
Mailly-Champagne 51 36 C4
Mailly-le-Château 89 102 B4

Mailly-Maillet 80 9 F4
Mailly-Raineval 80 17 F3
Mailly-sur-Seille 54 64 C1
Mailly-la-Ville 89 102 B4
Les Maillys 21 124 A3
Maimbeville 60 34 A2
Mainbresson 08 20 C3
Mainbressy 08 20 C3
Maincourt-sur-Yvette 78 56 C3
Maincy 77 58 B4
Maine 49 113 F1
Maine-de-Boixe 16 162 C1
Maine-Giraud 16 162 B4
Mainfonds 16 162 B4
Maing 59 11 D3
Mainneville 27 32 C2
Mainsat 23 151 E4
Maintenay 62 8 C1
Maintenon 28 56 A4
Mainvillers 57 41 D4
Mainvilliers 45 80 A2
Mainvilliers 28 80 B1
Mainxe 16 162 A3
Mainzac 16 163 D4
Mairé 86 133 D2
Mairé-Levescault 79 147 E3
Mairieux 59 12 B3
Mairy 08 22 A4
Mairy-Mainville 54 39 E2
Mairy-sur-Marne 51 61 D2
Maisdon-sur-Sèvre 44 112 B3
Maisey-le-Duc 21 104 A2
Maisières-Notre-Dame 25 125 E3
Maisnières 80 16 B1
Le Maisnil 59 4 C4
Maisnil 62 9 F2
Maisnil-lès-Ruitz 62 9 F2
Maison-Feyne 23 150 A2
Maison-Maugis 61 77 E1
Maison-Ponthieu 80 8 C3
Maison-Roland 80 8 C4
Maison-Rouge 77 59 D4
Maisoncelles-la-Jourdan 14 51 F2
Maisoncelle 62 9 D2
Maisoncelle-et-Villers 08 21 F4
Maisoncelle-St-Pierre 60 33 E1
Maisoncelle-Tuilerie 60 17 E4
Maisoncelles 72 97 D1
Maisoncelles 52 85 F3
Maisoncelles-du-Maine 53 95 D1
Maisoncelles-en-Brie 77 58 C2
Maisoncelles-en-Gâtinais 77 80 B3
Maisoncelles-Pelvey 14 28 B4
Maisoncelles-sur-Ajon 14 28 C4
Maisonnais 18 135 E3
Maisonnais-sur-Tardoire 87 163 E2
Maisonnay 79 147 D3
Maisonneuve 86 131 F2
Maisonnisses 23 150 D4
Maison-des-Champs 10 84 A3
La Maison-Dieu 58 121 D1
Maisons 11 254 A4
Maisons 28 79 D2
Maisons-Alfort 94 57 F2
Maisons-lès-Chaource 10 103 D1
Maisons-du-Bois 25 126 A4
Maisons-en-Champagne 51 61 E3
Maisons-Laffitte 78 57 D1
Maisons-lès-Soulaines 10 84 B2
Maisonsgoutte 67 96 C1
Maisontiers 79 131 D2
Maisse 91 80 A2
Maissemy 02 19 D2
Maixe 54 65 D3
Maizeray 55 39 E4
Maizeroy 57 40 C4
Maizery 57 40 C4
Maizet 14 29 D4
Maizey 55 63 D1
Maizicourt 80 9 D3

Maizières 70 106 B4
Maizières 14 53 D1
Maizières 54 64 B4
Maizières 62 81 C1
Maizières 52 81 C1
Maizières-lès-Brienne 10 84 A1
Maizières-la-Grande-Paroisse 10 82 B1
Maizières-lès-Metz 57 40 B3
Maizières-lès-Vic 57 86 E2
Maizilly 42 154 C3
Maizy 02 36 A2
Majastres 04 222 B4
Malabat 32 227 F4
La Malachère 70 125 E1
Malafretaz 01 156 B2
Mâlain 21 123 D2
Malaincourt 88 86 A3
Malaincourt-sur-Meuse 52 85 F3
Malakoff 92 57 E2
Malancourt 55 38 B3
Malandry 08 22 B4
Malange 39 124 C3
Malans 25 125 E4
Malans 70 124 C2
Malansac 56 92 A2
Malarce-sur-la-Thines 07 202 B4
Malataverne 26 203 F4
Malaucène 84 220 A2
Malaucourt-sur-Seille 57 64 C2
Malaumont 55 63 D2
Malaunay 76 31 E1
Malause 82 212 B3
Malaussanne 64 226 B3
Malaussène 06 223 F3
Malauzat 63 168 A1
Malavillers 54 39 E2
Malay 01 139 F4
Malay-le-Grand 89 81 F3
Malay-le-Petit 89 81 F3
Malbo 15 183 E4
Malbosc 07 218 A1
Malbouhans 70 107 E2
Malbouzon 48 200 C2
Malbrans 25 125 E3
Malbuisson 25 142 C2
Mâle 61 77 E2
Malegoude 09 252 C3
Malemort-du-Comtat 84 220 B3
Malemort-sur-Corrèze 19 181 D3
La Malène 48 216 C1
Malepeyre (Sabot de) 48 216 C1
Malesherbes 45 80 A2
Malestroit 56 92 A1
Malétable 61 54 C4
Maleville 12 214 B1
Malfourat (Moulin de) 24 196 A2
Malgré Tout (Mont) 08 21 E1
Malguénac 56 70 C3
La Malhoure 22 71 F1
Malicornay 36 134 B4
Malicorne 03 152 A2
Malicorne 89 101 E3
Malicorne-sur-Sarthe 72 96 A2
Maligny 21 122 C4
Maligny 89 102 B2
Malijai 04 221 F3
Malincourt 59 19 D1
Malintrat 63 100 D2
Malissard 26 204 A1
Mallaville 16 162 A3
Mallefougasse 04 221 E3
Malleloy 54 64 B2
Mallemoisson 04 222 A3
Mallemort 13 236 C2
Malléon 09 252 B3
Malleret 23 166 C2
Malleret-Boussac 23 150 C2
Mallerey 39 141 D3
Malleval 42 187 E1
Malleval 38 188 C3
Malleville-les-Grès 76 14 C2
Malleville-sur-le-Bec 27 31 E3
Mallièvre 85 130 A1
Malling 57 40 B1
Malloué 14 51 E1
La Malmaison 02 36 B1
Malmerspach 68 108 A1
Malmy 51 37 F3
Malo-les-Bains 59 4 A1
Malons-et-Elze 30 202 B4
Malouy 27 30 C2
Malpart 80 17 F3
Malpas 25 142 C1

Malras 11 253 D3
Malrevers 43 185 F3
Malroy 57 40 B3
Maltat 71 138 B3
Maltot 14 29 D4
Malval 23 150 B2
Malvalette 43 186 B1
Malves-en-Minervois 11 253 F2
Malvezie 31 250 B3
Malvières 43 185 E1
Malviès 11 253 D3
Malville 44 111 E1
Malvillers 70 106 A2
Malzéville 54 64 B3
Le Malzieu-Forain 48 201 E1
Le Malzieu-Ville 48 201 D1
Malzy 02 19 F2
Mambouhans 25 126 B1
Mamers 72 83 D1
Mametz 62 3 F4
Mametz 80 18 B1
Mamey 54 64 A2
Mamirolle 25 125 E3
Manas 26 204 A3
Manas-Bastanous 32 228 A4
Manaurie 24 180 B4
Mance 54 39 F2
La Mancelière 28 55 D4
La Mancellière 50 51 F4
La Mancellière-sur-Vire 50 27 E4
Mancenans 25 107 E4
Mancenans-Lizerne 25 126 C2
Mancey 71 140 A3
Manchecourt 45 80 A3
Manciet 32 227 E1
Mancieulles 54 39 E2
Mancioux 31 250 C2
Mancy 51 60 B1
Mandacou 24 196 A3
Mandagout 30 217 E4
Mandailles-St-Julien 15 183 E3
Mandelieu-la-Napoule 06 240 A2
Manderen 57 40 C1
Mandeure 25 107 F4
Mandeville 27 31 E3
Mandeville-en-Bessin 14 28 A2
Mandray 88 88 B2
Mandres 27 54 C3
Mandres-aux-Quatre-Tours 54 63 F2
Mandres-la-Côte 52 85 E4
Mandres-en-Barrois 55 85 E1
Mandres-les-Roses 94 58 A3
Mandres-sur-Vair 88 86 B3
Mandrevillars 70 107 F3
Manduel 30 235 E1
Mane 04 221 E4
Mane 31 259 D2
Manéglise 76 14 A4
Manéhouville 76 15 E2
Manent-Montané 32 250 B1
Manerbe 14 30 A3
Mangiennes 55 39 D3
Manglieu 63 168 C3
Mangonville 54 87 D1
Manhac 12 215 D2
Manheulles 55 39 D4
Manhoué 57 64 C2
Manicamp 02 19 D4
Manigod 74 174 B1
Manin 62 9 F3
Maninghem 62 8 C1
Maninghen-Henne 62 2 C3
Maniquerville 76 14 B3
Manlay 21 122 B3
Mannevillette 76 14 A4
Mannevillette 76 14 A4
Manneville-la-Goupil 76 14 B4
Manneville-la-Pipard 76 30 B3
Manneville-la-Raoult 27 30 B2
Manneville-sur-Risle 27 30 C2
Mannevillette 76 14 A4
Mano 40 193 E4
Le Manoir 14 28 C2
Le Manoir 27 31 F2
Manois 52 85 E2
Manom 57 40 B2
Manoncourt-en-Vermois 54 64 C3
Manoncourt-en-Woëvre 54 63 F2
Manonville 54 64 A2
Manonviller 54 65 E4
Manosque 04 238 A1

Manot 16 163 E1
Manou 28 77 F1
Manre 08 37 E3
Le Mans 72 96 B1
Mansac 19 181 D3
Mansan 65 249 E1
Mansat-la-Courrière 23 150 B4
Manse 37 115 E3
Manse (Col de) 05 206 B3
Mansempuy 32 228 C2
Mansencôme 32 211 D4
Manses 09 252 B3
Mansigné 72 96 B2
Mansle 16 162 C1
Manso 2b 266 B1
Mansonville 82 212 A3
Manspach 68 108 B3
Mant 40 226 B3
Mantaille (Château de) 26 187 F2
Mantallot 22 47 D2
Mantenay-Montlin 01 156 A1
Mantes-la-Jolie 78 56 B1
Mantes-la-Ville 78 56 B1
Mantet 66 261 F3
Manteyer 05 206 A3
Manthelan 37 115 D4
Manthelon 27 55 D2
Manthes 26 187 F2
Mantilly 61 51 F4
Mantoche 70 124 B1
Mantry 39 141 E2
Manvieux 14 28 C2
Many 57 41 D4
Manzac-sur-Vern 24 179 E3
Manzat 63 152 B4
Manziat 01 155 F1
Marac 52 105 D1
Marainville-sur-Madon 88 86 C1
Marainviller 54 65 D3
Le Marais 91 57 D4
Le Marais-la-Chapelle 14 53 D2
Marais Poitevin, Val de Sèvre et Vendée (Parc Régional) 17,85,86 145 D1
Marais Vernier 27 30 C1
Marais-Vernier 27 30 C2
Marambat 32 227 F1
Marandeuil 21 124 A2
Marange-Silvange 57 40 A3
Marange-Zondrange 57 41 D3
Marans 17 145 E2
Marans 49 94 C3
Maransin 33 177 F3
Marant 62 8 C2
Maranville 52 84 C3
Maranwez 08 20 C3
Marast 70 107 D4
Marat 63 169 E3
Les Marats 55 62 C4
Marault 52 85 D3
Maraussan 34 255 D1
Maravat 32 228 C2
Maraye-en-Othe 10 82 C3
Marbache 54 64 B2
Marbaix 59 11 D4
Marbeuf 27 31 E4
Marbéville 52 84 C2
Marbotte 55 63 D2
Marboué 28 81 D2
Marboz 01 156 B1
Marby 08 21 D2
Marc-la-Tour 19 181 F2
Marçais 03 135 F3
Marçay 37 115 D3
Marçay 86 131 F1
Marcé 49 95 E4
Marcé-sur-Esves 37 115 F4
Marcei 61 53 D3
Marcelcave 80 18 A2
Marcellaz 74 158 B3
Marcellaz-Albanais 74 173 F1
Marcellois 21 122 C4
Marcellus 47 195 E4
Marcenais 33 153 D2
Marcenat 15 183 F2
Marcenat 03 153 D2
Marcenay 21 103 F2
Marcenod 42 170 C3
Marcey-les-Grèves 50 50 C3
Marchainville 61 54 C4
Marciac 38 189 D4
Marciaux 38 20 A4
Marchais-Beton 89 101 E2
Marchais-en-Brie 02 59 E2
Marchal 15 183 E2
Marchamp 01 172 C3
Marchampt 69 155 D3
Marchastel 48 200 C3
Marchastel 15 183 E2
Marchaux 25 125 E2

Marché-Allouarde 80 18 B3
Marchélepot 80 18 B2
Marchemaisons 61 53 F4
Marchémoret 77 34 B4
Marchenoir 41 98 B2
Marcheprime 33 193 E2
Les Marches 73 173 F4
Marches 26 188 A4
Marcheseuil 21 122 B3
Marchésieux 50 27 D3
Marcheville 80 8 C3
Marchéville 28 78 B2
Marchéville-en-Woëvre 55 39 D4
Marchezais 28 56 A3
Marchiennes 59 10 C2
Marciac 32 227 E3
Marciac (Col de) 38 20 A4
Marcigny 71 154 B2
Marcigny-sous-Thil 21 122 B1
Marcilhac-sur-Célé 46 198 B3
Marcillac 33 177 E3
Marcillac-la-Croisille 19 182 B2
Marcillac-la-Croze 19 181 E4
Marcillac-Lanzac 15 183 E2
Marcillac-St-Quentin 24 180 B3
Marcillac-Vallon 12 199 F4
Marcillat 63 152 C4
Marcillat-en-Combraille 03 151 F3
Marcillé-Raoul 35 73 E1
Marcillé-Robert 35 73 F4
Marcilloles 38 188 B1
Marcilly 77 58 B1
Marcilly 50 50 C4
Marcilly-lès-Buxy 71 139 F3
Marcilly-d'Azergues 69 171 E1
Marcilly-en-Bassigny 52 105 E1
Marcilly-en-Beauce 41 97 F2
Marcilly-en-Gault 41 118 A1
Marcilly-en-Villette 45 99 E2
Marcilly-la-Gueurce 71 154 C1
Marcilly-le-Hayer 10 82 B2
Marcilly-Ogny 21 122 B2
Marcilly-sur-Eure 27 55 F2
Marcilly-sur-Maulne 37 96 C4
Marcilly-sur-Seine 51 60 A4

Mardor 52 105 D1
Mardore 69 154 C3
Mardyck 59 3 F1
Mareau-aux-Bois 45 79 F4
Mareau-aux-Prés 45 99 D2
Marèges (Barrage de) 19 182 C1
Mareil-en-Champagne 72 96 A1
Mareil-en-France 95 33 F4
Mareil-le-Guyon 78 56 C2
Mareil-Marly 78 57 D2
Mareil-sur-Loir 72 96 A3
Mareil-sur-Mauldre 78 56 C2
Mareilles 52 85 E3
Marenla 62 8 C2
Marennes 69 171 F3
Marennes 17 160 B1
Maresquel-Ecquemicourt 62 8 C2
Marest 62 9 E2
Marest-Dampcourt 02 19 D4
Marest-sur-Matz 60 34 B1
Marestaing 32 229 D3
Marestmontiers 80 17 F3
Maresville 62 8 B1
Les Marêts 77 59 E4
Maretz 59 19 E1

Blondeau (R. Claude) ... BX 9
Bolton (R. de) ... BX 13
Gambetta (R.) ... AX
Marchande (R.) ... BX 50
Minimes (R. des) ... AX
Nationale ... BY
Perle (R. de la) ... BX 58
St-Jacques (R.) ... BX 73

Barbier (R.) ... AX 5
Barillerie (R. de la) ... AX 6
Courthardy (R.) ... BX 28

Couture (†) ... BX B
Dr-Galouëdec (R.) ... AV 32
Eichthal (R. d') ... AY 37
Éperon (Pl. de l') ... AX 38
Filles-Dieu (R. des) ... AX 41
Galère (R. de la) ... AX 42
Grande-Rue ... AVX 46
Levasseur (Bd René) ... BX 48
Marché (Pl. du) ... AX 51
Mission (R. de la) ... BY 53
Mûriers (R. des) ... AX 55
Préfecture (Av. de la) ... BX 63
Reine-Bérengère (R. de la) ... BV 64
Rhin-et-Danube (Av.) ... AV 65

Roosevelt (Pl. Franklin) ... AX 68
Ste-Jeanne-d'Arc (†) ... BY E
Triger (R. Robert) ... BV 77
Wilbur-Wright (R.) ... AV 80
Yssoir (Pont) ... AV 82
33e Mobiles (R. du) ... BX 83

Mareugheol 63 168 B4
Mareuil 24 163 D4
Mareuil 16 162 A2
Mareuil-Caubert 80 16 C1
Mareuil-en-Brie 51 60 A1
Mareuil-en-Dôle 02 35 F3
Mareuil-lès-Meaux 77 58 C2
Mareuil-la-Motte 60 34 B1
Mareuil-le-Port 51 36 A4
Mareuil-sur-Arnon 18 135 E1
Mareuil-sur-Ay 51 36 B4
Mareuil-sur-Cher 41 117 D2
Mareuil-sur-Lay 85 129 E4
Mareuil-sur-Ourcq 60 35 D4
Marey 88 86 B3
Marey-lès-Fussey 21 123 E3
Marey-sur-Tille 21 104 C4
Marfaux 51 36 B3
Marfontaine 02 19 F3
Margain (Bec du) 38 189 E1
Margaux 33 177 D3
Margencel 74 158 C1
Margency 95 57 E1
Margeride (Montagne de la) 15,43,48 184 C4
Margerides 19 182 C1
Margerie-Chantagret 42 170 A4
Margerie-Hancourt 51 61 E4
Margès 26 188 A3
Margilley 70 105 F3
Margival 02 35 E2
Le Margnès 81 232 A2
Margny 08 22 B4
Margny 51 60 A1
Margny-aux-Cerises 60 18 B4
Margny-lès-Compiègne 60 34 B2
Margny-sur-Matz 60 34 B1
Margon 28 77 E2
Margon 34 230 B3
Margouët-Meymes 32 227 E2
Margueray 50 51 D1
Marguerittes 30 235 E1
Margueron 33 195 E2
Marguestau 32 210 B4
Margut 08 22 B4
Mariac 07 203 E1
Mariaud 04 222 C1
Maricourt 80 18 B1
Marie 06 223 F3
Marieulles 57 40 B4
Marieux 80 9 E4
Marigna-sur-Valouse 39 156 C1
Marignac 31 250 B4
Marignac 17 161 E4
Marignac 82 229 D1
Marignac-en-Diois 26 204 C4
Marignac-Lasclares 31 251 D1
Marignac-Laspeyres 31 251 D1
Marignana 2a 266 B2
Marignane 13 242 C1
Marigné 49 95 D3
Marigné-Laillé 72 96 C2
Marigné-Peuton 53 94 C1
Marignier 74 158 C3
Marignieu 01 173 D1
Marigny 51 60 B3
Marigny 39 141 F3
Marigny 50 27 D4
Marigny 71 139 E3
Marigny 03 137 D4
Marigny 79 146 B2
Marigny-Brizay 86 132 B2
Marigny-le-Cahouët 21 122 A3
Marigny-le-Châtel 10 82 B2
Marigny-Chemereau 86 147 E1
Marigny-l'Église 58 121 F2
Marigny-en-Orxois 02 35 D4
Marigny-Marmande 37 115 E4
Marigny-lès-Reullée 21 123 E4
Marigny-St-Marcel 74 173 F1
Marigny-sur-Yonne 58 121 D2
Marigny-les-Usages 45 99 E3

Marillac-le-Franc 16 163 D2
Le Marillais 49 112 C1
Marillet 85 130 B3
Marimbault 33 194 C4
Marimont-lès-Bénestroff 57 65 E1
Marin 74 158 C1
Marines 95 33 D4
Maringes 42 170 C3
Maringues 63 168 C1
Mariol 03 153 E4
Marions 33 210 B1
Marissel 60 33 E2
Marizy 71 139 E4
Marizy-St-Mard 02 35 D3
Marizy-Ste-Geneviève 02 35 D3
Le Markstein 68 108 A1
Marle 02 20 A3
Marlemont 08 21 D3
Marlenheim 67 66 B3
Marlens 74 174 B2
Marliers 80 16 C3
Marles-en-Brie 77 58 C3
Marles-sur-Canche 62 8 C2
Marlhes 42 186 C2
Marliac 31 252 A2
Marliens 21 123 F3
Marlieux 01 156 A3
Marlioz 74 157 F3
Marly 57 40 B4
Marly 59 11 E2
Marly-Gomont 02 20 A2
Marly-le-Roi 78 57 D2
Marly-sous-Issy 71 138 B3
Marly-sur-Arroux 71 138 C3
Marly-la-Ville 95 34 A4
Marmagne 21 103 E3
Marmagne 71 139 D2
Marmagne 18 118 C4
Marmande 47 195 E4
Marmanhac 15 183 D4
Marmanno (Forêt de) 2B 267 D3
Marmeaux 89 103 D4
Marmesse 52 84 C4
Marles-les-Mines 62 9 F1
Marminiac 46 197 E3
Marmont-Pachas 47 211 E3
Marmouillé 61 53 E3
Marmoutier 67 66 C3
Marnac 24 197 F2
Marnand 69 154 C4
Marnans 38 188 B2
Marnaves 81 214 A3
Marnay 86 147 F1
Marnay 70 124 C2
Marnay 71 140 A3
Marnay-sur-Marne 52 85 D4
Marnay-sur-Seine 10 82 A1
Marnaz 74 158 C3
La Marne 44 111 E4
Marne 2,51, 52,77 62 B4
Marne-la-Vallée
Marnefer 61 54 B2
Marnes 79 131 F1
Marnes-la-Coquette 92 57 D2
Marnézia 39 141 E3
Marnhagues-et-Latour 12 233 D1
Marnoz 39 141 F1
Maroeuil 62 10 A3
Marolles 59 11 F4
Marolles-lès-Bailly 10 85 E3
Marolles-les-Braults 72 76 C3
Marolles-les-Buis 28 77 F2
La Marolle-en-Sologne 41 99 D4
Marolles 14 30 B4
Marolles 60 35 D3
Marolles 41 99 E1
Marolles 51 61 E3
Marolles-en-Beauce 91 79 F2
Marolles-en-Brie 77 59 D3
Marolles-en-Brie 94 58 A3
Marolles-en-Hurepoix 91 57 E4
Marolles-sous-Lignières 10 102 C1
Marolles-sur-Seine 77 81 D2
Marollette 72 76 C2
Marols 42 170 A4

Marolles-lès-St-Calais 72 97 E1
Maromme 76 31 E1
Mâron 36 134 C2
Maron 54 64 B3
Maroncourt 88 86 C2
Maronne 15, 19 182 B3
Maronne (Gorges de la) 15 182 C3
Maroué 22 48 C4
Marpain 39 124 B2
Marpaps 40 226 A3
Marpent 59 12 C3
Marpiré 35 73 F3
Marquaix 80 18 C2
Marquay 24 180 B4
Marquay 62 9 E2
Marquefave 31 251 E1
Marquéglise 60 34 B1
Marquein 11 252 B1
Marquenterre (Domaine du) 80 8 A3
Marquerie 65 249 E1
Marques 76 16 B3
Marquette-en-Ostrevant 59 10 C3
Marquette-lez-Lille 59 5 D4
Marquèze 40 209 D2
Marquigny 08 21 E4
Marquillies 59 10 A1
Marquion 62 10 B3
Marquise 62 2 C3
Marquivillers 80 18 A4
Marquixanes 66 262 A2
Marray 37 97 E3
La Marre 39 141 E2
Marre 55 38 C1
Les Mars 23 151 E4
Mars 07 186 C4
Mars 42 154 C3
Mars 30 217 D4
Mars-sous-Bourcq 08 37 E2
Mars-sur-Allier 58 137 D2
Mars-la-Tour 54 39 F4
Marsa 11 261 E1
Marsac 16 162 B2
Marsac 65 249 E1
Marsac 23 149 F3
Marsac 82 212 C3
Marsac-en-Livradois 63 185 D1
Marsac-sur-Don 44 93 E3
Marsac-sur-l'Isle 24 179 E2
Marsainvilliers 45 80 A3
Marsais 17 146 A3
Marsais-Ste-Radégonde 85 130 A4
Marsal 81 214 C4
Marsal 57 65 D2
Marsalès 24 196 C2
Marsan 32 227 E3
Marsaneix 24 179 F3
Marsangis 51 60 B4
Marsangy 89 81 E4
Marsannay-le-Bois 21 123 F1
Marsannay-la-Côte 21 123 E3
Marsanne 26 204 A3
Marsas 33 257 F2
Marsas 33 177 E3
Marsat 63 168 B1
Marsaz 26 187 F3
Marseille 06 223 E4
Marseille-en-Beauvaisis 60 17 D4
Marseillan 32 227 F3
Marseillan 34 255 F1
Marseillan 65 249 E1
Marseille 13 243 D2
Marseillette 11 254 A2
Marsillargues 34 235 D2
Marsilly 17 145 D2
Marsilly 57 40 B4
Marsolan 32 211 E4
Marson 51 61 E2
Marson-sur-Barboure 55 63 D3
Marsonnas 01 156 A1
Marsoulas 31 259 D1
Marssac-sur-Tarn 81 214 B4
Martagny 27 32 C2
Martailly-lès-Brancion 71 140 A4
Martainneville 80 16 B1
Martainville 14 52 C1
Martainville 27 30 B2
Martainville-Éprevile 76 32 A1
Martaizé 86 131 F1
Martel 46 181 D4
Marthemont 54 64 B4
Marthille 57 65 E1
Marthod 73 174 B2
Marthon 16 163 D3
Martiel 12 214 A1
Martigna 39 157 D1
Martignargues 30 218 B3

Martignas-sur-Jalle 33 193 E1
Martignat 01 157 D2
Martigné 53 75 D3
Martigné-Briand 49 128 A1
Martigné-Ferchaud 35 93 F2
Martigny 76 16 B2
Martigny 02 20 B2
Martigny 50 51 D3
Martigny-les-Bains 88 76 B3
Martigny-le-Comte 71 139 D4
Martigny-Courpierre 02 36 A1
Martigny-les-Gerbonvaux 88 86 B1
Martigny-sur-l'Ante 14 52 C1
Martigues 13 242 C2
Martillac 33 194 B2
Martin (Cap) 06 241 E4
Martin-Église 76 15 F2
Les Martinanches 63 169 D3
Martincourt 60 33 D1
Martincourt 54 64 A2
Martincourt-sur-Meuse 55 38 B1
Le Martinet 30 218 A2
Martinet 85 128 C2
Martinpuich 62 18 B1
Martinvast 50 24 C2
Martinvelle 88 86 C4
Martisserre 31 228 C4
Martizay 36 133 E2
Martot 27 31 F3
Martragny 14 28 C3
La Martre 83 239 E1
Martres 33 194 C2
Les Martres-d'Artière 63 168 B2
Martres-de-Rivière 31 250 B3
Les Martres-de-Veyre 63 168 B3
Martres-sur-Morge 63 168 B1
Martres-Tolosane 31 251 D2
Martrin 12 215 E4
Martrois 21 122 C2
La Martyre 29 45 E3
Les Martys 11 231 E4
Maruéjols-lès-Gardon 30 218 B4
Marval 87 163 F3
Marvaux-Vieux 08 37 E2
Marvejols 48 201 D3
Marvelise 25 107 E4
Marville-les-Bois 28 55 F4
Marville 55 38 C1
Marville-Moutiers-Brûlé 28 55 F4
Mary 71 139 E3
Mary (Puy) 15 183 E1
Marzal (Aven de) 07 218 C1
Marzan 56 92 A3
Marzens 81 230 C2
Marzy 58 137 D1
Le Mas 06 223 E4
Mas-Blanc-des-Alpilles 13 236 A1
Mas-Cabardés 11 253 E1
Le Mas-d'Agenais 47 195 E4
Le Mas-d'Artige 23 166 B2
Mas-d'Auvignon 32 211 E4
Le Mas-d'Azil 09 251 F3
Mas-de-Londres 34 234 B1
Le Mas-de-Tence 43 186 C3
Mas-des-Cours 11 253 F2
Mas-d'Orcières 48 201 E4
Mas-Grenier 82 212 C4
Mas-St-Chély 48 217 D1
Mas-Stes-Puelles 11 252 C1
Le Mas-Soubeyran 30 217 F3
Masbaraud-Mérignat 23 150 A4
Mascaraàs-Haron 64 225 E2
Mascaras 65 249 E2
Mascaras 32 227 F3
Mascarville 31 230 C2
Masclat 46 197 F1
Masevaux 68 108 A2
Maslacq 64 226 A4
Masléon 87 165 E2
Maslives 41 99 D4
Le Masnau-Massuguiès 81 232 A1

Masnières 59 10 C4
Masny 59 10 C2
Masparraute 64 225 D4
Maspie-Lalonquère-Juillacq 64 227 D4
Masquières 47 197 D4
Massabrac 31 251 F2
Massac 17 162 A1
Massac 11 234 A4
Massac-Séran 81 230 C2
Massaguel 81 231 E4
Massais 79 114 A4
Massals 81 232 A1
Massanes 30 218 B3
Massangis 89 103 D3
Massat 09 259 F3
Massay 18 118 B3
Le Massegros 48 216 B1
Masseilles 33 195 D4
Massels 47 212 A1
Massérac 44 93 D3
Masseret 19 165 D4
Masseube 32 228 B4
Massiac 15 184 B2
Massieu 38 173 D4
Massieux 01 171 E1
Massiges 51 37 F3
Massignac 16 163 E2
Massignieu-de-Rives 01 173 D2
Massillargues-Attuech 30 218 A3
Massilly 71 139 F4
Massingy 21 104 A1
Massingy 74 173 F1
Massingy-lès-Semur 21 103 F4
Massingy-lès-Vitteaux 21 122 C1
Massognes 86 131 F2
Massoins 06 223 F3
Massongy 74 158 B1
Massoulès 47 212 A1
Massugas 33 195 E2
Massy 71 139 F4
Massy 76 16 B3
Mastaing 59 11 D3
Matafelon-Granges 01 157 D2
Les Matelles 34 234 B2
Matemale 66 261 E3
Matha 17 161 F1
Mathaux 10 83 F2
Mathay 25 142 C1
Mathenay 39 141 E1
Les Mathes 17 160 B2
Mathieu 14 29 D3
Mathons 52 84 C1
Mathonville 76 16 A4
Matignicourt-Goncourt 51 61 F3
Matignon 22 49 D3
Matigny 80 18 C3
Matougues 51 60 C1
Matour 71 155 D2
Matra 2b 267 E1
Matringhem 62 9 D1
Mattaincourt 88 86 C2
Mattexey 54 87 E1
Matton-et-Clémency 08 22 B3
Mattstall 67 43 D4
Matzenheim 67 89 E1
Maubec 82 229 D1
Maubec 38 172 B3
Maubec 84 236 C1
Maubert-Fontaine 08 21 D2
Maubeuge 59 12 B3
Maubourguet 65 227 D4
Mauchamps 91 79 F1
Maucomble 76 16 A3
Maucor 64 226 C4
Maucourt 60 18 C4
Maucourt 80 18 B1
Maucourt-sur-Orne 55 39 D3
Maudétour-en-Vexin 95 32 C4
Mauguio 34 234 C3
Maulain 52 85 F4
Maulais 79 131 E1
Maulan 55 62 C3
Maulay 86 115 D4
Maulde 23,87 165 E2
Maulde 59 11 D1
Maule 78 56 C2
Mauléon 79 130 B1
Mauléon-Barousse 65 250 A4
Mauléon-Licharre 64 247 E1
Mauléon-d'Armagnac 32 210 A4
Maulers 60 33 E1
Maulette 78 56 B2
Maulévrier 49 113 E4
Maulévrier-Ste-Gertrude 76 14 C4
Maulichères 32 227 D2
Maumusson 44 94 B4
Maumusson 82 212 B4
Maumusson-Laguian 32 227 D3

Mauny 76 31 E2
Maupas 10 83 D3
Maupas 32 227 D1
Maupas (Défilé de) 38 190 A2
Mauperthuis 77 58 C3
Maupertuis 50 51 D3
Maupertus-sur-Mer 50 25 D2
La Mayrand 63 184 A1
Mauprévoir 86 148 A3
Mauquenchy 76 16 A4
Mauran 31 251 D2
Maure 64 227 D4
Maure (Col de) 04 222 B1
Maure-de-Bretagne 35 92 C1
Maurecourt 78 57 D1
Mauregard 77 58 A1
Mauregny-en-Haye 02 36 A1
Maureilhan 34 255 D1
Maureillas-las-Illas 66 262 B3
Mauremont 31 230 B4
Maurens 31 230 C4
Maurens 32 229 D3
Maurens 24 179 D4
Maurens-Scopont 81 230 C3
Maurepas 78 56 C3
Maurepas 80 18 B1
Maures (Corniche des) 83 245 D3
Maures (Massif des) 83 245 D3
Mauressac 31 251 F1
Mauressargues 30 218 B4
Maureville 31 230 B3
Mauriac 33 195 D2
Mauriac 15 183 E2
Mauriat 63 184 B1
Mauries 40 226 C2
Maurin 04 207 E2
Maurines 15 200 C1
Maurois 59 11 D4
Mauron 56 72 A3
Mauroux 46 197 D4
Mauroux 32 212 A4
Maurrin 40 226 C1
Maurs 15 199 D2
Maurupt-le-Montois 51 62 A3
Maury 66 262 A1
Mausoléo 2b 264 C3
Maussac 19 166 B4
Maussane-les-Alpilles 13 236 B2
Maussans 70 125 F1
Mautes 23 166 C1
Mauvages 55 63 F3
Mauvaisin 31 252 A1
Mauves 07 187 E3
Mauves-sur-Huisne 61 77 D1
Mauves-sur-Loire 44 112 B2
Mauvezin 65 249 F2
Mauvezin 31 229 D4
Mauvezin 32 228 C2
Mauvezin-sur-Gupie 47 195 E3
Mauvezin-d'Armagnac 40 210 A4
Mauvezin-de-Prat 09 259 D2
Mauvezin-de-Ste-Croix 09 259 D2
Mauvières 36 133 E4
Mauvilly 21 104 A3
Maux 58 121 F4
Mauzac 31 251 E1
Mauzac-et-Grand-Castang 24 196 C1
Mauzé-sur-le-Mignon 79 146 A1
Mauzé-Thouarsais 79 114 A4
Mauzens-et-Miremont 24 180 A4
Mauzun 63 168 C3
Maves 41 98 B3
Mavilly-Mandelot 21 123 D4
La Maxe 57 40 B3
Maxent 35 75 E1
Maxéville 54 64 B3
Maxey-sur-Meuse 88 86 A1
Maxey-sur-Vaise 55 63 E3
Maxilly-sur-Léman 74 159 D1
Maxilly-sur-Saône 21 124 B2
Maxou 46 214 B1
Maxstadt 57 41 E4
May-en-Multien 77 34 C4
Le May-sur-Èvre 49 113 D3
May-sur-Orne 14 29 D4
Mayac 24 180 A2
Mayenne 49, 53 74 C3
Mayenne 53 75 D2
Mayet 72 96 C2
Le Mayet-de-Montagne 03 153 F4

Le Mayet-d'École 03 153 D3
Maylis 40 226 A2
Maynal 39 141 D4
Les Mayons 83 245 D1
Mayot 02 19 E3
Mayrac 46 198 A1
Mayran 12 215 D1
Mayrègne 31 258 B3
Mayres 63 185 E1
Mayres 07 202 C2
Mayres-Savel 38 205 E1
Mayreville 11 252 C2
Mayrinhac-Lentour 46 198 B1
Mayronnes 11 253 F3
Maysel 60 33 F3
Mazagran 08 37 E2
Mazamet 81 231 F4
Mazan 84 220 A3
Mazan-l'Abbaye 07 202 B2
Mazangé 41 97 F2
Mazaugues 83 244 A1
Mazaye 63 167 F2
Mazé 49 114 B1
Le Mazeau 85 146 A1
Mazeirat 23 150 B3
Mazeley 88 87 D2
Mazeray 17 161 F1
Mazères 32 227 E3
Mazères 09 252 B2
Mazères 33 194 C4
Mazères-de-Neste 65 250 A3
Mazères-Lezons 64 248 C1
Mazères-sur-Salat 31 251 D3
Mazerier 03 152 C3
Mazerny 08 21 E4
Mazerolles 40 209 F4
Mazerolles 65 249 F1
Mazerolles 16 163 E2
Mazerolles 86 148 B1
Mazerolles-du-Razès 11 253 D2
Mazerolles-le-Salin 25 125 D2
Mazerulles 54 64 C2
Mazet-St-Voy 43 186 B3
Mazeuil 86 131 F2
Mazeyrat-Aurouze 43 185 D2
Mazeyrat-Crispinhac 43 185 D3
Mazeyres (Puy de) 63 168 A3
Mazières 16 163 E2
Mazières-de-Touraine 37 115 E1
Mazières-en-Gâtine 79 131 D4
Mazières-en-Mauges 49 113 E4
Mazières-Naresse 47 196 B3
Mazières-sur-Béronne 79 146 C2
Mazille 71 155 D1
Mazingarbe 62 10 A1
Mazinghem 62 4 A4
Mazinghien 59 19 F1
Mazion 33 177 D2
Mazirat 03 151 E3
Mazirot 88 86 C2
Le Mazis 80 16 C2
Mazoires 63 184 B2
Mazouau 65 249 F3
Mazuby 11 261 D1
Les Mazures 08 22 A2
Mazzola 2b 267 E1
Méailles 04 223 D3
Méallet 15 182 C2
Méasnes 23 150 A1
Meaucé 28 77 E2
Méaudre 38 189 D3
La Meauffe 50 27 E3
La Meaugon 22 48 B3
Méaulne 03 136 B4
Méaulte 80 18 A1
Méautis 27 30 C2
Meaux 77 58 C1
Meaux-la-Montagne 69 155 D4
Meauzac 82 212 C3
Mecé 35 73 F2
Mechmont 46 197 F3
Mecleuves 57 40 B4
Mecquignies 59 12 B2
Mécrin 55 36 D2
Médan 78 57 D1
Médavy 61 53 E3
Medeyrolles 63 185 E1
Médière 25 107 E4
Médillac 16 178 B2

Médis 17 160 B3
Médonville 88 86 A3
Médous (Grotte de) 65 257 F2
Médréac 35 72 B2
Le Mée 28 98 C1
Mée 53 94 C2
Le Mée-sur-Seine 77 80 B1
Les Mées 04 221 F3
Les Mées 72 76 B2
Mées 40 225 D2
Mées (Rochers des) 04 221 F3
Mégange 57 40 C3
Megève 74 174 C1
Mégevette 74 158 C1
Mégrit 22 72 B1
Méharicourt 80 18 B3
Méharin 64 225 D4
Méhers 41 117 D2
Méhoncourt 54 64 C4
Méhoudin 61 75 E1
Mehun-sur-Yèvre 18 118 C3
La Meignanne 49 95 D4
Meigné 49 114 B2
Meigné-le-Vicomte 49 96 B4
Meigneux 86 16 C3
Meigneux 77 81 E1
La Meije 05, 38 190 B3
Meilars 29 68 B2
Meilhac 87 164 B2
Meilhan 32 228 B4
Meilhan 40 209 D4
Meilhan-sur-Garonne 47 195 E3
Meilhards 19 165 E4
Meilhaud 63 168 B4
Meillac 35 43 D1
Meillant 18 136 A2
Le Meillard 80 9 D4
Meillard 03 152 C1
La Meilleraie-Tillay 85 130 B2
Meilleray 77 59 E2
La Meilleraye-de-Bretagne 44 93 F4
Meillerie 74 159 D1
Meillers 03 137 D4
Meillier-Fontaine 08 22 A2
Meillon 64 248 C1
Meillonnas 01 156 C2
Meilly-sur-Rouvres 21 122 C3
Meisenthal 57 42 B4
Meistratzheim 67 67 D4
Le Meix 21 104 C4
Le Meix-St-Epoing 51 60 A3
Le Meix-Tiercelin 51 61 D4
Méjannes-lès-Alès 30 218 B3
Méjannes-le-Clap 30 218 C2
Méjean (Causse) 48 217 D2
Mela 2a 269 D2
Mélagues 12 232 C2
Mélamare 76 30 C1
Melan 04 222 A2
Mélas 07 203 E3
Melay 52 106 A1
Melay 71 154 A3
Melay 49 113 E3
Le Mêle-sur-Sarthe 61 53 F4
Mélecey 70 107 D4
Melesse 35 73 E2
Melgven 29 69 E4
Mélicocq 60 34 B2
Mélicourt 27 54 B1
Méligny-le-Grand 55 63 D3
Méligny-le-Petit 55 63 D3
Melin 70 106 A2
Mélincourt 70 106 B1
Mélisey 89 103 D1
Mélisey 70 107 E2
Meljac 12 215 D3
Mellac 29 69 F4
Melle 79 146 C2
Mellé 35 51 D4
Mellecey 71 139 F2
Melleran 79 147 D3
Melleray 72 77 E4
Melleray (Abbaye de) 44 93 F4
Melleville 76 16 A1
Mellionnec 22 70 B2
Mello 60 33 F3
Meloisey 21 123 D4
Melrand 56 70 C4
Melsheim 67 66 C2
Melun 77 58 A4
Melun-Sénart 77 58 A4
Melve 04 221 F1
Melz-sur-Seine 77 81 F1

Méménil 88 87 F2
Mémise (Pic de) 74 159 D1
Memmelshoffen 67 43 E4
Le Mémont 25 126 C3
Menades 89 121 E1
Ménarmont 88 87 F1
Menars 41 98 B3
Menat 63 152 B3
Menaucourt 55 63 D3
Mencas 62 9 D1
Menchhoffen 67 66 C1
Mende 48 201 E4
Mendionde 64 224 C4
Menditte 64 247 E1
Mendive 64 247 D2
Ménéac 56 72 B2
Menée (Col de) 26,38 205 E2
Ménerbes 84 237 D1
Ménerval 76 32 C1
Ménerville 78 56 B1
Menesble 21 104 B2
Méneslies 80 16 B1
Ménesplet 24 178 B4
Ménesqueville 27 32 A2
Ménessaire 21 122 A3
Menestreau 58 120 B1
Ménestreau-en-Villette 45 99 E3
Menet 15 183 D2
Menetou-Couture 18 120 A4
Menetou-Râtel 18 119 F2
Menetou-Salon 18 119 D3
Menetou-sur-Nahon 36 117 F3
Ménétréol-sous-Sancerre 18 119 F2
Ménétréol-sur-Sauldre 18 118 C1
Ménétréols-sous-Vatan 36 118 A4
Ménétreuil 71 140 B3
Ménétreux-le-Pitois 21 122 C3
Ménétrol 63 168 B1
Ménétru-le-Vignoble 39 141 E2
Ménétrux-en-Joux 39 141 F3
Ménévillers 60 34 A1
Menez Bré 22 47 D3
Ménez-Hom 29 68 C1
Menglon 26 205 D2
La Ménitré 49 95 D4
Ménigoute 79 131 E4
Le Ménil 88 107 F1
Ménil 53 95 D2
Ménil-Annelles 08 37 D1
Ménil-aux-Bois 55 63 D2
Le Ménil-Bérard 61 54 B3
Le Ménil-Broût 61 76 B1
Le Ménil-Ciboult 61 51 F2
Le Ménil-de-Briouze 61 53 D2
Ménil-de-Senones 88 88 B1
Ménil-en-Xaintois 88 86 B2
Ménil-Erreux 61 76 B1
Ménil-Froger 61 53 E3
Ménil-Glaise 61 52 C3
Ménil-Gondouin 61 52 C3
Le Ménil-Guyon 61 53 E4
Ménil-Hermei 61 52 C2
Ménil-la-Horgne 55 63 D3
Ménil-Hubert-en-Exmes 61 53 E3
Ménil-Hubert-sur-Orne 61 52 B2
Ménil-Jean 61 52 C2
Ménil-Lépinois 08 37 D2
Le Ménil-Scelleur 61 52 C4
Ménil-sur-Belvitte 88 87 F2
Ménil-sur-Saulx 55 62 C4
Ménil-la-Tour 54 63 F2
Ménil-Vicomte 61 53 F3
Ménil-Vin 61 52 C2
Ménilles 27 55 F1
La Ménitré 49 114 B1
Mennecy 91 57 F4
Mennessis 02 19 D3
Mennetou-sur-Cher 41 118 A2
Menneval 27 30 C4
Menneville 02 36 B2

Menneville 62 3 D4
Mennevret 02 19 E1
Mennouveaux 52 85 E4
Ménoire 19 181 F3
Menomblet 85 130 B2
Menoncourt 90 108 A3
Ménonval 76 16 A3
Menotey 39 124 B3
Menou 58 120 B2
Menouville 95 33 E4
Le Menoux 36 134 B4
Menoux 70 106 B2
Mens 38 205 E1
Mensignac 24 179 E2
Menskirch 57 40 C2
Mentheville 76 14 B3
Menthon-St-Bernard 74 174 A1
Menthonnex-en-Bornes 74 158 A3
Menthonnex-sous-Clermont 74 157 F4
Mentières 15 184 B3
Menton 06 241 F4
Mentque-Nortbécourt 62 3 E3
Menucourt 95 57 D1
Les Menus 61 55 D4
Menville 31 229 E2
Méobecq 36 134 A3
Méolans-Revel 04 206 C4
Méon 49 96 B4
Méounes-lès-Montrieux 83 244 B2
Mépieu 38 172 C2
Mer 41 98 C3
Mer de Glacé 74 159 E4
La Mer de Sable 60 34 B4
Méracq 64 226 C3
Méral 53 94 B1
Méras 09 251 E2
Mercantour (Parc National du) 04, 06 223 E1
Mercatel 62 10 A3
Mercenac 09 259 E2
Merceuil 21 140 A1
Mercey 27 32 A4
Mercey-le-Grand 25 124 C2
Mercey-sur-Saône 70 105 F4
Mercin-et-Vaux 02 35 E2
Merck-St-Liévin 62 3 E4
Merckeghem 59 3 F2
Mercœur 19 182 A4
Mercœur 43 184 C2
Mercuer 07 203 D3
Mercuès 46 197 F4
Mercurey 71 139 F2
Mercurol 26 187 F3
Mercury 73 174 B2
Mercus-Garrabet 09 252 B4
Mercy 03 153 E1
Mercy 89 82 B4
Mercy-le-Bas 54 39 E2
Mercy-le-Haut 54 39 E2
Merdrignac 22 72 A2
Méré 89 102 C1
Méré 78 56 C3
Méreau 18 118 B3
Méréaucourt 80 16 C3
Méréglise 28 78 A2
Mérélessart 80 16 C1
Mérens 32 228 B2
Mérens-les-Vals 09 260 C2
Mérenvielle 31 229 E3
Méreuil 05 205 E4
Méréville 54 64 B4
Méréville 91 79 F2
Merey 27 55 F1
Mérey-sous-Montrond 25 125 E3
Mérey-Vieilley 25 125 E2
Merfy 51 36 B3
Mergey 10 83 D2
Meria 2b 264 C1
Mérial 11 261 D1
Méribel-les-Allues 73 174 C4
Méricourt 62 10 A2
Méricourt 78 56 B1
Méricourt-l'Abbé 80 18 A2
Méricourt-en-Vimeu 80 17 D2
Méricourt-sur-Somme 80 18 A2
Mériel 95 33 E4
Mérieu 38 172 C2
Mérifons 34 233 E2
Mérignac 17 177 F1
Mérignac 16 162 A2
Mérignac 33 194 A1
Mérignas 33 195 D2
Mérignat 01 156 C3
Mérignies 59 10 C1
Mérigny 36 133 E3
Mérigon 09 259 E2
Mérilheu 65 249 E3
Mérillac 22 72 A2
Mérinchal 23 167 D1
Mérindol 84 237 D1
Mérindol-les-Oliviers 26 220 B1
Mérinville 45 81 D4
Le Mériot 10 82 A1
Méritein 64 225 F4
Merkwiller-Pechelbronn 67 43 E4
Merlande (Ancien prieuré de) 24 179 E2
Merlas 38 173 D4
La Merlatière 85 129 E2
Merlaut 51 61 F3
Merle 42 186 A1
Merléac 22 71 D2
Le Merlerault 61 53 F3
Merles 82 212 B3
Merles-sur-Loison 55 38 C2
Merlet (Parc du Balcon de) 74 159 E4
Merlevenez 56 90 C2
Merlieux-et-Fouquerolles 02 35 E1
Merlimont 62 8 A2
Merlines 19 167 D3
Mernel 35 92 C1
Mérobert 91 79 E2
Mérona 39 141 E4
Mérouville 28 79 E2
Meroux 90 108 A3
Merpins 16 161 E3
Merrey 52 85 F4
Merrey-sur-Arce 10 83 F4
Merri 61 53 D2
Merris 59 4 B3
Merry-Sec 89 102 A3
Merry-sur-Yonne 89 102 B4
Merry-la-Vallée 89 101 F2
Mers-les-Bains 80 16 A1
Mers-sur-Indre 36 135 D3
Merschweiller 57 40 C1
Mersuay 70 106 C2
Merten 57 41 D2
Merle (Tours de) 19 182 B3
Mertrud 52 84 C1
Mertzen 68 108 B3
Mertzwiller 67 67 D1
Méru 60 33 E3
Merval 02 36 A2
Mervans 71 140 C2
Merveilles (Vallée des) 06 241 E1
Mervent 85 130 B4
Mervent-Vouvent (Forêt de) 85 130 B4
Merviel 09 252 B3
Mervilla 31 230 A3
Merville 31 229 F2
Merville 59 4 B4
Merville-Franceville-Plage 14 29 E3
Merviller 54 65 E4
Mervilliers 28 79 D3
Merxheim 68 108 C1
Méry 73 173 E3
Méry-la-Bataille 60 34 A1
Méry-Corbon 14 29 E4
Méry-ès-Bois 18 119 D2
Méry-Prémecy 51 36 A3
Méry-sur-Cher 18 118 B3
Méry-sur-Marne 77 59 D1
Méry-sur-Oise 95 33 E4
Méry-sur-Seine 10 82 C1
Le Merzer 22 47 E3
Mésandans 25 126 A1
Mésanger 44 112 C1
Mésangueville 76 32 B1
Mesbrecourt-Richecourt 02 19 E3
Meschers-sur-Gironde 17 160 B3
Mescoules 24 196 A2
Le Mesge 80 17 D2
Mesgrigny 10 82 C1
Mésigny 74 157 F4
Meslan 56 70 A4
Mesland 41 98 A4
Meslay 14 52 B1
Meslay 41 98 A2
Meslay-du-Maine 53 95 D1
Meslay-le-Grenet 28 78 B2
Meslay-le-Vidame 28 78 C2
Meslières 25 126 C1
Meslin 22 48 B4
Mesmay 25 125 D4
Mesmont 21 123 D2
Mesmont 08 21 D4
Mesnac 16 161 E2
Mesnard-la-Barotière 85 129 F1
Mesnay 39 141 F1
Les Mesneux 51 36 B3
Mesnières-en-Bray 76 16 A3
Le Mesnil 50 24 C4
Le Mesnil-Adelée 50 51 D3
Le Mesnil-Amand 50 50 C1
Le Mesnil-Amelot 77 58 A1
Le Mesnil-Amey 50 27 D4
Le Mesnil-Angot 50 27 E3
Le Mesnil-au-Grain 14 28 C4
Le Mesnil-au-Val 50 25 D2
Le Mesnil-Aubert 50 50 C1
Le Mesnil-Aubry 95 33 F4
Le Mesnil-Auzouf 14 51 F1
Le Mesnil-Bacley 14 53 E1
Le Mesnil-Benoist 14 51 E2
Le Mesnil-Bœufs 50 51 D3
Le Mesnil-Bonant 50 50 C1
Mesnil-Bruntel 80 18 C2
Le Mesnil-Caussois 14 51 E2
Mesnil-Clinchamps 14 51 E2
Mesnil-la-Comtesse 10 83 E1
Le Mesnil-Conteville 60 17 D4
Mesnil-Domqueur 80 9 D4
Le Mesnil-Drey 50 50 C2
Le Mesnil-Durand 14 30 A4
Le Mesnil-Durdent 76 15 D2
Mesnil-en-Arrouaise 80 18 C1
Le Mesnil-en-Thelle 60 33 F3
Le Mesnil-en-Vallée 49 113 D1
Le Mesnil-Esnard 76 31 F2
Le Mesnil-Eudes 14 30 A4
Le Mesnil-Eury 50 27 D3
Mesnil-Follemprise 76 15 F3
Le Mesnil-Fuguet 27 31 F4
Le Mesnil-Garnier 50 50 C2
Le Mesnil-Germain 14 30 A4
Le Mesnil-Gilbert 50 51 E3
Le Mesnil-Guillaume 14 30 B4
Le Mesnil-Hardray 27 55 D1
Le Mesnil-Herman 50 27 E4
Le Mesnil-Hue 50 50 C1
Le Mesnil-Jourdain 27 31 F3
Mesnil-Lettre 10 83 E1
Le Mesnil-Lieubray 76 32 B1
Mesnil-Martinsart 80 18 A1
Le Mesnil-Mauger 14 29 F4
Mesnil-Mauger 76 16 B4
Le Mesnil-Opac 50 27 E4
Le Mesnil-Ozenne 50 51 D3
Mesnil-Panneville 76 15 E4
Le Mesnil-Patry 14 28 C3
Le Mesnil-Rainfray 50 51 E3
Mesnil-Raoul 76 32 A2
Le Mesnil-Raoult 50 27 E4
Le Mesnil-Réaume 76 16 A1
Le Mesnil-Robert 14 51 E2
Le Mesnil-Rogues 50 50 C2
Le Mesnil-le-Roi 78 57 D1
Mesnil-Rousset 27 54 B2
Le Mesnil-Rouxelin 50 27 E3
Le Mesnil-St-Denis 78 57 D3
Le Mesnil-St-Firmin 60 17 F4
Mesnil-St-Georges 80 18 A4
Mesnil-St-Laurent 02 19 E2
Mesnil-St-Loup 10 82 B2
Mesnil-St-Nicaise 80 18 B3
Mesnil-St-Père 10 83 E3
Mesnil-Sellières 10 83 E2
Le Mesnil-Simon 28 56 A2
Le Mesnil-Simon 14 30 A4
Mesnil-sous-les-Côtes 55 39 D4
Le Mesnil-sous-Jumièges 76 31 E2
Mesnil-sous-Vienne 27 32 C2
Le Mesnil-sur-Blangy 14 30 B3
Le Mesnil-sur-Bulles 60 33 F1
Mesnil-sur-l'Estrée 27 55 E3
Le Mesnil-sur-Oger 51 60 C1
Le Mesnil-Thébault 50 51 D3
Le Mesnil-Théribus 60 33 D2
Le Mesnil-Thomas 28 55 E4
Le Mesnil-Tôve 50 51 E3
Le Mesnil-Véneron 50 27 E3
Mesnil-Verclives 27 32 B2
Le Mesnil-Vigot 50 27 D3
Le Mesnil-Villeman 50 50 C2
Le Mesnil-Villement 14 52 B2
Le Mesnilbus 50 27 D3
Le Mesnillard 50 51 D3
Les Mesnils-sur-Madon 54 87 D1
Mesnois 39 141 E3
Les Mesnuls 78 56 C3
Mespaul 29 45 F2
Mesplède 64 226 A3
Mesples 03 151 D1
Mespuits 91 80 A2
Mesquer 44 110 B1
Messac 17 177 F1
Messac 35 93 D2
Messais 86 131 F1
Messanges 21 123 E3
Messanges 40 224 C1
Messas 45 99 D2
Messé 79 147 E2
Messei 61 52 B3
Messein 54 64 B3
Messeix 63 167 D3
Messemé 86 115 D4
Messery 74 158 B1
Messeux 16 147 F4
Messey-sur-Grosne 71 140 A3
Messia-sur-Sorne 39 141 D3
Messigny-et-Vantoux 21 123 E1
Messilhac 15 200 A1
Messimy 69 171 D2
Messimy-sur-Saône 01 155 E4
Messincourt 08 22 A3
Messon 10 82 C3
Messy 77 58 B1
Mesterrieux 33 195 D3
Mestes 19 166 C4
Mesves-sur-Loire 58 120 A3
Mesvres 71 139 D2
Métabief 25 142 C2
Les Métairies 16 162 A2
Métairies-St-Quirin 57 66 A3
Méteren 59 4 C3
Méthamis 84 220 B3
Métigny 80 16 C2
Metting 57 66 B2
Mettray 37 115 F1
Metz 57 40 B4
Metz-le-Comte 58 121 D1
Metz-en-Couture 62 18 C1
Metz-Robert 10 83 D4
Metz-Tessy 74 158 A4
Metzeral 68 88 C4
Metzeresche 57 40 B2
Metzervisse 57 40 B2
Metzing 57 41 F3
Meucon 56 91 E2
Meudon 92 57 E2
Meuilley 21 123 E3
Meulan 78 56 C1
Meulers 76 15 F2
Meulles 14 53 F1
Meulson 21 104 A3
Meunet-Planches 36 135 D2
Meunet-sur-Vatan 36 118 A4
Meung-sur-Loire 45 99 D2
Meurcé 72 76 B3
Meurchin 62 10 B1
Meurcourt 70 106 C2
La Meurdraquière 50 50 C2
Meures 52 85 D3
Meurival 02 36 A2
Meursac 17 160 C3
Meursanges 21 123 E4
Meursault 21 123 D4
Meurthe 54 65 E4
Meurville 10 84 A3
Meuse 8,52, 55,88 63 E3
Meusnes 41 117 E2
Meussia 39 141 F4
Meuvaines 14 28 C2
Meuvy 52 85 F4
Le Meux 60 34 B2
Meux 17 161 E4
Meuzac 87 165 D4
Mévoisins 28 56 B4
Mévouillon 26 220 C2
Meximieux 01 172 B1
Mexy 54 39 E1
Mey 57 40 B3
Meyenheim 68 108 C1
Meylan 38 189 E2
Meylan 47 210 C3
Meymac 19 166 B4
Meynes 30 219 D4
Meyrals 24 197 D1
Meyrand (Col de) 07 202 B3
Meyrannes 30 218 B2
Meyrargues 13 237 E2
Meyras 07 202 C2
Meyreuil 13 237 E3
Meyriat 01 156 C3
Meyrié 38 172 B3
Meyrieu-les-Étangs 38 172 B4
Meyrieux-Trouet 73 173 E3
Meyrignac-l'Église 19 181 F1
Meyronne 46 198 A1
Meyronnes 04 207 E3
Meyrueis 48 217 D2
Meys 69 170 C3
Meyssac 19 181 E3
Meysse 07 203 F3
Meyssiès 38 172 A4
Meythet 74 158 A4
La Meyze 87 166 A3
Meyzieu 69 171 F2
Mézangers 53 75 E3
Mèze 34 234 A4
Mézel 04 222 A3
Mezel 63 168 B2
Mézenc (Mont) 07,43 202 C1
Mézens 81 230 B1
Mézeray 72 96 A2
Mézères 43 186 A3
Mézériat 01 156 A2
Mézerolles 80 9 D4
Mézerville 11 252 B2
Mézidon 14 29 E4
La Mézière 35 73 D2
Mézières-au-Perche 28 78 B3
Mézières-en-Brenne 36 133 F2
Mézières-en-Gâtinais 45 80 B4
Mézières-en-Santerre 80 18 A3
Mézières-en-Vexin 27 32 B3
Mézières-en-Drouais 28 56 A3
Mézières-lez-Cléry 45 99 D2
Mézières-sous-Lavardin 72 76 A3
Mézières-sur-Couesnon 35 73 E2
Mézières-sur-Issoire 87 148 C3
Mézières-sur-Oise 02 19 E3
Mézières-sur-Ponthouin 72 76 C3
Mézières-sur-Seine 78 56 C1
Mézilhac 07 203 D1
Mézilles 89 101 E3
Mézin 47 211 D3
Méziré 90 108 A4
Mézoargues 13 235 F1
Mézos 40 208 B3
Mézy-Moulins 02 35 F4
Mézy-sur-Seine 78 56 C1
Mhère 58 121 E3
Mialet 24 164 A4
Mialet 30 217 F3
Mialos 64 226 B3
Miannay 80 8 B4
Michaugues 58 121 D2
Michelbach 68 108 B2
Michelbach-le-Bas 68 109 D3
Michelbach-le-Haut 68 109 D3
Michery 89 81 E2
Midi (Aiguille du) 74 159 E4
Midi de Bigorre (Pic du) 65 249 E4
Midouze 40 209 D4

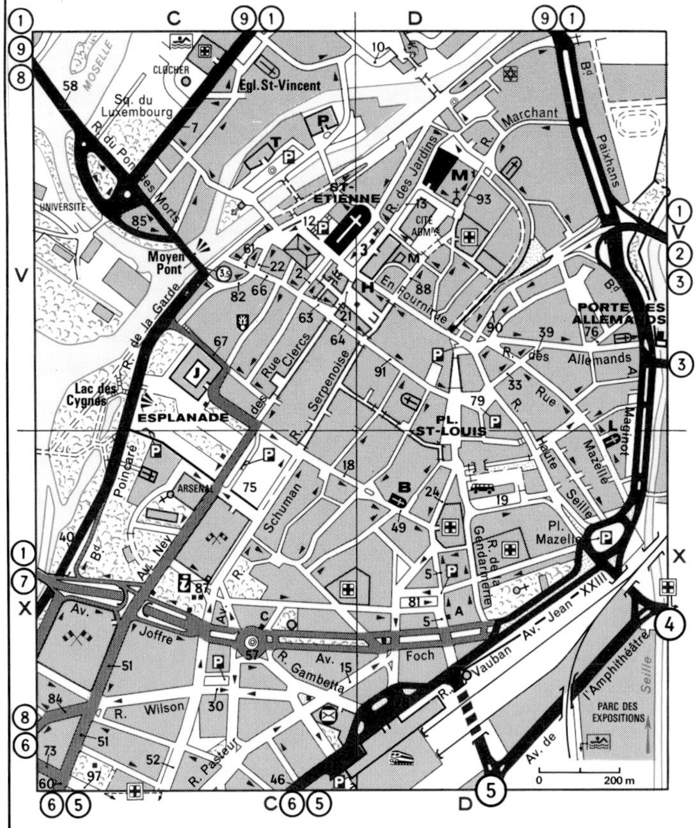

C
D
V
X
MOSELLE
CLOCHER
Egl. St-Vincent
Sq. du Luxembourg
R. du Pont des Morts
Marchant
Parmentiers
UNIVERSITÉ
ÉTIENNE
CITÉ ARMÉE
Moyen Pont
R. de la Garde
En Fournirue
Rue des Clercs
R. Serpenoise
PORTE DES ALLEMANDS
R. des Allemands
Lac des Cygnes
ESPLANADE
PL. ST-LOUIS
Poincaré
ARSENAL
Schuman
Av. Ney
R. des Gendarmerie
Pl. Mazelle
Mazelle
Av. Joffre
Av. Foch
R. Gambetta
Wilson
R. Pasteur
R. Vauban
Av. Jean XXIII
L'Amphithéâtre
PARC DES EXPOSITIONS
Seille
0 200 m

Metz

Ambroise-Thomas (R.)	CV	2
Clercs (R. des)	CV	
En Fournirue	DV	
Fabert (R.)	CV	21
Jardins (R. des)	DV	
Palais (R. du)	CV	63
Petit-Paris (R. du)	CV	64
St-Louis (Pl.)	DVX	
Schuman (Av. R.)	CX	
Serpenoise (R.)	CV	
Tête d'Or (R. de la)	DV	91
Armes (Pl. d')	DV	3
Augustins (R. des)	DX	5
Belle-Isle (R.)	CV	7
Cathédrale	CV	
Chambière (R.)	DV	10
Chambre (Pl. de)	CV	12
Chanoine-Collin (R.)	DV	13
Charlemagne (R.)	CX	15
Coëtlosquet (R. du)	CX	18
Coislin (Pl.)	DX	19
Faisan (R. du)	CV	22
Fontaine (R. de la)	DX	24
Gaulle (Pl. du Gén. de)	DX	28
George (Pl. du Roi)	CX	30
Gde-Armée (R. de la)	DV	33
Hache (R. de la)	DV	39
Hegly (Allée V.)	CX	40
La Fayette (R.)	CX	46
Lasalle (R.)	DX	49
Lattre-de-T. (Av. de)	CX	51
Leclerc-de-H. (Av.)	CX	52
Mondon (Pl. R.)	CX	57
Morts (Pont des)	CV	58
Nancy (Av. de)	CX	60
Paix (R. de la)	CV	61
Pierre-Hardie (R. de la)	CV	66
Poncelet (R.)	CV	67
Prés. Kennedy (Av.)	CX	73
République (Pl. de la)	CX	75
St-Eucaire (R.)	DV	76
St-Martin (✝)	DX	B
St-Maximin (✝)	DX	L
St-Simplice (Pl.)	DV	79
St-Thiébault (Pl.)	DX	81
Ste-Marie (R.)	CX	82
Salis (R. de)	CX	84
Sérot (Bd Robert)	CX	85
Serpenoise (Porte)	CX	87
Taison (R.)	DV	88
Tanneurs (R. des)	DV	90
Trinitaires (R. des)	DV	93
Verlaine (R.)	CX	97

Midrevaux 88 85 F1
Mièges 39 142 A2
Miélan 32 227 F4
Miellin 70 107 E2
Miermaigne 28 77 F3
Miers 46 198 B1
Miéry 39 141 E2
Mietesheim 67 67 D1
Mieussy 74 158 C3
Mieuxcé 61 76 A1
Mifaget 64 256 C1
Migé 89 102 A3
Migennes 89 102 A1
Miglos 09 260 B1
Mignafans 70 107 E4
Mignaloux-Beauvoir 86 132 B4
Mignavillers 70 107 E3
Migné 36 134 A3
Migné-Auxances 86 132 A3
Mignères 45 80 B4
Mignerette 45 80 D4
Mignéville 54 65 E4
Mignières 28 78 B2
Mignovillard 39 142 B2
Migny 36 118 B4
Migré 17 146 A3
Migron 17 161 E2
Mijanès 09 261 D2
Mijoux 01 157 F1
La Milesse 72 76 B4
Milhac 46 197 E2
Milhac-d'Auberoche 24 180 A3
Milhac-de-Nontron 24 163 F4
Milhaguet 87 163 F3
Milhars 81 214 A3
Milhas 31 258 C2
Milhaud 30 235 E1
Milhavet 81 214 B3
Milizac 29 44 C2
Millac 86 148 B3
Millam 59 3 F2
Millançay 41 117 F1
Millas 66 262 B2
Millau 12 216 B3
Millay 58 138 C2
Millebosc 76 16 A1
Millemont 78 56 B2
Millencourt 80 18 A1
Millencourt-en-Ponthieu 80 8 C4
Millery 21 103 E4
Millery 69 171 E3
Millery 54 64 B2
Millevaches 19 166 B3
Millevaches (Plateau de) 19,23 166 B2
Millières 52 85 E3
Millières 50 26 C3
Millonfosse 59 11 D2
Milly 50 51 E4
Milly-la-Forêt 91 80 B2
Milly-Lamartine 71 155 E1
Milly-sur-Bradon 55 38 B2
Milly-sur-Thérain 60 33 D1
Milon-la-Chapelle 78 57 D3
Mimbaste 40 225 E2
Mimet 13 243 E1
Mimeure 21 122 C3
Mimizan 40 208 B2
Minaucourt-le-Mesnil-lès-Hurlus 51 37 E3
Minerve 34 254 B1
Mingot 65 227 E4
Mingoval 62 9 F2
Miniac-Morvan 35 49 F4
Miniac-sous-Bécherel 35 72 C2
Minier (Col du) 30 217 D3
Le Minihic-sur-Rance 35 49 E3
Minihy-Tréguier 22 47 D1
Minorville 54 63 F2
Minot 21 104 B3
Minversheim 67 67 D2
Minzac 24 178 B4
Minzier 74 157 F3
Miolans 73 174 A3
Miolles 81 232 A1
Mionnay 01 171 F1
Mions 69 171 F3
Mios 33 193 D3
Miossens-Lanusse 64 226 C4
Mirabeau 84 237 F2
Mirabeau 04 222 A3
Mirabel 82 213 D3
Mirabel 07 203 D3
Mirabel-aux-Baronnies 26 220 A1
Mirabel-et-Blacons 26 204 B2
Miradoux 32 211 F4
Miramas 13 236 B3
Mirambeau 31 228 C4
Mirambeau 17 177 E1
Miramont-d'Astarac 32 228 A3
Miramont-de-Comminges 31 258 C2
Miramont-de-Guyenne 47 195 F3
Miramont-de-Quercy 82 212 C2
Miramont-Latour 32 228 C1
Miramont-Sensacq 40 226 C3
Mirande 32 228 A3
Mirandol-Bourgnounac 81 214 C3
Mirannes 32 228 A3
Miraumont 80 10 A4
Miraval-Cabardès 11 231 F4
Mirbel 52 85 D2
Miré 49 95 E2
Mirebeau 86 132 A2
Mirebeau 21 124 A1
Mirebel 39 141 E2
Mirecourt 88 86 C2
Mirefleurs 63 168 B3
Miremont 31 251 F1
Miremont 63 167 E1
Mirepeisset 11 254 B1
Mirepeix 64 248 C2
Mirepoix 09 252 C3
Mirepoix 32 228 B2
Mirepoix-sur-Tarn 31 230 B1
Mireval 34 234 B3
Mireval-Lauragais 11 252 C2
Miribel 01 171 F1
Miribel 26 188 A2
Miribel-les-Échelles 38 173 D4
Miribel-Lanchâtre 38 189 D4
Mirmande 26 203 F2
Le Miroir 71 141 D4
Miromesnil 76 15 E2
Mirvaux 80 17 F1
Mirville 76 14 B4
Miscon 26 205 D3
Miserey 27 55 E1
Miserey-Salines 25 125 D2
Misérieux 01 155 F4
Misery 80 18 B2
Mison 04 221 E1
Missé 79 131 E1
Missècle 81 231 D2
Missègre 11 253 F3
Missery 21 122 B2
Missillac 44 92 B4
Missiriac 56 92 A1
Misson 40 225 E3
Missy 14 28 C4
Missy-aux-Bois 02 35 D2
Missy-lès-Pierrepont 02 20 A4
Missy-sur-Aisne 02 35 E2
Misy-sur-Yonne 77 81 E2
Mitry-Mory 77 58 A1
Mitschdorf 67 43 D4
Mittainville 78 56 B3
Mittainvilliers 28 78 B1
Mittelbergheim 67 89 D1
Mittelbronn 57 66 B2
Mittelhausbergen 67 67 D3
Mittelhausen 67 67 D2
Mittelschaeffolsheim 67 67 D2
Mittelwihr 68 89 D3
Mittersheim 57 65 F1
Mittlach 68 88 B4
Mittois 14 53 D1
Mitzach 68 108 A1
Mizérieux 42 170 B2
Mizoën 38 190 A3
Moÿ-de-l'Aisne 02 19 D3
Mobecq 50 26 C2
Moca-Croce 2a 268 C1
Modane 73 191 D2

Monaco Monte-Carlo

Albert-1er (Bd) EYZ
Grimaldi (R.) DEY
Moulins (Bd des) FV 32
Ostende (Av. d') FX 34
Princesse Caroline (R.) EZ 48
Princesse Charlotte (Bd) EX 49

Armes (Pl. d') EZ 2
Basse (R.) EZ 3
Castro (R. Col.-de) EZ 7
Cathédrale EZ B
Comte-Félix-Gastaldi (R.) EZ 10
Kennedy (Av. J.-F.) EX 23
Larvotto (Bd du) FV 25
Major (Rampe) EZ 27

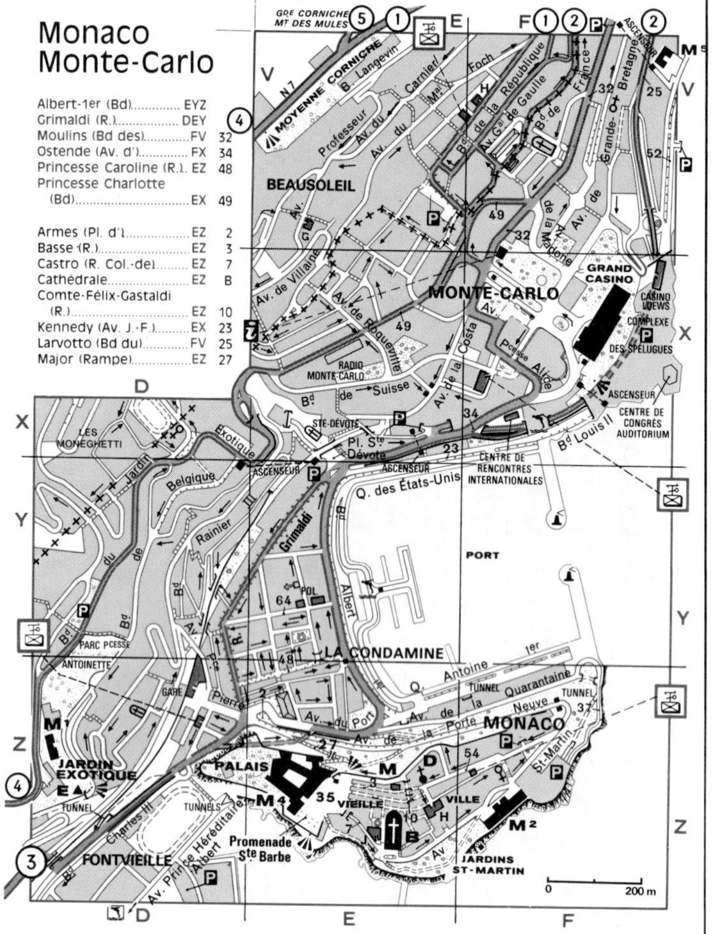
BEAUSOLEIL
MONTE-CARLO
GRAND CASINO
LA CONDAMINE
PORT
MONACO
JARDIN EXOTIQUE
PALAIS
FONTVIEILLE
JARDINS ST-MARTIN
CENTRE DE CONGRÈS AUDITORIUM
CENTRE DE RENCONTRES INTERNATIONALES
Q. des États-Unis
Promenade Ste Barbe
200 m

Miséricorde (✝) EZ D
Observatoire DZ E
Palais (Pl. du) EZ 35
Pêcheurs (Ch. des) FZ 37
Princesse Marie-de-Lorraine (R.) FZ 54
Princesse Grace (Av.) FV 52
Suffren-Reymond (R.) EY 64

Modène 84 220 A3
Moëlan-sur-Mer 29 90 A1
Les Moëres 59 4 B1
Mœrnach 68 108 C4
Moëslains 52 62 A4
Mœurs-Verdey 51 60 A3
Mœuvres 59 10 B4
Moëze 17 160 B1
Moffans-et-Vacheresse 70 107 E3
Mogeville 55 39 D3
Mognard 73 173 E2
Mogneneins 01 155 F3
Mogneville 60 34 A2
Mognéville 55 62 B2
Mogues 08 22 B4
Mohon 56 71 F3
Moidieu-Détourbe 38 172 A4
Moidrey 50 50 B4
Moigny-sur-École 91 80 B1
Moimay 70 107 D4
Moineville 54 39 F3
Moings 17 161 E4
Moingt 42 170 A3
Moinville-la-Jeulin 28 79 D2
Moirans 38 189 D1
Moirans-en-Montagne 39 157 E1
Moirax 47 211 E3
Moiré 69 171 D1
Moiremont 51 38 A4
Moirey 55 38 C2
Moiron 39 141 E3
Moiry 08 22 B4
Moisdon-la-Rivière 44 93 F3
Moisenay 77 58 B4
Moislains 80 18 C1
Moissac 82 212 B3
Moissac-Bellevue 83 238 C2
Moissac-Vallée-Française 48 217 F2
Moissannes 87 165 E1
Moissat 63 168 C2
Moissat-Bas 63 168 C2
Moisselles 95 33 F4
Moissey 39 124 B3
Moissieu-sur-Dolon 38 187 F1
Moisson 78 32 C4
Moissy-Cramayel 77 58 A4
Moissy-Moulinot 58 121 E2
Moisville 27 55 E2
Moisy 41 98 B1
Moïta 2b 267 E1
Les Moitiers-d'Allonne 50 24 B3
Les Moitiers-en-Bauptois 50 25 D4
Moitron 21 104 B3
Moitron-sur-Sarthe 72 76 A3
Moivre 51 61 F1
Moivrons 54 64 C2
Mola 2A 268 C3
Molac 56 92 A2
Molagnies 76 32 C1
Molain 02 19 E1
Molain 39 141 F2
Molamboz 39 141 E2
Molandier 11 252 B2
Molard Noir 73 173 E2
Molas 31 228 C4
Môlay 89 102 C3
Molay 70 105 F2
Molay 39 124 B4
Le Molay-Littry 14 28 B3
La Môle 83 245 D2
Moléans 28 78 B4
Molèdes 15 184 A2
Molène (Ile) 29 44 B3
Molère 65 249 F3
Molesmes 21 103 E1
Molesmes 89 102 A4
Molezon 48 217 E2
Molhain 08 13 E4
Moliens 60 16 C4
Les Molières 91 57 D3
Molières 24 196 C1
Molières 82 213 D2
Molières 46 198 C2
Molières-Cavaillac 30 217 D4
Molières-Glandaz 26 205 D2
Molières-sur-Cèze 30 218 B2
Moliets-et-Maa 40 208 A4
Molinchart 02 19 E4
Molines-en-Queyras 05 207 E1
Molinet 03 154 A1
Molineuf 41 98 B4
Molinges 39 157 E1
Molinghem 62 4 A4
Molinons 89 82 A3
Molinot 21 122 C4
Molins-sur-Aube 10 83 E1
Molitg-les-Bains 66 261 F2
Mollans 70 107 D3
Mollans-sur-Ouvèze 26 220 B2
Mollau 68 108 A1
Mollégès 13 236 B1
Molles 03 153 E3
Les Mollettes 73 173 F4
Molleville 11 252 C1
Molliens-au-Bois 80 17 F1
Molliens-Vidame 80 17 D2
Mollkirch 67 66 C4
Mollon 01 156 B4
Molompize 15 184 B2
Molosmes 89 103 D2
Moloy 21 104 B3
Molphey 21 122 A2
Molpré 39 142 B2
Molring 57 65 E1
Molsheim 67 66 C4
Moltifao 2b 265 D4
Les Molunes 39 157 F1
Momas 64 226 B4
Mombrier 33 177 E3
Momères 65 249 E2
Momerstroff 57 41 D3
Mommenheim 67 67 D2
Momuy 40 226 A2
Momy 64 227 D4
Monacia-d'Aullène 2a 269 D3
Monacia-d'Orezza 2b 265 E4
Monaco 99 241 E4
Monampteuil 02 35 F1
Monassut-Audiracq 64 226 C4
Le Monastère 12 215 E1
Le Monastier 48 201 D4
Le Monastier-sur-Gazeille 43 186 A4
Monay 39 141 E1
Monbadon 33 178 A4
Monbahus 47 196 A3
Monbalen 47 211 F1
Monbardon 32 228 C4
Monbazillac 24 196 A2
Monbéqui 82 212 C4
Monbert 32 228 A2
Monblanc 32 229 D4
Monbos 24 195 F2
Monbouan 35 73 F4
Monbrun 32 229 D2
Moncale 2b 264 B3
Moncassin 32 228 A4
Moncaup 31 258 C2
Moncaup 64 227 D3
Moncaut 47 211 E3
Moncayolle-Larrory-Mendibieu 64 247 E1
Moncé-en-Belin 72 96 B1
Moncé-en-Saosnois 72 76 C2
Monceau-lès-Leups 02 19 E4
Monceau-le-Neuf-et-Faucouzy 02 19 F3
Monceau-St-Waast 59 11 F4
Monceau-sur-Oise 02 19 F2
Monceau-le-Waast 02 19 F4
Les Monceaux 14 30 A4
Monceaux 61 77 E1
Monceaux 60 34 A2
Monceaux-l'Abbaye 60 16 C4
Monceaux-le-Comte 58 121 D2
Monceaux-en-Bessin 14 28 C3
Monceaux-sur-Dordogne 19 181 F3
Moncel-lès-Lunéville 54 65 D4
Moncel-sur-Seille 54 64 C2
Moncel-sur-Vair 88 86 A1
La Moncelle 08 22 A3
Moncetz-l'Abbaye 51 61 F3
Moncetz-Longevas 51 61 D2
Moncey 25 125 E1
Monchaux-Soreng 76 16 B2
Monchaux-sur-Écaillon 59 11 D3
Moncheaux 59 10 C2
Moncheaux-lès-Frévent 62 9 E3
Monchecourt 59 10 C3
Monchel-sur-Canche 62 9 D3
Moncheux 57 64 C1
Monchiet 62 9 F3
Monchy-au-Bois 62 9 F4
Monchy-Breton 62 9 E2
Monchy-Cayeux 62 9 D2
Monchy-Humières 60 34 B1
Monchy-Lagache 80 18 C2
Monchy-le-Preux 62 10 B3
Monchy-St-Éloi 60 34 A3
Monchy-sur-Eu 76 16 A1
Moncla 64 226 C3
Monclar 32 210 B4
Monclar 47 196 A4
Monclar-de-Quercy 82 213 E4
Monclar-sur-Losse 32 227 F3
Moncley 25 125 D2
Moncontour 22 71 E1
Moncontour 86 131 F1
Moncorneil-Grazan 32 228 B4
Moncourt 57 65 E3
Moncoutant 79 130 C2
Moncrabeau 47 211 D3
Moncy 61 52 A2
Mondavezan 31 251 D2
Mondaye (Abbaye de) 14 28 B3
Mondelange 57 40 B2
Mondement-Montgivroux 51 60 A3
Mondescourt 60 18 C4
Mondevert 35 74 B4
Mondeville 14 29 D3
Mondeville 91 80 A1
Mondicourt 62 9 E4
Mondigny 08 21 E3
Mondilhan 31 250 B1
Mondion 86 132 B1
Mondon 25 125 F1
Mondonville 31 229 F2
Mondonville-St-Jean 28 79 D2
Mondorff 57 40 B1
Mondoubleau 41 97 F1
Mondouzil 31 230 B3
Mondragon 84 219 E2
Mondrainville 14 28 C4
Mondrecourt 55 62 C1
Mondrepuis 02 20 B1
Mondreville 78 56 A2
Mondreville 77 80 B4
Monédières (Massif des) 19 165 F4
Monein 64 248 A1
Monès 31 229 D4
Monesple 09 252 A3
Le Monestier 63 169 E4
Monestier 07 187 D2
Monestier 24 195 F2
Monestier 03 152 C2
Monestier-d'Ambel 38 205 F1
Monestier-de-Clermont 38 189 D4
Le Monestier-du-Percy 38 205 E1
Monestier-Merlines 19 167 D3
Monestier-Port-Dieu 19 167 D4
Monestiés 81 214 B3
Monestrol 31 252 B1
Monétay-sur-Allier 03 153 D1
Monétay-sur-Loire 03 153 F1
Monéteau 89 102 B2
Monêtier-Allemont 05 206 A4
Le Monetier-les-Bains 05 190 C4
Monfaucon 65 227 E4
Monfaucon 24 178 C4
Monferran-Plavès 32 228 B3
Monferran-Savès 32 229 D3
Monflanquin 47 196 C3
Monfort 32 228 C1
Monfréville 14 27 E2
Mongaillard 47 211 D2
Mongausy 32 228 C3
Mongauzy 33 195 D3
Monget 40 226 B3
La Mongie 65 257 F3
Monguilhem 32 227 D1
Monheurt 47 211 D1
Monhoudou 72 76 C2
Monieux 84 220 C3
Monistrol-d'Allier 43 185 D4
Monistrol-sur-Loire 43 186 B2
Monlaur-Bernet 32 250 A1
Monléon-Magnoac 65 250 A2
Monlet 43 185 E2
Monlezun 32 227 F3
Monlezun-d'Armagnac 32 227 D1
Monlong 65 250 A2
Monmadalès 24 196 B2
Monmarvès 24 196 B2
Monnai 61 54 A2
Monnaie 37 97 E4
Monneren 57 40 C2
La Monnerie-le-Montel 63 169 D1
Monnerville 91 79 E2
Monnes 02 35 D4
Monnet-la-Ville 39 141 F2
Monnetay 39 141 D4
Monnetier-Mornex 74 158 B2
Monneville 60 33 D3
Monnières 44 112 B3
Monnières 39 124 B3
Monoblet 30 217 F4
Monpardiac 32 227 F4
Monpazier 24 196 C2
Monpezat 64 227 D3
Monprimblanc 33 194 C3
Mons 83 239 F2
Mons 34 232 C3
Mons 31 230 B3
Mons 63 153 D4
Mons 17 161 F1
Mons 30 218 B3
Mons 16 162 B1
Mons-Boubert 80 8 B4
Mons-en-Barœul 59 5 E4
Mons-en-Laonnois 02 35 F1
Mons-en-Montois 77 81 E1
Mons-en-Pévèle 59 10 C1
Monsac 24 196 B2
Monsaguel 24 196 B2
Monsec 24 179 D1
Monségur 64 227 E4
Monségur 40 226 B3
Monségur 33 195 E3
Monségur 47 196 C4
La Monselie 15 183 D2
Monsempron-Libos 47 196 C4
Monsireigne 85 130 A2
Monsols 69 155 D2
Monsteroux-Milieu 38 171 F4
Monsures 80 17 E3
Monswiller 67 66 C2
Mont 65 258 A3
Mont 64 226 A4
Mont 71 138 B3
Mont-Bernanchon 62 9 F1
Mont-Bertrand 14 51 E1
Mont Blanc 74 175 E1
Mont-Bonvillers 54 39 E2
Le Mont-Caume 83 244 A2
Mont-Cauvaire 76 15 F4
Mont Cenis (Massif du) 73 191 E2
Mont-d'Astarac 32 250 B1
Mont-Dauphin 05 207 D2
Mont-de-Galié 31 250 B3
Mont-de-l'If 76 15 D4
Mont-de-Lans 38 190 A3
Mont-de-Laval 25 126 B3
Mont-de-Marrast 32 228 A4
Mont-de-Marsan 40 209 F4
Mont-de-Vougney 25 126 C2
Mont des Cats 62 4 B3
Mont-devant-Sassey 55 38 B1
Le Mont-Dieu 08 21 F4
Mont-Disse 64 227 D3
Mont-Dol 35 50 A4
Mont d'Or 69 171 E1
Le Mont-Dore 63 167 F3
Mont-d'Origny 02 19 E2
Mont-et-Marré 58 121 D4
Mont-l'Étroit 54 63 F4
Mont-l'Évêque 60 34 A3
Mont-lès-Lamarche 88 86 B4
Mont-Laurent 08 37 D1
Mont-Louis 66 261 E3
Mont-lès-Neufchâteau 88 86 A2
Mont Noir 62 4 C3
Mont-Notre-Dame 02 35 F3
Mont-Ormel 61 53 E2
Mont-près-Chambord 41 98 C4
Mont-Réal 24 179 D4
Mont-Roc 81 231 F1
Mont-Rond 01 157 F1
Le Mont-St-Adrien 60 33 D1
Mont-St-Aignan 76 31 F1
Mont-St-Éloi 62 10 A2
Mont-St-Jean 21 122 B2
Mont-St-Jean 02 20 C3
Mont-St-Jean 72 75 F3
Mont-St-Léger 70 106 A3
Mont-St-Martin 54 23 D4
Mont-St-Martin 38 189 D2
Mont-St-Martin 08 37 E2
Mont-St-Martin 02 35 F3
Le Mont-St-Michel 50 50 B3
Mont-St-Père 02 35 E4
Mont-St-Remy 08 37 D2
Mont-St-Sulpice 89 102 B1
Mont-St-Vincent 71 139 E3
Mont-Saxonnex 74 158 C3
Mont-lès-Seurre 71 140 B1
Mont (Signal de) 71 138 B3
Mont-sous-Vaudrey 39 124 C4
Mont-sur-Courville 51 36 A3
Mont-sur-Meurthe 54 65 D4
Mont-sur-Monnet 39 141 F2
Mont Valérien (Fort) 57 E2
Mont-le-Vernois 70 106 B3
Mont-le-Vignoble 54 63 F3
Mont-Villers 55 39 D4
Montabard 61 53 D2
Montabès (Puy de) 12 199 F3
Montabon 72 96 C3
Montabot 50 51 D1
Montacher-Villegardin 89 81 D3
Montadet 32 229 D4
Montady 34 255 D1
Montagagne 09 251 F4
Montagna-le-Reconduit 39 141 D4
Montagna-le-Templier 39 156 C1
Montagnac 04 238 B1
Montagnac 30 218 B4
Montagnac 34 233 F4
Montagnac-la-Crempse 24 179 E4
Montagnac-d'Auberoche 24 180 A2
Montagnac-sur-Auvignon 47 211 E2
Montagnac-sur-Lède 47 196 C3
Montagnat 01 156 B3
La Montagne 70 107 E1
La Montagne 44 111 F3
Montagne 33 178 A4
Montagne 38 188 B3
Montagne de Reims (Parc Régional de la) 51 36 B4
Montagne-Fayel 80 17 D2
Montagne Noir 11,81 231 F4
Montagnes Noires 29,56 70 A2
La Montagnette 13 236 A1
Montagney 70 124 C2
Montagney 25 106 C4
Montagnieu 01 172 C2
Montagnieu 38 172 C3
Montagnol 12 232 C1
Montagnole 73 173 E3
Montagny 69 171 E3
Montagny 73 174 C4
Montagny 42 154 C4
Montagny-lès-Beaune 21 123 E4
Montagny-lès-Buxy 71 139 F3
Montagny-en-Vexin 60 32 C3
Montagny-les-Lanches 74 173 F1
Montagny-près-Louhans 71 140 C3
Montagny-Ste-Félicité 60 34 B4
Montagny-lès-Seurre 21 124 A4
Montagny-sur-Grosne 71 155 D1
Montagoudin 33 195 D3
Montagrier 24 179 D2
Montagudet 82 212 C2
Montagut 64 226 B3
Montaignac-St-Hippolyte 19 182 A1
Montaigne 24 195 E1
Montaigu 85 112 B4
Montaigu 02 36 A1
Montaigu 39 141 E3
Montaigu-le-Blin 03 153 E2
Montaigu-les-Bois 50 51 D1
Montaigu-la-Brisette 50 25 D2
Montaigu (Butte de) 53 75 E3
Montaigu-de-Quercy 82 212 B1
Montaiguët-en-Forez 03 153 F2
Montaigut 63 152 A3
Montaigut-le-Blanc 63 168 A3
Montaigut-le-Blanc 23 150 A3
Montaigut-sur-Save 31 229 E2
Montaillé 72 97 E1
Montailleur 73 174 B3
Montaillou 09 261 D1
Montaimont 73 190 B1
Montain 82 212 C4
Montain 39 141 E2
Montainville 28 78 C3
Montainville 78 56 C2
Montal 46 198 B1
Montalba-le-Château 66 262 A2
Montalembert 79 147 E3
Montalet-le-Bois 78 32 C4
Montalet (Roc de) 81 232 B2
Montalieu-Vercieu 38 172 C1
Montalzat 82 213 E2
Montamat 32 228 C4
Montambert 58 138 A2
Montamel 46 197 F3
Montamisé 86 132 B3
Montamy 14 51 F1
Montanay 69 171 E1
Montancy 25 127 D1
Montandon 25 126 C2
Montanel 50 50 C4
Montaner 64 249 D1
Montanges 01 157 E3
Montans 81 230 C1
Montapas 58 121 D4
Montarcher 42 169 F4
Montardit 09 259 E2
Montardon 64 226 C4
Montaren-et-St-Médiers 30 218 C3
Montargis 45 100 C1
Montarlot 77 81 D2
Montarlot-lès-Champlitte 70 105 E3
Montarlot-lès-Rioz 70 125 E1
Montarnaud 34 234 A2
Montaron 58 138 A1
Montastruc 65 249 F2
Montastruc 82 213 D3
Montastruc 47 196 A4
Montastruc-la-Conseillère 31 230 B2
Montastruc-de-Salies 31 259 D2
Montastruc-Savès 31 251 D1
Le Montat 46 213 D1
Montataire 60 33 F3
Montauban 35 72 B2
Montauban 82 213 D3
Montauban-sur-l'Ouvèze 26 220 C1
Montauban-de-Luchon 31 258 B4
Montauban-de-Picardie 80 18 B1
Montaud 34 234 C2
Montaud 38 189 D2
Montaudin 53 74 B1
Montaulieu 26 220 B1
Montaulin 10 83 E3
Montaure 27 31 F3
Montauriol 66 262 B3
Montauriol 81 214 C3
Montauriol 47 196 B3
Montauriol 11 252 C1
Montauroux 83 239 F2
Montaut 32 228 A4
Montaut 40 226 A1
Montaut 31 251 E1
Montaut 47 196 B3
Montaut 64 248 C2
Montaut 09 252 B2
Montaut 24 196 B2
Montaut-les-Créneaux 32 228 B2
Montautour 35 74 A3
Montauville 54 64 A1
Montay 59 11 E4
Montayral 47 197 D4
Montazeau 24 195 E1
Montazels 11 253 E4
Montbard 21 103 E4
Montbarla 82 212 C2
Montbarrey 39 124 C4
Montbarrois 45 80 A4
Montbartier 82 213 D4
Montbavin 02 35 F1
Montbazens 12 199 D4
Montbazin 34 234 A3
Montbazon 37 116 A2
Montbel 48 201 F3
Montbel 09 252 C4
Montbéliard 25 107 F4
Montbéliardot 25 126 B3
Montbellet 71 140 A4
Montbenoît 25 126 A4
Montberaud 31 251 E2
Montbernard 31 250 C1
Montberon 31 230 A2
Montbert 44 112 A3
Montberthault 21 122 A1
Montbeton 82 213 D4
Montbeugny 03 137 F4
Montbizot 72 76 B3
Montblainville 55 38 A3
Montblanc 34 233 E4
Montboillon 70 125 D1
Montboissier 28 78 B3
Montbolo 66 262 B3
Montbonnot-St-Martin 38 189 E2
Montboucher 23 165 E1
Montboucher-sur-Jabron 26 203 F3
Montboudif 15 183 E1
Montbouton 90 108 A4
Montbouy 45 101 D2
Montboyer 16 178 B1
Montbozon 70 106 C4
Montbrand 05 205 E3
Montbras 55 63 E4
Montbray 50 51 D2
Montbré 51 36 B3
Montbrehain 02 19 D1
Montbrison 26 204 B4
Montbrison 42 170 A3
Montbron 16 163 E3
Montbronn 57 42 B4
Montbrun 87 164 A3
Montbrun 46 198 C4
Montbrun 48 217 D1
Montbrun-les-Bains 26 220 C2
Montbrun-Bocage 31 251 E2
Montbrun-Lauragais 31 230 A4
Montbrun-des-Corbières 11 254 A2
Montcabrier 81 230 B3

Montcabrier 46 197 D3
Montcaret 24 195 D1
Montcarra 38 172 B3
Montcavrel 62 8 B1
Montceau 38 172 C3
Montceau-et-Écharnant 21 123 D4
Montceau-les-Mines 71 139 D3
Montceaux 01 155 F3
Montceaux-l'Étoile 71 154 B1
Montceaux-les-Mines 77 58 C1
Montceaux-lès-Provins 77 59 E3
Montceaux-Ragny 71 140 A3
Montceaux-les-Vaudes 10 83 D3
Montcel 73 173 E2
Montcel 63 152 C4
Montcenis 71 139 D2
Montcet 01 156 A2
Montcey 70 106 C3
Montchaboud 38 189 E3
Montchal 42 170 C2
Montchal (Puy de) 63 167 F4
Montchâlons 02 36 A1
Montchamp 14 51 F1
Montchamp 15 184 B3
Montchanin 71 139 E2
Montcharvot 52 105 F1
Montchaton 50 26 C4
Montchaude 16 162 A4
Montchauvet 14 51 F1
Montchauvet 78 56 B2
Montchenu 26 188 A2
Montcheutin 08 37 F2
Montchevrel 61 54 A4
Montchevrier 36 134 C4
Montclar 11 253 E2
Montclar 12 215 E4
Montclar 04 206 C4
Montclar-de-Comminges 31 251 D2
Montclar-Lauragais 31 252 B1
Montclar-sur-Gervanne 26 204 B2
Montclard 43 185 D2
Montcléra 46 197 E3
Montclus 30 218 C2
Montclus 05 205 E4
Montcombroux-les-Mines 03 153 F1
Montcony 71 140 C3
Montcorbon 45 101 E1
Montcornet 02 20 B3
Montcornet 08 21 E2
Montcourt 70 106 B1
Montcourt-Fromonville 77 80 C2
Montcoy 71 140 B2
Montcresson 45 100 C2
Montcuit 50 27 D3
Montculot 21 123 E2
Montcuq 46 212 C1
Montcusel 39 157 D1
Montcy-Notre-Dame 08 21 E3
Montdardier 30 217 D4
Montdauphin 77 59 E2
Montdidier 80 18 A4
Montdidier 57 65 E1
Montdoré 70 106 B2
Montdoumerc 46 213 E2
Montdragon 81 231 D2
Montdurausse 81 213 E4
Monte 2b 265 E4
Monte-Carlo 99 241 E4
Monteaux 41 116 C1
Montebourg 50 25 D3
Montech 82 212 C4
Montécheroux 25 126 C1
Montegrosso 2b 264 B3
Montégut 65 250 A3
Montégut 32 228 C4
Montégut 40 210 A4
Montégut-Arros 32 227 D4
Montégut-Bourjac 31 251 D1
Montégut-en-Couserans 09 259 E2

Montégut-Lauragais 31 230 C4
Montégut-Plantaurel 09 252 A3
Montégut-Savès 32 229 D4
Monteignet-sur-l'Andelot 03 153 D3
Le Monteil 15 183 D2
Le Monteil 43 185 F3
Le Monteil-au-Vicomte 23 166 A1
Monteille 14 29 F4
Monteils 82 213 E2
Monteils 30 218 B3
Monteils 12 214 B2
Montel-de-Gelat 63 167 D1
Montéléger 26 204 A1
Montélier 26 188 A4
Montélimar 26 203 F3
Le Montellier 01 156 A4
Montels 81 214 A4
Montels 34 254 C1
Montels 09 252 A3
Montembœuf 16 163 E2
Montenach 57 40 C1
Montenay 53 74 C2
Montendre 17 177 E2
Montendry 73 174 B3
Montenescourt 62 , 9 F3
Monteneuf 56 92 B1
Montenils 77 59 F2
Montenois 25 107 E4
Montenoison 58 120 C3
Montenoison (Butte de) 58 120 C3
Montenoy 54 64 B2
Le Montenvers 74 159 E4
Montépilloy 60 34 B3
Monteplain 39 124 C3
Montépreux 51 60 C3
Monterblanc 56 91 F2
Montereau 45 100 B2
Montereau-Faut-Yonne 77 81 D2
Montereau-sur-le-Jard 77 58 B4
Monterfil 35 72 C3
Montérolier 76 16 A4
Monterrein 56 92 A1
Montertelot 56 92 A1
Montescot 66 262 C2
Montescourt-Lizerolles 02 19 D3
Montespan 31 259 D2
Montesquieu 82 212 C2
Montesquieu 47 211 E2
Montesquieu 66 262 C3
Montesquieu 34 233 E3
Montesquieu-Avantès 09 259 E2
Montesquieu-Guittaut 31 250 C1
Montesquieu-Lauragais 31 230 B4
Montesquieu-Volvestre 31 251 E2
Montesquiou 32 227 F3
Montessaux 70 107 E2
Montesson 52 105 F2
Montesson 78 57 D2
Montesson 53 75 E2
Montestruc-sur-Gers 32 228 B1
Montestrucq 64 225 F4
Le Montet 03 152 C1
Montet-et-Bouxal 46 198 C2
Monteton 47 195 E3
Montets (Col des) 74 159 E4
Monteux 84 220 A3
Montévrain 77 58 B2
Monteynard 38 189 D4
Montézic 12 200 A2
Montfa 81 231 E2
Montfa 09 259 F2
Montfalcon 38 188 B2
Montfarville 50 25 E2
Montfaucon 30 219 E3
Montfaucon 46 198 A2
Montfaucon 25 125 E2
Montfaucon 02 59 E1

Montfaucon 49 112 C3
Montfaucon 55 38 B3
Montfaucon (Butte de) 55 38 B2
Montfaucon-en-Velay 43 186 C2
Montfavet 84 219 F4
Montfermeil 93 58 A2
Montfermier 82 213 D2
Montfermy 63 167 F1
Montferney 25 107 D4
Montferrand 11 252 C1
Montferrand 63 168 B2
Montferrand-le-Château 25 125 D3
Montferrand-du-Périgord 24 196 C2
Montferrand-la-Fare 26 220 C1
Montferrat 38 173 D4
Montferrat 83 239 E2
Montferrer 66 262 A4
Montferrier 09 252 B4
Montferrier-sur-Lez 34 217 E2
Montfey 10 82 C4
Montfiquet 14 27 F3
Montfleur 39 156 C1
Montflours 53 74 C3
Montflovin 25 126 A4
Montfort 49 114 B3
Montfort 64 225 F4
Montfort 35 72 C3
Montfort 25 125 D4
Montfort 04 221 F3
Montfort-l'Amaury 78 56 C3
Montfort-en-Chalosse 40 225 F2
Montfort-le-Rotrou 72 76 C4
Montfort-sur-Argens 83 238 C3
Montfort-sur-Boulzane 11 261 F2
Montfort-sur-Risle 27 31 D2
Montfranc 12 232 A1
Montfrin 30 235 F1
Montfroc 26 221 D2
Montfuron 04 237 F1
Montgaillard 65 249 E2
Montgaillard 81 213 E4
Montgaillard 09 252 B4
Montgaillard 11 254 A4
Montgaillard 82 212 B4
Montgaillard 40 226 B2
Montgaillard-de-Salies 31 259 D2
Montgaillard-Lauragais 31 230 B4
Montgaillard-sur-Save 31 250 B2
Montgardin 05 206 B3
Montgardon 50 26 C2
Montgaroult 61 53 D2
Montgauch 09 259 E2
Montgaudry 61 76 C1
Montgazin 31 251 E1
Montgé-en-Goële 77 58 B1
Montgeard 31 252 B1
Montgellafrey 73 174 B4
Montgenèvre 05 191 D4
Montgenost 51 59 F4
Montgeoffroy 49 114 B1
Montgérain 60 34 A1
Montgermont 35 73 D3
Montgeron 91 57 F3
Montgeroult 95 33 D4
Montgesoye 25 125 F3
Montgesty 46 197 E3
Montgey 81 231 D3
Montgibaud 19 165 D4
Montgilbert 73 174 B3
Montgirod 73 174 C3
Montgiscard 31 230 A4
Montgivray 36 135 D3

Montgobert 02 35 D2
Montgon 08 37 F1
Montgothier 50 51 D3
Montgradail 11 253 D3
Montgras 31 229 D4
Montgreleix 15 183 F1
Montgru-St-Hilaire 02 35 E3
Montguers 26 220 C1
Montgueux 10 82 C2
Montguillon 49 94 C2
Montguyon 17 178 A2
Les Monthairons 55 38 C4
Montharville 28 78 B3
Monthault 35 51 D4
Monthaut 11 253 D3
Monthelie 21 123 D4
Monthelon 71 139 F3
Monthelon 51 60 B1
Monthenault 02 35 F1
Montheries 52 84 C3
Montherlant 60 33 D3
Monthermé 08 21 E2
Monthiers 02 35 E4
Monthieux 01 156 A4
Monthion 73 174 B3
Monthodon 37 97 E3
Monthoiron 86 132 C2
Monthois 08 37 E2
Montholier 39 141 E1
Monthou-sur-Bièvre 41 117 D1
Monthou-sur-Cher 41 117 D2
Monthuchon 50 26 C4
Monthurel 02 59 F1
Monthureux-le-Sec 88 86 C3
Monthureux-sur-Saône 88 86 B4
Monthyon 77 58 B1
Montier-en-l'Isle 10 84 B2
Montier-en-Der 52 84 B1
Montiéramey 10 83 E3
Montierchaume 36 134 C2
Montiers 60 34 A1
Montiers-sur-Saulx 55 62 B4
Monties 32 228 B4
Montignac 33 194 C2
Montignac 24 180 B3
Montignac 65 249 E2
Montignac-Charente 16 162 C2
Montignac-le-Coq 16 178 C1
Montignac-de-Lauzun 47 196 A3
Montignac-Toupinerie 47 195 F3
Montignargues 30 218 B4
Montigné 16 162 B2
Montigné 79 146 C2
Montigné-le-Brillant 53 74 B4
Montigné-lès-Rairies 49 95 F3
Montigné-sur-Moine 49 112 C3
Montigny 14 28 C4
Montigny 79 130 C2
Montigny 72 76 B1
Montigny 45 79 F4
Montigny 76 31 E1
Montigny 18 119 E3
Montigny 54 65 E4
Montigny 50 51 D3
Montigny-l'Allier 02 35 D4
Montigny-lès-Arsures 39 141 F1
Montigny-aux-Amognes 58 120 C4
Montigny-le-Bretonneux 78 57 D3
Montigny-le-Chartif 28 78 A2
Montigny-lès-Cherlieu 70 106 A2
Montigny-lès-Condé 02 59 F1
Montigny-lès-Cormeilles 95 57 D1
Montigny-devant-Sassey 55 38 B2
Montigny-en-Arrouaise 02 19 E2
Montigny-en-Cambrésis 59 11 D4
Montigny-en-Gohelle 62 10 B2

Montigny-en-Morvan 58 121 E3
Montigny-en-Ostrevant 59 10 C2
Montigny-le-Franc 02 20 A3
Montigny-le-Gannelon 28 98 B1
Montigny-le-Guesdier 77 81 E2
Montigny-les-Jongleurs 80 9 D4
Montigny-Lencoup 77 81 D1
Montigny-Lengrain 02 35 D3
Montigny-lès-Metz 57 40 B4
Montigny-les-Monts 10 82 C4
Montigny-la-Resle 89 102 B2
Montigny-le-Roi 52 85 F2
Montigny-St-Barthélemy 21 122 B1
Montigny-sous-Marle 02 20 A3
Montigny-sur-l'Ain 39 141 F2
Montigny-sur-Armançon 21 122 B1
Montigny-sur-Aube 21 104 B1
Montigny-sur-Avre 28 55 D3
Montigny-sur-Canne 58 138 A1
Montigny-sur-Chiers 54 39 D1
Montigny-sur-Crécy 02 19 E3
Montigny-sur-l'Hallue 80 17 F1
Montigny-sur-Loing 77 80 C2
Montigny-sur-Meuse 08 21 E1
Montigny-sur-Vence 08 21 E2
Montigny-sur-Vesle 51 36 A2
Montigny-sur-Vingeanne 21 105 E4
Montigny-lès-Vaucouleurs 55 63 E4
Montigny-lès-Vesoul 70 106 B3
Montilliers 49 113 F3
Montillot 89 102 B4
Montilly 03 137 E3
Les Montils 41 117 D1
Montils 17 161 E3
Montipouret 36 135 D3
Montirat 11 253 F2
Montirat 81 214 B3
Montireau 28 77 F2
Montiron 32 228 C3
Montivernage 25 126 A2
Montivilliers 76 14 A4
Montjardin 11 253 D4
Montjaux 12 216 A3
Montjavoult 60 32 C3
Montjay 71 140 C2
Montjay 05 221 D2
Montjean 53 74 B4
Montjean 16 162 B2
Montjean-sur-Loire 49 113 D1
Montjézieu 48 201 D4
Montjoi 11 253 F3
Montjoi 82 212 B2
Montjoie-le-Château 25 126 C1
Montjoie-en-Couserans 09 259 E2
Montjoie-St-Martin 50 50 C4
Montjoire 31 230 A2
Montjoux 26 204 C2
Montjoyer 26 203 F4
Montjustin 04 237 F1
Montjustin-et-Velotte 70 107 D3
Montlandon 28 78 A2
Montlandon 52 105 E2
Montlaur 11 254 A1
Montlaur 12 232 C1
Montlaur 31 230 A4
Montlaur-en-Diois 26 204 C2
Montlaux 04 221 E3
Montlauzun 46 212 C1
Montlay-en-Auxois 21 122 B2
Montlebon 25 126 B2
Montlevicq 36 135 D4

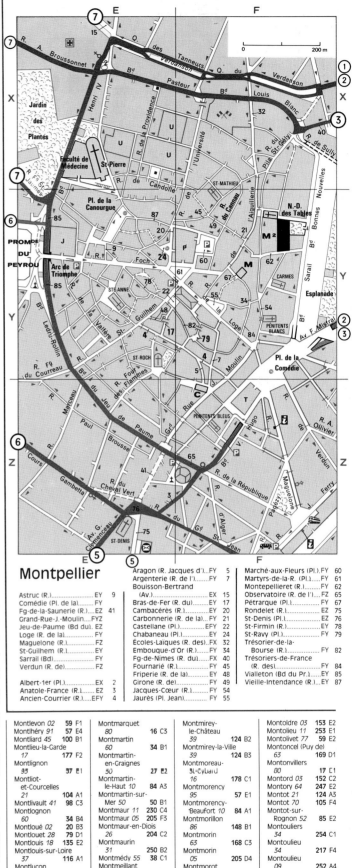

Montpellier

Aragon (R. Jacques d')...FY 5
Argenterie (R. de l')......FY 7
Bouisson-Bertrand (Av.)...EX 15
Astruc (R.)................EY 9
Comédie (Pl. de la)........FY
Fg-de-la-Saunerie (R.)....EZ 41
Grand-Rue-J.-Moulin......EYZ
Jeu-de-Paume (Bd du)......EZ
Loge (R. de la)............FY
Maguelone (R.)............FZ
St-Guilhem (R.)...........EY
Sarrail (Bd)...............FY
Verdun (R. de).............FZ

Albert-1er (Pl.).......EX 2
Anatole-France (R.)....EZ 3
Ancien-Courrier (R.)...EFY 4

Bras-de-Fer (R. du)......EY 17
Cambacérès (R.).........EY 20
Carbonnerie (R. de la)...EY 21
Castellane (Pl.)..........EFY 22
Chabaneau (Pl.)..........FY
Écoles-Laïques (R. des)..FX 32
Embouque-d'Or (R.)......FY 34
Fg-de-Nîmes (R. du)......FX 40
Fournarié (R.)...........FY 45
Friperie (R. de la)......EY 48
Girone (R. de)...........EY 49
Jacques-Cœur (Pl.).......FY 54
Jaurès (Jean) (Pl.)......FY 55

Marché-aux-Fleurs (Pl.)..FY 60
Martyrs-de-la-R. (Pl.)...FY 61
Montpellieret (R.).......FY 62
Observatoire (R. de l')..FZ 65
Pétrarque (Pl.)..........EY 67
Rondelet (R.)............EZ 75
St-Denis (Pl.)...........EZ 76
St-Firmin (R.)...........FY 78
St-Ravy (Pl.)............FY 79
Trésorier-de-la-Bourse (R.)...FY 82
Trésoriers-de-France (R.)...FY 84
Vialleton (Bd du Pr.)....EY 85
Vieille-Intendance (R.)..EY 87

Montlevon 02 59 F1
Monthéry 91 57 E4
Montliard 45 100 B1
Montlieu-la-Garde 17 177 F2
Montlignon 95 57 E1
Montliot-et-Courcelles 21 104 A1
Montlivault 41 98 C3
Montlognon 60 34 B4
Montloué 02 20 B3
Montlouet 28 79 D1
Montlouis 18 135 E2
Montlouis-sur-Loire 37 116 A1
Montluçon 03 151 F2
Montluel 01 156 A4
Montmachoux 77 81 D2
Montmacq 60 34 C1
Montmagny 95 57 E1
Montmahoux 25 125 E4
Montmain 21 123 E4
Montmain 76 31 F1
Montmajour (Abbaye de) 13 236 A2
Montmalin 39 124 C4
Montmançon 21 124 B2
Montmarault 03 152 B2
Montmarlon 39 142 A1

Montmarquet 80 16 C3
Montmartin 60 34 B1
Montmartin-en-Graignes 50 27 E2
Montmartin-le-Haut 10 84 A4
Montmartin-sur-Mer 50 50 B1
Montmaur 11 230 C4
Montmaur 05 205 F3
Montmaur-en-Diois 26 204 C2
Montmaurin 31 250 B2
Montmédy 55 38 C1
Montmeillant 08 20 C3
Montmélard 71 154 C2
Montmélian 73 173 E3
Montmerle-sur-Saône 01 155 E3
Montmerrei 61 54 A2
Montmeyan 83 238 B2
Montmeyran 26 204 A1
Montmin 74 174 B1
Montmirail 72 77 E1
Montmirail 51 59 F2
Montmiral 26 188 B3
Montmirat 30 218 A4
Montmirat (Col de) 48 201 E4

Montmirey-le-Château 39 124 B2
Montmirey-la-Ville 39 124 B3
Montmoreau-St-Cybard 16 178 C1
Montmorency 95 57 E1
Montmorency-Beaufort 10 84 A1
Montmorillon 86 148 B1
Montmorin 63 168 C3
Montmorin 05 205 D4
Montmort 71 141 D3
Montmort 51 60 A1
Montmotier 88 87 D4
Montmoyen 21 104 B3
Montmuran 35 72 C2
Montmurat 15 199 D3
Montner 66 262 B1
Montoir-de-Bretagne 44 110 C1
Montoire-sur-Loir 41 97 F3
Montois-la-Montagne 57 40 A3
Montoison 26 204 A1

Montoldre 03 153 E2
Montolieu 11 253 E1
Montolivet 77 59 F2
Montoncel (Puy de) 63 169 D1
Montonvillers 80 17 E1
Montord 03 152 C2
Montory 64 247 E2
Montot 21 124 A3
Montot 70 105 F4
Montot-sur-Rognon 52 85 E2
Montouliers 34 254 C1
Montoulieu 34 217 F4
Montoulieu 09 252 A4
Montoulieu-St-Bernard 31 250 C2
Montournais 85 130 B2
Montours 35 73 F1
Montourtier 53 75 D3
Montoussé 65 250 A3
Montoussin 31 251 D1
Montoy-Flanville 57 40 B4
Montpaon 12 233 D1
Montpascal 73 190 B1
Montpellier 34 234 B3
Montpellier-de-Médillan 17 161 D3

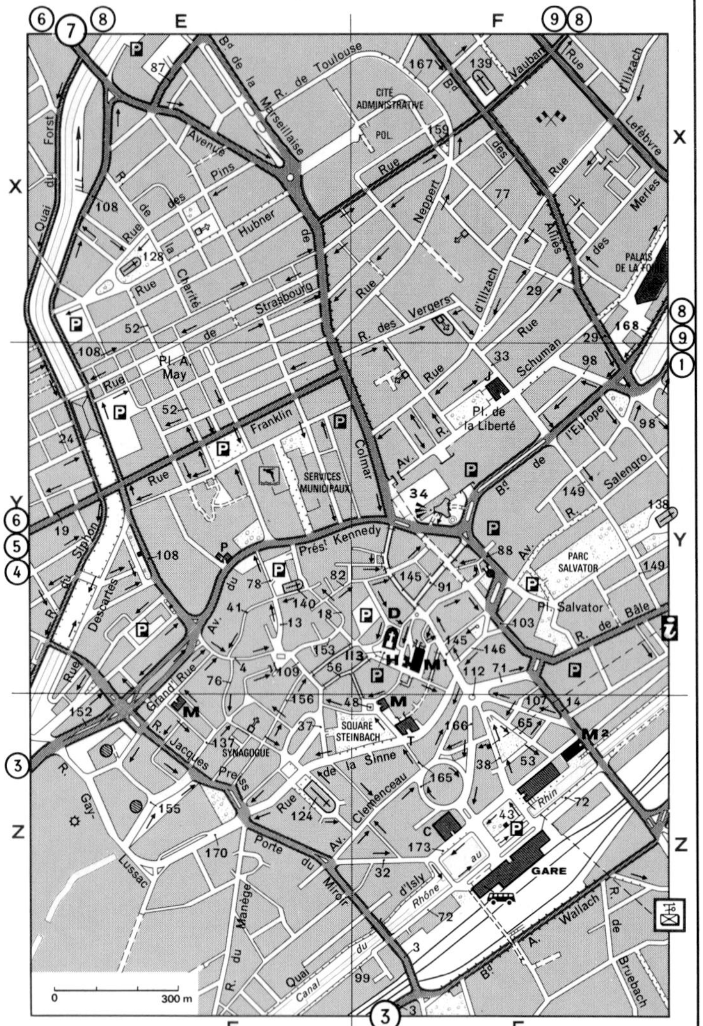

Mulhouse

Colmar (Av. de)............EXY
Prés.-Kennedy (Av. du)..............EFY
Sauvage (R. du)..............FY 145

Altkirch (Av. de Pt d')....FZ 3
Arsenal (R. de l')............EY 4
Bonbonnière (R.)...........EY 13
Bonnes-Gens (R. des).....FZ 14
Bons-Enfants (R. des)....EY 18
Briand (Av. Aristide)......EY 19
Cloche (Quai de la).........EY 24
Dreyfus (R. du Capit).....FX 29
Ehrmann (R. Jules).........FZ 32
Ensisheim (R. d')............FY 33
Europe (Pl. de l')............FY 34
Fleurs (R. des)...............EZ 37
Foch (Av. du Mar.).........FZ 38
Franciscains (R. des)......EY 41
Gaulle (Pl. Gén. de).........FZ 43
Guillaume-Tell (Pl.).........FZ 48
Heilmann (R. Josué).....EXY 52
Henner (R. J.-J.)..............FZ 53
Henriette (R.)..................EY 56
Joffre (Av. du Mar.).........FZ 65
Lattre-de-T. (Av. Mar. de)..............FY 71
Leclerc (Av. du Gén.)......FZ 72
Loi (R. de la)...................EY 76
Loisy (R. du Lt de)..........FX 77
Lorraine (R. de)...............EY 78
Maréchaux (R. des).........EY 82
Mertzau (R. de la)...........EX 87
Metz (R. de).....................FY 88
Moselle (R. de la)............FY 91
Norfeld (R. du).................FY 98
Oran (Quai d')..................FZ 99
Pasteur (R. Louis)...........FY 103
Poincaré (R.)...................FZ 107
Prés.-Roosevelt (Bd du)..............EXY 108
Raisin (R. du)..................EY 109
République (Pl. de la)....FY 112
Réunion (Pl. de la)..........FY 113
St-Étienne (Temple).......FY D
St-Étienne (†)..................EZ 124
St-Fridolin (†).................EX 128
Ste-Claire (R.)..................EZ 137
Ste-Geneviève (†)...........FY 138
Ste-Jeanne-d'Arc (†).....FX 139
Ste-Marie (†)...................EY 140
Somme (R. de la)............FY 146
Stalingrad (R. de)............FY 149
Stoessel (Bd Charles).....EZ 152
Tanneurs (R. des)............EY 153
Tour-du-Diable (R.).........EZ 155
Trois-Rois (R. des)...........EZ 156
Vauban (Pl.).....................FX 159
Wicky (Av. Auguste).......FZ 165
Wilson (R.).......................FZ 166
Wolf (R. de)......................FX 167
Wyler (Allée William).......FX 168
Zillisheim (R. de).............EZ 170
17-Novembre (R. du)......FZ 173

Montpellier-le-Vieux (Chaos de) 12 216 B3
Montpensier 63 152 C4
Montperreux 25 142 C1
Montpeyroux 12 200 B3
Montpeyroux 34 233 F2
Montpeyroux 63 168 B3
Montpeyroux 24 178 B4
Montpézat 32 229 D4
Montpezat 47 211 E1
Montpezat 04 238 B1
Montpezat 30 235 D1
Montpezat-de-Quercy 82 213 E2
Montpezat-sous-Bauzon 07 202 C2
Montpinchon 50 27 D4
Montpinçon 14 53 E1
Montpinier 81 231 E2
Montpitol 31 230 B2
Montplaisant 24 197 D2
Montplonne 55 62 C3
Montpollin 49 96 A4
Montpon-Ménestérol 24 178 C4
Montpont-en-Bresse 71 140 C4
Montpothier 10 59 F4
Montpouillan 47 195 E4
Montpoupon 37 116 C2
Montrabé 31 230 A2
Montrabot 50 27 F4
Montracol 01 156 A2
Montravers 79 130 B2
Montréal 89 103 D4
Montréal 11 253 D2
Montréal 07 202 C3
Montréal 32 210 C4
Montréal-la-Cluse 01 157 D2
Montréal-les-Sources 26 204 C4
Montrécourt 59 11 D3
Montredon 46 199 D3
Montredon-Labessonnié 81 231 F2
Montredon-des-Corbières 11 254 C2
Montregard 43 186 C3
Montréjeau 31 258 B1
Montrelais 44 113 D1
Montrem 24 179 E3
Montrésor 37 116 C3
Montret 71 140 B3
Montreuil 93 57 F2
Montreuil 28 55 F3
Montreuil 85 145 F1
Montreuil 62 8 B2
Montreuil-l'Argillé 27 54 B1
Montreuil-au-Houlme 61 52 C3
Montreuil-aux-Lions 02 59 D1
Montreuil-Bellay 49 114 B3
Montreuil-Bonnin 86 131 F4
Montreuil-la-Cambe 61 53 D2
Montreuil-le-Chétif 72 76 A3
Montreuil-des-Landes 35 74 A2
Montreuil-en-Auge 14 29 F3
Montreuil-en-Caux 76 15 F3
Montreuil-en-Touraine 37 116 B1
Montreuil-le-Gast 35 73 D2
Montreuil-le-Henri 72 97 D2
Montreuil-Juigné 49 95 D4
Montreuil-Poulay 53 75 D1
Montreuil-sous-Pérouse 35 74 A3
Montreuil-sur-Barse 10 83 E3
Montreuil-sur-Blaise 52 84 C1
Montreuil-sur-Brêche 60 33 E1
Montreuil-sur-Epte 95 32 C3
Montreuil-sur-Ille 35 73 D2
Montreuil-sur-Loir 49 95 E3
Montreuil-sur-Lozon 50 27 D3
Montreuil-sur-Maine 49 95 D3
Montreuil-sur-Thérain 60 33 E2
Montreuil-sur-Thonnance 52 85 D1
Montreuillon 58 121 E3
Montreux 54 65 F4
Montreux-Château 90 108 A3
Montreux-Jeune 68 108 B3
Montreux-Vieux 68 108 B3
Montrevault 49 112 C2
Montrevel 38 172 C4
Montrevel 39 156 C1
Montrevel-en-Bresse 01 156 A1
Montrichard 41 116 C2
Montricher-Albanne 73 190 B2
Montricoux 82 213 E3
Montrieux-en-Sologne 41 99 D4
Montrigaud 26 188 B2
Montriond 74 159 D2
Montriond (Lac de) 74 159 D2
Montrodat 48 201 D3
Montrol-Sénard 87 148 C4
Montrollet 16 148 C4
Montromant 69 171 D2
Montrond 39 141 F2
Montrond 05 205 E4
Montrond 73 190 B2
Montrond-les-Bains 42 170 B3
Montrond-le-Château 25 125 E3
Montrosier 81 214 A3
Montrottier 69 170 C2
Montrottier 74 173 F1
Montroty 76 32 C2
Montrouge 92 57 E2
Montrouveau 41 97 E3
Montroy 17 145 E3
Montrozier 12 215 F1
Montry 77 58 B2
Monts 60 33 D3
Monts 37 115 F2
Monts-en-Bessin 14 28 C4
Monts-en-Ternois 62 9 E3
Monts-sur-Guesnes 86 132 A1
Montsalès 12 198 C4
Montsalier 04 221 D3
Montsalvy 15 199 F2
Montsaon 52 84 C4
Montsapey 73 174 B3
Montsauche 58 121 F3
Montsaugeon 52 105 D3
Montsaunès 31 251 D2
Montsec 55 63 E1
Montsec (Butte de) 55 63 E1
Montsecret 61 52 A2
Montségur 09 252 C4
Montségur-sur-Lauzon 26 219 E1
Montselgues 07 202 B4
Montséret 11 254 B3
Montsérié 65 250 A3
Montseron 09 259 F2
Montseugny 70 124 B1
Montseveroux 38 171 F4
Montsoreau 49 114 C3
Montsoué 40 226 B2
Montsoult 95 33 E4
Montsûrs 53 75 D3
Montsurvent 50 26 C4
Montsuzain 10 83 D1
Montureux-lès-Baulay 70 106 B2
Montureux-et-Prantigny 70 105 F4
Montursin 25 127 D1
Montusclat 43 186 B4
Montussaint 25 125 F1
Montussan 33 194 B1
Montvalen 81 230 B1
Montvalent 46 198 A1
Montvalezan 73 175 E3
Montvendre 26 204 A1
Montverdun 42 170 A2
Montvernier 73 190 B1
Montvert 15 182 B4
Montvicq 03 152 A2
Montviette 14 53 E1
Montville 76 15 E4
Montviron 50 50 C2
Montzéville 55 38 B3
Monviel 47 196 A3
Monze 11 253 F2
Moon-sur-Elle 50 27 E3
Moosch 68 108 B1
Mooslargue 68 108 C4
Moraches 58 121 D2
Moragne 17 145 F4
Morains 51 60 B2
Morainville 28 79 D2
Morainville-Jouveaux 27 30 C3
Morainville-sur-Damville 27 55 E2
Morainvilliers 78 56 C1
Morancé 69 171 D1
Morancez 28 78 C2
Morancourt 52 84 C1
Morand 37 97 F4
Morangis 51 60 B1
Morangis 91 57 E3
Morangles 60 33 F3
Morannes 49 95 E2
Moranville 55 39 D3
Moras 38 172 B2
Moras-en-Valloire 26 187 F2
Morbecque 59 4 B4
Morbier 39 142 A4
Morbihan (Golfe du) 56 91 E3
Morcenx 40 208 C3
Morchain 80 18 B3
Morchamps 25 125 F1
Morchies 62 10 B4
Morclan (Pic de) 74 159 E1
Morcourt 02 19 D2
Morcourt 80 18 A2
Mordelles 35 72 C3
Moréac 56 71 D4
Morée 41 98 B1
Moreilles 85 145 D1
Morello (Col de) 2B 267 D2
Morelmaison 88 86 B2
Morembert 10 81 E1
Morestel 38 172 C2
Moret-sur-Loing 77 80 C2
Morêtel-de-Mailles 38 189 F1
Morette 38 188 C2
Moreuil 80 17 F3
Morey 70 106 A3
Morey 71 139 F2
Morey-St-Denis 21 123 E3
Morez 39 142 A4
Morfontaine 54 39 E1
Morganx 40 226 B2
Morgat 29 68 B1
Morgemoulin 55 39 D3
Morgins (Pas de) 74 159 E2
Morgny 27 32 B2
Morgny-en-Thiérache 02 20 B3
Morgny-la-Pommeraye 76 32 A1
Morhange 57 65 D1
Moriani-Plage 2B 265 F4
Morienne 76 16 C3
Morienval 60 34 C3
Morières-lès-Avignon 84 219 F4
Moriers 28 78 B3
Morieux 22 48 B3
Moriez 04 222 C3
Morigny 50 51 E2
Morigny-Champigny 91 79 F1
Morillon 74 159 D3
Moringhem 62 3 E3
Morionvilliers 52 85 E2
Morisel 80 17 F3
Moriville 88 87 E2
Moriviller 54 65 D4
Morizécourt 88 86 B4
Morizès 33 195 D3
Morlaàs 64 248 C1
Morlac 18 135 F3
Morlaincourt 55 63 D3
Morlaix 29 46 A3
Morlancourt 80 18 A2
Morlanne 64 226 B3
Morlet 71 139 E1
Morley 55 62 C4
Morlhon-le-Haut 12 214 B1
Morlincourt 60 18 C4
Mormaison 85 129 D1
Mormal (Forêt de) 59 12 A3
Mormant 77 58 C4
Mormant-sur-Vernisson 45 100 C1
Mormès 32 227 D1
Mormoiron 84 220 B3
Mornac 16 162 C3
Mornac-sur-Seudre 17 160 B2
Mornand 42 170 B3
Mornans 26 204 B3
Mornant 69 171 D3
Mornas 84 219 E2
Mornay 71 139 E4
Mornay 21 105 E4
Mornay-Berry 18 119 F4
Mornay-sur-Allier 18 137 D2
Moroges 71 139 F2
Morogues 18 119 E3
Morosaglia 2b 265 E4
Morre 25 125 E2
Morsain 02 35 D1
Morsains 51 59 F2
Morsalines 50 25 E2
Morsan 27 30 C3
Morsang-sur-Orge 91 57 E4
Morsang-sur-Seine 91 58 A4
Morsbach 57 41 E3
Morsbronn-les-Bains 67 67 D1
Morschwiller 67 67 D1
Morschwiller-le-Bas 68 108 C2
Morsiglia 2b 264 B1
Le Mort-Homme 55 38 B3
Mortagne 88 88 A2
Mortagne-au-Perche 61 54 B4
Mortagne-du-Nord 59 11 D1
Mortagne-sur-Gironde 17 160 C4
Mortagne-sur-Sèvre 85 113 D4
Mortain 50 51 E3
Mortcerf 77 58 C3
La Morte 38 189 E3
Morteau 25 126 B3
Morteaux-Coulibœuf 14 53 D1
Mortefontaine 02 35 D2
Mortefontaine 60 34 A4
Mortefontaine-en-Thelle 60 33 E3
Mortemart 87 148 C4
Mortemer 76 16 B3
Mortemer 60 18 A4
Morterolles-sur-Semme 87 149 E3
Mortery 77 59 E4
Morthomiers 18 118 C4
Mortiercrolles 53 94 C2
Mortiers 17 177 F1
Mortiers 02 19 F3
Morton 86 114 C3
Mortrée 61 53 E4
Mortroux 23 150 B1
Mortzwiller 68 108 A2
Morval 62 18 B1
Morval 39 156 C1
Morvan (Parc Régional du) 58 121 F2
Morvillars 90 108 A3
Morville 50 25 D3
Morville 88 86 B2
Morville-en-Beauce 45 79 F3
Morville-sur-Andelle 76 32 A1
Morville-sur-Nied 57 64 C1
Morville-sur-Seille 54 64 B1
Morvillers 60 16 C4
Morvillers-St-Saturnin 80 16 C3
Morvilliers 28 55 D4
Morvilliers 10 84 A2
Morville-lès-Vic 57 65 D2
Mory 62 10 A4
Mory-Montcrux 60 17 F4
Morzine 74 159 D2
Moselle 54,57,70,88 87 B2
Mosles 14 28 B2
Moslins 51 60 B1
Mosnac 17 161 E4
Mosnac 16 162 B3
Mosnay 36 134 B3
Mosnes 37 116 C1
Mosset 66 261 F2
Mosson 21 104 A1
Mostuéjouls 12 216 B2
Motey-Besuche 70 124 C2
Motey-sur-Saône 70 106 A4
La Mothe-Achard 85 128 C3
La Mothe-St-Héray 79 147 D1
Mothern 67 43 F4
Motreff 29 70 A2
La Motte 83 239 E3
La Motte 22 71 E2
La Motte 04 221 F1
La Motte-Chalencon 26 204 C4
La Motte-d'Aigues 84 237 E1
La Motte-d'Aveillans 38 189 E4
La Motte-de-Galaure 26 187 F2
La Motte-en-Bauges 73 174 A2
La Motte-en-Champsaur 05 206 A2
La Motte-Fanjas 26 188 B3
La Motte-Feuilly 36 135 E4
La Motte-Fouquet 61 52 C4
La Motte-St-Jean 71 138 C4
La Motte-St-Martin 38 189 E4
La Motte-Servolex 73 173 E3
La Motte-Ternant 21 122 B2
La Motte-Tilly 10 82 A1
Mottereau 28 78 A3
Motteville 76 15 D4
Mottier 38 172 B4
Motz 73 157 E4
Mouacourt 54 65 E3
Mouais 44 93 E3
Mouans-Sartoux 06 240 A2
Mouaville 54 39 E3
Mouazé 35 73 E2
Mouchamps 85 129 F2
Mouchan 32 211 D4
Mouchard 39 125 D4
La Mouche 50 50 C2
Le Moucherotte 38 189 D2
Mouchès 32 228 A3
Mouchin 59 11 D1
Mouchy-le-Châtel 60 33 E2
Moudeyres 43 186 A4
Mouen 14 28 C3
Mouettes 27 55 F2
Mouffy 89 102 A3
Mouflaines 27 32 B3
Mouflers 80 17 D1
Mouflières 80 16 C2
Mougins 06 240 A2
Mougon 79 146 C2
Mouguerre 64 224 C3
Mouhers 36 134 C4
Mouhet 36 149 E1
Mouhous 64 226 C3
Mouillac 82 213 F2
Mouillac 33 177 E4
La Mouille 39 142 A4
Mouilleron 52 104 C3
Mouilleron-le-Captif 85 129 D2
Mouilleron-en-Pareds 85 130 A3
Mouilly 55 39 D4
Moulainville 55 39 D3
Moularès 81 214 C3
Moulay 53 75 D2
Moulayrès 81 231 D2
Moulédous 65 249 F2
Moulès-et-Baucels 34 217 E4
Mouleydier 24 196 B1
Moulézan 30 218 B4
Moulhard 28 77 F3
Moulicent 61 54 C4
Moulidars 16 162 B3
Mouliets-et-Villemartin 33 195 D1
Mouliherne 49 114 C1
Moulin-Mage 81 232 B2
Moulin-Neuf 09 252 C3
Moulin-Neuf 24 178 B4
Moulin-sous-Touvent 60 34 C1
Moulineaux 76 31 E2
Moulines 14 52 C1
Moulines 50 51 E4
Moulinet 47 196 A3
Moulinet 06 241 F2
Le Moulinet-sur-Solin 45 100 C2
Moulins 35 73 E4
Moulins 79 113 E4
Moulins 03 137 E4
Moulins 02 36 A2
Moulins-le-Carbonnel 72 76 A2
Moulins-en-Tonnerrois 89 103 D3
Moulins-Engilbert 58 121 E4
Moulins-la-Marche 61 54 B3
Moulins-lès-Metz 57 40 B4
Moulins-St-Hubert 55 22 A4
Moulins-sur-Céphons 36 117 E4
Moulins-sur-Orne 61 53 D3
Moulins-sur-Ouanne 89 101 F3
Moulins-sur-Yèvre 18 119 D4
Moulis 09 259 E3
Moulis-en-Médoc 33 176 C3
Moulismes 86 148 C2
Moulle 62 3 E3
Moulon 45 100 B1
Moulon 33 194 C1
Moulotte 55 39 E4
Moult 14 29 E4
Moumoulous 65 249 E1
Moumour 64 247 F2
Mounes-Prohencoux 12 232 B1
Mounine (Saut de la) 12,46 198 C4
Mourède 32 227 F1
Mourens 33 194 C2
Mourenx 64 226 A4
Mouret 12 199 F4
Moureuille 63 152 B3
Mourèze 34 233 E3
Mourèze (Cirque de) 34 233 E3
Mouriès 13 236 B2
Mouriez 62 8 C2
Mourioux 23 150 A4
Mourjou 15 199 E2
Mourmelon-le-Grand 51 37 D4
Mourmelon-le-Petit 51 37 D4
Mournans-Charbonny 39 142 A2
Mouron 08 37 F2
Mouron-sur-Yonne 58 121 E3
Mouroux 77 58 C2
Mourre Nègre 84 237 E1
Mours 95 33 E4
Mours-St-Eusèbe 26 188 A3
Mourvilles-Basses 31 230 B4
Mourvilles-Hautes 31 230 C4
Mouscardès 40 225 E3
Moussac 30 218 B4
Moussac 86 148 B2
Moussages 15 183 D2
Moussan 11 254 C3
Moussé 35 94 A1
Mousseaux-lès-Bray 77 81 E2
Mousseaux-Neuville 27 55 F2
Mousseaux-sur-Seine 78 56 B1
Moussey 57 65 E3
Moussey 10 83 D3
Moussey 88 88 B1
Les Moussières 39 157 E1
Mousson 54 64 B1
Mousson (Butte de) 54 64 B1
Moussonvilliers 61 54 C4
Moussoulens 11 253 E1
Moussy 58 102 C3
Moussy 51 60 B1
Moussy 95 33 D4
Moussy-le-Neuf 77 34 A4
Moussy-Verneuil 02 35 F2
Moussy-le-Vieux 77 58 A1
Moustajon 31 258 B4
Moustéru 22 47 D3
Moustey 40 209 D1
Moustier 47 195 F3
Moustier-en-Fagne 59 12 C4
Moustier-Ventadour 19 182 B1
Moustiers-Ste-Marie 04 222 B4
Le Moustoir 22 70 A2
Moustoir-Ac 56 91 E1
Moustoir-Remungol 56 71 D4
La Moutade 63 152 C4
Moutaine 39 142 A1
Moutardon 16 147 F4
Le Moutaret 38 173 F4
Mouterhouse 57 42 C4
Mouterre-Silly 86 114 C4
Mouterre-sur-Blourde 86 148 B3
Mouthe 25 142 B2
Le Moutherot 25 124 C2
Mouthier-en-Bresse 71 141 D1
Mouthier-Haute-Pierre 25 125 F4
Mouthiers-sur-Boëme 16 162 C3
Mouthoumet 11 254 A4
Moutier-d'Ahun 23 150 C3
Moutier-Malcard 23 150 B1
Moutier-Rozeille 23 166 B1
Les Moutiers 44 111 D3
Moutiers 54 39 F3
Moutiers 28 79 D2
Moûtiers 73 174 C4
Moutiers 35 94 A1
Moutiers 89 101 E4
Moutiers-au-Perche 61 77 E1
Les Moutiers-en-Auge 14 53 D2
Les Moutiers-en-Cinglais 14 29 D4
Les Moutiers-Hubert 14 53 F1

Moutiers-les-Mauxfaits 85 — 129 D4
Moutiers-St-Jean 21 — 103 E4
Moutiers-sous-Argenton 79 — 131 D1
Moutiers-sous-Chantemerle 79 — 130 B3
Moutiers-sur-le-Lay 85 — 129 F3
Moutils 77 — 59 E3
Mouton 16 — 162 C1
Mouton-Rothschild 33 — 176 C2
Moutonne 39 — 141 E4
Moutonneau 16 — 162 C1
Moutoux 39 — 142 A2
Moutrot 54 — 64 A4
Mouvaux 59 — 5 D4
Moux 58 — 122 A3
Moux 11 — 254 C1
Mouxy 73 — 173 E2
Mouy 60 — 33 F2
Mouy-sur-Seine 77 — 81 E1
Mouzay 37 — 116 B4
Mouzay 55 — 38 B1
Mouzeil 44 — 112 B1
Mouzens 81 — 230 C3
Mouzens 24 — 197 D1
Mouzeuil-St-Martin 85 — 129 F4
Mouzieys-Panens 81 — 214 A3
Mouzieys-Teulet 81 — 231 E1
Mouzillon 44 — 112 B3
Mouzon 16 — 163 E2
Mouzon 08 — 22 A4
Moval 90 — 108 A3
Moyaux 14 — 30 B3
Moydans 05 — 205 D4
Moye 74 — 173 E1
Moyemont 88 — 87 E2
Moyen 54 — 65 D4
Moyencourt 80 — 18 C3
Moyencourt-lès-Poix 80 — 17 D3
Moyenmoutier 88 — 88 B1
Moyenneville 62 — 10 A4
Moyenneville 80 — 16 C1
Moyenneville 60 — 34 A1
Moyenvic 57 — 65 D2
Moyeuvre-Grande 57 — 40 A3
Moyeuvre-Petite 57 — 40 A2
Moyon 50 — 51 D1
Moyrazès 12 — 215 D1
Moyvillers 60 — 34 B2
Mozac 63 — 168 B1
Mozé-sur-Louet 49 — 113 F1
Muchedent 76 — 16 B3
Mudaison 34 — 234 C2
Muel 35 — 72 B3
Muespach 68 — 108 C3
Muespach-le-Haut 68 — 108 C3
Mugron 40 — 226 A1
Muhlbach-sur-Bruche 67 — 66 B4
Muhlbach-sur-Munster 68 — 88 C4
Muides-sur-Loire 41 — 98 C3
Muidorge 60 — 33 E1
Muids 27 — 32 A3
Muille-Villette 80 — 18 C3
Muirancourt 60 — 18 C4
Muizon 51 — 36 B3
Les Mujouls 06 — 223 E4
La Mulatière 69 — 171 E2
Mulcent 78 — 56 B2
Mulcey 57 — 65 E2
Mulhausen 67 — 66 C1
Mulhouse 68 — 108 C2
Mulsanne 72 — 96 B1
Mulsans 41 — 98 B3
Mun 65 — 249 F1
Munchhausen 67 — 43 F4
Munchhouse 68 — 108 C1
Muncq-Nieurlet 62 — 3 E2
Mundolsheim 67 — 67 D3
Muneville-le-Bingard 50 — 26 C3
Muneville-sur-Mer 50 — 50 B1
Le Mung 17 — 181 D1
Munster 68 — 88 C4
Munster 57 — 65 F1
Muntzenheim 68 — 89 E3
Munwiller 68 — 108 C1
Mur-de-Barrez 12 — 200 A1
Mur-de-Bretagne 22 — 71 D2
Mur-de-Sologne 41 — 117 E1
Muracciole 2b — 267 D2
Murasson 12 — 232 B2
Murat 03 — 152 B1
Murat 15 — 183 F3

Murat-le-Quaire 63 — 167 E3
Murat-sur-Vèbre 81 — 232 C2
Murato 2b — 265 E3
La Muraz 74 — 158 B3
Murbach 68 — 108 B1
La Mure 38 — 189 E4
La Mure-Argens 04 — 222 C3
Mureaumont 60 — 16 C4
Les Mureaux 78 — 56 C1
Mureils 26 — 187 F2
Murel (Cascades de) 19 — 181 F3
Mûres 74 — 141 F1
Muret 31 — 229 F4
Muret-le-Château 12 — 199 F4
Muret-et-Crouttes 02 — 35 E3
La Murette 38 — 189 D1
Murianette 38 — 189 E2
Murinais 38 — 188 C2
Murles 34 — 234 B2
Murlin 58 — 120 B3
Muro 2b — 264 C3
Murol 63 — 167 F3
Murols 12 — 199 F2
Muron 17 — 145 F4
Murs 84 — 220 B4
Murs 36 — 133 F1
Mûrs-Erigné 49 — 113 F1
Murs-et-Gélignieux 01 — 173 D3
Murtin-et-Bogny 08 — 21 D2
Murvaux 55 — 38 B2
Murviel-lès-Béziers 34 — 233 D4
Murviel-lès-Montpellier 34 — 234 A3
Murville 54 — 39 E2
Murzo 2a — 266 B2
Mus 30 — 235 D2
Muscourt 02 — 36 A2
Musculdy 64 — 247 E2
Musièges 74 — 157 F4
Musigny 21 — 122 C3
Musseau 52 — 104 C3
Mussey-sur-Marne 52 — 85 D2
Mussidan 24 — 179 D4
Mussig 67 — 89 E2
Mussy-la-Fosse 21 — 103 F4
Mussy-sous-Dun 71 — 154 C2
Mussy-sur-Seine 10 — 103 F1
Mutigny 51 — 124 B2
Mutigny 51 — 36 B4
Mutrécy 14 — 29 D4
Muttersholtz 67 — 89 E2
Mutzenhouse 67 — 67 D2
Mutzig 67 — 67 D3
Le Muy 83 — 286 E4
Muzeray 55 — 39 D2
Muzillac 56 — 92 A3
Muzy 27 — 55 F3
Myans 73 — 173 F3
Myennes 58 — 120 A1
Myon 25 — 125 D4

N

Nabas 64 — 247 E3
Nabinaud 16 — 178 C2
Nabirat 24 — 197 E2
Nabringhen 62 — 3 D3
Nachamps 17 — 146 A4
Nadaillac 24 — 180 C4
Nadaillac-de-Rouge 46 — 197 F1
Nades 03 — 152 B3
Nadillac 46 — 198 A3
Naftel 50 — 51 D3
Nagel-Séez-Mesnil 27 — 55 D2
Nages 81 — 232 B2
Nages-et-Solorgues 30 — 235 D1
Nahuja 66 — 261 D4
Nailhac 24 — 180 B2
Naillat 23 — 150 A2
Nailloux 31 — 252 B1
Nailly 89 — 81 E3
Naintré 86 — 132 B2
Nainville-les-Roches 91 — 80 B1
Naisey 25 — 125 F2
Naives 55 — 62 C2
Naives-en-Blois 55 — 63 D3
Naix-aux-Forges 55 — 63 D3
Naizin 56 — 71 D4
Najac 12 — 214 B2
Nalliers 85 — 129 F4
Nalliers 86 — 133 D3
Nalzen 09 — 252 B4
Nambsheim 68 — 89 E4
Nampcel 60 — 35 D1
Nampcelles-la-Cour 02 — 20 B3
Nampont-St-Martin 80 — 8 B2
Namps-au-Mont 80 — 17 D2
Namps-au-Mont 80 — 17 D3
Namps-au-Val 80 — 17 D3
Nampteuil-sous-Muret 02 — 35 E2

Nampty 80 — 17 E3
Nan-Sous-Thil 21 — 122 B2
Nanc-lès-St-Amour 39 — 156 C1
Nançay 18 — 134 B3
Nance 39 — 141 D2
Nances 73 — 173 E3
Nanclars 16 — 183 E4
Nançois-le-Grand 55 — 63 D3
Nançois-sur-Ornain 55 — 62 C3
Nancras 17 — 160 C2
Nancray 25 — 125 E2
Nancray-sur-Rimarde 45 — 80 A4
Nancuise 39 — 141 E4
Nancy 54 — 64 B3
Nancy-sur-Cluses 74 — 158 C3
Nandax 42 — 158 A4
Nandy 77 — 58 A4
Nangeville 45 — 80 A2
Nangis 77 — 58 C4
Nangy 74 — 158 B2
Nannay 58 — 120 B2
Les Nans 39 — 142 A2
Nans 25 — 107 D4
Nans-les-Pins 83 — 238 A4
Nans-sous-Ste-Anne 25 — 142 A1
Nant 12 — 216 C3
Nant-le-Grand 55 — 62 C3
Nant-le-Petit 55 — 62 C3
Nanteau-sur-Essonne 91 — 80 A2
Nanteau-sur-Lunain 77 — 80 C3
Nanterre 92 — 57 E2
Nantes 44 — 111 F2
Nantes-en-Ratier 38 — 189 E4
Nanteuil 79 — 146 C1
Nanteuil-Auriac-de-Bourzac 24 — 178 C1
Nanteuil-en-Vallée 16 — 147 F4
Nanteuil-la-Forêt 51 — 36 B4
Nanteuil-la-Fosse 02 — 35 E1
Nanteuil-le-Haudouin 60 — 34 B4
Nanteuil-lès-Meaux 77 — 58 C1
Nanteuil-Notre-Dame 02 — 35 E3
Nanteuil-sur-Aisne 08 — 36 C1
Nanteuil-sur-Marne 77 — 59 D1
Nantey 39 — 156 C1
Nanteuil 87 — 180 A1
Nanthiat 24 — 180 A1
Nantiat 87 — 149 D4
Nantillé 17 — 161 E1
Nantillois 55 — 38 B2
Nantilly 70 — 124 B1
Nantoin 38 — 172 B4
Nantois 55 — 62 C3
Nanton 71 — 140 A3
Nantouillet 77 — 58 B1
Nantoux 21 — 123 D4
Nantua 01 — 157 D3
Naours 80 — 17 E1
Napoléon (Route) 04,05,06,38 — 222 C4
La Napoule-Plage 06 — 240 A3
Narbéfontaine 57 — 41 D3
Narbief 25 — 126 C3
Narbonne 11 — 254 C2
Narcastet 64 — 248 B1
Narcy 52 — 62 B4
Narcy 58 — 120 A1
Nargis 45 — 80 C4
Narnhac 15 — 200 A1
Narp 64 — 225 F4
Narrosse 40 — 225 E2
Nasbinals 48 — 200 C3
Nassandres 27 — 31 D4
Nassiet 40 — 220 C4
Nassigny 03 — 136 A4
Nastringues 24 — 195 E1
Nattages 01 — 173 D2
Natzwiller 67 — 88 C1
Naucelle 12 — 215 D2
Naucelles 15 — 183 D4
Naujac-sur-Mer 33 — 176 B2
Naujan-et-Postiac 33 — 194 C1
Nauroy 02 — 19 D1
Naussac 12 — 199 D4
Naussac 48 — 202 A2
Naussannes 24 — 196 B2
Nauvay 72 — 76 C3
Nauviale 12 — 199 F4
Navacelles (Cirque de) 30 — 233 F1
Navacelles 30 — 218 B2
Navailles-Angos 64 — 226 C4
Navarin (Mon. de la Ferme) 51 — 37 E3
Navarrenx 64 — 247 F1
Naveil 41 — 97 F2
Navenne 70 — 106 C3
Naves 07 — 218 A1
Naves 19 — 181 E2
Naves 03 — 152 C3
Navès 81 — 231 E3
Naves 73 — 174 C3
Naves 59 — 11 D3

Nâves-Parmelan 74 — 158 B4
Navilly 71 — 140 B1
Nay 50 — 27 D3
Nay-Bourdettes 64 — 248 C1
Nayemont-les-Fosses 88 — 88 B2
Le Nayrac 12 — 200 A3
Nazelles-Négron 37 — 116 B1
Né (Mont) 65 — 250 A4
Néac 33 — 178 A4
Néant-sur-Yvel 56 — 72 A4
Neau 53 — 75 D3
Neaufles-Auvergny 27 — 54 C2
Neaufles-St-Martin 27 — 32 C3
Neauphe-le-Château 78 — 56 C2
Neauphe-sous-Essai 61 — 53 E4
Neauphe-sur-Dive 61 — 53 E4
Neauphlette 78 — 56 A2
Neauphle-le-Vieux 78 — 56 C2
Neaux 42 — 154 B4
Nébian 34 — 233 F3
Nébias 11 — 253 D4
Nébing 57 — 65 E1
Nébouzat 63 — 167 E2
Nécy 61 — 53 D2
Nedde 87 — 165 F2
Nédon 62 — 9 E1
Nédonchel 62 — 9 E1
Neewiller-près-Lauterbourg 67 — 43 F4
Neffes 05 — 249 F3
Neffiès 34 — 233 E3
Néfiach 66 — 262 B2
Négrepelisse 82 — 213 E3
Négreville 50 — 24 C3
Négrondes 24 — 180 A1
Néhou 50 — 24 C3
Nelling 57 — 65 F1
Nemours 77 — 80 A3
Nempont-St-Firmin 62 — 8 B2
Nénigan 31 — 250 B1
Nenon 39 — 124 C3
Néons-sur-Creuse 36 — 133 D2
Néoules 83 — 244 B1
Néouvielle (Massif de) 65 — 257 E3
Néoux 23 — 166 C1
Nepvant 55 — 22 B4
Nérac 47 — 211 D3
Nerbis 40 — 226 A1
Nercillac 16 — 161 F2
Néré 17 — 146 C4
Néret 36 — 135 E4
Nérigean 33 — 194 C1
Nérignac 86 — 148 B2
Néris-les-Bains 03 — 151 F2
Nernier 74 — 158 B1
Néron 28 — 56 A4
Néronde 42 — 170 B1
Néronde-sur-Dore 63 — 169 D2
Nérondes 18 — 136 B1
Nerpol-et-Serres 38 — 188 C2
Ners 30 — 218 B3
Nersac 16 — 162 B3
Nervieux 42 — 170 B2
Nerville-la-Forêt 95 — 33 F4
Néry 60 — 34 B3
Neschers 63 — 168 B3
Nescus 09 — 251 F3
Nesle 80 — 18 B3
Nesle-et-Massoult 21 — 103 F2
Nesle-Hodeng 76 — 16 B3
Nesle l'Hôpital 76 — 16 B2
Nesle-Normandeuse 76 — 16 B2
Nesles 62 — 2 C4
Nesles 77 — 58 C3
Neslette 80 — 16 B2
Nesles-la-Montagne 02 — 59 E1
Nesmy 85 — 129 F3
Nesploy 45 — 100 A1
Nespouls 19 — 181 D4
Nesque (Gorges de la) 84 — 220 B3
Nessa 2b — 264 C3
Nestier 65 — 250 A3
Nesles-la-Vallée 95 — 33 E4
Nettancourt 55 — 62 A2
Neublans 39 — 140 C1
Neubois 67 — 89 D2
Le Neubourg 27 — 31 E4
Neuchâtel-Urtière 25 — 126 C1
Neuf-Berquin 59 — 4 C4
Neuf-Brisach 68 — 89 E4

Neuf-Église 63 — 152 B3
Neuf-Marché 76 — 32 C2
Neuf-Mesnil 59 — 12 B3
Neufbosc 76 — 16 A4
Le Neufbourg 50 — 51 E3
Neufchâteau 88 — 86 A2
Neufchâtel-en-Bray 76 — 16 A3
Neufchâtel-en-Saosnois 72 — 76 B2
Neufchâtel-Hardelot 62 — 2 C4
Neufchâtel-sur-Aisne 02 — 36 B2
Neufchef 57 — 40 A2
Neufchelles 60 — 34 C4
Neuffons 33 — 195 D1
Neuffontaines 58 — 121 E2
Neufgrange 57 — 42 A4
Neuflieux 02 — 19 D4
Neuflize 08 — 37 D2
Neufmaison 08 — 21 D3
Neufmaisons 54 — 65 F4
Neufmanil 08 — 21 E2
Neufmesnil 50 — 26 C2
Neufmoulin 80 — 8 C4
Neufmoulins 57 — 65 F3
Neufmoutiers-en-Brie 77 — 58 B3
Le Neufour 55 — 38 A4
Neufvillage 57 — 65 E1
Neufvy-sur-Aronde 60 — 34 A1
Neugartheim-Ittlenheim 67 — 66 C3
Neuhaeusel 67 — 67 F1
Neuil 37 — 115 E3
Neuilh 65 — 257 E2
Neuillac 17 — 161 E1
Neuillay-les-Bois 36 — 134 B2
Neuillé 49 — 114 C2
Neuillé-Pont-Pierre 37 — 97 D4
Neuilly-le-Lierre 37 — 97 F4
Neuilly 58 — 121 D3
Neuilly 27 — 55 F1
Neuilly 89 — 102 A1
Neuilly-le-Bisson 61 — 76 B1
Neuilly-le-Brignon 37 — 133 D1
Neuilly-le-Dien 80 — 8 C3
Neuilly-lès-Dijon 21 — 123 F2
Neuilly-en-Sancerre 18 — 119 E2
Neuilly-en-Thelle 60 — 33 F3
Neuilly-en-Vexin 95 — 33 E3
Neuilly-l'Évêque 52 — 105 E1
Neuilly-l'Hôpital 80 — 8 C4
Neuilly-la-Forêt 14 — 27 E2
Neuilly-le-Malherbe 14 — 28 C4
Neuilly-Plaisance 93 — 57 F2
Neuilly-le-Réal 03 — 153 D1
Neuilly-St-Front 02 — 35 D3
Neuilly-sous-Clermont 60 — 33 F2
Neuilly-sur-Eure 61 — 55 D4
Neuilly-sur-Marne 93 — 58 A2
Neuilly-sur-Seine 92 — 57 E2
Neuilly-sur-Suize 52 — 85 D4
Neuilly-le-Vendin 53 — 75 E1
Neulette 62 — 9 D2
Neulise 42 — 170 A1
Neulles 17 — 161 E4
Neulliac 56 — 71 D3
Neung-sur-Beuvron 41 — 99 D4
Neunkirchen-lès-Bouzonville 57 — 41 D2
Neure 03 — 136 C2
Neurey-lès-la-Demie 70 — 106 C4
Neurey-en-Vaux 70 — 106 C2
Neuve-Chapelle 62 — 10 A1
Neuve-Église 67 — 89 D1

Neuve-Maison 02 — 20 B1
Neuvecelle 74 — 159 D1
Neuvéglise 15 — 200 B1
Neuvic-Entier 87 — 165 E2
Neuvic 19 — 182 C1
Neuvic 24 — 179 D3
Neuvicq 17 — 178 A2
Neuvicq-le-Château 17 — 162 A2
Neuvillalais 72 — 76 A3
Neuville 59 — 11 D4
Neuville 63 — 168 C1
Neuville 19 — 181 E3
Neuville 37 — 97 F3
La Neuve-Grange 27 — 32 B2
La Neuve-Lyre 27 — 54 C2
La Neuve-Maire 08 — 21 F4

Neuville-au-Bois 80 — 16 C1
Neuville-au-Cornet 62 — 9 E2
Neuville-au-Plain 50 — 25 D3
Neuville-aux-Bois 51 — 62 A1
Neuville-aux-Bois 45 — 79 E4
Neuville-Bosc 60 — 33 E3
Neuville-Bourjonval 62 — 19 E1
La Neuville-Chant-d'Oisel 76 — 31 F2
Neuville-Coppegueule 80 — 16 C2
La Neuville-d'Aumont 60 — 33 E2
Neuville-Day 08 — 37 E1
Neuville-de-Poitou 86 — 148 A3
La Neuville-du-Bosc 27 — 31 D3
Neuville-en-Avesnois 59 — 11 D4
Neuville-en-Beaumont 50 — 24 C4
Neuville-en-Ferrain 59 — 5 D3
La Neuville-en-Hez 60 — 33 F2
Neuville-en-Tourne-à-Fuy 08 — 37 D2
Neuville-en-Verdunois 55 — 62 C2

Neuville-Ferrières 76 — 16 A3
La Neuville-Garnier 60 — 33 D2
La Neuville-Housset 02 — 19 F3
La Neuville-au-Pont 51 — 37 F4
La Neuvelle-lès-Champlitte 70 — 105 F4
La Neuvelle-lès-Cromary 70 — 125 D1
La Neuville-lès-Grancey 21 — 104 C3
La Neuville-lès-la-Charité 70 — 106 B4
La Neuvelle-lès-Lure 70 — 107 E2
La Neuvelle-lès-Scey 70 — 106 B3
La Neuvelle-lès-Voisey 52 — 106 A1
Neuville-lès-Dames 01 — 156 A3
Neuville-lès-Decize 58 — 154 C4
Neuville-lès-Dieppe 76 — 16 A2
Neuville-lès-Dorengt 02 — 19 F2
Neuville-lès-Lœuilly 80 — 17 E3
Neuville-lès-This 08 — 21 E3
Neuville-lès-Vaucouleurs 55 — 63 E4
Neuville-lès-Wasigny 08 — 20 C4
Neuville-près-Sées 61 — 53 E3
Neuville-St-Amand 02 — 19 D2
La Neuville-St-Pierre 60 — 33 E1
Neuville-St-Rémy 59 — 10 C4
Neuville-St-Vaast 62 — 10 A2
La Neuville-Sire-Bernard 80 — 18 A3
La Neuville-sous-Montreuil 62 — 8 B1
Neuville-sur-Ailette 02 — 36 A1
Neuville-sur-Ain 01 — 156 C3
La Neuville-sur-Authou 27 — 30 C3
Neuville-sur-Escaut 59 — 11 D3
Neuville-sur-Essonne 45 — 80 A2
Neuville-sur-Oise 95 — 57 D1
Neuville-sur-Ornain 55 — 62 B2
La Neuville-sur-Oudeuil 60 — 17 D4
La Neuville-sur-Ressons 60 — 34 A1
Neuville-sur-Saône 69 — 171 D1
Neuville-sur-Sarthe 72 — 76 B2
Neuville-sur-Seine 10 — 83 F4
Neuville-sur-Touques 61 — 53 F2
Neuville-sur-Vannes 10 — 82 C3
La Neuville-Vault 60 — 33 D1
Neuville-Vitasse 62 — 10 A3

Neuviller-la-Roche 67 — 88 C1
Neuviller-sur-Moselle 54 — 64 C4
Neuvillers-sur-Fave 88 — 88 B2
Neuvillette 02 — 19 E2
Neuvillette 80 — 9 E3
Neuvillette-en-Charnie 72 — 75 F4
Neuvilley 39 — 141 E1
Neuvilly-en-Argonne 55 — 38 B3
Neuvilly 59 — 11 D4
Neuvireuil 62 — 10 B2
Neuvizy 08 — 21 D4
Neuvy 41 — 98 C4
Neuvy 03 — 137 E4
Neuvy 51 — 59 F3
Neuvy-au-Houlme 61 — 52 C2
Neuvy-Bouin 79 — 130 C3
Neuvy-deux-Clochers 18 — 119 E2
Neuvy-en-Beauce 28 — 79 F3
Neuvy-en-Champagne 72 — 76 A4
Neuvy-en-Dunois 28 — 78 C3
Neuvy-en-Mauges 49 — 113 E2
Neuvy-en-Sullias 45 — 100 A2
Neuvy-Grandchamp 71 — 138 B4
Neuvy-Pailloux 36 — 135 D1
Neuvy-le-Roi 37 — 97 D4

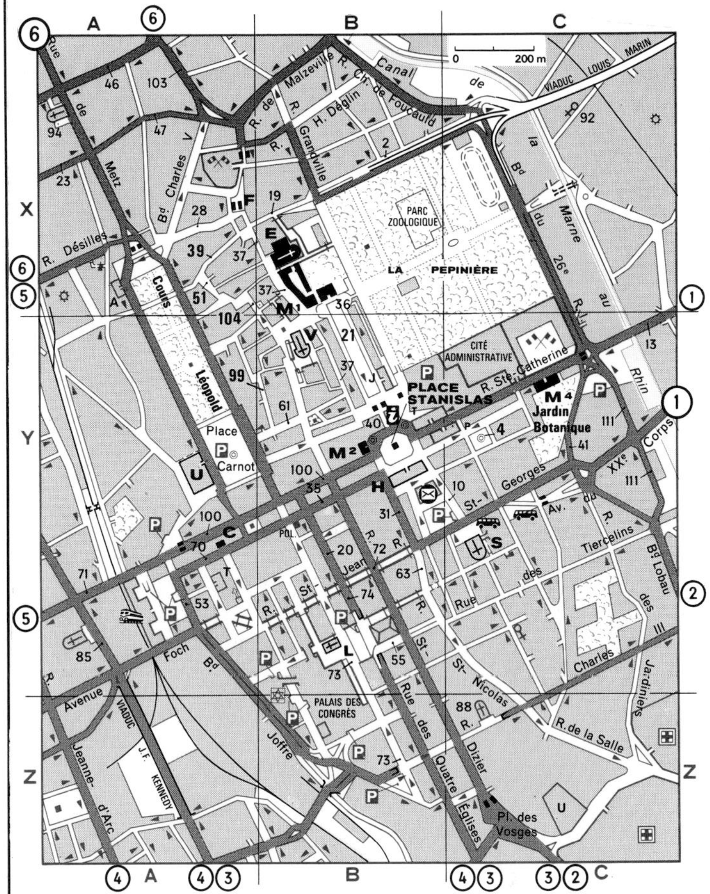

Nancy

Dominicains (R. des) — BY 31
Gambetta (R.) — BY 35
Grande-Rue — BXY 37
Héré (R.) — BY 40
Mazagran (R.) — AY 53
Mengin (Pl. Henri) — BY 55
Mouja (R. du Pont) — BY 63
Poincaré (R. R.) — AY 71
Point-Central — BY 72
Ponts (R. des) — BYZ 73
Raugraff (R.) — BY 74
St-Dizier (R.) — BY
St-Georges (R.) — CY
St-Jean (R.) — BY

Stanislas (R.) — BY 100
Trois-Maisons (R. du Fg des) — AX 103

Adam (R. Sigisbert) — BX 2
Alliance (Pl. d') — CY 4
Barrès (R. Maurice) — CY 10
Bazin (R. H.) — CY 13
Braconnot (R.) — BX 19
Carmes (R. des) — BY 20
Carrière (Pl. de la) — BY 21
Cathédrale (†) — CY S
Chanoine-Jacob (R.) — AX 23
Cordeliers (R.) — BX E
Craffe (R. de la) — AX 28
Gaulle (Pl. Gén. de) — BX 36
Haut-Bourgeois (R.) — AX 39

Ile de Corse (R. l') — CY 41
Keller (R. Charles) — AX 46
Lamour (R. J.) — AX 47
Loups (R. des) — AX 51
Monnaie (R. de la) — BY 61
Poincaré (R. H.) — CY 70
St-Epvre (†) — BYV
St-Léon (R. et †) — AY 85
St-Nicolas (†) — CZ 88
St-Sébastien (†) — BYL
St-Vincent-de-Paul (†) — CX 92
St-Vincent, St-Fiacre — AX 94
Source (R. de la) — AX 99
Trouillet (R. de la) — AXY 104
21e-R.-A. (Bd du) — CY 111

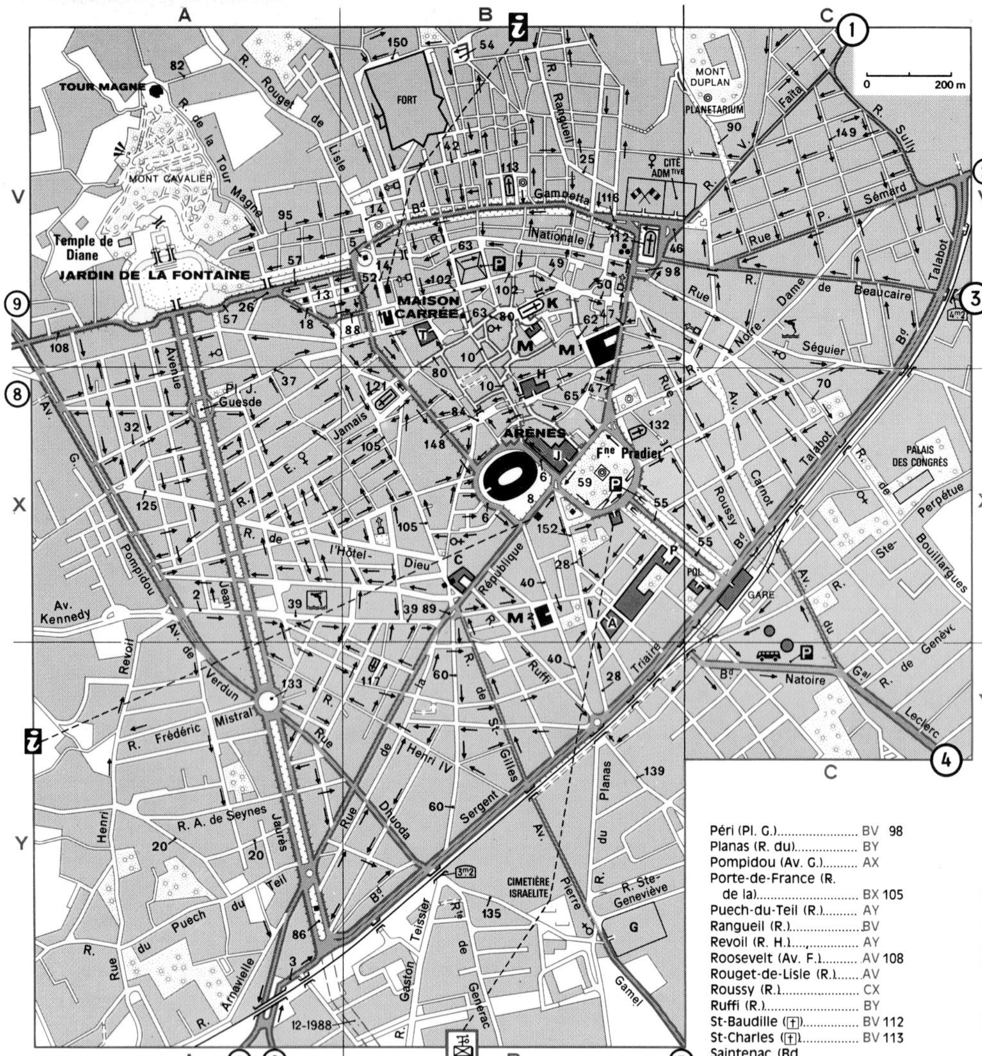
TOUR MAGNE
MONT CAVALIER
Temple de Diane
JARDIN DE LA FONTAINE
FORT
MONT DUPLAN
PLANETARIUM
CITÉ ADMve
MAISON CARRÉE
ARÈNES
Fne Pradier
PALAIS DES CONGRÈS
GARE
CIMETIÈRE ISRAELITE
12-1988
0 200 m

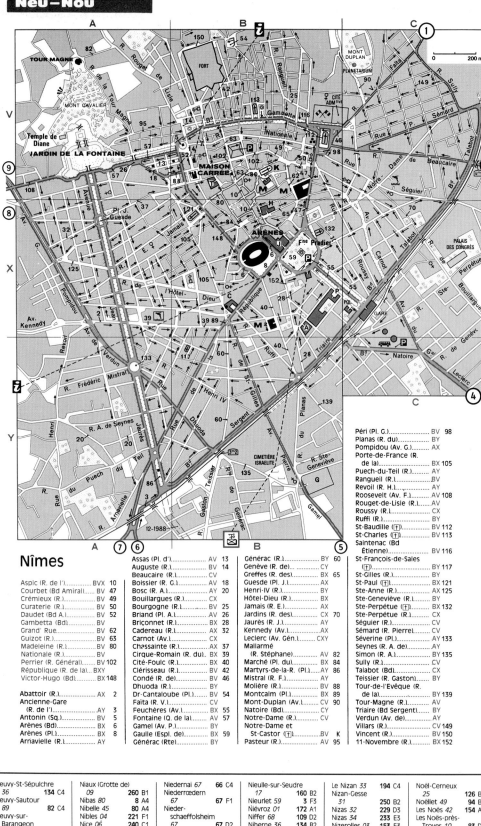

Nîmes

Aspic (R. de l') BVX 10
Courbet (Bd Amiral) BV 47
Crémieux (R.) BV 49
Curaterie (R.) BV 50
Daudet (Bd A.) BV 52
Gambetta (Bd) BV
Grand' Rue BV 62
Guizot (R.) BV 63
Madeleine (R.) BV 80
Nationale (R.) BV
Perrier (R. Général) BV 102
République (R. de la) BXY
Victor-Hugo (Bd) BX 148

Abattoir (R.) AX 2
Ancienne-Gare (R. de l') AY 3
Antonin (Sq.) BV 5
Arènes (Bd) BX 6
Arènes (Pl.) BX 8
Arnavielle (R.) AY
Assas (Pl. d') AV 13
Auguste (R.) BV 14
Beaucaire (R.) CV
Boissier (R. G.) AV 18
Bosc (R. A.) AY 20
Bouillargues (R.) CX
Bourgogne (R.) BV 25
Briand (Pl. A.) AV 26
Briçonnet (R.) BX 28
Cadereau (R.) AX 32
Carnot (Av.) CX
Chassainte (R.) AX 37
Cirque-Romain (R. du) BX 39
Cité-Foulc (R.) BX 40
Clérisseau (R.) BV 42
Condé (R. de) BV 46
Dhuoda (R.) BY
Dr-Cantaloube (Pl.) BV 54
Faïta (R. V.) CV
Feuchères (Av.) BX 55
Fontaine (Q. de la) AV 57
Gamel (Av. P.) BY
Gaulle (Espl. de) BX 59
Générac (Rte) BY
Générac (R.) BY 60
Genève (R. de) CY
Greffes (R. des) BX 65
Guesde (Pl. J.) AX
Henri-IV (R.) BY
Hôtel-Dieu (R.) BX
Jamais (R. E.) AX
Jardins (R. des) CX 70
Jaurès (R. J.) AY
Kennedy (Av.) AX
Leclerc (Av. Gén.) CXY
Mallarmé (R. Stéphane) AV 82
Marché (Pl. du) BX 84
Martyrs-de-la-R. (Pl.) AY 86
Mistral (R. F.) AY
Molière (R.) BV 88
Montcalm (Pl.) BX 89
Mont-Duplan (Av.) CV 90
Natoire (Bd) CY
Notre-Dame (R.) CV
Notre-Dame et St-Castor (†) BV K
Pasteur (R.) AV 95
Péri (Pl. G.) BV 98
Planas (R. du) BY
Pompidou (Av. G.) AX
Porte-de-France (R. de la) BX 105
Puech-du-Teil (R.) AY
Rangueil (R.) BV
Revoil (R. H.) AY
Roosevelt (Av. F.) AV 108
Rouget-de-Lisle (R.) AV
Roussy (R.) CX
Ruffi (R.) BY
St-Baudille (†) BV 112
St-Charles (†) BV 113
Saintenac (Bd Étienne) BV 116
St-François-de-Sales (†) BY 117
St-Gilles (R.) BY
St-Paul (†) BX 121
Ste-Anne (R.) AX 125
Ste-Geneviève (R.) BY
Ste-Perpétue (†) BX 132
Ste-Perpétue (R.) CX
Séguier (R.) CV
Sémard (R. Pierre) CV
Séverine (Pl.) AY 133
Seynes (R. A. de) AY
Simon (R. A.) BY 135
Sully (R.) CV
Talabot (Bd) CX
Teissier (R. Gaston) BY
Tour-de-l'Evêque (R. de la) BY 139
Tour-Magne (R.) AV
Triaire (Bd Sergent) BY
Verdun (Av. de) AY
Villars (R.) CV 149
Vincent (R.) BV 150
11-Novembre (R.) BX 152

Neuvy-St-Sépulchre *36* **134** C4
Neuvy-Sautour *89* **82** C4
Neuvy-sur-Barangeon *18* **118** C2
Neuvy-sur-Loire *58* **101** D4
Neuwiller *68* **109** D4
Neuwiller-lès-Saverne *67* **66** C2
Névache *05* **191** D3
Nevera (Pointe de) *2B* **267** F1
Nevers *58* **137** D1
Névez *29* **69** E4
Névian *11* **254** C2
Néville *76* **15** D2
Néville-sur-Mer *50* **25** E1
Nevoy *45* **100** B3
Nevy-lès-Dole *39* **124** B4
Nevy-sur-Seille *39* **141** E2
Nexon *87* **164** C3
Ney *39* **142** A2
Neydens *74* **158** A3
Les Neyrolles *01* **157** D3
Neyron *01* **171** F2
Nézel *78* **56** C1
Nézignan-l'Évêque *34* **233** F4
Niafles *53* **94** B2
Niaux *09* **260** B1
Niaux (Grotte de) *09* **260** B1
Nibas *80* **8** A4
Nibelle *45* **80** A4
Nibles *04* **221** F1
Nice *06* **240** C1
Nicey *21* **103** E2
Nicey-sur-Aire *55* **62** C2
Nicole *47* **211** D1
Nicorps *50* **26** C4
Le Nid d'Aigle *74* **175** D1
Nideck (Château et Cascade du) *67* **66** B3
Niderhoff *57* **66** B3
Niderviller *57* **66** A2
Nied *57* **40** C3
Niederbronn-les-Bains *67* **43** D4
Niederbruck *68* **108** A2
Niederentzen *68* **89** D4
Niederhaslach *67* **66** C4
Niederhausbergen *67* **67** D3
Niederhergheim *68* **89** D4
Niederlauterbach *67* **43** F4
Niedermodern *67* **67** D1
Niedermorschwihr *68* **88** C3
Niedernai *67* **66** C4
Niederrœdern *67* **67** F1
Nieder-schaeffolsheim *67* **67** D2
Niederseebach *67* **43** E4
Niedersoultzbach *67* **66** C1
Niedersteinbach *67* **43** D4
Niederstinzel *57* **66** A1
Niedervisse *57* **41** D3
Nielles-lès-Ardres *62* **3** E3
Nielles-lès-Bléquin *62* **3** E4
Nielles-lès-Calais *62* **3** D2
Nieppe *59* **4** C4
Niergnies *59* **10** C4
Nieudan *15* **182** C4
Nieuil *16* **163** D1
Nieuil-l'Espoir *86* **132** B4
Nieul *87* **164** C1
Nieul-le-Dolent *85* **129** D3
Nieul-lès-Saintes *17* **161** D2
Nieul-sur-l'Autise *85* **146** A1
Nieul-sur-Mer *17* **145** D2
Nieul-le-Virouil *17* **177** E1
Nieulle-sur-Seudre *17* **160** B2
Nieurlet *59* **3** F3
Niévroz *01* **172** A1
Niffer *68* **109** D2
Niherne *36* **134** B2
Nijon *52* **86** A3
Nilvange *57* **40** A2
Nîmes *30* **235** D1
Nîmes le Vieux (Chaos de) *48* **217** D2
Nino (Lac de) *2B* **266** C2
Ninville *52* **85** F4
Niort *79* **146** B2
Niort-de-Sault *11* **261** D1
Niort-la-Fontaine *53* **75** D1
Niozelles *04* **221** E4
Nissan-lez-Enserune *34* **255** D1
Nistos *65* **250** A3
Nitry *89* **102** C3
Nitting *57* **66** A3
Nive *64* **246** C1
Nivelle *59* **11** D1
Nivillac *56* **92** B4
Nivillers *60* **33** E1
Nivolas-Vermelle *38* **172** B3
Nivollet-Montgriffon *01* **156** C4
Nixéville *55* **38** B4
Le Nizan *33* **194** C4
Nizan-Gesse *31* **250** B2
Nizas *32* **229** D3
Nizas *34* **233** E3
Nizerolles *03* **153** E3
Nizy-le-Comte *02* **36** B1
Noailhac *12* **199** E3
Noailhac *19* **181** E3
Noailhac *81* **231** F3
Noaillac *33* **195** D3
Noaillan *33* **194** B4
Noailles *60* **33** E2
Noailles *81* **214** B4
Noailles *19* **181** D3
Noailly *42* **154** B3
Noalhac *48* **200** C1
Noalhat *63* **168** C1
Noards *27* **30** C3
Nocario *2b* **265** E4
Nocé *61* **77** D2
Noceta *2b* **267** D2
Nochize *71* **154** B1
La Nocle-Maulaix *58* **138** B2
Nod-sur-Seine *21* **104** A2
Nods *25* **125** F3
Noé *31* **251** E1
Noé *89* **81** F3
La Noë-Blanche *35* **93** D2
Noë-les-Mallets *10* **84** A4
La Noë-Poulain *27* **30** C3
Noël-Cerneux *25* **126** B3
Noëllet *49* **94** B3
Les Noës *42* **154** A4
Les Noës-près-Troyes *10* **83** D2
Nœux-lès-Auxi *62* **9** D3
Nœux-les-Mines *62* **9** F1
Nogaret *31* **230** C4
Nogaro *32* **227** D1
Nogent-l'Abbesse *51* **36** C3
Nogent-l'Artaud *02* **59** E1
Nogent-le-Bernard *72* **76** C3
Nogent-en-Bassigny *52* **85** E4
Nogent-en-Othe *10* **82** C3
Nogent-lès-Montbard *21* **103** E4
Nogent-le-Phaye *28* **78** C1
Nogent-le-Roi *28* **56** A4
Nogent-le-Rotrou *28* **77** E2
Nogent-le-Sec *27* **55** D2
Nogent-sur-Aube *10* **83** E1
Nogent-sur-Eure *28* **78** B2
Nogent-sur-Loir *72* **96** C3
Nogent-sur-Marne *94* **58** A2
Nogent-sur-Oise *60* **33** F3
Nogent-sur-Seine *10* **82** A1
Nogent-sur-Vernisson *45* **100** C2
Nogentel *02* **59** E1
Nogna *39* **141** E3
Noguères *64* **226** A4
Nohanent *63* **168** A2
Nohant-en-Goût *18* **119** E4
Nohant-en-Gracay *18* **118** A3
Nohant-Vic *36* **135** D3
Nohèdes *66* **261** F2
Nohic *82* **230** A1
Noidan *21* **122** B2
Noidans-le-Ferroux *70* **106** B4
Noidans-lès-Vesoul *70* **106** B3
Noidant-Chatenoy *52* **105** E2
Noidant-le-Rocheux *52* **105** D2
Noilhan *32* **229** D3
Nointel *95* **33** F4
Nointel *60* **34** A2
Nointot *76* **14** B4
Noir (Causse) *12,30,48* **216** C3
Noircourt *02* **20** B4
Noirefontaine *25* **126** C1
Noirémont *60* **33** E1
Noirétable *42* **169** E2
Noirlac (Ancienne Abbaye de) *18* **136** A2
Noirlieu *79* **131** D1
Noirlieu *51* **61** F1
Noirmoutier-en-l'Ile *85* **110** C4
Noirmoutier (Ile de) *85* **110** C4
Noiron *70* **124** C1
Noiron-sous-Gevrey *21* **123** F3
Noiron-sur-Bèze *21* **124** A1
Noiron-sur-Seine *21* **103** F1
Noironte *25* **125** D2
Noirpalu *50* **50** C2
Noirterre *79* **131** D1
Noirval *08* **37** F1
Noiseau *94* **58** A3
Noisiel *77* **58** A2
Noisseville *57* **40** B3
Noisy-le-Grand *93* **58** A2
Noisy-le-Roi *78* **57** D2
Noisy-Rudignon *77* **81** D2
Noisy-le-Sec *93* **57** F2
Noisy-sur-École *77* **80** B2
Noisy-sur-Oise *95* **33** F4
Noizay *37* **116** B1
Noizé *79* **131** E1
Nojals-et-Clotte *24* **196** B2
Nojeon-en-Vexin *27* **32** B2
Nolay *58* **120** C3
Nolay *21* **139** F1
Nolléval *76* **32** B1
Nollieux *42* **170** A2
Nomain *59* **10** C1
Nomdieu *47* **211** E3
Nomécourt *52* **85** D1
Nomeny *54* **64** C1
Nomexy *88* **87** D2
Nommay *25* **107** F4
Nompatelize *88* **88** A2
Nonac *16* **178** B1
Nonancourt *27* **55** E3
Nonant *14* **28** C3
Nonant-le-Pin *61* **53** E3
Nonards *19* **181** F4
Nonaville *16* **162** A4
Noncourt-sur-le-Rongeant *52* **85** E1
Nonette *63* **168** B4
Nonglard *74* **157** F4
Nonhigny *54* **65** F4
Nonières *07* **187** D4
Nonsard *55* **63** E1
Nontron *24* **163** E4
Nonville *88* **86** C4
Nonville *77* **80** C3
Nonvilliers-Grandhoux *28* **78** A2
Nonza *2b* **265** E1
Nonzeville *88* **87** F2
Noordpeene *59* **4** A3
Nordausques *62* **3** E3
Nordheim *67* **66** C3
Nordhouse *67* **67** D4
Nore (Pic de) *11* **232** A4
Noreuil *62* **10** B4
Norges-la-Ville *21* **123** F1
Normandel *61* **54** C4
Normandie-Maine (Parc Régional) *53,61* **76** A2
Normanville *27* **31** F4
Normanville *76* **14** C3
Normée *51* **60** C2
Normier *21* **122** B2
Norolles *14* **30** B3
Noron-l'Abbaye *14* **52** C2
Noron-la-Poterie *14* **28** B3
Noroy *60* **34** A1
Noroy-le-Bourg *70* **107** D3
Noroy-lès-Jussey *70* **106** A2
Noroy-sur-Ourcq *02* **35** D3
Norrent-Fontes *62* **9** E1
Norrey-en-Auge *14* **53** D1
Norrey-en-Bessin *14* **28** C3
Norrois *51* **61** E3
Norroy *88* **86** B3
Norroy-lès-Pont-à-Mousson *54* **64** A1
Norroy-le-Sec *54* **39** E2
Norroy-le-Veneur *57* **40** B3
Nort-Leulinghem *62* **3** E3
Nort-sur-Erdre *44* **112** A1
Nortkerque *62* **3** E2
La Norville *91* **57** E4
Norville *76* **31** D4
Nossage-et-Bénévent *05* **221** E1
Nossoncourt *88* **87** F1
Nostang *56* **90** C2
Noth *23* **149** F2
Nothalten *67* **89** D1
Notre-Dame-d'Aiguebelle (Abbaye de) *26* **203** F4
Notre-Dame-d'Aliermont *76* **16** A2
Notre-Dame-d'Allençon *49* **113** F2
Notre-Dame-d'Aulps (Abbaye de) *74* **159** D2
Notre-Dame-d'Ay *07* **187** D3
Notre-Dame-de-Bellecombe *73* **174** C1
Notre-Dame-de-Bliquetuit *76* **31** D4
Notre-Dame-de-Boisset *42* **154** B4
Notre-Dame-de-Bondeville *76* **31** E1
Notre-Dame-de-Buenne *12* **199** E4
Notre-Dame-de-Cenilly *50* **27** E4
Notre-Dame-de-Clausis *05* **207** F2
Notre-Dame-de-Commiers *38* **189** E4
Notre-Dame-de-la-Cour *22* **47** F3
Notre-Dame-de-Courson *14* **53** F1
Notre-Dame-de-l'Epau (Abbaye) *72* **96** C1
Notre-Dame-de-l'Ermitage *42* **169** E2
Notre-Dame-de-Fresnay *14* **33** E1
Notre-Dame-de-Garaison (Collège) *65* **250** A2
Notre-Dame-de-la-Gorge *74* **175** D1
Notre-Dame-de-Gravenchom *76* **30** C1
Notre-Dame-de-l'Isle *27* **32** B4
Notre-Dame-de-Livaye *14* **29** F4
Notre-Dame-de-Livoye *50* **51** D2
Notre-Dame-de-Londres *34* **234** B1
Notre-Dame-de-Lorette (Colline de) *62* **10** A2
Notre-Dame-de-Lumières *84* **220** A3
Notre-Dame-de-la-Mer *78* **56** A1
Notre-Dame-de-Mésage *38* **189** E3
Notre-Dame-de-Monts *85* **128** A1
Notre-Dame-de-l'Osier *38* **188** C2
Notre-Dame-de-Piétat *64* **248** B2
Notre-Dame-de-Randol (Abbaye) *63* **168** A3
Notre-Dame-de-Riez *85* **128** B2
Notre-Dame-de-la-Roche *78* **56** C3
Notre-Dame-de-la-Rouvière *30* **217** E3
Notre-Dame-de-la-Salette *38* **206** A1
Notre-Dame-de-Sanilhac *24* **179** E3
Notre-Dame-de-la-Serra *2B* **264** B3
Notre-Dame-de-Timadeuc (Abbaye) *56* **71** E3
Notre-Dame-de-Tronoën *29* **68** C4
Notre-Dame-de-Vassivière *63* **167** F4
Notre-Dame-de-Vaux *38* **189** E4
Notre-Dame-d'Elle *50* **28** A4
Notre-Dame-d'Épine *27* **30** C3
Notre-Dame-des-Anges *83* **244** C1
Notre-Dame-des-Dombes (Abbaye de) *01* **156** A4
Notre-Dame-des-Fontaines *06* **241** F1
Notre-Dame-des-Landes *44* **111** E1
Notre-Dame-des-Millières *73* **174** B3
Notre-Dame-des-Neiges (Trappe de) *07* **202** B3
Notre-Dame-d'Estrées *14* **29** F4
Notre-Dame-d'Oé *37* **116** A1
Notre-Dame-d'Or *86* **131** F2
Notre-Dame-du-Bec *76* **14** A4
Notre-Dame-du-Crann *29* **69** F2
Notre-Dame-du-Cruet *73* **190** B1
Notre-Dame-du-Hamel *27* **54** B2
Notre-Dame-du-Mai *83* **244** A3
Notre-Dame-du-Parc *76* **15** F3
Notre-Dame-du-Pé *72* **95** F3
Notre-Dame-du-Pré *73* **174** C3
Notre-Dame-du-Rocher *61* **52** B2
Notre-Dame-du-Touchet *50* **51** E4
Notre-Dame (Forêt de) *94* **58** A3
Nottonville *28* **78** C4
La Nouaille *23* **166** B1
Nouaillé-Maupertuis *86* **132** B4
Nouainville *50* **24** C2
Nouan-le-Fuzelier *41* **99** E4
Nouans *72* **76** B3
Nouans-les-Fontaines *37* **117** D3
Nouart *08* **38** A1
Nouâtre *37* **115** F4
La Nouaye *35* **72** C3
La Noue *51* **59** F3
Noueilles *31* **230** A4
Nougaroulet *32* **229** C2
Nouhant *23* **151** E2
Nouic *87* **148** C4
Nouilhan *65* **227** E4
Les Nouillers *17* **161** D1
Nouillonpont *55* **39** D2
Nouilly *57* **40** B3
Noulens *32* **227** E1
Nourard-le-Franc *60* **33** F1
Nourray *41* **98** A3
Nousse *40* **225** F2
Nousseviller-lès-Bitche *57* **42** B3
Nousseviller-St-Nabor *57* **41** E3
Nousty *64* **248** C1
Nouvelle-Église *62* **3** E2
Nouvion *80* **8** B3
Nouvion-le-Comte *02* **19** E3
Le Nouvion-en-Thiérache *02* **20** A1

- Nouvion-et-Catillon 02 19 E3
- Nouvion-sur-Meuse 08 21 F3
- Nouvion-le-Vineux 02 35 F1
- Nouvoitou 35 73 E4
- Nouvron-Vingré 02 35 D2
- Nouzerines 23 150 C1
- Nouzerolles 23 150 A1
- Nouziers 23 150 B1
- Nouzilly 37 97 E4
- Nouzonville 08 21 E2
- Novacelles 63 185 D1
- Novalaise 73 173 E3
- Novale 2b 267 E1
- Novéant-sur-Moselle 57 40 A4
- Novel 74 159 D1
- Novella 2b 265 D3
- Noves 13 219 F4
- Noviant-aux-Prés 54 63 F3
- Novillard 90 108 A3
- Novillars 25 125 E2
- Novillers 60 33 E3
- Novion-Porcien 08 21 D4
- Novy-Chevrières 08 37 D1
- Noyal 22 48 C4
- Noyal-Muzillac 56 92 A3
- Noyal-Pontivy 56 71 D3
- Noyal-sous-Bazouges 35 73 D1
- Noyal-sur-Brutz 44 93 F2
- Noyal-sur-Seiche 35 73 D4
- Noyal-sur-Vilaine 35 73 E3
- Noyales 02 19 E2
- Noyalo 56 91 E3
- Noyant 49 96 B4
- Noyant-d'Allier 03 137 D4
- Noyant-de-Touraine 37 115 F3
- Noyant-et-Aconin 02 35 E2
- Noyant-la-Gravoyère 49 94 B3
- Noyant-la-Plaine 49 114 A2
- Noyarey 38 189 D1
- Noyelles-lès-Humières 9 D2
- Noyelle-Vion 62 9 F2
- Noyelles-en-Chaussée 80 8 C3
- Noyelles-Godault 62 10 B2
- Noyelles-sous-Bellonne 62 10 B3
- Noyelles-sous-Lens 62 10 A2
- Noyelles-sur-Escaut 59 10 C4
- Noyelles-sur-Mer 80 8 B4
- Noyelles-sur-Sambre 59 11 F4
- Noyelles-sur-Selle 59 11 D3
- Noyellette 62 9 F3
- Noyelles-lès-Seclin 59 10 B1
- Noyelles-lès-Vermelles 62 10 A1
- Noyen-sur-Sarthe 72 96 A2
- Noyen-sur-Seine 77 81 F1
- Le Noyer 18 119 E2
- Le Noyer 05 206 A2
- Le Noyer 73 173 F2
- Noyer (Col du) 05 206 A2
- Le Noyer-en-Ouche 27 54 C1
- Noyers 55 62 B2
- Noyers 27 32 C3
- Noyers 45 103 D3
- Noyers 45 100 B1
- Noyers 52 85 F4
- Noyers-Bocage 14 28 C4
- Noyers-Pont-Maugis 08 21 F3
- Noyers-St-Martin 60 33 F1
- Noyers-sur-Cher 41 117 D2
- Noyers-sur-Jabron 04 221 D2
- Noyon 60 18 C4
- Nozay 91 57 E4
- Nozay 93 94 A4
- Nozay 10 83 D1
- Nozeroy 39 142 A2
- Nozières 07 187 D4
- Nozières 18 135 F3
- Nuaillé 49 113 E3
- Nuaillé-d'Aunis 17 145 E2
- Nuaillé-sur-Boutonne 17 146 B4
- Nuars 58 121 E1
- Nubécourt 55 62 C1
- Nucourt 95 33 D4
- Nueil-sous-Faye 86 115 D4

- Nueil-sur-Argent 79 130 C1
- Nueil-sur-Layon 49 114 A3
- Nuelles 69 171 D1
- Nuillé-le-Jalais 72 76 C4
- Nuillé-sur-Vicoin 53 94 C1
- Nuisement-sur-Coole 51 61 D2
- Nuits 89 103 E3
- Nuits-St-Georges 21 123 E3
- Nullemont 76 16 B3
- Nully 52 84 B2
- Nuncq 62 9 E3
- Nuret-le-Ferron 36 134 A3
- Nurieux-Volognat 01 157 D3
- Nurlu 80 18 C1
- Nuzéjouls 46 197 F3
- Nyer 66 261 F3
- Nyoiseau 49 94 C3
- Nyons 26 220 A1

O

- O (Château d') 61 53 E3
- Obenheim 67 89 E1
- Oberbronn 67 43 D4
- Oberbruck 68 108 A2
- Oberdorf 68 108 C3
- Oberdorf-Spachbach 67 67 D1
- Oberdorff 57 41 D2
- Oberentzen 68 108 C1
- Obergailbach 57 42 B3
- Oberhaslach 67 66 C4
- Oberhausbergen 67 67 D3
- Oberhergheim 68 89 D4
- Oberhoffen-sur-Moder 67 67 E2
- Oberhoffen-lès-Wissembourg 67 43 E4
- Oberlarg 68 108 C4
- Oberlauterbach 67 43 F4
- Obermodern 67 66 C1
- Obermorschwihr 68 89 D4
- Obermorschwiller 68 108 C3
- Obernai 67 66 C4
- Oberrœdern 67 67 E1
- Obersaasheim 68 89 E4
- Oberschaeffolsheim 67 67 D3
- Oberseebach 67 43 E4
- Obersoultzbach 67 66 C1
- Obersteinbach 67 43 D4
- Oberstinzel 57 66 A2
- Obervisse 57 41 D3
- Obies 59 11 F3
- L'Obiou 38 205 F1
- Objat 19 181 D2
- Oblinghem 62 9 F1
- Obrechies 59 12 B3
- Obreck 57 65 D2
- Observatoire de Haute Provence 04 221 E4
- Obsonville 77 80 B3
- Obterre 36 133 E1
- Obtrée 21 103 F1
- Ocana 2a 266 C4
- Occagnes 61 53 D2
- Occey 52 105 D3
- Occhiatana 2b 264 C3
- Occoches 80 9 E4
- Ochancourt 80 8 A4
- Oches 08 38 A1
- Ochey-Thuilley 54 64 A4
- Ochiaz 01 157 E3
- Ochtezeele 59 4 A3
- Ocquerre 77 58 C1
- Ocqueville 76 14 B3
- Octeville 50 24 C2
- Octeville-l'Avenel 50 25 D2
- Octeville-sur-Mer 76 14 A4
- Octon 34 233 E2
- Odars 31 230 B3
- Odenas 69 155 E3
- Oderen 68 108 A1
- Odet 29 69 D3
- Odival 52 85 E4
- Odomez 59 11 E2
- Odos 65 249 E2
- Odratzheim 67 66 C3
- Œillon (Crêt de l') 42 187 D1
- Œlleville 88 88 C2
- Oermingen 67 42 A4
- Œting 57 41 E3
- Oétre (Roche d') 61 52 B4
- Œuf-en-Ternois 62 9 D2
- Œuilly 51 36 A4
- Œuilly 02 36 A2
- Oëy 55 63 D3
- Œyregave 40 225 D3
- Offekerque 62 3 D2

- Offemont 90 107 F3
- Offendorf 67 67 E2
- Offenheim 67 67 D3
- Offignies 80 16 C3
- Offin 62 8 C2
- Offlanges 39 124 B3
- Offoy 60 17 D3
- Offoy 80 18 C2
- Offranville 76 15 E2
- Offrethun 62 2 C3
- Offroicourt 88 86 C2
- Offwiller 67 66 C1
- Ogenne-Camptort 64 247 F1
- Oger 51 60 C1
- Ogeu-les-Bains 64 248 A2
- Ogéviller 54 65 E4
- Ogliastro 2b 264 B2
- Ognes 02 19 D4
- Ognes 60 34 B4
- Ognes 51 60 B3
- Ognéville 54 86 C1
- Ognolles 60 18 B3
- Ognon 25,70 107 E2
- Ogy 57 40 C4
- Ohain 59 20 B1
- Oherville 76 14 C3
- Ohis 02 20 B2
- Ohlungen 67 67 D2
- Ohnenheim 67 89 E2
- L'Oie 85 129 F2
- Oigney 70 106 A2
- Oignies 62 10 B2
- Oigny 21 104 A4
- Oigny 41 77 E4
- Oigny-en-Valois 02 35 D3
- Oingt 69 155 E4
- Oinville-St-Liphard 28 79 E3
- Oinville-sous-Auneau 28 79 D1
- Oinville-sur-Montcient 78 56 C1
- Oiron 79 131 E1
- Oiry 51 60 A1
- Oiselay-et-Grachaux 70 125 D1
- Oisemont 80 16 C2
- Oisilly 21 124 A1
- Oisly 41 117 D1
- Oison 45 79 E4
- Oisseau 53 75 D2
- Oisseau-le-Petit 72 76 A2
- Oissel 76 31 F2
- Oissery 77 34 B4
- Oissy 80 17 D2
- Oisy 02 19 F1
- Oisy 58 120 C1
- Oisy 59 11 D2
- Oisy-le-Verger 62 10 C3
- Oizé 72 96 B2
- Oizon 18 119 D1
- Olan (Pic d') 05 206 B1
- Olargues 34 232 C3
- Olby 63 167 F2
- Olcani 2b 265 E1
- Olle (Combe d') 73 190 A2
- Olemps 12 215 E1
- Olendon 14 53 D1
- Oléron (Ile d') 17 160 A1
- Oletta 2b 265 E2
- Olette 66 261 E3
- Olhain (Château d') 62 9 F2
- Olivese 2a 269 D1
- Olivet 45 99 E2
- Olivet 53 74 B3
- Olizy 08 37 F2
- Olizy 51 36 A4
- Olizy-sur-Chiers 55 22 B4
- Ollainville 91 57 E4
- Ollainville 88 86 B2
- Ollé 28 78 B2
- Olley 54 39 E3
- Ollezy 02 19 D3
- Les Ollières 74 158 B4
- Les Ollières-sur-Eyrieux 07 203 E1
- Olliergues 63 169 D3
- Ollioules 83 244 A3
- Olloix 63 168 A3
- Les Olmes 69 171 D1
- Olmet 63 169 D2
- Olmet-et-Villecun 34 233 E2
- Olmeta-di-Capocorso 2b 265 E1
- Olmeta-di-Tuda 2b 265 E2
- Olmeto 2a 268 C2
- Olmi-Cappella 2b 264 C3
- Olmiccia 2a 269 D2
- Olmo 2b 265 E3
- Olonne-sur-Mer 85 128 C3
- Oloron-Ste-Marie 64 248 A2
- Ols-et-Rinhodes 12 198 C4
- Oltingue 68 108 C4

- Olwisheim 67 67 D2
- Omaha Beach 14 28 B2
- Omblèze 26 204 B1
- Omblèze (Gorges d') 26 204 B1
- Omécourt 60 16 C4
- Omelmont 54 64 B4
- Les Omergues 04 221 D2
- Omerville 95 32 C4
- Omessa 2b 267 D1
- Omet 33 194 C2
- Omex 65 257 D1
- Omey 51 61 D2
- Omicourt 08 21 F4
- Omiécourt 80 18 B3
- Omissy 02 19 D2
- Omméel 61 53 E2
- Ommeray 57 65 D3
- Ommoy 61 53 D2
- Omont 08 21 E4
- Omonville 76 15 E3
- Omonville-la-Petite 50 24 B1
- Omonville-la-Rogue 50 24 B1
- Omps 15 199 E1
- Oms 66 262 B3
- Onans 25 107 E4
- Onard 40 225 F1
- Onay 70 124 C1
- Oncieu 01 156 C4
- Oncourt 88 87 D2
- Oncy-sur-École 91 80 B2
- Ondefontaine 14 52 A1
- Ondes 31 229 F1
- Ondres 40 224 C3
- Ondreville-sur-Essonne 45 80 A3
- Onesse-et-Laharie 40 208 B3
- Onet-le-Château 12 215 E1
- Oneux 80 8 C4
- Ongles 04 221 E4
- Onglières 39 142 A2
- Onjon 10 83 E2
- Onlay 58 138 B1
- Onnaing 59 11 E2
- Onnion 74 158 C2
- Onoz 39 141 E4
- Ons-en-Bray 60 33 D2
- Ontex 73 173 E2
- Onville 54 39 F4
- Onvillers 80 18 A4
- Onzain 41 98 A4
- Oô 31 258 B4
- Oô (Lac d') 31 258 B4
- Oost-Cappel 59 4 B2
- Opio 06 240 C4
- Opme 63 168 A3
- Opoul-Périllos 66 254 B4
- Oppède-le-Vieux 84 236 C1
- Oppedette 04 221 D4
- Oppenans 70 107 D3
- Oppy 62 10 B2
- Optevoz 38 172 B2
- Or (Mont d') 69 171 E1
- Or (Mont d') 25 142 C2
- Oraàs 64 225 E4
- Oradour 16 162 B1
- Oradour 15 200 B1
- Oradour-Fanais 16 148 B3
- Oradour-St-Genest 87 148 C2
- Oradour-sur-Glane 87 164 B1
- Oradour-sur-Vayres 87 164 A2
- Orain 21 105 E3
- Orainville 02 36 B2
- Oraison 04 221 F4
- Orange 84 219 E2
- Orb 34 233 D3
- Orb (Gorges de l') 34 233 D2
- Orbagna 39 141 D3
- Orbais 51 60 A1
- Orban 81 231 D1
- Orbec 14 54 A1
- Orbeil 63 168 C4
- Orbessan 32 256 B3
- Orbey 68 88 C3
- Orbigny 37 117 D3
- Orbigny-au-Mont 52 105 E1
- Orbigny-au-Val 52 105 E1
- Orbois 14 28 B4
- L'Orbrie 85 130 B4
- Orçay 41 118 B2
- Orcemont 78 56 C4
- Orcenais 18 168 B2
- Orcet 63 168 B3
- Orcevaux 52 105 D2
- Orchaise 41 98 A4
- Orchamps 39 124 C3
- Orchamps-Vennes 25 142 C1
- Orches 86 132 C1
- Orchies 59 10 C1
- Orcier 74 158 C1
- Orcières 05 206 C2
- Orcinas 26 204 B4
- Orcines 63 168 A2
- Orcival 63 167 F3
- Orconte 51 61 F3
- Ordan-Larroque 32 255 A3
- Ordiarp 64 247 E2
- Ordizan 65 249 E2
- Ordonnac 33 176 C1
- Ordonnaz 01 172 C1

- Ore 31 250 B3
- Orègue 64 225 D4
- Oreilla 66 261 E3
- Orelle 73 190 C2
- Oresmaux 80 17 E3
- Organ 65 250 A1
- Orgeans-Blanchefontaine 25 126 C2
- Orgedeuil 16 163 D3
- Orgeix 09 260 C2
- Orgelet 39 141 E4
- Orgères 61 53 D4
- Orgères 35 73 D4
- Orgères-en-Beauce 28 78 C3
- Orgères-la-Roche 53 56 B2
- Orgerus 78 56 B2
- Orges 52 85 D2
- Orgeux 21 123 F1
- Orgeval 02 36 A1
- Orgeval 78 57 D2
- Orgibet 09 259 D3
- Orglandes 50 25 D3
- Orgnac-l'Aven 07 218 C1
- Orgnac (Aven d') 07 218 C1
- Orgnac-sur-Vézère 19 181 D1
- Orgon 13 236 C1
- Orgueil 82 258 D1
- Orgues 19 183 D1
- Orhy (Pic d') 64 247 D3
- Oricourt 70 107 D3
- Orient (Parc Régional de la Forêt d') 10 83 F2
- Orieux 65 249 E2
- Orignac 65 249 E2
- Origne 33 194 B4
- Origné 53 94 C1
- Orignolles 17 177 F2
- Origny 21 104 A3
- Origny-le-Butin 61 76 C2
- Origny-en-Thiérache 02 20 B2
- Origny-le-Roux 61 76 C2
- Origny-Ste-Benoite 02 19 E2
- Origny-le-Sec 10 89 D1
- Orin 64 247 F1
- Orincles 65 249 E1
- Oriocourt 57 64 C2
- Oriol-en-Royans 26 188 B4
- Oriolles 16 178 A1
- Orion 64 225 F4
- Oris-en-Rattier 38 189 E4
- Orist 40 225 D2
- Orival 76 31 E2
- Orival 80 16 C3
- Orival 16 178 B2
- Orival (Roches d') 76 31 E2
- Orléans 45 99 E2
- Orléat 63 168 C1
- Orleix 65 249 E1
- Orliac 24 197 D2
- Orliac-de-Bar 19 181 F1
- Orliaguet 24 197 E2
- Orliénas 69 171 E3
- Orlu 09 260 C2
- Orlu 28 79 E2
- Orly 94 57 E3
- Orly-sur-Morin 77 59 D2
- Ormancey 52 105 D1
- Ormeaux 77 58 C3
- Ormenans 70 106 C4
- Ormersviller 57 42 B3
- Les Ormes 86 132 C1
- Les Ormes 89 101 F2
- Ormes 27 140 B3
- Ormes 45 99 D2
- Ormes 10 60 C4
- Ormes 51 36 B3
- Les Ormes-sur-Voulzie 77 81 E1
- Ormes-et-Ville 54 94 A4
- Ormesson 77 80 C3
- Ormesson-sur-Marne 94 58 A3
- Ormoiche 70 106 C2
- Ormoy 70 102 B1
- Ormoy 28 56 A4
- Ormoy 89 112 B1
- Ormoy 91 57 F4
- Ormoy-la-Rivière 91 79 F2
- Ormoy-lès-Sexfontaines 52 85 D3
- Ormoy-sur-Aube 52 84 B4
- Ormoy-Villers 60 34 C3
- Ornacieux 38 188 B1
- Ornain 51,55 62 B3
- Ornaisons 11 254 B2
- Ornans 25 125 E3
- Orne 14,61 52 B1
- Orne 54,55,57 39 E3
- Ornel 55 38 C3
- Ornes 55 38 C3
- Ornex 01 158 A2
- Ornézan 32 228 B3
- Orniac 46 197 F4
- Ornolac-Ussat-les-Bains 09 260 B1
- Ornon 38 189 F3
- Orny 57 40 A4
- Oro (Monte d') 2b 267 D2

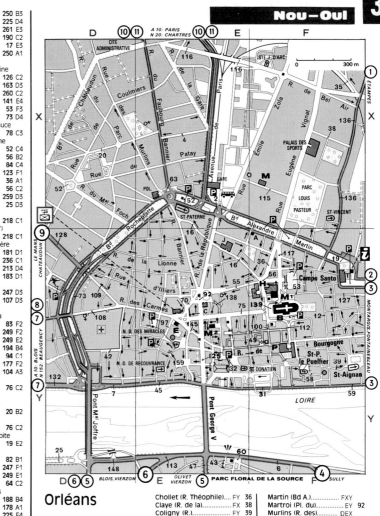

Orléans

Bannier (R.) ..... EY
Jeanne-d'Arc (R.) ..... EY 75
République (R. de la) ..... EY 125
Royale (R.) ..... EY 125
Tabour (R. du) ..... EY 145

Albert-1er (Pl.) ..... EX 2
Antigna (R.) ..... EX 4
Augustins (Quai des) ..... EY 6
Bannier (R. du Fg) ..... EX
Barentin (Quai) ..... DY 7
Bel-Air (R. de) ..... EX
Bourdon-Blanc (R.) ..... FY 12
Bourgogne (R. de) ..... EFY
Bretonnerie (R. de la) ..... EY
Briand (Bd A.) ..... FY 19
Caban (R.) ..... DX 20
Carmes (R. des) ..... DEY
Cathédrale (†) ..... FY B
Champs-de-Mars (Av. du) ..... DY 25
Châteaudun (R. de) ..... DX
Châtelet (Quai du) ..... EY 31
Châtelet (Square du) ..... EY 32
Chaude-Tuile (R.) ..... FX 35

Chollet (R. Théophile) ..... FY 36
Claye (R. de la) ..... FX 38
Coligny (R.) ..... FY 39
Coulmiers (R. de) ..... DX
Croix-de-Bois (R.) ..... DY 42
Croix-de-la-Pucelle (R.) ..... EY 45
Cypierre (Quai) ..... FY 45
Dauphine (Av.) ..... EY 47
Dolet (R. Étienne) ..... EFY 49
Dunois (Pl.) ..... DX 52
Dupanloup (R.) ..... EFY
Escures (R. d') ..... EY 55
Étape (Pl. de l') ..... EY 56
Foch (R. du Mar.) ..... DX
Folie (R. de la) ..... FY
Fort-Alleaume (Quai) ..... FY 59
Fort-des-Tourelles (Q.) ..... EY 60
Gambetta (R.) ..... EX 63
Gare (R. de la) ..... EX
George-V (Pont) ..... EY
Hallebarde (R. de la) ..... EY 70
Illiers (R. d') ..... DEY
Jaurès (Bd Jean) ..... DY 73
Jeanne-d'Arc (Maison de) ..... EY E
Joffre (Pont Mar.) ..... DY

Martin (Bd A.) ..... FXY
Martroi (Pl. du) ..... EY 92
Murlins (R. des) ..... DEX
N.-D.-de-Recouvrance (R.) ..... EY 97
Parc (R. du) ..... DX
Paris (Av. de) ..... EX
Parisie (R.) ..... FY 100
Patay (R. de) ..... DEX
Pte-Madeleine (R.) ..... DY 108
Porte-St-Jean (R.) ..... DY 109
Pothier (R.) ..... FY 112
Prague (Quai) ..... FY 113
Proust (R. Marcel) ..... EY 115
Québec (Bd de) ..... EX 116
Rabier (R. F.) ..... EY 117
Rocheplatte (Bd) ..... DEX
St-Euverte (R.) ..... FX 127
St-Jean (R. Fg) ..... DX 128
St-Laurent (Quai) ..... DY 132
St-Vincent (R. Fg) ..... FX 136
Ste-Catherine (R.) ..... EY 138
Ste-Croix (Pl.) ..... FY 139
Trévise (Av. de) ..... DY 148
Verdun (Bd de) ..... EX 152
Vieux-Marché (Pl.) ..... EY 159
Vignat (R. Eugène) ..... FX
Zola (R. Émile) ..... EFX

Bottom index

- Oroër 60 33 E1
- Oroix 65 249 D1
- Oron 57 65 D1
- Oroux 79 131 E3
- Orphin 78 56 C4
- Orpierre 05 221 D1
- Orquevaux 52 85 E2
- Les Orres 05 207 D3
- Orret 21 104 A4
- Orriule 64 225 F4
- Orrouer 28 78 B2
- Orrouy 60 34 B3
- Orry-la-Ville 60 34 A4
- Ors 59 11 E4
- Orsan 30 219 D3
- Orsanco 64 247 D1
- Orsans 11 252 C2
- Orsans 25 126 A2
- Orsay 91 57 D3
- Orschwihr 68 89 D2
- Orschwiller 67 89 D2
- Orsennes 36 150 A1
- Orsinval 59 11 E3
- Orsonnette 63 168 C4
- Orsonville 78 79 D1
- Ortaffa 66 262 C3
- Ortale 2b 267 E1
- Ortenbourg 67 89 D1
- Orthevielle 40 225 D3
- Orthez 64 225 F4
- Orthoux-Sérignac-Quilhan 30 218 A4
- Ortillon 10 83 E1
- Ortiporio 2b 265 E4
- Orto 2a 266 C3
- Ortoncourt 88 87 E1
- Orus 09 260 A1
- Orval 50 54 B1
- Orval 18 136 A3

- Orvaux 27 55 D1
- Orve 25 126 B1
- Orveau 91 80 A1
- Orveau-Bellesauve 45 80 A3
- Orville 21 105 D4
- Orville 62 9 F4
- Orville 36 117 F3
- Orville 45 80 A3
- Orville 61 53 F2
- Orvillers-Sorel 60 18 A4
- Orvilliers 78 56 B2
- Orvilliers-St-Julien 10 82 B1
- Orx 40 224 C2
- Os-Marsillon 64 226 A4
- Osani 2a 266 A1
- Osches 55 38 B4
- Osenbach 68 88 C1
- Oslon 71 140 A2
- Osly-Courtil 02 35 D2
- Osmanville 14 28 A2
- Osmery 18 136 B1
- Osmets 65 249 E1
- Osmoy 78 56 B2
- Osmoy 18 119 D4
- Osmoy-St-Valery 76 16 A3
- Osne-le-Val 52 62 B4
- Osnes 08 22 A3
- Osny 95 33 E4
- Ospédale (Forêt de l') 2A 269 E2
- L'Ospédale 2A 269 E2
- Osquich (Col d') 64 247 D2
- Ossages 40 225 E4
- Ossas-Suhare 64 248 A2

- Ossé 35 73 E4
- Osse-en-Aspe 64 256 A2
- Osséja 66 261 D4
- Osselle 25 125 D3
- Ossen 65 257 D2
- Ossenx 64 225 F4
- Osserain-Rivareyte 64 225 E4
- Osses 64 246 C1
- Ossey-les-Trois-Maisons 10 82 B1
- Ossun 65 249 D2
- Ossun-ez-Angles 65 257 E1
- Ostabat-Asme 64 247 D1
- Ostel 02 35 F2
- Ostheim 68 89 D3
- Osthoffen 67 67 D3
- Osthouse 67 89 E1
- Ostreville 62 9 E2
- Ostricourt 59 10 B2
- Ostwald 67 67 D3
- Ota 2a 266 B2
- Othe 54 38 C1
- Othis 77 34 B4
- Ottange 57 39 F1
- Ottersthal 67 66 C2
- Otterswiller 67 66 C2
- Ottmarsheim 68 109 D1
- Ottonville 57 40 C3
- Ottrott 67 66 C4
- Ottwiller 67 66 B1
- Ouagne 58 121 D1
- Ouainville 76 14 C3
- Ouanne 89 102 A3
- Ouarville 28 79 D2

- Ouchamps 41 117 D1
- Ouches 42 154 A4
- Oucques 41 98 B2
- Oudalle 76 30 B1
- Oudeuil 60 33 D1
- Oudezeele 59 4 B3
- Oudincourt 52 85 D3
- Oudon 44 112 B1
- Oudrenne 57 40 C1
- Oudry 71 138 C4
- Oueilloux 65 249 E2
- Ouerre 28 56 A3
- Ouessant 29 44 A2
- Ouézy 14 29 E4
- Ouffières 14 28 C4
- Ouge 70 105 F2
- Ouges 21 123 F2
- Ougney 39 124 B3
- Ougney-Douvot 25 125 F2
- Ouhans 25 142 B1
- Ouides 43 201 E1
- Ouillat (Col de l') 66 262 C3
- Ouillon 64 248 C1
- Ouilly-du-Houley 14 30 B3
- Ouilly-le-Tesson 14 53 D1
- Ouilly-le-Vicomte 14 30 A3
- Ouistreham 14 29 E3
- Oulches 36 134 A3
- Oulches-la-Vallée-Foulon 02 36 A2
- Oulchy-le-Château 02 35 E3
- Oulchy-la-Ville 02 35 E3

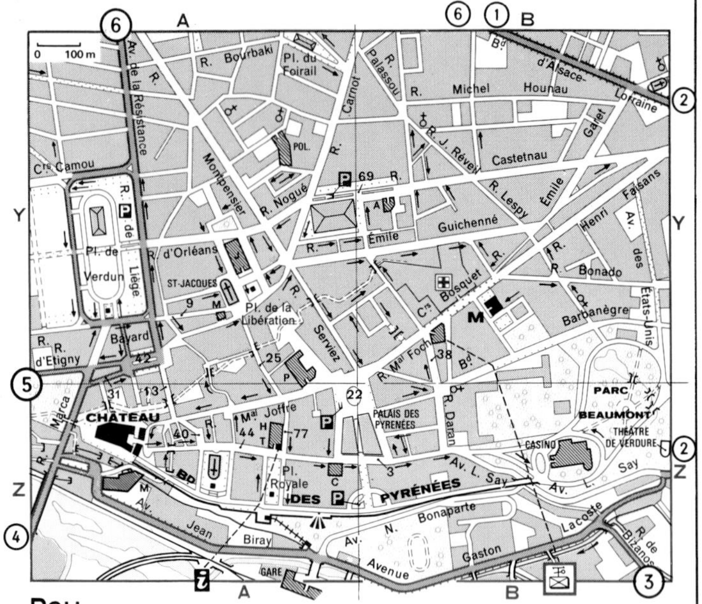

Pau

Barthou (R. Louis) BZ 3
Cordeliers (R. des) AY 25
Henri-IV (R.) AZ 44
St-Louis (R.) AZ 77
Serviez (R.) AY
Bernadotte (R.) AY 9
Bizanos (R. de) BZ
Bordenave-d'Avère (R.) AZ 13
Clemenceau (Pl. G.) ABZ 22
Espalungue (R. d') AZ 31
Etigny (R. d') AY
Gambetta (R.) BY 38
Gassion (R.) AZ 40
Gramont (Pl.) AY 42
République (Pl. de la) BY 69

Oulins 28 56 A2
Oulles 38 189 F3
Oullins 69 171 E2
Oulmes 85 146 A1
Oulon 58 120 C3
Ounans 39 124 C4
Oupia 34 254 B1
Our 39 124 C3
Ource 10,21 104 B2
Ourcel-Maison 60 17 E4
Ourches 26 204 B1
Ourches-sur-Meuse 55 63 E3
Ourcq 02 35 D3
Ourde 65 250 A4
Ourdis-Cotdoussan 65 257 E2
Ourdon 65 257 E2
Ourouër 58 120 C4
Ouroux 69 155 D2
Ouroux-en-Morvan 58 121 F3
Ouroux-sous-le-Bois-Ste-Marie 71 154 C1
Ouroux-sur-Saône 71 140 B2
Ours (Pic de l') 83 240 A3
Oursbelille 65 249 D1
Ourscamps (Abbaye d') 60 34 C1
Ourtigas (Col de l') 34 232 C3
Ourton 62 9 E2
Ourville-en-Caux 76 14 C3
Ousse 64 248 C1
Ousse-Suzan 40 209 D4
Oussières 39 141 E1
Ousson-sur-Loire 45 100 C4
Oussoy-en-Gâtinais 45 100 C1
Oust 09 259 F3
Oust-Marest 80 16 A1
Ousté 65 257 E2
Outarville 45 79 E3
Outines 51 61 F4
Outreau 62 2 C4
Outrebois 80 9 D4
Outremécourt 52 86 A3
Outrepont 51 61 F3
Outriaz 01 157 D3
Ouvans 25 126 A2
Ouve-Wirquin 62 3 E4
Ouveillan 11 254 C1
Ouvèze 26,84 219 F2
Ouville-la-Bien-Tournée 14 29 F4
Ouville 50 27 D4
Ouville-l'Abbaye 76 15 D3
Ouville-la-Rivière 76 15 E2
Ouvrouer-les-Champs 45 99 F2
Ouzilly 86 132 B2
Ouzilly-Vignolles 86 131 F1
Ouzouer-des-Champs 45 100 C2
Ouzouer-le-Doyen 41 98 B1
Ouzouer-le-Marché 41 98 C1
Ouzouer-sous-Bellegarde 45 100 B1
Ouzouer-sur-Loire 45 100 B2
Ouzouer-sur-Trézée 45 101 D3
Ouzous 65 257 D2
Ovanches 70 106 B3
Ovillers-la-Boisselle 80 18 A1
Oxelaëre 59 4 B3
Oyé 71 154 B2
Oye-et-Pallet 25 142 C1
Oye-Plage 62 3 E2
Oyes 51 60 A2
Oyeu 38 172 C4
Oyonnax 01 157 D2
Oyré 86 132 C1
OyrelŒyreluy 40 225 E2
Oyrières 70 105 F4
Oysonville 28 79 E2
Oytier-St-Oblas 38 172 A3
Oz 38 190 A2
Ozan 01 155 F1
Oze 05 205 F3
Ozenay 71 140 A4
Ozenx 64 225 F4
Ozerailles 54 39 E3
Ozeville 50 25 D3
Ozières 52 85 F3
Ozillac 17 177 E1
Ozoir-le-Breuil 28 98 C1
Ozoir-la-Ferrière 77 58 B3
Ozolles 71 154 C1
Ozon 07 187 E3
Ozon 65 249 F2
Ozouer-le-Repos 77 58 C4
Ozouer-le-Voulgis 77 58 B3
Ozourt 40 225 F2

P

Paars 02 35 F2
Pabu 22 47 E3
La Pacaudière 42 154 A3
Paccionitoli 2A 269 D2
Pacé 61 76 A1
Pacé 35 73 D3
Pact 38 187 F1
Pacy-sur-Armançon 89 103 D2
Pacy-sur-Eure 27 55 F1
Padern 11 254 A4
Padiès 81 215 D3
Padirac 46 198 B1
Padirac (Gouffre de) 46 198 B1
Padoux 88 87 E2
Pageas 87 164 B3
Pagney 39 124 C2
Pagney-derrière-Barine 54 63 F3
Pagnoz 39 125 D4
Pagny-la-Blanche-Côte 55 63 E4
Pagny-le-Château 21 123 F4
Pagny-lès-Goin 57 64 B1
Pagny-sur-Meuse 55 63 E3
Pagny-sur-Moselle 54 64 A1
Pagny-la-Ville 21 123 F4
Pagolle 64 247 E1
Pailhac 65 249 F4
Pailharès 07 187 D3
Pailherols 15 183 E4
Pailhès 34 233 D4
Pailhès 09 251 F3
Paillart 60 17 E4
Paillas (Moulins de) 83 245 E2
Paillé 17 146 B4
Paillencourt 59 10 C3
Paillet 33 194 E2
Pailloles 47 196 B1
Pailly 89 81 F2
le Pailly 52 105 E2
Paimbœuf 44 111 D2
Paimpol 22 47 E1
Paimpont 35 72 B4
Painblanc 21 122 C3
Païolive (Bois de) 07 218 B1
Pair-et-Grandrupt 88 88 B2
Paissy 02 36 A2
Paisy-Cosdon 10 82 B3
Paizay-le-Chapt 79 146 C3
Paizay-Naudouin 16 147 D4
Paizay-le-Sec 86 133 D4
Paizay-le-Tort 79 146 C3
Pajay 38 188 A1
Pal (Zoo du) 03 138 A4
Paladru 38 172 C4
Paladru (Lac de) 38 172 C4
Palaggiu (Alignements de) 2A 268 C3
Palairac 11 254 A4
Le Palais 56 90 C4
Le Palais-sur-Vienne 87 164 C1
Palaiseau 91 57 E3
Palaiseul 52 105 E2
Palaja 11 253 E2
Palaminy 31 251 D2
Palante 70 107 E3
Palantine 25 125 D3
Palasca 2b 264 C3
Palau-de-Cerdagne 66 261 D4
Palau-del-Vidre 66 262 C3
Palavas-les-Flots 34 234 C3
Palazinges 19 181 E3
Paley 77 80 C3
Paleyrac 24 196 C1
Palhers 48 201 D4
Palinges 71 139 D4
Pâlis 10 82 B2
Palise 25 125 E1
Palisse 19 182 B1
Palladuc 63 169 D1
Pallanne 32 227 F3
Palleau 71 140 B1
Pallegney 88 87 E2
Le Pallet 44 112 B3
Palleville 81 231 D3
La Pallu 53 52 C4
Palluau 85 128 C2
Palluau-sur-Indre 36 134 A1
Palluaud 16 178 C1
Pallud 73 174 B2
Palluel 62 10 C3
Palmas 12 215 F1
Palneca 2a 267 D4
Palogneux 42 169 F2
Palombaggia (Plage de) 2A 269 E3
La Palud-sur-Verdon 04 239 D1
Paluel 76 14 C2
Pamfou 77 81 D1
Pamiers 09 252 B3
Pampelonne 81 214 C3
Pamplie 79 130 C4
Pamproux 79 146 D1
Panassac 32 228 B4
Panazol 87 164 C2
Pancé 35 93 E1
Pancey 52 85 E1
Pancheraccia 2b 267 E2
Pancy-Courtecon 02 35 F1
Pandrignes 19 181 F2
Pange 57 40 C4
Panges 21 123 D1
Panilleuse 27 32 B4
Panissage 38 172 C4
Panissières 42 170 C2
Panjas 32 227 D1
Pannecé 44 94 A4
Pannecières 45 79 F2
Pannes 45 100 C1
Pannes 54 63 F1
Pannesière-Chaumard (Barrage de) 58 121 F3
Pannessières 39 141 E2
Panon 72 76 B2
Panossas 38 172 B2
La Panouse 48 201 F2
Pantin 93 57 E2
Panzoult 37 115 E3
Papleux 02 20 A1
Paradou 13 236 A2
Paramé 35 49 E3
Parassy 18 119 E3
Parata 2b 265 E4
Parata (Pointe de la) 2A 266 A4
Paray-Douaville 78 79 D1
Paray-le-Frésil 03 137 F3
Paray-le-Monial 71 154 B1
Paray-sous-Briailles 03 153 D2
Paray-Vieille-Poste 91 57 E3
Paraza 11 254 B2
Parbayse 64 248 A1
Parc-d'Anxtot 76 14 B4
Parçay-Meslay 37 116 A1
Parçay-les-Pins 49 115 D1
Parçay-sur-Vienne 37 115 E4
Parcé 35 74 A2
Parcé-sur-Sarthe 72 95 F2
Parcey 39 124 B4
Parcieux 01 171 E1
Parcoul 24 178 B2
Le Parcq 62 9 D2
Parcy-et-Tigny 02 35 E3
Pardailhan 34 232 C4
Pardaillan 47 195 F2
Pardies 64 226 A4
Pardies-Piétat 64 248 C2
Pardines 63 168 B4
Paréac 65 249 D2
Pareid 55 39 E4
Pareloup (Lac de) 12 215 F2
Parempuyre 33 177 D4
Parennes 72 75 F3
Parent 63 168 B3
Parentignat 63 168 B4
Parentis-en-Born 40 208 B1
Parenty 62 8 B1
Parey-St-Césaire 54 64 B4
Parey-sous-Montfort 88 86 B2
Parfondeval 61 77 D1
Parfondeval 02 20 C3
Parfondru 02 36 A1
Parfondrupt 55 39 E3
Parfouru-l'Éclin 14 28 B3
Parfouru-sur-Odon 14 28 C4
Pargnan 02 36 A2
Pargny 80 18 C3
Pargny-les-Bois 02 19 F3
Pargny-la-Dhuys 02 59 F1
Pargny-Filain 02 35 F1
Pargny-lès-Reims 51 36 B3
Pargny-Resson 08 37 D1
Pargny-sous-Mureau 88 85 F2
Pargny-sur-Saulx 51 62 A2
Pargues 10 83 E4
Parignargues 30 235 D1
Parigné 35 74 A1
Parigné-l'Évêque 72 96 C1
Parigné-le-Pôlin 72 96 B2
Parigné-sur-Braye 53 75 D2
Parigny 42 154 B4
Parigny 50 51 D4
Parigny-la-Rose 58 120 C2
Parigny-les-Vaux 58 120 B4
PARIS 75 57 E2
Paris-l'Hôpital 71 139 F1
Parisot 82 214 A2
Parisot 81 230 C1
Parlan 15 199 D1
Parleboscq 40 210 B4
Parly 89 101 F3
Parmain 95 33 E4
Parmilieu 38 172 B1
Parnac 36 149 F1
Parnac 46 197 E4
Parnans 26 188 B3
Parnay 49 114 C3
Parnay 18 136 A2
Parné-sur-Roc 53 74 C4
Parnes 60 32 C3
Parnot 52 86 A4
Les Paroches 55 63 D1
Parois 55 38 B4
Paron 89 81 E3
Paroy 25 125 D4
Paroy 77 81 E1
Paroy-en-Othe 89 82 B4
Paroy-sur-Saulx 52 62 C4
Paroy-sur-Tholon 89 101 F1
Parpeçay 36 117 E3
Parpeville 02 19 E3
Parranquet 47 196 C3
Parroy 54 65 D3
Pars-lès-Chavanges 10 83 F1
Pars-lès-Romilly 10 82 B1
Parsac 23 150 C3
Parthenay 79 131 E3
Parthenay-de-Bretagne 35 72 C3
Partinello 2a 266 B1
Parux 54 65 F4
Parves 01 173 D2
Parville 27 55 E1
Parvillers-le-Quesnoy 80 18 B3
Parzac 16 163 D1
Le Pas 53 75 D1
Les Pas 50 50 B4
Pas-de-Jeu 79 131 F1
Pas-en-Artois 62 9 E4
Le Pas-St-l'Homer 61 77 E1
Pasilly 89 103 D3
Paslières 63 168 C1
Pasly 02 35 E2
Pasques 21 123 E2
Le Pasquier 39 141 F2
Passa 66 262 C3
Le Passage 38 172 C3
Le Passage 47 211 E2
Passais-la-Conception 61 51 F4
Passavant 25 126 A2
Passavant-en-Argonne 51 38 A4
Passavant-la-Rochère 70 106 B1
Passavant-sur-Layon 49 114 A3
Passel 60 34 C1
Passenans 39 141 E2
Passin 01 157 D4
Passins 38 172 C2
Passirac 16 178 A1
Passonfontaine 25 126 A3
Passy 74 159 D4
Passy 71 139 E4
Passy 89 81 F4
Passy-en-Valois 02 35 D3
Passy-Grigny 51 36 A4
Passy-sur-Marne 02 35 F4
Passy-sur-Seine 77 81 F1
Pastricciola 2a 266 C2
Patay 45 79 D4
Patornay 39 141 E3
Patrimonio 2b 265 E2
Pau 64 248 B1
Paucourt 45 84 C4
Paudy 36 118 A4
Pauilhac 32 228 B1
Pauillac 33 177 D2
Paule 22 70 A2
Paulhac 15 183 F4
Paulhac 31 230 B2
Paulhac 43 184 C2
Paulhac-en-Margeride 48 184 C4
Paulhaguet 43 185 D2
Paulhan 34 233 F3
Paulhe 12 216 B3
Paulhenc 15 200 B1
Paulhiac 47 196 C3
Pauliac (Puy de) 19 181 E3
Pauligne 11 253 D3
Paulin 24 180 C4
Paulinet 81 231 F1
Paulmy 37 133 D1
Paulnay 36 133 F2
Paulx 44 111 E4
Paunat 24 196 C1
Pause (Col de) 09 259 E4
Paussac-et-St-Vivien 24 179 E1
Pautaines-Augeville 52 85 E2
Pauvres 08 37 E2
Pavant 02 59 E1
Pavezin 42 171 D4
Pavie 32 228 B3
Le Pavillon-Ste-Julie 10 82 C2
Les Pavillons-sous-Bois 93 58 A2
Pavilly 76 15 E4
Pavin (Lac) 63 167 F4
Payns 10 82 C2
Payra-sur-l'Hers 11 252 C1
Payrac 46 197 F2
Payré 86 147 E2
Payrignac 46 197 E2
Payrin-Augmontel 81 231 F3
Payros-Cazautets 40 226 B2
Payroux 86 148 A2
Payssous 31 258 C2
Payzac 07 202 C4
Payzac 24 180 C1
Pazayac 24 181 C3
Paziols 11 262 B1
Pazy 58 121 D3
Le Péage-de-Roussillon 38 187 E1
Péas 51 60 A3
Peaugres 07 187 E2
Péaule 56 92 A3
Péault 85 129 E4
Pébées 32 229 D4
Pébrac 43 185 D4
Pech 09 260 B1
Pech-Luna 11 252 C2
Pech-Merle (Grotte du) 46 198 B3
Péchabou 31 230 A4
Pécharic-et-le-Py 11 252 C2
Péchaudier 81 231 D3
Pechbonnieu 31 230 A2
Pechbusque 31 230 A3
Le Pêchereau 36 134 B4
Pécorade 40 226 C2
Le Pecq 78 57 D2
Pecquencourt 59 10 C2
Pecqueuse 91 57 D4
Pécy 77 59 D4
Pédernec 22 47 D3
Pégairolles-de-Buèges 34 233 F1
Pégairolles-de-l'Escalette 34 233 E1
Pégomas 06 240 A2
Le Pègue 26 204 B4
Péguilhan 31 250 B1
Peigney 52 105 D1
Peillac 56 92 B2
Peille 06 241 E3
Peillon 06 241 E4
Peillonnex 74 158 B3
Peintre 39 124 B3
Les Peintures 33 178 A3
Peipin 04 221 F2
Peisey-Nancroix 73 175 D3
Pel-et-Der 10 83 F1
Pélissanne 13 236 C2
Pellafol 38 205 F1
Pelleautier 05 206 A3
Pellefigue 32 228 C4
Pellegrue 33 195 E2
Pelleport 31 229 E2
Pellerey 21 104 B4
Le Pellerin 44 111 E2
La Pellerine 53 74 B2
La Pellerine 49 115 D1
Pellevoisin 36 134 A1
Pellouailles-les-Vignes 49 95 E4
Pelonne 26 204 C4
Pelouse 48 201 F3
Pelousey 25 125 D2
Peltre 57 40 B4
Pélussin 42 187 D1
Pelves 62 10 B3
Pelvoux 05 190 C4
Pelvoux (Belvédère du) 05 207 D1
Penchard 77 58 B1
Pencran 29 45 E3
Pendé 80 8 A4
Pendus (Rocher des) 15 183 E4
Pénestin 56 91 F4
Penguily 22 71 F1
Penhir (Pointe de) 29 68 A1
Penin 62 9 F3
Penly 76 15 F1
Penmarch 29 68 B4
Pennautier 11 253 E2
La Penne 06 223 E4
Penne 81 213 F3
Penne-d'Agenais 47 212 A1
La Penne-sur-Huveaune 13 243 E3
La Penne-sur-l'Ouvèze 26 220 B1
Pennedepie 14 30 A2
Les Pennes-Mirabeau 13 243 D1
Pennes-le-Sec 26 204 C2
Pennesières 70 106 B4
Penol 38 188 B1
Pensol 87 163 F3
Penta-Acquatella 2b 265 E4
Penta-di-Casinca 2b 265 E4
Penvénan 22 47 D1
Péone 06 223 E2
Pépieux 11 254 A1
Pérassay 36 150 C1
Peray 72 76 C3
Perceneige 89 81 F2
Percey 89 102 C1
Percey-le-Grand 70 105 E3
Percey-le-Pautel 52 105 D2
Percey-sous-Montormentier 52 105 E3
Le Perchay 95 33 D4
La Perche 18 136 A3
Perche (Forêt du) 61 54 B4
Perchède 32 227 D1
Percy 50 51 D1
Percy 38 205 E1
Percy-en-Auge 14 29 E4
Perdreauville 78 56 B1
Perdrix (Crêt de la) 42 187 D1
Péré 65 249 F2
Péré 17 145 F3
Péréandre (Roche) 07 187 D2
Péreille 09 252 B4
Perelli 2b 267 E1
Pérenchies 59 5 D4
Péret 34 233 E3
Péret-Bel-Air 19 166 A4
Péreuil 16 162 B4
Péreyres 07 202 C2
Pergain-Taillac 32 211 E3
Peri 2a 266 C3
Le Périer 38 189 F4
Périers 50 26 C3
Périers-en-Auge 14 29 E3
Périers-sur-le-Dan 14 29 D3
Pérignac 16 162 B4
Pérignac 17 161 E3
Pérignat-lès-Sarliève 63 168 B2
Pérignat-sur-Allier 63 168 B2
Périgné 79 146 C3
Périgneux 42 170 B4
Périgny 17 145 D3
Périgny 14 52 A1
Périgny 41 98 A3
Périgny 94 58 A3
Périgny 03 153 E2
Périgny-la-Rose 10 59 F4
Périgueux 24 179 F2
Périssac 33 177 F4
Perles 02 35 F2
Perles-et-Castelet 09 260 C1
Pern 46 213 D1
Pernand-Vergelesses 21 123 E4
Pernant 02 35 D2
Pernay 37 115 E1
La Pernelle 50 25 E2
Pernes 62 9 E1
Pernes-lès-Boulogne 62 2 C3
Pernes-les-Fontaines 84 220 A3
Pernois 80 17 E1
Pero-Casevecchie 2b 265 F4
Pérols 34 234 C3
Pérols-sur-Vézère 19 166 A3
Péron 01 157 E2
Péronnas 01 156 B3
Péronne 71 155 E1
Péronne 80 18 C2
Péronne-en-Mélantois 59 10 C1
Péronville 28 78 C4
Pérouges 01 172 A1
La Pérouille 36 134 B3
Pérouse 90 108 A3
Péroy-les-Gombries 60 34 B3
Perpezac-le-Blanc 19 180 C2
Perpezac-le-Noir 19 181 D1
Perpezat 63 167 E3
Perpignan 66 262 C2
Les Perques 50 24 C3
Perquie 40 209 F4
Perrancey 52 105 D2
Le Perray-en-Yvelines 78 56 C3
Perrecy-les-Forges 71 139 D3
Le Perréon 69 155 E3
Perret 22 70 C2
Perreuil 71 139 E2
Perreuse 89 101 F4
Perreux 42 154 B4
Perreux 89 101 E2
Le Perreux-sur-Marne 94 58 A2
Perrex 01 156 A2
Le Perrier 85 128 A1
Perrier 63 168 B4
Perrier (source minérale) 30 235 D2
La Perrière 61 76 C2
La Perrière 73 174 C4
Perrières 14 53 D1
Perriers-la-Campagne 27 31 D4
Perriers-en-Beauficel 50 51 E3
Perriers-sur-Andelle 27 32 A2
Perrignier 74 158 C1
Perrigny 89 102 A2
Perrigny 39 141 E3
Perrigny-lès-Dijon 21 123 E2
Perrigny-sur-Armançon 89 103 E3
Perrigny-sur-Loire 71 138 B4
Perrigny-sur-l'Ognon 21 124 B2
Perrogney-les-Fontaines 52 105 D2
Le Perron 50 28 A4
Perros-Guirec 22 46 C1
Perrou 61 53 B4
Perrouse 70 125 E1
Perroy 58 120 B1
Perruel 27 32 A2
Perrusse 52 85 F4
Perrusson 37 116 B4
Pers 79 147 D2
Pers 15 199 D1
Pers-en-Gâtinais 45 81 D4
Pers-Jussy 74 158 B3
Persac 86 148 B2
Persan 95 33 E4
Perseigne (Forêt de) 72 76 B1
Persquen 56 70 C3
Pertain 80 18 C3
Perthes 77 80 B1
Perthes 08 37 D1
Perthes 52 62 A3
Perthes-lès-Brienne 10 84 A1
Pertheville-Ners 14 53 D2
Le Perthus 66 262 C4
Le Pertre 35 74 B4
Le Pertuis 43 186 A3
Pertuis 84 237 E2
Pertusato (Capo) 2A 269 D4
Perty (Col de) 26 220 C1
La Péruse 16 163 E1
Pervenchères 61 76 C1
Perville 82 212 A2
Pescadoires 46 197 E4
Peschadoires 63 168 C2
Le Pescher 19 181 E3
Péseux 25 126 B1
Peseux 39 124 A4
Peslières 63 184 C1
Pesmes 70 124 B2
Pessac 33 194 A1
Pessac-sur-Dordogne 33 195 E1
Pessan 32 228 B3
Pessans 25 125 D3
Pessat-Villeneuve 63 168 B1
La Pesse 39 157 E2
Pessines 17 161 D2
Pessoulens 32 228 C1
Pesteils 15 183 D4
Petersbach 67 66 B1
Le Petit-Abergement 01 157 D4
Petit-Auverné 44 94 A3
Petit Ballon 68 88 C4
Petit-Bersac 24 178 C2
Le Petit-Bornand-les-Glières 74 158 B4
Le Petit-Celland 50 51 D3
Petit-Cœur 73 174 C3
Le Petit-Couronne 76 31 E2
Petit-Croix 90 108 A3
Le Petit Drumont 88 108 A1
Petit-Failly 54 39 D1
Petit-Fayt 59 11 F4
Petit-Fort-Philippe 59 3 E1
Le Petit-Fougeray 35 93 E1
Petit-Landau 68 109 D2
Petit-Mars 44 112 B1
Le Petit-Mercey 39 124 C3
Petit-Mesnil 10 84 A2
Petit Morin 51, 77 60 A2
Petit-Noir 39 140 C1
Petit-Palais-et-Cornemps 33 178 A4
Le Petit-Pressigny 37 133 D1
Le Petit-Quevilly 76 31 E1
Petit-Réderching 57 42 B4
Petit-Rhône 13,30 235 E2
Petit St-Bernard (Col du) 73 175 E2
Petit-Tenquin 57 41 E4
Petit-Verly 02 19 E1
La Petite-Boissière 79 130 B1
Petite-Chaux 25 142 B2
Petite-Forêt 59 11 D2
La Petite-Fosse 88 88 B2
La Petite-Marche 03 151 F3
La Petite-Pierre 67 66 B1
La Petite-Raon 88 88 B1
Petite-Rosselle 57 41 E3
La Petite-Verrière 71 122 A4
Petitefontaine 90 108 A2
Les Petites-Armoises 08 37 F1
Les Petites-Loges 51 36 C4
Petitmagny 90 108 A2
Petitmont 54 65 F4
Petits Goulets 26,38 188 C3
Petiville 76 30 C1
Petiville 14 29 E3
Petosse 85 130 A4
Petreto-Bicchisano 2A 268 C2
Pettoncourt 57 64 C2
Pettonville 54 65 E4
Peujard 33 177 E3
Peumérit 29 68 C3
Peumerit-Quintin 22 70 B1
Peuplingues 62 2 C2
Peuton 53 94 C1
Peuvillers 55 38 C2
Peux-et-Couffouleux 12 232 C2
Pévange 57 65 D1
Pévy 51 36 A2
Pexiora 11 253 D1
Pexonne 54 65 F4
Pey 40 225 D2

Peymeinade 06 240 A2
Peynier 13 237 F4
Peypin 13 243 E2
Peypin-d'Aigues 84 237 E1
Peyrabout 23 150 B3
Le Peyrat 09 252 C4
Peyrat-le-Château 87 165 F1
Peyrat-de-Bellac 87 149 D3
Peyrat-la-Nonière 23 151 D3
La Peyratte 79 131 E3
Peyraube 65 249 F2
Peyraud 07 187 E2
Peyre 40 226 B3
Peyre-Haute 05 207 D2
Peyrebeille (Auberge de) 07 202 B2
Peyrecave 32 212 A4
Peyrefitte-du-Razès 11 253 D2
Peyrefitte-sur-l'Hers 11 252 C2
Peyregoux 81 231 E2
Peyrehorade 40 225 D3
Peyreleau 12 216 B2
Peyrelevade 19 166 B2
Peyrelongue-Abos 64 227 D4
Peyremale 30 218 A1
Peyrens 11 252 C1
Peyrepertuse (Château de) 11 253 F4
Peyresourde (Col de) 31,65 258 B4
Peyrestortes 66 262 C1
Peyret-St-André 65 250 A1
Peyriac-de-Mer 11 254 C3
Peyriac-Minervois 11 253 F1
Peyriat 01 157 D3
Peyrière 47 195 F3
Peyrieu 01 157 D2
Peyrignac 24 180 B3
Peyriguère 65 249 F1
Peyrilhac 87 164 B1
Peyrillac-et-Millac 24 197 F1
Peyrilles 46 197 F3
Peyrins 26 188 A3
Peyrissac 19 165 E4
Peyrissas 31 250 C1
Peyrol (Pas de) 15 183 E3
Peyrole 81 230 C1
Peyroles 30 217 F3
Peyrolles 11 253 E4
Peyrolles-en-Provence 13 237 F2
Peyroules 04 239 E1
Peyrouse 65 249 D2
Peyrouzet 31 250 C2
Peyruis 04 221 F3
Peyrun 65 249 E1
Peyrus 26 188 B4
Peyrusse 15 184 A2
Peyrusse-Grande 32 227 F2
Peyrusse-Massas 32 228 B2
Peyrusse-le-Roc 12 199 D4
Peyrusse-Vieille 32 227 F2
Peyssies 31 251 E1
Peyzac-le-Moustier 24 180 B4
Peyzieux-sur-Saône 01 155 F3
Pézanin (Arboretum) 71 155 D1
Pézarches 77 58 C3
Pezé-le-Robert 72 76 A3
Pézenas 34 233 F4
Pézènes-les-Mines 34 233 E3
Pezens 11 253 E2
Pézilla-de-Conflent 66 262 A2
Pézilla-la-Rivière 66 262 B2
Pezou 41 98 A2
Pezuls 24 196 C1
Pézy 28 78 C2
Pfaffenheim 68 89 D4
Pfaffenhoffen 67 67 E2
Pfalzweyer 67 66 B2
Pfastatt 68 108 C2
Pfetterhouse 68 108 B4
Pfettisheim 67 67 D3
Pfulgriesheim 67 67 D3
Phaffans 90 108 B1
Phalempin 59 10 B1
Phalsbourg 57 66 B2
Philippsbourg 57 42 C4
Philondenx 40 226 B3
Phlin 54 64 C1
Pia 66 262 C1
Piacé 72 76 B2

Le Pian-Médoc 33 177 D4
Le Pian-sur-Garonne 33 194 C3
Piana 2a 266 A2
Pianello 2b 267 E1
Piano 2b 265 E4
Pianotolli-Caldarello 2a 269 D4
Les Piards 39 141 F4
La Piarre 05 205 E4
Piazzali 2b 267 E1
Piazzole 2b 265 E4
Piblange 57 40 C2
Pibeste (Pic du) 65 257 D2
Pibrac 31 229 F3
Picarreau 39 141 E2
Picauville 50 25 D4
Pichanges 21 123 F1
Picherande 63 167 E4
Picquigny 80 17 D2
Pie-d'Orezza 2b 265 E4
Pied-de-Borne 48 202 B4
Pied-la-Viste 05 207 D2
Piedicorte-di-Gaggio 2b 267 E2
Piedicroce 2b 265 E4
Piedigriggio 2b 265 D4
Piedipartino 2b 265 E4
Piégon 26 220 A1
Piégros-la-Clastre 26 204 B2
Piégut 04 206 B4
Piégut-Pluviers 24 163 E3
Piemançon (Plage de) 13 242 A2
Piencourt 27 30 B3
Piennes 54 39 E2
Piennes-Onvillers 80 18 A4
Piépape 52 105 D3
Pierias 2b 265 E4
La Pierre 38 189 F1
Pierre-Bénite 69 171 E2
Pierre-Buffière 87 165 D3
Pierre-Châtel 38 189 E4
Pierre-de-Bresse 71 140 C1
Pierre d'Haudry 02 20 A1
La Pierre du Charbonnier 03 153 F3
Pierre-Gourde (Château de) 07 203 F1
Pierre-Levée 77 58 C2
Pierre-Lys (Défilé de) 11 261 E1
Pierre-Morains 51 60 C2
Pierre-Percée 54 65 F4
Pierre-Perthuis 89 121 E1
Pierre-qui-Vire (Abbaye de la) 89 122 A2
Pierre St-Martin (Col de la) 64 247 F3
Pierre sur Haute 63 169 E3
Pierre-la-Treiche 54 64 A3
Pierreclos 71 155 E2
Pierrecourt 76 16 B2
Pierrecourt 70 105 F3
Pierrefaites 52 105 F2
Pierrefeu 06 223 F4
Pierrefeu-du-Var 83 244 C2
Pierrefiche 48 201 F2
Pierrefiche 12 200 B4
Pierrefiques 76 14 A3
Pierrefitte 79 131 D1
Pierrefitte 88 87 D3
Pierrefitte 23 151 D3
Pierrefitte 19 181 E1
Pierrefitte-en-Auge 14 30 A3
Pierrefitte-en-Beauvaisis 60 33 D1
Pierrefitte-en-Cinglais 14 52 B1
Pierrefitte-ès-Bois 45 100 C4
Pierrefitte-Nestalas 65 257 E2
Pierrefitte-sur-Aire 55 63 F1
Pierrefitte-sur-Loire 03 138 B4
Pierrefitte-sur-Sauldre 41 99 F4
Pierrefitte-sur-Seine 93 39 D4
Pierrefonds 60 34 C2
Pierrefontaine-lès-Blamont 25 126 C1
Pierrefontaine-les-Varans 25 126 A3
Pierrefontaines 52 105 D2

Pierrefort 15 200 B1
Pierregot 80 17 F1
Pierrelatte 26 219 D1
Pierrelaye 95 57 D1
Pierrelongue 26 220 B2
Pierremande 02 19 D4
Pierremont 62 9 D2
Pierrepont 14 52 C2
Pierrepont 54 20 A4
Pierrepont 54 39 E1
Pierrepont-sur-l'Arentèle 88 87 F2
Pierrepont-sur-Avre 80 18 A3
Pierrerue 04 221 E4
Pierrerue 34 232 C4
Pierres 28 56 A4
Pierres 14 51 F2
Pierres (Pont des) 01 157 E3
Pierreval 76 32 A1
Pierrevert 04 238 A1
Pierreville 54 64 B4
Pierreville 50 24 B3
Pierrevillers 57 40 A3
Pierric 44 93 D3
Pierry 51 60 B1
Pietra-di-Verde 2b 267 F1
Pietracorbara 2b 265 F2
Pietracrobara 2b 264 C2
Pietralba 2b 265 D3
Pietraserena 2b 267 E2
Pietricaggio 2b 267 E1
Pietrosella 2a 268 B1
Pietroso 2b 267 E2
Piets-Plasence-Moustrou 64 226 B3
Pieusse 11 253 E3
Les Pieux 50 24 B3
Piève 2b 265 E3
Piffonds 89 81 E4
Pigerolles 23 166 B2
Pigna 2b 264 B3
Pignals 2b 265 E3
Pigny 18 119 D3
Pihem 62 3 E4
Pihen-lès-Guînes 62 2 C2
Pila-Canale 2a 268 C1
Pilat (Dune du) 33 190 C3
Pilat (Parc Régional du) 42 187 D1
Pillac 16 178 C1
Pillemoine 39 141 F2
Les Pilles 26 220 B1
Pillon 55 39 D2
Pimbo 40 226 C3
Pimelles 89 103 D2
Pimorin 39 141 D4
Pimprez 60 34 C1
Le Pin 14 30 B3
Le Pin 82 212 B3
Le Pin 38 172 C4
Le Pin 03 154 A1
Le Pin 17 177 F1
Le Pin 44 94 A3
Le Pin 39 141 E2
Le Pin 79 130 B1
Le Pin 30 219 D3
Le Pin 77 58 A2
Pin 70 125 D2
Le Pin-au-Haras 61 53 E3
Pin-Balma 31 230 A3
Le Pin-en-Mauges 49 113 D2
Le Pin-la-Garenne 61 77 D1
Pin (Haras du) 61 53 E3
Pin-Moriès 48 201 D4
Le Pin-Murelet 31 229 D4
Pinarello 2A 269 F2
Pinas 65 250 A4
Pinay 42 170 B1
Pincé 72 95 E2
Pinçon (Mont) 14 52 A1
Pindères 47 210 B1
Pindray 86 133 D4
Les Pineaux 85 129 E3
Pinel-Hauterive 47 196 B4
Pinet 34 233 F4
Pineta (Forêt de la) 2A 266 C4
Pineuilh 33 195 E1
Piney 10 83 E2
Pino 2b 264 B2
Pinols 43 184 C3
Pinon 02 35 E1
Les Pins 16 163 D2
Pins-Justaret 31 229 F4
Pinsac 46 197 F1
Pinsaguel 31 229 F3
Pinsot 38 190 A1
Pintac 65 249 D1
Pinterville 27 31 F3
Pintheville 55 39 D4
Les Pinthières 28 56 B3
Piobetta 2b 267 E1
Pioggiola 2b 264 C3
Piolenc 84 219 E2
Pionnat 23 150 C3
Pionsat 63 151 F3

Pioussay 79 147 D3
Pipriac 35 92 C2
Pique (Vallée de la) 31 258 B4
Piquecos 82 213 D3
Pirajoux 01 156 B1
Piré-sur-Seiche 35 73 E4
Pirey 25 125 D2
Piriac-sur-Mer 44 110 A1
Pirmil 72 96 A1
Pirou 50 26 C3
Pis 17 160 C2
Pisany 17 160 C2
Piscia di Gallo (Cascade de) 2A 269 E2
Piscop 95 57 E1
Piseux 27 55 D3
Pisieu 38 188 A1
Piseleu 60 33 D1
Pissos 40 209 D1
Pissotte 85 130 B4
Pissy 80 17 E2
Pissy-Pôville 76 31 E1
Pisy 89 103 D4
Pitgam 59 3 F2
Pithiviers 45 80 A3
Pithiviers-le-Vieil 45 79 F3
Pithon 02 18 C3
Pîtres 27 31 F2
Pittefaux 62 2 C3
Pizay 01 172 A1
Pizieux 72 76 C2
Le Pizou 24 178 B4
Le Pla 09 261 D2
Plabennec 29 45 D2
Placé 53 74 C2
Les Places 27 30 B3
Placey 25 125 D2
Plachy-Buyon 80 17 E3
Placy 14 52 B1
Placy-Montaigu 50 27 F4
Le Plagnal 07 202 B2
La Plagne 73 175 D3
Plagne 31 251 D2
Plagne 01 157 E2
Plagnole 31 229 D4
Plaigne 11 252 C2
Plailly 60 34 A4
Plaimbois-du-Miroir 25 126 B2
Plaimbois-Vennes 25 126 B3
Plaimpied-Givaudins 18 119 D4
La Plaine 49 113 F4
Plaine 67 88 C1
Plaine-de-Walsch 57 66 A3
Plaine-Haute 22 47 F4
Plaine Joux 74 159 D4
La Plaine-sur-Mer 44 110 C3
Plainemont 70 106 C1
Plaines-St-Lange 10 103 F1
Plainfaing 88 88 B3
Plainoiseau 39 141 E2
Les Plains-et-Grands-Essarts 25 126 C2
Plaintel 22 48 A4
Plainval 60 33 F1
Plainville 27 30 C4
Plainville 60 17 F4
Plaisance 86 148 C2
Plaisance 12 215 E4
Plaisance 32 227 E3
Plaisance-du-Touch 31 229 F3
Plaisia 39 141 E4
Plaisians 26 220 B2
Plaisir 78 56 C2
Plaisir Fontaine (Grotte de) 25 125 E3
Plaissan 34 233 F3
Plaizac 16 162 A2
Plampinet 05 191 D3
Le Plan 31 251 D2
Plan 38 188 C1
Planaise 73 173 F4
Planay 73 175 D4
Planay 21 103 F3
La Planche 44 112 A4
Plancher-Bas 70 107 F2
Plancher-les-Mines 70 107 F2
Plancherine 73 174 B2
Planches 61 53 F3
Les Planches-en-Montagne 39 142 A3
Les Planches-près-Arbois 39 141 F1
Planchez 58 121 F3
Plancoët 22 49 D3
Plancy-l'Abbaye 10 60 B4
La Planée 25 142 C1
Planès 66 261 E3
Planèzes 66 262 B1
Planfoy 42 186 C1
Planguenoual 22 48 B3
Planioles 46 198 C3

Le Planois 71 140 C2
Plan-d'Aups 83 243 F2
Plan-de-Baix 26 204 B1
Plan-de-Cuques 13 236 C1
Plan-de-la-Tour 83 245 E1
Plan-d'Orgon 13 236 C1
Planpraz 74 159 E4
Le Planquay 27 30 C4
Planquery 14 28 B3
Les Planques 81 214 C3
Planques 62 9 D2
Planrupt 52 84 B1
Les Plans 34 233 E2
Les Plans 30 218 B2
Le Plantay 01 156 A4
Les Plantiers 30 217 E3
Le Plantis 61 54 A4
Planty 10 82 B3
Planzolles 07 202 C4
Plappeville 57 40 A3
Plasne 39 141 E2
Plasnes 27 30 C4
Plassac 17 161 D4
Plassac 33 177 D3
Plassac-Rouffiac 16 162 B4
Plassay 17 161 D1
Plateau-d'Assy 74 159 D4
Plats 07 187 E4
Plaudren 56 91 E2
Plauzat 63 168 B3
Plavilla 11 252 C2
Plazac 24 180 B4
Pleaux 15 182 C3
Pléboulle 22 49 D3
Pléchâtel 35 93 D1
Plédéliac 22 48 C4
Plédran 22 48 A4
Pléguien 22 47 F2
Pléhédel 22 47 F2
Pléherel 22 48 C3
Pleine-Fougères 35 50 B4
Pleine-Selve 02 19 E3
Pleine-Selve 33 177 D1
Pleine-Sève 76 15 D2
Pleines-Œuvres 14 51 E1
Plélan-le-Grand 35 72 B4
Plélan-le-Petit 22 49 D4
Plélauff 22 70 B2
Plélo 22 48 A3
Plémet 22 71 F2
Plémy 22 71 E1
Plénée-Jugon 22 72 A1
Pléneuf-Val-André 22 48 B3
Plénise 39 142 A2
Plénisette 39 142 A2
Plerguer 35 49 F4
Plérin 22 48 A3
Plerneuf 22 47 F3
Plescop 56 91 E2
Plesder 35 72 C1
Plésidy 22 47 E4
Pleslin 22 49 E4
Plesnois 57 40 B3
Plesnoy 52 105 E1
Plessala 22 71 E2
Plessé 44 92 C4
Le Plessier-Huleu 02 35 E3
Le Plessier-Rozainvillers 80 17 F3
Le Plessier-sur-Bulles 60 33 F1
Le Plessier-sur-St-Just 60 33 F1
Le Plessis 03 137 D4
Le Plessis-aux-Bois 77 58 B1
Plessis-Barbuise 10 59 F4
Le Plessis-Belleville 60 34 B4
Le Plessis-Bouchard 95 57 E1
Le Plessis-Bourré 49 94 D3
Le Plessis-Brion 60 34 C1
Plessis-de-Roye 60 18 B4
Le Plessis-Dorin 41 77 E4
Le Plessis-l'Échelle 41 98 C2
Le Plessis-l'Évêque 77 58 B1
Le Plessis-Feu-Aussoux 77 58 C3
Le Plessis-Gassot 95 57 F1
Le Plessis-Grammoire 49 95 E4
Le Plessis-Grimoult 14 52 A1
Le Plessis-Grohan 27 55 F1
Le Plessis-Hébert 27 55 F1
Le Plessis-Lastelle 50 27 D2
Le Plessis-Luzarches 95 33 F4
Le Plessis-Macé 49 95 D4

Le Plessis-Pâté 91 57 E4
Le Plessis-Patte-d'Oie 60 18 C3
Le Plessis-Placy 77 34 C4
Le Plessis-Robinson 92 57 E3
Plessis-St-Benoist 91 79 E1
Plessis-St-Jean 89 81 F2
Le Plessis-Ste-Opportune 27 31 E4
Le Plessis-Trévise 94 58 A2
Plessix-Balisson 22 49 E3
Plestan 22 48 C4
Plestin-les-Grèves 22 46 C1
Pleubian 22 47 E1
Pleucadeuc 56 92 A2
Pleudaniel 22 47 E1
Pleudihen-sur-Rance 22 49 E4
Pleugriffet 56 71 E4
Pleugueneuc 35 72 C1
Pleumartin 86 133 D2
Pleumeleuc 35 72 C3
Pleumeur-Bodou 22 46 C1
Pleumeur-Gautier 22 47 E1
Pleure 39 141 D1
Pleurs 51 60 B3
Pleurtuit 35 49 E3
Pleuven 29 68 C4
Pleuvezain 88 86 B1
Pleuville 16 148 A3
Pléven 22 48 C4
Plévenon 22 49 D2
Plévin 22 70 A2
Pleyben 29 69 E1
Pleyber-Christ 29 46 A3
Plibous 79 147 E3
Plichancourt 51 61 F3
Plieux 32 211 F4
Plivot 51 60 C1
Plobannalec 29 68 C4
Plobsheim 67 67 D4
Ploemel 56 90 C2
Ploemeur 56 90 B2
Ploërdut 56 70 B3
Ploeren 56 91 E3
Ploërmel 56 72 A4
Ploeuc-sur-Lié 22 71 E1
Ploéven 29 68 C2
Ploézal 22 47 D2
Plogastel-St-Germain 29 68 C3
Plogoff 29 68 A2
Plogonnec 29 68 C2
Ploisy 02 35 E2
Plomb 50 50 C3
Plomb du Cantal 15 183 E3
Plombières-les-Bains 88 87 E4
Plombières-lès-Dijon 21 123 E2
Plomelin 29 68 C3
Plomeur 29 68 C4
Plomion 02 20 B3
Plomodiern 29 68 C1
Plonéis 29 68 C3
Plonéour-Lanvern 29 68 C3
Plonévez-du-Faou 29 69 E1
Plonévez-Porzay 29 68 C2
Plorec-sur-Arguenon 22 49 D4
Plottes 71 140 A4
Plou 18 118 B4
Plouagat 22 47 E3
Plouaret 22 46 C2
Plouarzel 29 44 C2
Plouasne 22 72 C2
Plouay 56 90 C1
Ploubalay 22 49 E3
Ploubazlanec 22 47 E1
Ploubezre 22 46 C2
Ploudalmézeau 29 44 C2
Ploudaniel 29 45 D2
Ploudiry 29 45 F3
Plouëc-du-Trieux 22 47 E2
Plouédern 29 45 D2
Plouégat-Guérand 29 46 B2
Plouégat Moysan 29 46 B3
Le Plessis-Feu-Aussoux 77 58 C3

Plougonver 22 47 D3
Plougoulm 29 45 F1
Plougoumelen 56 91 D3
Plougourvest 29 45 F2
Plougras 22 46 C3
Plougrescant 22 47 D1
Plouguenast 22 71 E2
Plouguerneau 29 45 D1
Plouguernével 22 70 B2
Plouguiel 22 47 D1
Plouguin 29 44 C2
Plouha 22 47 F2
Plouharnel 56 90 C3
Plouhinec 29 68 B3
Plouhinec 56 90 C2
Plouider 29 45 E1
Plouigneau 29 46 B3
Plouisy 22 47 E2
Ploulec'h 22 46 C2
Ploumagoar 22 47 E3
Ploumanach 22 46 C1
Ploumilliau 22 46 C2
Ploumoguer 29 44 C3
Plounéour-Ménez 29 45 F3
Plounéour-Trez 29 45 E1
Plounérin 22 46 C2
Plounéventer 29 45 E2
Plounévez-Lochrist 29 45 E1
Plounévez-Moëdec 22 46 C3
Plounévez-Quintin 22 70 C1
Plounévézel 29 69 F1
Plourac'h 22 46 C3
Plouray 56 70 B2
Plourhan 22 47 F3
Plourin 29 44 C2
Plourin-lès-Morlaix 29 46 A3
Plourivo 22 47 E2
Plouvain 62 10 B3
Plouvara 22 47 F3
Plouvien 29 45 F2
Plouvorn 29 45 F2
Plouyé 29 69 E1
Plouzané 29 44 C3
Plouzélambre 22 46 C2
Plouzévédé 29 45 F2
Plovan 29 68 B3
Ployart-et-Vaurseine 02 36 A1
Le Ployron 60 18 A4
Plozévet 29 68 B3
Pludual 22 47 F2
Pluduno 22 49 D3
Plufur 22 46 C2
Pluguffan 29 68 C3
Pluherlin 56 91 F3
Plumaudan 22 72 B1
Plumaugat 22 72 B1
Plumelec 56 91 F1
Plumeliau 56 91 D1
Plumelin 56 91 D1
Plumergat 56 91 D2
Plumetot 14 29 D3
Plumieux 56 71 F3
Plumont 39 125 E4
Pluneret 56 91 D2
Plurien 22 48 C3
Plusquellec 22 46 C4
Plussulien 22 70 C2
Pluvault 21 124 A3
Pluvet 21 124 A3
Pluvigner 56 91 D2
Pluzunet 22 47 D2
Pocancy 51 60 C1
Pocé-les-Bois 35 73 F3
Pocé-sur-Cisse 37 116 B1
Podensac 33 194 B2
Le Poët 05 221 E1
Le Poët-Célard 26 204 B3
Le Poët-en-Percip 26 220 C1
Le Poët-Laval 26 204 A3
Le Poët-Sigillat 26 220 B1
Pœuilly 80 18 C2
Poey-de-Lescar 64 226 B4
Poey-d'Oloron 64 248 A1
Poëzat 03 152 C1
Poggio-di-Nazza 2b 267 E3
Poggio-di-Venaco 2b 267 E3
Poggio-d'Oletta 2b 265 E2
Poggio-Marinaccio 2b 265 E4
Poggio-Mezzana 2b 265 E4
Poggiolo 2a 266 C2
Pogny 51 61 D2
Poids-de-Fiole 39 141 E4
Poigny 77 59 E4
Poigny-la-Forêt 78 56 B3
Le Poil 04 222 B4
Poil 58 138 C1

Poilcourt-Sydney 08 36 C2
Poilhes 34 254 C1
Poillé-sur-Vègre 72 95 F1
Poilley 50 50 C3
Poilley 35 74 A1
Poilly 51 36 A3
Poilly-lez-Gien 45 100 B3
Poilly-sur-Serein 89 102 C2
Poilly-sur-Tholon 89 102 A2
Poinçon-lès-Larrey 21 103 F3
Le Poinçonnet 36 134 C2
Poincy 77 58 C1
Poinsenot 52 104 C3
Poinson-lès-Fayl 52 105 F2
Poinson-lès-Grancey 52 104 C3
Poinson-lès-Nogent 52 85 E4
Point-Sublime 48 216 C1
Pointel 61 52 C3
Pointis-de-Rivière 31 250 B3
Pointis-Inard 31 258 C2
Pointre 39 124 B2
Pointvillers 25 125 D4
Poinville 28 79 E3
Le Poiré-sur-Velluire 85 145 E1
Le Poiré-sur-Vie 85 129 D2
Poiroux 85 129 D4
Poisat 38 189 E2
Poiseul-la-Grange 21 104 B4
Poiseul-lès-Saulx 21 104 C4
Poiseul-la-Ville-et-Laperrière 21 104 A4
Poiseux 58 120 B3
Poisieux 18 118 B4
Le Poislay 41 77 F4
Poisoux 39 156 C1
Poisson 71 154 B1
Poissons 52 85 D1
Poissy 78 57 D1
Poisvilliers 28 78 C1
Poisy 74 158 A4
La Poitevinière 49 113 D2
Poitiers 86 132 B4
Poivres 51 61 D3
Poix 51 61 E1
Poix-de-Picardie 80 17 D3
Poix-du-Nord 59 11 E3
Poix-Terron 08 21 E4
Le Poizat 01 157 D3
Polaincourt-et-Clairefontaine 70 106 B1
Polastron 31 251 D1
Polastron 32 228 C3
Poleymieux-au-Mont-d'Or 69 171 E1
Poliénas 38 188 C2
Polignac 43 185 F3
Polignac 17 177 F2
Poligné 35 93 E1
Poligny 10 83 E3
Poligny 77 80 C3
Poligny 39 141 E1
Poligny 05 206 A2
Polincove 62 3 E3
Polisot 10 83 E4
Polisy 10 83 E4
Pollestres 66 262 C2
Polliat 01 156 A2
Pollieu 01 173 D1
Pollionnay 69 171 D2
Polminhac 15 183 D4
Polveroso 2b 265 E4
Pomacle 51 36 C2
La Pomarède 11 230 B4
Pomarède 46 197 E3
Pomarez 40 225 F2
Pomas 11 253 E3
Pomayrols 12 200 C4
Pomerol 33 177 F4
Pomérols 34 233 F4
Pomeys 69 170 C3
Pommard 21 123 D4
La Pommeraie-sur-Sèvre 85 130 B2
La Pommeraye 14 52 B1
La Pommeraye 49 113 D2
Pommeret 22 47 E2
Pommereuil 59 11 E4
Pommereux 76 16 B4
Pommeréval 76 16 A3
Pommerieux 53 94 C2
Pommérieux 57 40 B4
Pommerit-Jaudy 22 47 E2
Pommerit-le-Vicomte 22 47 E2

Pommerol 26 205 D4
Pommeuse 77 58 C2
Pommevic 82 212 B3
Pommier 62 9 F4
Pommier-de-Beaurepaire 38 188 A1
Pommiers 30 217 E4
Pommiers 42 170 A2
Pommiers 02 35 E2
Pommiers 36 134 B4
Pommiers 69 155 E4
Pommiers-Moulons 17 177 F1
Pommiers-la-Placette 38 189 D1
Pomoy 70 107 D3
Pompadour 19 181 D1
Pompaire 79 131 D3
Pompéjac 33 194 C4
Pompelle (Fort de la) 51 36 C3
Pompertuzat 31 230 A4
Pompey 54 64 B2
Pompiac 32 229 D3
Le Pompidou 48 217 E2
Pompierre 88 86 A2
Pompierre-sur-Doubs 25 126 B1
Pompiey 47 211 D2
Pompignac 33 194 B1
Pompignan 30 217 D3
Pompignan 82 229 F1
Pompogne 47 210 C2
Pomponne 77 58 B2
Pomport 24 195 F2
Pomps 64 226 B3
Pomy 11 253 D3
Poncé-sur-le-Loir 72 97 D2
Poncey-lès-Athée 21 124 B2
Poncey-sur-l'Ignon 21 104 B4
Le Ponchel 62 9 D3
Ponches-Estruval 80 8 C3
Ponchon 60 33 E2
Poncin 01 156 C3
Poncins 42 170 B2
Pondaurat 33 195 D3
Le Pondy 18 136 B2
Ponet-et-St-Auban 26 204 C1
Ponlat-Taillebourg 31 250 B2
Pons 17 161 E3
Ponsampère 32 228 A4
Ponsan-Soubiran 32 250 A1
Ponsas 26 187 E3
Ponsonnas 38 189 E4
Ponson-Debat-Pouts 64 249 E1
Ponson-Dessus 64 249 D1
Pont 21 124 A3
Pont-à-Marcq 59 10 C2
Pont-à-Mousson 54 64 B1
Pont-à-Vendin 62 10 B1
Pont-l'Abbé 29 68 C4
Pont-l'Abbé-d'Arnoult 17 160 C1
Pont-Arcy 02 35 F2
Pont-Audemer 27 30 C2
Pont-Authou 27 31 D3
Pont-Aven 29 69 F4
Pont-Bellanger 14 51 E1
Pont-lès-Bonfays 88 86 C3
Pont-lès-Brie 80
Pont Calleck (Forêt de) 56 70 B4
Le Pont-Chrétien-Chabenet 36 134 B3
Pont-Croix 29 68 B2
Pont-d'Ain 01 156 C3
Pont-d'Arc 07 218 C2
Pont-de-Barret 26 204 B3
Le Pont-de-Beauvoisin 73 173 D2
Pont-de-Briques (Château de) 62 2 C3
Pont-de-Buis-lès-Quimerch 29 69 D1
Pont-de-Chéruy 38 172 A2
Le Pont-de-Claix 38 189 E3
Pont-de-Gennes 72 76 C4
Pont-de-l'Isère 26 187 F4

Pont-de-Labeaume 07 202 C2
Pont-de-Larn 81 231 F3
Pont-de-Metz 80 17 E2
Pont de Mirabeau 84 237 F2
Le Pont-de-Montvert 48 217 E1
Le Pont-de-Planches 70 106 B4
Pont-de-Poitte 39 141 E3
Pont-de-Roide 25 126 C1
Pont-de-Ruan 37 115 F2
Pont-de-Salars 12 215 E2
Pont-de-Salars (Lac de) 12 215 F2
Pont-de-Vaux 01 155 F1
Pont-de-Veyle 01 155 F2
Pont d'Hérault 30 217 E4
Pont-d'Héry 39 142 A1
Pont-d'Ouilly 14 52 B2
Pont-du-Bois 70 86 C4
Pont-du-Casse 47 211 F2
Pont-du-Château 63 168 B2
Pont du Diable (Gorges du) 74 159 D1
Pont-du-Gard 30 219 D4
Pont-du-Navoy 39 141 F2
Pont-en-Royans 38 188 C3
Pont-Érambourg 14 52 B2
Pont-et-Massène 21 122 B1
Pont-l'Évêque 14 30 A2
Pont-l'Évêque 60 18 C4
Pont-Évêque 38 171 F4
Pont-Farcy 14 51 E1
Pont-Hébert 50 27 E3
Pont-Melvez 22 47 D4
Pont-les-Moulins 25 126 A1
Pont-Noyelles 80 17 F2
Pont-Remy 80 17 D1
Pont-St-Esprit 30 219 D2
Pont-St-Mard 02 35 D1
Pont-St-Martin 44 111 F3
Pont St-Nicolas 30 218 C4
Pont-St-Pierre 27 32 A2
Pont-St-Vincent 54 64 B3
Pont-Ste-Marie 10 83 D2
Pont-Ste-Maxence 60 34 A3
Pont-Salomon 43 186 B1
Pont-Scorff 56 90 B1
Pont-sur-Madon 88 86 C1
Pont-sur-Meuse 55 63 D2
Pont-sur-l'Ognon 70 107 D4
Pont-sur-Sambre 59 11 F3
Pont-sur-Seine 10 82 B1
Pont-sur-Vanne 89 82 A3
Pont-sur-Yonne 89 81 E2
Pont-Trambouze 69 154 C3
Pont-la-Ville 52 84 C4
Pontacq 64 249 D2
Pontailler-sur-Saône 21 124 B2
Pontaix 26 204 C2
Pontamafrey 73 190 B1
Pontarion 23 150 B4
Pontarlier 25 142 C1
Pontarmé 60 34 A4
Pontaubault 50 50 C3
Pontaubert 89 121 E1
Pontault-Combault 77 58 A3
Pontaumur 63 167 E2
Pontavert 02 36 A2
Pontcarré 77 58 B2
Pontcey 70 106 B3
Pontchardon 61 53 F1
Pontcharra 38 173 F4
Pontcharra-sur-Turdine 69 170 C1
Pontcharraud 23 166 C1
Pontchartrain 78 56 C2
Pontchâteau 44 92 C4
Pontcirq 46 197 E3
Ponte Nuovo 2B 265 D4
Pontécoulant 14 52 B2
Ponteilla 66 262 C2
Ponteils-et-Brésis 30 202 B4
Pontenx-les-Forges 40 208 B1
Le Pontet 84 219 E4
Le Pontet 73 174 A4
Les Pontets 25 142 B2
Pontevès 83 238 B3
Ponteyraud 24 178 C2
Pontfaverger-Moronvilliers 51 37 D3
Pontgibaud 63 167 F2
Pontgouin 28 78 A1
Ponthévrard 78 56 C4
Ponthion 51 61 F3
Ponthoile 80 8 B3
Le Ponthou 29 46 B3
Ponthoux 39 157 E1
Pontiacq-Viellepinte 64 249 D1
Pontigné 49 96 A4
Pontigny 89 102 B1
Pontis 04 206 C3
Pontivy 56 71 D3
Pontlevoy 41 116 C1
Pontmain 53 74 B1
Pontoise 95 33 E4
Pontoise-lès-Noyon 60 34 C1
Pontonx-sur-l'Adour 40 225 E1
Pontorson 50 50 B4
Pontours 24 196 B1
Pontoux 71 140 B1
Pontoy 57 40 B4
Pontpierre 57 41 D4
Pontpoint 60 34 A2
Pontrieux 22 47 E2
Pontru 02 19 D2
Pontruet 02 19 D2
Ponts 50 50 C3
Les Ponts-de-Cé 49 113 F1
Ponts-et-Marais 76 16 A1
Pontvallain 72 96 B2
Popian 34 233 F3
Popolasca 2b 265 D4
Porcaro 56 92 B1
Porcelette 57 41 D3
Porchères 33 178 B4
Porcheresse 16 162 B4
La Porcherie 87 165 D3
Porcheux 60 33 D2
Porcheville 78 56 C1
Porcieu-Amblagnieu 38 172 B1
Pordic 22 48 A3
Le Porge 33 192 C1
Pornic 44 111 D3
Pornichet 44 110 B2
Porquéricourt 60 18 C4
Porquerolles (Ile de) 83 244 C3
Porri 2b 265 E4
Porspoder 29 44 C2
Le Port 09 251 F4
Port 01 157 D3
Port-Brillet 53 74 B3
Port-Camargue 30 234 C3
Port-Coton (Aiguilles de) 56 90 B4
Port-Cros, Ile de (Parc Nat.) 83 245 D3
Port-de-Bouc 13 242 B2
Port-de-Lanne 40 225 D3
Port-de-Piles 86 115 F4
Port-d'Envaux 17 161 D1
Port-des-Barques 17 145 D4
Port-Donnant 56 90 B4
Port-en-Bessin-Huppain 14 28 B2
Port-le-Grand 80 8 B4
Port Grimaud 83 245 E1
Port-Launay 29 69 D1
Port-Lesney 39 125 D4
Port-Louis 56 90 B2
Port-Manech 56 69 E4
Le Port-Marly 78 57 D2
Port-Mort 27 32 A3
Port-la-Nouvelle 11 254 C3
Port-Royal-des-Champs (Abbaye de) 78 57 D3
Port-St-Louis-du-Rhône 13 242 A2
Port-St-Père 44 111 E3
Port-Ste-Foy-et-Ponchapt 24 195 E1
Port-Ste-Marie 47 211 D2
Port-sur-Saône 70 106 B3
Port-sur-Seille 54 64 B1
Port-Vendres 66 263 D3
Port-Villez 78 32 B4
La Porta 2b 265 E4
Porta 66 260 C3
Portbail 50 26 B2
Porte (Col de) 38 189 E1
Porte-Joie 27 31 F3
Porté-Puymorens 66 260 C3
Le Portel 62 2 B4
Portel-des-Corbières 11 254 C3
Portes 30 218 A2
Portes 27 55 D1
Portes (Calvaire de) 01 172 C1
Portes d'Enfer 86 148 C2
Les Portes-en-Ré 17 144 C2
Portes-en-Valdaine 26 204 A3
Portes-lès-Valence 26 204 A1
Portet 64 227 D3
Portet-d'Aspet 31 259 D3
Portet-de-Luchon 31 258 B3
Portet-sur-Garonne 31 230 A3
Portets 33 194 B2
Porticcio 2A 268 B1
Portieux 88 87 D2
Portiragnes 34 255 E1
Porto 2A 266 B2
Porto (Golfe de) 2A 266 A2
Porto-Pollo 2A 268 B2
Porto-Vecchio 2a 269 E3
Ports 37 115 F4
Posanges 21 122 C1
Poses 27 31 F3
Possesse 51 61 F2
La Possonnière 49 113 E1
Possonnière 41 97 E3
La Postolle 89 82 A2
Postroff 57 66 A1
Potangis 51 60 A4
Potelières 30 218 B2
Potelle 59 11 E3
La Poterie 22 48 C4
La Poterie-au-Perche 61 54 C4
La Poterie-Cap-d'Antifer 76 14 A3
La Poterie-Mathieu 27 30 C3
Pothières 21 103 F1
Potigny 14 52 C1
Potte 80 18 B3
Pouan-les-Vallées 10 60 C4
Pouançay 86 114 C4
Pouancé 49 94 A2
Pouant 86 115 D4
Poubeau 31 258 B3
Poucharramet 31 229 E4
Pouchergues 65 258 A3
Poudenas 47 210 C3
Poudenx 40 226 B3
Poudis 81 231 D3
Poudry (Gouffre de) 25 125 F3
Poule-les-Écharmeaux 69 155 D3
Poueyferré 65 249 D2
La Pouëze 49 94 C4
Pouffonds 79 146 C2
La Pouge 23 150 B4
Le Pouget 34 233 F3
Pougnadoresse 30 219 D3
Pougné 16 147 F4
Pougne-Hérisson 79 131 D3
Pougny 01 157 F3
Pougny 58 120 A2
Pougues-les-Eaux 58 120 B4
Pougy 10 83 E1
Pouillé-les-Côteaux 44 112 C1
Pouillac 17 177 F2
Pouillat 01 156 C1
Pouillé 41 117 D2
Pouillé 85 130 A4
Pouillé 86 132 C4
Pouillenay 21 103 F4
Pouilley-Français 25 125 D2
Pouilley-les-Vignes 25 125 D2
Pouillon 40 225 E2
Pouillon 51 36 B2
Pouilloux 71 139 D3
Pouilly 60 33 D3
Pouilly 57 40 B4
Pouilly-en-Auxois 21 122 C2
Pouilly-en-Bassigny 52 105 F1
Pouilly-lès-Feurs 42 170 B2
Pouilly-le-Monial 69 155 E4
Pouilly-les-Nonains 42 154 A4
Pouilly-sous-Charlieu 42 154 B3
Pouilly-sur-Loire 58 120 A2
Pouilly-sur-Meuse 55 22 A4
Pouilly-sur-Saône 21 123 F4
Pouilly-sur-Serre 02 19 F3
Pouilly-sur-Vingeanne 21 105 E4
Le Poujol-sur-Orb 34 233 D3
Poujols 34 233 E2
Poulaines 36 117 F3
Poulains (Pointe des) 56 90 B3
Poulainville 80 17 E2
Poulan-Pouzols 81 231 D1
Poulangy 52 85 E4
Poulay 53 75 D2
Pouldergat 29 68 C2
Pouldouran 22 47 E1
Pouldreuzic 29 68 C3
Le Pouldu 56 90 A1
Pouliacq 64 226 C3
Les Poulières 88 88 A3
Pouligney 25 125 E1
Pouligny-Notre-Dame 36 135 D4
Pouligny-St-Martin 36 135 D4
Pouligny-St-Pierre 36 133 E3
Le Pouliguen 44 110 B2
Poullan-sur-Mer 29 68 B2
Poullaouen 29 46 B4
Poullignac 16 178 B1
Poulx 30 218 C4
Poumarous 65 249 E2
Poupas 82 212 A4
Poupry 28 79 D4
Pouques-Lormes 58 121 E2
Pourcharesses 48 202 A4
Pourchères 07 203 E2
Pourcieux 83 238 A3
Pourcy 51 36 B4
Pourlans 71 140 C1
Pournoy-la-Chétive 57 40 B4
Pournoy-la-Grasse 57 40 B4
Pourrain 89 102 A3
Pourri (Mont) 73 175 E3
Pourrières 83 238 A3
Poursac 16 147 E4
Poursay-Garnaud 17 146 B4
Poursiugues-Boucoue 64 226 C3
Pourtalet (Col du) 64 256 B4
Pouru-aux-Bois 08 22 A3
Pouru-St-Remy 08 22 A3
Poussan 34 234 A4
Poussanges 23 166 B2
Poussay 88 86 C2
Pousseaux 58 102 A4
Poussignac 47 210 C1
Poussy-la-Campagne 14 29 E4
Pousthomy 12 232 A1
Le Pout 33 194 B1
Pouvrai 61 77 D2
Pouxeux 88 87 E3
Pouy 65 250 A1
Pouy-de-Touges 31 251 D1
Pouy-Loubrin 32 228 B4
Pouy-Roquelaure 32 211 E3
Pouy-sur-Vannes 10 82 B2
Pouyastruc 65 249 E1
Pouydesseaux 40 209 F4
Pouydraguin 32 227 E2
Pouylebon 32 227 F3
Pouzac 65 249 E3
Pouzauges 85 130 B2
Pouzay 37 115 E4
Pouze 31 230 A4
Pouzilhac 30 219 D3
Le Pouzin 07 203 F2
Pouzioux 86 132 C4
Pouzol 63 152 B3
Pouzolles 34 233 E4
Pouzols 34 233 F3
Pouzols-Minervois 11 254 B1
Pouzy-Mésangy 03 136 C3
Poyanne 40 225 E1
Poyans 70 124 B1
Poyartin 40 225 F2
Poyols 26 205 D3
Pozières 80 18 A1
Pra-Loup 04 207 D4
Le Pradal 34 233 D3
Les Pradeaux 63 168 C4
Pradel (Col du) 09,11 261 D1
Pradelle 26 204 C3
Pradelles 43 202 A2
Pradelles 59 4 B3
Pradelles-Cabardès 11 231 F4
Pradelles-en-Val 11 253 F2
Pradère-les-Bourguets 31 229 E2
Les Prades 15 183 F2
Prades 09 260 C1
Prades 66 261 F2
Prades 43 185 D4
Prades 81 231 D3
Prades 07 203 D3
Prades-d'Aubrac 12 200 B3
Prades-le-Lez 34 234 B2
Prades-Salars 12 215 F2
Prades-sur-Vernazobre 34 232 C4
Le Pradet 83 244 B3
Pradettes 09 252 C3
Pradières 09 252 B4
Pradiers 15 183 F2
Pradinas 12 214 C2
Pradines 46 197 F4
Pradines 19 166 A4
Pradines 42 154 B4
Pradons 07 203 D4
Prads 04 222 C1
Prahecq 79 146 B2
Prailles 79 146 C2
Pralognan-la-Vanoise 73 175 D4
Prâlon 21 123 D2
Pralong 42 170 A3
Prangey 52 105 D2
Pranles 07 203 E2
Pranzac 16 163 D3
Le Prarion 74 159 D4
Praslay 52 104 C3
Praslin 10 83 E4
Prasville 28 79 D3
Prat 22 47 D2
Prat-et-Bonrepaux 09 259 D2
Prato-di-Giovellina 2b 265 D4
Prats-de-Carlux 24 197 E1
Prats-de-Mollo-la-Preste 66 262 A4
Prats-de-Sournia 66 262 A1
Prats-du-Périgord 24 197 D2
Pratviel 81 230 C3
Pratz 52 84 C3
Pratz 39 156 E1
Prauthoy 52 105 D3
Pray 41 98 A3
Praye 54 86 C1
Prayols 09 252 A4
Prayssac 46 197 E4
Prayssas 47 211 E1
Le Praz-de-Lys 74 158 C3
Praz-sur-Arly 74 174 C1
Le Pré-d'Auge 14 30 A3
Pré de Madame Carle 05 190 C4
Pré-en-Pail 53 75 F1
Pré-St-Évroult 28 78 C3
Le Pré-St-Gervais 93 57 E2
Pré-St-Martin 28 78 C3
Les Préaux 27 30 C2
Préaux 77 81 D3
Préaux 53 95 E1
Préaux 76 31 F1
Préaux 07 187 D3
Préaux 36 117 D4
Préaux-Bocage 14 28 C4
Préaux-du-Perche 61 77 D2
Préaux-St-Sébastien 14 53 F1
Prébois 38 205 E1
Précey 50 50 C3
Préchac 65 257 D2
Préchac 33 194 B4
Préchac 32 228 B1
Préchac-sur-Adour 32 227 E3
Préchacq-les-Bains 40 225 E1
Préchacq-Josbaig 64 247 F1
Préchacq-Navarrenx 64 247 F1
Précieux 42 170 B3
Précigné 72 95 F2
Précilhon 64 248 A2
Précorbin 50 28 A4
Précy 18 120 A4
Précy-Notre-Dame 10 83 F1
Précy-St-Martin 10 83 F1
Précy-le-Sec 89 102 C4
Précy-sous-Thil 21 122 B1
Précy-sur-Marne 77 58 B1
Précy-sur-Oise 60 33 F3
Précy-sur-Vrin 89 101 F1
Prédefin 62 9 E1
Préfailles 44 110 C3
Préfontaines 45 80 C4
Prégentil 38 189 F3
Prégilbert 89 102 B3
Préguillac 17 161 D3
Préhy 89 102 B2
Preignac 33 194 C3
Preignan 32 228 B2
Preigney 70 106 A2
Preixan 11 253 E2
Prémanon 39 142 A4
Premeaux-Prissey 21 123 E3
Prémery 58 120 C3
Prémesques 59 5 D4
Prémeyzel 01 173 D2
Prémian 34 232 B3
Premières 21 124 A2
Prémierfait 10 83 D1
Prémilhat 03 151 E2
Prémillieu 01 172 C1
Prémol (Forêt de) 38 189 E3
Prémont 02 19 E1
Prémontré 02 35 E1
Prendeignes 46 198 C2
Préneron 32 227 F2
La Prénessaye 22 71 E2
Prenois 21 123 E1
Prénouvellon 41 98 C1
Prénovel 39 141 F4
Prény 54 64 A1
Préporché 58 138 B1
Prépotin 61 54 B4
Les Prés 26 205 D3
Présailles 43 202 B1
Préseau 59 11 E3
Présentevillers 25 107 F4
Préserville 31 230 B3
Présilly 74 158 A3
Présilly 39 141 E4
Presle 73 174 A4
Presles 95 33 E4
Presles 38 188 C3
Presles 14 51 F2
Presles-en-Brie 77 58 B3
Presles-et-Boves 02 35 F2
Presles-et-Thierny 02 35 F1
Presly 18 119 D2
Presnoy 45 100 B1
Presque (Grotte de) 46 198 B1
Pressac 86 148 A3
Pressagny-l'Orgueilleux 27 32 B4
Pressiat 01 156 C2
Pressignac 16 163 F2
Pressignac-Vicq 24 196 B1
Pressigny 52 105 F2
Pressigny 79 131 E2
Pressigny-les-Pins 45 100 C2
Pressins 38 173 D4
Pressy 62 9 E1
Pressy-sous-Dondin 71 139 E4
La Prétière 25 107 E4
Pretin 39 141 F1
Prétot-Ste-Suzanne 50 26 C2
Prétot-Vicquemare 76 15 D3
Prêtre (La Roche du) 25 126 B3
Prêtreville 14 30 B4
Préty 71 140 B4
Pretz 55 62 B1
Preuilly 18 118 C4
Preuilly-sur-Claise 37 133 E2
Preuilly-la-Ville 36 133 E3
Preures 62 8 C1
Preuschdorf 67 43 D4
Preuseville 76 16 B2
Preutin-Higny 54 39 E2
Preux-au-Bois 59 11 E4
Preux-au-Sart 59 11 F3
Préval 72 77 D3
Prévelles 72 76 C3
Prévenchères 48 202 B4
Préverangès 18 151 D1
Prévessin-Moëns 01 158 A2
La Prévière 49 94 A3
Prévillers 60 17 D4
Prévinquières 12 214 C1
Prévocourt 57 64 C1
Prey 88 87 F3
Prey 27 55 E1
Preyssac-d'Excideuil 24 180 B1
Prez 08 20 C2
Prez-sous-Lafauche 52 85 F2
Prez-sur-Marne 52 62 B4
Priaires 79 146 A3
Priay 01 156 B4
Priez 02 35 D4
Prignac 17 161 E1
Prignac-en-Médoc 33 176 C1
Prignac-et-Marcamps 33 177 E3
Prigonrieux 24 196 A1
Primarette 38 187 F1
Primat 08 37 F2
Primel-Trégastel 29 46 B2
Primelin 29 68 A2
Primelles 18 135 E1
Prinçay 86 132 A1
Princé 35 74 A3
Pringy 74 158 A4
Pringy 51 61 E2
Pringy 77 80 B1
Prin-Deyrançon 79 146 A2
Prinquiau 44 111 D1
Prinsuéjols 48 200 C3
Printzheim 67 66 C2
Prisces 02 20 A3
Prisches 59 11 F4
Prissac 36 134 A4
Prissé 71 155 E2
Prissé-la-Charrière 79 146 B3
Privas 07 203 E2
Privezac 12 214 C1
Prix-lès-Mézières 08 21 E3
Priziac 56 70 B3
Prizy 71 154 C1
La Proiselière-et-Langle 70 107 D2
Proissans 24 180 C4
Proisy 02 19 F2
Proix 02 19 F2
Projan 32 226 C3
Promilhanes 46 214 A1
Prompsat 63 168 A1
Prondines 63 167 E2
Pronleroy 60 34 A1
Pronville 62 10 B4
Propiac 26 220 B1
Propières 69 155 D3
Propriano 2a 268 C2
Prosnes 51 37 D3
Prouais 28 56 A3
Prouilly 51 36 B2
Proumeyssac (Gouffre de) 24 196 C1
Proupiary 31 250 C2
Proussy 14 52 B2
Prouvais 02 36 B2
Prouville 80 9 D4
Prouvy 59 11 D3
Prouzel 80 17 E3
Provemont 27 32 B3
Provence (Croix de) 13 237 F3
Provenchère 70 106 C2
Provenchère 25 126 B2
Provenchères-lès-Darney 88 86 B3
Provenchères-sur-Fave 88 88 C2
Provenchères-sur-Marne 52 85 D2
Provenchères-sur-Meuse 52 85 F4
Provency 89 102 C4
Proverville 10 84 B3
Proveysieux 38 189 D2
Proville 59 10 C4
Provin 59 10 B1
Provins 77 59 E4
Proviseux-et-Plesnoy 02 36 B1
Proyart 80 18 B2
Prudemanche 28 55 E3
Prudhomat 46 198 B1
Prugnanes 66 262 A1
Prugny 10 82 C3
Pruillé-le-Chétif 72 96 B1
Pruillé 49 95 D4
Pruillé-l'Éguillé 72 97 D2
Pruines 12 199 F4
Prunay 51 36 C3
Prunay-Belleville 10 82 B2
Prunay-Cassereau 41 97 F3
Prunay-en-Yvelines 78 79 D1
Prunay-le-Gillon 28 78 C2
Prunay-sur-Essonne 91 80 A2
Prunay-le-Temple 78 56 B2
Prunelli-di-Casacconi 2b 265 F3
Prunelli-di-Fiumorbo 2b 267 E3
Prunelli (Gorges du) 2A 264 C4
Prunet 07 202 C3
Prunet 31 230 B3
Prunet 15 199 F1
Prunet-et-Belpuig 66 262 B3
Prunières 05 206 C3
Prunières 38 189 E4
Prunières 48 201 D1
Pruniers 36 135 D2
Pruniers-en-Sologne 41 117 F2
Pruno 2b 265 E4
Prunoy 89 101 E1
Prusly-sur-Ource 21 104 A2
Prusy 10 103 D1
Pruzilly 71 155 E2
Puberg 67 66 B1
Publier 74 158 C1
Publy 39 141 E3
Puceul 44 93 E4
Le Puch 09 261 E2
Puch-d'Agenais 47 211 D1
Puchay 27 32 B2
Puchevillers 80 17 F1
Le Puech 34 233 E2
Puéchabon 34 234 A2
Puéchoursi 81 230 C3
Puechredon 30 218 A4
Puellemontier 52 84 B1
Puessans 25 125 F1
Puget 84 237 D1
Puget-Rostang 06 223 E3
Puget-sur-Argens 83 239 F3
Puget-Théniers 06 222 E3
Puget-Ville 83 244 C2
Pugey 25 125 E3
Pugieu 01 173 D1
Puginier 11 252 C1
Pugnac 33 177 E3
Pugny 79 130 C2
Pugny-Chatenod 73 173 E2
Puichéric 11 254 A2
Le Puid 88 88 B1
Puilacher 34 233 F3
Puilaurens 11 261 F1
Puilboreau 17 145 D2
Puilly-et-Charbeaux 08 22 B3
Puimichel 04 221 F3
Puimisson 34 233 D4
Puimoisson 04 222 A4
La Puisaye 28 55 D4
Puiseaux 45 80 B3
Puiselet-le-Marais 91 79 F2
Puisenval 76 16 A2
Le Puiset 28 79 E3
Le Puiset-Doré 49 112 C2
Puiseux 28 55 F4
Puiseux 08 21 D4
Puiseux-en-Bray 60 32 C2
Puiseux-en-France 95 34 A4
Puiseux-en-Retz 02 35 D3
Puiseux-le-Hauberger 60 33 E3
Puisieulx 51 36 C3
Puisieux 62 10 A4
Puisieux 77 34 C4
Puisieux-et-Clanlieu 02 19 F2
Puissalicon 34 233 E4
Puisseguin 33 178 A4
Puisserguier 34 254 C1
Puits 21 103 F3
Le Puits-des-Mèzes 52 85 E3
Puits-et-Nuisement 10 83 F3
Puits (Étang du) 45 100 A4
Puits-la-Vallée 60 17 E4
Puivert 11 253 D4
Pujaudran 32 299 E3
Pujaut 30 219 E3
Pujo 65 249 E1
Pujo-le-Plan 40 226 C1
Les Pujols 09 252 B3
Pujols 47 211 F1
Pujols 33 195 D1
Pujols-sur-Ciron 33 194 B3
Le Puley 71 139 E3
Puligny-Montrachet 21 139 F1
Pullay 27 55 D3
Pulligny 54 64 B4
Pulney 54 86 C1
Pulnoy 54 64 C3
Pulvérières 63 167 F1
Pulversheim 68 108 C1
Punchy 80 18 B3
Punerot 88 86 B1
Puntous 65 250 A1
Puntous de Laguian 32 227 F4
Pupillin 39 141 E1
Pure 08 22 B3
Purgerot 70 106 B2
Pusey 70 106 C3
Pusignan 69 172 A2
Pussay 91 79 E2
Pussigny 37 115 F4
Pussy 73 174 C3
Pusy-et-Épenoux 70 106 C3
Putanges-Pont-Écrepin 61 52 C2
Puteaux 92 57 E2
Putot-en-Auge 14 29 F3
Putot-en-Bessin 14 28 C3
Puttelange-aux-Lacs 57 41 F4
Puttelange-lès-Thionville 57 40 B1
Puttigny 57 65 D2
Puxe 54 39 E3
Puxieux 54 39 E4
Le Puy 33 195 E2
Le Puy 43 185 F4
Le Puy 25 125 F1
Puy-d'Arnac 19 181 E4
Puy de Dôme 63 167 F2
Puy-de-Serre 85 130 B4
Puy-du-Lac 17 145 F4
Puy-l'Évêque 46 197 D4
Puy-Ferrand 18 135 E3
Puy-Guillaume 63 169 D1
Puy Hardy 79 130 C4
Puy-Malsignat 23 151 D4
Le Puy-Notre-Dame 49 114 B3
Puy-St-André 05 191 D4
Le Puy-St-Bonnet 79 113 D4
Puy-St-Eusèbe 05 206 C3
Puy-St-Gulmier 63 167 D2
Puy-St-Martin 26 204 A3
Puy-St-Pierre 05 191 D4
Puy-St-Vincent 05 206 C1
Le Puy-Ste-Réparade 13 237 E2
Puy-Sanières 05 206 C3
Puybarban 33 195 D3
Puybegon 81 230 C1
Puybrun 46 198 B1
Puycalvel 81 231 D3
Puycasquier 32 228 C2
Puycelci 81 213 F4
Puycornet 82 213 D2
Puydaniel 31 251 F1
Puydarrieux 65 250 A1
La Puye 86 133 D3
Puygaillard-de-Lomagne 82 212 B4
Puygaillard-de-Quercy 82 213 F3
Puygiron 26 203 F3
Puygouzon 81 214 C4
Puygros 73 173 F3
Puyguilhem 24 195 F2
Puyguilhem 24 179 F1
Puyjourdes 46 214 A1
Puylagarde 82 214 A1
Puylaroque 82 213 E2
Puylaurens 81 231 D3
Puylausic 32 229 D4
Puyloubier 13 237 F3
Puymangou 24 178 B2
Puymartin 24 197 E1
Puymaurin 31 250 C1
Puyméras 84 220 A1
Puymiclan 47 195 F4
Puymirol 47 212 A2
Puymorens (Col de) 66 260 C3
Puymoyen 16 162 C3
Puynormand 33 178 B4
Puyol-Cazalet 40 226 B3
Puyoô 64 225 E3
Puypéroux 16 162 B4
Puyravault 17 145 F3
Puyravault 85 145 D1
Puyréaux 16 162 C1
Puyrenier 24 163 D4
Puyrolland 17 146 A4
Puységur 32 228 B1
Puysségur 31 229 D2

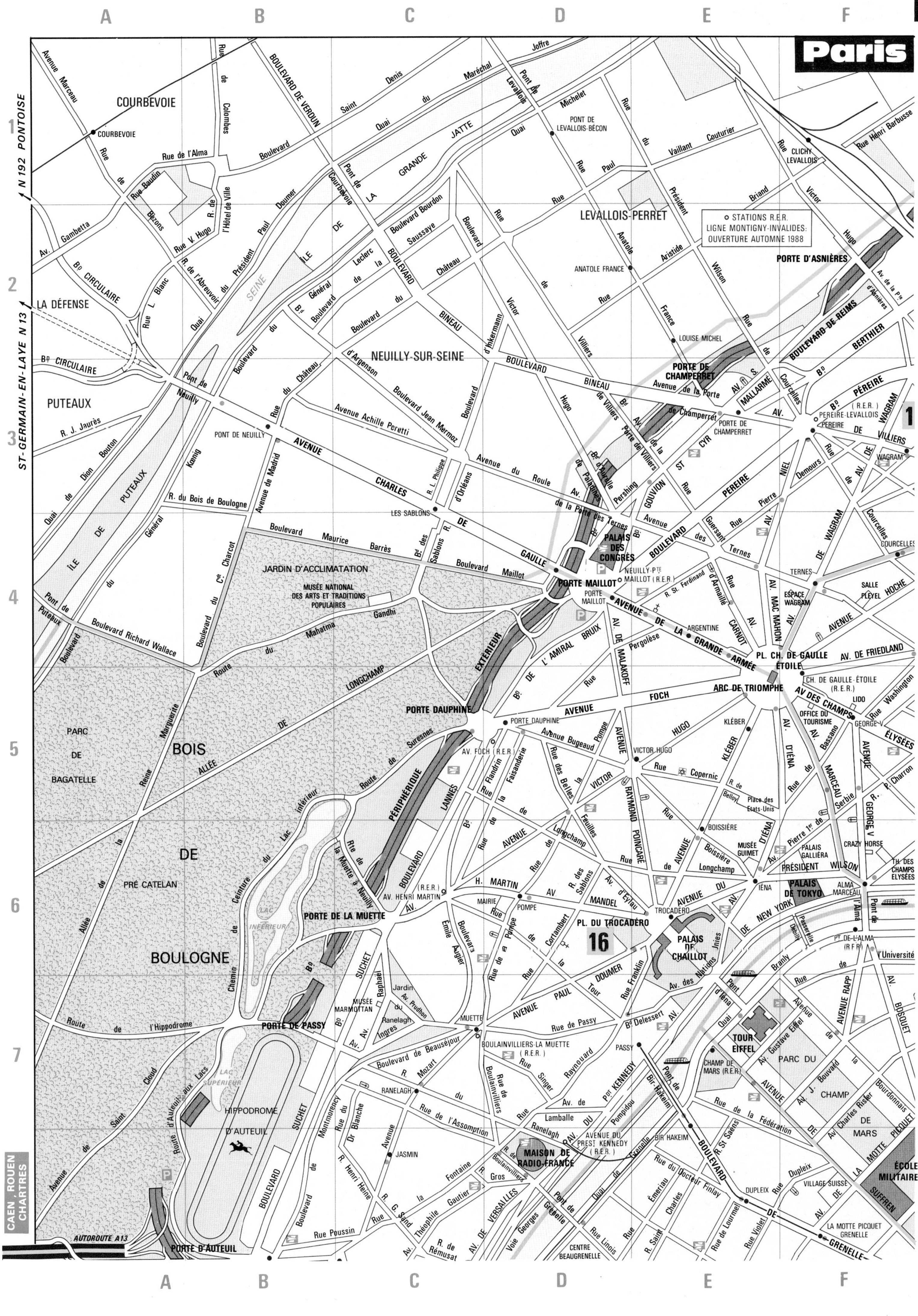

Paris

Grid columns: A B C D E F
Grid rows: 1 2 3 4 5 6 7 8

COURBEVOIE

N 192 PONTOISE

Avenue Marceau
Rue de Colombes
Av. Gambetta
Bd CIRCULAIRE
LA DÉFENSE
ST-GERMAIN-EN-LAYE N 13
Bd CIRCULAIRE
PUTEAUX
R. J. Jaurès
Rue de Dion
Quai de Dion
ILE DE PUTEAUX
Quai du Général
Pont de Puteaux
Boulevard Richard Wallace

COURBEVOIE
Rue de l'Alma
Rue de Ville
Rue V. Hugo
R. de l'Hôtel de Ville
Rue L. Blanc
Boulevard
Pont de Neuilly
Rue Koenig
R. du Bois de Boulogne

BOULEVARD DE VERDUN
Denis
Saint
Quai
GRANDE
JATTE
SEINE
Leclerc
BOULEVARD
Boulevard Bourdon
Saussaye
Château
Bd du Général
Boulevard
d'Argenson
Boulevard Jean Mermoz
Avenue Achille Peretti
Pont de Neuilly
AVENUE
CHARLES
DE
GAULLE
Maurice Barrès
Bd des Sablons
Boulevard Maillot
LES SABLONS

NEUILLY-SUR-SEINE

Maréchal
Joffre
Pont A.
Michelet
PONT DE LEVALLOIS-BÉCON
Quai
Paul
Rue
Victor
BINEAU
d'Inkermann
BINEAU
Bd de Villiers
Av. de la Porte

LEVALLOIS-PERRET

Président
Vaillant
Couturier
Rue CLICHY LEVALLOIS
Briand
Victor
Rue Henri Barbusse

ANATOLE FRANCE
Anatole
Aristide
France
Rue
Wilson
LOUISE MICHEL
Villiers
Hugo
PORTE D'ASNIÈRES
Av. de la Pte d'Asnières
BOULEVARD DE REIMS
BERTHIER

PORTE DE CHAMPERRET
AV. A. S.
MALLARMÉ
Av.
PÉREIRE
Bd (R.E.R.)
PÉREIRE-LEVALLOIS
PÉREIRE
DE VILLIERS
WAGRAM
ST CYR
de Champerret
PORTE DE CHAMPERRET
Bd de Villiers
Courcelles
Rue
NIEL
Demours
AV. DE WAGRAM
WAGRAM

Avenue du Roule
Avenue de la Porte des Ternes
Pershing
PALAIS DES CONGRÈS
NEUILLY-Pte MAILLOT (R.E.R.)
PORTE MAILLOT
Porte Maillot
BOULEVARD des Ternes
TERNES
Av. MAC MAHON
ESPACE WAGRAM
SALLE PLEYEL
HOCHE
COURCELLES

AVENUE DE LA GRANDE ARMÉE
R. St. Ferdinand
R. St. Ferdinand
ARGENTINE
CARNOT
PL. CH. DE GAULLE ÉTOILE
AV. DE FRIEDLAND
CH. DE GAULLE-ÉTOILE (R.E.R.)
ARC DE TRIOMPHE
AV DES CHAMPS
LIDO
Rue Washington
OFFICE DU TOURISME
George-V
ÉLYSÉES
R. P. Charron

PORTE DAUPHINE
Porte Dauphine
AVENUE Bugeaud
FOCH
Avenue
AVENUE
HUGO
KLÉBER
AV. D'IÉNA
AVENUE MARCEAU
GEORGE V
Victor Hugo
Rue
Copernic
KLÉBER
R. de Belloy
Place des États-Unis
CRAZY HORSE

Av. Foch (R.E.R.)
Flandrin
la Faisanderie
Rue des Belles
VICTOR
RAYMOND POINCARÉ
BOISSIÈRE
Musée Guimet
Palais Galliéra
Pierre 1er de Serbie
TH. DES CHAMPS ÉLYSÉES

BOIS DE BAGATELLE
PARC DE BAGATELLE
BOIS DE BOULOGNE
Allée de la Reine Marguerite
ALLÉE DE LONGCHAMP
Route de Sèvres
PÉRIPHÉRIQUE
EXTÉRIEUR
LANNES
BOULEVARD
AVENUE
Longchamp
Rue des Sablons
Av. d'Eylau
MANDEL
TROCADÉRO
PALAIS DE TOKYO
ALMA MARCEAU
PT. DE L'ALMA

PRÉ CATELAN
LAC INFÉRIEUR
PORTE DE LA MUETTE
Av. Henri Martin (R.E.R.)
H. MARTIN
AV
Mairie
Pompe
Émile Augier
Boulevard
PL. DU TROCADÉRO
16
PALAIS DE CHAILLOT
DE NEW YORK
V. l'Université
Pont de l'Alma

BOULOGNE
LAC SUPÉRIEUR
Route de l'Hippodrome
PORTE DE PASSY
Musée Marmottan
Jardin du Ranelagh
Av. Ingres
MUETTE
Boulainvilliers-La Muette (R.E.R.)
AVENUE PAUL DOUMER
Rue Franklin
Av. des Nations
Av. du Pdt Wilson
Branly
AVENUE RAPP
TOUR EIFFEL
Parc du Champ de Mars
Gustave Eiffel
J. Bouvard
CHAMP DE MARS

HIPPODROME D'AUTEUIL
Route d'Auteuil-aux-Lacs
SUCHET
R. Mozart
RANELAGH
Rue de l'Assomption
de Passy
PASSY
Pdt KENNEDY
Pompidou
BOULEVARD
Av. de Lamballe
Bd Delessert
CHAMP DE MARS (R.E.R.)
Av. de la Fédération
LA MOTTE PICQUET
SUFFREN

Boulevard de Beauséjour
R. Singer
Raynouard
Quai
Pont de Bir Hakeim
Av. Charles Risler
MARS

PORTE D'AUTEUIL
AUTOROUTE A13
Bd Montmorency
Dr Blanche
R. Henri Heine
JASMIN
du
Ranelagh
Fontaine
Gros
MAISON DE RADIO-FRANCE
AV. DU PT KENNEDY (R.E.R.)
Pont de Grenelle
BOULEVARD DE GRENELLE
DUPLEIX
VILLAGE SUISSE
ÉCOLE MILITAIRE
LA MOTTE PICQUET GRENELLE

Rue Poussin
Av. de Versailles
AV. DE VERSAILLES
R. de Rémusat
Vge Georges
CENTRE BEAUGRENELLE
Émeriau
Rue Linois
R. Saint Charles
Rue Violet
R. de Lourmel
DE
SUFFREN

JARDIN D'ACCLIMATATION
MUSÉE NATIONAL DES ARTS ET TRADITIONS POPULAIRES
Mahatma Gandhi

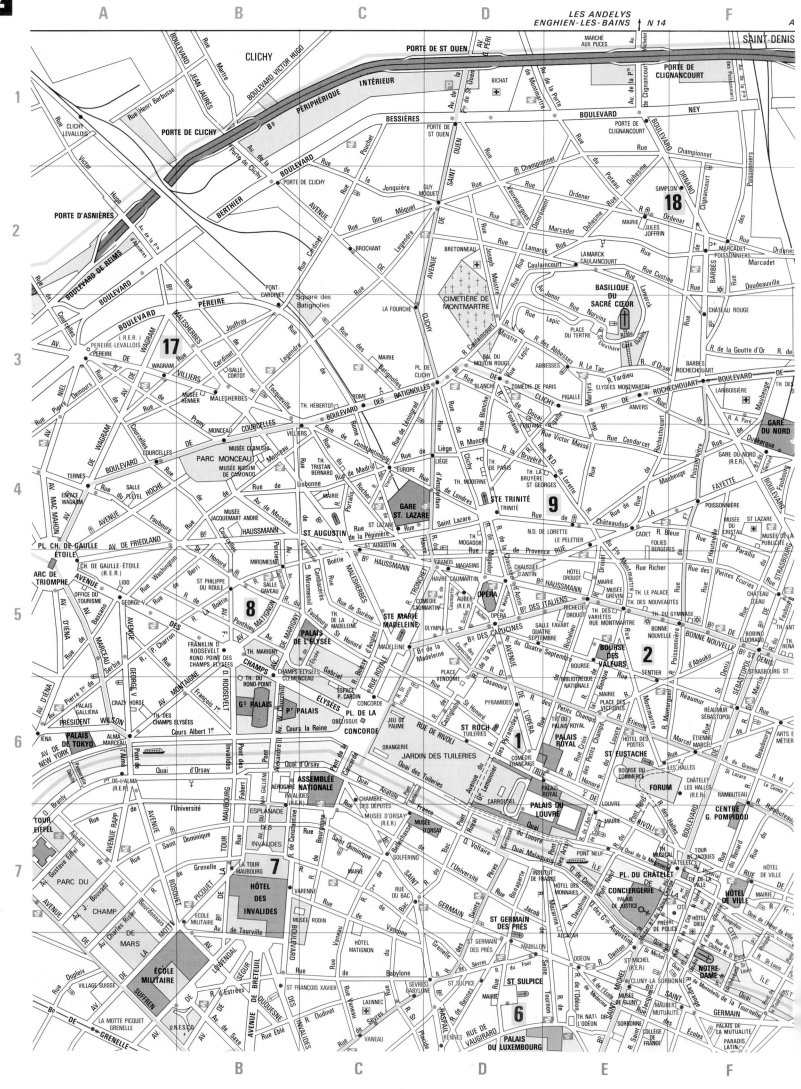

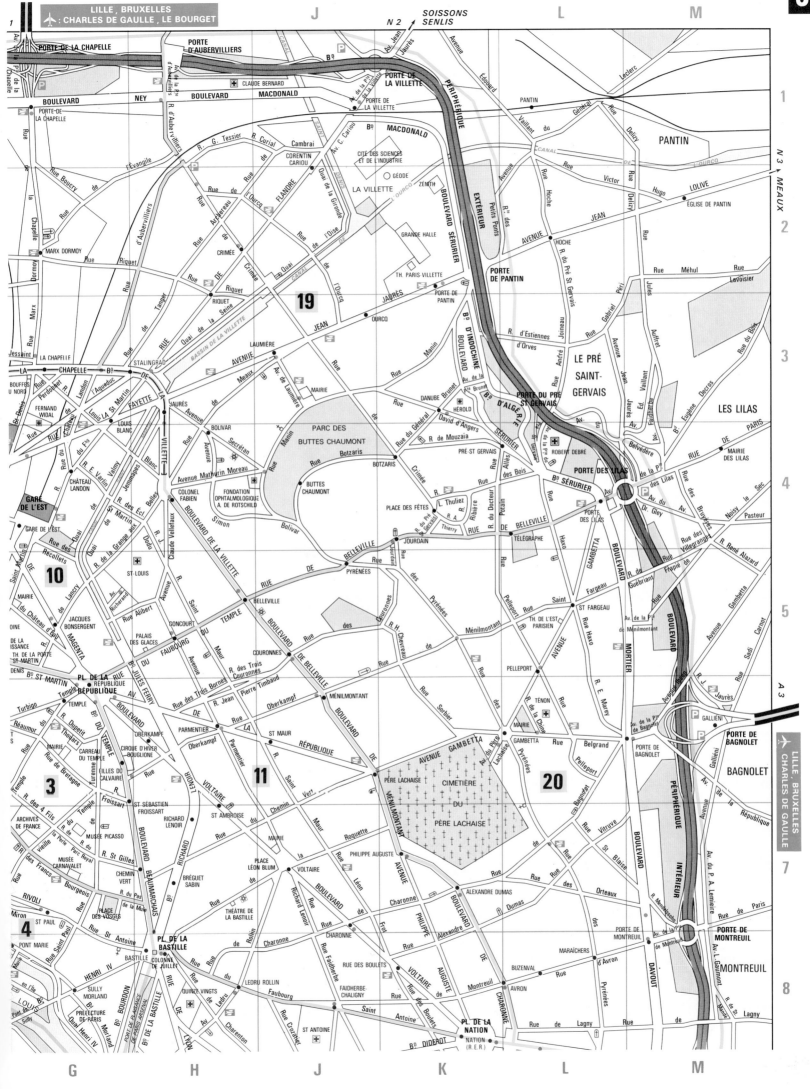

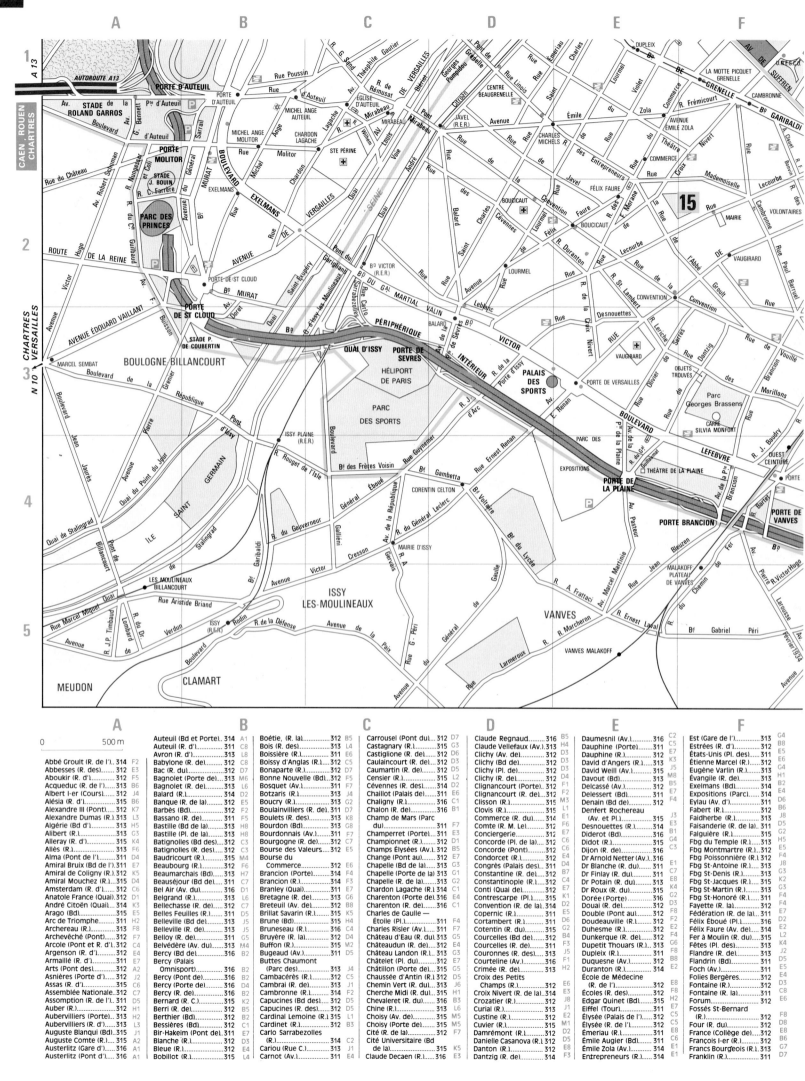

0   500 m

A
Abbé Groult (R. de l').. 314 F2
Abbesses (R. des)........ 312 E3
Aboukir (R. d').......... 312 F5
Acqueduc (R. de l')...... 313 B6
Albert-Ier (Cours)...... 312 J4
Alésia (R. d')........... 315 B6
Alexandre III (Pont).... 312 K7
Alexandre Dumas......... 313 L3
Algérie (Bd d').......... 313 H5
Alibert (R.)............ 313 D3
Alleray (R. d').......... 315 K4
Allès (R.).............. 315 E5
Alma (Pont de l')....... 311 H2
Amiral Bruix (Bd de l'). 311 E7
Amiral de Coligny (R.).. 312 K5
Amiral Mouchez......... 315 D4
Amsterdam (R. d')...... 312 C6
Anatole France (Quai).. 314 K3
André Citoën (Quai).... 314 K3
Arago (R.)............. 315 E5
Arc de Triomphe........ 311 H2
Archereau (R.)......... 313 F8
Archevêché (Pont)...... 312 F7
Arcole (Pont et R.d'... 312 C4
Argenson (R.).......... 312 E4
Armaillé (R. d')........ 311 E7
Arts (Pont des)........ 312 A2
Asnières (Porte d')..... 312 J2
Assas (R. d').......... 315 C6
Assemblée Nationale.... 312 C7
Assomption (R. de l').. 312 D5
Auber (R.)............. 312 H1
Aubervilliers (Porte).. 313 H2
Aubervilliers (R. d').. 313 L3
Auguste Blanqui (Bd)... 315 J1
Auguste Comte (R.)..... 315 C4
Austerlitz (Gare d').... 316 A1
Austerlitz (Pont d').... 316 A1

B
Auteuil (Bd et Porte).. 314 A1
Auteuil (R. d')........ 311 C8
Avron (R. d').......... 313 L8
Babylone (R. de)....... 312 C8
Bac (R. du)............ 312 D7
Bagnolet (Porte de).... 313 M6
Bagnolet (R. de)....... 313 L6
Balard (R.)............ 314 D2
Banque (R. de la)...... 312 E5
Barbès (Bd)............ 312 F2
Bassano (R. de)........ 311 F5
Bastille (Bd de la).... 313 H8
Bastille (Pl. de la)... 313 H8
Baudricourt (R.)....... 315 M4
Beaubourg (R.)......... 312 F6
Beaumarchais (Bd)...... 313 H7
Beauséjour (Bd de)..... 311 C5
Bel Air (Av. du)....... 316 D1
Belgrand (R.).......... 313 L6
Bellechasse (R. de).... 312 C7
Belleville (Bd de)..... 313 J5
Belleville (R. de)..... 313 J5
Belloy (R. de)......... 311 G5
Belvédère (Av. du)..... 313 H8
Bercy (Bd de).......... 316 B2
Bercy (Palais Omnisport) 316 B2
Bercy (Pont de)........ 316 B2
Bercy (Porte de)....... 316 D4
Bernard (R. C.)........ 315 K2
Berri (R. de).......... 312 B5
Berthier (Bd).......... 312 B2
Bessières (R.)......... 312 C1
Bir-Hakeim (Pont de)... 311 E7
Blanche (R.)........... 312 D3
Bleue (R.)............. 312 E4
Bobillot (R.).......... 315 L4

C
Boétie (R. la)........ 312 B5
Bois (R. des).......... 313 L4
Boissière (R.)......... 311 E6
Boissy d'Anglas (R.)... 312 C5
Bonaparte (R.)......... 312 D6
Bonne Nouvelle (Bd).... 312 F5
Bosquet (Av.).......... 311 F7
Botzaris (R.).......... 313 J4
Boucry (R.)............ 313 G2
Boulainvilliers (R. de) 311 D7
Boulets (R. des)....... 313 K8
Bourdon (Bd)........... 313 G8
Bourdonnais (Av.)...... 311 F7
Bourgogne (R. de)...... 312 C7
Bourse des Valeurs..... 312 E5
Bourse du Commerce..... 312 E6
Brancion (Porte)....... 314 F3
Brancion (R.).......... 314 F3
Branley (Quai)......... 311 E7
Bretagne (R. de)....... 312 G6
Breteuil (Av. de)...... 312 B8
Brillat Savarin (R.)... 315 K5
Brune (Bd)............. 315 H4
Bruneseau (R.)......... 316 C4
Bruyère (R. la)........ 312 D3
Buffon (R.)............ 315 M2
Bugeaud (Av.).......... 311 D5
Buttes Chaumont (Parc des) 313 J4
Cambacérès (R.)........ 312 C5
Cambrai (R. de)........ 313 J6
Cambronne (R.)......... 314 F2
Capucines (Bd des)..... 312 D5
Capucines (R. des)..... 312 D5
Cardinal Lemoine (R.).. 315 L1
Cardinet (R.).......... 312 B3
Carlo Sarrabezolles.... 314 C2
Cariou (Rue C.)........ 313 J1
Carnot (Av.)........... 311 E4

D
Carrousel (Pont du).... 312 D7
Castagnary (R.)........ 315 G3
Castiglione (R. de).... 312 D6
Caulaincourt (R. de)... 312 D3
Caumartin (R. de)...... 312 D5
Censier (R.)........... 315 L2
Cévennes (R. des)...... 314 D2
Chaillot (Palais de)... 311 E6
Chaligny (R.).......... 316 C1
Chalon (R. de)......... 316 B1
Champ de Mars (Parc du) 311 F7
Champerret (Porte)..... 311 E3
Championnet (R.)....... 312 D1
Champs Élysées (Av.)... 312 B5
Change (Pont au)....... 312 F7
Chapelle (Bd de la).... 313 G3
Chapelle (Porte de la). 313 G1
Chapelle (R. de la).... 313 G2
Chardon Lagache (R.)... 314 C1
Charenton (Porte de)... 316 E1
Charenton (R. de)...... 316 C1
Charles de Gaulle —
   Étoile (Pl.)........ 311 F4
Charles Risler (Av.)... 311 F7
Château d'Eau (R. du).. 313 F5
Châteaudun (R. de)..... 312 D4
Château Landon (R. de). 313 F4
Châtelet (Pl. du)...... 312 F7
Châtillon (Porte de)... 315 G5
Chaussée d'Antin (R.).. 312 D5
Chemin Vert (R. du).... 313 J6
Cherche Midi (R. du)... 311 H1
Chevaleret (R. du)..... 316 B3
Chine (R. de la)....... 313 L6
Choisy (Av. de)........ 315 M5
Choisy (Porte de)...... 315 M5
Cité (R. de la)........ 312 F7
Cité Universitaire (Bd de la) 315 K5
Claude Decaen (R.)..... 316 E2

E
Claude Regnaud........ 316 B5
Claude Vellefaux (Av.). 313 H4
Clichy (Av. de)........ 312 D3
Clichy (Bd de)......... 312 D3
Clichy (Pl. de)........ 312 D3
Clichy (R. de)......... 312 D4
Clignancourt (Porte)... 312 F1
Clignancourt (R. de)... 312 F2
Clisson (R.)........... 315 L1
Clovis (R.)............ 315 L1
Commerce (R. du)....... 314 E1
Comte (R. M. Le)....... 312 F6
Conciergerie........... 312 F7
Concorde (Pl. de la)... 312 C6
Concorde (Pont)........ 312 C6
Condorcet (R.)......... 312 E3
Congrès (Palais des)... 311 D4
Constantine (R. de).... 312 B7
Constantinople (R. de). 312 C4
Conti (Quai de)........ 312 D7
Contrescarpe (Pl.)..... 315 K1
Convention (R. de la).. 314 D2
Copernic (R.).......... 311 E5
Cortambert (R.)........ 311 D6
Cotentin (R. du)....... 315 F2
Courcelles (Bd de)..... 312 B4
Courcelles (R. de)..... 312 C4
Couronnes (R. des)..... 313 J5
Courteline (Av.)....... 316 E1
Crimée (R. de)......... 313 H2
Croix des Petits Champs 312 E6
Croix Nivert (R. de la) 314 E3
Crozatier (R.)......... 316 C1
Curial (R.)............ 313 J1
Custine (R. de)........ 312 E3
Cuvier (R.)............ 315 M1
Damrémont (R. de)...... 312 D1
Danielle Casanova (R.). 312 D5
Danton (R.)............ 312 E8
Dantzig (R. de)........ 314 F3

F
Daumesnil (Av.)........ 316 C2
Dauphine (Porte)....... 311 C5
Dauphine (R.).......... 312 E7
David d'Angers (R.).... 313 K3
David Weill (Av.)...... 315 K4
Davout (Bd)............ 313 M8
Delcassé (Av.)......... 312 B5
Delessert (Bd)......... 311 E7
Denain (Bd de)......... 312 F4
Denfert Rochereau (Av. et Pl.) 315 J3
Desnouettes (R.)....... 314 E3
Diderot (Bd)........... 316 B1
Didot (R.)............. 315 G4
Dijon (R. de).......... 316 C3
Dr Arnold Netter (Av.). 316 D1
Dr Blanche (R. du)..... 311 C7
Dr Finlay (R. du)...... 311 E8
Dr Potain (R. du)...... 313 K4
Dr Roux (R. du)........ 315 G2
Dorée (Porte).......... 316 D3
Douai (R. de).......... 312 D3
Double (Pont au)....... 312 F7
Doudeauville (R.)...... 312 F2
Duhesme (R.)........... 312 E2
Dunkerque (R. de)...... 312 F3
Dupetit Thouars (R.)... 313 G6
Dupleix (R.)........... 311 F7
Duquesne (Av.)......... 311 G8
Duranton (R.).......... 314 E2

Est (Gare de l')...... 313 G4
Estrées (R. d')........ 312 B8
États-Unis (Pl. des)... 311 E6
Étienne Marcel (R.).... 312 E6
Eugène Varlin (R.)..... 313 G4
Évangile (R. de l')..... 313 H1
Exelmans (Bd).......... 314 B1
Expositions (Parc)..... 314 E4
Eylau (Av. d')......... 311 D6
Fabert (R.)............ 312 B6
Faidherbe (R.)......... 313 J8
Faisanderie (R. de la). 311 D6
Falguière (R.)......... 315 G2
Fbg du Temple (R.)..... 313 H5
Fbg Montmartre (R.).... 312 E5
Fbg Poissonnière (R.).. 312 F5
Fbg St-Antoine (R.).... 313 J8
Fbg St-Denis (R.)...... 312 F4
Fbg St-Jacques (R.).... 315 K2
Fbg St-Martin (R.)..... 312 G3
Fbg St-Honoré (R.)..... 311 F4
Fayette (R. la)........ 312 E4
Fédération (R. de la).. 311 F7
Félix Éboué (Pl.)...... 316 D2
Félix Faure (Av. de)... 314 E2
Fer à Moulin (R.)...... 315 L2
Fêtes (Pl. des)........ 313 K4
Flandre (R. de)........ 313 H2
Flandrin (Bd).......... 311 D5
Foch (Av.)............. 311 E5
Folies Bergères........ 312 E5
Fontaine (R.).......... 312 D3
Fontaine (R. la)....... 311 C8
Forum.................. 312
Fossés St-Bernard...... F8
Four (R. du)........... 312 D8
France (Collège de).... 312 K1
François-Ier (R.)...... 312 B6
Francs Bourgeois (R.).. 313 G7
Franklin (R.).......... 311

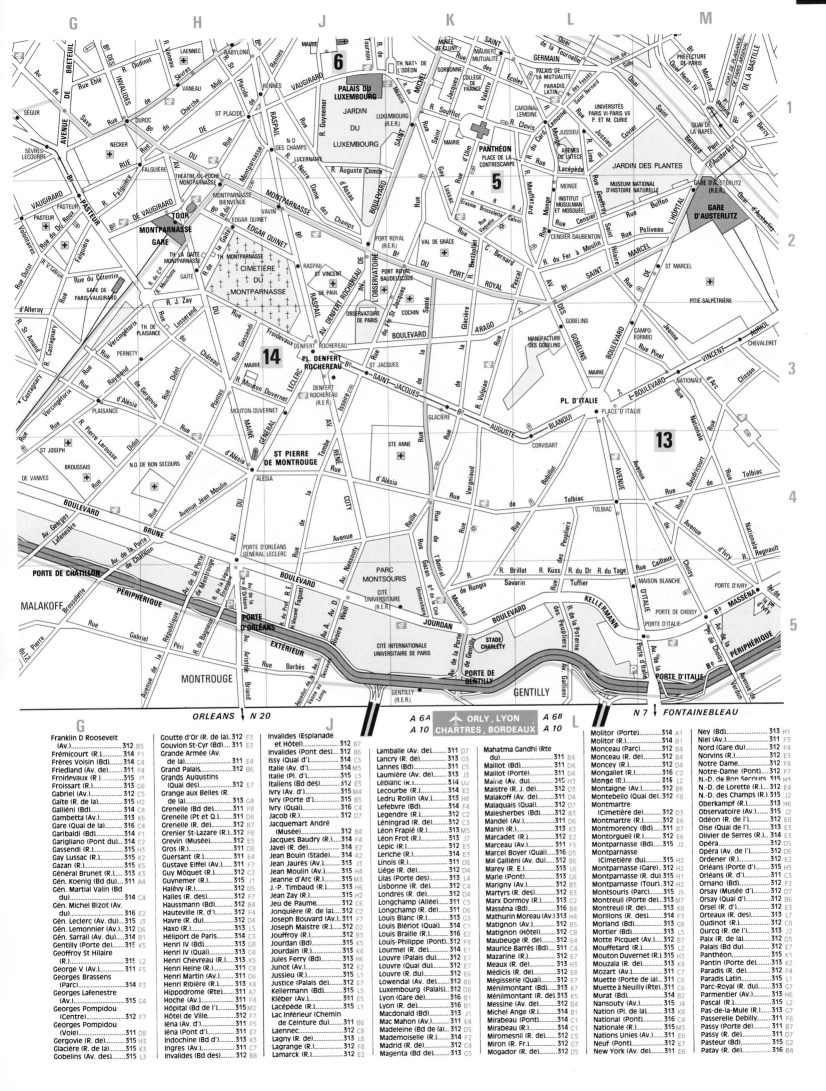

G

Franklin D Roosevelt (Av.)........312 B5
Frémicourt (R.).......314 F1
Frères Voisin (Bd)....314 C4
Friedland (Av. de)....311 F4
Froidevaux (R.).......315 F3
Froissart (R.).........313 G6
Gabriel (Av.).........312 C5
Gaîté (R. de la)......315 F2
Galliéni (Bd)........314 C4
Gambetta (R.)........313 K6
Gare (Quai de la)....316 C4
Garibaldi (Bd).......314 F1
Garigliano (Pont du).314 C2
Gassendi (R.)........315 H3
Gay Lussac (R.)......315 K2
Gazan (R.)...........315 K5
Général Brunet (R.)..313 K3
Gén. Koenig (Bd du)..311 A3
Gén. Martial Valin (Bd du)........314 C4
Gén. Michel Bizot (Av. du)........316 E2
Gén. Leclerc (Av. du).315 J3
Gén. Lemonnier (Av.).312 D6
Gén. Sarrail (Av. du).314 B1
Gentilly (Porte de)..315 K5
Geoffroy St Hilaire (R.)........315 L2
George V (Av.).......311 F5
Georges Brassens (Parc)........314 F3
Georges Lafenestre (Av.)........315 G4
Georges Pompidou (Centre)......312 F7
Georges Pompidou (Voie)........311 D8
Gergovie (R. de la)..315 H3
Glacière (R. de la)..315 K3
Gobelins (Av. des)...315 L3

Goutte d'Or (R. de la).312 F3
Gouvion St-Cyr (Bd)..311 E3
Grande Armée (Av. de la)........311 E4
Grand Palais........312 B6
Grands Augustins (Quai des)......312 E7
Grange aux Belles (R. de la).........313 G4
Grenelle (Bd de)....311 D8
Grenelle (Pt et Q.)..311 D8
Grenelle (R. de)....312 B7
Grenier St-Lazare (R.)312 F6
Grevin (Musée).....312 E5
Gros (R.)..........311 D8
Guersant (R.).......311 E4
Gustave Eiffel (Av.).311 D7
Guy Môquet (R.)....312 C2
Guynemer (R.)......315 J1
Halévy (R.)........312 D5
Halles (R. des).....312 F7
Haussmann (Bd).....312 B4
Hauteville (R. d')...312 F4
Havre (R. du)......312 D4
Haxo (R.).........313 L5
Héliport de Paris....314 C4
Henri IV (Bd)......313 G8
Henri IV (Quai)....313 G8
Henri Chevreau (R.).313 K5
Henri Heine (R.)....311 C4
Henri Martin (Av.)..311 D6
Henri Ribière (R.)...313 K4
Hippodrome (Rte)...311 A7
Hoche (Av.).........311 F4
Hôpital (Bd de l').315 M2
Hôtel de Ville......312 F7
Iéna (Av. d').......311 F5
Iéna (Pont d').....311 E6
Indochine (Bd d')...313 K3
Ingres (Av.)........311 D7
Invalides (Bd des)..312 B8

Invalides (Esplanade et Hôtel)......312 B7
Invalides (Pont des).312 B6
Italie (Av. d')......314 M5
Italie (Pl. d')......314 C3
Italiens (Bd des)...312 E5
Ivry (Av. d').......315 M4
Ivry (Porte d')....314 E2
Ivry (Quai).........314 F4
Jacob (R.).........312 D7
Jacquemart André (Musée)........312 B4
Jacques Baudry (R.).314 F4
Javel (R. de)......314 C2
Jean Bouin (Stade)..314 A2
Jean Jaurès (Av.)...313 J1
Jean Moulin (Av.)...315 H4
Jeanne d'Arc (R.)...315 L3
J.-P. Timbaud (R.)..313 H6
Jean Zay (R.).......315 H2
Jeu de Paume.......312 C6
Jonquière (R. de la).312 C2
Joseph Bouvard (Av.).311 D7
Joseph Maistre (R.).312 D2
Jouffroy (R.)......312 B3
Jourdan (Bd).......315 K5
Jourdain (R.)......313 K4
Jules Ferry (Bd)...313 H6
Junot (Av.).........312 E2
Jussieu (R.).......315 L1
Justice (Palais de).312 E7
Kellermann (Bd)...315 L5
Kléber (Av.).......311 L5
Lacépède (R.).....315 L1

Lamballe (Av. de).311 D7
Lancry (R. de)....313 G5
Lannes (Bd).......311 C5
Laumière (Av. de).313 J3
Leblanc (R.)......314 D2
Lecourbe (R.)....314 E2
Ledru Rollin (Av.).313 H8
Lefebvre (Bd)....314 E4
Legendre (R.).....312 D3
Léningrad (R. de).312 C3
Léon Frapié (R.)..313 M5
Léon Frot (R.)....313 J7
Lepic (R.).........312 E3
Leriche (R.)......314 E3
Liard (R.).........311 B8
Liège (R. de)....312 D4
Lilas (Porte des).313 L4
Linois (R.).........311 D8
Lisbonne (R. de)..312 B4
Londres (R. de)..312 C4
Longchamp (Allée).311 C5
Longchamp (R. de).311 D6
Louis Blanc (R.).313 G3
Louis Blériot (Quai)314 C1
Louis Braille (R.)..316 E2
Louis-Philippe (Pont)312 F8
Lourmel (R. de)...314 D2
Louvre (Palais du).312 E7
Louvre (Quai du)..312 E7
Louvre (R. du)....312 E6
Lowendal (Av.)...312 E1
Luxembourg (Palais)312 D8
Lyon (Gare de)...316 B1
Lyon (R. de)......316 B1

Mahatma Gandhi (Rte du)........311 B4
Maillot (Bd)......311 D4
Maillot (Porte)....311 D4
Maine (Av. du)...315 H3
Maistre (R. J. de).312 B6
Malakoff (Av. de).311 D4
Malaquais (Quai)..315 J2
Malesherbes (Bd)..312 B3
Mandel (R.)......311 D6
Manin (R.)........313 K3
Marcadet (R.)....312 E2
Marceau (Av.)...311 F5
Marcel Boyer (Quai)316 D6
Marey (R. E.)....313 L6
Marie (Pont).....313 F8
Marigny (Av. de).312 B5
Martyrs (R. des)..312 E3
Marx Dormoy (R.).313 G2
Masséna (Bd).....315 K8
Mathurin Moreau (Av)313 H4
Matignon (Av.)...312 B5
Matignon (Hôtel).312 C5
Maubeuge (R. de).312 E4
Maurice Barrès (Bd)311 D4
Mazarine (R.).....312 E7
Meaux (R. de)....313 H3
Médicis (R. de)...312 E8
Mégisserie (Quai).312 E7
Ménilmontant (Bd).313 K7
Ménilmontant (R. de)313 K5
Messine (Av. de)..312 B4
Michel Ange (R.)..314 B1
Mirabeau (Pont)..314 C1
Mirabeau (R.)....314 C1
Miromesnil (R. de).312 B4
Miron (R. Fr.)....312 G7
Mogador (R. de).312 D5

Molitor (Porte)...314 A1
Molitor (R.)......314 B1
Monceau (Parc)..312 B4
Monceau (R. de)..312 B4
Moncey (R.)......312 D4
Mongallet (R.)...316 C2
Monge (R.)......315 L2
Montaigne (Av.)..312 B6
Montebello (Quai de)312 E7
Montmartre (Cimetière de)312 D3
Montmartre (R.)..312 E6
Montmorency (Bd)311 D4
Montorgueil (R.)..312 E6
Montparnasse (Bd)315 J2
Montparnasse (Cimetière du)315 H3
Montparnasse (Gare)312 H2
Montparnasse (Bd du)315 H1
Montparnasse (Tour)312 H2
Montsouris (Parc).315 J5
Montreuil (Porte de)313 M7
Montreuil (R. de)..313 K8
Morillons (R. des).314 F4
Morland (Bd)....313 G8
Mortier (Bd)......313 L5
Motte Picquet (Av.)312 B7
Mouffetard (R.)..315 L2
Mouton Duvernet (R.)315 H3
Mouzaïa (R.)....313 K4
Mozart (Av.)....311 C7
Muette (Porte de la)311 C6
Muette à Neuilly (Rte)311 C5
Murat (Bd).......314 B2

Ney (Bd).........313 H1
Niel (Av.)........311 F3
Nord (Gare du)..312 F4
Norvins (R.)......312 E3
Notre Dame......315 F8
Notre-Dame (Pont).312 F7
N.-D. de Bon Secours315 H4
N.-D. de Lorette (R.)312 E4
N.-D. des Champs (R.)315 J2
Oberkampf (R.)..313 H6
Observatoire (Av.).315 J2
Odéon (R. de l')..312 E8
Oise (Quai de l')..313 E3
Olivier de Serres (R.)314 E4
Opéra..........312 D5
Opéra (Av. de l')..312 D6
Ordener (R.).....312 E2
Orléans (Porte d')315 H5
Orléans (R. d')..311 C3
Ornano (Bd)....312 F2
Orsay (Musée d')312 D7
Orsay (Quai d')..312 B6
Orsel (R. d').....312 E3
Orteaux (R. des).313 L7
Oudinot (R.).....312 C8
Ourcq (R. de l')..313 J2
Paix (R. de la)..312 D5
Palais (Bd du)...312 E7
Panthéon.......315 K1
Pantin (Porte de).313 K2
Paradis (R. de)...312 F4
Paradis Latin....315 L1
Parc-Royal (R. du).313 G7
Parmentier (Av.)..313 H6
Pascal (R.)......315 L2
Pas-de-la-Mule (R.)313 G7
Passerelle Debilly311 F6
Passy (Porte de).311 B7
Passy (R. de)....311 D7
Pasteur (Bd)....315 G2
Patay (R. de)....316 B4

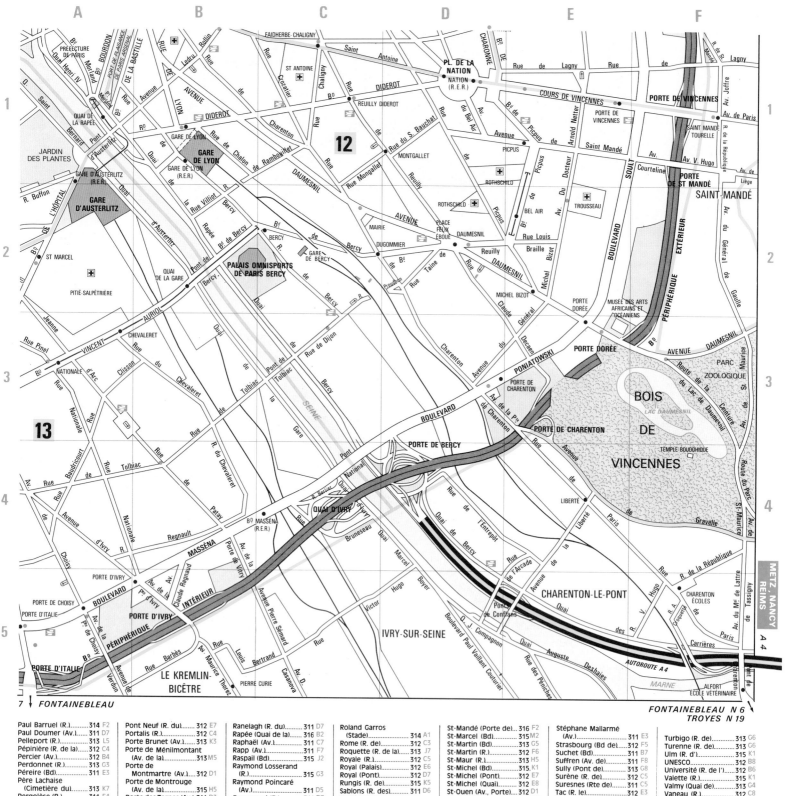

7 ↓ FONTAINEBLEAU

FONTAINEBLEAU N 6
TROYES N 19

Paul Barruel (R.)........314 F2	Pont Neuf (R. du)........312 E7	Ranelagh (R. du)........311 D7	Roland Garros (Stade)........314 A1
Paul Doumer (Av.)........311 D7	Portalis (R.)........312 C4	Rapée (Quai de la)........316 B2	Rome (R. de)........312 C3
Pelleport (R.)........313 L5	Porte Brunet (Av.)........313 K3	Raphaël (Av.)........311 C7	Roquette (R. de la)........313 J7
Pépinière (R. de la)........312 C4	Porte de Ménilmontant (Av. de la)........313 M5	Rapp (Av.)........311 F7	Royale (R.)........312 C5
Percier (Av.)........312 B4	Porte de Montmartre (Av.)........312 D1	Raspail (Bd)........315 J2	Royal (Palais)........312 E6
Perdonnet (R.)........312 G3	Porte de Montrouge (Av. de la)........315 H5	Raymond Losserand (R.)........315 G3	Royal (Pont)........312 D7
Péreire (Bd)........311 E3	Porte des Villiers (Av.)........311 E3	Raymond Poincaré (Av.)........311 D5	Rungis (R. de)........315 K5
Père Lachaise (Cimetière du)........313 K7	Porte de Vitry (R. de la)........313 K4	Raynouard (R.)........311 D7	Sablons (R. des)........311 D6
Pergolèse (R.)........311 E4	Porte d'Issy (R. de la)........314 D3	Réaumur (R.)........312 F6	Sacré Cœur (Basilique du)........312 E3
Perle (R. de la)........313 G7	Port Royal (Bd du)........315 K2	Recollets (R. des)........313 G4	St-Amand (R.)........315 G3
Pershing (Bd)........311 D3	Postes (Hôtel des)........312 E6	Regnault (R.)........316 B4	St-Antoine (R.)........313 G8
Petites Écuries (R.)........312 F5	Poteau (R. du)........312 E2	Reille (Av.)........315 K4	St-Augustin (R.)........312 C4
Petit Palais........312 E6	Poterne des Peupliers (R. de la)........315 L5	Reine (Cours la)........312 C6	St-Bernard (Quai)........316 A1
Petits Champs (R.)........312 E6	Pouchet (R.)........312 C1	Reine Marguerite (Allée de la)........311 A5	St-Blaise (R.)........313 L7
Petits Ponts (Rte des)........313 K2	Poussin (R.)........311 B8	Reims (Bd de)........311 E3	St-Charles (R.)........314 E1
Peupliers (R. des)........315 L4	Président Kennedy (Av. du)........311 D7	Rémusat (R. de)........311 C8	St-Cloud (Av. de)........311 A7
Philippe Auguste (Av.)313 K7	Président Wilson (Av. du)........311 F6	Renard (R. du)........312 F7	St-Cloud (Porte de)........314 A3
Picpus (Bd de)........316 E1	Pré St-Gervais (Porte).313 L3	René Coty (Av.)........315 J4	St-Denis (Bd)........312 F5
Picpus (R. de)........312 D2	Pré St-Gervais (R. du).313 K4	Rennes (R. de)........312 D7	St-Denis (Canal)........313 J2
Pierre Charron (R.)........311 F5	Princes (Parc des)........314 A2	République (R. de la)........313 J6	St-Denis (R.)........312 F6
Pierre de Coubertin (Stade)........314 B3	Prony (R. de)........312 B3	République (Bd de la)........314 A3	St-Dominique (R.)........312 B7
Pierre Demours (R.)........311 E4	Provence (R. de)........312 D4	République (Pl. de la)........313 G6	St-Eleuthère (R.)........312 E3
Pierre Larousse (Av.)315 G4	Prudhon (R.)........311 D6	Reuilly (Bd de)........316 D2	St-Eustache (R.)........312 E6
Pierre Ier de Serbie (Av.)........311 F6	Publicité (Musée)........312 F4	Reuilly (R. de)........316 D2	St-Exupéry (Quai)........314 B2
Petit Pont........312 F8	Pyramides (R. des)........312 D6	Ribière (R.)........313 K4	St-Fargeau (R.)........313 L5
Pigalle (R.)........312 E3	Pyrénées (R. des)........313 K5	Richard Lenoir (Bd)........313 H7	St-Ferdinand (R.)........311 H3
Pinel (R.)........315 M3	Quatre Fils (R. des)........312 G6	Richard Lenoir (R.)........313 J7	St-Florentin (R.)........312 C6
Plaine (Porte de la)314 E4	Quatre Septembre (R. du)........312 D5	Richard Wallace (Bd)........311 A4	St-Germain (R.)........312 C6
Plantes (Jardin des)........315 M1	Radio-France (Maison de)........311 D8	Richelieu (R. de)........312 E5	St-Germain (Bd)........313 G8
Plantes (R. des)........315 H3	Rambouillet (R. de)........312 B3	Richer (R.)........312 E5	St-Germain des Prés........312 D7
Poissonnière (R.)........312 F5	Rambuteau (R.)........312 F6	Richerand (R.)........313 G5	St-Gilles (R.)........313 G7
Poissonniers (R. des)312 F2	Ranelagh (Jardin du)311 D7	Riquet (R.)........313 G2	St-Honoré (R.)........312 D6
Police (Préf. de)........316 A2		Rivoli (R. de)........312 D6	St-Jacques (Bd)........315 K3
Poliveau (R.)........316 A2		Rochechouart (Bd de)........312 E3	St-Jacques (R.)........315 K1
Pompe (R. de la)........311 D5		Rochechouart (R. de)312 E4	St-Lambert (R.)........314 E2
Poniatowski (Bd)........316 D2		Rocher (R. du)........312 C4	St-Lazare (Gare)........312 C4
Ponthieu (R. de)........312 B5		Rodin (Musée)........312 C7	St-Lazare (R.)........312 C4
			St-Louis (Pont)........315 K1
			St-Louis-en-l'île (R.)312 E8
			St-Mandé (Av. de)........316 E1

St-Mandé (Porte de)..316 F2	Stéphane Mallarmé (Av.)........311 E3	Turbigo (R. de)........313 G6
St-Marcel (Bd)........315 M2	Strasbourg (Bd de)........312 F5	Turenne (R. de)........313 G6
St-Martin (Bd)........313 G5	Suchet (Bd)........311 B7	Ulm (R. d')........315 K1
St-Martin (R.)........312 F6	Suffren (Av. de)........311 F8	UNESCO........312 B8
St-Maur (R.)........313 H5	Sully (Pont de)........313 G8	Université (R. de l')........312 B6
St-Michel (Bd)........315 K1	Surène (R. de)........312 C5	Valette (R.)........315 K1
St-Michel (Pont)........312 E7	Suresnes (Rte de)........311 C5	Valmy (Quai de)........313 G4
St-Michel (Quai)........312 E8	Tac (R. le)........312 E3	Vaneau (R.)........312 C8
St-Ouen (Av., Porte)312 D1	Tage (R. du)........315 L5	Vanves (Porte de)........314 F4
St-Paul (R.)........313 G7	Taine (R.)........316 D2	Varenne (R. de)........312 D2
St-Pierre de Montrouge........315 J4	Tanger (R. de)........313 H3	Vaugirard (Bd de)........315 H2
St-Placide (R.)........312 C8	Tardieu (R.)........312 E3	Vaugirard (R. de)........312 D2
St-Roch (R.)........312 D6	Temple (Bd du)........313 G6	Vauvenargues (R.)........312 D2
St-Saëns (R.)........314 E1	Temple (R. du)........312 G6	Vendôme (Pl.)........312 D5
Sts-Pères (R. des)........312 D7	Temple (R. vieille du)..313 G7	Vergniaud (R.)........315 K4
St-Sulpice (R.)........312 D7	Ternes (Av. des)........311 E4	Vercingétorix (R.)........315 G3
St-Vincent de Paul..315 J2	Tertre (Pl. du)........312 E3	Versailles (Av. de)........314 C2
Ste-Marie Madeleine..312 C6	Tessier (R. G.)........313 H1	Victor (Bd)........314 D3
Ste-Trinité........312 D4	Théâtre (R. du)........314 E1	Victor Hugo (Av.)........311 E5
Sand (R. G.)........311 C8	Théophile Gautier (Av.)311 C8	Victoria (Av.)........312 F7
Santé (R. de la)........315 G1	Thierry (R.)........313 K4	Victor Massé (R.)........312 E4
Saxe (Av. de)........312 B8	Thuliez (R.)........313 K4	Vienne (R. de)........312 C4
Scribe (R.)........312 D5	Tocqueville (R. de)........312 B3	Villette (Bd de la)........313 G4
Sébastopol (Bd de)........312 F6	Tolbiac (Pont de)........316 C3	Villette (Porte de la)313 K1
Secrétan (Av.)........313 H4	Tolbiac (R. de)........315 M4	Villiers (Av. de)........311 E3
Ségur (Av. de)........312 B8	Tombe Issoire (R.)........315 J4	Villiot (R.)........316 B2
Seine (Quai de la)........313 H3	Tour (R. de la)........311 D7	Vincennes (Cours de)313 L8
Seine (R. de)........312 D8	Tour Eiffel........311 E7	Vincennes (Porte de)316 F1
Sergent Bauchat (R.)316 D2	Tourisme (Office du)311 F5	Vincent Auriol (Bd)315 M3
Sérurier (Bd)........313 K2	Tour Maubourg (Bd)........312 B7	Violet (R.)........314 E1
Sèvres (Porte de)........314 C3	Tournelle (Pont de la)........312 F8	Vitruve (R.)........313 L7
Sèvres (R. de)........312 C8	Tournelle (Quai de la)312 F8	Volontaires (R. des)........315 G2
Simon Bolivar (Av.)313 H4	Tournon (R. de)........312 D8	Voltaire (Bd)........313 K8
Singer (R.)........311 D7	Tourville (Av. de)........312 B7	Vosges (Pl. des)........313 G7
Solférino (Pont)........312 C6	Trocadéro (Pl. du)........311 C7	Vouillé (R. de)........314 F3
Sorbier (R.)........313 K6	Trois Bornes (R. des)313 H6	Vulpian (R.)........315 K3
Sorbonne........312 E8	Tronchet (R.)........312 C5	Wagram (Av. de)........311 E3
Soufflot (R.)........315 K1	Tuileries (Jardin des)312 D6	Washington (R.)........311 F5
Soult (Bd)........316 E2	Tuileries (Quai des)312 D6	Winston Churchill (Av.)........312 B6
Sports (Palais des)........314 D3		

Puysserampion 47 195 F3
Puyvalador 66 261 E2
Puyvert 84 237 D1
Puzeaux 80 18 B3
Puzieux 57 64 C1
Puzieux 88 86 C2
Py 66 261 E2
La Pyle 27 31 E5
Pyle (Pont de la) 39 141 E4
Pyrénées (Parc National des) 65 257 E4
Pys 80 10 A4

Q

Quaëdypre 59 4 A2
Quaix-en-Chartreuse 38 189 D2
Quantilly 18 119 D3
Quarante 34 254 C1
Quarouble 59 11 E2
Quarré-les-Tombes 89 121 F2
La Quarte 70 105 F2
Le Quartier 63 152 A3
Quasquara 2a 266 C4
Quatre-Champs 08 37 F1
Les Quatre-Routes 46 181 E4
Quatre Vios (Col des) 07 203 D2
Quatremare 27 31 F3
Quatzenheim 67 67 D3
Quéant 62 10 B4
Queaux 86 148 B2
Québriac 35 73 D1
Quédillac 35 72 B2
Queige 73 174 C2
Quelaines-St-Gault 53 94 C1
Quelmes 62 3 E3
Quelneuc 56 92 C2
Quéménéven 29 69 D2
Quemigny-Poisot 21 123 E3
Quemigny-sur-Seine 21 104 A3
Quemper-Guézennec 22 47 E2
Quemperven 22 47 E2
Quend 80 8 B3
Quénécan (Forêt de) 22,56 70 C2
Quenne 89 102 B2
Quenoche 70 106 C4
Quenza 2a 269 D1
Quercamps 62 3 E3
Quercitello 2b 265 E4
Quérénaing 59 11 D3
Quéribus (Château de) 11 262 B1
Quérigut 09 261 D3
Quernes 62 4 A4
Querqueville 50 24 C1
Querrien 29 95 D3
Querrien 80 70 A4
Querrieu 80 17 F2
Quers 70 107 D2
Quesmy 60 18 C4
Le Quesne 80 16 C2
Le Quesnel 80 18 B4
Le Quesnel-Aubry 60 33 F1
Le Quesnoy 59 11 E3
Le Quesnoy-en-Artois 62 9 D2
Quesnoy-le-Montant 80 8 B4
Quesnoy-sur-Airaines 80 17 D2
Quesnoy-sur-Deûle 59 5 D3
Quesques 62 3 D4
Quesques 62 3 D4
Quessigny 27 55 E1
Quessoy 22 48 B4
Quessy 02 19 D4
Questembert 56 92 A2
Questrecques 62 2 C4
Quet-en-Beaumont 38 205 F1
Quetigny 21 123 F2
Quettehou 50 24 C3
Quettetot 50 24 C3
Quettreville 14 30 B2
Quettreville-sur-Sienne 50 29 C1
Queudes 51 62 B4
La Queue-en-Brie 94 58 A2
La Queue-les-Yvelines 78 56 C2
Queuille 63 152 B4
Queuille (Méandre de) 63 152 A4
Quevauvillers 80 17 D2
Quéven 56 90 B1
Quévert 22 49 E4
Quevillon 76 31 E2
Quevilloncourt 54 86 C1
Quévreville-la-Poterie 76 31 F2
Quéyrac 33 176 B1

Queyras (Parc Régional du) 05 207 E2
Queyrières 43 186 A3
Queyssac 24 196 A1
Queyssac-les-Vignes 19 181 E4
Quézac 48 217 D1
Quézac 15 199 D2
Quiberon 56 90 C4
Quiberville 76 15 E2
Quibou 50 27 D4
Quié 09 260 B1
Quiers 77 58 C4
Quiers-sur-Bézonde 45 100 B1
Quiéry-la-Motte 62 10 B2
Quierzy 02 18 C4
Quiestède 62 3 F4
Quiévelon 59 12 B3
Quiévrechain 59 11 E2
Quiévrecourt 76 16 A3
Quiévy 59 11 D4
Quilen 62 8 C1
Quilinen 29 69 D2
Quillan 11 253 E4
Quillane (Col de la) 66 261 E4
Quilleboeuf-sur-Seine 27 30 C1
Le Quillio 22 71 D2
Quilly 44 92 C4
Quilly 08 37 E2
Quily 56 92 A1
Quimper 29 69 D3
Quimperlé 29 69 F4
Quincampoix 76 31 F1
Quincampoix-Fleuzy 60 16 C3
Quinçay 86 132 A3
Quincerot 21 103 E4
Quincerot 89 103 D1
Quincey 21 123 E3
Quincey 70 82 B1
Quincey 70 106 C3
Quincié-en-Beaujolais 69 155 D3
Quincieu 38 188 C2
Quincieux 69 171 E4
Quincy 18 118 C3
Quincy-Basse 02 35 E1
Quincy-Landzécourt 55 38 B1
Quincy-sous-le-Mont 02 35 F2
Quincy-sous-Sénart 91 57 E4
Quincy-le-Vicomte 21 103 E4
Quincy-Voisins 77 58 C2
Quinéville 50 25 E3
Quingey 25 125 D3
Quinquempoix 60 33 E1
Quins 12 215 D2
Quinsac 33 194 B3
Quinsac 24 171 F1
Quinson 04 238 B2
Quinssaines 03 151 E2
Quint 31 230 B3
Quintal 74 173 F1
La Quinte 72 76 A4
Quintenas 07 187 D2
Quintenic 22 48 C3
Quintigny 39 141 D2
Quintillan 11 254 B4
Quintin 22 47 F4
Le Quiou 22 72 C1
Quirbajou 11 261 E1
Quiry-le-Sec 80 17 F4
Quissac 30 218 A4
Quissac 46 198 B3
Quistinic 56 70 C4
Quittebeuf 27 31 E4
Quitteur 70 105 F4
Quivières 80 18 C2
Quœux-Haut-Maînil 62 9 D3

R

Rabastens 81 230 B1
Rabastens-de-Bigorre 65 227 E4
Rabat-les-Trois-Seigneurs 09 252 A4
La Rabatelière 85 129 E1
Rablay-sur-Layon 49 113 F2
Rabodanges 61 52 C2
Rabou 05 206 A3
Rabouillet 66 261 F2
Racamadou (Belvédère de) 24 196 C1
Racécourt 88 87 D2
Rachecourt-sur-Marne 52 62 B4
Rachecourt-Suzémont 52 84 C1
Raches 59 10 C2
Racines 10 82 C4
La Racineuse 71 140 B2
Racquinghem 62 4 A4
Racrange 57 65 E1
Raddon-et-Chapendu 70 107 D1

Reims

LAON, N 44 — BRUXELLES — STE-JEANNE-D'ARC — AERODROME — ST-THOMAS — CH. LE FOUNTA — FG. CÉRÈS — CERNAY — ST-J. BAPTISTE — CATHÉDRALE — ERLON — St-Jacques — HINCMAR — PL. ROYALE — LE BARBATRE — LES COUTURES — ST-NICAISE — Maison de la Culture — PONT DE VESLE — CIRQUE — COURLANCY — STE-ANNE — FLÉCHAMBAULT — BASILIQUE ST-REMI — Parc Pommery — CHÂLONS-S.-M. METZ — ÉPERNAY, N 51 — SOISSONS, N 31 — CHÂTEAU-TH RD 380 — CHARLEVILLE-MÉZIÈRES — VOUZIERS — N 51 — RD 380 — CHÂLONS-S.-M. METZ, N 44

0 300 m

Arbalète (R. de l') BY 3
Cadran St-Pierre (R.) ABY 13
Carnot (R.) BY 19
Drouet d'Erlon (Pl.) AY 38
Étape (R. de l') AY 40
Jean-Jaurès (Av.) BCX
Laon (Av. de) AX
Talleyrand (R. de) AXY

Anatole-France (Cours) BY 2
Barbatre (R. du) BCYZ
Bocquaine (Chaussée) ABZ
Boulingrin (Pl. du) BX 6
Briand (R. Aristide) BX 8
Buirette (R.) AY 12
Capucins (R. des) BYZ
Carmes (R. des) BZ 16

Carnégie (Pl.) BY 17
Carteret (Bd) CX
Cérès (R.) BXY
Cernay (R. de) CX
Champ de Mars (R. du) BX
Chanzy (R.) BZ
Chézel (R. Clovis) BZ
Clemenceau (Av. G.) CY
Clovis (R.) ABY
Colbert (R.) BXY 26
Courcelles (R. de) AX
Courlancy (R. de) AZ
Crayères (R. des) CX
Dauphinot (Bd) CX
Desteuque (R. E.) BY 31
Diancourt (R.) CZ
Dieu-Lumière (Bd) BZ
Dieu-Lumière (R.) CZ 32
Dr-Henrot (Bd) BZ
Dr-Jacquin (R.) BXY 33
Doumer (Bd Paul) AY
Droits-de-l'Homme (Pl.) CZ 37

Doubois (R. Th.) AY 39
Fabien (R. Col.) AY
Foch (Bd) AX
Forum (Pl.) BY 47
Gambetta (R.) BYZ
Gaulle (Av. de) AYZ
Gerbert (R.) BCY 50
Giraud (Av. Gén.) CY
Gobelins (R. des) CX
Gosset (Bd) BX
Gouraud (Rd-Pt Gén.) CZ 51
Grand-Cerf (R. du) CZ 52
Jamin (R.) CX
Jamot (Pl. Paul) BY 56
Jard (R. du) BY
Jésuites (Collège des) BZ W
J.-J.-Rousseau (R.) BX 58
Joffre (Bd) AX
Jules-César (Bd) BX
Lambert (Bd Victor) BZ
Langlet (Crs J.-B.) BY 60
Laurent (R. Gust.) CY

Leclerc (Bd Gén.) AY
Lenoir (R. C.) BCX
Lesage (R.) ABX
Libergier (R.) ABY
Lundy (Bd) BX
Magdeleine (R.) AY 63
Marchandeau (Av. P.) AZ
Mars (Porte) BX Q
Mars (R. de) BX
Martyrs de la Résistance (Pl. des) BY 66
Mont d'Arène (R.) AX
Montlaurent (R.) CY 67
Moulins (R. des) BZ
Myron-Herrick (Pl.) BY 68
Paix (Bd de la) BCY
Payen (R.) BZ
Pasteur (Bd) BYZ
Pommery (Bd) CYZ
Prés.-Roosevelt (R.) AX 70
Prés. Wilson (Bd) AX
République (Pl.) BX 71

Roederer (Bd L.) AXY
Royale (Pl.) BY
St-Marceaux (Bd) CY
St-Nicaise (Pl.) CZ 78
Salle (Hôtel de la) BY E
Sarrail (R. Gén.) ABX 82
Sillery (Av. de) CY
Simon (R.) BZ
Tau (Palais du) BY S
Temple (R. du) BX 86
Thiers (R.) AX
Université (R. de l') BY 88
Vasnier (Bd H.) CZ
Venise (R. de) BYZ
Vesles (R. des) AY
Voltaire (R.) BX
Yser (Av. de l') CY

Radenac 56 71 E4
Radepont 27 32 A2
Radinghem 62 9 D1
Radinghem-en-Weppes 59 4 C4
Radioastronomie (Station de) 18 118 C2
Radon 61 76 B1
Radonvilliers 10 83 F2
Radule (Cascade de) 2B 266 C4
Raedersdorf 68 108 C4
Raedersheim 68 108 C4
Raffetot 76 14 C4
Rageade 15 184 C3
Rahart 41 98 A2
Rahay 72 87 E4
Rahling 57 42 B4
Rahon 25 126 B3
Rahon 39 124 B4
Rai 61 54 B3
Raids 50 27 D3
Raillencourt-Ste-Olle 59 10 C4

Railleu 66 261 E3
Raillicourt 08 21 E4
Raillimont 02 20 C3
Raimbeaucourt 59 10 C2
Raincheval 80 17 F1
Raincourt 70 106 A1
Le Raincy 93 58 A2
Rainfreville 76 15 E3
Rainneville 76 17 F1
Rainsars 59 12 B4
Rainville 88 86 B3
Rainvillers 60 33 D2
Les Rairies 49 95 F3
Raismes 59 11 D2
Raissac 09 252 C4
Raissac-d'Aude 11 254 B2
Raissac-sur-Lampy 11 253 D1
Raix 16 147 E4
Raizeux 78 56 B4
Ramasse 01 156 C2
Ramatuelle 83 245 E2
Rambaud 05 206 B3
Rambervillers 88 87 E2

Rambluzin-et-Benoite-Vaux 55 62 C1
Rambouillet 78 56 C4
Rambucourt 55 63 E2
Ramburelles 80 16 C1
Rambures 80 16 B2
Ramecourt 88 87 D2
Ramecourt 62 9 E2
Ramerupt 10 61 D4
Ramicourt 02 19 D1
Ramillies 59 10 C3
Rammersmatt 68 108 B2
Ramonchamp 88 107 E1
Ramonville-St-Agne 31 230 A3
Ramoulu 45 80 A3
Ramous 64 225 F3
Ramousies 59 12 B4
Ramouzens 32 227 F1
Rampan 50 27 E3
Rampieux 24 196 C2
Rampillon 77 58 C4
Rang 25 126 B3

Rampont 55 38 B4
Rampoux 46 197 E3
Ramstein 67 89 D2
Rance 22,35 49 E3
Rancé 01 155 F4
Rancenay 25 125 D3
Rancennes 08 13 F4
Rances 10 84 A1
Ranchal 69 154 C3
Ranchot 39 124 B4
Ranchy 14 28 B3
Rancogne 16 163 D3
Rancon 87 149 D3
Ranconnières 52 105 F1
Rancoudray 50 51 E3
Rancourt 88 86 C3
Rancourt 80 18 B1
Rancourt-sur-Ornain 55 62 A2
Rancy 71 140 B3
Randan 63 153 D4
Randens 73 174 A1
Randevillers 25 126 B2
Randonnai 61 54 C3

Rang-du-Fliers 62 8 A2
Rangecourt 52 85 F4
Rangen 67 66 C3
Rannée 35 94 A1
Ranrupt 67 88 C1
Rans 39 124 C3
Ransart 62 9 F3
Ranspach 68 108 A1
Ranspach-le-Bas 68 109 D3
Ranspach-le-Haut 68 108 C3
Rantechaux 25 126 A3
Rantigny 60 33 F2
Ranton 86 114 C4
Rantzwiller 68 108 C3
Ranville 14 29 E3
Ranville-Breuillaud 16 162 A1
Ranzevelle 70 106 B1
Ranzières 55 39 D4
Raon-aux-Bois 88 87 E4
Raon-l'Étape 88 88 B1

Raon-lès-Leau 54 66 A4
Raon-sur-Plaine 88 66 A4
Rapaggio 2b 265 E4
Rapale 2b 265 E3
Rapey 88 87 D2
Rapilly 14 52 C2
Rapsécourt 51 61 F1
Raray 60 34 A1
Rarécourt 55 38 B4
Rasiguères 66 262 A1
Raslay 86 114 C3
Rasteau 84 219 F2
Ratenelle 71 140 B4
Ratières 26 187 F2
Ratilly 89 101 E3
Ratte 71 140 C3
Ratzwiller 67 42 B4
Raucoules 43 186 B3
Raucourt 54 64 B1
Raucourt-au-Bois 59 11 E3
Raucourt-et-Flaba 08 21 F4

Rauville-la-Bigot 50 24 C3
Rauville-la-Place 50 26 C1
Rauwiller 67 66 C3
Rauzan 33 195 D2
Raveau 58 120 B3
Ravel 63 168 C2
Ravenel 60 34 A1
Ravennefontaines 52 85 F4
Ravenoville 50 25 E3
Raves 88 88 B2
Ravière (Lac de la) 34,81 232 A1
Ravières 89 103 E3
Ravigny 53 52 C4
Raville 57 40 C4
Raville-sur-Sânon 54 65 D3
Ravilloles 39 157 E1
La Ravoire 73 173 E3
Ray-Pic (Cascade du) 07 202 C1
Ray-sur-Saône 70 106 A3

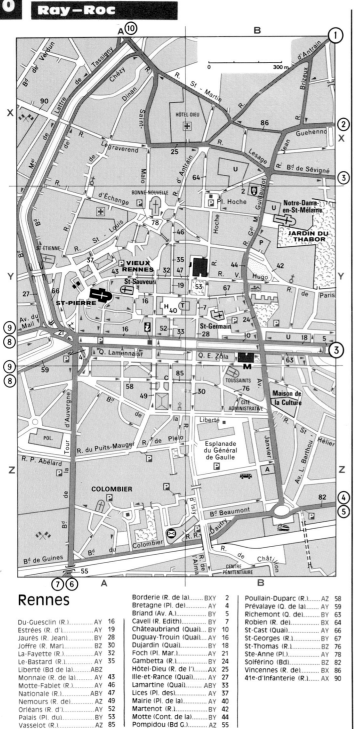

Rennes

Borderie (R. de la)........ BXY 2
Bretagne (Pl. de)........... AY 4
Briand (Av. A.).............. BY 5
Cavell (R. Edith)........... BY 7
Châteaubriand (Quai)... BY 10
Duguay-Trouin (Quai)... AY 18
Dujardin (Quai)............. AY 19
Gambetta (R.)............... BZ 24
Hôtel-Dieu (R. de l')..... AX 25
Ille-et-Rance (Quai)...... AY 27
Lamartine (Quai).......... ABY 33
Lices (Pl. des).............. AY 37
Mairie (Pl. de la).......... AY 40
Martenot (R.).............. BY 42
Motte (Cont. de la)....... BY 44
Pompidou (Bd G.)......... AZ 55

Du-Guesclin (R.)........... AY 16
Estrées (R. de la)......... AY 19
Jaurès (R. Jean)........... BY 28
Joffre (R.)................... BZ 30
La-Fayette (R.)............ AY 32
Le-Bastard (R.)........... AY 35
Liberté (Bd de la).......ABZ
Monnaie (R. de la)........ AY 43
Motte-Fablet (R.)......... AY 46
Nationale (R.)............. ABY 47
Nemours (R. de)........... AZ 49
Orléans (R. d')............ AY 52
Palais (Pl. du)............. BY 53
Vasselot (R.)............... AZ 85

Poullain-Duparc (R.)...... AZ 58
Prévalaye (Q. de la)...... AY 59
Richemont (Q. de)........ BY 63
Robien (R. de)............. BX 64
St-Cast (Quai)............. AY 66
St-Georges (R.)........... AY 67
St-Thomas (R.)........... BZ 76
Ste-Anne (Pl.)............. AY 78
Solférino (Bd)............. BZ 82
Vincennes (R. de)........ BX 86
41e-d'Infanterie (R.)..... AX 90

Raymond 18   136 B1
Raynans 25   107 F4
Rayol-Canadel-sur-
Mer 83   245 D2
Rayssac 81   231 F1
Raz (Pointe du)
29   68 A2
Razac-
de-Saussignac
24   195 F1
Razac-d'Eymet
24   196 A2
Razac-sur-l'isle
24   179 E3
Raze 70   106 B3
Razecueillé
31   258 C2
Razengues
32   229 D2
Razès 87   149 E4
Razimet 47   210 C1
Razines 37   132 B1
Ré (ile de) 17   144 C3
Réal 66   261 E2
Réalcamp 76   16 B2
Réallon 05   206 C3
Réalmont 81   231 E1
Réans 32   227 E1
Réau 77   58 A4
Réaumont 38   189 D1
Réaumur 85   130 B2
Réaup 47   210 C3
Réauville 26   203 F4
Réaux 17   161 E4
Rebais 77   59 D2
Rébénacq 62   248 B2
Rebergues 62   3 D3
Rebets 76   32 A1

Rebeuville 88   86 A2
Rebigue 31   230 A4
Rebourguil
12   216 A1
Rebourseaux
89   102 B1
Reboursin 36   118 A4
Rebréchien 45   99 E1
Rebreuve-
Ranchicourt
62   9 F2
Rebreuve-sur-
Canche 62   9 E3
Rebreuviette
62   9 E3
Recanoz 39   141 D2
Recey-sur-Ource
21   104 B2
Réchésy 90   108 B4
Réchicourt 55   39 D2
Récicourt 55   38 B3
Réclainville 28   79 D2
Reclesne 71   122 B4
Reclinghem 62   9 D1
Recloses 77   80 B2
Recologne 70   106 A3
Recologne 25   125 D2
Recologne-lès-Rioz
70   106 B4
Recoubeau-Jansac
26   204 C2
Recoules-d'Aubrac
48   200 C2
Recoules-de-Fumas

Recoules-
Prévinquières
12   216 A1
Récourt 52   105 E1
Récourt 62   10 B3
Récourt-le-Creux
55   63 D1
Recouvrance
90   108 A3
Le Recoux 48   216 B1
Recques-sur-
Course 62   8 B1
Recques-sur-Hem
62   3 E3
Recquignies
59   12 B3
Le Reculey 14   51 F1
Reculfoz 25   142 B2
Recurt 65   250 A2
Recy 51   64 A1
Rédange 57   39 E1
Rédené 29   90 B1
Redessan 30   235 F1
Réding 57   66 A2
Redon 35   92 B3
Redortiers 04   221 D1
Réez-Fosse-Martin
60   34 C4
Reffannes 79   131 E4
Reffroy 55   63 D3
Reffuveille 50   51 E3
Refranche 25   125 E4
Régades 31   258 C2
Régat 09   252 C2
Regnauville 62   8 C3
Regnévelle 88   94 A3
Regnéville-sur-Mer
50   26 C4

Regnéville-sur-
Meuse 55   38 C3
Regney 88   87 D2
Regnié-Durette
69   155 E3
Regnière-Écluse
80   8 B3
Regniowez 08   21 D2
Régny 42   154 C4
Regny 02   19 E2
La Regrippière
44   112 C3
Réguiny 56   71 E4
Réguisheim
68   108 C1
Régusse 83   238 C2
Rehaincourt
88   87· E1
Rehainviller 54   65 D4
Rehaupal 88   83 A3
Reherrey 54   65 E4
Réhon 54   55 E4
Reichsfeld 67   89 D1
Reichshoffen
67   67 D1
Reichstett 67   67 D3
Reignac 33   177 E2
Reignac 16   178 A1
Reignac-sur-Indre
37   116 B3
Reignat 63   168 C2
Reigneville-Bocage
50   25 D3
Reignier 74   158 B3
Reigny 18   135 F4
Reilhac 15   183 D4
Reilhac 46   198 B2
Reilhac 43   198 A2
Reilhanette 26   220 B1

Reillanne 04   221 D4
Reillon 54   65 E3
Reilly 60   32 C3
Reimerswiller
67   67 E1
Reims 51   36 B3
Reims-la-Brûlée
51   61 F3
La Reine Blanche
60   34 A4
Reinhardsmunster
67   66 B3
Reiningue 68   108 B2
Reipertswiller
67   66 C1
Reithouse 39   141 E3
Reitwiller 67   67 D3
Réjaumont
65   250 A2
Réjaumont
32   228 B1
Rejet-de-Beaulieu
59   19 F1
Relanges 88   86 C3
Relans 39   141 D2
Le Relecq-Kerhuon
29   45 D3
Relevant 01   156 A3
Rely 62   9 E1
Remaisnil 80   9 D3
Rémalard 77   77 E1
Remaucourt
08   20 C4
Remaucourt
02   19 D2
La Remaudière
44   112 B2
Remaugies 80   18 A4
Remauville 77   80 C3
Rembercourt
55   62 C1
Rembercourt-sur-
Mad 54   63 F1
Rémécourt 60   34 A2
Rémelfang 57   40 C2
Rémelfing 57   42 A3
Rémeling 57   40 C1
Remennecourt
55   62 A2
Remenoville
54   87 E1
Rémérangles
60   33 F1
Réméréville
54   64 C3
Rémering-lès-
Hargarten
57   41 D2
Rémering-lès-
Puttelange
57   41 E4
Remicourt 88   86 C2
Remicourt 51   62 A1
Remiencourt
80   17 F3
Remies 02   19 E3
Remigny 71   139 F1
Remigny 02   19 D3
Rémilly 58   138 B2
Rémilly 57   40 C4
Remilly-Aillicourt
08   22 A4
Remilly-
en-Montagne
21   123 D2
Remilly-les-Pothées
08   21 E3
Remilly-sur-Lozon
50   27 D3
Remilly-sur-Tille
21   123 F2
Remilly-Wirquin
62   3 E4
Réminiac 56   92 B1
Remiremont
88   87 E4
Remoiville 55   38 C1
Remollon 05   206 B3
Remomeix 88   88 B2
Remoncourt
54   65 E3
Remoncourt
88   86 C3
Rémondans-Vaivre
25   126 C1
Rémonville 08   38 A2
Remoray-
Boujeons 25   142 B2
Remouillé 44   112 B4
Remoulins 30   219 D4
Removille 88   86 B2
Rempnat 87   166 A3
La Remuée 76   18 C3
Remungeol 56   71 B4
Rémuzat 26   204 C4
Rémy 62   10 B3
Remy 60   34 B2
Renac 35   92 C2
Renage 38   188 C1
Renaison 42   154 A4
Renansart 02   19 E3
Renaucourt
70   106 A3
La Renaudie
63   169 E2
La Renaudière
49   112 C3
Renauvoid 88   87 D3
Renay 41   98 A2
Renazé 53   94 B2
Rencurel 38   188 C3
René 72   76 B2
Renédale 25   125 F4
Renescure 59   4 A3
Renève 21   124 B1
Réning 57   65 E1
Rennemoulin
78   57 D2
Rennepont 52   84 C3
Rennes 35   73 D3
Rennes-les-Bains
11   253 D4
Rennes-le-Château

Rennes-
en-Grenouilles
53   75 D1
Rennes-sur-Loue
25   125 D4
Renneval 02   20 B3
Renneville 31   230 B4
Renneville 27   32 A2
Renneville 08   20B 4
Renno 2a   266 B2
Réno Valdieu (Forêt
de) 61   77 D1
Renoso (Monte)
2B   267 D3
Le Renouard
61   53 E4
Rentières 63   184 B1
Renty 62   9 D1
Renung 40   226 C2
Renwez 08   21 D3
La Réorthe 85   129 F3
Réotier 05   207 D2
Repaix 54   65 F3
La Répara 26   204 B2
Réparsac 16   161 F2
Le Repas 61   52 B2
Repel 88   86 B2
Repentigny 14   29 F3
Replonges 01   155 F2
Le Reposoir
74   158 C4
Les Repôts 39   141 D3
Reppe 90   108 B3
Requeil 72   96 B2
Réquista 12   215 E3
Rès (Dent de)
07   203 E4
Résenlieu 61   53 F1
La Résie-St-Martin
70   124 C2
Résigny 02   20 C3
Resson 55   62 C2
Ressons 60   33 E3
Ressons-le-Long
02   35 D2
Ressons-sur-Matz
60   34 B1
Les Ressuintes
28   55 D4
Restigné 37   115 D2
Restinclières
34   234 C2
Restonica (Gorges
de la) 2B   267 D1
Le Retail 79   130 C4
Rétaud 17   161 D2
Reterre 23   151 E3
Rethel 08   37 D1
Retheuil 02   34 C2
Rethondes 60   34 C2
Rethonvillers
80   18 B3
Réthoville 50   25 E1
Retiers 35   93 F1
Retjons 40   210 A3
Retonfey 57   40 C3
Retonval 76   16 B3
Retournac 43   186 A2
Retschwiller
67   43 E4
Rettel 57   40 B1
Rety 62   2 C2
Retz (Forêt de)
02   35 D3
Retzwiller 68   108 B3
Reugney 25   125 E4
Reugny 37   116 B1
Reugny 03   151 F1
Reuil 51   36 A4
Reuil-en-Brie
77   59 D1
Reuil-sur-Brêche
60   33 E1
Reuilly 27   31 F4
Reuilly 36   118 B4
Reuilly-Sauvigny
02   35 F4
Reulle-Vergy
21   123 E3
Reumont 59   11 D4
La Réunion
47   210 C1
Reutenbourg
67   66 C3
Reuves 51   60 A4
Reuville 76   15 D3
Reux 14   30 A4
Revard (Mont)
73   173 F2
Réveillon 61   77 D1
Réveillon 51   59 E3
Revel 31   231 D4
Revel 38   189 E2
Revel-Tourdan
38   188 A1
Revelles 80   17 D2
Revens 30   216 C3
Reventin-Vaugris
38   171 E4
Revercourt 28   55 E3
Revest-des-
Brousses
04   221 D4
Revest-du-Bion
04   221 D3
Le Revest-les-Eaux
83   244 A2
Revest-les-Roches
06   241 D3
Revest-St-Martin
04   221 D3
La Revêtizon
79   146 B2
Reviers 14   29 D2
Revigny 39   141 E3
Revigny (Creux de)
39   141 E3
Revigny-sur-Ornain
55   62 B2
Réville 50   25 E2
Réville-aux-Bois
55   38 C2

Révillon 02   36 A2
Revin 08   21 E1
Revollat (Croix de)
38   189 F2
Revonnas 01   156 B3
Rexingen 67   66 B1
Rexpoëde 59   4 B2
Reyersviller 57   42 B4
Reygade 19   181 F4
Reynel 52   85 E2
Reynès 66   262 B3
Reynier 04   222 A1
Reyniès 82   213 D4
Reyrevignes
46   198 C3
Reyrieux 01   171 E1
Reyssouze 01   155 F1
Reyvroz 74   158 C1
Rezay 18   135 E3
Rezé 44   112 A3
Rézentières
15   184 B3
Rezonville 57   39 F4
Rezza 2a   266 C3
Rhèges 10   60 B4
Le Rheu 35   73 D3
Rhin 67,68   67 F2
Rhinau 67   89 F1
Rhodes 57   65 F2
Rhodon 41   98 B3
Rhône 1,7,
13,26,38,
69,73,74,84   203 F1
Rhue 15,19   183 F1
Ri 61   53 D2
Ria-Sirach 66   261 F2
Riaillé 44   94 A4
Le Rialet 81   231 F3
Rians 18   119 E3
Rians 83   238 A2
Le Rheu 03   137 E3
Riantec 56   90 B2
Le Riau 03   137 E3
Riaucourt 52   85 D3
Riaville 55   39 D4
Ribagnac 24   196 A2
Ribarrouy 64   226 C3
Ribaute 11   254 A3
Ribaute-les-
Tavernes
30   218 A3
Le Ribay 53   75 E1
Ribeaucourt 80   9 D4
Ribeaucourt
55   62 C4
Ribeauvillé 02   19 F1
Ribeauvillé 68   89 D2
Ribécourt-
Dreslincourt
60   34 C1
Ribécourt-la-Tour
59   10 C4
Ribemont 02   19 E3
Ribemont-sur-
Ancre 80   17 F2
Ribennes 48   201 E3
Ribérac 24   179 D2
Ribes 07   202 C4
Ribeyret 05   205 D4
Ribiers 05   221 E2
Ribouisse 11   252 C2
Riboux 83   243 F2
La Ricamarie
42   186 C1
Ricarville 76   14 C4
Ricarville-du-Val
76   15 F3
Ricaud 11   252 C1
Ricaud 65   249 F2
Les Riceys 10   103 E1
La Richardais
35   49 E2
Richardménil
54   64 B4
Richarville 91   79 E1
Riche 57   65 D1
Richebourg
78   56 B2
Richebourg
62   10 A1
Richecourt 55   63 E2
Richelieu 37   115 D4
Richeling 57   41 F4
Richemont
24   179 E1
Richemont 57   40 B2
Richemont
16   161 F2
Richemont 76   16 B3
Richemont (Col de)
01   157 E4
Richerenches
84   219 F1
Richeval 57   65 F3
Richeville 27   32 B3
Richtolsheim
67   89 E2
Richwiller 68   108 C2
Ricourt 32   227 E3
Ricquebourg
60   34 B1
Riec-sur-Belon
29   90 C2
Riedheim 67   66 C2
Riedisheim
68   108 C2
Riedseltz 67   43 E4
Riedwihr 68   89 D3
Riel-les-Eaux
21   104 A1
Riencourt 80   17 D2
Riencourt-lès-
Bapaume
62   10 B4
Riencourt-lès-
Cagnicourt
62   10 B3
Riervescemont
90   107 F2

Riespach 68   108 C3
Rieucazé 31   258 C2
Rieucros 09   252 B3
Rieulay 50   10 C2
Rieumajou 31   230 C4
Rieumes 31   229 E4
Rieupeyroux
12   214 C1
Rieussec 34   232 B4
Rieutort-
de-Randon
48   201 E3
Rieux 56   92 B3
Rieux 60   34 A3
Rieux 76   16 B2
Rieux 51   59 F2
Rieux-de-Pelleport
09   252 A3
Rieux-en-Cambrésis
59   11 D3
Rieux-en-Val
11   254 A3
Rieux-Minervois
11   254 A1
Riez 04   238 C1
Rigarda 66   262 B2
Rigaud 06   223 E3
Rignac 12   214 C1
Rignac 46   198 B1
Rignat 01   156 C3
Rignaucourt
55   62 C1
Rigné 79   131 D1
Rigney 25   125 E1
Rignieux-le-Franc
01   156 B4
Rignosot 25   125 E1
Rignovelle 70   107 D2
Rigny 70   105 F4
Rigny-le-Ferron
10   82 B3
Rigny-la-Nonneuse
10   82 B2
Rigny-St-Martin
55   63 E3
Rigny-la-Salle
55   63 E3
Rigny-sur-Arroux
71   138 C4
Rigny-Ussé
37   115 D2
Rilhac-Lastours
87   164 B3
Rilhac-Rancon
87   166 C1
Rilhac-Treignac
19   165 E4
Rilhac-Xaintrie
19   182 B3
Rillans 25   125 F1
Rillé 37   115 D1
Rilleux-la-Pape
69   171 F1
Rilly-la-Montagne
51   36 B3
Rilly-Ste-Syre
10   82 C1
Rilly-sur-Aisne
08   37 E1
Rilly-sur-Loire
41   116 C1
Rilly-sur-Vienne
37   115 A4
Rimaucourt
52   85 E2
Rimbach-près-
Guebwiller
68   108 B1
Rimbach-près-
Masevaux
68   108 A1
Rimbachzell
68   108 B1
Rimbez-et-Baudiets
40   210 C2
Rimboval 62   8 C1
Rimeize 48   201 D2
Rimling 57   42 B3
Rimogne 08   21 D2
Rimon-et-Savel
26   204 C2
Rimondeix 23   150 C2
Rimons 33   195 D2
Rimont 09   259 F2
Rimoux 35   73 E1
Rimplas 06   223 F2
Rimsdorf 67   66 A1
Ringeldorf 67   67 D1
Ringendorf 67   67 D2
Rinxent 62   2 C3
Riocaud 33   195 E2
Riol 32   84 C1
Les Riceys 10   ...
Riolas 31   250 C1
Le Riols 81   214 A3
Riols 34   232 B3
Riom 63   168 B1
Riom-ès-
Montagnes
15   183 E2
Rioms 20   220 C1
Rion-des-Landes
40   208 C4
Rions 33   194 B2
Riorges 42   154 B4
Riotord 43   186 C2
Rioux 17   161 D3
Rioux-Martin
16   178 B2
Rioz 70   14 C3
Ripaille 74   158 C1
Riquewihr 68   89 D3
Ris 65   249 E4
Ris 63   153 E4
Ris-Orangis 91   57 F4
Riscle 32   227 D2
Risle 27,61   31 D2
Risoul 05   207 D2
Ristolas 05   207 F1

Rittershoffen
67   67 E1
Ritzing 57   40 C1
Riupeyrous
64   226 C4
Rivarennes
36   134 A3
Rivarennes
37   115 E2
Rivas 42   170 B3
Rivau 37   115 D3
Rive-de-Gier
42   171 D4
Rivedoux-Plage
17   144 C3
Rivehaute 64   225 F4
Rivel 11   252 C4
Rivérenert 09   259 F3
Riverie 69   171 D3
Rivery 80   17 E2
Les Rives 34   233 E3
Rives 38   188 C1
Rives 47   196 B3
Rivesaltes 66   262 C1
La Rivière 33   177 F4
La Rivière 38   188 C2
Rivière 62   10 A3
Rivière 37   115 D3
La Rivière-de-Corps
10   83 D2
La Rivière-Drugeon
25   142 B1
La Rivière-Enverse
74   159 D3
Rivière-les-Fosses
52   105 E2
Les Rivières-Henruel
51   61 E3
Riville 76   14 C3
Rivolet 69   155 D4
Rix 58   121 D1
Rix 39   142 B2
Rixheim 68   108 C2
La Rixouse 39   142 A4
Rizaucourt 52   84 C2
Roaillan 33   194 C1
Roaix 84   219 F2
Roanne 42   154 B4
Roannes-St-Mary
15   199 E1
Robécourt 88   86 A3
Robecq 62   4 B4
Robehomme
14   29 E3
Robersart 59   11 E4
Robert-le-Diable
(Château de)
76   31 E2
Robert-Espagne
55   62 B3
Robert-Magny
52   84 C1
Robertot 76   15 D3
Roberval 60   34 B3
Robiac 30   218 A2
Robien 22   47 F4
Robin (Mont)
50   51 D1
La Robine-sur-
Galabre 04   222 A2
Robion 84   236 C1
Le Roc 46   197 F1
Roc (Puy du)
03   153 F3
Le Roc-St-André
56   92 A1
Rocamadour
46   198 A2
Rocbaron 83   244 B1
Roccapina 2A   68 C4
Rocé 41   98 A2
Roche 42   169 F3
Roche 38   172 A3
Roche 41   98 A4
La Roche-l'Abeille
87   164 C3
La Roche-lès-
Aigueperse
63   152 C4
La Roche-aux-Fées
35   93 F1
Roche aux Sept
Villages 08   21 E2
Roche-Baron
(Château de)
43   186 A1
La Roche-Bernard
56   92 B4
La Roche-Blanche
44   112 C1
La Roche-Blanche
63   168 B3
La Roche-Canillac
19   182 A2
La Roche-Chalais
24   178 B3
Roche-Charles-
la-Mayrand
63   168 A4
La Roche-Clermault
37   115 D4
Roche-lès-Clerval
25   126 A1
La Roche-Courbon
17   160 C1

Roche-d'Agoux 63 151 F4
La Roche-de-Glun 26 187 E4
La Roche-de-Rame 05 207 D1
La Roche-Derrien 22 47 D2
La Roche-des-Arnauds 05 206 A3
La Roche-en-Brenil 21 122 A2
Roche-en-Régnier 43 185 F2
Roche-et-Raucourt 70 105 F3
La Roche-Guyon 95 32 B4
La Roche-Jagu 22 47 E2
La Roche-lez-Beaupré 25 125 E2
La Roche-Mabile 61 76 A1
La Roche-Maurice 29 45 E3
Roche-la-Molière 42 170 C4
La Roche-Noire 63 168 B2
Roche-le-Peyroux 19 182 C1
La Roche-Pichemer 53 75 D3
La Roche-Posay 86 133 D2
Roche-qui-Boit (Barrage de la) 50 50 C3
La Roche-Racan 37 96 D4
La Roche-Rigault 86 132 A1
Roche-St-Secret-Béconne 26 204 B4
La Roche-sur-le-Buis 26 220 B1
La Roche-sur-Foron 74 158 A3
La Roche-sur-Grane 26 204 A2
Roche-sur-Linotte-et-Sorans-les-Cordiers 70 106 C4
La Roche-sur-Yon 85 129 D3
La Roche-Vanneau 21 122 C1
La Roche-Vineuse 71 155 E1
Rochebaudin 26 204 B3
La Rochebeaucourt-et-Argentine 24 163 D4
Rochebloine (Château de) 07 187 D4
Rochebonne (Château de) 07 186 C4
Rochebrune 74 174 C1
Rochebrune 05 206 B4
Rochebrune 26 220 B1
Rochebrune 16 163 F1
Rochechinard 26 188 B3
Rochechouart 87 164 A2
Rochecolombe 07 203 D4
Rochecorbon 37 116 A1
Rochefort 73 173 D3
Rochefort 17 145 E4
Rochefort 42 169 F2
Rochefort 21 104 A3
Rochefort-du-Gard 30 219 D2
Rochefort-en-Terre 56 92 A2
Rochefort-en-Valdaine 26 204 A4
Rochefort-en-Yvelines 78 56 C4
Rochefort-Montagne 63 167 E3
Rochefort (Rocher de) 42 154 A4
Rochefort-Samson 26 188 B4
Rochefort-sur-la-Côte 52 85 D3
Rochefort-sur-Loire 49 113 C2
Rochefort-sur-Nenon 39 124 B3
La Rochefoucauld 16 163 D2
Rochefourchat 26 204 B4
La Rochegiron 04 221 D3
Rochegude 26 219 E2
Rochegude 30 218 B2
Rochejean 25 142 C2
La Rochelambert 43 185 E3
La Rochelle 70 105 F2
La Rochelle 17 145 D3

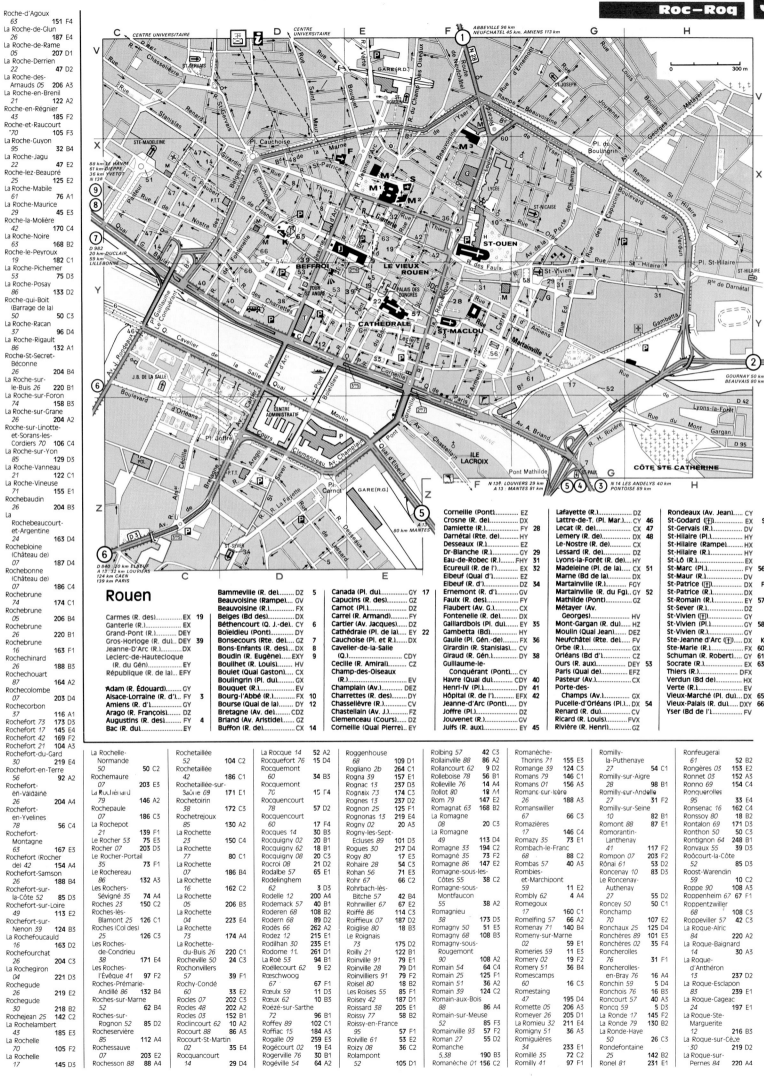

Rouen

Carmes (R. des) .... EX 19
Ganterie (R.) .... EX
Grand-Pont (R.) .... DEY
Gros-Horloge (R. du) ... DEY 39
Jeanne-D'Arc (R.) ...... DX
Leclerc-de-Hautecloque (R. du Gén.) .... EY
République (R. de la) ... EFY
Adam (R. Édouard) ..... GY
Alsace-Lorraine (R. d'.) . FY 3
Amiens (R. d') .... EY
Arago (R. François) .... DZ
Augustins (R. des) ..... FY 4
Bac (R. du) .... EY

Bammeville (R. de) ..... DZ 5
Capucins (R. des) ...... GZ
Béthencourt (Q. J. de) . CY 6
Boieldieu (Pont) .... DY
Bonsecours (Rte. de) ... GZ 7
Bons-Enfants (R. des) .. DX 8
Boudin (R. Eugène) .... EXY
Boulet (Quai Gaston) ... EY
Boulingrin (Pl. du) ..... GX
Bouquet (R.) .... EV
Bourg-l'Abbé (R.) ...... FX 10
Bourse (Quai de la) .... DY 12
Bretagne (Av. de) ..... CDZ
Briand (Av. Aristide) ... GZ
Buffon (R. de) .... CX 14

Canada (Pl. du) .... GY 17
Carnot (Pl.) .... DZ
Carrel (R. Armand) ..... FY
Cartier (Av. Jacques) .. FY
Cathédrale (Pl. de la) .. EX 22
Cauchoise (R. et Pl.) ... DX
Cavelier-de-la-Salle (R.) .... CDY
Cécille (R. Amiral) ..... CZ
Champ-des-Oiseaux .... EV
Champlain (Av.) .... DEZ
Henri-IV (Av.) .... EV
Charrettes (R. des) .... DY
Chasselièvre (R.) CV
Chastellain (Av. J.) .... FZ
Clemenceau (Cours) .... GZ
Corneille (Quai Pierre) . EY

Corneille (Pont) ...... EZ
Crosne (R. de) .... DX
Damiette (R.) .... FY 28
Darnétal (Rte. de) ..... HY
Desseaux (R.) CX
Dr-Blanche (R.) .... GY 29
Eau-de-Robec (R.) ..... FHY 31
Écureuil (R. de l') ..... EX 32
Elbeuf (Quai d'.) ...... EZ
Elbeuf (R. d'.) .... EZ 34
Ernemont (R. d') ...... GV
Faulx (R. des) .... FY
Flaubert (Av. G.) CX
Fontenelle (R. de) ..... DX
Gaillardbois (Pl. du) ... EY 35
Gambetta (Bd) .... HY
Gaulle (Pl. Gén.-de) ... GY 36
Girardin (R. Stanislas) . CV
Giraud (R. Gén.) ...... DY 38
Guillaume-le-Conquérant (Pont) . EFZ
Havre (Quai du) ...... CDY 40
Henri-IV (Av.) .... EV
Hôpital (R. de l') ...... EFX 42
Jeanne-d'Arc (Pont) ... DY
Joffre (Pl.) .... CZ
Jouvenet (R.) .... GV
Juifs (R. aux) .... EY 45

Lafayette (R.) .... DZ
Lattre-de-T. (Pl. Mar.) . CY 46
Lecat (R. de) .... CX 47
Lemery (R. de) .... DX 48
Le-Nostre (R. de) CX
Lessard (R. de) CX
Lyons-la-Forêt (R. de) . HY
Madeleine (Pl. de la) .. CX 51
Marne (Bd de la) CX
Martainville (R.) ...... FGY
Martainville (R. du Fg) . EY 52
Mathilde (Pont) .... GZ
Métayer (Av. Georges) . HV
Mont-Gargan (R. du) .. HZ
Moulin (Quai Jean) .... DEZ
Neufchâtel (Rte. de) ... FV
Orbe (R.) .... GX
Orléans (Bd d') ...... DZ
Ours (R. aux) .... DEY 53
Paris (Quai de) .... EFZ
Pasteur (Av.) CX
Porte-des-Champs (Av.) . GX
Pucelle-d'Orléans (Pl.) . DX 54
Renard (R. du) CV
Ricard (R. Louis) ..... FVX
Rivière (R. Henri) .... GZ

Rondeaux (Av. Jean) .. CY
St-Godard (†) .... EX S
St-Gervais (R.) .... DV
St-Hilaire (Pl.) .... HY
St-Hilaire (Rampe) .... HX
St-Hilaire (R.) .... HY
St-Lô (R.) .... EX
St-Marc (Pl.) .... FY 56
St-Maur (R.) .... DV
St-Patrice (†) .... DX F
St-Patrice (R.) .... DX
St-Romain (R.) .... EY 57
St-Sever (R.) .... DZ
St-Vivien (†) .... GY
St-Vivien (R.) .... GY 58
Ste-Jeanne d'Arc (†) .. DX K
Ste-Marie (R.) .... FX 60
Schuman (R. Robert) .. GY 61
Socrate (R.) .... EX 63
Thiers (Bd) .... DFX
Verdun (Bd de) ...... HX
Verte (R.) .... FV
Vieux-Marché (Pl. du) . DX 65
Vieux-Palais (R. du) ... DXY 66
Yser (Bd de l') .... FV

La Rochelle-Normande 50 50 C2
Rochemaure 07 203 E3
Rochemenier 07 113 D4
Le Rochereau 86 132 A3
Les Rochers-Sévigné 35 74 A4
Roches 23 150 C2
Roches-lès-Blamont 25 126 C1
Roches (Col des) 25 126 C3
Les Roches-de-Condrieu 38 171 E4
Les Roches-l'Évêque 41 97 F2
Roches-Prémarie-Andillé 86 132 B4
Roches-sur-Marne 52 62 B4
Roches-sur-Rognon 52 85 D2
Rocheservière 85 112 A4
Rochessauve 07 203 D3
Rochesson 88 88 A4

Rochetaillée 52 104 C2
Rochetaillée 42 186 C1
Rochetaillée-sur-Saône 69 171 E1
Rochetoirin 38 172 C3
Rochetrejoux 85 130 A2
La Rochette 23 150 C4
Rocher 07 203 D3
Le Rocher-Portail 35 73 F1
La Rochette 16 162 C2
La Rochette 05 206 B4
La Rochette 04 223 E1
La Rochette 73 174 A4
Rochonvillers 57 39 F1
Rochy-Condé 60 33 E2
Rocles 07 202 B2
Rocles 03 152 B1
Rocles 48 202 A2
Roclincourt 62 10 A2
Rocourt 88 87 E1
Rocourt-St-Martin 02 35 E4
Rocquancourt 14 29 D4

La Rocque 14 52 A2
Rocquefort 76 15 D4
Rocquemont 60 34 B3
Rocquemont 76 15 F4
Rocquencourt 78 57 D2
Rocquencourt 60 17 F4
Rocques 14 30 B3
Rocquigny 02 20 B1
Rocquigny 62 20 C3
Rocquigny 08 20 C3
Rocroi 08 21 E1
Rodalbe 57 65 E1
Rodelinghem 62 3 D3
Rodelle 12 200 A4
Rodemack 57 40 B1
Roderen 68 108 B2
Rodern 68 89 D2
Rodès 66 262 C4
Rodez 12 215 E1
Rodilhan 30 235 E1
Rodome 11 261 D1
La Roë 53 94 B1
Rœllecourt 62 9 E2
Rœschwoog 67 67 F1
Rœulx 62 11 D3
Rœux 62 10 B3
Rœzé-sur-Sarthe 72 96 B1
Roffey 89 102 C1
Roffiac 15 184 A3
Rogalle 09 259 E3
Rogécourt 02 19 E4
Rogerville 76 30 B1
Rogéville 54 64 C2

Roggenhouse 68 109 D1
Rogliano 2b 264 C1
Rogna 39 157 E1
Rognac 13 237 D3
Rognaix 73 174 C3
Rognes 13 237 D2
Rognon 25 125 F1
Rognonas 13 219 E4
Rogny 02 20 A3
Rogny-les-Sept-Écluses 89 101 D3
Rogues 30 217 D4
Rogy 80 17 E3
Rohaire 28 54 C3
Rohan 56 71 E3
Rohr 67 66 C2
Rohrbach-lès-Bitche 57 42 B4
Rohrwiller 67 67 E1
Roiffé 86 114 C3
Roiffieux 07 187 D2
Roiglise 80 18 B3
Le Roignais 73 175 D3
Roilly 21 122 B1
Roinville 91 79 E1
Roinville 28 79 D1
Roinvilliers 91 79 F2
Roisel 80 18 B2
Les Roises 55 93 E4
Roisey 42 187 E1
Roissard 38 219 D1
Roissy 77 58 B2
Roissy-en-France 95 57 F1
Roiville 61 53 E2
Roizy 08 36 C2
Rolampont 52 105 E1

Rolbing 57 42 C3
Rollainville 88 86 A2
Rollancourt 62 9 D2
Rolleboise 78 56 B1
Rolleville 76 14 A4
Rollot 80 19 M
Rom 79 147 E2
Romagnat 63 168 B2
La Romagne 08 20 C3
La Romagne 49 113 D4
Romagné 35 194 C2
Romagné 35 73 F2
Romagne 86 147 E2
Romagne-sous-les-Côtes 55 38 C2
Romagne-sous-Montfaucon 55 38 A2
Romagnieu 38 173 D3
Romagny 50 51 E3
Romagny 68 108 B3
Romagny-sous-Rougemont 90 108 A2
Romain 54 64 C4
Romain 25 125 F1
Romain 51 36 A2
Romain 39 124 C2
Romain-aux-Bois 88 86 C4
Romain-sur-Meuse 52 86 B3
Romainville 93 57 F2
Romainville 34 233 E1
Romanèche 01 156 C2

Romanèche-Thorins 71 155 E3
Romange 39 124 C3
Romans 79 146 C1
Romans 01 156 A3
Romanc-sur-Isère 26 188 A3
Romanswiller 67 66 C3
Romazières 17 146 C4
Romazy 35 73 E1
Rombach-le-Franc 68 88 C2
Rombas 57 40 A3
Rombies-et-Marchipont 59 11 E2
Le Roncenay-Authenay 27 55 D2
Roncey 50 50 C1
Ronchamp 70 107 E2
Ronchaux 25 125 D4
Ronchères 02 35 F4
Ronchères 89 101 E3
Ronchin 59 11 E3
Ronchois 76 16 B3
Roncourt 57 40 A3
Roncq 59 11 E1
La Ronde 17 145 E2
La Ronde-Haye 50 26 C3
Rondefontaine 25 142 C2

Ronfeugerai 61 52 B2
Rongères 03 153 E2
Ronnet 03 152 A3
Ronno 69 154 C4
Ronquerolles 95 33 E4
Ronsenac 16 162 C4
Ronssoy 80 18 B2
Rontalon 69 171 D3
Ronthon 50 50 C1
Rontignon 64 248 B1
Ronvaux 55 39 D3
Roôcourt-la-Côte 52 85 D3
Roost-Warendin 59 10 C2
Roppe 90 108 A3
Roppenheim 67 67 F1
Roppentzwiller 68 108 C3
Roppeviller 57 42 C3
La Roque-Alric 84 220 A2
La Roque-Baignard 14 30 A3
La Roque-d'Anthéron 13 237 D2
La Roque-Esclapon 83 239 E1
La Roque-Gageac 24 197 E1
La Roque-Ste-Marguerite 12 216 B3
La Roque-sur-Cèze 30 219 D2
La Roque-sur-Pernes 84 220 A4

Roquebillière 06 241 D2
Roquebrun 34 233 D3
Roquebrune 32 227 F2
Roquebrune 33 195 D3
Roquebrune-Cap-Martin 06 241 E4
Roquebrune (Montagne de) 83 239 E3
Roquebrune-sur-Argens 83 239 F3
La Roquebrussanne 83 244 A1
Roquecor 82 212 B1
Roquecourbe 81 231 F2
Roquecourbe-Minervois 11 254 A2
Roquedur 30 217 D1
Roquefavour (Aqueduc de) 13 243 D1
Roquefère 11 253 F1
Roquefeuil 11 261 D1
Roquefixade 09 252 B4
Roquefort 47 211 D2
Roquefort 32 228 B2
Roquefort 40 210 A3
Roquefort-la-Bédoule 13 243 E3
Roquefort-les-Cascades 09 252 B4
Roquefort-de-Sault 11 261 E2
Roquefort-des-Corbières 11 254 C4
Roquefort-les-Pins 06 240 B2
Roquefort-sur-Garonne 31 251 D2
Roquefort-sur-Soulzon 12 216 A4
Roquelaure 32 228 B2
Roquelaure-St-Aubin 32 229 D2
Roquemaure 81 230 B1
Roquemaure 30 219 E3
Roquepine 32 211 E4
Roqueredonde 34 233 D1
Roques 31 229 F3
Roques 32 227 F1
Roquesérière 31 230 B2
Roquessels 34 233 D3
Roquesteron 06 223 F4
Roquestéron-Grasse 06 223 F4
Roquetaillade 11 253 E2
Roquetaillade 33 194 C4
Roquetoire 62 4 A4
La Roquette 27 32 A3
La Roquette-sur-Siagne 06 240 A2
La Roquette-sur-Var 06 241 D3
Roquevaire 13 243 E2
Roquevidal 81 230 C3
Roquiague 64 247 E2
La Roquille 33 195 F4
Rorbach-lès-Dieuze 57 65 E2
Rorschwihr 68 89 D2
Rorthais 79 130 B1
Rosanbo 22 46 C2
Rosans 05 205 D4
Rosay 39 141 D4
Rosay 78 56 B2
Rosay 76 15 F3
Rosay-sur-Lieure 27 32 B2
Rosazia 2A 266 C3
Rosbruck 57 41 E3
Roscoff 29 46 A2
Rosel 14 29 D3
Roselier (Pointe du) 22 48 B3
Rosenau 68 109 D3
Rosenwiller 67 66 C4
Roset-Fluans 25 125 D3
Rosey 71 139 F2
Rosey 70 106 B4
Rosheim 67 66 C4
La Rosière 70 107 E1
Rosières 07 202 C4
Rosières 43 186 A3
Rosières 60 34 B3
Rosières 81 214 C3
Rosières-aux-Salines 54 64 C4
Rosières-devant-Bar 55 62 C2
Rosières-en-Blois 55 63 E4

Rosières-en-Haye 54 64 A2
Rosières-en-Santerre 80 18 A3
Rosières-près-Troyes 10 83 D3
Rosières-sur-Barbèche 25 126 B2
Rosières-sur-Mance 70 106 A2
Les Rosiers 49 114 B2
Rosiers-de-Juillac 19 180 C2
Rosiers-d'Égletons 19 182 A1
Rosis 34 232 C3
Rosnay 36 133 F3
Rosnay 51 36 B3
Rosnay 85 129 E4
Rosnay-l'Hôpital 10 83 F1
Rosnes 55 62 C2
Rosnoën 29 45 E4
Rosny-sous-Bois 93 58 A2
Rosny-sur-Seine 78 56 B1
Rosoy 89 81 F3
Rosoy 60 34 A2
Rosoy-en-Multien 60 34 C4
Rosoy-sur-Amance 52 105 E2
Rosoy-le-Vieil 45 81 D4
Rospez 22 47 D2
Rospigliani 2b 267 E2
Rosporden 29 69 E3
Rossay 86 115 D4
Rosselange 57 40 A2
Rossfeld 67 89 E1
Rossillon 01 172 C1
Rosso (Capo) 2A 266 A2
Rosteig 67 66 B1
Rostrenen 22 70 B2
Rosult 59 11 D2
Rosureux 25 126 B2
Rotalier 39 141 D3
Rotangy 60 17 D4
Rothau 67 66 B4
Rothbach 67 66 C1
Rotherens 73 174 A4
La Rothière 10 84 A2
Rothois 60 17 D4
Rothonay 39 141 D4
Rotondo (Monte) 2B 267 D2
Les Rotours 61 52 C2
Rots 14 29 D3
Rott 67 43 E4
Rottelsheim 67 67 D2
Rottier 26 205 D4
Rou-Marson 49 114 B2
Rouairoux 81 232 A4
Rouans 44 111 E2
La Rouaudière 53 94 A2
Roubaix 59 5 E4
Roubia 11 254 B2
Roubion 06 223 F2
Roucamps 14 52 A1
Roucourt 59 10 C2
Roucy 02 36 A2
Roudouallec 56 69 F2
Rouécourt 52 85 D2
Rouède 31 259 D2
Rouellé 61 51 F4
Rouelles 52 104 C2
Rouelles 76 30 A1
Rouen 76 31 F2
Rouessé-Fontaine 72 76 B2
Rouessé-Vassé 72 75 F3
Rouet 34 234 B1
Rouez 72 75 F3
Rouffach 68 89 D4
Rouffange 39 124 C2
Rouffiac 81 231 D1
Rouffiac 17 161 E2
Rouffiac 16 178 B2
Rouffiac 15 182 B4
Rouffiac-d'Aude 11 253 E2
Rouffiac-des-Corbières 11 254 A4
Rouffiac-Tolosan 31 230 A2
Rouffignac 17 177 E1
Rouffignac 24 180 A3
Rouffignac-de-Sigoulès 24 196 A2
Rouffigny 50 51 D2
Rouffy 51 60 C1
La Rouge 61 77 E2
Rougé 44 103 F1
Rouge-Perriers 27 31 D4
Rougeau (Forêt de) 91,77 58 A4
Rougefay 62 9 D3
Rougegoutte 90 107 F2
Rougemont 21 103 E3
Rougemont 25 107 D4

Rougemont-le-Château 90 108 A2
Rougemontiers 27 31 D2
Rougemontot 25 125 F1
Rougeou 41 117 E2
Rougeries 02 20 A3
Les Rouges-Eaux 88 88 A2
Le Rouget 15 199 D1
Rougeux 52 105 F2
Rougiers 83 244 A1
Rougnac 16 163 D4
Rougnat 23 151 E4
Rougon 04 239 D1
Rouhe 25 125 D3
Rouhling 57 41 F3
Rouillac 22 72 A2
Rouillac 16 162 B2
Rouillé 86 147 D1
Rouillon 72 76 B4
Rouilly 77 59 E4
Rouilly-Sacey 10 83 E2
Rouilly-St-Loup 10 83 E2
Roujan 34 233 E3
Roulans 25 125 F2
Le Roulier 88 87 F3
Roullée 72 76 C1
Roullens 11 253 E2
Roullet 16 162 B3
Roullours 14 51 F2
Roumagne 47 195 F3
Roumare 76 31 E1
Roumazières-Loubert 16 163 E1
Roumégoux 81 231 E1
Roumégoux 15 199 D1
Roumengoux 09 252 C3
Roumens 31 230 C4
Roumoules 04 238 C1
Rountzenheim 67 67 E1
Roupeldange 57 40 C3
Rouperroux 61 53 D4
Rouperroux-le-Coquet 72 76 C3
Roupy 02 19 D3
La Rouquette 12 214 B1
Le Rouret 06 240 B1
Rousies 59 12 B3
Roussac 87 149 D4
Roussas 26 188 C2
Roussay 49 112 C3
Roussayrolles 81 214 A3
Rousseloy 60 33 F3
Roussennac 12 199 E4
Roussent 62 8 B2
Les Rousses 39 142 B4
Rousses 48 217 E2
Le Rousset 71 139 E4
Rousset 05 206 B3
Rousset 13 237 F3
Rousset (Col de) 26 205 D1
Rousset-les-Vignes 26 204 B4
La Roussière 27 54 B1
Roussieux 26 220 C1
Roussillon 84 220 B4
Roussillon 38 187 E1
Roussillon-en-Morvan 71 122 A4
Roussillon (Plaine du) 66 262 C3
Roussines 16 163 E2
Roussines 36 149 E1
Rousson 30 218 B2
Rousson 89 81 E4
Roussy-le-Village 57 40 B1
Rouvignies 59 11 D3
Rouville 76 14 C4
Rouville 45 80 A2
Rouvillers 60 34 C3
Rouvray 21 122 A1
Rouvray 89 102 B1
Rouvray 27 32 A4
Rouvray-Catillon 76 16 A4
Rouvray-St-Denis 28 79 E2
Rouvray-St-Florentin 28 78 C2
Rouvray-Ste-Croix 45 79 D4
Rouvrel 80 17 F3
Rouvres 60 34 A1
Rouvres 14 53 D1

Rouvres 28 56 A2
Rouvres 77 34 B4
Rouvres-Arbot 52 104 C2
Rouvres-les-Bois 36 117 F4
Rouvres-la-Chétive 88 86 A2
Rouvres-en-Plaine 21 123 F2
Rouvres-en-Woëvre 55 39 E3
Rouvres-en-Xaintois 88 86 C2
Rouvres-St-Jean 45 79 F2
Rouvres-sous-Meilly 21 122 C3
Rouvres-les-Vignes 10 84 B3
Rouvrois-sur-Meuse 55 63 D1
Rouvrois-sur-Othain 55 39 D2
Rouvroy 62 10 B2
Rouvroy 02 19 D2
Rouvroy-en-Santerre 80 18 A3
Rouvroy-les-Merles 60 17 F4
Rouvroy-Ripont 51 37 F3
Rouvroy-sur-Audry 08 21 D3
Rouvroy-sur-Marne 52 85 D2
Rouvroy-sur-Serre 02 20 C3
Le Roux 07 202 C2
Rouxeville 50 28 A4
La Rouxière 44 112 C1
Rouxmesnil-Bouteilles 76 15 E2
Rouy 58 121 D4
Rouy-le-Grand 80 18 C3
Rouy-le-Petit 80 18 C3
Rouze 09 261 D2
Rouzède 16 163 E2
Rouziers 15 199 D2
Rouziers-de-Touraine 37 97 D4
Le Rove 13 243 D2
Rove (Souterrain du) 13 243 D2
Roville-aux-Chênes 88 87 E1
Roville-devant-Bayon 54 87 D1
Rovon 38 188 C2
Roy-Boissy 60 16 C4
Roya 06 241 F2
Royan 17 160 B3
Royas 38 172 A4
Royat 63 168 A2
Royaucourt 60 17 F4
Royaucourt-et-Chailvet 02 35 F1
Royaumeix 54 63 F2
Royaumont (Abbaye de) 95 33 F4
Roybon 38 188 B2
Roye 70 107 E3
Roye 80 18 B3
Roye-sur-Matz 60 18 B4
Royer 71 140 A4
Royère-de-Vassivière 23 166 A2
Royères 87 165 D1
Roynac 26 204 A3
Royon 62 8 C1
Royville 76 15 E3
Roz-Landrieux 35 50 A4
Roz-sur-Couesnon 35 50 B4
Rozay-en-Brie 77 58 C2
Le Rozel 50 24 B3
Rozelieures 54 87 E1
Rozemont (Château de) 58 137 E2
Rozérieulles 57 40 A4
Rozerotte 88 86 C2
Rozès 32 228 A1
Rozet-St-Albin 02 35 E3
Le Rozier 48 216 B2
Rozier-Côtes-d'Aurec 42 186 A1
Rozier-en-Donzy 42 170 B2
Rozières 52 84 B4
Rozières-en-Beauce 45 109 D1
Rozières-sur-Crise 02 35 E2
Rozières-sur-Mouzon 88 86 A3
Roziers-St-Georges 87 165 D2
Rozoy-Bellevalle 02 59 E1
Rozoy-sur-Serre 02 20 B3
Ruages 58 121 E2
Ruan 45 79 E4
Ruan-sur-Egvonne 41 109 A1
Ruaudin 72 96 C1
Ruaux 88 87 E4

Rubécourt-et-Lamécourt 08 22 A3
Rubelles 77 58 B4
Rubempré 80 17 F1
Rubercy 14 28 B2
Rubescourt 80 18 A4
Rubigny 08 20 C3
Rubrouck 59 3 F3
Ruca 22 49 D3
Ruch 33 195 D2
Rucqueville 14 28 C2
Rudeau-Ladosse 24 163 D4
Rudelle 46 198 B2
Rue 80 8 B3
La Rue-St-Pierre 76 15 F4
La Rue-St-Pierre 60 33 F2
Ruederbach 68 108 C3
Rueil-la-Gadelière 28 55 D3
Rueil-Malmaison 92 57 D2
Ruelisheim 68 108 C2
Ruelle 16 162 C3
Les Rues-des-Vignes 59 10 C4
Ruesnes 59 11 E3
Rueyres 46 198 B2
Ruffaud (Étang de) 19 181 F2
Ruffec 16 147 E4
Ruffec 36 133 F3
Ruffey-lès-Beaune 21 123 F3
Ruffey-le-Château 25 125 D2
Ruffey-lès-Echirey 21 123 F1
Ruffey-sur-Seille 39 141 D2
Ruffiac 56 92 B1
Ruffiac 47 210 B1
Ruffieu 01 157 D4
Ruffieux 73 173 E1
Ruffigné 44 93 F2
Rugles 27 54 C2
Rugney 88 87 D2
Rugny 89 103 D1
Ruhans 70 106 C4
Ruillé-le-Gravelais 53 74 B4
Ruillé-en-Champagne 72 75 F4
Ruillé-Froid-Fonds 53 95 D1
Ruillé-sur-Loir 72 97 D2
Ruisseauville 62 9 D1
Ruitz 62 9 F2
Rullac-St-Cirq 12 215 D3
Rully 71 139 F1
Rully 14 52 A2
Rully 60 34 B3
Rumaisnil 80 17 E3
Rumaucourt 62 10 C3
Rumegies 59 11 E1
Rumengol 29 45 E4
Rumersheim 67 67 D2
Rumersheim-le-Haut 68 109 D1
Rumesnil 14 30 C3
Rumigny 08 20 C2
Rumigny 80 17 E3
Rumilly 74 173 E1
Rumilly 62 8 C1
Rumilly-en-Cambrésis 59 10 C4
Rumilly-lès-Vaudes 10 84 A3
Ruminghem 62 3 E2
Rumont 55 62 C2
Rumont 77 80 B3
Runan 22 47 D2
Rungis 94 57 F3
Ruoms 07 203 D4
Rupéreux 77 59 E4
Ruppes 88 86 A1
Rupt 52 85 D1
Rupt-aux-Nonains 55 62 B3
Rupt-devant-St-Mihiel 55 63 D2
Rupt-en-Woëvre 55 39 D4
Rupt-sur-Moselle 88 107 E1
Rupt-sur-Othain 55 38 C1
Rupt-sur-Saône 70 106 B3
Rurange-lès-Thionville 57 40 B2
Rurey 25 125 E3
Rusio 2b 267 E1
Russ 67 66 B4
Russange 57 39 F1
Le Russey 25 126 F1
Russy 14 28 B2
Russy-Bémont 60 34 C3
Rustenhart 68 109 D1
Rustiques 11 253 F2
Rustrel 84 203 F4
Rustroff 57 40 C1
Rutali 2b 265 E3
Ruvigny 10 83 D2
Ruy 38 172 B3
Ruyaulcourt 62 10 B4
Ruynes-en-Margeride 15 184 B1

Ry 76 32 A1
Rye 39 141 D1
Ryes 14 28 C2

S

Saâcy-sur-Marne 77 59 D1
Saales 67 88 C1
Saâne-St-Just 76 15 E3
Saasenheim 67 89 E2
Sabadel-Latronquière 46 198 C2
Sabadel-Lauzès 46 198 A3
Sabaillan 32 228 C4
Sabalos 65 249 E1
Sabarat 09 251 F3
Sabarros 65 250 A2
Sabazan 32 227 E2
Sablé-sur-Sarthe 72 95 E2
Les Sables-d'Olonne 85 128 C4
Sablet 84 220 A2
Sablières 07 202 B3
Sablonceaux 17 160 C2
Sablonnières 77 59 E2
Sablons 33 178 A3
Sablons 38 187 E1
Sabonnères 31 229 D4
La Sabotterie 08 31 E4
Sabran 30 219 D2
Sabres 40 209 D2
Saccourvielle 31 258 B3
Sacé 53 74 C3
Sacey 50 50 C4
Saché 37 115 F2
Sachin 62 9 E1
Sachy 08 22 A3
Sacierges-St-Martin 36 134 A4
Saclas 91 79 F2
Saclay 91 57 D3
Saconin-et-Breuil 02 35 D2
Sacoué 65 250 A3
Le Sacq 27 55 D2
Sacquenay 21 105 D4
Sacquenville 27 31 E4
Sacy 89 102 C3
Sacy 51 36 B3
Sacy-le-Grand 60 34 A2
Sacy-le-Petit 60 34 A2
Sadeillan 32 228 A4
Sadillac 24 196 A2
Sadirac 33 194 B2
Sadournin 65 249 E1
Sadroc 19 181 D2
Saessolsheim 67 66 C2
Saffais 54 64 C4
Saffloz 39 141 F3
Saffré 44 93 E4
Saffres 21 122 C2
Sagelat 24 197 D2
Sagnat 23 150 A2
Sagnes-et-Goudoulet 07 202 C2
Sagone 2A 266 B3
Sagone (Golfe de) 2A 266 A3
Sagonne 18 136 B2
Sagy 71 140 C3
Sagy 95 56 C1
Sahorre 66 261 F3
Sahune 26 204 C4
Sahurs 76 31 E2
Sai 61 53 D3
Saignes 46 198 B2
Saignes 15 183 D1
Saigneville 80 8 B4
Saignon 84 220 B4
Saiguède 31 229 E3
Sail-les-Bains 42 154 A2
Sail-sous-Couzan 42 169 F2
Sailhan 65 258 A3
Saillac 46 213 F1
Saillac 19 181 E4
Saillagouse 66 261 D4
Saillans 33 177 F4
Saillans 26 204 B2
Le Saillant 19 181 D2
Saillat-sur-Vienne 87 163 F1
Saillenard 71 141 D3
Sailly 71 139 E4
Sailly 52 85 E1
Sailly 78 56 C1
Sailly-Achâtel 57 64 C1
Sailly-au-Bois 62 9 F4
Sailly-en-Ostrevent 62 10 B3
Sailly-Flibeaucourt 80 8 B4
Sailly-Labourse 62 10 A1
Sailly-Laurette 80 18 A2
Sailly-lez-Cambrai 59 10 C3
Sailly-lez-Lannoy 59 5 E4
Sailly-Saillisel 80 18 B1

Sailly-le-Sec 80 18 A2
Sailly-la-Lys 62 4 C4
Sain-Bel 69 171 D2
Saincaize-Meauce 58 137 D1
Sainghin-en-Mélantois 59 10 C1
Sainghin-en-Weppes 59 10 B1
Sainneville 76 14 A4
Sainpuits 89 101 F4
Sains 35 50 B4
Sains-du-Nord 59 12 A4
Sains-en-Amiénois 80 17 F2
Sains-en-Gohelle 62 10 A2
Sains-lès-Fressin 62 8 C2
Sains-lès-Marquion 62 10 B4
Sains-Morainvillers 60 17 F4
Sains-lès-Pernes 62 9 E1
Sains-Richaumont 02 19 F2
Le Saint 56 70 A3
St-Aaron 22 48 C3
St-Abit 64 248 C1
St-Abraham 56 92 A1
St-Acheul 80 9 D4
St-Adjutory 16 163 D2
St-Adrien 22 47 E3
St-Adrien (Roches de) 76 31 F2
St-Affrique 12 216 A4
St-Affrique-les-Montagnes 81 231 E3
St-Agathon 22 47 E3
St-Agil 41 77 E4
St-Agnan 89 81 E2
St-Agnan 02 59 F1
St-Agnan 71 138 B4
St-Agnan 58 122 A2
St-Agnan 81 230 B2
St-Agnan-en-Vercors 26 188 C4
St-Agnan-le-Malherbe 14 28 C2
St-Agnan-sur-Erre 61 77 D2
St-Agnan-sur-Sarthe 61 54 A4
St-Agnant 17 160 C2
St-Agnant-de-Versillat 23 149 F2
St-Agnant-près-Crocq 23 166 C2
St-Agnant-sous-les-Côtes 55 63 E2
St-Agnet 40 226 C2
St-Agnin-sur-Bion 38 172 B3
St-Agoulin 63 152 C4
St-Agrève 07 186 C4
St-Aignan 82 212 B3
St-Aignan 56 70 C2
St-Aignan 33 177 F4
St-Aignan 72 76 C3
St-Aignan-Grandlieu 44 111 F3
St-Aignan-le-Jaillard 45 100 B3
St-Aignan-sur-Roë 53 94 A2
St-Aignan-sur-Ry 76 32 A1
St-Aignan-de-Couptrain 53 75 E1
St-Aignan-de-Cramesnil 14 29 D4
St-Aignan-des-Gués 45 100 A2
St-Aignan-des-Noyers 18 136 B2
St-Aigny 36 133 F2
St-Aigulin 17 178 B3
St-Ail 54 39 F3
St-Alban 01 155 F1
St-Alban 22 48 C3
St-Alban 31 229 F2
St-Alban 63 169 F4
St-Alban-les-Eaux 42 154 A4
St-Alban-en-Montagne 07 202 A2
St-Alban-Leysse 73 173 E3
St-Alban-sous-Sampzon 07 202 C4
St-Alban-sur-Limagnole 48 201 E2
St-Alban-d'Ay 07 187 D2
St-Alban-de-Montbel 73 173 D3
St-Alban-de-Roche 38 172 B3
St-Alban-des-Hurtières 73 174 B4

St-Alban-des-Villards 73 190 B1
St-Albin-du-Rhône 38 187 E1
St-Albin-de-Vaulserre 38 173 D4
St-Alexandre 30 219 D2
St-Algis 02 20 A2
St-Allouestre 56 70 E4
St-Alpinien 23 151 D4
St-Alyre-d'Arlanc 63 185 D1
St-Alyre-ès-Montagne 63 184 A1
St-Amadou 09 252 B3
St-Amancet 81 231 D4
St-Amand 50 28 A4
St-Amand 23 151 E4
St-Amand 62 9 F4
St-Amand-de-Belvès 24 197 D2
St-Amand-de-Coly 24 180 C3
St-Amand-de-Vergt 24 179 F4
St-Amand-des-Hautes-Terres 27 31 E3
St-Amand-les-Eaux 59 11 D2
St-Amand-en-Puisaye 58 101 E4
St-Amand-Jartoudeix 23 165 E1
St-Amand-Longpré 41 97 F3
St-Amand-Magnazeix 87 149 E2
St-Amand-Montrond 18 136 A3
St-Amand-le-Petit 87 165 E2
St-Amand-sur-Fion 51 61 E2
St-Amand-sur-Ornain 55 63 D3
St-Amans 09 252 A2
St-Amans 48 201 E2
St-Amans 11 252 C2
St-Amans-de-Pellagal 82 212 C2
St-Amans-des-Cots 12 200 A2
St-Amans-du-Pech 82 212 B1
St-Amans-Soult 81 231 F4
St-Amans-Valtoret 81 232 A4
St-Amant 16 178 C1
St-Amant-de-Boixe 16 162 C2
St-Amant-de-Bonnieure 16 163 D1
St-Amant-de-Graves 16 162 A3
St-Amant-de-Nouère 16 162 B2
St-Amant-Roche-Savine 63 169 D3
St-Amant-Tallende 63 168 B3
St-Amarin 68 108 A1
St-Ambreuil 71 140 A3
St-Ambroise (Puy) 153 F1
St-Ambroix 30 218 C2
St-Ambroix 18 135 E1
St-Amé 88 87 F4
St-Amour 39 156 B1
St-Amour-Bellevue 71 155 E2
St-Anastaise 63 168 A4
St-Andelain 58 120 A2
St-Andéol 26 204 C1
St-Andéol 38 189 D4
St-Andéol-le-Château 69 171 E3
St-Andéol-de-Berg 07 203 E3
St-Andéol-de-Clerguemort 48 217 F1
St-Andéol-de-Fourchades 07 203 D2
St-Andéol-de-Vals 07 203 D2
St-Andeux 21 122 A1
St-Andiol 13 236 B1
St-Andoche 70 105 F3
St-André 81 215 D4
St-André 31 250 C4
St-André 06 241 D4
St-André 16 161 E2

St-André 66 263 D3
St-André 59 5 D4
St-André 32 228 C3
St-André 73 191 D2
St-André-les-Alpes 04 222 C3
St-André-le-Bouchoux 01 156 A3
St-André-Capcèze 48 202 B4
St-André-le-Coq 63 153 D4
St-André-la-Côte 69 171 D3
St-André-d'Allas 24 197 D1
St-André-d'Apchon 42 154 A4
St-André-de-Bâgé 01 155 F2
St-André-de-Boëge 74 158 C2
St-André-de-Bohon 50 27 D3
St-André-de-Briouze 61 52 C3
St-André-de-Buèges 34 234 A1
St-André-de-Chalencon 43 185 F2
St-André-de-Corcy 01 171 F1
St-André-de-Cruzières 07 218 B1
St-André-de-Cubzac 33 177 F2
St-André-de-Double 24 178 C3
St-André-de-l'Épine 50 28 A3
St-André-de-l'Eure 27 55 E2
St-André-de-Lancize 48 217 F2
St-André-de-Lidon 17 161 D3
St-André-de-Majencoules 30 217 E3
St-André-de-la-Marche 49 113 D3
St-André-de-Messei 61 52 B3
St-André-de-Mitroys 07 203 E4
St-André-de-Najac 12 214 B2
St-André-de-Roquelongue 11 254 B3
St-André-de-Roquepertuis 30 218 C2
St-André-de-Rosans 05 205 D4
St-André-de-Sangonis 34 233 F2
St-André-de-Seignanx 40 224 C3
St-André-de-Valborgne 30 217 E2
St-André-de-Vézines 12 216 C2
St-André-d'Embrun 05 207 D3
St-André-des-Eaux 22 72 C1
St-André-des-Eaux 44 110 B2
St-André-le-Désert 71 139 E4
St-André-d'Hébertot 14 30 B2
St-André-d'Huiriat 01 155 F2
St-André-d'Olérargues 30 218 C2
St-André-du-Bois 33 194 C3
St-André-en-Barrois 55 38 B4
St-André-en-Bresse 71 140 B3
St-André-en-Morvan 58 121 E1
St-André-en-Royans 38 188 C3
St-André-en-Terre-Plaine 89 121 F1
St-André-en-Vivarais 07 186 C3
St-André-et-Appelles 33 195 E1
St-André-Farivillers 60 17 E4
St-André-le-Gaz 38 172 C3
St-André-Goule-d'Oie 85 129 E3
St-André-Lachamp 07 202 C4
St-André-le-Puy 42 170 B3

St-André (Signal de) 69 171 D3
St-André-sur-Cailly 76 31 F1
St-André-sur-Orne 14 29 D4
St-André-sur-Sèvre 79 130 B2
St-André-les-Vieux-Jonc 01 156 B3
St-André-Treize-Voies 85 129 D1
St-André-les-Vergers 10 83 D2
St-Androny 33 177 D2
St-Ange-et-Torçay 28 55 E4
St-Ange-le-Viel 77 81 D3
St-Angeau 16 162 C1
St-Angel 03 151 F2
St-Angel 19 166 B4
St-Angel 63 152 B4
St-Anthème 63 169 F4
St-Anthot 21 122 C2
St-Antoine 25 142 C2
St-Antoine 15 199 E2
St-Antoine 33 177 E4
St-Antoine 32 212 A3
St-Antoine 38 188 B2
St-Antoine-Cumond 24 178 C2
St-Antoine-d'Auberoche 24 180 A3
St-Antoine-de-Breuilh 24 195 E1
St-Antoine-de-Ficalba 47 211 F1
St-Antoine-du-Queyret 33 195 D2
St-Antoine-du-Rocher 37 97 D4
St-Antoine-la-Forêt 76 30 C1
St-Antoine-sur-l'Isle 33 178 B3
St-Antonin 06 223 F4
St-Antonin 32 228 C2
St-Antonin-Noble-Val 82 213 F2
St-Antonin-sur-Bayon 13 237 F3
St-Antonin-de-Lacalm 81 231 E1
St-Antonin-de-Sommaire 27 54 B2
St-Antonin-du-Var 83 239 D3
St-Aoustrille 36 135 D1
St-Août 36 135 D3
St-Apollinaire 05 206 C3
St-Apollinaire 21 123 F2
St-Apollinaire-de-Rias 07 187 D4
St-Appolinaire 69 155 D4
St-Appolinard 38 188 B2
St-Appolinard 42 187 D1
St-Aquilin 24 179 D2
St-Aquilin-de-Corbion 61 54 B4
St-Aquilin-de-Pacy 27 55 F1
St-Araille 31 251 D1
St-Arailles 32 228 E4
St-Arcons-d'Allier 43 185 D3
St-Arcons-de-Barges 43 202 B1
St-Arey 58 205 E1
St-Armel 35 73 E4
St-Armel 56 91 E3
St-Armou 64 226 C4
St-Arnac 66 262 A1
St-Arnoult 60 16 C4
St-Arnoult 41 97 F3
St-Arnoult 14 30 A2
St-Arnoult 76 31 D1
St-Arnoult-des-Bois 28 78 B1
St-Arnoult-en-Yvelines 78 56 C4
St-Arroman 65 250 A3
St-Arroman 32 228 B4
St-Arroumex 82 212 B4
St-Astier 47 195 F2
St-Astier 24 179 D3
St-Auban 06 233 D4
St-Auban (Clue de) 06 223 D4
St-Auban-sur-l'Ouvèze 26 220 C1
St-Auban-d'Oze 05 205 F3
St-Aubert 59 11 D3
St-Aubert (Gorges de) 61 52 C2
St-Aubert-sur-Orne 61 52 C1
St-Aubin 40 226 A2
St-Aubin 91 57 D3
St-Aubin 02 35 D1
St-Aubin 59 12 B4
St-Aubin 39 124 A4
St-Aubin 36 135 D2
St-Aubin 10 82 A1
St-Aubin 47 196 C4
St-Aubin 21 139 F1
St-Aubin 62 8 B2
St-Aubin-le-Cauf 76 15 F2
St-Aubin-Celloville 76 31 F2
St-Aubin-Château-Neuf 89 101 F2
St-Aubin-le-Cloud 79 131 D3
St-Aubin-le-Dépeint 37 96 C3
St-Aubin-lès-Elbeuf 76 31 F2
St-Aubin-en-Bray 60 33 D2
St-Aubin-en-Charollais 71 139 D4
St-Aubin-Épinay 76 31 F1
St-Aubin-les-Forges 58 120 B3
St-Aubin-Fosse-Louvain 53 74 C1
St-Aubin-le-Guichard 27 54 C1
St-Aubin-Lébizay 14 29 F1
St-Aubin-le-Monial 03 136 C4
St-Aubin-Montenoy 80 17 D2
St-Aubin-la-Plaine 85 129 F4
St-Aubin-Rivière 80 16 C2
St-Aubin-Routot 76 30 B1
St-Aubin-sous-Erquery 60 34 A2
St-Aubin-sur-Aire 55 66 C3
St-Aubin-sur-Algot 14 30 A4
St-Aubin-sur-Gaillon 27 32 A4
St-Aubin-sur-Loire 71 138 A4
St-Aubin-sur-Mer 76 15 D2
St-Aubin-sur-Mer 14 29 D2
St-Aubin-sur-Quillebeuf 27 30 C1
St-Aubin-sur-Scie 76 15 E2
St-Aubin-sur-Yonne 89 101 F1
St-Aubin-le-Vertueux 27 30 C4
St-Aubin-d'Appenai 61 53 F4
St-Aubin-d'Arquenay 14 29 D3
St-Aubin-d'Aubigné 35 73 E2
St-Aubin-de-Baubigné 79 130 B1
St-Aubin-de-Blaye 33 177 D2
St-Aubin-de-Bonneval 61 54 A1
St-Aubin-de-Branne 33 194 C1
St-Aubin-de-Cadelech 24 196 A2
St-Aubin-de-Courteraie 61 54 A4
St-Aubin-de-Crétot 76 14 C4
St-Aubin-de-Lanquais 24 196 B1
St-Aubin-de-Locquenay 72 76 A2
St-Aubin-de-Luigné 49 113 E2
St-Aubin-de-Médoc 33 177 D4
St-Aubin-de-Nabirat 24 197 E2
St-Aubin-de-Scellon 27 30 C3
St-Aubin-de-Terregatte 50 50 C4
St-Aubin-d'Écrosville 27 31 E4
St-Aubin-des-Bois 14 51 D2
St-Aubin-des-Bois 28 78 B1
St-Aubin-des-Châteaux 44 93 F2
St-Aubin-des-Chaumes 58 121 E1
St-Aubin-des-Coudrais 72 77 D3
St-Aubin-des-Grois 61 77 D3
St-Aubin-des-Hayes 27 54 C1
St-Aubin-des-Landes 35 73 F3
St-Aubin-des-Ormeaux 85 112 C4
St-Aubin-des-Préaux 50 50 B2
St-Aubin-du-Cormier 35 73 F2
St-Aubin-du-Désert 53 75 F2
St-Aubin-du-Pavail 35 73 E4
St-Aubin-du-Perron 50 27 D3
St-Aubin-du-Plain 79 130 C1
St-Aubin-du-Thenney 27 54 B1
St-Augustin 19 181 F1
St-Augustin 03 136 C2
St-Augustin 77 58 C3
St-Augustin 17 160 B2
St-Augustin-des-Bois 49 113 E1
St-Aulaire 19 180 C2
St-Aulais-la-Chapelle 16 162 B4
St-Aulaye 24 178 C2
St-Aunès 34 234 C2
St-Aunix-Lengros 32 227 E3
St-Aupre 38 189 D1
St-Austremoine 43 184 C3
St-Auvent 87 164 A2
St-Avaugourd-des-Landes 85 129 D4
St-Avé 56 91 E2
St-Aventin 31 258 B4
St-Avertin 37 116 A2
St-Avit 41 77 E4
St-Avit 26 187 F2
St-Avit 47 195 E3
St-Avit 81 231 D3
St-Avit 16 178 B2
St-Avit 40 209 F4
St-Avit 63 167 D1
St-Avit-de-Soulège 33 195 E1
St-Avit-de-Tardes 23 166 C1
St-Avit-de-Vialard 24 180 A4
St-Avit-Frandat 32 211 F4
St-Avit-les-Guespières 28 78 B3
St-Avit-le-Pauvre 23 150 C4
St-Avit-Rivière 24 196 C2
St-Avit-St-Nazaire 33 195 F1
St-Avit-Sénieur 24 196 C2
St-Avold 57 41 D3
St-Avre 73 190 B1
St-Ay 45 99 D2
St-Aybert 59 11 E2
St-Aygulf 83 239 F4
St-Babel 63 168 C1
St Baldoph 73 173 E3
St-Bandry 02 35 D2
St-Baraing 39 124 B4
St-Barbant 87 148 B3
St-Bard 23 166 C1
St-Bardoux 26 187 F3
St-Barnabé 22 71 E3
St-Barthélemy 70 107 E2
St-Barthélemy 38 188 A1
St-Barthélemy 56 70 C4
St-Barthélemy 50 51 E3
St-Barthélemy 40 224 C3
St-Barthélemy 77 59 E2
St-Barthélemy-d'Agenais 47 195 F3
St-Barthélemy-d'Anjou 49 113 F1
St-Barthélemy-de-Bellegarde 24 178 C3
St-Barthélemy-de-Bussière 24 163 F3
St-Barthélemy-de-Séchilienne 38 189 E1
St-Barthélemy-de-Vals 26 187 E3
St-Barthélemy-Lestra 42 170 C2
St-Barthélemy-le-Meil 07 203 D1
St-Barthélemy-le-Pin 07 187 D4
St-Barthélemy-le-Plain 07 187 E3
St-Basile 07 187 D4
St-Baslemont 88 86 C3
St-Baudel 18 135 E2
St-Baudelle 53 75 D2
St-Baudille-de-la-Tour 38 181 F2
St-Baudille-et-Pipet 38 205 E1
St-Bauld 37 116 A3
St-Baussant 54 63 F1
St-Bauzeil 09 252 A3
St-Bauzély 30 218 B4
St-Bauzile 07 203 F2
St-Bauzile 48 201 E4
St-Bauzille-de-Montmel 34 234 C2
St-Bauzille-de-Putois 34 234 B1
St-Bauzille-de-la-Sylve 34 233 F3
St-Bazile 87 163 F2
St-Bazile-de-Meyssac 19 181 E4
St-Bazile-de-la-Roche 19 182 A3
St-Béat 31 258 C3
St-Beaulize 12 216 B4
St-Beauzeil 82 212 B1
St-Beauzély 12 216 A2
St-Beauzile 81 214 A3
St-Beauzire 43 184 B2
St-Beauzire 63 168 B1
St-Bénézet 30 218 B4
St-Bénigne 01 156 A1
St-Benin 59 11 E4
St-Benin-d'Azy 58 120 C4
St-Benin-des-Bois 58 120 C3
St-Benoist-sur-Mer 85 144 C1
St-Benoist-sur-Vanne 10 82 B3
St-Benoît 01 172 C2
St-Benoît 04 223 D3
St-Benoît 11 253 D3
St-Benoît 86 132 B4
St-Benoît-la-Chipotte 88 87 F1
St-Benoît-de-Carmaux 81 214 B3
St-Benoît-des-Ombres 27 30 C3
St-Benoît-des-Ondes 35 49 F3
St-Benoît-d'Hébertot 14 30 B2
St-Benoît-du-Sault 36 149 E1
St-Benoît-en-Woëvre 55 66 E1
St-Benoit-en-Diois 26 204 C2
St-Benoît-la-Forêt 37 115 D3
St-Benoît-sur-Loire 45 100 C2
St-Benoît-sur-Seine 10 83 D2
St-Bérain 43 185 D4
St-Bérain-sous-Sanvignes 71 139 D3
St-Bérain-sur-Dheune 71 157 F2
St-Bernard 21 123 E3
St-Bernard 68 108 B2
St-Bernard 38 189 E1
St-Bernard 57 40 C2
St-Bernard 01 155 E4
St-Béron 73 173 D4
St-Berthevin 53 74 C4
St-Berthevin-la-Tannière 53 74 B1
St-Bertrand-de-Comminges 31 250 A3
St-Biez-en-Belin 72 96 B2
St-Bihy 22 71 D1
St-Blaise 06 241 D3
St-Blaise 74 158 A3
St-Blaise-du-Buis 38 188 C1
St-Blaise-la-Roche 67 88 C1
St-Blaise (Rouilles de) 13 236 B4
St-Blancard 32 250 B1
St-Blimont 80 8 A4
St-Blin 52 85 E2
St-Boès 64 225 F3
St-Bohaire 41 98 B3
St-Boil 71 139 F3
St-Boingt 54 87 E1
St-Bois 01 173 D2
St-Bomer 28 77 E3
St-Bômer-les-Forges 61 52 A3
St-Bon 51 59 F3
St-Bon-Tarentaise 73 175 D4
St-Bonnet 05 206 A2
St-Bonnet 16 162 A4
St-Bonnet-lès-Allier 63 168 B2
St-Bonnet-Avalouze 19 181 F2
St-Bonnet-le-Bourg 63 185 D1
St-Bonnet-Briance 87 165 D3
St-Bonnet-le-Chastel 63 169 D4
St-Bonnet-le-Château 42 186 A1
St-Bonnet-le-Courreau 42 169 F3
St-Bonnet-de-Bellac 87 148 C3
St-Bonnet-de-Chavagne 38 188 B3
St-Bonnet-de-Chirac 48 201 D4
St-Bonnet-de-Condat 15 183 E2
St-Bonnet-de-Cray 71 154 B2
St-Bonnet-de-Four 03 152 B2
St-Bonnet-de-Joux 71 139 E4
St-Bonnet-de-Montauroux 48 201 F1
St-Bonnet-de-Mure 69 171 F2
St-Bonnet-de-Rochefort 03 152 C3
St-Bonnet-de-Salendrinque 30 217 F3
St-Bonnet-de-Salers 15 183 D3
St-Bonnet-de-Valclérieux 26 188 B2
St-Bonnet-de-Vieille-Vigne 71 139 D4
St-Bonnet-des-Bruyères 69 155 D2
St-Bonnet-des-Quarts 42 154 A3
St-Bonnet-du-Gard 30 218 D4
St-Bonnet-Elvert 19 182 A3
St-Bonnet-en-Bresse 71 140 C1
St-Bonnet-l'Enfantier 19 181 D2
St-Bonnet-le-Froid 43 186 C3
St-Bonnet-les-Oules 42 170 C4
St-Bonnet-près-Bort 19 167 D4
St-Bonnet-près-Orcival 63 167 F3
St-Bonnet-près-Riom 63 168 B1
St-Bonnet-la-Rivière 19 180 C2
St-Bonnet (Signal de) 69 155 D4
St-Bonnet-sur-Gironde 17 177 D1
St-Bonnet-Tours-de-Merle 19 182 B3
St-Bonnet-Troncais 03 136 B3
St-Bonnet-le-Troncy 69 155 D3
St-Bonnot 58 120 C3
St-Bouize 18 119 F2
St-Brancher 89 121 F1
St-Branchs 37 116 A3
St-Brandan 22 47 F4
St-Brès 30 218 B2
St-Brès 34 234 C2
St-Brès 32 228 C1
St-Bresson 70 107 D1
St-Bresson 30 217 E4
St-Bressou 46 198 C2
St-Brevin-les-Pins 44 110 C2
St-Briac-sur-Mer 35 49 D3
St-Brice 61 52 A4
St-Brice 16 161 F2
St-Brice 77 59 E4
St-Brice 50 50 E3
St-Brice 53 95 E2
St-Brice 33 195 D2
St-Brice-Courcelles 51 36 B3
St-Brice-de-Landelles 50 51 D4
St-Brice-en-Coglès 35 73 F1
St-Brice-sous-Forêt 95 57 E1
St-Brice-sous-Rânes 61 52 C3
St-Brice-sur-Vienne 87 164 A1
St-Brieuc 22 48 A3
St-Brieuc-de-Mauron 56 72 A3
St-Brieuc-des-Iffs 35 72 C2
St-Bris-des-Bois 17 161 E2
St-Bris-le-Vineux 89 102 B3
St-Brisson 58 122 A2
St-Brisson-sur-Loire 45 100 C3
St-Broing 70 124 C1
St-Broing-les-Moines 21 104 B3
St-Broingt-le-Bois 52 105 E2
St-Broingt-les-Fosses 52 105 D3
St-Broladre 35 50 B4
St-Bueil 38 173 D4
St-Cado 56 90 C2
St-Calais 72 77 F2
St-Calais-du-Désert 53 75 F1
St-Calez-en-Saosnois 72 76 C2
St-Cannat 13 237 D2
St-Caprais 18 135 F1
St-Caprais 46 197 E3
St-Caprais 32 228 C3
St-Caprais-de-Blaye 33 177 D2
St-Caprais-de-Bordeaux 33 194 B1
St-Caprais-de-Lerm 47 212 A2
St-Capraise-de-Lalinde 24 196 B1
St-Capraise-d'Eymet 24 196 A2
St-Caradec 22 71 D2
St-Caradec-Trégomel 56 70 B3
St-Carné 22 72 B1
St-Carreuc 22 48 A4
St-Cassien 38 189 D1
St-Cassien 24 196 C2
St-Cassin 73 173 E3
St-Cast-le-Guildo 22 48 C2
St-Castin 64 226 C4
St-Célerin 72 76 C3
St-Céneré 53 75 D3
St-Céneri-le-Gérei 61 76 A2
St-Céols 18 119 E3
St-Céré 46 198 C1
St-Cergues 74 158 B2
St-Cernin 15 182 C3
St-Cernin 46 198 A3
St-Cernin-de-l'Herm 24 197 D3
St-Cernin-de-Labarde 24 196 A2
St-Cernin-de-Larche 19 181 D3
St-Cernin-de-Reillac 24 180 B1
St-Césaire 17 161 E2
St-Césaire-de-Gauzignan 30 218 B3
St-Cézaire (Grottes de) 06 239 F2
St-Cézaire-sur-Siagne 06 239 F2
St-Cézert 31 229 E1
St-Chabrais 23 151 D3
St-Chaffrey 05 191 D4
St-Chamant 15 183 D3
St-Chamant 19 181 F3
St-Chamarand 46 197 F2
St-Chamas 13 236 C3
St-Chamassy 24 196 C1
St-Chamond 42 171 D4
St-Champ 01 173 D2
St-Chaptes 30 218 B4
St-Chartier 36 135 D3
St-Chartres 86 131 F2
St-Chef 38 172 B3
St-Chels 46 198 B4
St-Chély-d'Apcher 48 201 D1
St-Chély-d'Aubrac 12 200 B3
St-Chéron 51 61 E4
St-Chéron 91 57 D4
St-Chéron-des-Champs 28 56 A4
St-Chinian 34 232 C4
St-Christ-Briost 80 18 C2
St-Christaud 31 251 E2
St-Christaud 32 227 F3
St-Christo-en-Jarez 42 170 C4
St-Christol 84 220 C3
St-Christol 07 203 D1
St-Christol 34 234 C2
St-Christol-lès-Alès 30 218 A3
St-Christol-de-Rodières 30 218 C2
St-Christoly-de-Blaye 33 177 E3
St-Christoly-Médoc 33 176 C1
St-Christophe 81 214 B3
St-Christophe 28 78 B4
St-Christophe 16 148 B4
St-Christophe 03 153 E3
St-Christophe 23 150 B3
St-Christophe 86 132 B1
St-Christophe 17 145 E3
St-Christophe 69 155 D2
St-Christophe-à-Berry 02 35 D2
St-Christophe-le-Chaudry 18 135 F4
St-Christophe-la-Couperie 49 112 C2
St-Christophe-d'Allier 43 201 F1
St-Christophe-de-Chaulieu 61 51 F3
St-Christophe-de-Double 33 178 B3
St-Christophe-de-Valains 35 73 E2
St-Christophe-des-Bardes 33 195 D1
St-Christophe-des-Bois 35 74 A2
St-Christophe-Dodinicourt 10 83 F1
St-Christophe-du-Bois 49 113 D4
St-Christophe-du-Foc 50 24 C2
St-Christophe-du-Jambet 72 76 A3
St-Christophe-du-Ligneron 85 128 C1
St-Christophe-du-Luat 53 75 D3
St-Christophe-en-Bazelle 36 117 D3
St-Christophe-en-Boucherie 36 135 E3
St-Christophe-en-Bresse 71 140 B2
St-Christophe-en-Brionnais 71 154 B2
St-Christophe-en-Champagne 72 96 A1
St-Christophe-en-Oisans 38 190 B4
St-Christophe-et-le-Laris 26 188 A2
St-Christophe-les-Gorges 15 182 C3
St-Christophe-la-Grotte 73 173 E4
St-Christophe-le-Jajolet 61 53 D3
St-Christophe-sur-Avre 27 54 C3
St-Christophe-sur-Condé 27 30 C3
St-Christophe-sur-Dolaison 43 185 E4
St-Christophe-sur-Guiers 38 173 E4
St-Christophe-sur-le-Nais 37 96 C3
St-Christophe-sur-Roc 79 148 B1
St-Christophe-Vallon 12 199 E4
St-Cibard 33 178 B4
St-Cierge-la-Serre 07 203 F1
St-Cierge-sous-le-Cheylard 07 186 C4
St-Ciergues 52 105 D1
St-Ciers-Champagne 17 161 E4
St-Ciers-d'Abzac 33 177 F3
St-Ciers-de-Canesse 33 177 D3
St-Ciers-du-Taillon 17 161 D4
St-Ciers-sur-Bonnieure 16 162 C2
St-Ciers-sur-Gironde 33 177 D2
St-Cirgue 81 215 D4
St-Cirgues 46 199 D2
St-Cirgues 43 184 C3
St-Cirgues-de-Jordanne 15 183 D3
St-Cirgues-de-Malbert 15 182 C3
St-Cirgues-de-Prades 07 202 C2
St-Cirgues-en-Montagne 07 202 C2
St-Cirgues-la-Loutre 19 182 B3
St-Cirgues-sur-Couze 63 168 B4
St-Cirice 82 212 A3
St-Cirq 82 213 E3
St-Cirq 24 197 D1
St-Cirq-Lapopie 46 198 A4
St-Cirq-Madelon 46 197 F2
St-Cirq-Souillaguet 46 197 F2
St-Civran 36 134 A4
St-Clair 46 197 F2
St-Clair 86 131 F1
St-Clair 82 212 B2
St-Clair 07 187 D2
St-Clair-d'Arcey 27 30 C4
St-Clair-de-Halouze 61 52 A3
St-Clair-de-la-Tour 38 173 D3
St-Clair-du-Rhône 38 171 E4
St-Clair (Mont) 34 234 A4
St-Clair-sur-l'Elle 50 27 E3
St-Clair-sur-Epte 95 32 C3
St-Clair-sur-Galaure 38 188 B2
St-Clair-sur-les-Monts 76 15 D4
St-Clar 32 212 A1
St-Clar-de-Rivière 31 229 E4
St-Claud 16 163 D2
St-Claude 39 157 F1
St-Claude-de-Diray 41 98 B4
St-Clément 89 81 F3
St-Clément 54 65 D4
St-Clément 07 186 B4
St-Clément 02 20 B3
St-Clément 15 183 E4
St-Clément 03 153 F4
St-Clément 30 234 C1
St-Clément 19 181 E1
St-Clément 05 207 D2
St-Clément-à-Arnes 08 38 B3
St-Clément-de-la-Place 49 94 C4
St-Clément-de-Régnat 63 153 D3
St-Clément-de-Valorgue 63 169 F4
St-Clément-de-Vers 69 154 C2
St-Clément-les-Baleines 17 144 A3
St-Clément-les-Levées 49 114 B2
St-Clément-les-Places 69 170 C2
St-Clément-Rancoudray 50 51 E3
St-Clément-sur-Guye 71 139 E3
St-Clément-sur-Valsonne 69 170 C1
St-Clémentin 79 130 C1
St-Clet 22 47 E2
St-Cloud 92 57 D2
St-Cloud-en-Dunois 28 78 B4
St-Colomb-de-Lauzun 47 196 A3
St-Colomban 44 111 F4
St-Colomban-des-Villards 73 190 B1
St-Côme-de-Fresné 14 28 C2
St-Côme-d'Olt 12 201 E3
St-Côme-du-Mont 50 27 D2
St-Côme-et-Maruéjols 30 235 D1
St-Congard 56 92 B2
St-Connan 22 47 F2
St-Connec 22 71 D2
St-Constant 15 199 D2
St-Contest 14 29 D3
St-Corneille 72 76 C4
St-Cornier-des-Landes 61 51 F3
St-Cosme 68 108 B3
St-Cosme-en-Vairais 72 76 C2
St-Couat-d'Aude 11 254 A2
St-Couat-du-Razès 11 253 D3
St-Coulitz 29 69 D1
St-Coulomb 35 49 F2
St-Coutant 16 147 F4
St-Coutant 79 147 D2
St-Coutant-le-Grand 17 145 F4
St-Créac 32 212 A4
St-Créac 65 257 F2
St-Crépin 05 207 D2
St-Crépin 17 145 F4
St-Crépin-aux-Bois 60 34 C1
St-Crépin-et-Carlucet 24 180 C2
St-Crépin-Ibouvillers 60 33 E3
St-Crépin-d'Auberoche 24 180 A3
St-Crépin-de-Richemont 24 179 E1
St-Crespin 76 15 E3
St-Crespin 14 29 F4
St-Crespin-sur-Moine 49 112 C3
St-Cricq 32 229 D2
St-Cricq-Chalosse 40 226 A2
St-Cricq-du-Gave 40 225 E3
St-Cricq-Villeneuve 40 209 F4
St-Cybardeaux 16 162 B2
St-Cybranet 24 197 E2
St-Cyprien 42 170 B4
St-Cyprien 66 263 D2
St-Cyprien 46 213 D1
St-Cyprien 19 180 C2
St-Cyprien 24 197 D1
St-Cyprien-sur-Dourdou 12 199 E3
St-Cyr 50 25 D3
St-Cyr 87 164 A2
St-Cyr 71 140 A3
St-Cyr 86 132 B3
St-Cyr 07 187 E2
St-Cyr-au-Mont-d'Or 69 171 D2
St-Cyr-les-Champagnes 24 180 C1
St-Cyr-la-Chatoux 69 155 D4
St-Cyr-les-Colons 89 102 B3
St-Cyr-de-Favières 42 154 B4
St-Cyr-de-Salerne 27 31 D3
St-Cyr-de-Valorges 42 170 C1
St-Cyr-des-Gâts 85 130 A4
St-Cyr-du-Bailleul 50 51 F4
St-Cyr-du-Doret 17 145 F2
St-Cyr-du-Gault 41 98 A3
St-Cyr-du-Ronceray 14 30 B4
St-Cyr-l'École 78 57 D2
St-Cyr-en-Arthies 95 32 C4
St-Cyr-en-Bourg 49 114 B2
St-Cyr-en-Pail 53 75 F1
St-Cyr-en-Talmondais 85 129 E4
St-Cyr-en-Val 45 99 E2
St-Cyr-le-Gravelais 53 74 B4
St-Cyr-la-Lande 79 114 B4
St-Cyr-Montmalin 39 124 C4
St-Cyr-la-Rivière 91 79 F2
St-Cyr-la-Roche 19 180 C2
St-Cyr-la-Rosière 61 77 D2
St-Cyr-sous-Dourdan 91 57 D4
St-Cyr-sur-Loire 37 115 F2
St-Cyr-sur-Menthon 01 156 A3
St-Cyr-sur-Mer 83 243 F3
St-Cyr-sur-Morin 77 59 D2
St-Cyr-sur-le-Rhône 69 171 E4
St-Cyr-sur-les-Vignes 42 170 C3
St-Cyran-du-Jambot 36 116 C4
St-Dalmas-le-Selvage 06 223 E1
St-Daunès 46 212 C1
St-Denis 30 218 B2
St-Denis 93 57 E1
St-Denis 11 253 E1

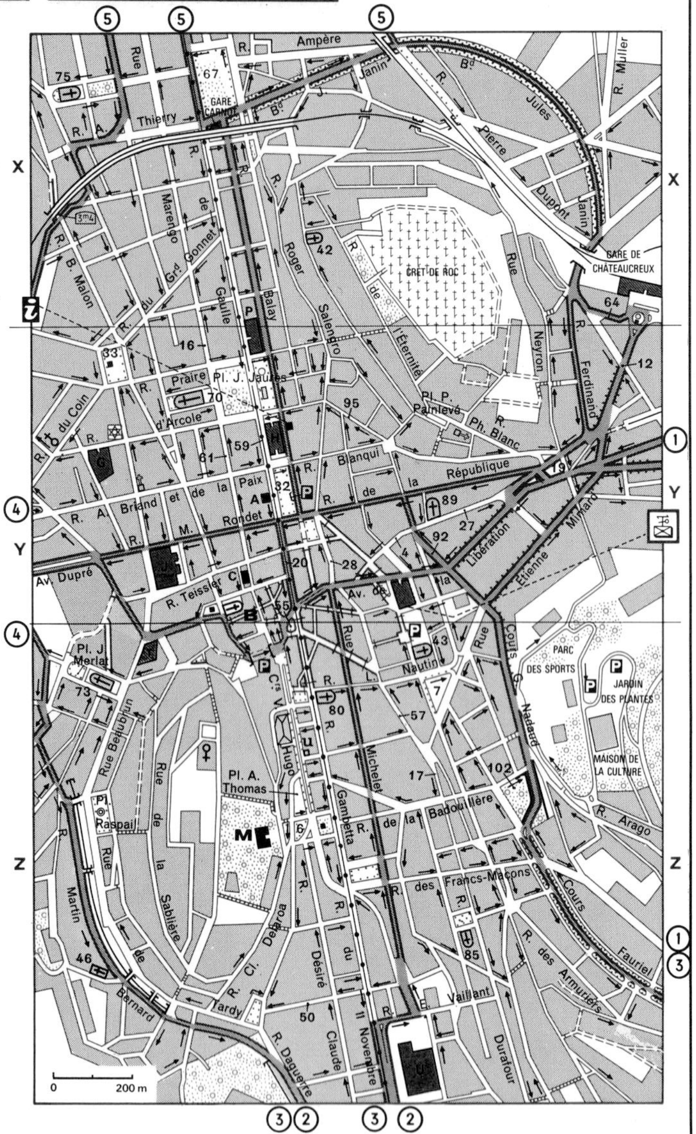

St-Étienne

Bérard (R. P.)	Y 4	République (R. de la)	Y	Papin (R. D.)	Z 50
Foy (R. Gén.)	Y 20	Résistance (R. de la)	Y 61	Pointe-Cadet (R.)	Z 57
Gambetta (R.)	Z			Rivière (R. du Sergent)	X 64
Gaulle (R. Ch. de)	X	Bouchard (Crs J.)	Z 6	Sadi-Carnot (Pl.)	X 67
Gervais (R. E.)	Y 27	Chavanelle (Pl.)	Z 7	St-Charles (†)	Y 70
Grand Moulin (R. du)	Y 28	Denfert-Rochereau (Av.)	Y 12	St-Ennemond (†)	Z 73
Hôtel-de-Ville (Pl. de l')	Y 32	Dormoy (R. M.)	Y 16	St-Étienne (†)	Y B
Libération (Av. de la)	Y	Fougerolle (R.)	Z 17	St-Jean Baptiste (†)	X 75
Michelet (R.)	Z	Fourneyrond (Pl.)	Y 19	St-Louis (†)	Z 80
Peuple (Pl. du)	Y 55	Jacquard (Pl.)	Y 33	St-Roch (†)	Z 85
Président Wilson (R.)	Y 59	La Nativité (†)	X 42	Ste-Marie (†)	Y 89
		Notre-Dame (†)	Z 43	Sauzéa (R. H.)	Y 92
		N.-D. de Lourdes (†)	Z 46	Servet (R. M.)	Y 95
				Villebœuf (Pl.)	Z 102

St-Denis 89 81 F3
St-Denis 79 131 D4
St-Denis-lès-Bourg 01 156 B2
St-Denis-Catus 46 197 F3
St-Denis-la-Chevasse 85 129 E1
St-Denis-Combarnazat 63 168 C1
St-Denis-d'Aclon 76 15 E2
St-Denis-d'Anjou 53 95 E2
St-Denis-d'Augerons 27 54 B1
St-Denis-d'Authou 28 77 F2
St-Denis-de-Cabanne 42 154 C3
St-Denis-de-Gastines 53 74 C2
St-Denis-de-l'Hôtel 45 99 F1
St-Denis-de-Jouhet 36 135 D4
St-Denis-de-Mailloc 14 30 B4
St-Denis-de-Méré 14 52 B2
St-Denis-de-Palin 18 136 A1
St-Denis-de-Pile 33 177 F4
St-Denis-de-Vaux 71 139 F2
St-Denis-de-Villenette 61 52 B4
St-Denis-des-Coudrais 72 77 D3
St-Denis-des-Monts 27 31 D3
St-Denis-des-Murs 87 165 D2
St-Denis-des-Puits 28 78 A2
St-Denis-d'Oléron 17 144 C4
St-Denis-d'Orques 72 75 F4
St-Denis-du-Béhélan 27 55 D2
St-Denis-du-Payré 85 145 D1
St-Denis-du-Pin 17 146 A4
St-Denis-en-Bugey 01 156 C4
St-Denis-en-Margeride 48 201 E2
St-Denis-en-Val 45 99 E2
St-Denis-le-Ferment 27 32 C2
St-Denis-le-Gast 50 50 C1
St-Denis-Maisoncelles 14 51 F1
St-Denis-lès-Martel 46 181 E4
St-Denis-les-Ponts 28 78 B4
St-Denis-lès-Rebais 77 59 D2
St-Denis-sur-Coise 42 170 C3
St-Denis-sur-Huisne 61 77 D1
St-Denis-sur-Loire 41 98 B3
St-Denis-sur-Ouanne 89 101 E2
St-Denis-sur-Sarthon 61 76 A1
St-Denis-sur-Scie 76 15 E3
St-Denis-le-Thiboult 76 32 A1
St-Denis-le-Vêtu 50 50 C1
St-Deniscourt 60 16 C4
St-Denœux 62 8 C1
St-Denoual 22 48 C3
St-Derrien 29 45 E2
St-Désert 71 139 F2
St-Désir 14 30 A4
St-Désirat 07 187 E2
St-Désiré 03 135 E4
St-Dézéry 30 218 B4
St-Dézery 19 166 C4
St-Didier 39 141 D2
St-Didier 21 122 A2
St-Didier 58 121 D2
St-Didier 35 73 F3
St-Didier 84 220 A3
St-Didier-au-Mont-d'Or 69 171 E2
St-Didier-d'Allier 43 185 E4
St-Didier-d'Aussiat 01 156 A2
St-Didier-de-Bizonnes 38 172 B4
St-Didier-de-Formans 01 155 F4
St-Didier-de-la-Tour 38 172 C3
St-Didier-des-Bois 27 31 E3
St-Didier-en-Bresse 71 140 B2
St-Didier-en-Brionnais 71 154 B2
St-Didier-en-Velay 43 186 B2
St-Didier-en-Donjon 03 154 A1
St-Didier-la-Forêt 03 153 D3
St-Didier-sous-Aubenas 07 203 D3
St-Didier-sous-Écouves 61 53 D4
St-Didier-sous-Riverie 69 171 D3
St-Didier-sur-Arroux 71 138 C2
St-Didier-sur-Beaujeu 69 155 D3
St-Didier-sur-Chalaronne 01 155 F3
St-Didier-sur-Doulon 43 185 D2
St-Didier-sur-Rochefort 42 169 E2
St-Dié 88 88 B2
St-Dier-d'Auvergne 63 169 D3
St-Diéry 63 168 A4
St-Dionizy 30 235 D1
St-Disdier 05 205 F2
St-Divy 29 45 E3
St-Dizant-du-Bois 17 177 D1
St-Dizant-du-Gua 17 161 D4
St-Dizier 52 62 B3
St-Dizier-les-Domaines 23 150 C2
St-Dizier-en-Diois 26 205 D3
St-Dizier-l'Évêque 90 108 A4
St-Dizier-Leyrenne 23 150 A4
St-Dizier-la-Tour 23 150 C3
St-Dolay 56 92 B3
St-Domet 23 151 D4
St-Domineuc 35 72 C1
St-Donan 22 47 F4
St-Donat 63 167 E4
St-Donat-sur-l'Herbasse 26 187 F3
St-Dos 64 225 E3
St-Doulchard 18 119 D4
St-Drézéry 34 234 C2
St-Dyé-sur-Loire 41 98 C3
St-Eble 43 185 D3
St-Ébremond-de-Bonfossé 50 27 E4
St-Edmond 71 154 B3
St-Égrève 38 189 D2
St-Élier 27 55 D1
St-Éliph 28 77 F1
St-Élix 32 228 C4
St-Élix-le-Château 31 251 E1
St-Élix-Séglan 31 250 C2
St-Élix-Theux 32 228 A4
St-Ellier-les-Bois 61 53 D4
St-Ellier-du-Maine 53 74 B1
St-Éloi 23 150 B4
St-Éloi 01 156 B4
St-Éloi 58 137 D1
St-Éloi-de-Fourques 27 31 D3
St-Élophe 88 86 A1
St-Eloy 29 45 F3
St-Éloy-d'Allier 03 135 F4
St-Éloy-de-Gy 18 119 D3
St-Éloy-la-Glacière 63 169 D3
St-Éloy-les-Mines 63 152 B3
St-Éloy-les-Tuileries 19 180 C1
St-Éman 28 78 A2
St-Émiland 71 139 E1
St-Émilion 33 195 D1
St-Ennemond 03 137 E3
St-Épain 37 115 F3
St-Epvre 57 64 C1
St-Erblon 35 73 D4
St-Erblon 53 94 A2
St-Erme-Outre-et-Ramecourt 02 36 A1
St-Escobille 91 79 E1
St-Esteben 64 225 D4
St-Estèphe 16 162 B3
St-Estèphe 33 177 D2
St-Estèphe 24 163 E3
St-Estève 66 262 C2
St-Estève-Janson 13 237 D2
St-Étienne 42 170 C4
St-Étienne 04 221 E3
St-Étienne-à-Arnes 08 37 E2
St-Étienne-l'Allier 27 30 C3
St-Étienne-au-Mont 62 2 C4
St-Étienne-au-Temple 51 61 D1
St-Étienne-aux-Clos 19 167 D3
St-Étienne-Cantalès 15 182 C4
St-Étienne-la-Cigogne 79 146 A3
St-Étienne-d'Albagnan 34 232 C3
St-Étienne-de-Baïgorry 64 246 C2
St-Étienne-de-Boulogne 07 203 D2
St-Étienne-de-Brillouet 85 129 F4
St-Étienne-de-Carlat 15 199 F1
St-Étienne-de-Chigny 37 115 E1
St-Étienne-de-Chomeil 15 183 D1
St-Étienne-de-Crossey 38 189 D1
St-Étienne-de-Cuines 73 190 B1
St-Étienne-de-Fontbellon 07 203 D3
St-Étienne-de-Fougères 47 196 A4
St-Étienne-de-Fursac 23 149 F3
St-Étienne-de-Gourgas 34 233 E2
St-Étienne-de-Lisse 33 195 D1
St-Étienne-de-Lugdarès 07 202 B3
St-Étienne-de-Maurs 15 199 D2
St-Étienne-de-Mer-Morte 44 128 C1
St-Étienne-de-Montluc 44 111 E2
St-Étienne-de-l'Olm 30 218 B3
St-Étienne-de-Puycorbier 24 178 C3
St-Étienne-de-St-Geoirs 38 188 C1
St-Étienne-de-Serre 07 203 E1
St-Étienne-de-Tinée 06 223 E1
St-Étienne-de-Tulmont 82 213 E3
St-Étienne-de-Valoux 07 187 E2
St-Étienne-de-Vicq 03 153 E3
St-Étienne-de-Villeréal 47 196 C3
St-Étienne-des-Champs 63 167 D2
St-Étienne-des-Guérets 41 98 A4
St-Étienne-des-Oullières 69 155 E3
St-Étienne-des-Sorts 30 219 D2
St-Étienne-d'Orthe 40 225 D2
St-Étienne-du-Bois 85 129 D1
St-Étienne-du-Bois 01 156 B2
St-Étienne-du-Grès 13 236 A1
St-Étienne-du-Gué-de-l'Isle 22 71 E3
St-Étienne-du-Rouvray 76 31 F2
St-Étienne-du-Valdonnez 48 201 F4
St-Étienne-du-Vauvray 27 31 F3
St-Étienne-du-Vigan 43 202 A2
St-Étienne-en-Bresse 71 140 B2
St-Étienne-en-Coglès 35 73 F1
St-Étienne-en-Dévoluy 05 206 A2
St-Étienne-Estréchoux 34 233 D2
St-Étienne-la-Geneste 19 182 C1
St-Étienne-Lardeyrol 43 186 A3
St-Étienne-le-Laus 05 206 B3
St-Étienne-le-Molard 42 170 B2
St-Étienne-lès-Remiremont 88 87 F4
St-Étienne-Roilaye 60 34 C2
St-Étienne-sous-Bailleul 27 32 A4
St-Étienne-sous-Barbuise 10 83 D1
St-Étienne-sur-Blesle 43 184 B2
St-Étienne-sur-Chalaronne 01 155 F3
St-Étienne-sur-Reyssouze 01 156 A1
St-Étienne-sur-Suippe 51 36 C2
St-Étienne-sur-Usson 63 168 C4
St-Étienne-la-Thillaye 14 30 A2
St-Étienne-Vallée-Française 48 217 F2
St-Étienne-la-Varenne 69 155 E3
St-Eugène 02 59 F1
St-Eugène 17 161 F4
St-Eugène 71 138 C2
St-Eulien 51 62 A3
St-Euphraise-et-Clairizet 51 36 B3
St-Euphrône 21 122 B1
St-Eusèbe 74 157 F4
St-Eusèbe 71 139 E3
St-Eusèbe-en-Champsaur 05 206 A2
St-Eustache 74 174 A1
St-Eustache-la-Forêt 76 30 C1
St-Eutrope 16 178 B1
St-Eutrope-de-Born 47 196 B3
St-Évarzec 29 69 D3
St-Evroult-de-Montfort 61 53 F2
St-Evroult-Notre-Dame-du-Bois 61 54 B2
St-Exupéry 33 195 D3
St-Exupéry-les-Roches 19 166 C4
St-Eynard (Fort du) 38 189 E2
St-Fargeau 89 101 E3
St-Fargeau-Ponthierry 77 58 A4
St-Fargeol 03 151 F3
St-Faust 64 248 B1
St-Félicien 07 187 D3
St-Féliu-d'Amont 66 262 B2
St-Féliu-d'Avall 66 262 B2
St-Félix 46 199 D3
St-Félix 17 146 A3
St-Félix 74 173 E1
St-Félix 60 33 F2
St-Félix 16 178 B1
St-Félix 03 153 E2
St-Félix-de-Bourdeilles 24 179 E1
St-Félix-de-Foncaude 33 195 D2
St-Félix-de-l'Héras 34 233 E1
St-Félix-de-Lodez 34 233 F2
St-Félix-de-Lunel 12 199 F3
St-Félix-de-Pallières 30 217 F3
St-Félix-de-Reillac-et-Mortemart 24 180 A4
St-Félix-de-Rieutord 09 252 B3
St-Félix-de-Sorgues 12 232 C1
St-Félix-de-Tournegat 09 252 B2
St-Félix-de-Villadeix 24 179 E4
St-Félix-Lauragais 31 230 C4
St-Fergeux 08 20 C4
St-Ferjeux 70 107 E4
St-Ferme 33 195 E2
St-Ferréol 74 174 B2
St-Ferréol 31 250 B1
St-Ferréol (Bassin de) 31 231 D4
St-Ferréol-d'Auroure 43 186 B1
St-Ferréol-des-Côtes 63 169 E4
St-Ferréol-Trente-Pas 26 204 B4
St-Ferriol 11 253 E4
St-Fiacre 22 47 E4
St-Fiacre 56 70 A3
St-Fiacre 77 58 C1
St-Fiacre-sur-Maine 44 112 B3
St-Fiel 23 150 B3
St-Firmin 05 206 A1
St-Firmin 71 139 E2
St-Firmin 54 86 C1
St-Firmin 58 120 C4
St-Firmin-sur-Loire 45 100 C4
St-Firmin-des-Bois 45 101 D1
St-Firmin-des-Prés 41 98 A2
St-Flavy 10 83 E1
St-Florent 2b 265 E2
St-Florent 45 100 B3
St-Florent-des-Bois 85 129 E3
St-Florent (Golfe de) 2B 265 E2
St-Florent-sur-Auzonnet 30 218 A2
St-Florent-sur-Cher 18 135 E1
St-Florent-le-Vieil 49 113 D1
St-Florentin 36 117 F4
St-Florentin 89 102 B1
St-Floret 63 168 B4
St-Floris 62 4 B4
St-Flour 63 169 D3
St-Flour 15 184 A4
St-Flour-de-Mercoire 48 202 A2
St-Flovier 37 133 E1
St-Floxel 50 25 D3
St-Folquin 62 3 E2
St-Fons 69 171 E2
St-Forgeot 71 122 B4
St-Forget 78 57 D3
St-Forgeux 69 171 D1
St-Forgeux-Lespinasse 42 154 A3
St-Fort 53 95 D2
St-Fort-sur-Gironde 17 160 C4
St-Fort-sur-le-Né 16 161 F3
St-Fortunat-sur-Eyrieux 07 203 E1
St-Fraigne 16 147 D4
St-Fraimbault 61 74 C1
St-Fraimbault-de-Prières 53 75 D2
St-Frajou 31 250 C1
St-Franc 73 173 D4
St-Franchy 58 120 C3
St-François-de-Sales 73 173 F2
St-François-Lacroix 57 40 C2
St-François-Longchamp 73 174 B4
St-Frégant 29 45 E2
St-Fréjoux 19 166 C4
St-Frézal-d'Albuges 48 202 A3
St-Frézal-de-Ventalon 48 217 F1
St-Frichoux 11 254 A2
St-Frion 23 166 C1
St-Fromond 50 27 E3
St-Front 16 162 C1
St-Front 43 186 B4
St-Front-d'Alemps 24 179 F1
St-Front-de-Pradoux 24 179 D3
St-Front-la-Rivière 24 163 F4
St-Front-sur-Lémance 47 197 D3
St-Front-sur-Nizonne 24 163 E4
St-Froult 17 160 B1
St-Fulgent 85 129 F1
St-Fulgent-des-Ormes 61 76 C2
St-Fuscien 80 17 E2
St-Gabriel 13 236 A1
St-Gabriel-Brécy 14 28 C2
St-Gal 48 201 E2
St-Gal-sur-Sioule 63 152 B3
St-Galmier 42 170 C3
St-Gand 70 106 A4
St-Ganton 35 93 D2
St-Gatien-des-Bois 14 30 A2
St-Gaudens 31 250 B2
St-Gaudent 86 147 E3
St-Gaudéric 11 252 C2
St-Gault 53 94 C1
St-Gaultier 36 134 A3
St-Gauzens 81 230 C2
St-Gayrand 47 211 D1
St-Gein 40 226 C1
St-Gelais 79 146 B1
St-Gelven 22 70 C2
St-Gély-du-Fesc 34 234 B2
St-Génard 79 146 C3
St-Gence 87 164 B1
St-Généroux 79 131 E1
St-Genès-Champanelle 63 168 A2
St-Genès-Champespe 63 183 E1
St-Genès-de-Blaye 33 177 D2
St-Genès-de-Castillon 33 195 D1
St-Genès-de-Fronsac 33 177 F3
St-Genès-de-Lombaud 33 194 B2
St-Genès-du-Retz 63 152 C4
St-Genès-la-Tourette 63 169 D4
St-Genest 88 87 E1
St-Genest 03 151 F2
St-Genest-d'Ambière 86 132 B2
St-Genest-de-Beauzon 07 202 C4
St-Genest-de-Contest 81 231 D2
St-Genest-Lachamp 07 203 D1
St-Genest-Lerpt 42 170 C4
St-Genest-Malifaux 42 186 C1
St-Genest-sur-Roselle 87 165 D3
St-Geneys-près-St-Paulien 43 185 E3
St-Gengoulph 02 35 D4
St-Gengoux-de-Scissé 71 140 A4
St-Gengoux-le-National 71 139 F3
St-Geniès 24 180 C4
St-Geniès-le-Bas 34 233 D4
St-Geniès-Bellevue 31 230 A2
St-Geniès-de-Comolas 30 219 E3
St-Geniès-de-Malgoirès 30 218 B4
St-Geniès-de-Varensal 34 232 C2
St-Geniès-des-Mourgues 34 234 C2
St-Geniez 04 221 F1
St-Geniez-d'Olt 12 200 C4
St-Geniez-ô-Merle 19 182 B3
St-Genis 05 205 E4
St-Genis-l'Argentière 69 171 D2
St-Genis-de-Saintonge 17 161 D4
St-Génis-des-Fontaines 66 262 C3
St-Genis-d'Hiersac 16 162 B2
St-Genis-du-Bois 33 194 C2
St-Genis-Laval 69 171 E2
St-Genis-les-Ollières 69 171 E2
St-Genis-Pouilly 01 157 F2
St-Genis-sur-Menthon 01 156 A2
St-Genis-Terrenoire 42 171 D4
St-Genix-sur-Guiers 73 173 D3
St-Genou 36 134 A1
St-Genouph 37 115 F1
St-Geoire-en-Valdaine 38 173 D4
St-Geoirs 38 188 C1
St-Georges 32 229 D2
St-Georges 62 9 D2
St-Georges 15 184 B4
St-Georges 82 213 F2
St-Georges 57 65 F3
St-Georges 47 196 C4
St-Georges 16 147 E4
St-Georges-Armont 25 126 B1
St-Georges-lès-Baillargeaux 86 132 B3
St-Georges-les-Bains 07 203 F1
St-Georges-Blancaneix 24 179 D4
St-Georges-Buttavent 53 74 C2
St-Georges-d'Annebecq 61 52 C3
St-Georges-d'Aunay 14 28 B4
St-Georges-d'Aurac 43 185 D3
St-Georges-de-Baroille 42 170 B1
St-Georges-de-Bohon 50 27 D3
St-Georges-de-Chesné 35 73 F2
St-Georges-de-Commiers 38 189 E3
St-Georges-de-la-Couée 72 97 D2
St-Georges-de-Cubillac 17 161 E4
St-Georges-de-Didonne 17 160 B3
St-Georges-de-Gréhaigne 35 50 B4
St-Georges-de-Lévéjac 48 216 C1
St-Georges-de-Livoye 50 51 D3
St-Georges-de-Longuepierre 17 146 B4

St-Georges-de-Luzencon 12 216 A3
St-Georges-de-Mons 63 167 F1
St-Georges-de-Montaigu 85 129 E1
St-Georges-de-Montclard 24 179 E4
St-Georges-de-Noisné 79 131 D4
St-Georges-de-Pointindoux 85 128 C3
St-Georges-de-Poisieux 18 136 A3
St-Georges-de-Reintembault 35 50 C4
St-Georges-de-Reneins 69 155 E3
St-Georges-de-Rex 79 146 A2
St-Georges-de-la-Rivière 50 24 B4
St-Georges-de-Rouelley 50 51 F4
St-Georges-d'Elle 50 28 A3
St-Georges-des-Agoûts 17 177 D1
St-Georges-des-Coteaux 17 161 D2
St-Georges-des-Groseillers 61 52 B2
St-Georges-des-Hurtières 73 174 B4
St-Georges-des-Sept-Voies 49 114 A2
St-Georges-d'Espéranche 38 172 A3
St-Georges-d'Oléron 17 144 C4
St-Georges-d'Orques 34 234 B3
St-Georges-du-Bois 72 96 B1
St-Georges-du-Bois 17 145 F3
St-Georges-du-Bois 49 95 F4
St-Georges-du-Mesnil 27 30 C3
St-Georges-du-Puy-de-la-Garde 49 113 E3
St-Georges-du-Rosay 72 77 D3
St-Georges-du-Vièvre 27 30 C3
St-Georges-en-Auge 14 53 E1
St-Georges-en-Couzan 42 169 F2
St-Georges-le-Fléchard 53 75 D4
St-Georges-le-Gaultier 72 75 F2
St-Georges (Gorges de) 11 261 E1
St-Georges-Haute-Ville 42 170 B4
St-Georges-Lagricol 43 185 F2
St-Georges-les-Landes 87 149 E2
St-Georges-Montcocq 50 27 E3
St-Georges-Motel 27 55 F3
St-Georges-Nigremont 23 166 C2
St-Georges-la-Pouge 23 150 B4
St-Georges-sur-l'Aa 59 3 E2
St-Georges-sur-Allier 63 168 B2
St-Georges-sur-Arnon 36 118 B4
St-Georges-sur-Baulche 89 102 A2
St-Georges-sur-Cher 41 116 C2
St-Georges-sur-Erve 53 75 E3
St-Georges-sur-Eure 28 78 B1
St-Georges-sur-Fontaine 76 31 F1
St-Georges-sur-Layon 49 114 A3
St-Georges-sur-Loire 49 113 E1
St-Georges-sur-Moulon 18 119 D3
St-Georges-sur-la-Prée 18 118 B3
St-Georges-sur-Renon 01 156 A3
St-Geours-d'Auribat 40 225 F1
St-Geours-de-Maremne 40 225 D2
St-Gérand 56 71 D3
St-Gérand-de-Vaux 03 153 D1
St-Gérand-le-Puy 03 153 E2
St-Géraud 47 195 E3
St-Géraud-de-Corps 24 178 C4
St-Géréon 44 112 C1
St-Germain 07 203 D3
St-Germain 70 107 D2
St-Germain 86 133 D4
St-Germain 54 87 D1
St-Germain 10 83 D3
St-Germain-l'Aiguiller 85 130 B3
St-Germain-lès-Arlay 39 141 E2
St-Germain-lès-Arpajon 91 57 E4
St-Germain-au-Mont-d'Or 69 171 E1
St-Germain-Beaupré 23 149 F2
St-Germain-les-Belles 87 165 D3
St-Germain-la-Blanche-Herbe 14 29 D3
St-Germain-lès-Buxy 71 140 A3
St-Germain-la-Campagne 27 30 B4
St-Germain-la-Chambotte 73 173 E2
St-Germain-Chassenay 58 137 E2
St-Germain-le-Châtelet 90 108 A2
St-Germain-lès-Corbeil 91 58 A4
St-Germain-en-Brionnais 71 154 C2
St-Germain-en-Coglès 35 73 F1
St-Germain-en-Laye 78 57 D2
St-Germain-en-Montagne 39 142 A2
St-Germain-et-Mons 24 196 A1
St-Germain-le-Fouilloux 53 74 C3
St-Germain-le-Gaillard 28 78 B1
St-Germain-le-Gaillard 50 24 C3
St-Germain-la-Gâtine 28 78 B1
St-Germain-le-Guillaume 53 74 C3
St-Germain-l'Herm 63 169 D4
St-Germain-Langot 14 52 C1
St-Germain-Laprade 43 185 F3
St-Germain-Laval 42 169 F2
St-Germain-Laval 77 81 D2
St-Germain-Lavolps 19 166 B3
St-Germain-Laxis 77 58 B4
St-Germain-Lembron 63 168 B4
St-Germain-Lespinasse 42 154 A3
St-Germain-la-Montagne 42 154 C2
St-Germain-les-Paroisses 01 173 D2
St-Germain-la-Poterie 60 33 D1
St-Germain-près-Herment 63 167 D2
St-Germain-le-Rocheux 21 104 A2
St-Germain-lès-Senailly 21 103 E4
St-Germain-Source-Seine 21 104 A4
St-Germain-sous-Cailly 76 15 F4
St-Germain-sous-Doue 77 59 D2
St-Germain-sur-l'Arbresle 69 171 D1
St-Germain-sur-Avre 27 55 E3
St-Germain-sur-Ay 50 26 C3
St-Germain-sur-Bresle 80 16 C2
St-Germain-sur-Eaulne 76 16 A3
St-Germain-sur-École 77 80 B1
St-Germain-sur-Ille 35 73 D2
St-Germain-sur-Meuse 55 63 E3
St-Germain-sur-Moine 49 112 C3
St-Germain-sur-Morin 77 58 B2
St-Germain-sur-Renon 01 156 A3
St-Germain-sur-Rhône 74 157 E3
St-Germain-sur-Sarthe 72 76 A2
St-Germain-sur-Sèves 50 27 D3
St-Germain-sur-Vienne 37 114 C3
St-Germain-le-Vasson 14 52 C1
St-Germain-les-Vergnes 19 181 E2
St-Germain-le-Vieux 61 53 F4
St-Germain-Village 27 30 C2
St-Germain-la-Ville 51 61 D2
St-Germainmont 08 36 C1
St-Germain-d'Anxure 53 74 C3
St-Germain-d'Arcé 72 96 C3
St-Germain-d'Aunay 61 54 A1
St-Germain-de-Belvès 24 197 D1
St-Germain-de Calberte 48 217 F2
St-Germain-de-Clairefeuille 61 53 E3
St-Germain-de-Confolens 16 148 B4
St-Germain-de-la-Coudre 61 77 D2
St-Germain-de-Coulamer 53 75 F2
St-Germain-de-Fresney 27 55 E1
St-Germain-de-la-Grange 78 56 C2
St-Germain-de-Grave 33 194 C3
St-Germain-de-Joux 01 157 E2
St-Germain-de-Livet 14 30 A4
St-Germain-de-Longue-Chaume 79 131 D3
St-Germain-de-Lusignan 17 161 E4
St-Germain-de-Marencennes 17 145 F3
St-Germain-de-Martigny 61 54 A4
St-Germain-de-Modéon 21 122 A1
St-Germain-de-Montbron 16 163 D3
St-Germain-de-Montgommery 14 53 E1
St-Germain-de-Pasquier 27 31 E3
St-Germain-de-Prinçay 85 129 F2
St-Germain-de-la-Rivière 33 177 F4
St-Germain-de-Salles 03 152 C3
St-Germain-de-Tallevende 14 51 E2
St-Germain-de-Tournebut 50 25 D2
St-Germain-de-Varreville 50 25 E3
St-Germain-de-Vibrac 17 161 F4
St-Germain-d'Ectot 14 28 B4
St-Germain-d'Elle 50 28 A4
St-Germain-des-Angles 27 31 F4
St-Germain-des-Bois 58 121 D2
St-Germain-des-Bois 18 136 A1
St-Germain-des-Champs 89 121 F1
St-Germain-des-Essourts 76 32 A1
St-Germain-des-Fossés 03 153 D3
St-Germain-des-Grois 61 77 E2
St-Germain-des-Prés 49 113 E1
St-Germain-des-Prés 45 101 D1
St-Germain-des-Prés 24 180 B1
St-Germain-des-Prés 81 231 D3
St-Germain-des-Vaux 50 24 B1
St-Germain-d'Esteuil 33 176 C1
St-Germain-d'Étables 76 15 F2
St-Germain-du-Bel-Air 46 197 F3
St-Germain-du-Bois 71 140 C2
St-Germain-du-Corbéis 61 76 A1
St-Germain-du-Crioult 14 52 A2
St-Germain-du-Pert 14 27 E2
St-Germain-du-Pinel 35 74 A4
St-Germain-du-Plain 71 140 B3
St-Germain-du-Puch 33 194 C1
St-Germain-du-Puy 18 119 D4
St-Germain-du-Salembre 24 179 D3
St-Germain-du-Seudre 17 161 D4
St-Germain-du-Teil 48 201 D4
St-Germé 32 227 D2
St-Germer-de-Fly 60 32 C2
St-Germier 79 147 D1
St-Germier 32 229 D2
St-Germier 81 231 E2
St-Germier 31 230 B4
St-Géron 43 184 C1
St-Gérons 15 182 B4
St-Gervais 30 219 D2
St-Gervais 33 177 E4
St-Gervais 38 188 C2
St-Gervais 16 147 F4
St-Gervais 85 128 A1
St-Gervais 95 32 C3
St-Gervais-les-Bains 74 159 D4
St-Gervais-d'Auvergne 63 152 A4
St-Gervais-de-Vic 72 97 E2
St-Gervais-des-Sablons 61 53 E2
St-Gervais-du-Perron 61 53 E4
St-Gervais-en-Belin 72 96 B2
St-Gervais-en-Vallière 71 140 B1
St-Gervais-la-Forêt 41 98 B4
St-Gervais-sous-Meymont 63 169 D3
St-Gervais-sur-Couches 71 139 E1
St-Gervais-sur-Mare 34 232 C2
St-Gervais-sur-Roubion 26 204 A3
St-Gervais-les-Trois-Clochers 86 132 B1
St-Gervasy 30 218 C4
St-Gervazy 63 184 B1
St-Géry 46 198 A4
St-Géry 24 178 C4
St-Geyrac 24 180 A3
St-Gibrien 51 61 D1
St-Gilbert (Ancienne Abbaye de) 03 153 D2
St-Gilles-les-Bois 22 47 E2
St-Gildas 22 47 E4
St-Gildas-de-Rhuys 56 91 D4
St-Gildas-des-Bois 44 92 C4
St-Gildas (Pointe de) 44 110 C3
St-Gilles-les-Forêts 87 165 E3
St-Gilles 30 235 E2
St-Gilles 50 27 E4
St-Gilles 35 72 C3
St-Gilles 36 149 F1
St-Gilles 51 36 A3
St-Gilles 71 139 F1
St-Gilles-Croix-de-Vie 85 128 B2
St-Gilles-de-Crétot 76 14 C4
St-Gilles-de-la-Neuville 76 14 B4
St-Gilles-des-Marais 61 52 A4
St-Gilles-du-Mené 22 71 F2
St-Gilles-Pligeaux 22 70 C1
St-Gilles-Vieux-Marché 22 71 D2
St-Gineis-en-Coiron 07 203 E3
St-Gingolph 74 159 D1
St-Girod 73 173 E2
St-Girons 09 259 E2
St-Girons 64 225 F3
St-Girons-d'Aiguevives 33 177 E3
St-Gladie-Arrive-Munein 64 225 E4
St-Glen-Penguily 22 71 F1
St-Goazec 29 69 F2
St-Gobain 02 19 E4
St-Gobert 02 20 A3
St-Goin 64 247 F1
St-Gond (Marais de) 51 60 B2
St-Gondon 45 100 B3
St-Gondran 35 72 C2
St-Gonéry 22 47 D1
St-Gonlay 35 72 B3
St-Gonnery 56 71 D3
St-Gor 40 210 A3
St-Gorgon 56 92 B3
St-Gorgon 88 87 F2
St-Gorgon-Main 25 126 A4
St-Gouéno 22 71 F2
St-Gourgon 41 97 F3
St-Gourson 16 147 F4
St-Goussaud 23 149 F4
St-Gouvry 56 71 E3
St-Gratien 95 57 E1
St-Gratien 80 17 F1
St-Gratien-Savigny 58 138 A1
St-Gravé 56 92 B2
St-Grégoire 81 214 C4
St-Grégoire 35 73 D3
St-Grégoire-d'Ardennes 17 161 E4
St-Grégoire-du-Vièvre 27 30 C3
St-Griède 32 227 D2
St-Groux 16 162 C1
St-Guen 22 71 D2
St-Guilhem-le-Désert 34 233 F2
St-Guillaume 38 189 D4
St-Guinoux 35 49 F3
St-Guiraud 34 233 F2
St-Guyomard 56 91 F2
St-Haon 43 202 A1
St-Haon-le-Châtel 42 154 A4
St-Haon-le-Vieux 42 154 A3
St-Héand 42 170 C4
St-Hélen 22 49 E4
St-Hélier 21 123 D1
St-Hellier 76 15 F3
St-Herblain 44 111 F2
St-Herblon 44 112 C1
St-Herbot 29 46 A4
St-Hérent 63 168 B4
St-Hernin 29 69 F1
St-Hervé 22 71 D2
St-Hilaire 38 189 E1
St-Hilaire 25 125 F1
St-Hilaire 43 184 C1
St-Hilaire 16 162 A4
St-Hilaire 46 199 D2
St-Hilaire 63 151 F3
St-Hilaire 31 229 E4
St-Hilaire 11 253 E3
St-Hilaire 91 79 F1
St-Hilaire 03 137 D4
St-Hilaire-les-Andrésis 45 81 D4
St-Hilaire-au-Temple 51 37 D4
St-Hilaire-Bonneval 87 165 D2
St-Hilaire-le-Château 23 150 B4
St-Hilaire-le-Châtel 61 54 B4
St-Hilaire-Cottes 62 9 E1
St-Hilaire-les-Courbes 19 165 F3
St-Hilaire-la-Croix 63 152 B4
St-Hilaire-Cusson-la-Valmitte 42 186 A1
St-Hilaire-de-Beauvoir 34 234 C2
St-Hilaire-de-Brens 38 172 B2
St-Hilaire-de-Brethmas 30 218 B3
St-Hilaire-de-Briouze 61 52 C3
St-Hilaire-de-Chaléons 44 111 D3
St-Hilaire-de-Clisson 44 112 B3
St-Hilaire-de-la-Côte 38 188 B1
St-Hilaire-de-Court 18 118 B3
St-Hilaire-de-Gondilly 18 119 F4
St-Hilaire-de-Lavit 48 217 F2
St-Hilaire-de-Loulay 85 112 B4
St-Hilaire-de-Lusignan 47 211 E2
St-Hilaire-de-la-Noaille 33 195 D3
St-Hilaire-de-Riez 85 128 B2
St-Hilaire-de-Villefranche 17 161 D1
St-Hilaire-de-Voust 85 130 B3
St-Hilaire-des-Landes 35 73 F2
St-Hilaire-des-Loges 85 130 B4
St-Hilaire-d'Estissac 24 179 D4
St-Hilaire-d'Ozilhan 30 219 D4
St-Hilaire-du-Bois 17 177 E1
St-Hilaire-du-Bois 33 195 D2
St-Hilaire-du-Bois 49 113 F3
St-Hilaire-du-Bois 85 130 A3
St-Hilaire-du-Harcouët 50 51 D3
St-Hilaire-du-Maine 53 74 B3
St-Hilaire-du-Rosier 38 188 B3
St-Hilaire-en-Lignières 18 135 E3
St-Hilaire-en-Morvan 58 121 F4
St-Hilaire-en-Woëvre 55 39 E4
St-Hilaire-Foissac 19 182 B1
St-Hilaire-Fontaine 58 138 A2
St-Hilaire-la-Forêt 85 144 B1
St-Hilaire-la-Gérard 61 53 E4
St-Hilaire-le-Grand 51 37 D3
St-Hilaire-la-Gravelle 41 98 B1
St-Hilaire-lez-Cambrai 59 11 D4
St-Hilaire-le-Lierru 72 77 D4
St-Hilaire-Luc 19 182 B1
St-Hilaire-les-Monges 63 167 E2
St-Hilaire-la-Palud 79 145 F2
St-Hilaire-le-Petit 51 37 D3
St-Hilaire-Petitville 50 27 D2
St-Hilaire-Peyroux 19 181 E2
St-Hilaire-les-Places 87 164 C3
St-Hilaire-la-Plaine 23 150 C3
St-Hilaire-St-Florent 49 114 B2
St-Hilaire-St-Mesmin 45 99 E2
St-Hilaire-sous-Charlieu 42 154 B3
St-Hilaire-sous-Romilly 10 82 B1
St-Hilaire-sur-Benaize 36 133 E4
St-Hilaire-sur-Erre 61 77 E2
St-Hilaire-sur-Helpe 59 12 B4
St-Hilaire-sur-Puiseaux 45 100 C2
St-Hilaire-sur-Risle 61 54 B3
St-Hilaire-sur-Yerre 28 78 A4
St-Hilaire-Taurieux 19 181 F3
St-Hilaire-la-Treille 87 149 E2
St-Hilaire-le-Vouhis 85 129 F3
St-Hilarion 78 56 B4
St-Hilliers 77 59 E4
St-Hippolyte 17 160 C1
St-Hippolyte 68 89 D2
St-Hippolyte 37 116 C4
St-Hippolyte 66 262 C1
St-Hippolyte 12 199 F2
St-Hippolyte 15 183 E2
St-Hippolyte 25 126 C1
St-Hippolyte 33 195 D1
St-Hippolyte 63 168 A1
St-Hippolyte-de-Caton 30 218 B3
St-Hippolyte-de-Montaigu 30 219 D3
St-Hippolyte-du-Fort 30 217 F4
St-Hippolyte-le-Graveron 84 220 A2
St-Honoré 38 189 E4
St-Honoré 76 15 F3
St-Honoré-les-Bains 58 138 B1
St-Hostien 43 186 A3
St-Hubert 57 40 C3
St-Huruge 71 139 F4
St-Hymer 14 30 A3
St-Hymetière 39 157 D1
St-Igeaux 22 70 C2
St-Igest 12 199 D4
St-Ignan 31 250 B2
St-Ignat 63 168 B1
St-Igny-de-Roche 71 154 C3
St-Igny-de-Vers 69 155 D2
St-Illide 15 182 C3
St-Illiers-le-Bois 78 56 A1
St-Illiers-la-Ville 78 56 A1
St-Ilpize 43 184 C2
St-Imoges 51 36 B4
St-Inglevert 62 2 C2
St-Isle 53 74 B4
St-Ismier 38 189 E2
St-Izaire 12 215 E4
St-Jacques 04 222 B3
St-Jacques-d'Aliermont 76 15 F2
St-Jacques-d'Ambur 63 167 E1
St-Jacques-d'Atticieux 07 187 D1
St-Jacques-de-la-Lande 35 73 D4
St-Jacques-de-Néhou 50 24 C3
St-Jacques-de-Thouars 79 114 B4
St-Jacques-des-Arrêts 69 155 D2
St-Jacques-des-Blats 15 183 E4
St-Jacques-des-Guérets 41 97 E2
St-Jacques-en-Valgodemard 05 206 A1
St-Jacques-sur-Darnétal 76 31 F1
St-Jacut-de-la-Mer 22 49 D3
St-Jacut-du-Mené 22 71 F2
St-Jacut-les-Pins 56 92 B2
St-Jal 19 181 E1
St-James 50 50 C4
St-Jammes 64 226 C4
St-Jans-Cappel 59 4 C3
St-Jean 31 230 A2
St-Jean-aux-Amognes 58 120 C4
St-Jean-aux-Bois 08 20 C3
St-Jean-aux-Bois 60 34 C2
St-Jean-le-Blanc 45 99 E2
St-Jean-le-Blanc 14 52 A1
St-Jean-Bonnefonds 42 170 C4
St-Jean-Brévelay 56 91 E1
St-Jean-la-Bussière 69 154 C4
St-Jean-lès-Buzy 55 39 E3
St-Jean-Cap-Ferrat 06 241 E4
St-Jean-le-Centenier 07 203 E3
St-Jean-Chambre 07 203 E1
St-Jean-le-Comtal 32 228 B3
St-Jean-les-Deux-Jumeaux 77 58 C1
St-Jean-en-Royans 26 188 B4
St-Jean-en-Val 63 168 C4
St-Jean-et-St-Paul 12 216 B4
St-Jean-la-Fouillouse 48 201 F2
St-Jean-Froidmentel 41 98 B1
St-Jean-Kerdaniel 22 47 E3
St-Jean-Kourtzerode 57 66 B2
St-Jean-Lachalm 43 185 E4
St-Jean-Lagineste 46 198 B1
St-Jean-Lasseille 66 262 C3
St-Jean-Lespinasse 46 198 B1
St-Jean-Lherm 31 230 B2
St-Jean-Ligoure 87 164 C3
St-Jean-lès-Longuyon 54 38 C1
St-Jean-Mirabel 46 199 D3
St-Jean Mont 88 86 B3
St-Jean-Pied-de-Port 64 246 C2
St-Jean-Pierre-Fixte 28 77 E2
St-Jean-Pla-de-Corts 66 262 B3
St-Jean-la-Poterie 56 92 B3
St-Jean-Poudge 64 226 C3
St-Jean-Poutge 32 228 A2
St-Jean-le-Priche 71 155 F1
St-Jean-le-Puy 42 154 A4
St-Jean-Rohrbach 57 41 E4
St-Jean-Roure 07 186 C4
St-Jean-St-Germain 37 116 C4
St-Jean-St-Gervais 63 184 C1
St-Jean-St-Nicolas 05 206 B2
St-Jean-Saverne 67 66 C2
St-Jean-Soleymieux 42 170 A4
St-Jean-sur-Couesnon 35 73 F2
St-Jean-sur-Erve 53 75 E4
St-Jean-sur-Mayenne 53 74 C3
St-Jean-sur-Moivre 51 61 E1
St-Jean-sur-Reyssouze 01 156 A1
St-Jean-sur-Tourbe 51 37 E4
St-Jean-sur-Veyle 01 155 F2
St-Jean-sur-Vilaine 35 73 F3
St-Jean-le-Thomas 50 50 B3
St-Jean-Trolimon 29 68 C4
St-Jean-la-Vêtre 42 169 E2
St-Jean-le-Vieux 64 246 C2
St-Jean-le-Vieux 01 156 C4
St-Jean-le-Vieux 38 189 E2
St-Jeannet 06 240 B1
St-Jeannet 04 222 A4
St-Jean-d'Aigues-Vives 09 252 C4
St-Jean-d'Alcapiès 12 216 A4
St-Jean-d'Angély 17 146 A4
St-Jean-d'Angle 17 160 C1
St-Jean-d'Ardières 69 155 E3
St-Jean-d'Arves 73 190 B2
St-Jean-d'Arvey 73 173 F3
St-Jean-d'Assé 72 76 A3
St-Jean-d'Ataux 24 179 D3
St-Jean-d'Aubrigoux 43 185 E1
St-Jean-d'Aulps 74 159 D2
St-Jean-d'Avelanne 38 173 D4
St-Jean-de-Barrou 11 254 B4
St-Jean-de-Bassel 57 65 F2
St-Jean-de-Beauregard 91 57 D3
St-Jean-de-Belleville 73 174 C4
St-Jean-de-Beugné 85 129 F4
St-Jean-de-Blaignac 33 194 C1
St-Jean-de-la-Blaquière 34 233 F2
St-Jean-de-Bœuf 21 123 D3
St-Jean-de-Boiseau 44 111 E3
St-Jean-de-Bonneval 10 83 D3
St-Jean-de-Bournay 38 172 A4
St-Jean-de-Braye 45 99 E2
St-Jean-de-Buèges 34 234 A1
St-Jean-de-Ceyrargues 30 218 B3
St-Jean-de-Chevelu 73 173 E2
St-Jean-de-Côle 24 179 F1
St-Jean-de-Cornies 34 234 C2
St-Jean-de-Couz 73 173 E4
St-Jean-de-Crieulon 30 218 A4
St-Jean-de-la-Croix 49 113 F1
St-Jean-de-Cuculles 34 234 B2
St-Jean-de-Daye 50 27 E3
St-Jean-de-Duras 47 195 F2
St-Jean-de-Folleville 76 30 C1
St-Jean-de-la-Forêt 61 77 D2
St-Jean-de-Fos 34 233 F2
St-Jean-de-Gonville 01 157 F2
St-Jean-de-la-Haize 50 50 C3
St-Jean-de-Laur 46 198 B4
St-Jean-de-la-Léqueraye 27 30 C3
St-Jean-de-Lier 40 225 F1
St-Jean-de-Linières 49 113 E1
St-Jean-de-Liversay 17 145 E2
St-Jean-de-Livet 14 30 B4
St-Jean-de-Losne 21 124 A3
St-Jean-de-Luz 64 224 A4
St-Jean-de-Marcel 81 214 C3
St-Jean-de-Marsacq 40 225 D2
St-Jean-de-Maruéjols 30 218 B2
St-Jean-de-Maurienne 73 190 B1
St-Jean-de-Minervois 34 232 B4
St-Jean-de-Moirans 38 189 D1
St-Jean-de-Monts 85 128 A2
St-Jean-de-Moriani 2b 265 F4
St-Jean-de-la-Motte 72 96 B3
St-Jean-de-Muzols 07 187 E3
St-Jean-de-Nay 43 185 E3
St-Jean-de-la-Neuville 76 14 B4
St-Jean-de-Niost 01 172 B1
St-Jean-de-Paracol 11 253 D4
St-Jean-de-la-Porte 73 174 A3
St-Jean-de-Pourcharesse 07 202 C4
St-Jean-de-Rebervilliers 28 55 E4
St-Jean-de-Rives 81 230 C2
St-Jean-de-la-Rivière 50 24 C4
St-Jean-de-la-Ruelle 45 99 E1
St-Jean-de-Sauves 86 131 F2
St-Jean-de-Savigny 50 27 F3
St-Jean-de-Serres 30 218 A4
St-Jean-de-Sixt 74 158 C4
St-Jean-de-Soudain 38 172 C3
St-Jean-de-Tholome 74 158 C3
St-Jean-de-Thouars 79 131 E1
St-Jean-de-Thurac 47 211 F2
St-Jean-de-Thurigneux 01 155 F4
St-Jean-de-Touslas 69 171 E3
St-Jean-de-Trézy 71 139 E2
St-Jean-de-Valériscle 30 218 B2
St-Jean-de-Vals 81 231 E2
St-Jean-de-Vaulx 38 189 E3
St-Jean-de-Vaux 71 139 F2
St-Jean-de-Védas 34 234 B3
St-Jean-de-Verges 09 252 A3
St-Jean-Delnous 12 215 D3

St-Jean-des-Baisants 50 28 A4
St-Jean-des-Bois 61 51 F3
St-Jean-des-Champs 50 50 C2
St-Jean-des-Échelles 72 77 D3
St-Jean-des-Essartiers 14 28 B4
St-Jean-des-Mauvrets 49 113 F1
St-Jean-des-Ollières 63 168 C3
St-Jean-des-Vignes 69 171 D1
St-Jean-d'Estissac 24 179 D4
St-Jean-d'Étreux 39 156 C1
St-Jean-devant-Possesse 51 61 F2
St-Jean-d'Eyraud 24 179 D4
St-Jean-d'Hérans 38 205 E1
St-Jean-d'Heurs 63 168 C2
St-Jean-d'Illac 33 193 E1
St-Jean-d'Ormont 88 88 B2
St-Jean-du-Bois 72 96 A2
St-Jean-du-Bouzet 82 212 B4
St-Jean-du-Bruel 12 216 C4
St-Jean-du-Cardonnay 76 31 E1
St-Jean-du-Castillonnais 09 259 D3
St-Jean-du-Corail 50 51 E4
St-Jean-du-Corail-des-Bois 50 51 D2
St-Jean-du-Doigt 29 46 B2
St-Jean-du-Falga 09 252 A3
St-Jean-du-Gard 30 217 F3
St-Jean-du-Marché 88 87 F3
St-Jean-du-Pin 30 218 A3
St-Jean-du-Puy 13 243 F1
St-Jean-du-Thenney 27 54 B1
St-Jeanvrin 18 135 E4
St-Jeoire 74 158 C3
St-Jeoire-Prieuré 73 173 F3
St-Jeure-d'Andaure 07 186 C3
St-Jeure-d'Ay 07 187 E3
St-Jeures 43 186 B3
St-Joachim 44 110 C1
St-Jodard 42 170 B1
St-Joire 55 63 D4
St-Jores 50 27 D2
St-Jorioz 74 174 A1
St-Jory 31 229 F2
St-Jory-de-Chalais 24 164 A4
St-Jory-las-Bloux 24 180 A1
St-Joseph 42 171 D3
St-Joseph 50 25 D2
St-Joseph-de-Rivière 38 189 D1
St-Joseph-des-Bancs 07 203 D2
St-Josse 62 8 B1
St-Jouan-de-l'Isle 22 72 B2
St-Jouan-des-Guérets 35 49 E3
St-Jouin 14 29 F3
St-Jouin-Bruneval 76 14 A4
St-Jouin-de-Blavou 61 76 C1
St-Jouin-de-Marnes 79 131 E1
St-Jouin-de-Milly 79 130 C2
St-Jouvent 87 164 C1
St-Juan 25 126 A2
St-Judoce 22 72 C1
St-Juéry 81 214 C4
St-Juéry 48 200 C1
St-Juéry 12 215 E4
St-Juire-Champgillon 85 130 A3
St-Julia 31 230 C4
St-Julia-de-Bec 11 253 E4
St-Julien 83 238 A2
St-Julien 13 242 C1
St-Julien 38 172 B2
St-Julien 34 232 C3
St-Julien 21 123 F1
St-Julien 22 47 F4
St-Julien 39 156 C1
St-Julien 69 155 E4
St-Julien 88 86 B4

St-Julien 70 106 A3
St-Julien-l'Ars 86 132 B4
St-Julien-aux-Bois 19 182 B3
St-Julien-Beychevelle 33 177 D2
St-Julien-Boutières 07 186 C4
St-Julien-Chapteuil 43 186 A4
St-Julien-le-Châtel 23 151 D3
St-Julien-en-Beauchêne 05 205 E3
St-Julien-en-Born 40 208 A3
St-Julien-en-Champsaur 05 206 A2
St-Julien-en-Genevois 74 158 A3
St-Julien-en-Quint 26 204 C1
St-Julien-en-St-Alban 07 203 E2
St-Julien-en-Vercors 26 188 C3
St-Julien-Gaulène 81 215 D4
St-Julien-la-Geneste 63 152 A4
St-Julien-la-Genête 23 151 E3
St-Julien-lès-Gorze 54 39 E4
St-Julien-Labrousse 07 187 D4
St-Julien-Maumont 19 181 E4
St-Julien-lès-Metz 57 40 B3
St-Julien-Molhesabate 43 186 C2
St-Julien-Molin-Molette 42 187 D1
St-Julien-Mont-Denis 73 190 C1
St-Julien-lès-Montbéliard 25 107 F4
St-Julien-le-Pèlerin 19 182 B4
St-Julien-le-Petit 87 165 E2
St-Julien-près-Bort 19 182 C1
St-Julien-Puy-Lavèze 63 167 E3
St-Julien-les-Rosiers 30 218 A2
St-Julien-le-Roux 07 203 E1
St-Julien-lès-Russey 25 126 C2
St-Julien-sous-les-Côtes 55 63 E2
St-Julien-sur-Bibost 69 171 D2
St-Julien-sur-Calonne 14 30 B3
St-Julien-sur-Cher 41 117 F2
St-Julien-sur-Dheune 71 139 E2
St-Julien-sur-Reyssouze 01 156 A1
St-Julien-sur-Sarthe 61 76 C1
St-Julien-sur-Veyle 01 156 A2
St-Julien-le-Vendômois 19 164 C4
St-Julien-la-Vêtre 42 169 E2
St-Julien-les-Villas 10 83 D2
St-Julien-Vocance 07 187 D2
St-Julien-d'Ance 43 185 F2
St-Julien-d'Armagnac 40 210 B4
St-Julien-d'Arpaon 48 217 E1
St-Julien-d'Asse 04 222 A4
St-Julien-de-Bourdeilles 24 179 E1
St-Julien-de-Briola 11 252 C2
St-Julien-de-Cassagnas 30 218 B2
St-Julien-de-Chédon 41 116 C2
St-Julien-de-Civry 71 154 C2
St-Julien-de-Concelles 44 112 B2
St-Julien-de-Coppel 63 168 C3
St-Julien-de-Crempse 24 179 D4
St-Julien-de-l'Escap 17 161 E4

St-Julien-de-Gras-Capou 09 252 C3
St-Julien-de-l'Herms 38 172 A4
St-Julien-de-Jonzy 71 154 B2
St-Julien-de-Lampon 24 197 F1
St-Julien-de-la-Liègue 27 32 A4
St-Julien-de-Mailloc 14 30 B4
St-Julien-de-la-Nef 30 217 E4
St-Julien-de-Peyrolas 30 219 D1
St-Julien-de-Raz 38 189 D1
St-Julien-de-Toursac 15 199 D2
St-Julien-de-Vouvantes 44 94 A3
St-Julien-des-Chazes 43 185 D4
St-Julien-des-Landes 85 128 C3
St-Julien-des-Points 48 217 F2
St-Julien-d'Eymet 24 196 A2
St-Julien-d'Oddes 42 170 A1
St-Julien-du-Gua 07 203 D2
St-Julien-du-Pinet 43 186 A3
St-Julien-du-Puy 81 231 D2
St-Julien-du-Sault 89 81 F4
St-Julien-du-Serre 07 203 D2
St-Julien-du-Terroux 53 75 E1
St-Julien-du-Tournel 48 201 F4
St-Julien-du-Verdon 04 222 C4
St-Junien 87 164 A1
St-Junien-la-Bregère 23 165 F1
St-Junien-les-Combes 87 149 D3
St-Jure 57 64 B1
St-Jurs 04 222 B4
St-Just 27 32 B4
St-Just 24 179 D1
St-Just 18 119 D4
St-Just 34 234 C2
St-Just 01 156 B2
St-Just 07 219 D1
St-Just 35 92 C2
St-Just 63 169 E4
St-Just 15 201 D1
St-Just-Chaleyssin 38 171 F3
St-Just-d'Avray 69 155 D4
St-Just-de-Bélengard 11 253 D3
St-Just-de-Claix 38 188 B3
St-Just-en-Bas 42 169 F2
St-Just-en-Brie 77 59 D4
St-Just-en-Chaussée 60 33 F1
St-Just-en-Chevalet 42 169 E1
St-Just-et-le-Bézu 11 253 E4
St-Just-et-Vacquières 30 218 B3
St-Just-Ibarre 64 247 D2
St-Just-Luzac 17 160 B1
St-Just-Malmont 43 186 C1
St-Just-le-Martel 87 165 D1
St-Just-la-Pendue 42 170 B1
St-Just-près-Brioude 43 184 C2
St-Just-Sauvage 51 60 A4
St-Just-sur-Dive 49 114 B3
St-Just-sur-Loire 42 170 B4
St-Just-sur-Viaur 12 215 D3
St-Justin 32 227 E3
St-Juvat 22 72 B1
St-Juvin 08 38 A2
St-Lactencin 36 134 B1
St-Lager 69 155 E3
St-Lager-Bressac 07 203 F2
St-Lamain 39 141 E2
St-Lambert 78 57 D3
St-Lambert 14 52 B1
St-Lambert-des-Levées 49 114 B2
St-Lambert-du-Lattay 49 113 E2

St-Lambert-et-Mont-de-Jeux 08 37 E1
St-Lambert-la-Potherie 49 95 D4
St-Lambert-sur-Dive 61 53 E2
St-Langis-lès-Mortagne 61 77 D1
St-Lanne 65 227 D3
St-Laon 86 114 C4
St-Lary 32 228 B2
St-Lary 09 259 D3
St-Lary-Boujean 31 250 B2
St-Lary-Soulan 65 258 A4
St-Lattier 38 188 B3
St-Launeuc 22 72 A2
St-Laure 63 168 C1
St-Laurent 58 120 A2
St-Laurent 08 21 E3
St-Laurent 18 118 C3
St-Laurent 56 92 B2
St-Laurent 31 250 C1
St-Laurent 23 150 C3
St-Laurent 22 47 D2
St-Laurent 74 158 B3
St-Laurent 47 211 D2
St-Laurent-les-Bains 07 202 B3
St-Laurent-Blangy 62 10 A3
St-Laurent-Bretagne 64 227 D4
St-Laurent-Chabreuges 43 184 C2
St-Laurent-la-Conche 42 170 B3
St-Laurent-d'Agny 69 171 E3
St-Laurent-d'Aigouze 30 235 D2
St-Laurent-d'Andenay 71 139 E2
St-Laurent-d'Arce 33 177 E3
St-Laurent-de-la-Barrière 17 145 F4
St-Laurent-de-Belzagot 16 178 B1
St-Laurent-de-Brévedent 76 30 B1
St-Laurent-de-la-Cabrerisse 11 254 B3
St-Laurent-de-Carnols 30 219 D2
St-Laurent-de-Cerdans 66 262 A4
St-Laurent-de-Céris 16 163 E1
St-Laurent-de-Chamousset 69 170 C2
St-Laurent-de-Cognac 16 161 E2
St-Laurent-de-Condel 14 29 D4
St-Laurent-de-Cuves 50 51 D2
St-Laurent-de-Gosse 40 225 D3
St-Laurent-de-Jourdes 86 148 A1
St-Laurent-de-Lévézou 12 216 A2
St-Laurent-de-Lin 37 96 B4
St-Laurent-de-Mure 69 172 A2
St-Laurent-de-Muret 48 201 D3
St-Laurent-de-Neste 65 250 A3
St-Laurent-de-la-Plaine 49 113 E2
St-Laurent-de-la-Prée 17 145 E4
St-Laurent-de-la-Salanque 66 263 D1
St-Laurent-de-la-Salle 85 130 A3
St-Laurent-de-Terregatte 50 51 D4
St-Laurent-de-Trèves 48 217 E2
St-Laurent-de-Vaux 69 171 D2
St-Laurent-de-Veyrès 48 200 C2
St-Laurent-des-Arbres 30 219 E3
St-Laurent-des-Autels 49 112 C2
St-Laurent-des-Bâtons 24 179 F4
St-Laurent-des-Bois 41 98 C2
St-Laurent-des-Bois 27 55 F2

St-Laurent-des-Combes 16 178 B1
St-Laurent-des-Combes 33 195 D1
St-Laurent-des-Hommes 24 178 C3
St-Laurent-des-Mortiers 53 95 D2
St-Laurent-des-Vignes 24 196 A1
St-Laurent-d'Oingt 69 171 D1
St-Laurent-d'Olt 12 200 C4
St-Laurent-d'Onay 26 188 A2
St-Laurent-du-Bois 33 195 D3
St-Laurent-du-Cros 05 206 A2
St-Laurent-du-Mont 14 29 F4
St-Laurent-du-Mottay 49 113 D1
St-Laurent-du-Pape 07 203 F1
St-Laurent-du-Plan 33 195 D3
St-Laurent-du-Pont 38 189 D1
St-Laurent-du-Tencement 27 54 B2
St-Laurent-du-Var 06 240 B1
St-Laurent-du-Verdon 04 238 B1
St-Laurent-les-Églises 87 165 D1
St-Laurent-en-Beaumont 38 189 E4
St-Laurent-en-Brionnais 71 154 C2
St-Laurent-en-Caux 76 15 D3
St-Laurent-en-Gâtines 37 97 E4
St-Laurent-en-Grandvaux 39 142 A3
St-Laurent-en-Royans 26 188 C3
St-Laurent-et-Benon 33 176 C3
St-Laurent-la-Câtine 28 56 A3
St-Laurent-Lolmie 46 212 C1
St-Laurent-le-Minier 30 217 E4
St-Laurent-Nouan 41 98 C3
St-Laurent-la-Roche 39 141 D3
St-Laurent-Rochefort 42 169 F2
St-Laurent-sous-Coiron 07 203 D3
St-Laurent-sur-Gorre 87 164 B2
St-Laurent-sur-Manoire 24 179 F3
St-Laurent-sur-Mer 14 28 B2
St-Laurent-sur-Othain 55 39 D2
St-Laurent-sur-Saône 01 155 F2
St-Laurent-sur-Sèvre 85 130 A1
St-Laurent-les-Tours 46 198 C1
St-Laurent-la-Vallée 24 197 D2
St-Laurent-la-Vernède 30 218 C3
St-Laurs 79 130 C4
St-Léger 79 174 B4
St-Léger 17 161 D3
St-Léger 47 211 D1
St-Léger 53 75 E4
St-Léger 06 223 E3
St-Léger 77 59 D2
St-Léger 50 50 C2
St-Léger 16 162 B4
St-Léger 62 10 A4
St-Léger-aux-Bois 60 34 C1
St-Léger-aux-Bois 76 16 B2
St-Léger-Bridereix 23 149 F2
St-Léger-de-Balson 33 194 B4
St-Léger-de-Fougeret 58 121 F4
St-Léger-de-la-Martinière 79 147 D2
St-Léger-de-Montbrillais 86 114 C4
St-Léger-de-Montbrun 79 114 B4
St-Léger-de-Peyre 48 201 D3
St-Léger-de-Rôtes 27 31 D4
St-Léger-des-Aubées 28 79 D2

St-Léger-des-Bois 49 113 E1
St-Léger-des-Prés 35 73 D1
St-Léger-des-Vignes 58 137 F2
St-Léger-Domart 80 17 D1
St-Léger-du-Bois 71 122 C4
St-Léger-du-Bourg-Denis 76 31 F2
St-Léger-du-Gennetey 27 31 D3
St-Léger-du-Malzieu 48 201 D1
St-Léger-du-Ventoux 84 220 B2
St-Léger-Dubosq 14 29 F3
St-Léger-en-Bray 60 33 D2
St-Léger-en-Yvelines 78 56 C3
St-Léger-le-Guérétois 23 150 B3
St-Léger-lès-Paray 71 138 C4
St-Léger-Magnazeix 87 149 E2
St-Léger-les-Mélèzes 05 206 B2
St-Léger-la-Montagne 87 149 F4
St-Léger-le-Petit 18 120 A3
St-Léger-près-Troyes 10 83 D3
St-Léger-sous-Beuvray 71 138 C2
St-Léger-sous-Brienne 10 83 F1
St-Léger-sous-la-Bussière 71 155 D2
St-Léger-sous-Cholet 49 113 D3
St-Léger-sous-Margerie 10 61 E4
St-Léger-sur-Bresle 80 16 C2
St-Léger-sur-Dheune 71 139 F2
St-Léger-sur-Roanne 42 154 B4
St-Léger-sur-Sarthe 61 76 C1
St-Léger-Triey 21 124 A2
St-Léger-Vauban 89 121 F1
St-Léger-les-Vignes 44 111 E3
St-Léomer 86 148 C1
St-Léon 31 230 B4
St-Léon 03 153 F1
St-Léon 47 211 D1
St-Léon 33 194 C2
St-Léonard 32 228 C1
St-Léonard 88 88 B2
St-Léonard 51 36 C3
St-Léonard 76 14 B3
St-Léonard-de-Noblat 87 165 D1
St-Léonard-des-Bois 72 76 A2
St-Léonard-des-Parcs 61 53 F3
St-Léonard-en-Beauce 41 98 B2
St-Léon-d'Issigeac 24 196 B2
St-Léons 12 216 A2
St-Léopardin-d'Augy 03 137 D3
St-Léry 56 72 A3
St-Leu-d'Esserent 60 33 F3
St-Leu-la-Forêt 95 57 F1
St-Lézer 65 227 E4
St-Lézin 49 113 E2
St-Lié 51 36 B3
St-Lieux-Lafenasse 81 231 D2
St-Lieux-lès-Lavaur 81 230 B2
St-Lin 79 131 D4
St-Lions 04 222 B3
St-Lizier 09 259 E2
St-Lizier-du-Planté 32 229 D4
St-Lô 50 27 E3
St-Lô-d'Ourville 50 26 B2
St-Lon-les-Mines 40 225 D2
St-Longis 72 76 C2
St-Lormel 22 49 D3
St-Lothain 39 141 E2
St-Loube 32 229 D4
St-Loubert 33 195 D3
St-Loubès 33 177 E4
St-Loubouer 40 226 B2
St-Louet-sur-Seulles 14 28 C4

St-Louet-sur-Vire 50 51 E1
St-Louis 68 109 D3
St-Louis 57 66 B2
St-Louis-lès-Bitche 57 42 B4
St-Louis-de-Montferrand 33 177 E4
St-Louis-en-l'Isle 24 178 C3
St-Louis-et-Parahou 11 261 F1
St-Loup 58 120 A1
St-Loup 50 50 C3
St-Loup 17 146 A4
St-Loup 82 212 A3
St-Loup 39 124 A4
St-Loup 23 151 D3
St-Loup 41 118 A2
St-Loup 03 153 B2
St-Loup 51 60 A3
St-Loup 28 78 B2
St-Loup 69 171 D1
St-Loup-Cammas 31 230 A2
St-Loup-Champagne 08 36 C1
St-Loup-de-Buffigny 10 82 B1
St-Loup-de-Fribois 14 29 F4
St-Loup-de-Gonois 45 81 D4
St-Loup-de-Naud 77 59 D4
St-Loup-de-la-Salle 71 140 A1
St-Loup-de-Varennes 71 140 A2
St-Loup-des-Chaumes 18 135 F2
St-Loup-des-Vignes 45 80 A4
St-Loup-d'Ordon 89 101 E1
St-Loup-du-Dorat 53 95 E1
St-Loup-du-Gast 53 75 D1
St-Loup-en-Comminges 31 250 B2
St-Loup-Hors 14 28 B3
St-Loup-Lamairé 79 131 E2
St-Loup-Nantouard 70 124 C2
St-Loup (Pic) 34 234 B1
St-Loup-sur-Aujon 52 104 C1
St-Loup-sur-Semouse 70 106 C1
St-Loyer-des-Champs 61 53 D3
St-Lubin-en-Vergonnois 41 98 B4
St-Lubin-de-Cravant 28 55 E3
St-Lubin-de-la-Haye 28 56 B2
St-Lubin-des-Joncherets 28 55 E3
St-Luc 27 55 E1
St-Lucien 28 56 B1
St-Lucien 76 32 B1
St-Lumier-en-Champagne 51 61 E2
St-Lumier-la-Populeuse 51 62 A3
St-Lumine-de-Clisson 44 112 B3
St-Lumine-de-Coutais 44 111 E3
St-Lunaire 35 49 E3
St-Luperce 28 78 B1
St-Lupicin 39 157 E1
St-Lupien 10 82 B2
St-Lyé 10 83 D2
St-Lyé-la-Forêt 45 79 E4
St-Lyphard 44 110 C1
St-Lys 31 229 E3
St-Macaire 33 195 D3
St-Macaire-du-Bois 49 114 B3
St-Macaire-en-Mauges 49 113 D3
St-Maclou 27 30 B2
St-Maclou-la-Brière 76 14 B4
St-Maclou-de-Folleville 76 15 E3
St-Macoux 86 147 E3
St-Maden 22 72 B2
St-Magne 33 193 E3
St-Magne-de-Castillon 33 195 D1
St-Maigner 63 151 F3
St-Maigrin 17 161 F3
St-Maime 04 221 E4
St-Maixant 33 194 C3

St-Maixant 23 151 D4
St-Maixent 72 77 D4
St-Maixent-l'École 79 146 C1
St-Maixent-sur-Vie 85 128 B2
St-Maixme-Hauterive 28 55 E4
St-Malo 35 49 E2
St-Malo-de-Beignon 56 72 B4
St-Malo-de-Guersac 44 110 C1
St-Malo-de-la-Lande 50 26 C4
St-Malo-de-Phily 35 93 D1
St-Malo-des-Trois-Fontaines 56 71 F4
St-Malô-du-Bois 85 130 A1
St-Malo-en-Donziois 58 120 C2
St-Malon-sur-Mel 35 72 B3
St-Mamert 69 155 D2
St-Mamert-du-Gard 30 218 B4
St-Mamet 31 258 A4
St-Mamet-la-Salvetat 15 199 E1
St-Mammès 77 80 C2
St-Mandé 94 57 F2
St-Mandé-sur-Brédoire 17 146 B4
St-Mandrier-sur-Mer 83 244 B3
St-Manvieu-Bocage 14 51 F2
St-Manvieu-Norrey 14 28 C3
St-Marc 15 200 D1
St-Marc-à-Frongier 23 166 B1
St-Marc-à-Loubaud 23 166 A2
St-Marc-le-Blanc 35 73 F1
St-Marc-du-Cor 41 97 F1
St-Marc-Jaumegarde 13 237 E3
St-Marc-la-Lande 79 131 D4
St-Marc-sur-Couesnon 35 73 F2
St-Marc-sur-Seine 21 104 A3
St-Marcan 35 50 B4
St-Marceau 08 21 E3
St-Marceau 72 76 B3
St-Marcel 56 92 A2
St-Marcel 73 174 C3
St-Marcel 54 39 E4
St-Marcel 01 156 A4
St-Marcel 27 32 A4
St-Marcel 08 21 E3
St-Marcel 36 134 B4
St-Marcel 70 140 A2
St-Marcel 71 140 A2
St-Marcel-lès-Annonay 07 187 D2
St-Marcel-Bel-Accueil 38 172 B3
St-Marcel-Campes 81 214 B3
St-Marcel-d'Ardèche 07 219 D1
St-Marcel-de-Careiret 30 219 D2
St-Marcel-de-Félines 42 170 B2
St-Marcel-du-Périgord 24 196 B1
St-Marcel-d'Urfé 42 169 F1
St-Marcel-l'Éclairé 69 170 C1
St-Marcel-en-Marcillat 03 151 F3
St-Marcel-en-Murat 03 152 B2
St-Marcel-Paulel 31 230 B2
St-Marcel-lès-Sauzet 26 203 F3
St-Marcel-sur-Aude 11 254 C2
St-Marcel-lès-Valence 26 187 F4
St-Marcelin-de-Cray 71 139 E4
St-Marcellin 38 188 C2
St-Marcellin-en-Forez 42 170 B4
St-Marcellin-lès-Vaison 84 220 A2
St-Marcet 31 258 C1
St-Marcory 24 196 C2
St-Marcouf 50 25 E3
St-Marcouf 14 28 B2
St-Mard 80 18 B3
St-Mard 17 145 F4
St-Mard 54 64 C4
St-Mard 77 58 B1

St-Mard 02 35 F2
St-Mard-de-Réno 61 77 D1
St-Mard-de-Vaux 71 139 F2
St-Mard-lès-Rouffy 51 60 C1
St-Mard-sur-Auve 51 37 F4
St-Mard-sur-le-Mont 51 62 A1
St-Mards 76 15 E3
St-Mards-de-Blacarville 27 30 C2
St-Mards-de-Fresne 27 30 C4
St-Mards-en-Othe 10 82 C3
St-Marien 23 151 D1
St-Mariens 33 177 E3
St-Mars-la-Brière 72 76 C4
St-Mars-de-Coutais 44 111 E3
St-Mars-de-Locquenay 72 97 D1
St-Mars-d'Égrenne 61 51 F4
St-Mars-d'Outillé 72 96 C2
St-Mars-du-Désert 44 112 B1
St-Mars-du-Désert 53 75 F2
St-Mars-en-Brie 77 59 E3
St-Mars-la-Jaille 44 94 A4
St-Mars-la-Réorthe 85 130 A1
St-Mars-sous-Ballon 72 76 B3
St-Mars-sur-Colmont 53 74 C1
St-Mars-sur-la-Futaie 53 74 B1
St-Marsal 66 262 B3
St-Marsault 79 130 B2
St-Martial 33 194 C3
St-Martial 17 146 B4
St-Martial 30 217 E3
St-Martial 16 178 B1
St-Martial 07 202 C1
St-Martial 15 200 C1
St-Martial-d'Albarède 24 180 B2
St-Martial-d'Artenset 24 178 C4
St-Martial-de-Gimel 19 181 F2
St-Martial-de-Mirambeau 17 177 D1
St-Martial-de-Nabirat 24 197 D2
St-Martial-de-Valette 24 163 E4
St-Martial-de-Vitaterne 17 161 E4
St-Martial-Entraygues 19 182 A3
St-Martial-le-Mont 23 150 C4
St-Martial-le-Vieux 23 166 C3
St-Martial-Viveyrol 24 178 C1
St-Martin 32 228 A3
St-Martin 66 262 A1
St-Martin 83 238 B3
St-Martin 85 249 E2
St-Martin 54 65 E4
St-Martin 56 92 B2
St-Martin 67 88 C1
St-Martin (Abbaye de) 66 261 F3
St-Martin-l'Aiguillon 61 52 C4
St-Martin-l'Ars 86 148 A2
St-Martin-l'Astier 24 179 D3
St-Martin-au-Bosc 76 16 B2
St-Martin-au-Laërt 62 3 F3
St-Martin-aux-Arbres 76 15 D3
St-Martin-aux-Bois 60 34 A1
St-Martin-aux-Buneaux 76 14 C2
St-Martin-aux-Champs 51 61 D2
St-Martin-aux-Chartrains 14 30 A2
St-Martin-le-Beau 37 116 B2
St-Martin-Bellevue 74 158 A4
St-Martin-le-Bouillant 50 51 D2
St-Martin-Boulogne 62 2 C3
St-Martin-la-Campagne 27 31 E4

St-Martin-Cantalès
15　182 C3
St-Martin-Château
23　165 F1
St-Martin-le-Châtel
01　156 A2
St-Martin-Choquel
62　3 D4
St-Martin-
le-Colonel
26　188 B4
St-Martin-d'Écublei
61　54 C2
St-Martin-les-Eaux
04　221 E4
St-Martin-en-Bière
77　80 B1
St-Martin-en-Bresse
71　140 B2
St-Martin-
en-Campagne
76　15 F1
St-Martin-
en-Gâtinois
71　140 B1
St-Martin-en-Haut
69　171 D3
St-Martin-
en-Vercors
26　188 C3
St-Martin-le-Gaillard
76　16 A1
St-Martin-
la-Garenne
78　56 B1
St-Martin-Gimois
32　228 C3
St-Martin-le-Gréard
50　24 C2
St-Martin-le-Hébert
50　24 C2
St-Martin-l'Heureux
51　37 D3
St-Martin-l'Hortier
76　16 A3
St-Martin-l'Inférieur
07　203 E3
St-Martin-Labouval
46　198 B4
St-Martin-
Lacaussade
33　177 D3
St-Martin-Laguépie
81　214 A3
St-Martin-Lalande
11　253 D1
St-Martin-lès-
Langres 52　105 D1
St-Martin-Lars-
en-Ste-Hermine
85　130 A3
St-Martin-Lestra
42　170 C2
St-Martin-Longueau
60　34 A2
St-Martin-Lys
11　261 E1
St-Martin-le-Mault
87　149 D1
St-Martin-
la-Méanne
19　182 A3
St-Martin-lès-Melle
79　146 C2
St-Martin-le-Nœud
60　33 E2
St-Martin-
Osmonville
76　15 F4
St-Martin-
la-Patrouille
71　139 E3
St-Martin-Petit
47　195 E3
St-Martin-le-Pin
24　163 E4
St-Martin-la-Plaine
42　171 D3
St-Martin-le-Redon
46　197 D4
St-Martin-Rivière
02　19 E1
St-Martin-St-Firmin
27　30 C3
St-Martin-Ste-
Catherine
23　149 F4
St-Martin-
la-Sauveté
42　169 F2
St-Martin-Sepert
19　181 D1
St-Martin-lès-Seyne
04　206 B4
St-Martin-sous-
Montaigu
71　139 F2
St-Martin-sous-
Vigouroux
15　200 B1
St-Martin-
le-Supérieur
07　203 E3
St-Martin-sur-
Armançon
89　103 D2
St-Martin-sur-
la-Chambre
73　190 B1
St-Martin-sur-
Cojeul 62　10 A3
St-Martin-sur-
Écaillon 59　11 E3
St-Martin-sur-
Nohain 58　120 A2
St-Martin-sur-Ocre
45　100 C3
St-Martin-sur-Ocre
89　101 F2
St-Martin-sur-
Oreuse 89　81 F2
St-Martin-sur-
Ouanne 89　101 E2

St-Martin-sur-le-Pré
51　61 D1
St-Martin-sur-
la-Renne 52　84 C3
St-Martin-Terressus
87　165 D1
St-Martin-
Valmeroux
15　183 D3
St-Martin-Vésubie
06　241 D2
St-Martin-le-Vieil
11　253 D1
St-Martin-le-Vieux
87　164 B2
St-Martin-le-Vinoux
38　189 E2
St-Martinien
03　151 E2
St-Martin-d'Abbat
45　100 A2
St-Martin-d'Ablois
51　60 B1
St-Martin-d'Août
26　187 F2
St-Martin-
d'Arberoue
64　225 D4
St-Martin-d'Arc
73　190 C2
St-Martin-d'Arcé
49　96 A4
St-Martin-
d'Ardèche
07　219 D1
St-Martin-
d'Armagnac
32　227 D2
St-Martin-d'Arrossa
64　246 C1
St-Martin-d'Ary
17　177 F2
St-Martin-
d'Aubigny
50　27 D3
St-Martin-
d'Audouville
50　25 D2
St-Martin-d'Auxigny
18　119 D3
St-Martin-d'Auxy
71　139 E2
St-Martin-
de-l'Arçon
34　232 C3
St-Martin-de-Bavel
01　173 D1
St-Martin-
de-Beauville
47　212 A2
St-Martin-de-
Belleville
73　174 C4
St-Martin-
de-Bernegoue
79　146 B2
St-Martin-de-
Bienfaite-
la-Cressonnière
14　30 B4
St-Martin-
de-Blagny
14　28 A3
St-Martin-
de-Bonfossé
50　27 E4
St-Martin-
de-Boscherville
76　31 E1
St-Martin-
de-Bossenay
10　82 B1
St-Martin-
de-Boubaux
48　217 F2
St-Martin-de-la-
Brasque 84　237 E1
St-Martin-de-Brem
85　128 B3
St-Martin-
de-Bréthencourt
78　79 E1
St-Martin-
de-Brômes
04　238 B1
St-Martin-de-Caralp
09　252 A3
St-Martin-
de-Castillon
84　221 D4
St-Martin-de-Cenilly
50　51 D1
St-Martin-de-Clelles
38　205 E1
St-Martin-de-la-
Cluze 38　189 D4
St-Martin-
de-Commune
71　139 E1
St-Martin-
de-Connée
53　75 F3
St-Martin-de-la-
Coudre 17　146 A3
St-Martin-de-Coux
17　178 A3
St-Martin-de-Crau
13　236 A2
St-Martin-
de-Curton
47　210 B1
St-Martin-
de-Fontenay
14　29 D4
St-Martin-
de-Fraigneau
85　130 B4
St-Martin-
de-Fressengeas
24　180 A1
St-Martin-
de-Fugères
43　202 B1

St-Martin-de-Goyne
32　211 E4
St-Martin-
de-Gurçon
24　178 B4
St-Martin-de-Hinx
40　225 D2
St-Martin-
de-Juillers
17　146 B4
St-Martin-de-Jussac
87　164 A1
St-Martin-de-Laives
71　140 A3
St-Martin-de-Lamps
36　134 B1
St-Martin-
de-Landelles
50　51 D4
St-Martin-
de-Lansuscle
48　217 E2
St-Martin-de-Laye
33　177 F3
St-Martin-de-Lenne
12　200 B4
St-Martin-de-Lerm
33　195 D2
St-Martin-de-la-
Lieue 14　30 B4
St-Martin-de-Lixy
71　154 C3
St-Martin-
de-Londres
34　234 A1
St-Martin-
de-Mâcon
79　114 B4
St-Martin-
de-Mailloc
14　30 B4
St-Martin-de-la-Mer
21　122 A1
St-Martin-de-Mieux
14　52 C2
St-Martin-
de-Nigelles
28　56 B4
St-Martin-de-la-
Place 49　114 B2
St-Martin-de-la-
Porte 73　190 C2
St-Martin-
de-Queyrières
05　207 D1
St-Martin-de-Ré
17　144 C2
St-Martin-
de-Ribérac
24　179 D2
St-Martin-de-St-
Maixent 79　146 C1
St-Martin-
de-Salencey
71　139 E4
St-Martin-de-Sallen
14　52 B1
St-Martin-
de-Sanzay
79　114 B4
St-Martin-
de-Seignanx
40　224 C3
St-Martin-de-Sescas
33　194 C3
St-Martin-
de-Tallevende
14　51 E2
St-Martin-
de-Valamas
07　186 C4
St-Martin-
de-Valgalgues
30　218 A2
St-Martin-
de-Varreville
50　25 E3
St-Martin-
de-Vaulserre
38　173 D4
St-Martin-de-Vers
46　198 A3
St-Martin-
de-Villeréal
47　196 C3
St-Martin-
de-Villereglan
11　253 E3
St-Martin-
d'Entraigues
79　146 C3
St-Martin-
d'Entraunes
06　223 D2
St-Martin-des-
Besaces 14　28 B4
St-Martin-des-Bois
41　97 E3
St-Martin-des-
Champs 50　50 C3
St-Martin-des-
Champs 18　120 A3
St-Martin-des-
Champs 78　56 B2
St-Martin-des-
Champs 29　46 A2
St-Martin-des-
Champs 77　59 E3
St-Martin-des-
Champs 89　101 E3
St-Martin-des-
Combes 24　179 E4
St-Martin-des-
Entrées 14　28 C2
St-Martin-des-
Fontaines
85　130 A4
St-Martin-des-Lais
03　138 A3
St-Martin-des-
Landes 61　52 C4
St-Martin-des-
Monts 72　77 D3

St-Martin-des-
Noyers 85　129 F2
St-Martin-des-
Olmes 63　169 E4
St-Martin-des-
Pézerits 61　54 B4
St-Martin-des-
Plains 63　168 C4
St-Martin-des-Prés
22　71 D1
St-Martin-des-Puits
11　254 A3
St-Martin-des-
Tilleuls 85　112 C4
St-Martin-
d'Estréaux
42　153 F3
St-Martin-
d'Hardinghem
62　3 E4
St-Martin-d'Hères
38　189 E2
St-Martin-d'Heuille
58　120 B4
St-Martin-d'Ollières
63　185 D1
St-Martin-Don
14　51 E1
St-Martin-d'Oney
40　209 E4
St-Martin-d'Ordon
89　101 E1
St-Martin-d'Oydes
09　252 A2
St-Martin-du-Bec
76　14 A4
St-Martin-du-Bois
49　94 C3
St-Martin-du-Bois
33　177 F4
St-Martin-
du-Boschet
77　59 E3
St-Martin-
du-Clocher
16　147 E3
St-Martin-
du-Fouilloux
79　131 E3
St-Martin-
du-Fouilloux
49　113 E1
St-Martin-
du-Frêne
01　157 D3
St-Martin-du-Lac
71　154 B2
St-Martin-du-Limet
53　94 B2
St-Martin-
du-Manoir
76　30 B1
St-Martin-
du-Mesnil-Oury
14　30 A4
St-Martin-du-Mont
21　123 D1
St-Martin-du-Mont
71　140 C3
St-Martin-du-Mont
01　156 A2
St-Martin-du-Puy
58　121 E2
St-Martin-du-Puy
33　195 D2
St-Martin-du-Tartre
71　139 F3
St-Martin-du-Tertre
95　33 F4
St-Martin-du-Tertre
89　81 E3
St-Martin-du-Tilleul
27　30 B2
St-Martin-du-Var
06　241 D3
St-Martin-du-Vieux-
Bellême 61　76 C2
St-Martin-du-Vivier
76　31 F1
St-Martin-d'Uriage
38　189 E2
St-Martory 31　250 C2
St-Mary 16　163 D1
St-Mary-le-Plain
15　184 B2
St-Masmes 51　36 C2
St-Mathieu
87　163 F2
St-Mathieu-
de-Tréviers
34　234 B2
St-Mathieu (Pointe
de) 29　44 B3
St-Mathurin
85　128 C3
St-Mathurin-
Léobazel 19　182 A4
St-Mathurin-sur-
Loire 49　114 A1
St-Matré 46　212 C1
St-Maudan 22　71 E3
St-Maudez 22　49 D4
St-Maugan 35　72 B3
St-Maulvis 80　16 C2
St-Maur 18　135 F4
St-Maur 36　134 B2
St-Maur 60　17 D4
St-Maur 32　227 F4
St-Maur 39　141 E3
St-Maur (Abbaye de)
49　114 A1
St-Maur-des-Bois
50　51 D1
St-Maur-des-Fossés
94　57 F2
St-Maur-sur-le-Loir
28　78 B3
St-Maurice 67　57 F2
St-Maurice 94　57 F2
St-Maurice 58　121 D4
St-Maurice 63　168 B3
St-Maurice 52　105 E2
St-Maurice-aux-
Forges 54　65 F4

St-Maurice-
St-Germain
28　78 A1
St-Maurice-sous-
les-Côtes 55　39 D4
St-Maurice-
la-Souterraine
23　149 F2
St-Maurice-sur-
Adour 40　226 B1
St-Maurice-sur-
Aveyron 45　101 D2
St-Maurice-sur-
Dargoire
69　171 D3
St-Maurice-sur-
Eygues 26　219 F1
St-Maurice-sur-
Fessard 45　100 C1
St-Maurice-sur-
Huisne 61　77 D1
St-Maurice-sur-
Loire 42　154 B4
St-Maurice-sur-
Mortagne
88　87 E1
St-Maurice-aux-
Riches-Hommes
89　82 A2
St-Maurice-lès-
Charencey
61　54 C3
St-Maurice-lès-
Châteauneuf
71　154 C2
St-Maurice-
la-Clouère
86　147 F1
St-Maurice-lès-
Couches
71　139 F1
St-Maurice-Crillat
39　141 F3
St-Maurice-
d'Ardèche
07　203 D3
St-Maurice-
de-Beynost
01　171 F1
St-Maurice-
de-Cazevieille
30　218 B3
St-Maurice-
de-Gourdans
01　172 A1
St-Maurice-
de-Lestapel
47　196 A3
St-Maurice-
de-Lignon
43　186 B2
St-Maurice-
de-Rémens
01　156 B4
St-Maurice-
de-Rotherens
73　173 D3
St-Maurice-
de-Satonnay
71　155 E1
St-Maurice-
de-Tavernole
17　161 E4
St-Maurice-
de-Ventalon
48　217 F1
St-Maurice-des-
Champs 71　139 F3
St-Maurice-des-
Lions 16　148 B4
St-Maurice-des-
Noues 85　130 B3
St-Maurice-d'Ételan
76　14 C4
St-Maurice-d'Ibie
07　203 E4
St-Maurice-
du-Désert
61　52 B4
St-Maurice-
Echelotte
25　107 E4
St-Maurice-
en-Chalencon
07　203 E1
St-Maurice-
en-Cotentin
50　24 C3
St-Maurice-
en-Gourgois
42　186 B1
St-Maurice-
en-Quercy
46　198 C2
St-Maurice-
en-Rivière
71　140 B1
St-Maurice-
en-Trièves
38　205 E1
St-Maurice-
en-Valgodemard
05　206 A1
St-Maurice-l'Exil
38　187 E1
St-Maurice-
la-Fougereuse
79　113 D4
St-Maurice-le-Girard
85　130 B3
St-Maurice-
Montcouronne
91　57 D4
St-Maurice-
Navacelles
34　233 F1
St-Maurice-près-
Crocq 23　166 C1
St-Maurice-près-
Pionsat 63　151 F4

St-Maurice-
Moselle 88　107 F1
St-Maurice-sur-
Vingeanne
21　105 E4
St-Maurice-
Thizouaille
89　101 F2
St-Maurice-le-Vieil
89　101 F2
St-Maurin 47　212 B2
St-Max 54　64 B3
St-Maxent 80　16 C1
St-Maximin
38　173 F4
St-Maximin 60　33 F3
St-Maximin
30　218 C4
St-Maximin-la-Ste-
Baume 83　238 A4
St-Maxire 79　146 A1
St-May 26　204 C4
St-Mayeul 03　136 B4
St-Mayeux 22　71 D2
St-Mayme-
de-Péreyrol
24　179 E4
St-Méard 87　165 D3
St-Méard-de-Drône
24　179 D2
St-Méard-
de-Gurçon
24　195 E1
St-Méard 16　162 A1
St-Médard 32　228 A3
St-Médard 31　250 C2
St-Médard 16　162 A4
St-Médard 79　146 C2
St-Médard 57　65 E2
St-Médard 64　226 A3
St-Médard 17　177 F1
St-Médard 36　117 D4
St-Médard 46　197 E3
St-Médard-d'Aunis
17　145 E3
St-Médard-
de-Guizières
33　178 B4
St-Médard-
de-Mussidan
24　178 C3
St-Médard-
de-Presque
46　198 B1
St-Médard-
d'Excideuil
24　180 B1
St-Médard-d'Eyrans
33　194 C2
St-Médard-
en-Forez
42　170 C3
St-Médard-en-Jalles
33　177 D4
St-Médard-
Nicourby
46　198 C2
St-Médard-
la-Rochette
23　150 C4
St-Médard-sur-Ille
35　73 D2
St-Méen 29　45 E2
St-Méen-le-Grand
35　72 B2
St-Melaine 35　73 F3
St-Melaine-sur-
Aubance
49　113 F1
St-Mélany 07　202 C3
St-Méloir 22　49 D4
St-Méloir-des-
Ondes 35　49 F3
St-Même-les-
Carrières
16　162 A3
St-Même-le-Tenu
44　111 E4
St-Memmie
51　61 D1
St-Menge 88　86 B2
St-Menges 08　21 F3
St-Menoux
03　137 D4
St-Merd-la-Breuille
23　167 D2
St-Merd-de-Lapleau
19　182 B2
St-Merd-les-
Oussines
19　166 B3
St-Méry 77　58 B4
St-Meslin-du-Bosc
27　31 E3
St-Mesmes 77　58 B1
St-Mesmin 24　180 C1
St-Mesmin 21　123 D2
St-Mesmin 85　130 B2
St-Mesmin 10　82 C1
St-Mexant 19　181 E2
St-Mézard 32　211 F3
St-M'Hervé 35　74 A3
St-M'Hervon
35　72 B2
St-Micaud 71　139 E3
St-Michel 02　21 D3
St-Michel 2B　265 D4
St-Michel 34　233 E1
St-Michel 82　212 B3
St-Michel 16　162 B3
St-Michel 32　228 A4
St-Michel 09　252 A2
St-Michel 64　246 C2
St-Michel 31　251 D2
St-Michel 02　20 C2
St-Michel 52　105 D3
St-Michel 45　80 A4
St-Michel-Chef-
Chef 44　110 C2
St-Michel-le-Cloucq
85　130 B4

St-Michel-
de-Bannières
46　181 E4
St-Michel-
de-Boulogne
07　203 D2
St-Michel-
de-Castelnau
33　210 B1
St-Michel-
de-Chabrillanoux
07　203 E1
St-Michel-
de-Chaillol
05　206 B2
St-Michel-
de-Chavaignes
72　78 C4
St-Michel-de-Cuxa
(Abbaye)
66　261 F3
St-Michel-de-Dèze
48　217 F2
St-Michel-
de-Double
24　178 C3
St-Michel-de-Feins
53　95 D2
St-Michel-
de-Frigolet
(Abbaye)
13　236 A1
St-Michel-
de-Fronsac
33　177 F4
St-Michel-
de-Grandmont
(Prieuré) 34　233 E2
St-Michel-
de-Lanès
11　252 B1
St-Michel-
de-Lapujade
33　195 E3
St-Michel-
de-Lescure
81　214 C4
St-Michel-de-Livet
14　53 E1
St-Michel-de-Llotes
66　262 B2
St-Michel-
de-Maurienne
73　190 C2
St-Michel-
de-Montaigne
24　195 D1
St-Michel-
de-Montjoie
50　51 E2
St-Michel-
de-Mourcairol
34　233 D3
St-Michel-de-la-
Pierre 50　27 D3
St-Michel-de-Plélan
22　49 D4
St-Michel-
de-Rieufret
33　194 B3
St-Michel-
de-Rivière
24　178 B3
St-Michel-de-la-Roë
53　94 B1
St-Michel-de-St-
Geoirs 38　188 C1
St-Michel-de-Vax
81　214 A3
St-Michel-de-Veisse
23　166 B1
St-Michel-
de-Villadeix
24　179 E4
St-Michel-
de-Volangis
18　119 D3
St-Michel-des-
Andaines 61　52 B4
St-Michel-des-
Loups 50　50 B2
St-Michel-d'Euzet
30　219 D2
St-Michel-
d'Halescourt
76　16 B4
St-Michel-l'Écluse-
et-Léparon
24　178 B3
St-Michel-
en-Beaumont
38　205 F1
St-Michel-
en-Brenne
36　133 F2
St-Michel-en-Grève
22　46 C2
St-Michel-
en-l'Herm 85　145 D1
St-Michel-Escalus
40　208 A4
St-Michel-
et-Chanveaux
49　94 B3
St-Michel-Labadié
81　215 D4
St-Michel-Loubéjou
46　198 B1
St-Michel (Mont)
73　173 F3
St-Michel-Mont-
Mercure 85　130 A2
St-Michel
(Montagne)
29　46 A4
St-Michel-
l'Observatoire
04　221 D4
St-Michel-les-
Portes 38　205 D1
St-Michel-sous-Bois
62　8 C1
St-Michel-sur-Loire
37　115 D2

St-Michel-sur-
Meurthe 88　88 B2
St-Michel-sur-Orge
91　57 E4
St-Michel-sur-
Rhône 42　171 E4
St-Michel-sur-
Savasse 26　188 A3
St-Michel-sur-
Ternoise 62　9 E2
St-Michel-Tubœuf
61　54 C3
St-Mihiel 55　63 D1
St-Mitre-les-
Remparts
13　242 B1
St-Molf 44　110 B1
St-Momelin 59　3 F3
St-Mont 32　227 D2
St-Montant
07　203 E4
St-Moré 89　102 C4
St-Moreil 23　165 E1
St-Morel 08　37 E2
St-Morillon
33　194 B2
St-Mury-
Monteymond
38　189 F2
St-Myon 63　168 B3
St-Nabor 67　66 C4
St-Nabord 88　87 E4
St-Nabord-sur-
Aube 10　61 D1
St-Naixent 39　196 A1
St-Nauphary
82　213 D4
St-Nazaire 44　110 C2
St-Nazaire 30　219 D2
St-Nazaire 66　263 D2
St-Nazaire-d'Aude
11　254 B2
St-Nazaire-
de-Ladarez
34　233 D3
St-Nazaire-
de-Pézan
34　234 C2
St-Nazaire-
de-Valentane
82　212 B2
St-Nazaire-des-
Gardies 30　218 A4
St-Nazaire-
le-Désert
26　204 C3
St-Nazaire-
en-Royans
26　188 B3
St-Nazaire-les-
Eymes 38　189 E2
St-Nazaire (Site de)
19　182 C1
St-Nazaire-sur-
Charente
17　145 D4
St-Nectaire
63　168 A3
St-Nic 29　68 C1
St-Nicodème
22　70 B1
St-Nicolas 62　10 A3
St-Nicolas 56　70 A3
St-Nicolas-aux-Bois
02　19 E4
St-Nicolas-
la-Chapelle
10　82 A1
St-Nicolas-
la-Chapelle
73　174 C1
St-Nicolas-lès-
Cîteaux 21　123 E3
St-Nicolas-Courbefy
87　164 B3
St-Nicolas-de-la-
Balerme 47　212 A3
St-Nicolas-
de-Bliquetuit
76　31 D1
St-Nicolas-
de-Bourgueil
37　114 C2
St-Nicolas-de-Brem
85　128 B3
St-Nicolas-de-la-
Grave 82　212 B3
St-Nicolas-de-la-
Haie 76　14 C4
St-Nicolas-
de-Macherin
38　189 D1
St-Nicolas-
de-Pierrepont
50　24 C4
St-Nicolas-de-Port
54　64 C3
St-Nicolas-
de-Redon
44　92 C3
St-Nicolas-
de-Sommaire
61　54 B2
St-Nicolas-de-la-
Taille 76　30 C1
St-Nicolas-des-Biefs
03　153 F4
St-Nicolas-des-Bois
50　51 D2
St-Nicolas-des-Bois
61　76 A1
St-Nicolas-des-
Laitiers 61　54 A2
St-Nicolas-des-
Motets 37　97 F4

St-Nicolas-du-Bosc
27　31 E3
St-Nicolas-
du-Pélem
22　70 C1
St-Nicolas-
du-Tertre
56　92 B2
St-Nizier-
le-Bouchoux
01　140 C4
St-Nizier-
d'Azergues
69　155 D3
St-Nizier-de-Fornas
42　186 A1
St-Nizier-le-Désert
01　156 A4
St-Nizier-
du-Moucherotte
38　189 D2
St-Nizier-sous-
Charlieu 42　154 B3
St-Nizier-sur-
Arroux 71　138 C2
St-Nolff 56　91 F2
St-Nom-
la-Bretèche
78　57 D2
St-Offenge-
Dessous 73　173 F2
St-Offenge-Dessus
73　173 F2
St-Omer 62　3 F3
St-Omer 14　52 B1
St-Omer-Capelle
62　3 E2
St-Omer-
en-Chaussée
60　33 D1
St-Ondras 38　172 C4
St-Onen-la-Chapelle
35　72 B3
St-Oradoux-
de-Chirouze
23　166 C2
St-Oradoux-près-
Crocq 23　166 C1
St-Orens 32　229 D2
St-Orens-
de-Gameville
31　230 A3
St-Orens-Pouy-
Petit 32　211 E4
St-Ost 32　228 A4
St-Ouen 41　98 A2
St-Ouen 93　57 E2
St-Ouen 17　162 A1
St-Ouen 80　17 E2
St-Ouen-l'Aumône
95　57 D2
St-Ouen-le-Brisoult
61　52 C4
St-Ouen-en-Belin
72　96 B2
St-Ouen-en-Brie
77　58 C4
St-Ouen-
en-Champagne
72　95 F1
St-Ouen-le-Houx
14　53 E1
St-Ouen-
Marchefroy
28　56 A2
St-Ouen-le-Mauger
76　15 E3
St-Ouen-lès-Parey
88　86 B3
St-Ouen-le-Pin
14　30 A4
St-Ouen-la-Rouërie
35　73 E1
St-Ouen-sous-Bailly
76　16 A2
St-Ouen-sur-
Gartempe
87　149 D3
St-Ouen-sur-Iton
61　54 B2
St-Ouen-sur-Loire
58　137 D2
St-Ouen-sur-Maire
61　52 C3
St-Ouen-sur-Morin
77　59 D2
St-Ouen-les-Vignes
37　116 B1
St-Ouën-d'Attez
27　55 D2
St-Ouën-d'Aunis
17　145 E2
St-Ouën-de-la-Cour
61　77 D1
St-Ouën-
de-Mimbré
72　76 A2
St-Ouën-
de-Pontcheuil
27　31 D2
St-Ouën-
de-Sécherouve
61　54 B4
St-Ouën-
de-Thouberville
27　31 E2
St-Ouën-des-Alleux
35　73 F2
St-Ouën-des-
Besaces 14　28 B4
St-Ouën-des-
Champs 27　30 C2
St-Ouën-des-Toits
53　74 B3
St-Ouën-des-
Vallons 53　75 D3
St-Ouën-Domprot
51　61 D4
St-Ouën-du-Breuil
76　15 E4

St-Ouen-du-Mesnil-Oger 14 — 29 E3
St-Ouen-du-Tilleul 27 — 31 E3
St-Oulph 10 — 82 C1
St-Ours 73 — 173 F2
St-Ours 63 — 167 F1
St-Outrille 18 — 118 A3
St-Ovin 50 — 50 C3
St-Oyen 73 — 174 C3
St-Pabu 29 — 44 C2
St-Paër 76 — 31 E1
St-Pair 14 — 29 E3
St-Pair-du-Mont 14 — 29 F4
St-Pair-sur-Mer 50 — 50 B2
St-Pal-de-Chalencon 43 — 185 F1
St-Pal-de-Mons 43 — 186 B2
St-Pal-de-Senouire 43 — 185 E2
St-Palais 64 — 247 D1
St-Palais 18 — 119 D3
St-Palais 03 — 151 D1
St-Palais 33 — 177 D1
St-Palais-de-Négrignac 17 — 177 F2
St-Palais-de-Phiolin 17 — 161 D4
St-Palais-du-Né 16 — 161 F4
St-Palais-sur-Mer 17 — 160 B3
St-Pancrace 24 — 179 E1
St-Pancrace 73 — 190 B1
St-Pancrasse 38 — 189 E1
St-Pancré 54 — 23 D4
St-Pandelon 40 — 225 E2
St-Pantaléon 84 — 220 B4
St-Pantaléon 46 — 213 E1
St-Pantaléon 71 — 139 D1
St-Pantaléon-les-Vignes 26 — 204 B4
St-Pantaléon-de-Lapleau 19 — 182 B1
St-Pantaléon-de-Larche 19 — 181 D3
St-Pantaly-d'Ans 24 — 180 A2
St-Pantaly-d'Excideuil 24 — 180 B2
St-Papoul 11 — 253 D1
St-Pardon-de-Conques 33 — 194 C3
St-Pardoult 17 — 146 B4
St-Pardoux 63 — 152 B4
St-Pardoux 87 — 149 E4
St-Pardoux 79 — 131 D4
St-Pardoux 63 — 167 E4
St-Pardoux-les-Cards 23 — 150 C4
St-Pardoux-Corbier 19 — 181 D1
St-Pardoux-la-Croisille 19 — 182 A2
St-Pardoux-d'Arnet 23 — 166 C1
St-Pardoux-de-Drône 24 — 179 D2
St-Pardoux-du-Breuil 47 — 195 E4
St-Pardoux-et-Vielvic 24 — 196 C2
St-Pardoux-Isaac 47 — 195 F3
St-Pardoux-Morterolles 23 — 165 F1
St-Pardoux-le-Neuf 23 — 166 C1
St-Pardoux-le-Neuf 19 — 166 C3
St-Pardoux-l'Ortigier 19 — 181 E2
St-Pardoux-la-Rivière 24 — 163 F4
St-Pardoux-le-Vieux 19 — 166 C3
St-Pargoire 34 — 233 F3
St-Parize-le-Châtel 58 — 137 D2
St-Parize-en-Viry 58 — 137 D3
St-Parres-aux-Tertres 10 — 83 D2
St-Parres-lès-Vaudes 10 — 83 E3
St-Parthem 12 — 199 E3
St-Pastour 47 — 196 B4
St-Pastous 65 — 257 E2
St-Paterne 72 — 76 B1
St-Paterne-Racan 37 — 97 D4

St-Pathus 77 — 34 B4
St-Patrice 37 — 115 D2
St-Patrice-de-Claids 50 — 26 C3
St-Patrice-du-Désert 61 — 52 C4
St-Paul 73 — 173 E2
St-Paul 61 — 52 A3
St-Paul 19 — 182 A2
St-Paul 06 — 240 B1
St-Paul 88 — 86 B2
St-Paul 60 — 33 D1
St-Paul 65 — 250 A3
St-Paul 04 — 207 E3
St-Paul 87 — 165 D2
St-Paul-aux-Bois 02 — 35 D1
St-Paul-Cap-de-Joux 81 — 231 D2
St-Paul-la-Coste 30 — 218 A2
St-Paul-lès-Dax 40 — 225 E2
St-Paul-de-Baïse 32 — 228 A1
St-Paul-de-Fenouillet 66 — 262 A1
St-Paul-de-Fourques 27 — 31 D3
St-Paul-de-Jarrat 09 — 252 B4
St-Paul-de-Loubressac 46 — 213 E1
St-Paul-de-Salers 15 — 183 D3
St-Paul-de-Serre 24 — 179 E3
St-Paul-de-Tartas 43 — 202 A1
St-Paul-de-Varax 01 — 156 B3
St-Paul-de-Varces 38 — 189 D3
St-Paul-de-Vern 46 — 198 C1
St-Paul-de-Vézelin 42 — 170 A3
St-Paul-des-Landes 15 — 182 C4
St-Paul-d'Espis 82 — 212 B3
St-Paul-d'Izeaux 38 — 188 C1
St-Paul-d'Oueil 31 — 258 B3
St-Paul-du-Bois 49 — 113 F4
St-Paul-du-Vernay 14 — 28 B3
St-Paul-lès-Durance 13 — 237 F2
St-Paul-d'Uzore 42 — 170 A3
St-Paul-en-Born 40 — 208 B2
St-Paul-en-Chablais 74 — 159 D1
St-Paul-en-Cornillon 42 — 186 B1
St-Paul-en-Forêt 83 — 239 F3
St-Paul-en-Gâtine 79 — 130 C3
St-Paul-en-Jarez 42 — 171 D4
St-Paul-en-Pareds 85 — 130 A2
St-Paul-et-Valmalle 34 — 234 A3
St-Paul-les-Fonts 30 — 219 D3
St-Paul-le-Froid 48 — 201 F2
St-Paul-le-Gaultier 72 — 75 F2
St-Paul-le-Jeune 07 — 218 B1
St-Paul-Lizonne 24 — 178 C1
St-Paul-lès-Monestier 38 — 189 D4
St-Paul-Mont-Penit 85 — 128 C2
St-Paul-la-Roche 24 — 164 B4
St-Paul-lès-Romans 26 — 188 B3
St-Paul-sur-Isère 73 — 174 B3
St-Paul-sur-Save 31 — 229 E2
St-Paul-Trois-Châteaux 26 — 219 E1
St-Paulet 11 — 230 C4
St-Paulet-de-Caisson 30 — 219 D2
St-Paulien 43 — 185 E3
St-Pavace 72 — 76 B4
St-Pé-d'Ardet 31 — 258 B3
St-Pé-de-Bigorre 65 — 248 C2
St-Pé-de-Léren 64 — 225 C3
St-Pé-Delbosc 31 — 250 B1
St-Pé-St-Simon 47 — 210 C3
St-Pée-sur-Nivelle 64 — 224 B4
St-Pellerin 28 — 78 A4

St-Pellerin 50 — 27 E2
St-Péran 35 — 72 B4
St-Péravy-la-Colombe 45 — 99 D1
St-Péravy-Épreux 45 — 79 E3
St-Péray 07 — 187 E4
St-Perdon 40 — 209 E4
St-Perdoux 24 — 196 A2
St-Perdoux 46 — 198 C3
St-Père 58 — 120 A1
St-Père 89 — 121 E1
St-Père 35 — 49 F3
St-Père-en-Retz 44 — 111 D2
St-Père-sur-Loire 45 — 100 A2
St-Péreuse 58 — 121 E4
St-Pern 35 — 72 C2
St-Perreux 56 — 92 B3
St-Péver 22 — 47 E3
St-Pey-d'Armens 33 — 195 D1
St-Pey-de-Castets 33 — 195 D1
St-Phal 10 — 83 D4
St-Philbert-de-Bouaine 85 — 112 A4
St-Philbert-de-Grand-Lieu 44 — 111 F4
St-Philbert-des-Champs 14 — 30 B3
St-Philbert-du-Peuple 49 — 114 C1
St-Philbert-du-Pont-Charrault 85 — 130 A3
St-Philbert-en-Mauges 49 — 113 D3
St-Philbert-sur-Boissey 27 — 31 D3
St-Philbert-sur-Orne 61 — 52 C2
St-Philbert-sur-Risle 27 — 30 C2
St-Philibert 21 — 123 E3
St-Philibert 56 — 91 D3
St-Philippe-d'Aiguille 33 — 178 A4
St-Philippe-du-Seignal 33 — 195 F1
St-Piat 28 — 56 B4
St-Pierre 04 — 223 E4
St-Pierre 31 — 230 B3
St-Pierre 15 — 60 C1
St-Pierre 15 — 182 C1
St-Pierre 67 — 89 D1
St-Pierre 39 — 142 A3
St-Pierre-à-Arnes 08 — 37 D2
St-Pierre-à-Champ 79 — 114 A4
St-Pierre-à-Gouy 80 — 17 D2
St-Pierre-Aigle 02 — 35 D2
St-Pierre (Arcs de) 48 — 216 C2
St-Pierre-Avez 05 — 221 E1
St-Pierre-Azif 14 — 29 F2
St-Pierre-Bellevue 23 — 165 F1
St-Pierre-Bénouville 76 — 15 E3
St-Pierre-lès-Bitry 60 — 35 D2
St-Pierre-Bois 67 — 89 D1
St-Pierre-les-Bois 18 — 135 F3
St-Pierre-le-Bost 23 — 151 D1
St-Pierre-la-Bourlhonne 63 — 169 E3
St-Pierre-Brouck 59 — 3 E2
St-Pierre-la-Bruyère 61 — 77 E2
St-Pierre-Canivet 14 — 52 C1
St-Pierre-lès-Champs 60 — 32 C2
St-Pierre-le-Chastel 63 — 167 F2
St-Pierre-Chérignat 23 — 150 A4
St-Pierre-Colamine 63 — 168 A4
St-Pierre-la-Cour 53 — 74 B3
St-Pierre-d'Albigny 73 — 174 A3
St-Pierre-d'Allevard 38 — 189 F1
St-Pierre-d'Alvey 73 — 173 D3
St-Pierre-d'Amilly 17 — 146 A3
St-Pierre-d'Argençon 05 — 205 E3
St-Pierre-d'Arthéglise 50 — 24 C3
St-Pierre-d'Aubézies 32 — 227 F2
St-Pierre-d'Aurillac 33 — 194 C4
St-Pierre-d'Autils 27 — 32 B4
St-Pierre-de-Bailleul 27 — 32 A4
St-Pierre-de-Bat 33 — 194 C2
St-Pierre-de-Belleville 73 — 174 B4
St-Pierre-de-Bœuf 42 — 187 E1
St-Pierre-de-Bressieux 38 — 188 B1
St-Pierre-de-Buzet 47 — 211 D2
St-Pierre-de-Caubel 47 — 196 A4
St-Pierre-de-Cernières 27 — 54 B1
St-Pierre-de-Chandieu 69 — 171 F3
St-Pierre-de-Chartreuse 38 — 189 E1
St-Pierre-de-Chérennes 38 — 188 C3
St-Pierre-de-Chevillé 72 — 97 D3
St-Pierre-de-Chignac 24 — 180 A3
St-Pierre-de-Clairac 47 — 211 F2
St-Pierre-de-Côle 24 — 179 F1
St-Pierre-de-Colombier 07 — 202 C2
St-Pierre-de-Cormeilles 27 — 30 B3
St-Pierre-de-Coutances 50 — 26 C4
St-Pierre-de-Curtille 73 — 173 E2
St-Pierre-de-la-Fage 34 — 233 F1
St-Pierre-de-Frugie 24 — 164 B3
St-Pierre-de-Fursac 23 — 149 F3
St-Pierre-de-Genebroz 73 — 173 E4
St-Pierre-de-l'Ile 17 — 146 B4
St-Pierre-de-Jards 36 — 118 B4
St-Pierre-de-Juillers 17 — 146 B4
St-Pierre-de-Lages 31 — 230 B3
St-Pierre-de-Lamps 36 — 134 B1
St-Pierre-de-Maillé 86 — 133 D3
St-Pierre-de-Mailloc 14 — 30 B4
St-Pierre-de-Manneville 76 — 31 E2
St-Pierre-de-Méaroz 38 — 205 F1
St-Pierre-de-Mésage 38 — 189 E3
St-Pierre-de-Mons 33 — 194 C3
St-Pierre-de-Nogaret 48 — 200 C4
St-Pierre-de-Plesguen 35 — 79 F4
St-Pierre-de-Rivière 09 — 252 A4
St-Pierre-de-Salerne 27 — 31 D3
St-Pierre-de-Semilly 50 — 27 E4
St-Pierre-de-Soucy 73 — 174 A4
St-Pierre-de-Trivisy 81 — 231 F2
St-Pierre-de-Varengeville 76 — 31 E1
St-Pierre-de-Varennes 71 — 139 E2
St-Pierre-de-Vassols 84 — 220 A3
St-Pierre-le-Déchausselat 07 — 202 C4
St-Pierre-dels-Forcats 66 — 261 E3
St-Pierre-d'Entremont 61 — 52 A2
St-Pierre-d'Entremont 38 — 173 D3
St-Pierre-des-Bois 72 — 96 A1
St-Pierre-des-Champs 11 — 254 A3
St-Pierre-des-Corps 37 — 116 A1
St-Pierre-des-Échaubrognes 79 — 113 E4
St-Pierre-des-Fleurs 27 — 31 E3

St-Pierre-des-Ifs 14 — 30 A4
St-Pierre-des-Ifs 27 — 30 C3
St-Pierre-des-Jonquières 76 — 16 A2
St-Pierre-des-Landes 53 — 74 B2
St-Pierre-des-Loges 61 — 54 A3
St-Pierre-des-Nids 53 — 76 A1
St-Pierre-des-Ormes 72 — 76 C2
St-Pierre-des-Tripiers 48 — 216 C2
St-Pierre-d'Exideuil 86 — 147 E3
St-Pierre-d'Eyraud 24 — 195 F1
St-Pierre-d'Irube 64 — 224 C3
St-Pierre-d'Oléron 17 — 144 C2
St-Pierre-du-Bosguérard 27 — 31 E3
St-Pierre-du-Bû 14 — 52 C2
St-Pierre-du-Champ 43 — 185 F2
St-Pierre-du-Chemin 85 — 130 B3
St-Pierre-du-Fresne 14 — 28 B4
St-Pierre-du-Jonquet 14 — 29 E3
St-Pierre-du-Lorouër 72 — 97 D2
St-Pierre-du-Mesnil 27 — 54 B1
St-Pierre-du-Mont 14 — 27 F2
St-Pierre-du-Mont 40 — 209 E4
St-Pierre-du-Mont 58 — 120 C2
St-Pierre-du-Palais 17 — 178 A1
St-Pierre-du-Perray 91 — 58 A4
St-Pierre-du-Regard 61 — 52 B2
St-Pierre-du-Val 27 — 30 B2
St-Pierre-du-Vauvray 27 — 31 F3
St-Pierre-Église 50 — 25 D2
St-Pierre-lès-Elbeuf 76 — 31 E3
St-Pierre-en-Faucigny 74 — 158 C3
St-Pierre-en-Port 76 — 14 B2
St-Pierre-en-Val 76 — 16 A1
St-Pierre-en-Vaux 21 — 122 C4
St-Pierre-les-Étieux 18 — 136 A2
St-Pierre-Eynac 43 — 186 A4
St-Pierre-Franqueville 02 — 20 A2
St-Pierre-la-Garenne 27 — 32 A4
St-Pierre-Lafeuille 46 — 197 F4
St-Pierre-Langers 50 — 50 B2
St-Pierre-Laval 03 — 153 F3
St-Pierre-Lavis 76 — 14 C4
St-Pierre-Montlimart 49 — 113 D2
St-Pierre-le-Moûtier 58 — 137 D2
St-Pierre-lès-Nemours 77 — 80 C3
St-Pierre-la-Noaille 42 — 154 B3
St-Pierre-la-Palud 69 — 171 D2
St-Pierre-Quiberon 56 — 90 C3
St-Pierre-la-Rivière 61 — 53 E2
St-Pierre-Roche 63 — 167 F2
St-Pierre-la-Roche 07 — 203 E2
St-Pierre-sur-Dives 14 — 53 D1
St-Pierre-sur-Doux 07 — 186 C3
St-Pierre-sur-Dropt 47 — 195 E3
St-Pierre-sur-Erve 53 — 75 E4
St-Pierre-sur-l'Hâte 68 — 88 C2
St-Pierre-sur-Orthe 53 — 75 F3
St-Pierre-sur-Vence 08 — 21 E3
St-Pierre-Tarentaise 14 — 51 F1
St-Pierre-Toirac 46 — 198 C3

St-Pierre-la-Vieille 14 — 52 B1
St-Pierre-le-Vieux 85 — 145 F1
St-Pierre-le-Vieux 71 — 155 D2
St-Pierre-le-Vieux 76 — 15 D2
St-Pierre-le-Vieux 48 — 201 D1
St-Pierre-le-Viger 76 — 15 D2
St-Pierremont 88 — 87 E1
St-Pierremont 02 — 20 A3
St-Pierremont 08 — 38 A1
St-Pierreville 07 — 203 E1
St-Pierrevillers 55 — 39 D2
St-Pilon 83 — 243 F2
St-Plaisir 03 — 136 C3
St-Plancard 31 — 250 B2
St-Planchers 50 — 50 B2
St-Plantaire 36 — 150 A1
St-Point 71 — 155 D2
St-Point-Lac 25 — 142 C2
St-Pois 50 — 51 D2
St-Poix 53 — 94 B1
St-Pol-de-Léon 29 — 46 A2
St-Pol-sur-Mer 59 — 3 F1
St-Pol-sur-Ternoise 62 — 9 E2
St-Polgues 42 — 170 A1
St-Polycarpe 11 — 253 E3
St-Pompain 79 — 146 A1
St-Pompont 24 — 197 D2
St-Poncy 15 — 184 B3
St-Pons 04 — 206 C4
St-Pons 07 — 203 E3
St-Pons-la-Calm 30 — 219 D3
St-Pons-de-Mauchiens 34 — 233 F3
St-Pons-de-Thomières 34 — 232 B4
St-Pons (Parc de) 13 — 243 F2
St-Pont 03 — 153 D3
St-Porchaire 17 — 160 C1
St-Porquier 82 — 212 C4
St-Pôtan 22 — 49 D3
St-Pouange 10 — 83 D3
St-Pourçain-sur-Besbre 03 — 153 E1
St-Pourçain-sur-Sioule 03 — 153 D2
St-Prancher 88 — 86 B2
St-Préjet-Armandon 43 — 185 D2
St-Préjet-d'Allier 43 — 201 F1
St-Prest 28 — 78 C1
St-Preuil 16 — 162 A3
St-Priest 69 — 171 F2
St-Priest 07 — 203 E2
St-Priest 23 — 151 D3
St-Priest-le-Betoux 87 — 149 E3
St-Priest-Bramefant 63 — 153 D4
St-Priest-d'Andelot 03 — 152 C4
St-Priest-de-Gimel 19 — 181 F2
St-Priest-en-Jarez 42 — 170 C4
St-Priest-en-Murat 03 — 152 B2
St-Priest-la-Feuille 23 — 149 F3
St-Priest-les-Fougères 24 — 164 B4
St-Priest-Ligoure 87 — 164 C3
St-Priest-la-Marche 18 — 151 D1
St-Priest-Palus 23 — 165 E1
St-Priest-la-Plaine 23 — 150 A3
St-Priest-la-Prugne 42 — 153 F4
St-Priest-la-Roche 42 — 170 B1
St-Priest-sous-Aixe 87 — 164 B2
St-Priest-Taurion 87 — 165 D1
St-Priest-la-Vêtre 42 — 169 E2
St-Prim 38 — 171 E4
St-Privat 24 — 178 C2
St-Privat 07 — 203 D3
St-Privat 34 — 233 E2
St-Privat 19 — 182 B3
St-Privat-d'Allier 43 — 185 D4
St-Privat-de-Champclos 30 — 218 C1
St-Raphaël 83 — 239 F3

St-Privat-de-Vallongue 48 — 217 F2
St-Privat-des-Vieux 30 — 218 B2
St-Privat-du-Dragon 43 — 184 C2
St-Privat-du-Fau 48 — 201 D1
St-Privat-la-Montagne 57 — 40 A3
St-Privé 89 — 101 D3
St-Privé 71 — 139 E3
St-Prix 95 — 57 E1
St-Prix 07 — 187 D4
St-Prix 71 — 138 C1
St-Prix 03 — 153 F2
St-Prix-lès-Arnay 21 — 122 C3
St-Projet 82 — 213 F1
St-Projet 46 — 197 D2
St-Projet-de-Salers 15 — 183 D3
St-Projet-St-Constant 16 — 163 D2
St-Prouant 85 — 130 A2
St-Pryvé-St-Mesmin 45 — 99 E2
St-Puy 32 — 228 A1
St-Python 59 — 11 D3
St-Quantin-de-Rançanne 17 — 161 D4
St-Quay-Perros 22 — 46 C1
St-Quay-Portrieux 22 — 48 A2
St-Quentin 02 — 19 D2
St-Quentin-les-Anges 53 — 94 C2
St-Quentin-au-Bosc 76 — 16 A2
St-Quentin-lès-Beaurepaire 49 — 96 A3
St-Quentin-la-Chabanne 23 — 166 B1
St-Quentin-les-Chardonnets 61 — 51 F2
St-Quentin-en-Mauges 49 — 113 D2
St-Quentin-en-Tourmont 80 — 8 A3
St-Quentin-en-Yvelines 78 — 56 C3
St-Quentin-Fallavier 38 — 172 A3
St-Quentin-les-Marais 51 — 61 E2
St-Quentin-la-Motte-Croix-au-Bailly 80 — 8 A4
St-Quentin-le-Petit 08 — 20 B4
St-Quentin-la-Poterie 30 — 218 C3
St-Quentin-sur-Charente 16 — 163 E1
St-Quentin-sur-Coole 51 — 61 D2
St-Quentin-sur-le-Homme 50 — 50 C3
St-Quentin-sur-Indrois 37 — 116 B3
St-Quentin-sur-Isère 38 — 189 D1
St-Quentin-sur-Nohain 58 — 120 A2
St-Quentin-sur-Sauxillanges 63 — 168 C4
St-Quentin-la-Tour 09 — 252 C3
St-Quentin-lès-Troo 41 — 97 E2
St-Quentin-le-Verger 51 — 60 A4
St-Quirc 09 — 252 A1
St-Quirin 57 — 66 A3
St-Rabier 24 — 180 B3
St-Racho 71 — 154 C2
St-Rainier 2b — 264 B3
St-Rambert-d'Albon 26 — 187 E2
St-Rambert-en-Bugey 01 — 156 C4
St-Rambert-sur-Loire 4 — 170 B4

St-Raphaël 24 — 180 B2
St-Régis-du-Coin 42 — 186 C2
St-Règle 37 — 116 C1
St-Remèze 07 — 218 C1
St-Remimont 88 — 86 B2
St-Remimont 54 — 64 C4
St-Rémy 24 — 178 C2
St-Rémy 79 — 146 A1
St-Rémy 71 — 140 A2
St-Remy 88 — 88 A1
St-Remy 14 — 52 B1
St-Remy 70 — 106 B2
St-Rémy 12 — 214 B1
St-Remy 01 — 156 B2
St-Rémy 21 — 103 E3
St-Rémy 19 — 196 C3
St-Rémy-au-Bois 62 — 8 C2
St-Rémy-aux-Bois 54 — 87 D1
St-Rémy-Blanzy 02 — 35 E3
St-Rémy-Boscrocourt 76 — 16 A1
St-Rémy-la-Calonne 55 — 39 D4
St-Rémy-Chaussée 59 — 12 B4
St-Rémy-lès-Chevreuse 78 — 57 D3
St-Rémy-de-Blot 63 — 152 B4
St-Rémy-de-Chargnat 63 — 168 C4
St-Rémy-de-Chaudes-Aigues 15 — 200 C2
St-Rémy-de-Maurienne 73 — 174 B4
St-Rémy-de-Provence 13 — 236 B1
St-Rémy-de-Salers 15 — 183 D3
St-Rémy-de-Sillé 72 — 75 F3
St-Rémy-des-Landes 50 — 26 C2
St-Rémy-des-Monts 72 — 76 C2
St-Rémy-du-Nord 59 — 12 B3
St-Rémy-du-Plain 35 — 73 E1
St-Rémy-du-Val 72 — 76 B2
St-Remy-en-Bouzemont-St-Genest-et-Isson 51 — 61 F4
St-Remy-en-l'Eau 60 — 33 F1
St-Rémy-en-Mauges 49 — 112 C2
St-Rémy-en-Montmorillon 86 — 148 C2
St-Rémy-en-Rollat 03 — 153 D3
St-Rémy-l'Honoré 78 — 56 C3
St-Remy-le-Petit 08 — 36 C2
St-Remy-sous-Barbuise 10 — 83 D1
St-Remy-sous-Broyes 51 — 60 A3
St-Remy-sur-Avre 28 — 55 E3
St-Remy-sur-Bussy 51 — 37 E4
St-Remy-sur-Creuse 86 — 132 C1
St-Remy-sur-Durolle 63 — 169 D1
St-Rémy-la-Vanne 77 — 59 D2
St-Rémy-la-Varenne 49 — 114 A1
St-Renan 29 — 44 C3
St-Restitut 26 — 219 E1
St-Révérend 85 — 128 B2
St-Révérien 58 — 121 D3
St-Rieul 22 — 48 C4
St-Rigomer-des-Bois 72 — 76 B2
St-Rimay 41 — 97 F2
St-Riquier 80 — 8 C4
St-Riquier-en-Rivière 76 — 16 B2
St-Riquier-lès-Plains 76 — 14 C2
St-Rirand 42 — 154 A4
St-Rivoal 29 — 45 F4
St-Robert 19 — 180 C2
St-Robert 47 — 212 A2
St-Robert (la Chapelle) 24 — 163 D3
St-Roch 37 — 115 F1
St-Roch-sur-Égrenne 61 — 51 F4
St-Rogatien 17 — 145 D3
St-Roger 08 — 21 E4
St-Romain 86 — 178 B2
St-Romain 16 — 178 B2
St-Romain 21 — 123 E4
St-Romain 39 — 157 E1

St-Romain-les-Atheux 42 — 186 C1
St-Romain-au-Mont-d'Or 69 — 171 E1
St-Romain-en-Gal 69 — 171 E4
St-Romain-en-Gier 69 — 171 E3
St-Romain-en-Jarez 42 — 171 D3
St-Romain-en-Viennois 84 — 220 A2
St-Romain-et-St-Clément 24 — 180 A1
St-Romain-Lachalm 43 — 186 C2
St-Romain (Mont) 71 — 140 A4
St-Romain-la-Motte 42 — 154 A3
St-Romain-la-Noble 47 — 212 A2
St-Romain-le-Preux 89 — 101 F1
St-Romain-le-Puy 42 — 170 B4
St-Romain (Puy de) 63 — 168 B3
St-Romain-sous-Gourdon 71 — 139 E3
St-Romain-sous-Versigny 71 — 138 C3
St-Romain-sur-Cher 41 — 117 D2
St-Romain-sur-Gironde 17 — 160 C2
St-Romain-la-Virvée 33 — 177 E4
St-Romain-d'Ay 07 — 187 D3
St-Romain-de-Benet 17 — 160 C2
St-Romain-de-Colbosc 76 — 30 B1
St-Romain-de-Jalionas 38 — 172 B2
St-Romain-de-Lerps 07 — 187 E4
St-Romain-de-Monpazier 24 — 196 C2
St-Romain-de-Popey 69 — 171 D1
St-Romain-de-Surieu 38 — 187 E1
St-Romain-des-Iles 71 — 155 E3
St-Romain-d'Urfé 42 — 169 E1
St-Roman 26 — 205 D2
St-Roman (Abbaye de) 34 — 235 F1
St-Roman-de-Codières 30 — 217 E4
St-Roman-de-Malegarde 84 — 219 F1
St-Romans 38 — 188 C3
St-Romans-des-Champs 79 — 146 B2
St-Romans-lès-Melle 79 — 146 C2
St-Rome 31 — 230 B4
St-Rome-de-Cernon 12 — 216 A4
St-Rome-de-Dolan 48 — 216 B2
St-Rome-de-Tarn 12 — 216 A3
St-Romphaire 50 — 27 E4
St-Rustice 31 — 229 F1
St-Saëns 76 — 16 A3
St-Saire 76 — 16 A3
St-Salvadou 12 — 214 B2
St-Salvadour 19 — 181 F1
St-Salvi-de-Carcavès 81 — 232 A1
St-Salvy 47 — 211 E1
St-Salvy-de-la-Balme 81 — 231 F3
St-Samson 72 — 75 F1
St-Samson 14 — 29 E3
St-Samson 56 — 71 E3
St-Samson-la-Poterie 60 — 16 C4
St-Samson-sur-Rance 22 — 49 E4
St-Samson-de-Bonfossé 50 — 27 E4
St-Samson-de-la-Roque 27 — 30 C1
St-Sandoux 63 — 168 B3
St-Santin 12 — 199 D3
St-Santin-Cantalès 15 — 182 C4
St-Santin-de-Maurs 15 — 199 D3
St-Sardos 24 — 211 E1
St-Sardos 82 — 212 C4
St-Satur 18 — 119 F2
St-Saturnin 15 — 183 E2
St-Saturnin 63 — 168 B3
St-Saturnin 51 — 60 B4

St-Saturnin 72 76 B4
St-Saturnin 48 201 D4
St-Saturnin 18 135 E4
St-Saturnin 16 162 B3
St-Saturnin 34 233 F2
St-Saturnin-lès-Avignon 84 219 F4
St-Saturnin-sur-Loire 49 114 A1
St-Saturnin-d'Apt 84 220 C4
St-Saturnin-de-Lenne 12 200 C4
St-Saturnin-du-Bois 17 146 A3
St-Saturnin-du-Limet 53 94 B2
St-Saud-Lacoussière 24 164 A4
St-Sauflieu 80 17 E3
St-Saulge 58 121 D4
St-Saulve 59 11 E2
St-Saury 15 199 D1
St-Sauvant 17 161 E2
St-Sauvant 86 147 D1
St-Sauves-d'Auvergne 63 167 E3
St-Sauveur 29 45 F3
St-Sauveur 31 229 F2
St-Sauveur 79 131 D2
St-Sauveur 60 34 B2
St-Sauveur 24 196 B1
St-Sauveur 86 132 C2
St-Sauveur 05 207 D3
St-Sauveur 70 107 D2
St-Sauveur 38 188 C3
St-Sauveur 21 124 B1
St-Sauveur 80 17 E2
St-Sauveur 33 176 C2
St-Sauveur 54 66 A4
St-Sauveur-lès-Bray 77 81 E1
St-Sauveur-d'Aunis 17 145 E2
St-Sauveur-de-Carrouges 61 53 D4
St-Sauveur-de-Cruzières 07 218 B1
St-Sauveur-de-Flée 49 94 C2
St-Sauveur-de-Ginestoux 48 201 F2
St-Sauveur-de-Landemont 49 112 C2
St-Sauveur-de-Meilhan 47 195 D4
St-Sauveur-de-Montagut 07 203 E1
St-Sauveur-de-Peyre 48 201 D3
St-Sauveur-de-Pierrepont 50 26 C2
St-Sauveur-de-Puynormand 33 178 B4
St-Sauveur-d'Émalleville 76 14 B4
St-Sauveur-des-Landes 35 73 F2
St-Sauveur-des-Pourcils 30 217 D3
St-Sauveur-en-Puisaye 89 101 F3
St-Sauveur-en-Rue 42 186 C2
St-Sauveur-en-Diois 26 204 B2
St-Sauveur-Gouvernet 26 220 C1
St-Sauveur-Lalande 24 178 C4
St-Sauveur-Lendelin 50 27 D3
St-Sauveur-Marville 28 55 E4
St-Sauveur-la-Pommeraye 50 50 C2
St-Sauveur-la-Sagne 63 185 D1
St-Sauveur-sur-École 77 80 B1
St-Sauveur-sur-Tinée 06 223 F2
St-Sauveur-la-Vallée 46 198 A3
St-Sauveur-le-Vicomte 50 24 C3
St-Sauvier 03 151 D1
St-Sauvy 32 228 C2
St-Savin 38 172 B3
St-Savin 33 177 E3
St-Savin 86 133 D4
St-Savin 65 257 D2
St-Savinien 17 161 D1
St-Saviol 86 147 E3
St-Savournin 13 243 E2
St-Sébastien 23 149 F1
St-Sébastien 38 205 E1
St-Sébastien-sur-Loire 44 112 A2
St-Sébastien-d'Aigrefeuille 30 218 A3
St-Sébastien-de-Morsent 27 55 E1
St-Sébastien-de-Raids 50 27 D3
St-Secondin 86 148 A2
St-Ségal 29 69 D1
St-Séglin 35 92 C1
St-Seine 58 138 B2
St-Seine-l'Abbaye 21 123 D1
St-Seine-en-Bâche 21 124 B3
St-Seine-sur-Vingeanne 21 105 E4
St-Selve 33 194 B2
St-Senier-de-Beuvron 50 50 C4
St-Senier-sous-Avranches 50 50 C3
St-Senoch 37 116 B4
St-Senoux 35 93 D1
St-Sériès 34 234 C2
St-Sernin 07 203 D3
St-Sernin 11 252 B2
St-Sernin 47 195 F2
St-Sernin-lès-Lavaur 81 231 D3
St-Sernin-sur-Rance 12 232 A1
St-Sernin-du-Bois 71 139 E2
St-Sernin-du-Plain 71 139 F1
St-Sérotin 89 81 E3
St-Servais 22 46 C4
St-Servais 29 45 F2
St-Servant 56 71 F4
St-Setiers 19 166 B3
St-Seurin-sur-l'Isle 33 178 B4
St-Seurin-de-Bourg 33 177 D3
St-Seurin-de-Cadourne 33 176 C1
St-Seurin-de-Cursac 33 177 D2
St-Seurin-de-Palenne 17 161 E3
St-Seurin-de-Prats 24 195 E1
St-Sève 33 195 D3
St-Sever 40 226 B1
St-Sever-Calvados 14 51 E2
St-Sever-de-Rustan 65 249 E1
St-Sever-de-Saintonge 17 161 E2
St-Sever-du-Moustier 12 232 B2
St-Sever (Forêt de) 14 51 E2
St-Séverin 16 178 C2
St-Séverin-sur-Boutonne 17 146 B3
St-Séverin-d'Estissac 24 179 D3
St-Siffret 30 218 C3
St-Sigismond 74 159 D3
St-Sigismond 49 113 D1
St-Sigismond 45 99 D1
St-Sigismond 85 145 F1
St-Sigismond-de-Clermont 17 161 E4
St-Silvain-Bas-le-Roc 23 151 D2
St-Silvain-Bellegarde 23 151 D4
St-Silvain-Montaigut 23 150 A3
St-Silvain-sous-Toulx 23 151 D2
St-Siméon 77 59 D2
St-Siméon 61 74 C1
St-Siméon 27 30 C3
St-Siméon-de-Bressieux 38 188 B1
St-Simeux 16 162 B3
St-Simon 15 183 D4
St-Simon 46 198 B2
St-Simon 16 162 B3
St-Simon 02 19 D3
St-Simon-de-Bordes 17 177 E1
St-Simon-de-Pellouaille 17 161 D3
St-Sixt 74 158 B3
St-Sixte 47 212 A3
St-Sixte 42 170 A2
St-Solen 22 49 E4
St-Solve 19 181 D2
St-Sorlin 69 171 D3
St-Sorlin-en-Bugey 01 172 B1
St-Sorlin-en-Valloire 26 187 F2
St-Sorlin-d'Arves 73 190 B2
St-Sorlin-de-Conac 17 177 D1
St-Sorlin-de-Morestel 38 172 C3
St-Sorlin-de-Vienne 38 171 F4
St-Sornin 03 152 B1
St-Sornin 85 129 E4
St-Sornin 16 163 D2
St-Sornin 17 160 B2
St-Sornin-Lavolps 19 181 D1
St-Sornin-Leulac 87 149 E3
St-Sornin-la-Marche 87 148 C3
St-Soulan 32 228 C3
St-Souplet 59 19 E1
St-Souplet-sur-Py 51 37 D3
St-Soupplets 77 58 B1
St-Sozy 46 198 A1
St-Stail 88 88 B1
St-Suliac 35 49 E3
St-Sulpice 41 98 B4
St-Sulpice 81 230 B2
St-Sulpice 58 120 C4
St-Sulpice 01 156 A2
St-Sulpice 63 167 E3
St-Sulpice 46 198 B3
St-Sulpice 73 173 E3
St-Sulpice 60 33 E2
St-Sulpice 70 107 D3
St-Sulpice 49 114 A1
St-Sulpice 53 95 D1
St-Sulpice 07 219 D1
St-Sulpice-les-Bois 19 166 B3
St-Sulpice-les-Champs 23 150 C4
St-Sulpice-d'Arnoult 17 160 C1
St-Sulpice-de-Cognac 16 161 E2
St-Sulpice-de-Faleyrens 33 194 C1
St-Sulpice-de-Favières 91 57 E4
St-Sulpice-de-Graimbouville 27 30 B2
St-Sulpice-de-Guilleragues 33 195 E3
St-Sulpice-de-Mareuil 24 163 E4
St-Sulpice-de-Pommiers 33 195 D2
St-Sulpice-de-Roumagnac 24 179 D2
St-Sulpice-de-Royan 17 160 B2
St-Sulpice-de-Ruffec 16 163 D1
St-Sulpice-des-Landes 44 94 A4
St-Sulpice-des-Landes 35 93 E2
St-Sulpice-des-Rivoires 38 173 D4
St-Sulpice-d'Excideuil 24 180 A1
St-Sulpice-le-Dunois 23 150 A2
St-Sulpice-en-Pareds 85 130 A3
St-Sulpice-et-Cameyrac 33 177 E4
St-Sulpice-les-Feuilles 87 149 E2
St-Sulpice-la-Forêt 35 73 E3
St-Sulpice-le-Guérétois 23 150 B3
St-Sulpice-Laurière 87 149 F4
St-Sulpice-sur-Lèze 31 251 F1
St-Sulpice-sur-Risle 61 54 B2
St-Sulpice-le-Verdon 85 129 D1
St-Supplet 54 39 E2
St-Sylvain 14 29 E4
St-Sylvain 19 181 F3
St-Sylvain 76 15 D2
St-Sylvain-d'Anjou 49 95 E4
St-Sylvestre 74 173 F1
St-Sylvestre 87 149 E4
St-Sylvestre 07 187 E4
St-Sylvestre-Cappel 59 4 B3
St-Sylvestre-de-Cormeilles 27 30 B3
St-Sylvestre-Pragoulin 63 153 D4
St-Sylvestre-sur-Lot 47 212 A1
St-Symphorien 35 72 C2
St-Symphorien 33 194 B4
St-Symphorien 18 135 F2
St-Symphorien 72 75 F4
St-Symphorien 04 221 F2
St-Symphorien 79 146 B2
St-Symphorien 48 201 F1
St-Symphorien 27 30 C2
St-Symphorien-les-Buttes 50 27 F4
St-Symphorien-le-Château 28 79 D1
St-Symphorien-sous-Chomérac 07 203 F2
St-Symphorien-sur-Coise 69 170 C3
St-Symphorien-sur-Couze 87 149 E4
St-Symphorien-sur-Saône 21 124 A3
St-Symphorien-le-Valois 50 26 C2
St-Symphorien-d'Ancelles 71 155 E2
St-Symphorien-de-Lay 42 170 B1
St-Symphorien-de-Mahun 07 187 D3
St-Symphorien-de-Marmagne 71 139 D2
St-Symphorien-de-Thénières 12 200 A2
St-Symphorien-des-Bois 71 154 C2
St-Symphorien-des-Bruyères 61 54 B2
St-Symphorien-des-Monts 50 51 E4
St-Symphorien-d'Ozon 69 171 F3
St-Thégonnec 29 46 A3
St-Thélo 22 71 D2
St-Théodorit 30 218 A4
St-Théoffrey 38 189 E4
St-Thibaud-de-Couz 73 173 E4
St-Thibault 60 16 C3
St-Thibault 21 122 C2
St-Thibault 10 83 D3
St-Thibault-des-Vignes 77 58 B2
St-Thibaut 02 35 F3
St-Thibéry 34 233 F4
St-Thiébaud 39 125 D4
St-Thiébault 52 85 F3
St-Thierry 51 36 B2
St-Thois 29 69 E2
St-Thomas 31 229 E3
St-Thomas 02 36 A1
St-Thomas-de-Conac 17 177 D1
St-Thomas-de-Courceriers 53 75 F2
St-Thomas de Pastoreccia 2B 265 E4
St-Thomas-en-Argonne 51 37 F3
St-Thomas-en-Royans 26 188 B3
St-Thomas-la-Garde 42 170 B3
St-Thomé 07 203 E4
St-Thonan 29 45 E2
St-Thual 35 72 C2
St-Thurial 35 72 C4
St-Thuriau 56 70 D4
St-Thurien 27 30 C2
St-Thurien 29 69 F3
St-Thurin 42 169 E2
St-Tricat 62 3 D2
St-Trimoël 22 71 F1
St-Trinit 84 220 C3
St-Trivier-de-Courtes 01 140 B4
St-Trivier-sur-Moignans 01 155 F3
St-Trojan 33 177 D3
St-Trojan-les-Bains 17 160 A1
St-Tropez 83 245 E1
St-Tugdual 56 70 B3
St-Tugen 29 68 A2
St-Ulphace 72 77 E3
St-Ulrich 68 108 B3
St-Uniac 35 72 B3
St-Urbain 52 85 D1
St-Urbain 85 128 B1
St-Urbain 29 45 E3
St-Urcisse 47 212 A2
St-Urcisse 81 213 E4
St-Urcize 15 200 C2
St-Ursin 50 50 C2
St-Usage 10 84 A4
St-Usage 21 124 A3
St-Usuge 71 140 C3
St-Utin 51 61 E4
St-Uze 26 187 E2
St-Vaast-de-Longmont 60 34 B3
St-Vaast-d'Équiqueville 76 15 F2
St-Vaast-Dieppedalle 76 15 D3
St-Vaast-du-Val 76 15 E3
St-Vaast-en-Auge 14 29 F2
St-Vaast-en-Cambrésis 59 11 D4
St-Vaast-en-Chaussée 80 17 E1
St-Vaast-la-Hougue 50 25 E2
St-Vaast-lès-Mello 60 33 F3
St-Vaast-sur-Seulles 14 28 C3
St-Vaize 17 161 D2
St-Valbert 70 107 D1
St-Valentin 36 134 C1
St-Valérien 89 81 E3
St-Valérien 85 130 A4
St-Valery 60 16 C3
St-Valery-en-Caux 76 15 D2
St-Valery-sur-Somme 80 8 B4
St-Vallerin 71 139 F3
St-Vallier 16 178 B2
St-Vallier 26 187 E2
St-Vallier 71 139 E3
St-Vallier 88 87 D2
St-Vallier-de-Thiey 06 239 F1
St-Vallier-sur-Marne 52 105 E2
St-Varent 79 131 E1
St-Vaury 23 150 A3
St-Venant 62 4 B4
St-Vénérand 43 201 F1
St-Vérain 58 120 A1
St-Véran 05 207 E2
St-Vérand 71 155 E2
St-Vérand 38 188 B2
St-Vérand 69 171 D1
St-Vert 43 185 D1
St-Viance 19 181 D2
St-Viâtre 41 99 E4
St-Viaud 44 111 D2
St-Victeur 72 76 A2
St-Victor 15 182 C4
St-Victor 03 151 F1
St-Victor 07 187 D3
St-Victor 24 179 D2
St-Victor-l'Abbaye 76 15 F3
St-Victor-la-Coste 30 219 D3
St-Victor-de-Buthon 28 77 F1
St-Victor-de-Cessieu 38 172 B3
St-Victor-de-Chrétienville 27 30 C4
St-Victor-de-Malcap 30 218 B2
St-Victor-de-Morestel 38 172 C2
St-Victor-de-Réno 61 T E1
St-Victor-d'Épine 27 30 C3
St-Victor-des-Oules 30 218 C3
St-Victor-en-Marche 23 150 B3
St-Victor-et-Melvieu 12 215 F3
St-Victor-Malescours 43 186 B2
St-Victor-Montvianeix 63 169 D1
St-Victor-la-Rivière 63 167 F4
St-Victor-Rouzaud 09 252 A3
St-Victor-sur-Arlanc 43 185 E1
St-Victor-sur-Avre 27 54 C3
St-Victor-sur-Loire 42 170 B4
St-Victor-sur-Ouche 21 123 D2
St-Victor-sur-Rhins 42 154 C4
St-Victoret 13 237 D4
St-Victour 19 166 C4
St-Victurnien 87 164 B1
St-Vidal 43 185 E3
St-Vigor 27 31 F4
St-Vigor-des-Mézerets 14 52 A1
St-Vigor-des-Monts 50 51 D1
St-Vigor-d'Ymonville 76 30 B1
St-Vigor-le-Grand 14 28 C2
St-Vincent 82 213 E2
St-Vincent 31 230 C4
St-Vincent 64 248 C2
St-Vincent 63 168 B4
St-Vincent 15 183 D2
St-Vincent 43 185 F3
St-Vincent-Bragny 71 138 C4
St-Vincent-la-Châtre 79 147 D2
St-Vincent-la-Commanderie 26 188 B4
St-Vincent-Cramesnil 76 30 B1
St-Vincent-de-Barbeyrargues 34 234 B2
St-Vincent-de-Barrès 07 203 F2
St-Vincent-de-Boisset 42 154 B4
St-Vincent-de-Connezac 24 179 D3
St-Vincent-de-Cosse 24 197 D1
St-Vincent-de-Durfort 07 203 E1
St-Vincent-de-Lamontjoie 47 211 E3
St-Vincent-de-Mercuze 38 189 F1
St-Vincent-de-Paul 33 177 E4
St-Vincent-de-Paul 40 225 E1
St-Vincent-de-Pertignas 33 195 D1
St-Vincent-de-Reins 69 155 D3
St-Vincent-de-Tyrosse 40 224 C2
St-Vincent-des-Bois 27 32 A4
St-Vincent-des-Landes 44 93 F3
St-Vincent-des-Prés 72 76 C2
St-Vincent-des-Prés 71 139 E4
St-Vincent-d'Olargues 34 232 C3
St-Vincent-du-Boulay 27 30 C4
St-Vincent-du-Lorouër 72 97 D2
St-Vincent-du-Pendit 46 198 C1
St-Vincent-en-Bresse 71 140 B3
St-Vincent-les-Forts 04 206 C4
St-Vincent (Gorge de) 15 183 D3
St-Vincent-Jalmoutiers 24 178 C2
St-Vincent-Lespinasse 82 212 B3
St-Vincent-le-Paluel 24 197 E1
St-Vincent-Puymaufrais 85 129 F3
St-Vincent-Rive-d'Olt 46 197 E4
St-Vincent-Sterlanges 85 129 F2
St-Vincent-sur-Graon 85 129 D4
St-Vincent-sur-l'Isle 24 180 A2
St-Vincent-sur-Jabron 04 221 E2
St-Vincent-sur-Jard 85 144 B1
St-Vincent-sur-Oust 56 92 B2
St-Vinnemer 89 103 D2
St-Vit 25 125 D3
St-Vital 73 174 B3
St-Vite 47 196 C4
St-Vitte 18 136 A4
St-Vitte-sur-Briance 87 165 D3
St-Vivien 24 195 E1
St-Vivien 17 145 D3
St-Vivien-de-Blaye 33 177 E3
St-Vivien-de-Médoc 33 160 B4
St-Vivien-de-Monségur 33 195 E3
St-Voir 03 153 E1
St-Vougay 29 45 F2
St-Vrain 91 57 E4
St-Vrain 51 62 A3
St-Vran 22 71 F2
St-Vulbas 01 172 B1
St-Waast 59 11 F3
St-Wandrille-Rançon 76 31 E1
St-Witz 95 34 A4
St-Xandre 17 145 D2
St-Yaguen 40 209 D4
St-Yan 71 154 B1
St-Ybard 19 181 D1
St-Ybars 09 251 F2
St-Yon 91 57 D4
St-Yorre 03 153 E4
St-Yrieix-les-Bois 23 150 B3
St-Yrieix-le-Déjalat 19 166 A4
St-Yrieix-la-Montagne 23 166 A1
St-Yrieix-la-Perche 87 164 C4
St-Yrieix-sous-Aixe 87 164 B1
St-Yrieix-sur-Charente 16 162 B2
St-Ythaire 71 139 F4
St-Yvi 29 69 E3
St-Yvoine 63 168 B3
St-Yzan-de-Soudiac 33 177 E3
St-Yzans-de-Médoc 33 176 C1
St-Zacharie 83 243 F2
Ste-Adresse 76 30 A1
Ste-Agathe 63 169 D2
Ste-Agathe-la-Bouteresse 42 170 A2
Ste-Agathe-d'Aliermont 76 16 A2
Ste-Agathe-en-Donzy 42 170 C1
Ste-Agnès 39 141 D3
Ste-Agnès 38 189 F2
Ste-Agnès 06 241 E3
Ste-Alauzie 46 213 D1
Ste-Alvère 24 179 F4
Ste-Anastasie 30 218 C4
Ste-Anastasie 15 184 A3
Ste-Anastasie-sur-Issole 83 244 B1
Ste-Anne 25 125 E4
Ste-Anne 32 229 D2
Ste-Anne 41 98 A2
Ste-Anne (Col) 13 243 E2
Ste-Anne-d'Auray 56 91 D2
Ste-Anne-la-Palud 29 68 C2
Ste-Anne-St-Priest 87 165 E2
Ste-Anne-sur-Brivet 44 92 C4
Ste-Anne-sur-Gervonde 38 172 B4
Ste-Anne-sur-Vilaine 35 93 D2
Ste-Aulde 77 59 D1
Ste-Aurence-Cazaux 32 228 A4
Ste-Austreberthe 62 9 D2
Ste-Austreberthe 76 15 E4
Ste-Barbe 88 87 F1
Ste-Barbe 57 40 B3
Ste-Barbe 56 70 A3
Ste-Barbe-sur-Gaillon 27 32 A3
Ste-Baume (Gorge de la) 07 203 E4
Ste Baume (Massif de la) 13,83 238 A4
Ste-Bazeille 47 195 E3
Ste-Beuve-en-Rivière 76 16 B3
Ste-Blandine 79 146 C2
Ste-Blandine 38 172 C3
Ste-Brigitte 56 70 C2
Ste-Camelle 11 252 C1
Ste-Catherine 2B 264 C2
Ste-Catherine 63 169 D4
Ste-Catherine 69 171 D3
Ste-Catherine 62 10 A3
Ste-Catherine-de-Fierbois 37 115 F3
Ste-Cécile 71 155 E1
Ste-Cécile 85 129 F2
Ste-Cécile 36 117 F3
Ste-Cécile 50 51 D2
Ste-Cécile-d'Andorge 30 218 A2
Ste-Cécile-du-Cayrou 81 213 F4
Ste-Cécile-les-Vignes 84 219 E2
Ste-Céronne-lès-Mortagne 61 54 B4
Ste-Cérotte 72 97 E1
Ste-Christie 32 228 B2
Ste-Christie-d'Armagnac 32 227 E1
Ste-Christine 85 146 A1
Ste-Christine 49 113 D2
Ste-Christine 63 152 B4
Ste-Christine 2B 267 F1
Ste-Colombe 58 120 B2
Ste-Colombe 50 25 D3
Ste-Colombe 69 171 E4
Ste-Colombe 66 262 B2
Ste-Colombe 77 59 D4
Ste-Colombe 46 198 C2
Ste-Colombe 05 221 D1
Ste-Colombe 25 142 C1
Ste-Colombe 40 226 B2
Ste-Colombe 35 93 F1
Ste-Colombe 16 162 C1
Ste-Colombe 89 103 D4
Ste-Colombe 17 177 F2
Ste-Colombe 33 195 D1
Ste-Colombe 21 122 C1
Ste-Colombe 76 15 D3
Ste-Colombe-la-Campagne 27 32 A4
Ste-Colombe-la-Commanderie 27 31 E4
Ste-Colombe-de-Duras 47 195 E2
Ste-Colombe-de-Peyre 48 201 D2
Ste-Colombe-de-Villeneuve 47 211 F1
Ste-Colombe-en-Bruilhois 47 211 E2
Ste-Colombe-sur-Gand 42 170 C1
Ste-Colombe-sur-Guette 11 261 F1
Ste-Colombe-sur-l'Hers 11 252 C4
Ste-Colombe-sur-Loing 89 101 F4
Ste-Colombe-sur-Seine 21 103 F2
Ste-Colome 64 248 B2
Ste-Consorce 69 171 D2
Ste-Croix 71 140 C3
Ste-Croix 26 204 C2
Ste-Croix 01 172 A1
Ste-Croix 81 214 B4
Ste-Croix 46 212 C1
Ste-Croix 02 36 A1
Ste-Croix 24 196 C2
Ste-Croix 12 198 C4
Ste-Croix-à-Lauze 04 221 D4
Ste-Croix-aux-Mines 68 88 C2
Ste-Croix-de-Caderle 30 217 F3
Ste-Croix-de-Mareuil 24 163 D4
Ste-Croix-de-Quintillargues 34 234 B1
Ste-Croix-de-Verdon 04 238 C1
Ste-Croix-du-Mont 33 194 C3
Ste-Croix-en-Jarez 42 171 D4
Ste-Croix-en-Plaine 68 89 D4
Ste-Croix-Grand-Tonne 14 28 C3
Ste-Croix-Hague 50 24 C2
Ste-Croix (Lac de) 04,83 238 C1
Ste-Croix-sur-Aizier 27 30 C2
Ste-Croix-sur-Buchy 76 32 A1
Ste-Croix-sur-Mer 14 28 C2
Ste-Croix-sur-Orne 61 52 C2
Ste-Croix-Vallée-Française 48 217 E2
Ste-Croix-Volvestre 09 251 E2
Ste-Dode 32 228 A4
Ste-Eanne 79 146 C1
Ste-Engrâce 64 247 E3
Ste-Enimie 48 217 D1
Ste-Eugénie-de-Villeneuve 43 185 D3
Ste-Eulalie 33 177 E4
Ste-Eulalie 11 253 E2
Ste-Eulalie 48 201 E2
Ste-Eulalie 07 202 C1
Ste-Eulalie-d'Ans 24 180 B2
Ste-Eulalie-de-Cernon 12 216 B4
Ste-Eulalie-d'Eymet 24 195 F2
Ste-Eulalie-d'Olt 12 200 B4
Ste-Eulalie-en-Born 40 208 B1
Ste-Eulalie-en-Royans 26 188 C3
Ste-Euphémie 01 155 E4
Ste-Euphémie-sur-Ouvèze 26 220 C1
Ste-Eusoye 60 17 E4
Ste-Fauste 36 135 D2
Ste-Féréole 19 181 D2
Ste-Feyre 23 150 B3
Ste-Feyre-la-Montagne 23 166 C1
Ste-Flaive-des-Loups 85 129 D3
Ste-Florence 33 195 D1
Ste-Florence 85 129 F2
Ste-Florine 43 184 C1
Ste-Foi 09 252 C2
Ste-Fortunade 19 181 F2
Ste-Foy 40 209 F4
Ste-Foy 71 154 B2
Ste-Foy 76 15 F3
Ste-Foy 85 128 C3
Ste-Foy-l'Argentière 69 170 C2
Ste-Foy-d'Aigrefeuille 31 230 B3
Ste-Foy-de-Belvès 24 197 D2
Ste-Foy-de-Longas 24 179 F4
Ste-Foy-de-Montgommery 14 53 E1
Ste-Foy-de-Peyrolières 31 229 E4
Ste-Foy-la-Grande 33 195 E1
Ste-Foy-la-Longue 33 194 C3
Ste-Foy-lès-Lyon 69 171 E2
Ste-Foy-St-Sulpice 42 170 B2
Ste-Foy-Tarentaise 73 175 E3
Ste-Gauburge-Ste-Colombe 61 54 A3
Ste-Gemme 81 214 C3
Ste-Gemme 51 35 F4
Ste-Gemme 32 228 C1
Ste-Gemme 33 195 D3
Ste-Gemme 79 131 D1
Ste-Gemme 36 134 A2
Ste-Gemme 17 160 C2
Ste-Gemme-en-Sancerrois 18 119 F1
Ste-Gemme-Martaillac 47 210 C1
Ste-Gemme-Moronval 28 56 A3
Ste-Gemme-la-Plaine 85 129 F4
Ste-Gemmes 41 98 B2
Ste-Gemmes-d'Andigné 49 94 C3
Ste-Gemmes-le-Robert 53 75 E3
Ste-Gemmes-sur-Loire 49 113 F1
Ste-Geneviève 60 33 E3
Ste-Geneviève 50 25 E2
Ste-Geneviève 54 64 B2
Ste-Geneviève 02 20 B3
Ste-Geneviève 76 16 A4
Ste-Geneviève-des-Bois 91 57 E4
Ste-Geneviève-des-Bois 45 101 D2
Ste-Geneviève-lès-Gasny 27 32 B4
Ste-Geneviève-sur-Argence 12 200 A2

Ste-Germaine 10 84 B3
Ste-Hélène 33 176 C4
Ste-Hélène 71 139 F2
Ste-Hélène 48 201 F4
Ste-Hélène 88 87 F2
Ste-Hélène 56 90 C2
Ste-Hélène-Bondeville 76 14 B3
Ste-Hélène-du-Lac 73 173 F4
Ste-Hélène-sur-Isère 73 174 B3
Ste-Hermine 85 129 F3
Ste-Honorine-la-Chardonne 61 52 B2
Ste-Honorine-de-Ducy 14 28 B3
Ste-Honorine-des-Pertes 14 28 B2
Ste-Honorine-du-Fay 14 28 C4
Ste-Honorine-la-Guillaume 61 52 C2
Ste-Innocence 24 195 F2
Ste-Jalle 26 220 B1
Ste-Jamme-sur-Sarthe 72 76 B3
Ste-Julie 01 172 B1
Ste-Juliette 82 212 C2
Ste-Juliette-sur-Viaur 12 215 D2
Ste-Léocadie 66 261 D4
Ste-Lheurine 17 161 E4
Ste-Livière 51 62 A4
Ste-Livrade 31 229 E2
Ste-Livrade-sur-Lot 47 196 B4
Ste-Lizaigne 36 118 B4
Ste-Luce 38 205 F1
Ste-Luce-sur-Loire 44 112 A2
Ste-Lucie 2B 65 E2
Ste-Lucie-de-Tallano 2a 269 D2
Ste-Lunaise 18 135 F1
Ste-Magnance 89 122 A1
Ste-Marguerite 88 88 B2
Ste-Marguerite 43 185 D2
Ste-Marguerite-de-l'Autel 27 54 C2
Ste-Marguerite-de-Carrouges 61 52 C4
Ste-Marguerite-de-Viette 14 53 E1
Ste-Marguerite-d'Elle 14 27 F3
Ste-Marguerite-des-Loges 14 53 E1
Ste-Marguerite-en-Ouche 27 54 B1
Ste-Marguerite-Lafigère 07 202 B4
Ste-Marguerite-sur-Duclair 76 31 D1
Ste-Marguerite-sur-Fauville 76 14 C3
Ste-Marguerite-sur-Mer 76 15 E2
Ste-Marie 25 107 E4
Ste-Marie 35 92 C2
Ste-Marie 32 228 C2
Ste-Marie 08 37 E2
Ste-Marie 65 258 B2
Ste-Marie 58 120 C3
Ste-Marie 05 205 D4
Ste-Marie 66 263 D2
Ste-Marie 44 110 C3
Ste-Marie 15 200 B1
Ste-Marie-à-Py 51 37 E4
Ste-Marie-au-Bosc 76 14 A3
Ste-Marie-aux-Anglais 14 29 F4
Ste-Marie-aux-Chênes 57 39 F3
Ste-Marie-aux-Mines 68 88 C2
Ste-Marie-la-Blanche 21 123 E4
Ste-Marie-Cappel 59 4 B3
Ste-Marie (Col de) 68,88 88 B3
Ste-Marie-d'Alloix 38 189 F1
Ste-Marie-d'Alvey 73 173 D3
Ste-Marie-de-Chignac 24 179 F3
Ste-Marie-de-Cuines 73 190 B1
Ste-Marie-de-Gosse 40 225 D3

Ste-Marie-de-Ré 17 144 C3
Ste-Marie-de-Vatimesnil 27 32 B3
Ste-Marie-de-Vaux 87 164 B1
Ste-Marie-des-Champs 76 15 D4
Ste-Marie-des-Chazes 43 185 D3
Ste-Marie-du-Bois 50 51 E4
Ste-Marie-du-Bois 53 75 E1
Ste-Marie-du-Lac-Nuisement 51 61 F4
Ste-Marie-du-Menez-Hom 29 68 C1
Ste-Marie-du-Mont 38 173 E4
Ste-Marie-du-Mont 50 25 E4
Ste-Marie-en-Chanois 70 107 D1
Ste-Marie-en-Chaux 70 106 C2
Ste-Marie-Kerque 62 3 E2
Ste-Marie-Lapanouze 19 182 C1
Ste-Marie-Laumont 14 51 E1
Ste-Marie-Outre-l'Eau 14 51 E1
Ste-Marie-la-Robert 61 52 C2
Ste-Marie-sur-Ouche 21 123 D2
Ste-Marthe 47 195 E4
Ste-Marthe 27 55 D1
Ste-Maure 10 83 D2
Ste-Maure-de-Peyriac 47 210 C3
Ste-Maure-de-Touraine 37 115 F4
Ste-Maxime 83 245 E1
Ste-Même 17 161 E1
Ste-Menehould 51 38 A4
Ste-Mère 32 211 F4
Ste-Mère-Église 50 25 D3
Ste-Mesme 78 79 E1
Ste-Mondane 24 197 E1
Ste-Montaine 18 118 C1
Ste-Mulders (Chapelle) 62 3 F3
Ste-Nathalène 24 197 E1
Ste-Néomaye 79 146 C1
Ste-Odile (Mont) 67 66 C4
Ste-Olive 01 155 F4
Ste-Opportune 61 52 B3
Ste-Opportune-du-Bosc 27 31 D3
Ste-Opportune-la-Mare 27 30 C2
Ste-Orse 24 180 B2
Ste-Osmane 72 97 D2
Ste-Ouenne 79 146 B1
Ste-Pallaye 89 102 B3
Ste-Paule 69 155 D4
Ste-Pazanne 44 111 E3
Ste-Pexine 85 129 F3
Ste-Pience 50 50 C2
Ste-Pôle 54 66 C3
Ste-Preuve 02 20 A4
Ste-Radegonde 71 138 C3
Ste-Radegonde 79 114 A4
Ste-Radegonde 24 196 B2
Ste-Radegonde 32 228 B1
Ste-Radégonde 86 132 C3
Ste-Radegonde 33 195 D1
Ste-Radegonde 12 215 E1
Ste-Radégonde 17 160 C1
Ste-Radégonde-des-Noyers 85 145 E1
Ste-Ramée 17 161 D4
Ste-Reine 73 174 A3
Ste-Reine 70 106 A4
Ste-Reine-de-Bretagne 44 92 B4
Ste-Restitute 2B 264 B3
Ste-Roseline 83 239 E3
Ste-Ruffine 57 40 B4
Ste-Sabine 24 196 B2
Ste-Sabine 21 123 D3
Ste-Sabine-sur-Longève 72 76 A3

Ste-Savine 10 83 D2
Ste-Scolasse-sur-Sarthe 61 54 A4
Ste-Segrée 80 16 C3
Ste-Sève 29 46 A3
Ste-Sévère 16 161 F2
Ste-Sévère-sur-Indre 36 150 C1
Ste-Sigolène 43 186 B3
Ste-Solange 18 119 E3
Ste-Soline 79 147 D2
Ste-Souline 16 178 B1
Ste-Soulle 17 145 E2
Ste-Suzanne 53 75 E4
Ste-Suzanne 64 225 F3
Ste-Suzanne 25 107 F4
Ste-Suzanne 09 251 F2
Ste-Suzanne-sur-Vire 50 27 E4
Ste-Terre 33 195 D1
Ste-Thérence 03 151 F2
Ste-Thorette 18 118 C4
Ste-Tréphine 22 70 C2
Ste-Trie 24 180 C2
Ste-Tulle 04 237 F1
Ste-Valière 11 254 B1
Ste-Vaubourg 08 37 E1
Ste-Verge 79 114 B4
Ste-Vertu 89 102 C3
Ste-Victoire (Montagne) 13 237 F3
Stes-Maries-de-la-Mer 13 235 E4
Sts-Geosmes 52 105 D2
Sts-Peyres (Barrage des) 81 232 A3
Sainteny 50 27 D3
Saintes 17 161 D2
Saintines 60 34 B3
Saintry-sur-Seine 91 58 A4
Saints 77 58 C3
Saints 89 101 F4
Sainville 28 79 E2
Saire 50 25 D2
Saires 86 132 A1
Saires-la-Verrerie 61 52 B3
Saisies (Col des) 73 174 C2
Saissac 11 253 D1
Saisseval 80 17 D2
Saisy 71 139 E1
Saivres 79 146 C1
Le Saix 05 205 F4
Saix 81 231 E3
Saix 86 114 C3
Saizenay 39 125 D4
Saizerais 54 64 B2
Saizy 58 121 E2
Sajas 31 229 D4
Salagnac 24 180 B2
Salagnon 38 172 B3
Salagou (Barrage du) 34 233 D2
Salaise-sur-Sanne 38 187 E1
Salans 39 125 D3
Salasc 34 233 E3
Salaunes 33 176 C4
Salavas 07 218 C1
Salavre 01 156 C1
Salazac 30 218 C2
Salbert 90 107 F3
Salbris 41 118 B1
Les Salces 48 200 C3
Salles (Croix des) 74 174 C1
Saléchan 65 250 B4
Saleich 31 259 D2
Saleignes 17 146 C4
Saleilles 66 262 C2
Les Salelles 48 201 D4
Les Salelles 07 202 C4
Salency 60 18 C4
Salenthal 67 66 C3
Saléon 05 221 E1
Salérans 05 221 D2
Salerm 31 250 C1
Salernes 83 238 C3
Sales 15 183 D3
Sales 74 173 E1
Saleiches 59 11 E3
La Salette-Fallavaux 38 206 A1
Salettes 26 204 A3
Salettes 43 202 B1
Saleux 80 17 E2
Salève (Mont) 74 158 A3
Salice 2a 266 C3
Saliceto 2b 265 E4
Saliès 81 231 E1
Salies-de-Béarn 64 225 E3
Salies-du-Salat 31 251 D3
Salignac 33 177 E4
Salignac 04 221 F2
Salignac-de-Mirambeau 17 177 E1
Salignac-Eyvignes 24 180 C4
Salignac-sur-Charente 17 161 E1
Saligny 39 124 C2
Saligny 89 81 F3
Saligny 85 129 D3

Saligny-sur-Roudon 03 153 F1
Saligny-le-Vif 18 119 F4
Saligos 65 257 E3
Salindres 30 218 B2
Salinelles 30 234 C1
Salin-de-Giraud 13 236 A4
Salins 15 182 C2
Salins 77 81 D1
Salins-les-Bains 39 125 D4
Salins-les-Thermes 73 174 C4
Salives 21 104 B3
Sallagriffon 06 223 E4
Sallanches 74 159 D4
Sallaumines 62 10 B2
La Salle 05 191 D4
La Salle 88 88 A2
La Salle 71 155 F1
La Salle-de-Vihiers 49 113 E3
La Salle-en-Beaumont 38 205 F1
La Salle-et-Chapelle-Aubry 49 113 D2
La Salle-Prunet 48 217 E1
Sallebœuf 33 194 B1
Sallèdes 63 168 C3
Sallèles-Cabardès 11 253 F1
Sallèles-d'Aude 11 254 C2
Sallen 14 28 B4
Sallenelles 14 29 E3
Sallenôves 74 157 F4
Sallertaine 85 128 B1
Les Salles 42 169 E1
Les Salles 33 178 B4
Salles 47 196 C3
Salles 79 147 D1
Salles 65 257 D2
Salles 33 193 D3
Salles 81 214 B3
Salles-Adour 65 249 E2
Salles-Arbuissonnas-en-Beaujolais 69 155 E4
Salles-Courbatiès 12 199 D4
Salles-Curan 12 215 F2
Salles-d'Angles 16 161 F3
Salles-d'Armagnac 32 227 D1
Salles-d'Aude 11 255 D2
Salles-de-Barbezieux 16 162 A4
Salles-de-Belvès 24 197 D2
Salles-de-Villefagnan 16 147 E4
Les Salles-du-Gardon 30 218 A2
Salles-et-Pratviel 31 258 B3
Salles-Lavalette 16 178 C1
Les Salles-Lavauguyon 87 163 F2
Salles-Mongiscard 64 225 F3
Salles-sous-Bois 26 204 A4
Salles-sur-Garonne 31 251 E1
Salles-sur-l'Hers 11 252 B1
Salles-sur-Mer 17 145 D3
Les Salles-sur-Verdon 83 238 C1
Sallespisse 64 226 A3
Salmagne 55 62 C3
Salmaise 21 123 D1
Salmbach 67 43 F4
Salmiech 12 215 E2
Salomé 59 10 A1
Salon 24 179 F4
Salon 10 60 B4
Salon-la-Tour 19 165 D4
Sand 67 89 E1
Salon-de-Provence 13 236 C2
Salornay-sur-Guye 71 139 F4
Salouël 80 17 E2
Salperwick 62 3 F3
Salsein 09 259 D3
Salses 66 262 C1
Salsigne 11 253 E1
Salt-en-Donzy 42 170 C2
Salvagnac 81 213 F4
Salvagnac-Cajarc 12 198 B4
Salvagnac-St-Loup 12 198 C4
La Salvetat-Belmontet 82 213 E4
La Salvetat-Lauragais 31 230 C3
La Salvetat-Peyralès 12 214 C2

La Salvetat-St-Gilles 31 229 F3
La Salvetat-sur-Agout 34 232 B3
Salvezines 11 261 F1
Salvi (Col de) 2B 264 B3
Salviac 46 197 E2
Salvizinet 42 170 B2
Salza 11 253 F3
Salzuit 43 185 D3
Samadet 40 226 B2
Saman 31 250 C2
Samaran 32 228 B4
Samatan 47 195 E4
Sambin 41 117 D1
Sambourg 89 103 D2
Sambre 2,59 11 E1
Saméon 59 11 D1
Samer 62 2 C4
Samerey 21 124 B3
Sames 64 225 D3
Sammarçolles 86 115 D4
Sammeron 77 58 C1
Samoëns 74 159 D3
Samognat 01 157 D2
Samogneux 55 38 C3
Samois-sur-Seine 77 80 C1
Samonac 33 177 D3
Samoreau 77 80 C1
Samouillan 31 251 D1
Samoussy 02 19 F4
Sampans 39 124 B3
Sampigny 55 63 D2
Sampigny-lès-Maranges 71 139 F1
Sampolo 2a 267 D4
Sampzon 07 203 D4
Samson 25 125 D4
Samsons-Lion 64 227 D4
Samuran 65 250 B3
San Cervone (Col de) 2B 267 E1
San-Gavino-d'Ampugnani 2b 265 E4
San-Gavino-di-Carbini 2a 269 D2
San-Gavino-di-Fiumorbo 2b 267 E3
San-Gavino-di-Tenda 2b 265 D3
San-Giuliano 2b 267 F1
San-Lorenzo 2b 265 E4
San-Martino-di-Lota 2b 265 E2
San-Michele de Murato 2b 265 E3
San-Nicolao 2b 265 F4
San Petrone (Monte) 2B 265 E4
San Piero di Verde (Forêt de) 2A,2B 267 D3
San Stefano (Col de) 2B 265 E3
Sana 31 251 D2
Sanary-sur-Mer 83 244 A3
Sancé 71 155 F1
Sancergues 18 120 A3
Sancerre 18 119 F2
Sancey-le-Grand 25 126 B2
Sancey-le-Long 25 126 B2
Sancheville 28 78 C3
Sanchey 88 87 D3
Sancoins 18 136 C2
Sancourt 59 10 C3
Sancourt 27 32 C2
Sancourt 80 18 C3
Sancy 77 58 B2
Sancy 54 39 F2
Sancy-les-Cheminots 02 35 E2
Sancy-lès-Provins 77 59 E3
Sancy (Puy de) 63 167 E4
Sand 67 89 E1
Sandarville 28 78 B2
Sandaucourt 88 86 B2
Sandillon 45 99 F2
Sandouville 76 30 B1
Sandrans 01 156 A3
Sangatte 62 2 C2
Sanghen 62 3 D3
Sanguinaires (Îles) 2A 266 A4
Sanguinet 40 192 C4
Sanilhac 07 202 C3
Sanilhac-Sagriès 30 218 C4
Sannat 23 151 E3
Sannerville 14 29 E3
Sannes 84 237 E1
Sannois 95 57 E1
San-Damiano 2b 265 E4
Sanous 65 227 E4
Sanry-sur-Nied 57 40 C4
Sanry-lès-Vigy 57 40 B3
Sans-Vallois 88 86 C3
Sansa 66 261 E2

Sansac-de-Marmiesse 15 199 E1
Sansac-Veinazès 15 199 E2
Sansais 79 146 A2
Sansan 32 228 B3
Sanssac-l'Église 43 185 E3
Sanssat 03 153 E2
Sant' Angelo (Monte) 2B 264 C3
Santa-Lucia-di-Mercurio 2b 265 E4
Santa-Lucia-di-Moriani 2b 265 F4
Santa-Manza (Golfe de) 2A 269 E4
Santa-Maria 2B 264 C1
Santa-Maria-di-Lota 2b 265 E2
Santa-Maria-Figaniella 2a 268 C2
Santa-Maria-Poggio 2b 267 F1
Santa-Maria-Sicché 2a 266 C4
Santa-Reparata-di-Balagna 2b 264 C3
Santa-Reparata-di-Moriani 2b 265 F4
Sant'Andréa-di-Bozio 2b 267 E1
Sant'Andréa-di-Cotone 2b 267 F1
Sant'Andréa-d'Orcino 2a 266 B3
Santans 39 124 C4
Sant'Antonino 2b 264 C3
Santeau 45 79 F4
Santec 29 45 F1
Santenay 41 98 A4
Santenay 21 139 F1
Santes 59 10 A1
Santeuil 95 33 D4
Santeuil 28 79 D2
Santigny 89 103 D4
Santilly 71 139 F3
Santilly 28 79 D3
Santo-Pietro-di-Tenda 2b 265 E3
Santo-Pietro-di-Venaco 2b 267 D2
Santoche 25 126 A1
Santosse 21 123 D4
Santranges 18 119 F1
Sanvensa 12 214 B1
Sanvignes-les-Mines 71 139 D3
Sanxay 86 131 F4
Sanzay 79 131 D1
Sanzey 54 63 F2
Saon 14 28 B2
Saône 1,21, 69,70,71,88 124 B2
Saône 25 125 E2
Saonnet 14 28 B2
Saorge 06 241 F2
Saosnes 72 76 B2
Saou 26 204 B2
Le Sap 61 54 A2
Le Sap-André 61 54 A2
Sapignicourt 51 62 A3
Sapignies 62 10 A4
Sapin Président 39 142 A1
Sapogne-et-Feuchères 08 21 F3
Sapogne-sur-Marche 08 22 B4
Sapois 39 142 A2
Sapois 88 88 A4
Saponay 02 35 E3
Saponcourt 70 106 B1
Le Sappey 74 158 A3
Le Sappey-en-Chartreuse 38 189 E2
Saramon 32 228 C3
Saran 45 99 E1
Saraz 25 125 E4
Sarbazan 40 210 A3
Sarcé 72 96 B3
Sarceaux 61 53 D3
Sarcelles 95 57 E1
Sarcenas 38 189 E1
Sarcey 69 171 D1
Sarcey 52 85 E4
Sarcicourt 52 85 D3
Sarcos 32 228 B4
Sarcus 60 16 C3
Sarcy 51 36 A3
Sardan 30 234 C1
Sardent 23 150 B3
Sardieu 38 188 B1
Sardon 63 152 C4
Sardy-lès-Épiry 58 121 E3
Saré 64 224 B4
Sargé-lès-le-Mans 72 76 B4
Sargé-sur-Braye 41 97 E1
Sari-di-Porto-Vecchio 2A 269 F1
Sari-d'Orcino 2a 266 B3

Sariac-Magnoac 65 250 A1
Sarlabous 65 257 F2
Sarlande 24 164 B4
Sarlat-la-Canéda 24 197 E1
Sarliac-sur-l'Isle 24 180 B1
Sarniguet 65 249 E1
Sarnois 60 17 D4
Saron-sur-Aube 51 60 A4
Sarp 65 250 B3
Sarpourenx 64 226 A3
Sarragachies 32 227 D2
Sarrageois 25 142 B2
Sarraguzan 32 249 F1
Sarralbe 57 41 F4
Sarraltroff 57 66 A2
Sarran 19 182 A1
Sarrance 64 248 A3
Sarrancolin 65 249 F3
Sarrans (Barrage de) 12 200 A1
Sarrant 32 229 D1
Sarrazac 24 180 B1
Sarrazac 46 181 E4
Sarraziet 40 226 B2
Sarre 57,67 42 A4
Sarre-Union 67 66 A1
Sarrebourg 57 66 A2
Sarrecave 31 250 B2
Sarreguemines 57 42 A3
Sarreinsming 57 42 A3
Sarremezan 31 250 B2
Sarrewerden 67 66 A1
Sarrey 52 85 E4
Sarriac-Bigorre 65 227 E4
Sarrians 84 219 F3
Sarrigné 49 95 F4
Sarrogna 39 141 E4
Sarrola-Carcopino 2a 266 C3
Sarron 40 226 C3
Sarrouilles 65 249 E2
Sarroux 19 183 C1
Sarry 51 61 D2
Sarry 71 154 B2
Sarry 89 103 D3
Le Sars 62 18 B1
Sars-le Bois 62 9 E3
Sars-et-Rosières 59 11 D2
Sars-Poteries 59 12 B4
Sartène 2a 268 C3
Sartes 88 86 A2
Sarthe 49,72 76 B4
Sartilly 50 50 C2
Sarton 62 9 E4
Sartre (Cascade du) 15 183 E2
Sartrouville 78 57 D1
Sarzay 36 135 D2
Sarzeau 56 91 E3
Sasnières 41 97 F3
Sassangy 71 139 F3
Sassay 41 117 E1
Sassegnies 59 11 F1
Sassenage 38 189 D2
Sassenay 71 140 A2
Sassetot-le-Malgardé 76 15 E3
Sassetot-le-Mauconduit 76 14 C3
Sasseville 76 15 D3
Sassey 27 31 F4
Sassey-sur-Meuse 55 38 B1
Sassierges-St-Germain 36 135 D2
Sassis 65 257 E3
Sassy 14 53 D1
Sathonay-Camp 69 171 D1
Sathonay-Village 69 171 D1
Satillieu 07 187 D3
Satolas-et-Bonce 38 172 A2
Saturargues 34 234 C2
Saubens 31 229 F4
Saubion 40 225 D2
Saubole 64 249 D1
Saubrigues 40 224 C2
Saubusse 40 225 D2
Saucats 33 194 C3
Saucède 64 247 F1
La Saucelle 76 15 D4
Sauchay 76 15 F2
Sauchy-Cauchy 62 10 C3
Sauchy-Lestrée 62 10 C3
Sauclières 12 216 C4
Saucourt-sur-Rognon 52 85 D2
Saudemont 62 10 B3
Saudoy 51 60 A3
Saudron 52 85 E1
Saugeot 39 141 F3
Saugnac-et-Cambran 40 225 D2
Saugnacq-et-Muret 40 193 E4

Saugon 33 177 E2
Saugues 43 185 D4
Sauguis-St-Étienne 64 247 E2
Saugy 18 135 E1
Saujac 12 198 C4
Saujon 17 160 C4
La Saulce 05 206 A4
Saulce-sur-Rhône 26 203 F2
Saulces-Champenoises 08 37 E1
Saulces-Monclin 08 21 D4
Saulcet 03 153 D2
Saulchery 02 59 E1
Le Saulchoy 60 17 D4
Saulchoy-sous-Poix 80 17 D3
Le Saulcy 88 88 B1
Saulcy 10 84 B2
Saulcy-sur-Meurthe 88 88 B2
Sauldre 18,41 118 A2
Saules 71 139 F3
Saules 25 125 F3
Saulgé 86 148 C1
Saulgé-l'Hôpital 49 114 A2
Saulges 53 95 E1
Saulgond 16 163 F1
Sauliac-sur-Célé 46 198 B4
Saulieu 21 122 B2
Saulire (Sommet de) 73 175 D4
Saulles 52 105 E3
Saulmory-et-Villefranche 55 38 B1
Saulnay 36 133 F2
Saulnes 54 22 C4
Saulnières 28 55 E3
Saulnières 35 93 E1
Saulnot 70 107 E3
Saulny 57 40 B3
Saulon-la-Chapelle 21 123 F3
Saulon-la-Rue 21 123 F3
La Saulsotte 10 59 F4
Sault 84 220 C3
Sault-Brénaz 01 172 C1
Sault-de-Navailles 64 226 A3
Sault (Plateau de) 11 261 D1
Sault-lès-Rethel 08 37 D1
Sault-St-Remy 08 36 C1
Saultain 59 11 E2
Saulty 62 9 F3
Saulx 70 106 C3
Saulx-lès-Champlon 55 63 D2
Saulx-les-Chartreux 91 57 E3
Saulx-le-Duc 21 104 C4
Saulx-en-Barrois 55 63 D3
Saulx-Marchais 78 56 C2
Saulxerotte 54 86 B1
Saulxures 52 105 F1
Saulxures 67 88 C1
Saulxures-lès-Bulgnéville 88 86 B3
Saulxures-lès-Nancy 54 64 C3
Saulxures-sur-Moselotte 88 88 A4
Saulxures-lès-Vannes 54 63 F4
Saulzais-le-Potier 18 136 A4
Saulzet 03 152 C3
Saulzet-le-Froid 63 167 F3
Saulzoir 59 11 D2
Saumane 30 217 E3
Saumane 04 221 D3
Saumane-de-Vaucluse 84 220 A4
Saumeray 28 78 B3
Saumont 47 211 E3
Saumont-la-Poterie 76 16 B4
Saumos 33 176 B4
Saumur 49 114 B2
Saunay 37 97 F4
La Saunière 23 150 B2
Saunières 71 140 B1
Sauqueuse-St-Lucien 60 33 D1
Sauqueville 76 15 E2
Saurais 79 131 E3
Saurat 09 252 A4
Sauret-Besserve 63 152 A4
Saurier 63 168 A4
Sausheim 68 108 C2
Saussan 34 234 B3
Saussay 28 55 F2
Saussay 76 15 E4
Saussay-la-Campagne 27 32 B3
La Saussaye 27 31 E3
Saussemesnil 50 25 D2
Saussenac 81 214 C4
Saussens 31 230 B3

Sausses 04 223 D3
Sausset-les-Pins 13 242 C2
Sausseuzemare-en-Caux 76 14 B4
Saussey 50 26 C4
Saussey 21 122 C4
Saussignac 24 195 F1
Saussines 34 234 C1
Saussy 21 123 E1
Sautadet (Cascade du) 30 219 D2
Sauternes 33 194 B3
Sautel 09 252 C4
Sautet (Barrage du) 38 205 F1
Sauteyrargues 34 234 B1
Sauto 66 261 E3
Sautron 44 111 E2
Sauvage-Magny 52 84 B1
La Sauvagère 61 52 B4
Les Sauvages 69 170 C1
Sauvagnac (Signal de) 87 149 F4
Sauvagnac 47 212 A4
Sauvagnac 63 167 D2
Sauvagnat-Ste-Marthe 63 168 B3
Sauvagney 25 125 E3
Sauvagnon 64 226 B4
Sauvagny 03 152 A1
Sauvain 42 169 F3
Sauvat 15 183 D2
La Sauve 33 194 C2
Sauve 30 217 F4
Sauvelade 64 226 A4
Sauverny 01 158 A1
Sauvessanges 63 185 E1
La Sauvetat 32 228 B1
La Sauvetat 63 168 B3
La Sauvetat-de-Savères 47 212 A2
La Sauvetat-du-Dropt 47 195 F3
La Sauvetat-sur-Lède 47 196 B4
La Sauveté 42 169 F2
Sauveterre 32 228 C4
Sauveterre 30 219 E3
Sauveterre 81 232 A4
Sauveterre 65 227 E4
Sauveterre 82 213 D2
Sauveterre 48 217 D1
Sauveterre (Causse de) 48 216 C1
Sauveterre-de-Béarn 64 225 E3
Sauveterre-de-Commminges 31 250 B3
Sauveterre-de-Guyenne 33 195 D2
Sauveterre-de-Rouergue 12 214 C2
Sauveterre-la-Lémance 47 197 D3
Sauveterre-St-Denis 47 211 F2
Sauviac 32 228 A4
Sauviac 33 194 C4
Sauvian 34 255 D1
Sauviat 63 169 D2
Sauviat-sur-Vige 87 165 E1
Sauvignac 16 177 E2
Sauvigney-lès-Gray 70 124 C1
Sauvigney-lès-Pesmes 70 124 B2
Sauvigny 55 63 E4
Sauvigny-le-Beuréal 89 122 A1
Sauvigny-les-Bois 58 137 E1
Sauvigny-le-Bois 89 102 C4
Sauville 08 21 F4
Sauville 88 86 A3
Sauvillers-Mongival 80 17 F3
Sauvoy 55 63 E3
Saux 46 212 C1
Saux 82 213 E2
Saux-et-Pomarède 31 250 B2
Sauxillanges 63 168 C4
Le Sauze 04 207 D4
Le Sauze 05 206 C3
Sauzé-Vaussais 79 147 D2
Sauzelles 36 133 E3
Sauzet 46 197 E3
Sauzet 30 218 B4
Sauzet 26 203 F3
La Sauzière-St-Jean 81 213 F4
Sauzon 56 90 B3
Savarthès 31 250 C2

Savas 07 187 D2
Savas-Mépin 38 172 A4
Savasse 26 203 F3
Save 31,32,65 228 C4
Savenay 44 111 D1
Savenès 82 229 E1
Savennes 23 150 B3
Savennes 63 167 D3
Savennières 49 113 E1
Saverdun 09 252 A2
Savères 31 251 D1
Saverne 67 66 C2
Saveuse 80 17 E2
Savianges 71 139 F3
Savières 10 82 C2
Savigna 39 141 E4
Savignac 12 214 A1
Savignac 33 195 D3
Savignac-de-Duras 47 195 E2
Savignac-de-l'Isle 33 177 F4
Savignac-de-Miremont 24 180 A4
Savignac-de-Nontron 24 163 F4
Savignac-les-Églises 24 180 A2
Savignac-Lédrier 24 180 C1
Savignac-Mona 32 229 D4
Savignac-les-Ormeaux 09 260 C2
Savignac-sur-Leyze 47 196 C4
Savignargues 30 218 A4
Savigné 86 147 F3
Savigné-l'Évêque 72 76 B4
Savigné-sous-le-Lude 72 96 A3
Savigné-sur-Lathan 37 115 E1
Savigneux 01 155 F4
Savigneux 42 170 B3
Savignies 60 33 D1
Savigny 50 27 D4
Savigny 52 105 F3
Savigny 88 87 D2
Savigny 74 157 F3
Savigny 69 171 D2
Savigny-lès-Beaune 21 123 D4
Savigny-en-Revermont 71 141 D3
Savigny-en-Sancerre 18 119 F1
Savigny-en-Septaine 18 119 D4
Savigny-en-Terre-Plaine 89 103 D4
Savigny-en-Véron 37 114 C3
Savigny-Lévescault 86 132 B4
Savigny-Poil-Fol 58 138 B2
Savigny-le-Sec 21 123 E1
Savigny-sous-Faye 86 132 A1
Savigny-sous-Mâlain 21 123 D2
Savigny-sur-Aisne 08 37 E2
Savigny-sur-Ardres 51 36 A3
Savigny-sur-Braye 41 97 E2
Savigny-sur-Clairis 89 81 E4
Savigny-sur-Grosne 71 139 F3
Savigny-sur-Orge 91 57 E3
Savigny-sur-Seille 71 140 B3
Savigny-le-Temple 77 58 A4
Savigny-le-Vieux 50 51 E4
Savilly 21 122 B3
Savine (Col de la) 39 142 A3
Savines-le-Lac 05 206 C3
Savins 77 81 E1
Savoillan 84 220 C2
Savoisy 21 103 F3
Savolles 21 124 A1
Savonnières 37 115 F2
Savonnières-devant-Bar 55 62 C2
Savonnières-en-Perthois 55 62 C4
Savonnières-en-Woëvre 55 63 E1
Savouges 21 123 F3
Savournon 05 205 E4
Savoyeux 70 106 A4
Savy 02 19 D2
Savy-Berlette 62 9 F2
Saxel 74 158 B2
Saxi-Bourdon 58 120 C4
Saxon-Sion 54 86 C1
Sayat 63 168 A2
Saze 30 219 E4
Sazeray 36 150 C1
Sazeret 03 152 B2
Sazilly 37 115 E3
Sazos 65 257 E3
Scala di Santa Regina 2B 266 C1
Scaër 29 69 F3
Scandala (Reserve naturelle de) 2A 266 A1
Scarpe 59,62 10 C2
Scata 2b 265 E4
Sceau-St-Angel 24 163 E4
Sceautres 07 203 E3
Sceaux 89 103 D4
Sceaux 92 57 E3
Sceaux-d'Anjou 49 95 D3
Sceaux-du-Gâtinais 45 80 B4
Sceaux-sur-Huisne 72 77 D4
Scey-en-Varais 25 125 E3
Scey-sur-Saône-et-St-Albin 70 106 B3
Schaeffersheim 67 67 D4
Schaffhausse-près-Seltz 67 67 F1
Schaffhouse-sur-Zorn 67 67 D2
Schalbach 57 66 B2
Schalkendorf 67 67 D1
Scharrachbergheim 67 66 C3
Scheibenhardt 67 43 F4
Scherlenheim 67 66 C2
Scherwiller 67 89 D2
Schillersdorf 67 66 C1
Schiltigheim 67 67 D3
Schirmeck 67 66 B4
Schirrhein 67 67 E1
Schirrhoffen 67 67 E1
Schleithal 67 43 F4
Schlierbach 68 108 C2
Schmittviller 57 42 B4
Schneckenbusch 57 66 A2
Schnersheim 67 67 D3
Schœnau 67 89 E2
Schœnbourg 67 66 B2
Schœneck 57 41 E3
Schœnenbourg 67 43 E4
Schopperten 67 66 A1
Schorbach 57 42 B3
Schwabwiller 67 67 E1
Schweighouse-sur-Moder 67 67 D2
Schweighouse-Thann 68 108 B2
Schwenheim 67 66 C2
Schwerdorff 57 41 D2
Schweyen 57 42 B3
Schwindratzheim 67 67 D2
Schwoben 68 108 C3
Schwobsheim 67 89 E2
La Scia 38 189 E1
Sciecq 79 146 B1
Scientrier 74 158 B3
Scieurac-et-Flourès 32 227 F3
Sciez 74 158 B1
Scillé 79 140 C3
Scionzier 74 158 C3
Sclucht (Col de la) 88 88 B3
Scolca 2b 265 E3
Scorbé-Clairvaux 86 132 B2
Scorff 56 70 B4
Scrignac 29 46 B4
Scrupt 51 62 A3
Scy-Chazelles 57 40 B3
Scye 70 106 B3
Sdragonato (Grotte du) 2A 269 D4
Séailles 32 227 E2
La Séauve-sur-Semène 43 186 B2
Sébazac-Concourès 12 215 E1
Sébécourt 27 54 C1
Sébeville 50 25 E4
Seboncourt 02 19 E1
Sebourg 59 11 E1
Sébouville 45 79 F3
Sébrazac 12 200 A4
Séby 64 226 B3
Secenans 70 107 E4
Séchault 08 37 F3
Sécheras 07 187 E3
Sécheval 08 21 E2
Séchilienne 38 189 E3
Séchin 25 125 F1
Seclin 59 10 B1
Secondigné-sur-Belle 79 146 C3
Secondigny 79 130 C3
Secourt 57 64 C1
Secqueville-en-Bessin 14 28 C3
Sedan 08 21 F3
Sédeilhac 31 250 A2
Séderon 26 221 D2
Sedze-Maubecq 64 249 D1
Sedzère 64 248 C1
Sée 50 50 C3
Sées 61 53 E4
Séez 73 175 D2
Ségalas 47 196 A3
Ségalas 65 227 E4
La Ségalassière 15 199 D1
Séglien 56 70 C3
Ségny 01 158 A2
Segonzac 16 162 A3
Segonzac 24 179 D2
Segonzac 19 180 C2
Ségos 32 226 C2
Ségoufielle 32 229 E3
Segré 49 94 C3
Ségreville 31 230 C4
Ségrie 72 76 A3
Ségrie-Fontaine 61 52 B2
Segrois 21 123 E3
Ségry 36 135 E1
La Séguinière 49 113 D4
Le Ségur 81 214 B3
Ségur 12 215 F2
Ségur-le-Château 19 180 C1
Ségur-les-Villas 15 183 E2
Ségura 09 252 B3
Séguret 84 220 A2
Ségus 65 257 D2
Seich 65 250 A3
Seichamps 54 64 C3
Seichebrières 45 100 A1
Seicheprey 54 63 E2
Seiches-sur-le-Loir 49 95 E4
Seignalens 11 252 C3
Seigné 17 146 C4
Seignelay 89 102 B1
Seigneulles 55 62 C2
Seignosse 40 224 C2
Seigny 21 103 F4
Seigy 41 117 D2
Seilh 31 229 F2
Seilhac 19 181 E1
Seilhan 31 250 A3
Seillac 41 98 A4
Seillans 83 239 E2
Seille 39,71 140 C3
Seille 54,57 65 D2
Seillonnaz 01 172 C1
Seillons-Source-d'Argens 83 238 A3
Seine 10,21,27,75,76,77,78,91 31 F2
Seine-Port 77 58 A4
Seingbouse 57 41 E3
Seissan 32 228 B4
Seix 09 259 E3
Le Sel-de-Bretagne 35 93 E1
Selaincourt 54 64 A4
Selens 02 35 D1
Sélestat 67 89 D2
La Selle-la-Forge 61 52 B3
Séligné 79 146 C3
Séligney 39 141 E1
Selincourt 80 16 C2
La Selle-Craonnaise 53 94 B2
La Selle-en-Coglès 35 73 F1
La Selle-en-Hermoy 45 101 D1
La Selle-en-Luitré 35 74 A2
La Selle-Guerchaise 35 94 A1
La Selle-sur-le-Bied 45 81 D4
Selles 62 3 D4
Selles 27 30 C2
Selles 70 106 B1
Selles 51 37 D2
Selles-St-Denis 41 118 A2
Selles-sur-Cher 41 117 E2
Selles-sur-Nahon 36 117 E4
Sellières 39 141 D2
Selommes 41 98 A3
Seloncourt 25 108 A4
Selongey 21 105 D4
Selonnet 04 206 B4
Seltz 67 67 F1
Sélune 50 51 D4
La Selve 02 20 B4
La Selve 12 215 E3
Selvigny 59 11 D4
Sem 09 260 A1
Sémalens 81 231 D3
Semallé 61 76 A1
Semarey 21 122 C2
Sembadel 43 185 E2
Sembas 47 211 F1
Semblançay 37 97 D4
Sembleçay 36 117 F3
Sembouès 32 227 E4
Séméac 65 249 E2
Séméacq-Blachon 64 227 D3
Semécourt 57 40 B3
Sémelay 58 138 B2
Semens 33 194 C3
Sementron 89 101 F3
Sémeries 59 12 B4
Semerville 41 98 B1
Semezanges 21 123 D3
Sémézies-Cachan 32 228 C3
Semide 08 37 E2
Semillac 17 177 D1
Semilly 52 85 F2
Semmadon 70 106 A2
Semoine 10 60 C3
Semond 21 104 A3
Semondans 25 107 E4
Semons 38 172 B4
Semousies 59 12 B4
Semoussac 17 177 D1
Semoutiers 52 85 D4
Semoy 08 21 F2
Semoy 45 99 E1
Sempesserre 32 211 F3
Sempigny 60 34 C1
Sempy 62 8 C1
Semur-en-Auxois 21 122 B1
Semur-en-Brionnais 71 154 B2
Semur-en-Vallon 72 77 D4
Semussac 17 160 C3
Semuy 08 37 E1
Le Sen 40 209 E2
Sénac 65 227 E4
Senaide 88 106 A1
Senaillac-Latronquière 46 199 D1
Sénaillac-Lauzès 46 198 A3
Senailly 21 103 E4
Senan 89 101 F1
Sénanque (Anc. Abbaye de) 84 220 B4
Senantes 28 56 B3
Senantes 60 32 C1
Senard 55 62 B1
Sénarens 31 251 D1
Senargent 70 107 E3
Senarpont 80 16 B2
Sénart (Forêt de) 91 57 F3
Sénas 13 236 C2
Senaud 39 156 C1
Senaux 81 232 A2
Sencenac-Puy-de-Fourches 24 179 E2
Senconac 09 260 C1
Sendets 33 195 D4
Sendets 64 248 C1
Séné 56 91 E3
Sène (Mont de) 21 139 F1
Sénéchas 30 218 A1
Sénèque (Tour de) 2B 264 B2
Sénergues 12 199 F3
Senesse-de-Senabugue 09 252 C3
Sénestis 47 195 F4
Séneujols 43 185 F4
Senez 04 222 B4
Sénezergues 15 199 E2
Sengouagnet 31 258 C2
Séniergues 46 198 A2
Senillé 86 132 C2
Seninghem 62 3 E4
Senlecques 62 3 D4
Senlis 60 34 A3
Senlis 62 9 D1
Senlis-le-Sec 80 18 A1
Senlisse 78 57 D3
Sennecay 18 135 F1
Sennecé-lès-Mâcon 71 155 F1
Sennecey-lès-Dijon 21 123 F2
Sennecey-le-Grand 71 140 A3
Sennely 45 99 F3
Sennevières 37 116 C4
Senneville-sur-Fécamp 76 14 B3
Sennevoy-le-Bas 89 103 E2
Sennevoy-le-Haut 89 103 E2
Senon 55 39 D2
Senonches 28 55 D4
Senoncourt 70 106 B2
Senoncourt-les-Maujouy 55 38 C4
Senones 88 88 B1
Senonges 88 86 C3
Senonnes 53 94 A2
Senonville 55 63 D1
Senots 60 33 D3
Senouillac 81 214 B4
Sénoville 50 24 C3
Senozan 71 155 F1
Sens 89 81 F3
Sens-Beaujeu 18 119 E2
Sens-de-Bretagne 35 73 E2
Sens-sur-Seille 71 140 C2
Sentein 09 259 D3
Sentelie 80 17 D3
Sentenac-de-Sérou 09 251 F4
Sentenac-d'Oust 09 259 E3
Sentheim 68 108 B2
Sentilly 61 53 D3
La Sentinelle 59 11 D2
Sentous 65 249 F1
Senuc 08 37 F2
Senven-Léhart 22 47 E4
Sépeaux 89 101 F1
Sepmeries 59 11 E3
Sepmes 37 116 A4
Seppois-le-Bas 68 108 B4
Seppois-le-Haut 68 108 B4
Sept-Fontaines (Anc. abbaye de) 08 21 E3
Sept-Forges 61 75 D1
Sept-Frères 14 51 E2
Les Sept Iles 22 46 C1
Sept-Meules 76 16 A2
Sept-Saulx 51 36 C4
Sept-Sorts 77 59 D1
Sept-Vents 14 28 B4
Septème 38 171 F3
Septèmes-les-Vallons 13 243 D2
Septeuil 78 56 B2
Septfonds 82 213 E2
Septfonds 89 101 E3
Septfontaines 25 125 F4
Septmoncel 39 157 E1
Septmonts 02 35 E2
Septsarges 55 38 B2
Septvaux 02 19 E4
Sepvigny 55 63 E4
Sepvret 79 147 D2
Sepx 31 250 C2
Sequedin 59 5 D4
Sequehart 02 19 D2
Le Sequestre 81 214 B4
Serain 02 19 D1
Seraincourt 95 56 C1
Seraincourt 08 20 C4
Sérandon 19 182 C1
Séranon 06 239 F1
Serans 61 52 C3
Serans 60 32 C3
Seranville 54 87 E1
Séranvillers-Forenville 59 11 D4
Seraucourt 55 62 C1
Seraucourt-le-Grand 02 19 D3
Seraumont 88 85 F1
Serazereux 28 56 A4
Serbannes 03 153 D3
Serbonnes 89 81 E2
Serches 02 35 E2
Sercœur 88 87 E2
Sercus 59 4 A4
Sercy 71 139 F3
Serdinya 66 261 F3
Sère 32 228 B4
Sère-en-Lavedan 65 257 D2
Sère-Lanso 65 257 E2
Sère-Rustaing 65 249 F1
Serécourt 88 86 B4
Séreilhac 87 164 B2
Serein 21,89 102 C2
Serémange-Erzange 57 40 A2
Sérempuy 32 228 C2
Sérénac 81 215 D4
Sérent 56 91 F1
Sérévillers 60 17 F4
Sereyrède (Col de la) 30 217 D3
Serez 27 55 F1
Sérézin-de-la-Tour 38 172 B3
Sérézin-du-Rhône 69 171 E3
Sergeac 24 180 B4
Sergenaux 39 141 D1
Sergenon 39 141 D1
Sergines 89 81 E2
Sergy 01 157 F2
Sergy 02 35 F3
Séricourt 62 9 E3
Sériers 15 184 A4
Sérifontaine 60 32 C2
Sérignac 46 197 D4
Sérignac 82 212 B4
Sérignac-Péboudou 47 196 A3
Sérignac-sur-Garonne 47 211 E2
Sérignan 34 255 E1
Sérignan-du-Comtat 84 219 E2
Sérigné 85 130 A4
Sérigny 61 77 D2
Sérigny 86 132 B1
Sérilhac 19 181 E3
Seringes-et-Nesles 02 35 F3
Séris 41 98 C3
Serley 71 140 C2
Sermages 58 121 E4
Sermaise 91 79 F1
Sermaise 49 95 F4
Sermaises 45 79 F2
Sermaize 60 18 C4
Sermaize-les-Bains 51 62 A2
Sermamagny 90 107 F2
Sermange 39 124 C3
Sermano 2b 267 E1
Sermentizon 63 169 D2
Sermentot 14 28 C4
Sermérieu 38 172 C2
Sermersheim 67 89 E1
Sermesse 71 140 B1
Sermiers 51 36 B3
Sermizelles 89 102 C4
Sermoise 02 35 E2
Sermoise-sur-Loire 58 137 D1
Sermoyer 01 140 B4
Sermur 23 151 E4
Sernhac 30 219 D4
Serocourt 88 86 B4
Séron 65 249 D1
Serpaize 38 171 F3
La Serpent 11 253 E4
Serques 62 3 E3
Serqueux 52 86 A4
Serqueux 76 16 B4
Serquigny 27 31 D4
Serra-di-Ferro 2a 268 B2
Serra-di-Fiumorbo 2b 267 E3
Serra-di-Scopamène 2a 269 D2
Serrabone (Prieuré de) 66 262 A3
Serralongue 66 262 A4
Serrant 49 113 E1
Serraval 74 174 B1
La Serre 12 215 E4
La Serre-Bussière-Vieille 23 151 D4
Serre Chevalier 05 190 C4
Serre-les-Moulières 39 124 C3
Serre-Ponçon (Barrage et Lac de) 05 206 C3
Serre-les-Sapins 25 125 D2
Serres 05 205 E4
Serres 11 253 E4
Serres 54 65 D3
Serres-Castet 64 226 C4
Serres-et-Montguyard 24 196 A2
Serres-Gaston 40 226 B2
Serres-Morlaàs 64 248 C1
Serres-Ste-Marie 64 226 B4
Serres-sur-Arget 09 252 A4
Serreslous-et-Arribans 40 226 A2
Serriera 2a 266 B1
Serrières 71 155 E2
Serrières 07 187 E1
Serrières-de-Briord 01 172 C2
Serrières-en-Chautagne 73 173 E1
Serrières-sur-Ain 01 156 C3
Serrigny 89 102 C2
Serrigny 21 123 E4
Serrigny-en-Bresse 71 140 B2
Serris 77 58 B2
Serrouville 54 39 E2
Serruelles 18 135 F1
Sers 65 257 E3
Sers 16 163 D3
Servais 02 19 D4
Serval 02 35 F2
Servance 70 107 E2
Servanches 24 178 C3
Servant 63 152 B3
Servas 01 156 B3
Servas 30 218 B2
Servaville-Salmonville 76 32 A1
Serverette 48 201 E2
Serves-sur-Rhône 26 187 E3
Servian 34 233 E4
Servière (Lac) 63 167 F3
Servières 48 201 E3
Servières-le-Château 19 182 A3
Serviers-et-Labaume 30 218 C3
Serviès 81 231 D2
Serviès-en-Val 11 253 F3
Servignat 01 156 A1
Servigney 70 106 C2
Servigney 25 106 C4
Servigny 50 26 C4
Servigny-lès-Raville 57 40 C4
Servigny-lès-Ste-Barbe 57 40 B3
Serville 28 56 A3
Servilly 03 153 E2
Servin 25 126 A2
Servins 62 9 F2
Servon 50 50 C3
Servon 77 58 A3
Servon-Melzicourt 51 37 F3
Servon-sur-Vilaine 35 73 E3
Servoz 74 159 E4
Sery 08 20 C4
Sery 89 102 B4
Séry-Magneval 60 34 B3
Séry-lès-Mézières 02 19 E3
Serzy-et-Prin 51 36 A3
Sessenheim 67 67 F1
Sète 34 234 A4
Setques 62 3 E3
Settons (Lac des) 58 122 A3
Seudre 17 160 C3
Seugy 95 33 F4
Seuil 08 37 D1
Seuillet 03 153 E3
Seuilly 37 115 D3
Seur 41 98 B4
Le Seure 17 161 E2
Seurre 21 123 F4
Seux 80 17 D2
Seuzey 55 63 D1
Sevelinges 42 154 C3
Sevenans 90 107 F3
Sévérac 44 92 C4
Sévérac-le-Château 12 216 B1
Sévérac-l'Église 12 215 F1
Séveraissette 05 206 A2
Seveux 70 106 A4
Sévignac 22 72 A1
Sévignacq-Meyracq 64 248 B2
Sévignacq-Thèze 64 226 C4
Sévigny 61 53 D2
Sévigny-la-Forêt 08 21 D2
Sévigny-Waleppe 08 20 B4
Sévis 76 15 F3
Sevrai 61 53 D3
Sevran 93 58 A1
Sèvre-Nantaise 44,79,85 112 C4
Sèvre-Niortaise 17,79 145 E2
Sèvres 92 57 E2
Sèvres-Anxaumont 86 132 B4
Sevrey 71 140 A2
Sévrier 74 174 A1
Sévry 18 119 F3
Sewen 68 108 A2
Sexcles 19 182 A4
Sexey-aux-Forges 54 64 B3
Sexey-les-Bois 54 64 B3
Sexfontaines 52 84 C3
Seychalles 63 168 C2
Seyches 47 195 F3
Seyne 04 222 B1
La Seyne-sur-Mer 83 244 A3
Seynes 30 218 B3
Seynod 74 173 F1
Seyre 31 252 B1
Seyresse 40 225 E2
Seyssel 74 157 E4
Seysses 31 229 F3
Seysses-Savès 32 229 D3
Seyssinet-Pariset 38 189 D2
Seyssins 38 189 D2
Seyssuel 38 171 E3
Seythenex 74 174 B2
Seytroux 74 159 D2
Sézanne 51 60 A3
Sianne 15,43 184 B2
Siarrouy 65 249 D1
Siaugues-St-Romain 43 185 D3
Sibiril 29 45 F1
Sibiville 62 9 E3
Siccieu-St-Julien-et-Carisieu 38 172 B2
Sichamps 58 120 C3
Sicié (Cap) 83 244 A3
Sickert 68 108 A2
Sideville 50 24 C2
Sidiailles 18 135 F4
Sidobre 81 231 F3
Siecq 17 162 A1
Siegen 67 43 F4
Les Sièges 89 82 A3
Sierck-les-Bains 57 40 C1
Sierentz 68 109 D3
Sierroz (Gorges du) 73 173 E2
Siersthal 57 42 B4
Sierville 76 15 E4
Siest 40 225 D2
Sieurac 81 231 D1
Sieuras 09 251 F2
Siévoz 38 189 E4
Siewiller 67 66 B2
Sigale 06 223 E4
Sigalens 33 195 D4
Sigean 11 254 C3
Sigloy 45 99 F2
Signac 31 250 B4
Signes 83 244 A2
Signéville 52 85 E2
Signy-l'Abbaye 08 21 D3
Signy-Montlibert 08 22 B4
Signy-le-Petit 08 20 C2
Signy-Signets 77 58 C1
Sigogne 16 162 A2
Sigolsheim 68 89 D3
Sigonce 04 221 E3
Sigottier 05 205 E4
Sigoulès 24 195 F2
Sigournais 85 130 A2
Sigoyer 04 221 F1
Sigoyer 05 206 A3
Siguer 09 260 B1
Sigy 77 81 E1
Sigy-le-Châtel 71 139 F4
Sigy-en-Bray 76 32 B1
Silfiac 56 70 C3
Sillé (Forêt de) 53,72 75 F3
Sillé-le-Guillaume 72 75 F3
Silhac 07 203 E1
Sillans 38 188 C1
Sillans-la-Cascade 83 238 C3
Sillars 86 148 B1
Sillas 33 210 B1
Sillegny 57 64 B1
Sillery 51 36 C3
Silley 25 125 E4
Silley-Bléfond 25 125 F2
Sillingy 74 157 F4
Silly-en-Gouffern 61 53 E3
Silly-en-Saulnois 57 40 B4
Silly-le-Long 60 34 B4
Silly-la-Poterie 02 35 D3
Silly-sur-Nied 57 40 C3
Silly-Tillard 60 33 E2
Silmont 55 62 C3
Sillé-le-Philippe 72 76 C4
Siltzheim 67 42 A4
Silvacane (Abbaye de) 13 237 D2
Silvareccio 2b 265 E4
Silvarouvres 52 84 B4
Simacourbe 64 227 D4
Simandre 71 140 B3
Simandre 01 156 C2
Simandres 69 171 E3
Simard 71 140 C2
Simencourt 62 9 F3
Simeyrols 24 197 E1
Simiane-Collongue 13 237 E4
Simiane-la-Rotonde 04 221 D3
Simorre 32 228 C4
Simplé 53 94 C1
Simserhof (Fort du) 57 42 B4
Sin-le-Noble 59 10 C2
Sinard 38 189 D4
Sinceny 02 19 D4
Sincey-lès-Rouvray 21 122 A1
Sindères 40 208 C3
Singles 63 167 D4
Singleyrac 24 196 A2
Singly 08 21 E4
Singrist 67 66 C3
Sinsat 09 260 B1
Sinzos 65 249 E2
Sion 54 86 C1
Sion 32 227 E2
Sion-les-Mines 44 93 E2
Sioniac 19 181 F4
Sionne 88 86 A1
Sionviller 54 65 D3
Siorac-en-Périgord 24 197 D1
Sioule (Gorges de la) 63 152 B3
Sioule 3,63 133 D2
Siouville-Hague 50 24 B2
Sirac 32 229 D2
Siracourt 62 9 D2
Siradan 65 250 B4
Siran 34 254 A1
Siran 15 182 B4
Sireix 65 257 D2
Sireuil 24 180 B4
Sireuil 16 162 B3
Sirod 39 142 A2
Siros 64 248 B1
Sisco 2b 264 C2
Sissonne 02 20 A4
Sissy 02 19 E3
Sistels 82 212 A3
Sisteron 04 221 E2
Sivergues 84 237 E1
Sivignon 71 155 D1
Sivry 54 64 B2
Sivry-Ante 51 62 A1
Sivry-Courtry 77 80 C1
Sivry-la-Perche 55 38 B3
Sivry-sur-Meuse 55 38 B2
Six-Fours-les-Plages 83 244 A3
Sixt-Fer-à-Cheval 74 159 E3
Sixt-sur-Aff 35 92 C2
Sizun 29 45 F3
Sizun (Réserve du Cap) 29 68 B2
Smarves 86 132 B4
Smermesnil 76 16 B2
Soccia 2a 266 C2
Sochaux 25 107 F4
Socourt 88 87 D1
Socx 59 4 A2
Sode 31 258 B4
Sœurdres 49 95 D2
Sognolles-en-Montois 77 81 E1
Sogny-aux-Moulins 51 61 D2
Sogny-en-l'Angle 51 62 A2
Soignolles 14 29 E4
Soignolles-en-Brie 77 58 B4
Soindres 78 56 B1
Soing 70 106 A3
Soings-en-Sologne 41 117 E1
Soirans-Fouffrans 21 124 A3
Soissons 02 35 E2
Soissons-sur-Nacey 21 124 B2
Soisy-Bouy 77 81 F1
Soisy-sous-Montmorency 95 57 E1
Soisy-sur-École 91 80 B1
Soisy-sur-Seine 91 57 F4
Soize 02 20 B3
Soizé 28 77 E3
Soizy-aux-Bois 51 60 A2
Solaise (Tête du) 76 175 E4
Solaize 69 171 E3
Solaro 2b 267 E4
Solbach 67 88 C1
Soleilhas 04 223 D4
Solemont 25 126 B1
Solente 60 18 B3
Solenzara 2A 269 F1
Le Soler 66 262 B2
Solérieux 26 219 E1
Solers 77 58 B4
Solesmes 72 95 F2
Solesmes 59 11 E4
Soleymieu 38 172 B2
Soleymieux 42 170 A4
Solférino 40 208 C2
Solgne 57 64 C1
Soliers 14 29 D4
Solignac 87 164 C2
Solignac-sous-Roche 43 186 A2
Solignac-sur-Loire 43 185 F4
Solignat 63 168 B4
Soligny-les-Étangs 10 82 A2
Soligny-la-Trappe 61 54 B4
Sollacaro 2a 268 C2
Sollières-Sardières 73 191 E1
Solliès-Pont 83 244 B2
Solliès-Toucas 83 244 B2
Solliès-Ville 83 244 B2
Sologny 71 155 E1
Solomiac 32 228 C1
Solre-le-Château 59 12 C4
Solrinnes 59 12 B3
Solterre 45 100 C2
Solutré-Pouilly 71 155 E2
Somain 59 11 D2
Sombacour 25 142 C1
Sombernon 21 123 D2
Sombrin 62 9 F3
Sombrun 65 227 D4
Somloire 49 113 F4
Sommaing 59 11 E3
Sommaisne 55 62 B1
Sommancourt 52 84 C1
Sommant 71 122 A4
Sommauthe 08 38 A1
Somme 02,80 17 D1
Somme-Bionne 51 37 F4
Somme-Suippe 51 37 E4
Somme-Tourbe 51 37 E4
Somme-Vesle 51 61 E1
Somme-Yèvre 51 61 F1
Sommecaise 89 101 E2
Sommedieue 55 39 D4
Sommeilles 55 62 B1
Sommelans 02 35 E4
Sommelonne 55 62 B3
Sommepy-Tahure 51 37 E3
Sommerance 08 38 A2
Sommerécourt 52 86 A3
Sommereux 60 17 D4

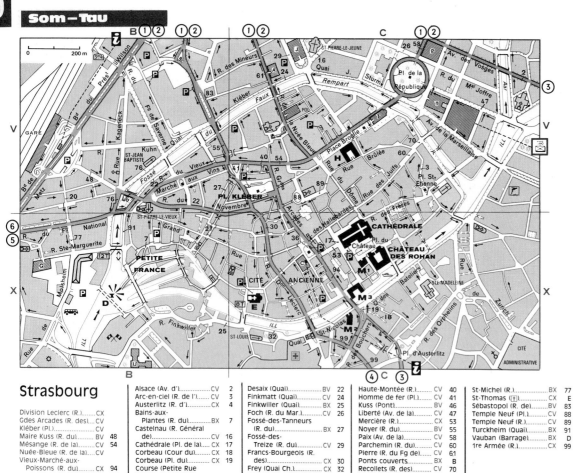

Strasbourg

Division Leclerc (R.)..........CX
Gdes Arcades (R. des)........CV
Kléber (Pl.)........................CV
Maire Kuss (R. du).......BV 48
Mésange (R. de la).......CV 54
Nuée-Bleue (R. de la)........CV
Vieux-Marché-aux-
  Poissons (R. du)........CX 94
22-Novembre (R. du)........BV

Alsace (Av. d'l.).............CV 2
Arc-en-ciel (R. de l')......CV 3
Austerlitz (R. d').............CX 4
Bains-aux-
  Plantes (R. du)..........BX 7
Castelnau (R. Général
  de)............................CV 16
Cathédrale (Pl. de la)....CX 17
Corbeau (Cour du).......CX 18
Corbeau (Pl. du)..........CX 19
Course (Petite Rue
  de la).........................BV 20

Desaix (Quai)................BV 22
Finkmatt (Quai).............CV 24
Finkwiller (Quai)............BX 25
Foch (R. du Mar.)..........CV
Fossé-des-Tanneurs
  (R. du).......................BX 27
Fossé-des-
  Treize (R. du)............CV 29
Francs-Bourgeois (R.
  des)............................CX 30
Frey (Quai Ch.)............CX 32
Gutenberg (Pl. et R.)....CX 36

Haute-Montée (R.).........CV 40
Homme de fer (Pl.).......CV 41
Kuss (Pont)...................BV 83
Liberté (Av. de la).........CV 47
Mercière (R.)................CX 53
Noyer (R. du)................BV 55
Paix (R. de la)..............CV 60
Parchemin (R. du).........CV 60
Pierre (R. du Fg de)......CV 61
Ponts couverts..............BX B
Recollets (R. des).........CV 70
St-Jean (Quai)..............BV 76

St-Michel (R.)...............BX 77
St-Thomas (†)..............CX E
Sébastopol (R. de).......BV 83
Temple Neuf (Pl.).........CV 88
Temple Neuf (R.)..........CV 89
Turckheim (Quai)..........BX 91
Vauban (Barrage)..........BX D
1re Armée (R.)..............CV 99

Sommermont 52	85 D1	Sorbey 57	40 C4	Soubran 17	177 E1	Soulaincourt 52	85 E1
Sommeron 02	20 A1	Sorbey 55	39 D2	Soubrebost 23	150 B4	Soulaines-Dhuys 10	84 B2
Sommervieu 14	28 C2	Sorbier 03	153 F1	Soucé 53	75 D1	Soulaines-sur-Aubance 49	113 F1
Sommerviller 54	64 C3	Sorbiers 42	170 C4	Soucelles 49	95 E4	Soulaires 28	78 C1
Sommery 76	16 A4	Sorbiers 05	205 D4	La Souche 07	202 C3	Soulan 09	259 F3
Sommesnil 76	14 C3	Sorbo-Ocagnano 2b	265 F3	Souche (Donjon de la) 03	152 D4	Soulanges 51	61 E2
Sommesous 51	60 C3	Sorbollano 2a	269 D2	Souchez 62	10 A2	Soulangis 18	119 D3
Sommet-Bucher 05	207 E1	Sorbon 08	37 D1	Soucht 57	42 B4	Soulangy 14	52 C1
La Sommette 25	126 A2	Sorbs 34	233 E4	Soucia 39	141 F4	Soulatgé 11	253 F4
Sommette-Eaucourt 02	18 C3	Sorcy-Bauthémont 08	37 E1	Soucieu-en-Jarrest 69	171 E2	Soulaucourt-sur-Mouzon 52	86 A3
Sommeval 10	82 C3	Sorcy-St-Martin 55	63 E3	Soucirac 46	197 F2	Soulaures 24	196 C3
Sommeville 52	62 B4	Sorde-l'Abbaye 40	225 E3	Souclin 01	172 C1	Soulce-Cernay 25	150 C4
Sommevoire 52	84 C1	Sore 40	209 E1	Soucy 02	35 D2	Soulgé-sur-Ouette 53	75 D4
Sommières 30	234 C1	Soréac 65	249 E1	Soucy 89	81 F3	Soulières 51	60 B2
Sommières-du-Clain 86	147 F2	Sorède 66	262 C3	Soudaine-Lavinadière 19	165 E4	Soulièvres 79	131 E2
Somport (Col du) 64	256 B4	Sorel 80	18 C1	Soudan 44	93 F2	Soulignac 33	194 C2
Sompt 79	146 C3	Sorel-en-Vimeu 80	17 D1	Soudan 79	146 C1	Souligné-Flacé 72	96 A1
Sompuis 51	61 D3	Sorel-Moussel 28	55 F2	Soudat 24	163 E3	Souligné-sous-Ballon 72	76 B3
Somsois 51	61 E4	Sorèze 81	231 D4	Souday 41	97 E4	Soulignonne 17	161 C2
Son 08	20 C4	Sorgeat 09	260 C2	Soudé 51	61 D3	Souligny 10	83 D3
Sonac 46	198 B2	Sorges 24	180 A2	Soudeilles 19	182 B1	Soulitré 72	76 C4
Sonchamp 78	56 C4	Sorgues 84	219 E3	Soudorgues 30	217 F3	Soullans 85	128 B2
Soncourt 88	86 B1	Sorigny 37	116 A2	Soudron 51	60 C2	Soulles 50	27 D4
Soncourt-sur-Marne 52	85 D2	Les Sorinières 44	112 A3	Soueich 31	258 C2	Soulom 65	257 D2
Sondernach 68	88 A2	Sorio 2b	265 D3	Soueix 09	259 F3	Soulomès 46	198 A3
Sondersdorf 68	108 C4	Sormery 89	82 B4	Souel 81	214 B3	Soulosse-sous-St-Élophe 88	86 A1
La Sône 38	188 B3	Sormonne 08	21 D2	Soues 65	249 E2	Soultz-les-Bains 67	66 C3
Songeons 60	33 D1	Sornac 19	166 B3	Soues 80	17 D2	Soultz-Haut-Rhin 68	108 B1
Songeson 39	141 F3	Sornay 70	124 C2	Souesmes 41	118 C1	Soultz-sous-Forêts 67	43 E4
Songieu 01	157 E4	Sornay 71	140 C3	Souffelweyersheim 67	67 D3	Soultzbach-les-Bains 68	88 A3
Songy 51	61 E2	Sornéville 54	64 C2	Souffrignac 16	163 D3	Soultzeren 68	88 C3
Sonnac 12	199 D3	Sorquainville 76	14 C3	Souhey 21	122 B1	Soultzmatt 68	88 C4
Sonnac 17	161 F1	Sorrus 62	8 B2	Le Souich 62	9 E3	Soulvache 44	93 F2
Sonnac-sur-l'Hers 11	252 C3	Sort-en-Chalosse 40	225 E2	Souilhanels 11	252 C1	Soumaintrain 89	82 C4
Sonnay 38	187 E1	Sortosville 50	25 D3	Souilhe 11	252 C1	Soumans 23	151 D2
Sonnaz 73	195 D2	Sortosville-en-Beaumont 50	24 C2	Souillac 46	197 F1	Soumensac 47	195 F4
Sonneville 16	162 A2	Sos 47	210 C3	Souillé 72	76 B3	Soumont-St-Quentin 14	52 C1
Sons-et-Ronchères 02	19 F3	Sospel 06	241 E3	Souilly 55	38 C4	Soumoulou 64	248 C1
Sonthonnax-la-Montagne 01	156 C2	Sossais 86	132 B2	Soula 09	252 A4	Soupex 11	252 C1
Sonzay 37	97 D4	Sost 65	250 A4	Soulac-sur-Mer 33	160 A4	Soupir 02	35 F2
Soorts-Hossegor 40	224 C2	Sotta 2a	269 E3	Soulages 15	184 C3	Souplicourt 80	16 C3
Soppe-le-Bas 68	108 B2	Soturac 46	197 D4	Soulages-Bonneval 12	200 B2	Soupossse 40	226 A1
Soppe-le-Haut 68	108 B2	Sotzeling 57	65 D1	Soulaincourt		Souprosse 40	226 A1
Sor 09	259 D3	Souain-Perthes-lès-Hurlus 51	37 E3			Souraïde 64	224 B4
Sorans-lès-Breurey 70	125 E1	Soual 81	231 D4			Sourans 25	126 B1
Sorba (Col de) 2B	267 D2	Souancé-au-Perche 28	77 E2			La Source 45	99 E2
Sorbais 02	20 A1	Souanyas 66	261 E3			Source Bleue 25	126 A1
Sorbets 32	227 D3	Souastre 62	9 F4			Soulaines-Dhuys	
Sorbets 40	226 C2	Soubès 34	233 E4				
		Soublecause 65	227 E3				

La Source 45	99 E2	Spechbach-le-Haut 68	108 B2	Suarce 90	108 B3	Tallans 25	125 F1
Source Bleue 25	126 A1	Speloncato 2b	264 C3	Suaucourt-et-Pisseloup 70	105 F3	Tallard 05	206 A4
Sourcieux-les-Mines 69	171 D2	Spelunca (Gorges de) 2A	266 B2	Suaux 16	163 E1	Tallenay 25	125 E2
Le Sourd 02	19 F2	Spéracédes 06	240 A2	Le Subdray 18	118 C4	Tallende 63	168 B3
Sourdeval 50	51 E3	Spesbourg (Château de)		Sublaines 37	116 B2	Taller 40	208 B4
Sourdeval-les-Bois 50	51 D1	67	89 D1	Subles 14	28 B3	Talloires 74	174 A1
Sourdon 80	17 F3	Spézet 29	69 F1	Subligny 89	81 E3	Tallone 2b	267 E2
Sourdun 77	81 F1	Spicheren 57	41 F3	Subligny 18	119 F1	Le Tallud 79	131 D3
Le Sourn 56	70 C3	Spin' A Cavallu		Subligny 50	50 C2	Tallud-Ste-Gemme 85	130 A3
Sournia 66	261 F2	2A	268 C2	Suc-au-May 19	165 F4	Talmas 80	17 E1
Sourniac 15	182 C2	Spincourt 55	39 D2	Succieu 38	172 B4	Talmay 21	124 B1
Sourribes 04	221 F2	Sponville 54	39 E4	Sucé-sur-Erdre 44	112 A1	Talmont 17	160 C3
Sours 28	78 C2	Spoy 21	123 F1	Sucy-en-Brie 94	58 A3	Talmont-St-Hilaire 85	128 C4
Soursac 19	182 B2	Spoy 10	84 B3	Suhescun 64	246 C1	Talmontiers 60	32 C2
Sourzac 24	179 D3	Spycker 59	3 F3	Suilly-la-Tour 58	120 A2	Talon 58	121 D2
Sous-Parsat 23	150 C4	Squiffiec 22	47 E2	Suin 71	155 D1	Talus-St-Prix 51	60 A2
Sousceyrac 46	198 C1	Staffelfelden 68	108 C1	Suin (Butte de) 71	155 D1	Taluyers 69	171 D3
Sousmoulins 17	177 F1	Stains 93	57 E1	Suippes 51	37 E4	Tamerville 50	25 D3
Souspierre 26	204 A3	Stainville 55	62 C3	Suisse 57	65 D1	Tamnay-en-Bazois 58	121 E4
Soussac 33	195 D2	Stangala (Site du) 29	69 D3	Suizy-le-Franc 51	60 A1	Tamnies 24	180 B4
Soussans 33	177 D3	Staple 59	4 A3	Sulignat 01	155 F3	Le Tanargue 07	202 C3
Soussey-sur-Brionne 21	122 A1	Stattmatten 67	67 F2	Sully 60	32 C1	Tanavelle 15	184 A4
Soustelle 30	218 A2	Stazzona 2b	265 E4	Sully 14	28 B2	Tanay 21	124 A1
Soustons 40	224 C1	Steenbecque 59	4 A4	Sully 71	122 C4	Tancarville 76	30 C1
Sousville 38	189 E4	Steene 59	4 A2	Sully-la-Chapelle 45	99 F1	Tancoigné 49	114 A3
Souternon 42	169 F1	Steenvoorde 59	4 B3	Sully-sur-Loire 45	100 A3	Tancon 71	154 C3
La Souterraine 23	149 F2	Steenwerck 59	4 C4	Sulniac 56	91 F2	Tanconville 54	65 F3
Soutiers 79	131 D4	Steige 67	88 C1	Sumène 30	217 E4	Tancrou 77	58 C1
Souvans 39	124 B4	Steinbach 68	108 B1	Sundhoffen 68	89 D4	Tangry 62	9 E2
Souvignargues 30	235 D1	Steinbourg 67	66 C2	Sundhouse 67	89 E2	Taninges 74	159 D3
Souvigné 79	146 C1	Steinbrunn-le-Bas 68	108 C3	Superbagnères 31	258 B4	Tanis 50	50 C4
Souvigné 37	96 C4	Steinbrunn-le-Haut 68	108 C3	Supt 39	142 A1	Tannay 89	103 D2
Souvigné 16	147 D4	Steinseltz 67	43 E4	Surat 63	168 B1	Tannay 08	37 F3
Souvigné-sur-Même 72	77 D3	Steinsoultz 68	108 C3	Surba 09	260 B1	Tannay 58	121 D2
Souvigné-sur-Sarthe 72	95 E2	Stella-Plage 62	8 A1	Surbourg 67	67 E1	Tanneron 83	240 A2
Souvigny 03	137 D2	Stenay 55	38 B1	Surcamps 80	17 D1	Tanneron (Massif du) 06,83	240 A2
Souvigny-de-Touraine 37	116 C1	Sternenberg 68	108 B2	Surdoux 87	165 E3	Tannerre-en-Puisaye 89	101 E3
Souvigny-en-Sologne 41	99 F3	Stetten 68	108 C3	Suré 61	83 E1	Tannières 02	35 F3
Souyeaux 65	249 E2	Stigny 89	103 E2	Suresnes 92	57 E2	Tannois 55	62 C3
Souzay-Champigny 49	114 C2	Still 67	66 C4	Surfonds 72	76 C4	Tanques 61	53 D3
Souzy 69	170 C2	Stiring-Wendel 57	41 E3	Surfontaine 02	19 E3	Tantes (Pic de) 65	257 E4
Souzy-la-Briche 91	87 D1	Stonne 08	21 F4	Surgères 17	145 E3	Tantonville 54	86 C1
Soveria 2b	267 D1	Storckensohn 68	108 A1	Surgy 58	102 A4	Le Tanu 50	50 C2
Soyans 26	204 B3	Stosswihr 68	88 C4	Suriauville 88	86 B3	Tanus 81	214 C3
Soyaux 16	162 C3	Stotzheim 67	89 E2	Surin 86	147 F3	Tanville 61	53 D4
Soye 25	126 A1	Straiture (Défilé de)		Surin 79	130 C4	Taponas 69	155 E3
Soye-en-Septaine 18	119 D4	88	88 B3	Suris 16	163 E1	Taponnat-Fleurignac 16	163 D1
Soyécourt 80	18 C2	Strasbourg 67	67 D3	Surjoux 01	157 E4	Tapoul (Gorges du) 48	217 D2
Soyers 52	105 F1	Strazeele 59	4 B3	Surmont 25	126 B2	Tarabel 31	230 B3
Soyons 07	203 F1	Strenquels 46	181 F4	Surques 62	3 D3	Taradeau 83	239 D3
Spada 55	63 D1	Strette (Défilé des) 2B	267 E3	Surrain 14	28 B3	Tarare 69	170 C1
Sparsbach 67	66 B1	Strueth 68	108 B3	Surtainville 50	24 B3	Tarascon 13	236 A1
Spay 72	96 B1	Struth 67	66 B2	Surtauville 27	31 E3	Tarascon-sur-Ariège 09	260 B1
Spechbach-le-Bas 68	108 B2	Stundwiller 67	43 E4			Tarasteix 65	249 D1
		Sturzelbronn 57	42 C4			Taravo 2a	268 C2
		Stutzheim 67	67 D3			Tarbes 65	249 D2

Survie 61	53 E2	Tarcenay 25	125 E3
Surville 50	26 B2	Tardais 28	55 D4
Surville 27	31 F3	Tardes 23	151 D3
Surville 14	30 B2	Tardets-Sorholus 64	247 E4
Survilliers 95	34 A4	La Tardière 85	130 B3
Sury 08	21 E3	Tardinghen 62	2 C1
Sury-aux-Bois 45	100 A1	Tarentaise (Vallée de la) 73	193 F1
Sury-le-Comtal 42	170 B4	Targassonne 66	261 D3
Sury-en-Vaux 18	119 F2	Targé 86	132 C2
Sury-ès-Bois 18	119 E1	Target 03	152 C2
Sury-près-Léré 18	119 F1	Targon 33	194 C2
Surzur 56	91 F3	Tarn 12,31, 81,82	215 F3
Sus 64	247 E4	Tarn (Gorges du) 12,48	216 C1
Sus-St-Léger 62	9 E1	Tarnac 19	166 A3
Suscinio (Château de) 56	91 E4	Tarnès 33	177 F4
Susmiou 64	247 F1	Tarnos 40	224 C3
Sussac 87	165 E3	Taron-Sadirac-Viellenave 64	226 C3
Sussargues 34	234 C2	Tarquimpol 57	64 C2
Sussat 03	152 C3	Tarrano 2b	267 E1
Sussey 21	122 B3	Tarsac 32	227 D2
Susville 38	189 E4	Tarsacq 64	226 B4
Sutrieu 01	157 D4	Tarsul 21	104 C3
Suzan 09	251 E3	Tart-l'Abbaye 21	124 A3
Suzanne 08	37 E1	Tart-le-Bas 21	124 A3
Suzanne 80	18 B2	Tart-le-Haut 21	123 F3
Suzannecourt 52	85 D1	Tartaigne 2B	264 C4
Suzay 27	32 B3	Tartagine (Forêt de) 2B	264 C4
Suze 26	204 B2	Tartaras 42	171 D3
Suze-la-Rousse 26	219 E1	Tartas 40	225 F1
La Suze-sur-Sarthe 72	96 B1	Tartécourt 70	106 B2
Suzette 84	220 A2	Tartiers 02	35 D2
Suzoy 60	18 C4	Tartigny 60	17 F4
Suzy 02	35 E1	Tartonne 04	222 B3
Sword Beach 14	29 E2	Le Tartre 71	141 D2
Sy 08	37 F1	Le Tartre-Gaudran 78	56 B3
Svam 39	142 A2	Tarzy 08	20 C2
Sylvains-les-Moulins 27	55 E2	Tasque 32	227 E2
Sylvanès 12	232 C1	Tassé 72	96 A1
Le Syndicat 88	87 F4	Tassenières 39	141 D1
		Tassillé 72	96 A1
T		Tassin-la-Demi-Lune 69	171 E2
Tabaille-Usquain 64	225 E4	Tasso 2a	267 D4
Tabanac 33	194 B2	Tatinghem 62	3 E3
La Table 73	174 A4	Le Tâtre 71	178 A1
Le Tablier 85	129 E3	Tau (Bassin de) 34	234 A4
Tabre 09	252 C4	Taugon 17	145 F2
La Tâche 16	163 D1		
Tache 52	154 A4		
Tachoires 32	228 B4		
Tacoignières 78	56 B2		
Taconnay 58	121 D2		
Taden 22	49 E3		
Tadousse-Ussau 64	226 C3		
Taglio-Isolaccio 2b	265 F4		
La Tagnière 71	139 D2		
Tagnon 08	36 C1		
Tagolsheim 68	108 C3		
Tagsdorf 68	108 C3		
Tailhac 43	184 C4		
Taillades 84	236 C1		
Le Taillan-Médoc 33	193 F1		
Taillancourt 55	63 E4		
Taillant 17	161 D1		
Taillebois 61	52 B2		
Taillebourg 47	195 E4		
Taillebourg 17	161 D1		
Taillecavat 33	195 E3		
Taillecourt 25	107 F4		
La Taillée 85	145 E1		
Taillefontaine 02	34 C2		
Taillepied 50	24 C4		
Taillet 66	262 B3		
Taillette 08	21 D2		
Tailleville 14	29 D2		
Taillis 35	74 A3		
Tailly 08	38 A1		
Tailly 80	17 D2		
Tailly 21	140 A1		
Tain-l'Hermitage 26	187 E3		
Taingy 89	102 A4		
Taintrux 88	88 B2		
Taisnières-en-Thiérache 59	11 F4		
Taisnières-sur-Hon 59	11 F3		
Taisnil 80	17 F3		
Taissy 51	36 C3		
Taix 81	214 B4		
Taizé 71	139 F4		
Taizé 79	131 E1		
Taizé-Aizie 16	147 E4		
Taizy 08	37 D1		
Tajan 65	250 A2		
Talairan 11	254 A3		
Talais 33	160 B4		
Talange 57	40 B3		
Talant 21	123 E2		
Talasani 2b	265 F4		
La Talaudière 42	170 C4		
Talazac 65	249 D1		
Talcy 89	103 D4		
Talcy 41	98 C2		
Talence 33	194 A1		
Talencieux 07	187 E2		
Talensac 35	72 C3		
Talissieu 01	173 D1		
Talizat 15	184 A3		

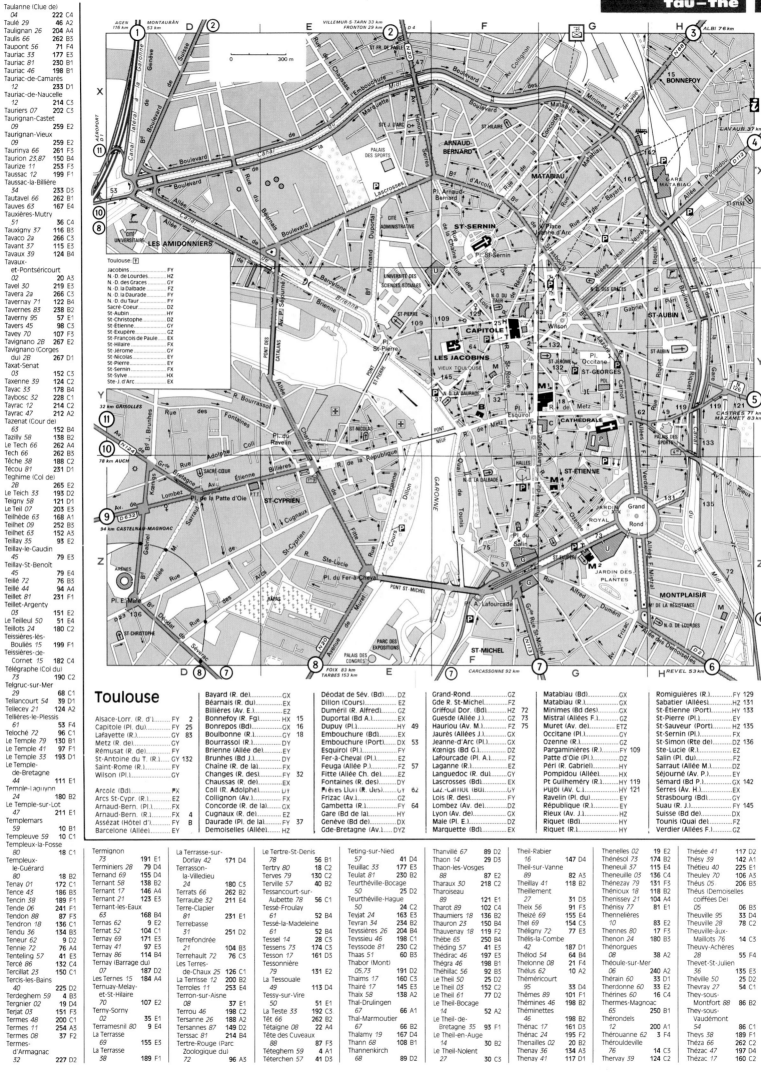

Toulouse

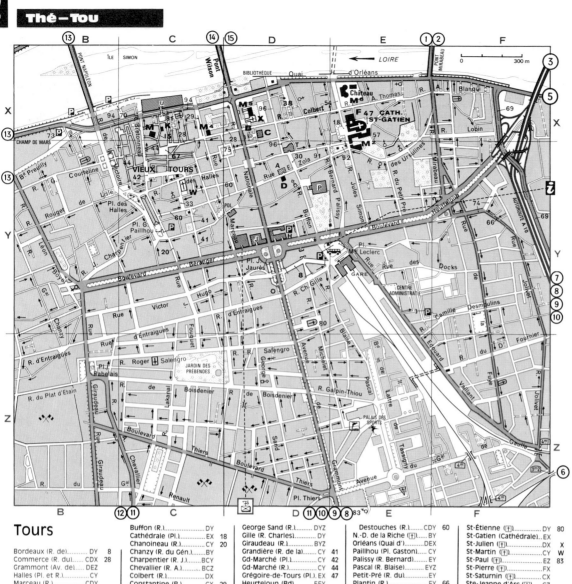

Tours

La Tour-du-Meix 39 141 E4
Le Tour-du-Parc 56 91 F3
La Tour-du-Pin 38 172 C3
Tour-en-Bessin 14 28 B2
La Tour-en-Jarez 42 170 C4
Tour-en-Sologne 41 98 C4
La Tour-St-Gelin 37 115 E4
La Tour-sur-Orb 34 195 D2
Les Tourailles 61 52 B3
Tourailles 41 98 A3
Tourailles-sous-Bois 55 85 E1
Tourbes 34 233 E4
Tourcelles-Chaumont 08 37 E2
Tourch 25 69 E3
Tourcoing 59 5 E1
Tourdun 32 227 E3
La Tourette 42 186 A1
La Tourette 19 166 C3
La Tourette-Cabardès 11 231 E4
Tourette-du-Château 06 223 F4
Tourgéville 14 29 F2
La Tourlandry 49 113 E3
Tourlaville 50 25 D2
Tourliac 47 196 C2
Tourly 60 33 E5
Tourmalet (Col du) 65 257 E3
Tourmignies 59 10 B1
Tourmont 39 141 E1
Tournai-sur-Dive 61 53 D2
Tournan 32 228 C4
Tournan-en-Brie 77 58 B3
Tournans 25 125 F1
Tournavaux 08 21 E2
Tournay 65 249 F2
Tournay-sur-Odon 14 28 C4
Le Tourne 33 194 B2
Tournebu 14 52 C1
Tournecoupe 32 228 C1
Tournedos-Bois-Hubert 27 31 E4
Tournedos-sur-Seine 27 31 F3
Tournedoz 25 126 B1
Tournefeuille 31 229 F3
Tournefort 06 223 F3
Tournehem-sur-la-Hem 62 3 E1
Tournemire 12 216 B4
Tournemire 15 183 D3
Tournes 08 21 E3
Le Tourneur 14 51 F1
Tourneville 27 31 F4
Tourniac 15 182 C2
Tournières 14 28 A3
Tourniol (Col de) 26 188 B4
Tournissan 11 254 A3
Tournoël (Château de) 63 168 A1
Tournoisis 45 98 C1
Tournon 07 187 F3
Tournon 73 174 B2
Tournon-St-Martin 36 133 E2
Tournon-St-Pierre 37 133 E4
Tournon-d'Agenais 47 197 D4
Tournous-Darré 65 249 F1
Tournous-Devant 65 250 A1
Tournus 71 140 B4
Tourny 27 32 B3
Tourouvre 61 57 E3
Tourouzelle 11 254 A2
Les Tourreilles 31 250 B3
Tourreilles 11 253 D3
Tourrenquets 32 228 C2
Tourrette (Château de la) 07 203 D1
Tourrette-Levens 06 241 D4
Tourrette-sur-Loup 06 240 D1
Les Tourrettes 26 203 F2
Tourrettes 83 239 F2
Tourriers 16 182 C1
Tours 37 115 F1
Tours-en-Savoie 73 174 C2
Tours-en-Vimeu 80 16 B1
Tours-St-Marne 51 36 C4
Tours-sur-Meymont 63 169 D3

Tourtenay 79 114 B4
Tourteron 08 37 E1
Tourtoirac 24 180 B2
Tourtour 83 239 D2
Tourtouse 09 259 E3
Tourtrès 47 196 A4
Tourtrol 09 252 B3
Tourves 83 238 B4
Tourville-la-Campagne 27 31 E3
Tourville-la-Chapelle 76 15 F2
Tourville-les-Ifs 76 14 B3
Tourville-en-Auge 14 30 A2
Tourville-sur-Arques 76 15 E2
Tourville-sur-Odon 14 28 C3
Tourville-sur-Pont-Audemer 27 30 C2
Tourville-sur-Sienne 50 26 C4
Tourville-la-Rivière 76 31 F2
Toury 03 138 A4
Toury 28 79 E3
Toury-Lurcy 58 137 E2
Toury-sur-Jour 58 137 E3
Tourzel-Ronzières 63 168 B4
Toussaint 76 14 B3
Toussieu 69 171 F3
Toussieux 01 155 F4
Tousson 77 80 B2
Toussus-le-Noble 78 57 D3
Toutainville 27 30 C2
Toutenant 71 140 B1
Toutencourt 80 17 F1
Toutens 31 230 B4
Toutes Aures (Col de) 04 223 D4
Toutlemonde 49 113 E4
Toutry 21 103 D4
Touvérac 16 178 A1
Le Touvet 38 189 F1
Touville 27 31 D2
Touvois 44 128 C1
Touvre 16 182 C1
Touzac 46 197 D4
Touzac 16 162 A3
Tox 2b 267 F1
Toy-Viam 19 166 A3
Trabuc (Grotte de) 30 218 A3
Traconne (Forêt de la) 51 59 F3
Tracy-Bocage 14 28 B4
Tracy-le-Mont 60 34 C1
Tracy-sur-Loire 58 119 F2
Tracy-sur-Mer 14 28 C2
Tracy-le-Val 60 34 C1
Trades 69 155 D2
Traenheim 67 66 C3
Tragny 57 64 C1
Traînou 45 99 F1
Le Trait 76 31 E1
Traitiéfontaine 70 125 E1
Traize 73 173 D2
Tralaigues 63 167 D1
Tralonca 2b 265 D4
Tramain 22 72 A1
Tramayes 71 155 D2
Trambly 71 155 D2
Tramecourt 62 9 D2
Tramery 51 36 A3
Tramezaïgues 65 258 A4
Tramolé 38 172 B4
Tramont-Émy 54 86 B1
Tramont-Lassus 54 86 B1
Tramont-St-André 54 86 B1
Tramoyes 01 171 F1
Trampot 88 85 E2
Trancault 10 82 A2
La Tranche-sur-Mer 85 144 B1
La Tranclière 01 156 B3
Trancrainville 28 79 E1
Le Tranger 36 133 F1
Trannes 10 84 A2
Tranqueville-Graux 88 86 B1
Trans 53 75 E2
Trans 53 50 B4
Trans-en-Provence 83 239 E3
Trans-sur-Erdre 44 93 F4
Le Translay 80 16 B1
Le Transloy 62 18 B1
Tranzault 36 134 C3
Trappe (Abbaye de la) 61 54 B4
Trappes 78 57 D3
Trassanel 11 253 F1
Traubach-le-Bas 68 108 B3
Traubach-le-Haut 68 108 B3
Trausse 11 254 A1
Travaillan 84 219 F2
Travecy 02 19 E3

Traversères 32 228 B3
Traves 70 106 B3
Le Travet 81 231 F1
Trayes 79 130 C3
Tréal 56 92 B1
Tréauville 50 24 B1
Tréban 29 215 D3
Treban 03 152 C1
Trébas 81 215 D4
Trébédan 22 72 B1
Trèbes 11 253 F2
Trébeurden 22 46 C1
Trébons 65 249 E3
Trébons-de-Luchon 31 258 B4
Trébons-sur-la-Grasse 31 230 B4
Tréboul (Pont de) 15 200 B1
Trébrivan 22 70 A1
Trébry 22 71 F1
Tréclun 21 124 A3
Trécon 51 60 C2
Trédaniel 22 71 F1
Trédarzec 22 47 D1
Trédias 22 72 B1
Trédion 56 91 F2
Trédrez 22 46 C2
Tréduder 22 46 C2
Trefcon 02 18 C2
Treffendel 35 72 C4
Treffiagat 29 68 C4
Treffieux 44 93 F1
Treffléan 56 91 F2
Treffort 01 156 C2
Treffort 38 189 D4
Treffrin 22 70 A1
Tréflaouénan 29 45 F1
Tréflévénez 29 45 E3
Tréflez 29 45 E1
Tréfols 51 59 F3
Tréfumel 22 72 B1
Trégarantec 29 45 E2
Trégarvan 29 45 E2
Trégastel 22 46 C1
Tréglamus 22 47 D3
Tréglonou 29 45 D2
Trégomar 22 48 C4
Trégomeur 22 47 F3
Trégon 22 49 D3
Trégonneau 22 47 E3
Trégourez 29 69 E2
Trégrom 22 47 D3
Tréguennec 29 68 C3
Trégueux 22 48 B4
Tréguidel 22 47 F3
Tréguier 22 47 D1
Trégunc 29 69 E4
Tréhet 41 97 D3
Tréhorenteuc 56 72 A4
Le Tréhou 29 45 F3
Treignac 19 165 F4
Treignat 03 151 D2
Treigny 89 101 E4
Treilles 11 254 C4
Treilles-en-Gâtinais 45 80 C4
Treillières 44 111 F1
Treix 52 85 D3
Les Treize-Arbres 74 158 B3
Treize-Septiers 85 112 C4
Treize-Vents 85 130 B1
Tréjouls 82 212 C2
Trélans 48 200 C4
Trélazé 49 114 A1
Tréléchamp 74 159 E3
Trélévern 22 47 D1
Trelins 42 170 A2
Trélissac 24 179 F2
Trélivan 22 49 E4
Trelly 50 50 C1
Trélon 59 20 B1
Tréméoc 29 68 C3
Trémentines 49 113 E3
Tréméreuc 22 49 E3

Trémery 57 40 B3
Trémeur 22 72 A1
Tréméven 22 47 E2
Tréméven 29 70 A4
Trémilly 52 84 B2
Tréminis 38 205 E2
Trémoins 70 107 E3
Trémolat 24 196 C1
Trémons 47 196 C4
Trémont 61 53 E4
Trémont 49 114 A3
Trémont-sur-Saulx 55 62 B3
Trémonzey 88 87 D4
Trémorel 22 72 A1
Trémouille 15 183 E1
Trémouille-St-Loup 63 167 D4
Trémouilles 12 215 E2
Trémoulet 09 252 B2
Trémuson 22 47 F3
Trenal 39 141 D3
Trensacq 40 209 D2
Trentels 47 196 C4
Tréogan 22 70 A2
Tréogat 29 68 C3
Tréon 28 55 F3
Tréouergat 29 44 C2
Trépail 51 36 C4
Le Tréport 76 16 A1
Trépot 25 125 E3
Tréprel 14 52 C1
Trept 38 172 B2
Trésauvaux 55 39 D4
Tresbœuf 35 93 E1
Trescault 62 10 A4
Treschenu-Creyers 26 205 D2
Trescléoux 05 221 D1
Trésilley 70 125 E1
Treslon 51 36 A3
Tresnay 58 137 D3
Trespoux-Rassiels 46 197 F4
Tresques 30 219 D3
Tressaint 22 49 E4
Tressan 34 233 F3
Tressandans 25 107 D4
Tressange 57 39 F4
Tressé 35 49 F4
Tresserre 66 262 C3
Tresserve 73 173 D3
Tresses 33 194 B1
Tressignaux 22 47 F3
Tressin 59 5 E4
Tresson 72 97 D1
Treteau 03 152 C1
La Trétoire 77 59 D2
Trets 13 237 F4
Treux 80 18 A2
Treuzy-Levelay 77 80 C3
Trévé 22 71 E2
Trévenans 90 108 A3
Tréveneuc 22 47 F2
Tréverec 22 47 E2
Tréverien 35 72 C1
Trèves 30 217 D3
Trèves 69 171 E4
Trèves-Cunault 49 114 B2
Trévezel (Gorges du) 30 217 D3
Trévezel (Roc) 29 46 A4
Trévien 81 214 B1
Trévières 14 28 B2
Trévignin 73 173 D3
Trévillach 66 262 A2
Tréville 11 231 D4
Trévillers 25 126 C2
Trévilly 89 103 D4
Trévol 03 137 E3
Trévou-Tréguignec 22 47 D1
Le Trévoux 29 69 E4
Trévron 22 72 B1
Trézelles 03 153 C2
Trézény 22 47 D1
Trézien (Phare de) 29 44 B3
Tréziers 11 252 C3
Trézilidé 29 45 F2
Trézioux 63 169 D2
Triac-Lautrait 16 162 A3
Triaize 85 145 D1
Tribehou 50 27 D3
Trichey 89 103 D1
Triconville 55 63 D2
Tricot 60 34 A1
Trie-Château 60 32 C3
Trie-sur-Baïse 65 249 F1
Trie-la-Ville 60 32 C3
Triel-sur-Seine 78 57 D2
Triembach-au-Val 67 89 D1
Trieux 54 39 F2
Trigance 83 239 D1
Trigavou 22 49 E4
Trignac 44 110 C1
Trigny 51 36 B3
Triguères 45 101 D1
Trilbardou 77 58 A2
Trilla 66 262 A1
Trilport 77 58 B2
Trimbach 67 45 E4
Trimer 35 72 C2
La Trimouille 86 149 D1

Trimouns (Carrière de Talc de) 09 260 C1
Trinay 45 79 E4
La Trinitat 15 200 B3
La Trinité 73 174 A4
La Trinité 06 241 E4
La Trinité 50 51 D2
La Trinité-de-Réville 27 54 B1
La Trinité-de-Thouberville 27 31 E2
La Trinité-des-Laitiers 61 53 F2
La Trinité-du-Mont 76 14 C4
Trinité (Ermitage de la) 2A 69 C4
La Trinité-Langonnet 56 70 A2
La Trinité-Porhoët 56 71 F3
La Trinité-sur-Mer 56 91 D3
La Trinité-Surzur 56 91 F3
Triors 26 188 A3
Le Trioulou 15 199 D3
Tripleville 41 99 D1
Triquerville 76 30 C1
Triqueville 27 30 C2
Trith-St-Léger 59 11 A3
Tritteling 57 41 D4
Trivy 71 155 D1
Trizac 15 183 D2
Trizay 17 160 C1
Trizay-lès-Bonneval 28 78 B3
Trizay-Coutretot-St-Serge 28 77 E2
Troarn 14 29 E3
Troche 19 181 D1
Trochères 21 124 A2
Trocy-en-Multien 77 34 C4
Troësnes 02 35 D3
Troguéry 22 47 D1
Trogues 37 115 E2
Les Trois Becs 26 204 B2
Les Trois-Épis 68 88 C3
Trois-Fonds 23 151 D2
Trois-Fontaines 51 62 B3
Trois-Monts 14 28 C4
Les Trois-Moutiers 86 114 C4
Trois-Palis 16 162 B3
Les Trois-Pierres 76 30 B3
Trois-Puits 51 36 B3
Trois-Vèvres 58 137 E1
Trois-Villes 64 247 E2
Troischamps 52 105 E1
Troisfontaines 52 62 B4
Troisfontaines 57 66 A3
Troisgots 50 27 E4
Troisgots-la-Chapelle-sur-Vire 50 27 E4
Troissereux 60 33 D1
Troissy 51 60 A1
Troisvaux 62 9 E4
Troisvilles 59 11 D4
Tromarey 70 124 C2
Tromborn 57 42 A3
Tronçais (Forêt de) 03 136 B3
Troncens 32 227 F4
La Tronche 38 189 D2
Le Tronchet 35 49 F4
Le Tronchet 72 76 A3
Tronchoy 89 102 C1
Tronchoy 80 16 C2
Tronchy 52 105 D1
Tronchy 71 140 B2
Le Troncq 27 31 E3
Trondes 54 63 E3
Tronget 03 152 C1
Le Tronquay 14 28 B3
Le Tronquay 27 32 B2
Tronsanges 58 120 A4
Tronville 54 39 F4
Tronville-en-Barrois 55 63 D3
Troo 41 97 E2
Trosly-Breuil 60 34 C2
Trosly-Loire 02 34 C1
Trou de la Bombe 2A 269 E1
Trouans 10 60 C4
Troubat 65 258 B4
Trouhans 21 124 A3
Trouhaut 21 123 D1
Trouillas 66 262 C2
Trouley-Labarthe 65 249 F1
Troumouse (Cirque de) 65 257 F4
Troussencourt 60 17 E4
Troussey 55 63 E3
Troussures 60 33 D2
Trouvans 25 125 F1

Trouville-la-Haule 27 30 C2
Trouville 76 14 C4
Trouville-sur-Mer 14 29 F2
Trouy 18 119 D4
Troye-d'Ariège 09 252 C3
Troyes 10 83 D2
Troyon 55 63 D1
La Truchère 71 140 B4
Truchtersheim 67 67 D3
Trucy 02 35 F1
Trucy-l'Orgueilleux 58 120 C1
Trucy-sur-Yonne 89 102 B3
Le Truel 12 215 F3
Trugny 21 123 F4
Truinas 26 204 B3
Trumilly 60 34 B3
Trun 61 53 D2
Trungy 14 28 B3
Truttemer-le-Grand 14 52 B2
Truttemer-le-Petit 14 52 B2
Truyes 37 116 B2
Tubersent 62 8 B1
Tuchan 11 254 A4
Tucquegnieux 54 39 F2
Tudeils 19 181 F4
Tudelle 32 227 F2
Tudy (Île) 29 68 C4
Tuffé 72 83 D1
Tugéras-St-Maurice 17 177 E1
Tugny-et-Pont 02 18 C3
La Tuilière 42 169 E1
Tulette 26 219 F1
Tullins 38 188 C1
Tully 80 8 A4
Tupigny 02 19 F1
Tupin-et-Semons 69 171 F4
La Turballe 44 110 A1
La Turbie 06 241 E4
Turcey 21 123 D1
Turckheim 68 88 C3
Turenne 19 181 D3
Turgon 16 147 F4
Turgy 10 83 D2
Turini (Col de) 06 241 D2
Turini (Forêt de) 06 241 D2
Turny 89 82 B4
Turquant 49 114 C3
Turquestein-Blancrupt 57 66 A4
Turqueville 50 25 E3
Turretot 76 14 A4
Turriers 04 206 C4
Tursac 24 180 B4
Tusson 16 162 B1
Tuzaguet 65 250 A3
Le Tuzan 33 193 F4
Tuzie 16 147 E4

U
u) 17,85,86 145 E1
Ubaye 04 206 C4
Uberach 67 67 D1
Ubexy 88 87 D2
Ubraye 04 223 D4
Ucciani 2a 266 C3
Ucel 07 203 D3
Uchacq-et-Parentis 40 209 E4
Uchaud 30 235 D2
Uchaux 84 219 E2
Uchentein 09 259 D3
Uchizy 71 140 A4
Uchon 71 139 D2
Uchon (Signal d') 71 139 D2
Uckange 57 40 B2
Ueberstrass 68 108 B3
Uffheim 68 109 D3
Uffholtz 68 108 B1
Uglas 65 250 A2
Ugnouas 65 249 E1
Ugny 54 39 D1
Ugny-l'Équipée 80 18 C3
Ugny-le-Gay 02 19 D4
Ugny-sur-Meuse 55 63 E4
Uhart-Cize 64 246 C2
Uhart-Mixe 64 247 D1
Uhlwiller 67 67 D1
Uhrwiller 67 67 D1
Ulcot 79 114 A4
Les Ulis 91 57 D3
Ully-St-Georges 60 33 F2
Les Ulmes 49 114 B3
Umpeau 28 79 D1
Unac 09 260 C1
Uncey-le-Franc 21 122 C2
Unchair 51 36 A3
Ungersheim 68 108 C1
Unias 42 170 B3
Unienville 10 83 F2
Unieux 42 186 B1
L'Union 31 230 A2
Unverre 28 77 F3
Unzent 09 252 A2
Upaix 05 221 D1
Upie 26 204 B1
Ur 66 261 D4
Urau 31 259 D2
Urbalacone 2A 268 C1
Urbanya 66 261 F2
Urbeis 67 89 D1
Urbès 68 108 A1
Urbise 42 154 A2
Urçay 03 136 B1
Urcel 02 35 F1
Urcerey 90 107 F3

Urciers 36 135 E4
Urcuit 64 224 C3
Urcy 21 123 E2
Urdens 32 228 A1
Urdès 64 226 A4
Urdos 64 256 B3
Urepel 64 246 B2
Urgons 40 226 A2
Urgosse 32 227 D2
Uriménil 88 87 E3
Urmatt 67 66 B4
Urost 64 249 D1
Urou-et-Crennes 61 53 D3
Urrugne 64 224 A4
Urs 09 260 C1
Urschenheim 68 89 E3
Urt 64 224 C3
Urtaca 2b 265 D3
Urtière 25 127 D2
Uruffe 54 63 E4
Urval 24 196 C1
Urville 10 84 B3
Urville 88 86 A3
Urville 50 25 D3
Urville 14 29 D4
Urville-Nacqueville 50 24 C1
Urvillers 02 19 D3
Ury 77 80 B2
Urzy 58 120 B4
Us 95 33 D4
Usclades-et-Rieutord 07 203 D2
Usclas-d'Hérault 34 233 F1
Usclas-du-Bosc 34 233 E2
Usinens 74 157 E4
Ussac 19 181 D2
Ussat 09 260 C1
Ussé (Château d') 37 115 D2
Usseau 79 146 A3
Usseau 86 132 B1
Ussel 46 197 F3
Ussel 19 166 C4
Ussel 15 183 F3
Ussel-d'Allier 03 152 C3
Usson 63 168 C4
Usson-en-Forez 42 185 F1
Usson-du-Poitou 86 148 A2
Ussy 14 52 C2
Ussy-sur-Marne 77 58 C1
Ustaritz 64 224 B4
Ustou 09 259 E4
Utah Beach 50 27 E1
Utelle 06 241 D3
Uttenheim 67 89 E1
Uttenhoffen 67 67 D1
Uttwiller 67 67 D1
Uvernet-Fours 04 207 D4
Uxeau 71 139 E2
Uxegney 88 87 D3
Uxelles 39 157 F3
Uxem 59 4 B1
Uz 65 257 D2
Uza 40 208 B3
Uzan 64 226 B3
Uzay-le-Venon 18 136 A2
Uzech 46 197 F3
Uzein 64 226 A4
Uzel 22 71 D2
Uzelle 25 107 D4
Uzemain 88 87 E3
Uzer 07 203 D3
Uzer 65 257 F1
Uzerche 19 181 D1
Uzès 30 218 C3
Uzeste 33 194 C4
Uzos 64 248 C1

V
Vaas 72 96 C3
Vabre 81 231 F2
Vabre-Tizac 12 214 C2
Vabres 30 217 F3
Vabres 15 183 E4
Vabres-l'Abbaye 12 215 F4
Vacarés (Étang de) 13 235 F4
Vacheresse 74 159 D1
La Vacheresse-et-la-Rouillie 88 86 B3
Vacheresses-les-Basses 28 56 A4
La Vacherie 27 31 F4
Vacognes-Neuilly 14 28 C4
Vacon 55 63 E4
La Vacquerie 14 28 B4
Vacquerie 80 9 D3
La Vacquerie-et-St-Martin-de-Castries 34 233 F1
Vacqueriette-Erquières 62 9 D2
Vacqueville 54 65 D4
Vacqueyras 84 219 F2
Vacquières 34 234 B1
Vacquiers 31 230 A1
Vadans 70 124 B3
Vadans 39 141 F1
Vadelaincourt 55 63 D1
Vadenay 51 37 D4
Vadencourt 80 17 F1
Vadencourt 02 19 E2

Troyes

Champeaux (R.)	BZ 12
Clemenceau (R. G.)	BCY 15
Driant (R. Col.)	BZ 20
Jaurès (Pl. Jean)	BZ 31
République (R. de la)	BZ 51
Zola (R. Émile)	BCZ
Belgique (Bd de)	BZ 3
Boucherat (R.)	CY 4
Charbonnet (R.)	BZ 13
Comtes de Champagne (Q. des)	CY 16
Dampierre (Quai)	BY 17
Foch (Pl. Mar.)	BZ 22
Huez (R. Claude)	BYZ 28
Jaillant-Desch. (R.)	BZ 29
Joffre (Av. Mar.)	BZ 33
Langevin (R. du Prof.)	BZ 35
Libération (Pl. de la)	CZ 39
Molé (R.)	BZ 44
Paillot de Montabert (R.)	BZ 46
Palais-de-Justice (R.)	BZ 47
St-Pantaléon (†)	BZ E
St-Pierre (Pl.)	CY 52
St-Rémy (Pl.)	BY 53
St-Urbain (†)	BYZ B
Ste-Madeleine (†)	BZ D
Salengro (R. Roger)	BZ 54
Tour-Boileau (R. de la)	BZ 59
Trinité (R. de la)	BZ 60
Turenne (R. de)	BZ 61
Vanier (Av. Major. Gén.)	BY
Voltaire (R.)	BZ 64

Vadonville 55 63 D2
Vagnas 07 218 C1
Vagney 88 88 A4
Vahl-lès-Bénestroff 57 65 E1
Vahl-Ebersing 57 41 E4
Vahl-lès-Faulquemont 57 41 D4
Vaiges 53 75 D4
Vailhan 34 233 E3
Vailhauquès 34 234 A2
Vailhourles 12 214 A1
Vaillac 46 198 A2
Vaillant 52 105 D3
Vailly 74 158 C1
Vailly 10 83 D2
Vailly-sur-Aisne 02 35 F2
Vailly-sur-Sauldre 18 119 E1
Vains 50 50 C3
Vairé 85 128 C3
Vaire-Arcier 25 107 F4
Vaire-le-Petit 25 107 F4
Vaire-sous-Corbie 80 18 A2
Vaires-sur-Marne 77 58 A2
Vaison-la-Romaine 84 220 A2
Vaissac 82 213 E3
Vaite 70 105 F3
La Vaivre 70 107 D1
Vaivre-et-Montoille 70 106 B3
Le Val 83 238 B4
Val 15 183 D1
Le Val-André 22 48 B3
Le Val-d'Ajol 88 107 D1
Val-d'Auzon 10 83 E1
Le Val-David 27 55 E1
Val-de-Bride 57 65 E2
Val-de-Fier 74 157 F4
Le Val-de-Gouhenans 70 107 D3
Le Val-de-Guéblange 57 41 F4
Val-de-la-Haye 76 31 E2
Val-de-Mercy 89 102 B3
Val-de-Roulans 25 125 F1
Val-de-Saâne 76 15 E3
Val-de-Vesle 51 36 C3
Val-de-Vière 51 61 F2
Val-des-Prés 05 191 D4
Val-d'Isère 73 175 E4
Val-d'Izé 35 73 F3
Val-et-Châtillon 54 66 A4
Le Val Gallerand 27 54 C1
Val Joly (Lac du) 59 12 C4
Val-Maravel 26 205 D3
Le Val-St-Éloi 70 106 C2
Le Val-St-Germain 91 57 D4
Le Val-St-Père 50 50 C3
Val-Suzon 21 139 E1
Valady 12 199 E4
Valailles 27 30 C4
Valaire 41 117 D1
Valanjou 49 113 F3
Valaurie 26 203 F4
Valavoire 04 222 A1
Valay 70 140 C1
Valbeleix 63 168 A4
Valbelle 04 221 E2
Valberg 06 223 E2
Valbonnais 38 189 E4
Valbonne 06 240 B2
Valbonne (Chartreuse de) 30 219 D2
Valcabrère 31 250 A3
Valcanville 50 25 D2
Valcebollère 66 261 D4
Valcivières 63 169 E3
Valcourt 52 84 B4
Valdahon 25 126 A3
Valdampierre 60 33 D3
Valdeblore 06 241 D2
Val-de-Védécie 50 24 C3
Valdelancourt 52 84 B4
Valderiès 81 214 C4
Valderoure 06 239 F1
Valdieu-Lutran 68 108 B3
Valdivienne 86 132 C4
Valdo-Niello (Forêt de) 2B 266 C1

Valdoie 90 107 F3
Valdrôme 26 205 D3
Valdurenque 81 231 E3
Valeille 42 170 C2
Valeilles 82 212 B1
Valeins 01 155 F3
Valempoulières 39 141 F2
Valencay 36 117 E3
Valence 16 163 D1
Valence 26 187 E4
Valence 82 212 B3
Valence-d'Albigeois 81 215 D4
Valence-en-Brie 77 58 D1
Valence-sur-Baïse 32 228 A1
Valenciennes 59 11 E3
Valencin 38 171 F3
Valencogne 38 172 C4
Valennes 72 97 E1
Valensole 04 221 F4
Valentigney 25 107 F4
Valentin 25 125 E2
Valentine 31 250 B2
Valenton 94 57 F3
Valergues 34 234 C2
Valernes 04 221 F1
Valescourt 60 33 F1
La Valette 38 189 E4
Valette 15 183 D2
Valette (Barrage de la) 19 182 A2
La Valette-du-Var 83 244 B3
Valeuil 24 179 E1
Valeyrac 33 176 C1
Valezan 73 175 D3
Valff 67 89 E1
Valfin-sur-Valouse 39 156 C1
Valflaunès 34 234 B1
Valfleury 42 171 D4
Valframbert 61 76 B1
Valfroicourt 88 86 C3
Valgaudemar 05 206 A1
Valgorge 07 202 C3
Valhey 54 65 D3
Valhuon 62 9 E2
Valiergues 19 166 C4
Valignat 03 152 C3
Valigny 03 136 B3
Le Valinco (Golfe de) 2A 268 B2
Valines 80 8 A4
Valjouffrey 38 206 A1
Valjouze 15 184 A3
La Valla 42 169 E2
La Valla-en-Gier 42 186 C1
Vallabrègues 30 235 F1
Vallabrix 30 218 C3
Vallan 89 102 A3
Vallangoujard 95 33 E4
Vallans 79 146 A2
Vallant-St-Georges 10 82 C1
Vallauris 06 240 B2
Valle-d'Alesani 2b 267 E1
Valle-di-Campoloro 2b 267 F1
Valle-di-Mezzana 2a 266 B3
Valle-di-Rostino 2b 265 E4
Valle-d'Orezza 2b 265 E4
Vallecalle 2b 265 E3
La Vallée 17 160 C1
La Vallée-au-Blé 02 20 A2
Vallée (Étang de la) 45 100 A1
La Vallée-Mulâtre 02 19 E1
Vallègue 31 230 C4
Valleiry 74 157 F3
Vallenay 18 135 F2
Vallentigny 10 84 A1
Vallerange 57 65 E1
Vallérargues 30 218 C3
Valleraugue 30 217 E3
Vallères 37 115 E2
Valleret 52 84 C1
Vallereuil 24 179 D3
Vallerois-le-Bois 70 106 C4
Vallerois-Lorioz 70 106 C4
Valleroy 54 39 F3
Valleroy 52 105 F3
Valleroy 25 125 E1
Valleroy-aux-Saules 88 86 C2
Valleroy-le-Sec 88 86 C3
Vallery 89 81 E3
Vallesvilles 31 230 B3
Vallet 67 177 F2
Vallet 44 112 B3
Valletot 27 30 C2
La Vallette 27 170 C2
Vallica 2b 264 C3
Vallières 74 173 D1
Vallières 10 103 D1
Vallières 23 166 B1

Vallières-les-Grandes 41 116 C1
Valliguières 30 219 D3
Valliquerville 76 14 C4
Valloire 73 190 C2
Valloires (Anc. abbaye de) 80 8 B2
Les Vallois 88 86 C3
Vallois 54 87 E1
Vallon-en-Sully 03 136 A4
Vallon-Pont-d'Arc 07 203 D4
Vallon-sur-Gée 72 96 A1
Vallorcine 74 159 E3
Vallouise 05 206 C1
Valmagne (Abbaye de) 34 33 F4
Valmanya 66 262 A3
Valmascle 34 233 E3
Valmeinier 73 190 C2
Valmestroff 57 40 B2
Valmigère 11 253 F4
Valmondois 95 33 E4
Valmont 57 41 D4
Valmont 76 14 C3
Valmunster 57 40 C3
Valmy 51 37 F4
Valognes 50 25 D3
Valojoulx 24 180 B4
Valonne 25 126 B1
Valoreille 25 126 C2
Valouse 26 204 B4
Valprionde 46 212 C1
Valprivas 43 186 A2
Valpuiseaux 91 80 A2
Valras-Plage 34 255 E2
Valréas 84 219 F1
Valros 34 233 E4
Valroufié 46 197 F4
Vals 09 252 B3
Vals-les-Bains 07 203 D2
Vals-le-Chastel 43 185 D2
Vals-près-le-Puy 43 185 F4
Valsaintes 04 221 D4
Valsemé 14 30 A3
Valserine 01, 74 157 E2
Valserres 05 206 B3
Valsonne 69 170 C1
Le Valtin 88 88 B3
Valuéjols 15 184 F4
Valvignères 07 203 E4
Valz-sous-Châteauneuf 63 184 C1
Valzergues 12 199 D4
Van (Pointe du) 29 68 A2
Vanault-le-Châtel 51 61 F2
Vanault-les-Dames 51 61 F2
Vançais 79 147 D2
Vancé 72 97 E2
La Vancelle 67 89 D2
Vanclans 25 126 A3
Vançon 04 222 A1
Vandeins 01 156 A2
Vandelainville 54 39 F4
Vandelans 70 125 E1
Vandeléville 54 86 B1
Vandélicourt 60 34 B1
Vandenesse 58 138 A1
Vandenesse-en-Auxois 21 122 C3
Vandeuil 51 36 A3
Vandières 51 36 A4
Vandières 54 64 A1
Vandoeuvre-lès-Nancy 54 64 B3
Vandoncourt 25 108 A4
Vandré 17 145 F3
Vandrimare 27 32 A2
Vandy 08 37 F1
Vanlay 10 83 D4
Le Vanneau 79 146 A2
Vannecourt 57 65 D1
Vannecrocq 27 30 C2
Vannes 56 91 E3
Vannes-le-Châtel 54 63 F4
Vannes-sur-Cosson 45 99 F3
Vannoz 39 142 A2
Vanoise (Parc National de la) 73 174 B4
Vanosc 07 187 D2
Les Vans 07 218 B1
Vantoux 57 40 B3
Vantoux 21 123 E1

Vanvillé 77 59 D4
Vanxains 24 178 C2
Vany 57 40 B3
Vanzac 17 177 F1
Vanzay 79 147 E2
Vanzy 74 157 F3
Vaour 81 213 F3
Var 6 223 E3
Varacieux 38 188 C2
Varades 44 112 C1
Varages 83 238 B2
Varaignes 24 163 E3
Varaire 46 213 F1
Varaize 17 161 E1
Varambon 01 156 B4
Varanges 21 123 F2
Varangéville 54 64 C3
Varaville 14 29 E3
Varces-Allières-et-Risset 38 189 D3
Vareilles 89 82 A3
Vareilles 71 154 C2
Vareilles 23 149 F2
Varen 82 214 A2
Varengeville-sur-Mer 76 15 E2
Varenguebec 50 26 C2
La Varenne 49 112 B2
Varenne-l'Arconce 71 154 B2
Varenne-St-Germain 71 154 B1
Varenne-sur-le-Doubs 71 140 C1
Varennes 80 17 F1
Varennes 89 102 C1
Varennes 24 196 B1
Varennes 31 230 B4
Varennes 86 132 A2
Varennes 82 213 E4
Varennes 37 116 B4
Varennes-Changy 45 100 C2
Varennes-en-Argonne 55 38 A3
Varennes-le-Grand 71 140 A2
Varennes-Jarcy 91 58 A3
Varennes-lès-Mâcon 71 155 F2
Varennes-lès-Narcy 58 120 A3
Varennes-St-Honorat 43 185 D3
Varennes-Sts-Sauveur 71 140 C4
Varennes-sous-Dun 71 154 C2
Varennes-sur-Allier 03 153 D2
Varennes-sur-Amance 52 105 F1
Varennes-sur-Fouzon 36 117 E3
Varennes-sur-Loire 49 114 C2
Varennes-sur-Morge 63 168 B1
Varennes-sur-Seine 77 81 D2
Varennes-sur-Tèche 03 153 E2
Varennes-sur-Usson 63 168 C4
Varennes-Vauzelles 58 120 B4
Varès 47 195 F4
Varesnes 60 18 C4
Varessia 39 141 E4
Varetz 19 181 D2
Varilhes 09 252 A3
Varinfroy 60 34 C4
Variscourt 02 36 B1
Varize 57 40 C3
Varize 28 78 C4
Varmonzey 88 87 D2
Varnéville 55 63 E2
Varneville-Bretteville 76 15 E4
Varney 55 62 B2
Varogne 70 106 C2
Varois-et-Chaignot 21 123 F2
Varouville 50 25 E1
Varrains 49 114 C2
Varreddes 77 58 C1
Vars 70 105 E4
Vars 05 207 D2
Vars 16 179 D1
Vars (Col de) 04,05 207 E3
Vars-sur-Roseix 19 180 C2
Varsberg 57 41 D3
Varvinay 55 63 E1
Varzay 17 161 D2
Varzy 58 120 C2

Vassivière (Lac de) 87 165 F2
Vascogne 02 36 A2
Vassonville 76 15 E3
Vassy 14 52 A2
Vassy 89 103 D4
Le Vast 50 25 D2
Vasteville 50 24 C2
Les Vastres 43 186 B4
Vatan 36 118 A4
Vathiménil 54 65 D4
Vatierville 76 16 B3
Vatilieu 38 188 C2
Vatimont 57 40 C4
Vatry 51 61 D2
Vattetot-sous-Beaumont 76 14 B4
Vattetot-sur-Mer 76 14 A3
Vatteville 57 32 A3
Vatteville-la-Rue 76 31 D1
Vaubadon 14 28 B3
Vauban 71 154 B2
Vaubecourt 55 62 B1
Vaubexy 88 87 D2
Vaucé 53 74 C1
Vaucelles (Ancienne Abbaye de) 59 10 C4
Vaucelles 14 28 B2
Vaucelles-et-Beffecourt 02 35 F1
Vauchamps 25 125 F2
Vauchamps 51 59 F2
Vauchassis 10 82 C3
Vauchelles-lès-Authie 80 9 E4
Vauchelles-lès-Domart 80 17 D1
Vauchelles 60 18 C4
Vauchelles-lès-Quesnoy 80 8 C2
Vauchignon 21 122 C4
Vauchonvilliers 10 84 A2
Vauchoux 70 106 B3
Vauchrétien 49 113 F2
Vauciennes 51 36 B4
Vauciennes 60 34 C3
Vauclaix 58 121 E3
Vauclerc 51 61 F3
Vaucluse 25 126 B2
Vaucluse (Plateau de) 84 220 C3
Vauclusotte 25 126 C2
Vaucogne 10 61 D4
Vauconcourt-Nervezain 70 106 A3
Vaucouleurs 55 63 E4
Vaucourt 54 65 E3
Vaucourtois 77 58 C2
Vaucresson 92 57 D2
Vaudancourt 60 32 C3
Vaudebarrier 71 154 C1
Vaudelnay 49 114 B3
Vaudeloges 14 53 D1
Vaudemanges 51 36 C4
Vaudémont 54 86 C1
Vaudémont (Signal de) 54 86 C1
Vaudes 10 83 D3
Vaudesincourt 51 37 D3
Vaudesson 02 35 E1
Vaudeurs 89 82 A4
Vaudevant 07 187 D3
Vaudeville 54 87 D1
Vaudeville-le-Haut 55 85 F1
Vaudeville 54 86 C1
Vaudherland 95 57 F1
Vaudigny 54 64 C4
Le Vaudioux 39 142 A2
Vaudoncourt 57 40 C3
Vaudoncourt 55 39 D2
Vaudoncourt 88 86 B3
Le Vaudoué 77 80 B2
Vaudoy-en-Brie 77 59 D3
Vaudreching 57 40 C2
Vaudrecourt 52 86 A3
Vaudrémont 52 84 C3
Le Vaudreuil 27 31 F3
Vaudreuille 31 231 F3
Vaudreville 50 25 D3
Vaudricourt 80 8 A4
Vaudricourt 62 9 F1
Vaudrimesnil 50 26 C3
Vaudringhem 62 3 E4
Vaudrivillers 25 126 A2

Vaudry 14 51 F2
Vaufrey 25 127 D1
Vaugines 84 237 E1
Vaugneray 69 171 D2
Vaugrigneuse 91 57 D4
Vauhallan 91 57 E3
Vaujany 38 190 A2
Vaujours 93 58 A1
Vaulandry 49 96 A4
Le Vaulmier 15 183 D2
Vaulnaveys-le-Bas 38 189 E3
Vaulnaveys-le-Haut 38 189 E3
Vaulry 87 149 E4
Vault-de-Lugny 89 121 E1
Vaulx 74 157 F4
Vaulx 62 9 D3
Vaulx-en-Velin 69 171 F2
Vaulx-Milieu 38 172 A3
Vaulx-Vraucourt 62 10 B4
Le Vaumain 60 33 D2
Vaumas 03 153 E1
Vaumeilh 04 221 F1
Vaumoise 60 34 C3
Vaumort 89 82 A3
Vaunac 24 180 A1
Vaunaveys-la-Rochette 26 204 B2
Vaunoise 61 76 C2
La Vaupalière 76 31 E1
Vaupillon 28 77 F1
Vaupoisson 10 83 E1
Vauquois 55 38 B3
Vauréal 95 57 D1
Vaureilles 12 199 D4
Vaurezis 02 35 E2
Le Vauroux 60 33 D2
Vausse (Prieuré de) 89 103 D3
Vausseroux 79 131 E4
Vautebis 79 131 E4
Vauthiermont 90 108 A2
Vautorte 53 74 C2
Vauvenargues 13 237 F3
Vauvert 30 235 D2
Vauville 14 29 F2
Vauville 50 24 B2
Vauvillers 70 106 B1
Vauvillers 80 18 A2
Vaux 31 230 C4
Vaux 03 151 F1
Vaux 89 102 B3
Vaux 86 147 E2
Vaux 57 40 A4
Vaux-Andigny 02 19 E1
Vaux (Belvédère de) 80 18 B1
Vaux-Champagne 08 37 E1
Vaux (Culée de) 39 141 E2
Les Vaux de Cernay 78 56 C3
Vaux-devant-Damloup 55 38 C3
Vaux-la-Douce 52 105 F1
Vaux-en-Amiénois 80 17 E1
Vaux-en-Beaujolais 69 155 D4
Vaux-en-Bugey 01 172 B1
Vaux-en-Pré 71 139 F3
Vaux-en-Vermandois 02 18 C2
Vaux-en-Dieulet 08 38 A1
Vaux-et-Chantegrue-Malpas 25 142 C1
Vaux-la-Grande 55 63 D3
Vaux-Lavalette 16 178 C1
Vaux-Marquenneville 80 16 C1
Vaux-le-Moncelot 70 106 B4
Vaux-Montreuil 08 21 D4
Vaux-lès-Mouron 08 37 F2
Vaux-lès-Mouzon 08 22 A4
Vaux-lès-Palameix 55 39 D4
Vaux-lès-Prés 25 125 D2
Vaux-Rouillac 16 162 A2
Vaux-Rubigny 08 20 C3
Vaux-St-Claude 39 157 D1
Vaux-Saules 21 123 D1
Vaux-sous-Aubigny 52 105 D2
Vaux-sur-Aure 14 28 B2
Vaux-sur-Blaise 52 84 C1

Vaux-sur-Eure 27 55 F1
Vaux-sur-Lunain 77 81 D3
Vaux-sur-Mer 17 160 B3
Vaux-sur-Poligny 39 141 E2
Vaux-sur-St-Urbain 52 85 D2
Vaux-sur-Seine 78 56 C1
Vaux-sur-Seulles 14 28 C3
Vaux-sur-Somme 80 18 A2
Vaux-sur-Vienne 86 132 C1
Vaux-le-Vicomte 77 58 B4
Vaux-Villaine 08 21 D3
Vauxaillon 02 35 E1
Vauxbons 52 104 C1
Vauxbuin 02 35 D2
Vauxcéré 02 35 F2
Vauxrenard 69 155 E2
Vauxtin 02 35 F2
Vavincourt 55 62 C2
Vavray-le-Grand 51 61 F2
Vavray-le-Petit 51 61 F2
Vaxainville 54 65 E4
Vaxoncourt 88 87 E2
Vaxy 57 65 D2
Vay 44 93 D4
Vaychis 09 260 C2
Vaylats 46 213 E1
Vayrac 46 181 E4
Vayres 33 194 C1
Vayres 87 163 F2
Vayres-sur-Essonne 91 80 A1
Vazeilles-Limandre 43 185 E3
Vazeilles-près-Saugues 43 201 E1
Vazerac 82 213 D2
Veauce 03 152 B3
Veauche 42 170 C3
Veauchette 42 170 B3
Veaugues 18 119 F2
Veaunes 26 187 F3
Veauville-lès-Baons 76 15 D4
Veauville-lès-Quelles 76 15 D3
Vèbre 09 260 C1
Vebret 15 183 D1
Vebron 48 217 D2
Veckersviller 57 66 B1
Veckring 57 40 C2
Vecoux 88 87 F4
Vecquemont 80 17 F2
Vecqueville 52 85 D1
Vedène 84 219 F4
Védrines-St-Loup 15 184 C3
Véel 55 62 B2
Végennes 19 181 E4
Vého 54 65 E3
Veigné 37 116 A2
Veigy-Foncenex 74 158 B2
Veilhes 81 230 C3
Veilleins 41 117 F1
Veilly 21 122 C3
Veix 19 165 F4
Velaine-en-Haye 54 64 B3
Velaine-sous-Amance 54 64 C3
Velaines 55 62 C3
Velanne 38 173 D4
Velars-sur-Ouche 21 123 E2
Velaux 13 237 D3
Velle-le-Châtel 70 106 B4
Velle-sur-Moselle 54 64 C4
Vellèches 86 132 C1
Vellechevreux-et-Courbenans 70 107 E4
Velleclaire 70 125 D1
Vellefaux 70 106 C4
Vellefrey-et-Vellefrange 70 125 D1
Vellefrie 70 106 C3
Velleguindry-et-Levrecey 70 106 B4
Velleminfroy 70 106 C3
Vellemoz 70 106 A4
Velleron 84 220 A3
Vellerot-lès-Belvoir 25 126 A2
Vellerot-lès-Vercel 25 126 A2
Velles 52 105 F2
Velles 36 134 B3
Vellescot 90 108 A3
Vellevans 25 126 A2
Vellexon-Queutrey-et-Vaudey 70 106 A4

Velloreille-lès-Choye 70 124 C1
Velluire 85 145 E1
Velogny 21 122 C1
Velone-Orneto 2b 265 F4
Velorcey 70 106 C2
Velosnes 55 38 C1
Velotte-et-Tatignécourt 88 86 C2
Velving 57 41 D2
Vélu 62 10 B4
Velye 51 60 C2
Velzic 15 183 D4
Vémars 95 34 A4
Venables 27 32 A3
Venaco 2b 267 D2
Venansault 85 129 D2
Venarey-les-Laumes 21 103 F4
Venarsal 19 181 E2
Venas 03 136 B4
Venasque 84 220 A3
Vence 06 240 B1
Vence (Col de) 06 240 B1
Vendargues 34 234 C2
Vendat 03 152 C2
Vendays-Montalivet 33 176 B1
Vendée 17, 85 145 E1
Vendegies-au-Bois 59 11 E3
Vendegies-sur-Écaillon 59 11 E3
Vendeix (Roche) 63 167 E4
Vendel 35 73 F2
La Vendelée 50 26 C4
Vendelles 02 19 D2
Vendémian 34 233 F3
Vendenesse-lès-Charolles 71 154 C1
Vendenesse-sur-Arroux 71 138 C3
Vendenheim 67 67 D3
Vendes 14 28 C3
Vendeuil 02 19 E3
Vendeuil-Caply 60 17 E4
Vendeuvre 14 53 D1
Vendeuvre 14 53 D1
Vendeuvre-du-Poitou 86 132 B2
Vendeuvre-sur-Barse 10 83 F3
Vendeville 59 10 C1
Vendières 02 59 E2
Vendin-lès-Béthune 62 9 F1
Vendin-le-Vieil 62 10 A1
Vendine 31 230 C2
Vendœuvres 36 134 A2
Vendoire 24 178 C1
Vendôme 41 98 A2
Vendranges 42 170 B1
Vendrennes 85 129 F2
Vendres 34 255 D1
Vendresse 08 21 F4
Vendresse-Beaulieu 02 35 F2
Vendrest 77 35 D4
La Vendue-Mignot 10 83 D3
Vénéjan 30 219 D2
Venelles 13 237 E2
Vénérand 17 161 E2
Venère 70 124 C1
Vénérieu 38 172 B2
Vénérolles 02 19 F1
Venerque 31 230 A4
Vénès 81 231 D3
Venesmes 18 135 F2
Vénestanville 76 15 D3
Venette 60 33 E1
Veneux-les-Sablons 77 80 C2
Vénévelles 72 96 B3
Veney 54 65 E4
Vengeons 50 51 E2
Venise 25 125 E1
Venisey 70 106 B2
Vénissieux 69 171 E2
Venizel 02 35 E2
Venizy 89 82 B4
Vennans 25 125 F1
Vennecy 45 99 F1
Vennes 25 126 B2
Vennezey 54 87 E1
Venon 38 189 E2
Venon 27 31 E3
Venosc 38 190 A3
Venouse 89 102 B2
Venoy 89 102 B2
Vensac 33 176 B1
Vensat 63 152 C4
Venterol 04 206 A4

Venterol 26 204 B4
Les Ventes 27 55 D1
Les Ventes-de-Bourse 61 76 B1
Ventes-St Rémy 76 16 A3
Venteuges 43 185 D4
Venteuil 51 36 A4
Venthon 73 174 B1
Ventiseri 2b 267 E4
Ventouse 16 163 D1
Ventoux (Mont) 84 220 B2
Ventron 88 107 F1
La Ventrouze 61 54 C4
Venzolasca 2b 265 E3
Ver 50 50 C1
Ver-lès-Chartres 28 78 C2
Ver-sur-Launette 60 60 B4
Ver-sur-Mer 14 28 C2
Vérac 33 177 F4
Véranne 42 187 D1
Vérargues 34 234 C2
Véraza 11 253 F4
Verberie 60 34 B2
Verbiesles 52 85 D4
Vercel-Villedieu-le-Camp 25 126 A2
Verchain-Maugré 59 11 D3
Verchaix 74 159 D3
Vercheny 26 204 C2
Les Verchers-sur-Layon 49 114 A3
Verchin 62 9 D1
Verchocq 62 8 C1
Vercia 39 141 D3
Verclause 26 205 D4
Vercoiran 26 220 B1
Vercors (Parc Régional du) 26,38 188 C4
Vercourt 80 8 B3
Verdaches 04 222 A1
Verdalle 81 231 E3
Verde (Col de) 2A,2B 267 D3
Verdelais 33 194 C3
Verdelot 77 59 E2
Verdenal 54 65 E3
Verderel-lès-Sauqueuse 60 33 E1
Verderonne 60 34 A2
Verdes 41 98 C1
Verdèse 2b 265 E4
Verdets 64 248 A1
Le Verdier 81 214 A4
La Verdière 83 238 B2
Verdigny 18 119 F2
Verdille 16 162 A1
Verdilly 02 39 E4
Verdon 24 196 B1
Verdon 4,83 222 C3
Verdon 51 59 F1
Verdon (Grand Canyon du) 04 239 D1
Le Verdon-sur-Mer 33 160 B3
Verdonnet 21 103 E3
Verdun 09 260 B1
Verdun 55 38 C3
Verdun-en-Lauragais 11 253 D1
Verdun-sur-le-Doubs 71 140 B1
Verdun-sur-Garonne 82 229 E1
Vereaux 18 136 C1
Verel-de-Montbel 73 173 D3
Verel-Pragondran 73 173 E3
Véretz 37 116 A2
Vereux 70 105 F4
Verfeil 31 230 B2
Verfeil 82 214 A2
Verfeuil 30 218 C2
Vergaville 57 65 E2
Vergéal 35 73 F4
La Vergenne 70 107 D3
Le Verger 49 95 E3
Le Verger 35 72 C3
Verger-sur-Dive 86 131 F2
Vergeroux 17 145 E4
Verges 39 141 E4
Vergetot 76 14 A4
Vergezac 43 185 E4
Vergèze 30 235 D2
Vergheas 63 151 F4
Vergies 80 16 C2
Vergigny 89 102 B1
Vergio (Col de) 2A,2B 266 B1
Vergisson 71 155 D2
La Vergne 17 146 A4
Vergné 17 146 A3
Vergoignan 32 226 C2
Vergoncey 50 50 C4
Vergongheon 43 184 C1
Vergonnes 49 94 B2
Vergons 04 239 D1
Vergranne 25 126 A1
Vergt 24 179 E4
Vergt-de-Biron 24 196 C3

Le Verguier 02 — 19 D2
Véria 39 — 141 D4
Vérignon 83 — 238 C2
Vérigny 28 — 78 B1
Vérin 42 — 171 E4
Vérines 17 — 145 E2
Vérissey 71 — 140 B3
Verjon 01 — 156 C1
Verjux 71 — 140 B4
Verlans 70 — 107 E3
Verlhac-Tescou 82 — 213 E4
Verlin 89 — 101 F1
Verlincthun 62 — 2 C4
Verlinghem 59 — 5 D4
Verlus 32 — 227 D3
Vermand 02 — 18 C2
Vermandovillers 80 — 18 B2
Vermelles 62 — 10 A1
Vermenton 89 — 102 B3
Vermondans 25 — 126 C1
Le Vermont 88 — 88 B1
Vern-sur-Seiche 35 — 73 D4
Vernais 18 — 156 B2
Vernaison 69 — 171 E3
Vernajoul 09 — 252 A4
Vernancourt 51 — 62 A2
Vernantes 49 — 114 C1
Vernantois 39 — 141 E3
La Vernarède 30 — 218 A1
Vernas 38 — 172 B2
Vernassal 43 — 185 E3
Vernaux 09 — 260 C1
Vernay 69 — 155 D3
La Vernaz 74 — 159 D1
Verne 25 — 125 F1
Verne (Chartreuse de la) 83 — 245 D2
Vernègues 13 — 236 C2
Verneiges 23 — 151 D2
Le Verneil 73 — 174 A4
Verneil-le-Chétif 72 — 96 C3
Verneix 03 — 151 F1
La Vernelle 36 — 117 E2
Le Vernet 09 — 252 A2
Le Vernet 04 — 222 B1
Le Vernet 03 — 153 E3
Le Vernet 31 — 185 E4
Vernet 31 — 229 F4
Vernet-les-Bains 66 — 261 F3
Le Vernet-Ste-Marguerite 63 — 167 F3
Vernet-la-Varenne 63 — 168 C4
Verneugheol 63 — 167 D2
Verneuil 58 — 137 F2
Verneuil 18 — 136 A3
Verneuil 16 — 163 E2
Verneuil 51 — 36 A4
Verneuil-le-Château 37 — 115 E4
Verneuil-en-Bourbonnais 03 — 152 C2
Verneuil-en-Halatte 60 — 34 A3
Verneuil-l'Étang 77 — 58 B4
Verneuil-Grand 55 — 22 C4
Verneuil-Moustiers 87 — 149 D2
Verneuil-Petit 55 — 22 C4
Verneuil-sous-Coucy 02 — 35 E1
Verneuil-sur-Avre 27 — 55 D3
Verneuil-sur-Igneraie 36 — 135 D3
Verneuil-sur-Indre 37 — 116 C4
Verneuil-sur-Seine 78 — 56 C1
Verneuil-sur-Serre 02 — 19 F4
Verneuil-sur-Vienne 87 — 164 B1
Verneusses 27 — 54 B2
Vernéville 57 — 39 F3
Vernie 72 — 76 A3
Vernierfontaine 25 — 125 F3
Vernines 63 — 167 F3
Vernioz 38 — 171 F4
Vernix 50 — 51 D3
Vernoil 49 — 114 C1
Le Vernois 39 — 141 E2
Vernois-lès-Belvoir 25 — 126 B1
Vernois-le-Fol 25 — 127 D1
Vernois-sur-Mance 70 — 106 A4
Vernois-lès-Vesvres 21 — 140 C3
Vernols 15 — 183 F2
Vernon 86 — 86 A4
Vernon 07 — 202 C4
Vernon 27 — 32 B4
Vernonvilliers 10 — 84 B2
Vernosc-lès-Annonay 07 — 187 F2
Vernot 21 — 104 C4
Vern-d'Anjou 49 — 94 C1
La Vernotte 70 — 106 A4

Vernou-en-Sologne 41 — 117 F1
Vernou-sur-Brenne 37 — 116 B1
Vernou-sur-Seine 77 — 81 D2
Vernouillet 28 — 57 E3
Vernouillet 78 — 56 C1
Vernoux 01 — 140 B4
Vernoux-en-Gâtine 79 — 130 C3
Vernoux-en-Vivarais 07 — 203 E1
Vernoux-sur-Boutonne 79 — 146 C3
Le Vernoy 25 — 146 C3
Vernoy 89 — 81 E4
Vernusse 03 — 152 B2
Verny 57 — 40 B4
Vero 2a — 266 C3
Véron 89 — 81 F4
Véronne 26 — 204 C2
Véronnes 21 — 105 D4
Verpel 08 — 38 A2
La Verpillière 38 — 172 A3
Verpillières 80 — 18 B4
Verpillières-sur-Ource 10 — 84 A4
Verquières 13 — 236 B1
Verquigneul 62 — 9 F1
Verquin 62 — 9 F1
Verrens-Arvey 73 — 174 B2
La Verrerie 18 — 119 D1
Verrerie-de-Moussans 34 — 232 A4
Verrey-sous-Drée 21 — 123 D1
Verrey-sous-Salmaise 21 — 123 D1
Verricourt 10 — 83 E1
La Verrie 85 — 113 D4
Verrie 49 — 114 C1
La Verrière 78 — 56 C3
Verrières 12 — 216 B2
Verrières 08 — 37 F1
Verrières 86 — 148 A1
Verrières 51 — 38 A4
Verrières 61 — 77 E2
Verrières 16 — 161 F3
Verrières 10 — 83 D3
Verrières 63 — 168 A4
Verrières-le-Buisson 91 — 57 E3
Verrières-de-Joux 25 — 142 C1
Verrières-du-Grosbois 25 — 125 F2
Verrières-en-Forez 42 — 170 A3
Verrines-sous-Celles 79 — 146 C2
Verrue 86 — 132 A4
Verruyes 79 — 131 D4
Vers 74 — 157 F3
Vers 46 — 198 A4
Vers 71 — 140 A3
Vers-en-Montagne 39 — 142 A2
Vers-Pont-du-Gard 30 — 219 D4
Vers-sous-Sellières 39 — 141 D2
Vers-sur-Méouge 26 — 220 C2
Vers-sur-Selles 80 — 17 E2
Versailles 78 — 57 D2
Versailleux 01 — 156 A4
Versainville 14 — 53 D1
La Versanne 42 — 187 D1
Versaugues 71 — 154 B1
Versigny 60 — 34 B4
Versigny 02 — 19 E4
Versols-et-Lapeyre 12 — 216 A4
Verson 14 — 29 D3
Versonnex 01 — 158 A2
Versonnex 74 — 157 F4
Le Versoud 38 — 189 E2
Vert 79 — 146 B3
Vert 78 — 56 B1
Vert 40 — 209 E3
Vert-la-Gravelle 51 — 60 B2
Vert (Lac) 74 — 159 D4
Vert-le-Petit 91 — 57 E4
Vert-St-Denis 77 — 58 A4
Vertain 59 — 11 E3
Vertaizon 63 — 168 C2
Vertamboz 39 — 141 F3
Vertault 21 — 103 E1
Verteillac 24 — 179 D1
Verteuil-d'Agenais 47 — 195 F4
Verteuil-sur-Charente 16 — 147 E4
Verthemex 73 — 173 E3
Vertheuil 33 — 176 C2

Vertolaye 63 — 169 E3
Verton 62 — 8 B2
Vertou 44 — 112 A3
Vertrieu 38 — 172 B1
Vertus 51 — 60 B2
Vertuzey 55 — 63 E3
Vervant 17 — 146 B4
Vervant 16 — 162 C1
Vervezelle 88 — 87 E3
Vervins 02 — 20 A2
Véry 55 — 38 B3
Verzé 71 — 155 E1
Verzeille 11 — 253 E3
Verzenay 51 — 36 C3
Verzy 51 — 36 C4
Vesaignes-sous-Lafauche 52 — 85 E2
Vesaignes-sur-Marne 52 — 85 E4
Vesancy 01 — 158 A1
Vesc 26 — 204 B3
Vescemont 90 — 107 F2
Vescheim 57 — 66 B2
Vescles 39 — 157 D1
Vescours 01 — 140 B4
Vescovato 2b — 267 F1
Vesdun 18 — 135 F4
Vésigneul-sur-Marne 51 — 61 D2
Vésines 01 — 140 B4
Le Vésinet 78 — 57 D2
Vesles-et-Caumont 02 — 20 A4
Veslud 02 — 36 A1
Vesly 50 — 26 C2
Vesly 27 — 32 B3
Vesoul 70 — 106 C3
La Vespière 14 — 54 A1
Vesseaux 07 — 203 D3
Vessey 50 — 50 C4
Vestric-et-Candiac 30 — 219 D4
Vésubie 06 — 241 D2
Vesvres 21 — 122 C1
Vesvres-sous-Chalancey 52 — 104 C3
Vétheuil 95 — 32 C4
Vétraz-Monthoux 74 — 158 B2
Vétrigne 90 — 107 F3
Veuil 36 — 117 E3
Veuilly-la-Poterie 02 — 35 D4
Veulettes-sur-Mer 76 — 14 C2
Le Veurdre 03 — 134 C2
Veurey-Voroize 38 — 189 D2
Veules-les-Roses 76 — 15 D1
La Veuve 51 — 61 D1
Veuves 41 — 116 C1
Veuvey-sur-Ouche 21 — 123 D3
Veuxhaulles-sur-Aube 21 — 104 B1
Vevy 39 — 141 E3
Vexaincourt 88 — 66 A4
Le Vey 14 — 52 B1
Veynes 05 — 205 F3
Veyrac 87 — 164 B1
Veyras 07 — 203 E2
Veyre-Monton 63 — 168 B3
Veyreau 12 — 216 C2
Veyrier-du-Lac 74 — 174 A1
Veyrier (Mont) 74 — 174 A1
Veyrières 15 — 182 C1
Veyrières 19 — 166 C4
Veyrignac 24 — 197 E1
Veyrines 07 — 187 D3
Vézac 24 — 197 E1
Vézac 15 — 199 F1
Vézannes 89 — 102 C2
Vézaponin 02 — 35 D1
La Vèze 25 — 125 E2
Vèze 15 — 184 A2
Vézelay 89 — 121 E1
Vézelise 54 — 64 B4
Vézelois 90 — 108 A3
Vezels-Roussy 15 — 199 F2
Vézénobres 30 — 218 B3
Vézère 89 — 196 C1
Vézeronce-Curtin 38 — 172 B3
Vezet 70 — 106 A4
Vézézoux 43 — 184 C1
Le Vézier 51 — 59 E2
Vézières 86 — 114 C4
Vézillon 27 — 32 A3
Vézilly 02 — 36 A3
Vezin-le-Coquet 35 — 73 D3
Vézines 89 — 102 C2
Vezins 49 — 113 E3
Vezins 50 — 51 D3
Vezins (Barrage de) 50 — 51 D3
Vézins-de-Lévézou 12 — 216 A2
Vezot 72 — 76 B2
Vezzani 2b — 267 E2
Viabon 28 — 79 D3
Viala-du-Pas-de-Jaux 12 — 216 B4

Viala-du-Tarn 12 — 216 A3
Vialas 48 — 217 F1
Vialer 64 — 227 D3
Viam 19 — 165 F3
Viane 81 — 232 A2
Vianges 21 — 122 B3
Vianne 47 — 211 D2
Viâpres-le-Petit 10 — 60 C4
Viarmes 95 — 33 F4
Vias 34 — 255 E1
Viaur (Viaduc du) 12,81 — 215 D3
Le Vibal 12 — 215 F1
Vibersviller 57 — 65 F1
Vibeuf 76 — 15 E3
Vibrac 16 — 162 B3
Vibrac 17 — 177 F1
Vibraye 72 — 77 E4
Vic 36 — 135 D3
Vic-le-Comte 63 — 168 B3
Vic-de-Chassenay 21 — 122 B1
Vic-des-Prés 21 — 123 D3
Vic-en-Bigorre 65 — 227 F1
Vic-le-Fesq 30 — 234 C1
Vic-Fezensac 32 — 227 F1
Vic-la-Gardiole 34 — 234 B4
Vic (Roche de) 19 — 181 F3
Vic-sous-Thil 21 — 122 B2
Vic-sur-Aisne 02 — 35 D2
Vic-sur-Cère 15 — 183 D4
Vic-sur-Seille 57 — 65 D2
Vicdessos 09 — 260 A1
Le Vicel 50 — 26 C2
Vichel 63 — 184 B1
Vichel-Nanteuil 02 — 35 E4
Vichères 28 — 77 F2
Vicherey 88 — 86 B1
Vichy 03 — 153 D3
Vico 2a — 266 B2
La Vicogne 80 — 17 E1
La Vicomté-sur-Rance 22 — 49 E4
Vicq 52 — 105 F1
Vicq 03 — 152 C3
Vicq 59 — 11 E2
Vicq 78 — 56 C2
Vicq-d'Auribat 40 — 225 F1
Vicq-Exemplet 36 — 135 E3
Vicq-sur-Breuilh 87 — 165 D3
Vicq-sur-Gartempe 86 — 149 E2
Vicq-sur-Nahon 36 — 117 E3
Vicques 14 — 53 D1
Victot-Pontfol 14 — 29 F3
Vidai 61 — 76 C1
Vidaillac 46 — 214 A1
Vidaillat 23 — 166 A1
Vidauban 83 — 239 D4
Videcosville 50 — 25 D2
Videix 87 — 163 F1
Videlles 91 — 80 A1
Vidou 65 — 249 F1
Vidouville 50 — 28 B4
Vidouze 65 — 227 F1
Viefvillers 60 — 17 E4
Vieil-Armand 68 — 108 B1
Le Vieil-Baugé 49 — 96 A4
Le Vieil-Dampierre 51 — 62 A1
Le Vieil-Évreux 27 — 56 A2
Vieil-Hesdin 62 — 9 D2
Vieil-Moutier 62 — 3 D4
Vieille-Brioude 43 — 184 C2
Vieille-Chapelle 62 — 4 B4
Vieille-Église 62 — 3 E1
Vieille-Église-en-Yvelines 78 — 56 C3
La Vieille-Loye 39 — 124 C4
La Vieille-Lyre 27 — 54 C2
Vieille-Toulouse 31 — 230 A3
Vieilles-Maisons-sur-Joudry 45 — 100 B2
Vieillespesse 15 — 184 B3
Vieillevie 15 — 199 E3
Vieillevigne 31 — 230 B4
Vieillevigne 44 — 112 B4
Vieilley 25 — 125 E2
Vieilmoulin 21 — 123 D2
Viel-Arcy 02 — 35 F2
Viel-St-Remy 08 — 21 D4
Viella 65 — 257 E3
Viella 32 — 227 D3
Vielle-Adour 65 — 249 D1
Vielle-Aure 65 — 249 D3
Vielle-Louron 65 — 258 A3
Vielle-St-Girons 40 — 208 A4
Vielle-Soubiran 40 — 210 A3
Vielle-Tursan 40 — 226 A2
Viellenave-d'Arthez 64 — 226 B4
Viellenave-de-Navarrenx 64 — 225 F4
Viellenave-sur-Bidouze 64 — 225 E4
Vielleségure 64 — 226 A4
Vielmanay 58 — 120 B2
Vielmur-sur-Agout 81 — 231 D3
Vielprat 43 — 202 B1
Viels-Maisons 02 — 59 E2
Vielverge 21 — 124 B2
Viennay 79 — 131 D3
Vienne 38 — 171 F3
Vienne 37,16,86 — 115 D3
Vienne-le-Château 51 — 37 F3
Vienne-en-Arthies 95 — 32 C4
Vienne-en-Bessin 14 — 28 C2
Vienne-en-Val 45 — 99 F2
Vienne-la-Ville 51 — 37 F3
Vienville 88 — 88 A3
Vier-Bordes 65 — 249 D3
Viersat 23 — 151 E2
Vierville 28 — 79 E2
Vierville 50 — 25 E4
Vierville-sur-Mer 14 — 27 F2
Vierzon 18 — 118 B3
Vierzy 02 — 35 D2
Viesly 59 — 11 D4
Viessoix 14 — 51 F1
Viéthorey 25 — 126 A1
Vieu-d'Izenave 01 — 157 D3
Vieu 03 — 173 D1
Vieure 03 — 136 C4
Vieussan 34 — 232 C4
Vieuvicq 28 — 78 A3
Vieuvy 53 — 74 C1
Vieux 81 — 214 A4
Vieux 14 — 29 D4
Vieux-lès-Asfeld 08 — 36 C1
Vieux-Berquin 59 — 4 B4
Vieux-Boucau-les-Bains 40 — 224 C1
Le Vieux-Bourg 22 — 71 D1
Vieux-Bourg 14 — 30 B2
Le Vieux-Cérier 16 — 147 F4
Vieux-Chambord 03 — 153 E1
Vieux-Champagne 77 — 59 D4
Vieux-Charmont 25 — 107 F4
Vieux-Château 21 — 122 A2
Vieux-Condé 59 — 11 E2
Vieux-Ferrette 68 — 108 C4
Vieux-Fumé 14 — 29 E4
Vieux-Lixheim 57 — 66 A2
Vieux-Maisons 77 — 59 E3
Vieux-Manoir 76 — 15 F4
Le Vieux-Marché 22 — 46 C2
Vieux-Mareuil 24 — 179 D1
Vieux-Mesnil 59 — 12 B3
Vieux-Moulin 60 — 34 C2
Vieux-Moulin 88 — 88 B1
Vieux-Moulins 52 — 105 D2
Vieux-Pont 61 — 53 D3
Vieux-Pont 14 — 29 F4
Vieux-Port 27 — 30 C1
Vieux-Reng 59 — 12 B2
Vieux-Rouen-sur-Bresle 76 — 16 C2
Le Vieux-Ruffec 16 — 147 F4
Vieux-Thann 68 — 108 B1
Vieux Vernègue 13 — 236 C2
Vieux-Viel 35 — 50 C4
Vieux-Villez 27 — 32 A3
Vieux-Vy-sur-Couesnon 35 — 50 A1
Vieuzos 65 — 250 A1
Viévigne 21 — 124 A1
Viéville 52 — 85 F3
Viéville-en-Haye 54 — 64 A1
Viévy 21 — 123 D3
Viévy-le-Rayé 41 — 98 B2

Versailles

Carnot (R.) .... Y
Clemenceau (R. Georges) .... Y 7
États-Généraux (R. des) .... Z
Foch (R. du Mar.) .... Y
Hoche (R.) .... Y

Leclerc (R. du Gén.) .... Z 24
Orangerie (R. de l') .... YZ
Paroisse (R. de la) .... Y
Royale (R.) .... Z
Satory (R. de) .... YZ 42
Vieux-Versailles .... YZ 47

Chancellerie (R. de la) ..... Y 3
Chantiers (R. des) .... Z 5

Cotte (R. Robert-de) .... Y 10
Europe (Av. de l') .... Y 14
Gambetta (Pl.) .... Y 17
Gaulle (Av. Gén.-de) .... YZ 19
Indép. Américaine (R.) ...... Y 20
Mermoz (R. Jean) .... Z 27
Nolhac (R. Pierre-de) .... Y 30
Porte de Buc (R.) .... Y 34
Rockefeller (Av.) .... Y 37

Viey 65 — 257 E3
Vif 38 — 189 D3
Viffort 02 — 59 E1
Le Vigan 46 — 197 F2
Le Vigan 30 — 217 E4
Le Vigean 15 — 182 C2
Le Vigeant 86 — 148 A2
Le Vigen 87 — 164 C2
Vigeois 19 — 181 D1
Viger 65 — 257 D2
Vigeville 23 — 150 C3
Viggianello 2a — 268 C2
Vignacourt 80 — 17 E1
Vignage (Rochers du) 61 — 53 D4
Vignats 14 — 53 D2
Le Vignau 40 — 226 C1
Vignaux 31 — 229 D2
Vignec 65 — 258 A3
Vignely 77 — 58 B1
Vignemale 80 — 257 E4
Vignemont 60 — 34 B2
Les Vignes 48 — 216 C2
Vignes 64 — 207 D1
Vignes 89 — 103 D4
Vigneul-sous-Montmédy 55 — 38 C1
Vigneulles 54 — 64 C4
Vigneulles-lès-Hattonchâtel 55 — 63 F1
Vigneux-de-Bretagne 44 — 111 D4

Vigneux-Hocquet 02 — 20 B3
Vigneux-sur-Seine 91 — 57 F3
Vignevieille 11 — 253 F3
Vignieu 38 — 172 C3
Vignoc 35 — 79 D2
Vignol 58 — 121 D2
Vignoles 21 — 123 E4
Vignolles 16 — 162 A4
Vignols 19 — 181 D2
Vignonet 33 — 194 C1
Vignory 52 — 85 D2
Vignot 55 — 63 E3
Vignoux-sous-les-Aix 18 — 119 D3
Vignoux-sur-Barangeon 18 — 118 C3
Vigny 95 — 57 C1
Vigny 57 — 64 C1
Vigoulant 36 — 150 C1
Vigoulet-Auzil 31 — 230 A3
Vigueron 82 — 229 D1
Vigy 57 — 40 B4
Vihiers 49 — 113 F3
Vijon 36 — 150 C1
Vilaine 35,44,56 — 73 E4
Vilcey-sur-Trey 54 — 64 A1
Vildé-Guingalan 22 — 49 D4
Villabé 91 — 57 F4
Villabon 18 — 119 E4
Villac 24 — 180 C2
Villacerf 10 — 83 D2
Villacourt 54 — 87 D1
Villadin 10 — 82 B2
Villafans 70 — 107 D3
Village-Neuf 68 — 109 D3
Villaines-la-Carelle 72 — 76 C2
Villaines-en-Duesmois 21 — 103 E3
Villaines-la-Gonais 72 — 77 D3
Villaines-la-Juhel 53 — 75 E2
Villaines-les-Prévôtes 21 — 103 E4
Villaines-sous-Bois 95 — 33 F4
Villaines-sous-Lucé 72 — 97 D2
Villaines-sous-Malicorne 72 — 96 A2

Vilhosc 04 — 221 F2
Villabé 91 — 57 F4
Villac 24 — 180 C2
Villalier 11 — 253 F3
Villanova 2a — 266 B4
Villapourçon 58 — 138 B1
Villar-d'Arène 05 — 190 B3
Villar-en-Val 11 — 253 F3
Villar-Loubière 05 — 206 B1
Villar-St-Anselme 11 — 253 F3
Villar-St-Pancrace 05 — 191 D4
Villarceaux 95 — 32 C4
Le Villard 48 — 201 D4
Villard 23 — 150 A2
Villard-Bonnot 38 — 189 E2
Villard-de-Lans 38 — 189 D3
Villard-d'Héry 73 — 174 A3
Villard-Léger 73 — 174 A3
Villard-Notre-Dame 38 — 189 E2
Villard-Reculas 38 — 189 E2
Villard-Reymond 38 — 189 E3
Villard-St-Christophe 38 — 189 E3
Villard-St-Sauveur 39 — 157 E1
Villard-Sallet 73 — 174 A3
Villard-sur-Bienne 39 — 157 D1
Villard-sur-Doron 73 — 174 C2

Villardebelle 11 253 F3
Villardonnel 11 253 E1
Villards-d'Héria 39 157 E1
Les Villards-sur-Thônes 74 158 B4
Villarembert 73 190 B2
Villargent 70 107 D4
Villargoix 21 122 B2
Villargondran 73 190 B1
Villariès 31 230 A2
Villarlurin 73 174 C4
Villarodin-Bourget 73 191 D2
Villaroger 73 175 E3
Villaroux 73 173 F4
Le Villars 71 140 B4
Villars 42 170 C4
Villars 84 220 C4
Villars 28 78 C3
Villars 24 179 F1
Villars-lès-Blamont 25 126 C1
Villars-les-Bois 17 161 E2
Villars-Colmars 04 222 C2
Villars-les-Dombes 01 156 A4
Villars-en-Azois 52 84 B4
Villars-en-Pons 17 161 D3
Villars-et-Villenotte 21 103 F4
Villars-Fontaine 21 123 E3
Villars (Grottes de) 24 179 F1
Villars-le-Pautel 70 106 B1
Villars-St-Georges 25 125 D3
Villars-St-Marcellin 52 106 A1
Villars-Santenoge 52 104 C3
Villars-le-Sec 90 108 A4
Villars-sous-Dampjoux 25 126 C1
Villars-sous-Écot 25 126 B1
Villars-sur-Var 06 223 F3
Villarzel-Cabardès 11 253 F1
Villarzel-du-Razès 11 253 D1
Villasavary 11 253 D2
Villate 31 229 F4
Villaudric 31 230 A1
Villautou 11 252 C2
Villavard 41 97 F3
Villaz 74 158 C3
La Ville 69 154 C3
Ville 60 34 C1
Villé 67 89 D1
Ville-au-Montois 54 39 E1
Ville-au-Val 54 64 B2
La Ville-aux-Bois 10 84 B1
La Ville-aux-Bois-lès-Dizy 02 20 B4
La Ville-aux-Bois-lès-Pontavert 02 36 B1
La Ville-aux-Clercs 41 98 A1
La Ville-aux-Dames 37 116 A1
La Ville-aux-Nonains 28 55 D4
Ville-d'Avray 92 57 D2
Ville-devant-Belrain 55 62 C2
Ville-devant-Chaumont 55 38 C2
Ville-di-Paraso 2b 264 D2
Ville-di-Pietrabugno 2b 265 E2
La Ville-Dieu-du-Temple 82 212 C3
Ville-Dommange 51 36 B3
La Ville-du-Bois 91 57 E3
Ville-du-Pont 25 126 A4
Ville-en-Blaisois 52 84 C1
Ville-en-Sallaz 74 158 C1
Ville-en-Selve 51 36 C4
Ville-en-Tardenois 51 36 A3
Ville-en-Vermois 54 64 C3
Ville-en-Woëvre 55 39 D3
La Ville-ès-Nonais 35 49 E3
Ville-Houdlémont 54 23 D4
Ville-Issey 55 39 F1
Ville-Langy 58 137 F1
Ville-St-Jacques 77 81 D2

Ville-Savoye 02 35 F3
Ville-sous-Anjou 38 187 E1
Ville-sous-la-Ferté 10 84 B3
La Ville-sous-Orbais 51 60 A1
Ville-sur-Ancre 80 18 A1
Ville-sur-Arce 10 84 C4
Ville-sur-Cousances 55 38 B4
Ville-sur-Illon 88 87 D3
Ville-sur-Jarnioux 69 155 E4
Ville-sur-Lumes 08 21 F3
Ville-sur-Retourne 08 37 D2
Ville-sur-Saulx 55 62 B3
Ville-sur-Terre 10 84 B2
Ville-sur-Tourbe 51 37 F3
Ville-sur-Yron 54 39 E4
Villeau 28 78 C3
Villebadin 61 53 E2
Villebarou 41 98 B4
Villebaudon 50 51 D1
Villebazy 11 253 E3
Villebéon 77 81 D3
Villebernier 49 114 C2
Villeberny 21 122 C1
Villebichot 21 123 F3
Villeblevin 89 81 E2
Villebois 01 172 C1
Villebois-Lavalette 16 162 C4
Villebois-les-Pins 26 221 D1
Villebon 28 78 A2
Villebon-sur-Yvette 91 57 E3
Villebougis 89 81 E3
Villebourg 37 97 D3
Villebout 41 98 A1
Villebramar 47 196 A3
Villebret 03 151 F2
Villebrumier 82 213 E4
Villecelin 18 135 E2
Villecerf 77 80 C2
Villecey-sur-Mad 54 39 E4
Villechantria 39 156 C1
Villechauve 41 97 F3
Villechenève 69 170 C2
Villechétif 10 83 D2
Villechétive 89 82 A4
Villechien 50 51 E4
Villecien 89 101 F1
Villécloye 55 38 C1
Villecomtal 12 199 F4
Villecomtal-sur-Arros 32 227 F4
Villecomte 21 104 C4
Villeconin 91 79 F1
Villecourt 80 18 C3
Villecresnes 94 58 A3
Villecroze 83 239 D2
Villedaigne 11 254 B2
La Villedieu 17 146 B3
La Villedieu 48 201 E2
La Villedieu 23 166 A2
Les Villedieu 25 142 C2
Villedieu 21 103 E1
Villedieu 15 184 B4
Villedieu 84 220 A1
Villedieu-lès-Bailleul 61 53 D2
Villedieu-la-Blouère 49 112 C3
Villedieu-le-Château 41 97 E3
La Villedieu-du-Clain 86 147 F1
La Villedieu-en-Fontenette 70 106 C2
Villedieu-les-Poêles 50 51 D2
Villedieu-sur-Indre 36 134 B2
Villedômain 37 117 D4
Villedômer 37 97 F4
Villedoux 17 145 E2
Villedubert 11 253 F2
Villefagnan 16 147 E4
Villefargeau 89 102 A2
Villefavard 87 149 D3
Villeferry 21 122 C1
Villefloure 11 253 E2
Villefollet 79 146 C3
Villefontaine 38 172 A3
Villefort 11 253 D4
Villefort 48 202 B4
Villefranche 06 241 E4

Villefranche 32 228 C4
Villefranche 89 101 E1
Villefranche-le-Château 26 220 C2
Villefranche-d'Albigeois 81 231 F1
Villefranche-d'Allier 03 152 B1
Villefranche-de-Conflent 66 261 F3
Villefranche-de-Lauragais 31 230 B4
Villefranche-de-Lonchat 24 178 B4
Villefranche-de-Panat 12 215 E3
Villefranche-de-Panat (Lac de) 12 215 E3
Villefranche-de-Rouergue 12 214 B1
Villefranche-du-Périgord 24 197 D3
Villefranche-du-Queyran 47 210 C1
Villefranche-sur-Cher 41 117 F2
Villefranche-sur-Saône 69 155 E4
Villefrancœur 41 98 B3
Villefrancon 70 124 C1
Villefranque 65 227 D3
Villefranque 64 224 C4
Villegagnon 77 59 D3
Villegailhenc 11 253 E1
Villegats 27 56 A1
Villegats 16 147 E4
Villegaudin 71 140 B2
Villegenon 18 119 E1
Villegly 11 253 F1
Villegongis 36 134 B1
Villegouge 33 177 F4
Villegouin 36 134 A1
Villegruis 77 59 F4
Villegusien 52 105 D3
Villeherviers 41 118 A2
Villejésus 16 162 B1
Villejoubert 16 162 C2
Villejuif 94 57 E3
Villejust 91 57 E3
Villelaure 84 237 E2
Villeloin-Coulangé 37 117 D3
Villelongue 65 257 E2
Villelongue-d'Aude 11 253 D3
Villelongue-de-la-Salanque 66 263 D2
Villelongue-dels-Monts 66 262 C3
Villeloup 10 82 C2
Villemade 82 213 E4
Villemagne 11 253 D1
Villemagne 34 233 D3
Villemain 79 147 D4
Villemandeur 45 100 C1
Villemanoche 89 81 E2
Villemardy 41 98 A3
Villemaréchal 77 80 C3
Villemareuil 77 58 C1
Villematier 31 230 A1
Villemaur-sur-Vanne 10 82 B3
Villembits 65 249 F1
Villembray 60 33 D1
Villemer 77 80 C2
Villemer 89 102 A1
Villemereuil 10 83 D3
Villemervry 52 104 C3
Villemeux-sur-Eure 28 56 A3
Villemoirieu 38 172 B2
Villemoiron-en-Othe 10 82 C3
Villemoisan 49 113 D1
Villemoisson-sur-Orge 91 57 E3
Villemolaque 66 262 C3
Villemomble 93 58 A2
Villemontais 42 154 A4
Villemontoire 02 35 E3
Villemorien 10 83 E4
Villemorin 17 146 C4
Villemoron 52 104 C3
Villemort 86 133 E4

Villemotier 01 156 B1
Villemoustaussou 11 253 E2
Villemoutiers 45 100 B1
Villemoyenne 10 83 E3
Villemur 65 250 A1
Villemur-sur-Tarn 31 230 A1
Villemurlin 45 100 A3
Villemus 04 221 D4
Villenauxe-la-Grande 10 59 F4
Villenauxe-la-Petite 77 81 F1
Villenave 40 209 D4
Villenave-de-Rions 33 194 B2
Villenave-d'Ornon 33 194 B2
Villenave-près-Béarn 227 D4
Villenave-près-Marsac 65 249 E1
Villenavotte 89 81 E3
La Villeneuve 71 140 C1
La Villeneuve 23 167 D1
Villeneuve 09 259 D3
Villeneuve 33 177 D3
Villeneuve 12 198 C4
Villeneuve 04 221 E4
Villeneuve 63 168 B4
Villeneuve 01 155 F4
Villeneuve-l'Archevêque 89 82 A3
La Villeneuve-au-Châtelot 10 59 F4
Villeneuve-au-Chemin 10 82 C4
La Villeneuve-au-Chêne 10 83 E3
Villeneuve-lès-Avignon 30 219 E4
La Villeneuve-Bellenoye-et-la-Maize 70 106 C2
Villeneuve-lès-Béziers 34 255 D1
Villeneuve-lès-Bordes 77 81 D1
Villeneuve-lès-Bouloc 31 230 A2
Villeneuve-lès-Cerfs 63 153 D4
La Villeneuve-lès-Charleville 51 60 A2
Villeneuve-lès-Charnod 39 156 C1
Villeneuve-la-Comptal 11 252 C1
Villeneuve-le-Comte 77 58 B2
Villeneuve-la-Comtesse 17 146 B3
La Villeneuve-les-Convers 21 104 A4
Villeneuve-les-Corbières 11 254 B4
Villeneuve-d'Allier 43 184 C2
Villeneuve-d'Amont 25 142 A1
Villeneuve-d'Ascq 59 5 E4
Villeneuve-d'Aval 39 124 C4
Villeneuve-de-Berg 07 203 E3
Villeneuve-de-Duras 47 195 E2
Villeneuve-de-Marc 38 172 A4
Villeneuve-de-Marsan 40 209 F4
Villeneuve-de-Mézin 47 211 D3
Villeneuve-de-la-Raho 66 262 C2
Villeneuve-de-Rivière 31 250 B2
Villeneuve-d'Entraunes 06 223 E2
Villeneuve-des-Escaldes 66 261 D3
Villeneuve-d'Olmes 09 252 C4
Villeneuve-la-Dondagre 89 81 E3
Villeneuve-du-Latou 09 251 F2
Villeneuve-du-Paréage 09 252 B2
La Villeneuve-en-Chevrie 78 56 A1
Villeneuve-en-Montagne 71 139 F3
Villeneuve-Frouville 41 98 B2

Villeneuve-la-Garenne 92 57 E1
Villeneuve-les-Genêts 89 101 E3
Villeneuve-la-Guyard 89 81 E2
Villeneuve-lès-Lavaur 81 230 C3
Villeneuve-Lécussan 31 250 A2
Villeneuve-la-Lionne 51 59 E3
Villeneuve-Loubet 06 240 B2
Villeneuve-Maguelonne 34 234 B3
Villeneuve-Minervois 11 253 F1
Villeneuve-lès-Montréal 11 253 D2
Villeneuve-Renneville-Chevigny 51 60 C1
Villeneuve-la-Rivière 66 262 C2
Villeneuve-le-Roi 94 57 F3
Villeneuve-les-Sablons 60 33 E3
Villeneuve-St-Denis 77 58 B2
Villeneuve-St-Georges 94 58 A3
Villeneuve-St-Germain 02 35 E2
Villeneuve-St-Nicolas 28 78 C2
Villeneuve-St-Salves 89 102 B2
Villeneuve-St-Vistre-et-Villevotte 51 60 A4
Villeneuve-sous-Charigny 21 122 B1
La Villeneuve-sous-Dammartin 77 58 B1
La Villeneuve-sous-Pymont 39 141 D3
La Villeneuve-sous-Thury 60 34 C4
Villeneuve-sur-Allier 03 137 E3
Villeneuve-sur-Auvers 91 79 F1
Villeneuve-sur-Bellot 77 59 E2
Villeneuve-sur-Cher 18 118 C4
Villeneuve-sur-Conie 45 78 C4
Villeneuve-sur-Fère 02 35 E3
Villeneuve-sur-Lot 47 211 F1
Villeneuve-sur-Verberie 60 34 B3
Villeneuve-sur-Vère 81 214 B4
La Villeneuve-sur-Vingeanne 21 105 E3
Villeneuve-sur-Yonne 89 81 F4
Villeneuve-Tolosane 31 229 F3
Villeneuvette 34 233 F3
Villennes-sur-Seine 78 57 D1
Villenouvelle 17 146 B3
Villenouvelle 31 230 B4
Villenoy 77 58 B1
Villentrois 36 117 D3
Villeny 41 99 D4
Villepail 53 75 F1
Villeparisis 77 58 A1
Villeparois 70 106 C3
Villeperdix 26 204 C4
Villeperdue 37 115 F3
Villeperrot 89 81 E3
Villepinte 11 253 D1
Villepinte 93 58 A1
Villeporcher 41 97 F3
Villepot 44 94 A2
Villepreux 78 57 D2
Villequier 76 31 D1
Villequier-Aumont 02 35 D3
Villequiers 18 119 F4
Viller 57 39 F1
Villerable 41 97 F3
Villerbon 41 98 B3
Villeréal 47 196 A4
Villereau 45 79 E4
Villereau 59 11 E3
Villerest 42 154 B4
Villeret 02 19 D2
Villeret 10 84 A1
Villereversure 01 156 C1
Villermain 41 98 C2
Villeromain 41 98 A3
Villeron 95 34 A4
Villerouge-Termenès 11 254 A4

Villeroy 80 16 C2
Villeroy 77 58 B1
Villeroy 89 81 E3
Villeroy-sur-Méholle 55 63 D3
Villers 88 86 C2
Villers 42 154 C3
Villers-Agron-Aiguizy 02 36 A4
Villers-Allerand 51 36 B3
Villers-au-Bois 62 10 A2
Villers-au-Flos 62 18 B1
Villers-au-Tertre 59 10 C3
Villers-aux-Bois 51 60 B1
Villers-aux-Érables 80 17 F3
Villers-aux-Nœuds 51 36 B3
Villers-aux-Vents 55 62 B2
Villers-Bocage 80 17 E1
Villers-Bocage 14 28 C4
Villers-les-Bois 39 141 E1
Villers-Bouton 70 125 D1
Villers-Bretonneux 80 18 A2
Villers-Brûlin 62 9 F2
Villers-Buzon 25 125 D2
Villers-Campsart 80 16 C2
Villers-Canivet 14 52 C1
Villers-Carbonnel 80 18 B2
Villers-Cernay 08 22 A3
Villers-le-Château 51 61 D1
Villers-Châtel 62 9 F2
Villers-Chemin-et-Mont-lès-Étrelles 70 125 D1
Villers-la-Chèvre 54 39 D1
Villers-Chief 25 126 A2
Villers-la-Combe 25 126 A2
Villers-Cotterêts 02 35 D2
Villers-devant-Dun 55 38 B2
Villers-devant-Mouzon 08 22 A4
Villers-devant-le-Thour 08 36 B2
Villers-Écalles 76 31 E1
Villers-en-Argonne 51 62 A1
Villers-en-Arthies 95 32 C4
Villers-en-Cauchies 59 11 D3
Villers-en-Haye 54 64 B2
Villers-en-Ouche 61 54 A2
Villers-en-Prayères 02 35 F2
Villers-en-Vexin 27 32 B3
Villers-Farlay 39 124 C4
Villers-Faucon 80 18 B2
Villers-la-Faye 21 123 E3
Villers-Franqueux 51 36 B2
Villers-Grélot 25 125 F1
Villers-lès-Guise 02 19 F2
Villers-Guislain 59 18 C1
Villers-Hélon 02 35 D3
Villers-l'Hôpital 62 9 D3
Villers-le-Lac 25 126 B3
Villers-lès-Luxeuil 70 106 C2
Vïllers-lès-Mangiennes 55 39 D2
Villers-Marmery 51 36 C4
Villers-Moivrons 54 64 C2
Villers-la-Montagne 54 39 E1
Villers-Nancy 54 64 B3
Villers-les-Ormes 36 134 B2
Villers-Outréaux 59 19 D1
Villers-Pater 70 106 C4
Villers-Patras 21 103 F1
Villers-Plouich 59 10 C4
Villers-Pol 59 11 E3
Villers-lès-Pots 21 124 A3
Villers-Robert 39 124 B4

Villers-le-Rond 54 39 D1
Villers-Rotin 21 124 B3
Villers-lès-Roye 80 18 A3
Villers-St-Barthélemy 60 33 D2
Villers-St-Christophe 02 18 C3
Villers-St-Frambourg 60 34 A3
Villers-St-Genest 60 34 C4
Villers-St-Paul 60 34 A3
Villers-St-Sépulcre 60 33 E2
Villers-le-Sec 51 62 A2
Villers-le-Sec 02 19 E3
Villers-le-Sec 55 62 C3
Villers-le-Sec 70 106 C3
Villers-Semeuse 08 21 E3
Villers-Sir-Simon 62 9 F3
Villers-Sire-Nicole 59 12 B2
Villers-sous-Ailly 80 17 D1
Villers-sous-Chalamont 25 142 A1
Villers-sous-Châtillon 51 36 A4
Villers-sous-Foucarmont 76 16 B2
Villers-sous-Montrond 25 125 E3
Villers-sous-Pareid 55 39 E3
Villers-sous-Prény 54 64 A1
Villers-sous-St-Leu 60 33 F3
Villers-Stoncourt 57 40 C4
Villers-sur-Auchy 60 32 C1
Villers-sur-Authie 80 8 B3
Villers-sur-Bar 08 21 F3
Villers-sur-Bonnières 60 33 D1
Villers-sur-Coudun 60 34 B1
Villers-sur-Fère 02 35 F3
Villers-sur-Mer 14 29 F2
Villers-sur-Meuse 55 38 C4
Villers-sur-le-Mont 08 21 E3
Villers-sur-Nied 57 65 D1
Villers-sur-Port 70 106 B2
Villers-sur-Saulnot 70 107 E4
Villers-sur-Trie 60 32 C2
Villers-Tournelle 80 17 F4
Villers-le-Tourneur 08 21 E3
Villers-Vaudey 70 106 A3
Villers-Vermont 60 16 C4
Villers-Vicomte 60 17 E4
Villers-la-Ville 70 107 D4
Villerserine 39 141 E1
Villersexel 70 107 D4
Villerupt 54 39 E1
Villerville 14 30 A2
Villery 10 83 D3
Villes 01 157 E3
Villes-sur-Auzon 84 220 B3
Villesalem 86 133 E4
Villesavin 41 98 C4
Villeselve 60 18 B3
Villeseneux 51 60 C2
Villesèque 46 213 D1
Villesèque-des-Corbières 11 254 B3
Villesèquelande 11 253 E2
Villesiscle 11 253 D2
Villespassans 34 254 C1
Villespy 11 253 D1
Villetaneuse 93 57 F1
Villetelle 34 235 D2
Villethierry 89 81 E2
Villeton 47 211 D1
Villetoureix 24 179 D2

Villetritouls 11 253 F3
Villetrun 41 98 A3
La Villette 14 52 B1
Villette 01 156 B4
Villette 54 39 D1
Villette 73 174 C3
Villette 78 56 B2
Villette-lès-Arbois 39 141 E1
Villette-d'Anthon 38 172 A2
Villette-de-Vienne 38 171 F3
Villette-sur-Aube 10 60 C4
Les Villettes 43 186 B2
Villettes 27 31 E4
Villeurbanne 69 171 E2
Villevallier 89 81 F4
Villevaudé 77 58 B2
Villevenard 51 60 A2
Villevêque 49 95 E4
Villeveyrac 34 234 A3
Villevieille 30 234 C1
Villevieux 39 141 D2
Villevocance 07 187 D2
Villevoques 45 80 B4
Villexanten 41 98 B3
Villexavier 17 177 E1
Le Villey 39 141 D1
Villey-St-Étienne 54 64 A3
Villey-le-Sec 54 64 A3
Villey-sur-Tille 21 104 C4
Villez-Champ-Dominel 27 32 A4
Villez-sur-le-Neubourg 27 31 D4
Villié-Morgon 69 155 E3
Villiers 86 132 A3
Villiers 36 133 F1
Villiers-Adam 95 33 A4
Villiers-Aprey 52 105 D2
Villiers-au-Bouin 37 96 C4
Villiers-aux-Bois 52 62 B4
Villiers-aux-Chênes 52 84 C2
Villiers-aux-Corneilles 51 60 A4
Villiers-le-Bâcle 91 57 D3
Villiers-le-Bel 95 57 E1
Villiers-le-Bois 10 103 E1
Villiers-Charlemagne 53 95 D1
Villiers-Couture 17 146 C4
Villiers-le-Duc 21 104 A2
Villiers-en-Bière 77 80 B1
Villiers-en-Bois 79 146 B3
Villiers-en-Lieu 52 62 A3
Villiers-en-Morvan 21 122 B3
Villiers-en-Plaine 79 146 A1
Villiers-en-Désœuvre 27 56 A1
Villiers-Fossard 50 27 E3
Villiers-les-Hauts 89 103 D3
Villiers-Herbisse 10 60 C4
Villiers-Louis 89 81 F3
Villiers-le-Mahieu 78 56 B2
Villiers-le-Morhier 28 56 B4
Villiers-le-Pré 50 50 C4
Villiers-le-Roux 16 147 E4
Villiers-St-Benoît 89 101 E2
Villiers-St-Denis 02 59 E1
Villiers-St-Fréderic 78 56 C2
Villiers-St-Georges 77 59 E4
Villiers-St-Orien 28 78 C4
Villiers-le-Sec 58 120 C2
Villiers-le-Sec 52 85 D4
Villiers-le-Sec 95 33 F4
Villiers-le-Sec 14 28 C2
Villiers-sous-Grez 77 80 C2
Villiers-sous-Mortagne 61 54 B4
Villiers-sous-Praslin 10 83 E4
Villiers-sur-Chizé 79 146 B3

Villiers-sur-Loir 41 97 F2
Villiers-sur-Marne 52 85 D2
Villiers-sur-Marne 94 58 A2
Villiers-sur-Morin 77 58 C2
Villiers-sur-Orge 91 57 E4
Villiers-sur-Seine 77 81 F1
Villiers-sur-Suize 52 105 D1
Villiers-sur-Tholon 89 101 F2
Villiers-sur-Yonne 58 121 D1
Villiers-Vineux 89 102 C1
Villiersfaux 41 97 F3
Villieu 01 172 B1
Villing 57 41 D2
Villognon 16 162 C1
Villon 89 103 E1
Villoncourt 88 87 E2
Villons-les-Buissons 14 29 D3
Villorceau 45 98 C2
Villosanges 63 167 E1
La Villotte 89 101 F2
Villotte 88 86 B3
Villotte-devant-Louppy 55 62 B2
Villotte-St-Seine 21 123 D1
Villotte-sur-Aire 55 62 C2
Villotte-sur-Ource 21 104 A2
Villouxel 88 85 F2
Villuis 77 81 F2
Villy 08 22 B4
Villy 89 102 B2
Villy-le-Bas 76 16 A2
Villy-Bocage 14 28 C4
Villy-le-Bois 10 83 D3
Villy-le-Bouveret 74 158 A3
Villy-en-Auxois 21 122 C1
Villy-en-Trodes 10 83 F3
Villy-lez-Falaise 14 53 D2
Villy-le-Maréchal 10 83 D3
Villy-le-Moutier 21 123 E4
Villy-le-Pelloux 74 158 A4
Ville-le-Marclet 80 17 D1
Vilory 70 106 C2
Vilosnes 55 38 B2
Vilsberg 57 66 B2
Vimarcé 53 75 F3
Vimenet 12 216 A1
Viménil 88 87 F2
Vimines 73 173 E3
Vimont 14 29 E4
Vimory 45 100 C1
Vimoutiers 61 53 E1
Vimpelles 77 81 E1
Vimy 62 10 A2
Vimy (Mémorial canadien de) 62 10 A2
Vinaigre (Mont) 83 240 A3
Vinantes 77 58 B1
Vinassan 11 254 C2
Vinax 17 146 C4
Vinay 51 60 B1
Vinay 38 188 C2
Vinça 66 262 A2
Vincelles 71 140 C3
Vincelles 51 35 F4
Vincelles 89 102 B3
Vincelles 39 141 D3
Vincelottes 89 102 B3
Vincennes 94 57 F2
Vincent 39 141 D2
Vincey 88 87 D2
Vincly 62 9 D1
Vincy-Manœuvre 77 34 C4
Vincy-Reuil-et-Magny 02 20 B3
Vindecy 71 154 A2
Vindefontaine 50 26 C2
Vindelle 16 162 C2
Vindey 51 60 A3
Vindrac-Alayrac 81 214 A3
Vinets 10 61 D4
Vineuil 36 134 B1
Vineuil 41 98 B4
Vineuil-St-Firmin 60 34 A3
La Vineuse 77 139 F4
Vinezac 07 203 D3
Vingrau 66 262 B1
Vingt-Hanaps 61 53 E4
Vinnemerville 76 14 C2
Vinneuf 89 81 E2
Vinon 18 119 F2
Vinon-sur-Verdon 83 238 A2
Vins-sur-Caramy 83 238 C4
Vinsobres 26 220 A1
Le Vintrou 81 231 F3
Vinzelles 71 155 E2
Vinzelles 63 168 C1

Vinzier 74 159 D1
Vinzieux 07 187 D1
Viocourt 88 86 B2
Viodos-Abense-de-Bas 64 247 E1
Violaines 62 10 A1
Violay 42 170 C1
Violès 84 219 F2
Violot 52 105 E2
Viols-en-Laval 34 234 A2
Viols-le-Fort 34 234 A2
Vioménil 88 86 C3
Vion 07 187 E3
Vion 72 95 F2
Vions 73 173 E1
Vionville 57 39 F4
Viozan 32 228 A4
Viplaix 03 151 E1
Vira 66 261 F1
Vira 09 252 B3
Virac 81 214 B3
Virandeville 50 24 C2
Virargues 15 183 F3
Virazeil 47 195 E4
Vire 14 51 E2
Vire 14,50 27 E4
Viré 71 155 F1
Viré-en-Champagne 72 95 F1
Vire-sur-Lot 46 197 D4
Vireaux 89 103 D2
Virecourt 54 87 D1
Virelade 33 194 B2
Viremont 39 157 D1
Vireux-Molhain 08 13 E4
Vireux-Wallerand 08 13 F4
Virey 71 140 A2
Virey 50 51 D4
Virey 70 124 C1
Virey-sous-Bar 10 83 E3
Virginy 51 37 F3
Viriat 01 156 B2
Viricelles 42 170 C3
Virieu 38 172 C4
Virieu-le-Grand 01 173 D1
Virieu-le-Petit 01 173 D1
Virigneux 42 170 C2
Virignin 01 173 D2
Viriville 38 188 B1
Virlet 63 151 F3
Virming 57 65 E1
Viroflay 78 57 D3
Virollet 17 161 D3
Vironchaux 80 8 B3
Vironnay 27 31 F3
Virsac 33 177 E3
Virson 17 145 E3
Virville 76 14 B4
Viry 39 157 E2
Viry 74 158 A3
Viry 71 139 D4
Viry-Châtillon 91 57 F3
Viry-Noureuil 02 19 D4
Vis 30,34 234 A1
Vis-en-Artois 62 10 B3
Vis (Gorges de la) 30,34 233 F1
Visan 84 219 F1
Viscomtat 63 169 E2
Viscos 65 257 D3
Le Viseney 39 141 E1
Viserny 21 103 E4
Visker 65 249 E2
Vismes 80 16 B1
Visoncourt 70 106 C2
Vissac-Autreyrac 43 185 D3
Vissec 30 217 D4
Visseiche 35 94 A1
Viterbe 81 230 C2
Viterne 54 64 B4
Vitot 27 31 E3
Vitrac 63 152 B4
Vitrac 15 199 E1
Vitrac 24 197 E1
Vitrac-en-Viadène 12 200 B2
Vitrac-St-Vincent 16 163 D2
Vitrac-sur-Montane 19 182 A1

Vitrai-sous-Laigle 61 54 C3
Vitray 03 136 B3
Vitray-en-Beauce 28 78 B3
Vitray-sous-Brézolles 28 55 E3
Vitré 79 146 C3
Vitré 35 74 A3
Vitreux 39 124 C2
Vitrey 54 64 B4
Vitrey-sur-Mance 70 106 A2
Vitrimont 54 65 D3
Vitrolles 84 237 F1
Vitrolles 13 237 D4
Vitrolles 05 205 F4
Vitry-aux-Loges 45 100 A1
Vitry-lès-Cluny 71 139 F4
Vitry-le-Croisé 10 84 A3
Vitry-en-Artois 62 10 B3
Vitry-en-Charollais 71 154 B1
Vitry-en-Montagne 52 104 C2
Vitry-en-Perthois 51 61 E3
Vitry-le-François 51 61 E3
Vitry-Laché 58 121 D3
Vitry-lès-Nogent 52 85 E4
Vitry-sur-Loire 71 138 A3
Vitry-sur-Orne 57 40 A2
Vitry-sur-Seine 94 57 F3
Vitry-la-Ville 51 61 D2
Vittarville 55 38 C2
Vitteaux 21 122 C1
Vittefleur 76 14 C2
Vittel 88 86 B3
Vittersbourg 57 65 F1
Vittoncourt 57 40 C4
Vittonville 54 64 B1
Vitz-la-Chiésaz 74 173 F1
Viuz-en-Sallaz 74 158 C2
Vivaise 02 19 E4
Vivans 42 154 A3
Vivario 2b 267 D2
Viven 64 226 C4
Viverols 63 185 F1
Vivès 66 262 B3
Vivey 52 104 C3
Le Vivier 66 262 A1
Vivier-au-Court 08 21 F3
Le Vivier-sur-Mer 35 49 F3
Vivières 02 35 D3
Viviers 07 203 E4
Viviers 57 64 C1
Viviers 89 102 C2
Viviers-du-Lac 73 173 E2
Viviers-le-Gras 88 86 B3
Viviers-lès-Lavaur 81 230 C3
Viviers-lès-Montagnes 81 231 E3
Viviers-lès-Offroicourt 88 86 C2
Viviers-sur-Artaut 10 84 A4
Viviers-sur-Chiers 10 39 D1
Viviès 09 252 B3
Viviez 12 199 D3
Viville 16 162 A4
Vivoin 72 76 B3
Vivonne 86 147 F1
Vivy 49 114 C2
Vix 85 145 F1
Vix 21 103 F1
Vizille 38 189 E3
Vizos 65 257 E3

Vizzavona 2B 267 D3
Vizzavona (Forêt de) 2B 267 D2
Vocance 07 187 D2
Vodable 63 168 B4
Vœgtlinshofen 68 88 C4
Vœlfling-lès-Bouzonville 57 41 D2
Vœllerdingen 67 66 A1
Vœuil-et-Giget 16 162 C3
Vogelgrun 68 89 E4
Voglans 73 173 E3
Vogüé 07 203 D3
Voharies 02 20 A3
Void 55 63 E3
Le Voide 49 113 F3
Voie Sacrée 55 62 C1
Voigny 10 84 B3
Voilemont 51 37 F4
Voillans 25 126 A1
Voillecomte 52 84 C1
Voimhaut 57 40 C4
Voinémont 54 64 B4
Voingt 63 167 D2
Voinsles 77 58 C3
Voipreux 51 60 C2
Voires 25 125 F3
Voiron 38 189 D1
Voirons 74 158 B2
Voiscreville 27 31 D3
Voise 28 79 D2
Voisenon 77 58 B4
Voisey 52 106 A1
Voisines 52 105 D2
Voisines 89 81 F3
Voisins-le-Bretonneux 78 57 D3
Voissant 38 173 D3
Voissay 17 146 A4
Voiteur 39 141 E2
La Voivre 70 107 E2
La Voivre 88 88 B1
Les Voivres 88 87 D4
Voivres-lès-le-Mans 72 96 B1
Volcans d'Auvergne (Parc Régional des) 63 168 A3
Volckerinckhove 59 3 F3
Volesvres 71 138 C4
Volgelsheim 68 89 E4
Volgré 89 101 F1
Volksberg 67 66 B1
Vollore-Montagne 63 169 D2
Vollore-Ville 63 169 D2

Vosnon 10 82 C4
Vou 37 116 B4
Vouarces 51 60 B4
Voudenay 21 122 B4
Voué 10 83 D1
Vouécourt 52 85 D2
Vouël 02 19 D4
Vougécourt 70 106 B1
Vougeot 21 123 E3
Vouglans (Lac de) 39 141 E4
Vougrey 10 83 E4
Vougy 74 158 C3
Vougy 42 154 B3
Vouharte 16 162 B2
Vouhé 17 145 F3
Vouhé 79 131 D4
Vouhenans 70 107 D3
Vouillé 86 132 A3
Vouillé 79 146 B2
Vouillers 51 62 A3
Vouillon 36 135 D2
Vouilly 14 27 E2
Vouillé-les-Marais 85 145 E1
Voujeaucourt 25 107 F4
Voulaines-les-Templiers 21 104 B2
Voulangis 77 58 C2
Voulême 86 147 E3
Voulgézac 16 162 B4
Voulon 86 147 E1
Voulpaix 02 A 2
La Voulte-sur-Rhône 07 203 F1
Voultegon 79 130 C1
Voulton 77 59 E4
Voulx 77 81 D3
Vouneuil-sous-Biard 86 132 A4
Vouneuil-sur-Vienne 86 132 C3
Vourey 38 189 D1
Vourles 69 171 E3
Voussac 03 152 B2
Voutenay-sur-Cure 89 102 C4
Voutezac 19 181 D2
Vouthon 16 163 D3
Vouthon-Bas 55 85 F1
Vouthon-Haut 55 85 F1
Voutré 53 75 E3
Vouvant 85 130 B4
Vouvray 01 157 E3
Vouvray 37 116 A1
Vouvray-sur-Huisne 72 77 D4
Vouvray-sur-Loir 72 97 D3
Vouxey 88 86 B2
Vouzailles 86 131 F3
Vouzan 16 163 D3
Vouzeron 18 118 C2
Vouziers 08 37 F2
Vouzon 41 99 F3
Vouzy 51 60 C1
La Vove 61 77 D1
Voves 28 78 C3
Vovray-en-Bornes 74 158 A3
Voyenne 02 19 F3
Voyennes 80 18 C3
Voyer 57 66 A3
La Vraie-Croix 56 91 F2
Vraignes-en-Vermandois 80 18 C2
Vraignes-lès-Hornoy 80 16 C2
Vraincourt 52 85 D3
Vraiville 27 31 E3
Vrasville 50 25 D1
Vraux 51 61 D1
Vrécourt 88 86 A3
Vred 59 10 C2
Vregille 70 125 D2
Vregny 02 35 E2
Vrély 80 18 A3
Le Vrétot 50 24 C3
Vriange 80 124 B2
Vrigne-aux-Bois 08 21 F3
Vrigne-Meuse 08 21 F3
Vrigny 61 53 D3

Vrigny 45 79 F4
Vrigny 51 36 B3
Vritz 44 94 B4
Vrizy 08 37 E1
Vrocourt 60 33 D1
Vroil 51 62 A2
Vroncourt 54 86 C1
Vroncourt-la-Côte 52 85 F3
Vroville 88 86 C2
Vry 57 40 C3
Vue 44 111 E2
Vuillafans 25 125 F3
Vuillecin 25 142 C1
Vuillery 02 35 E2
Vulaines 10 82 B3
Vulaines-lès-Provins 77 59 D4
Vulaines-sur-Seine 77 80 C1
Vulbens 74 157 F3
Vulmont 57 64 C1
Vulvoz 39 157 E1
Vy-le-Ferroux 70 106 B3
Vy-lès-Filain 70 106 C4
Vy-lès-Lure 70 107 D3
Vy-lès-Rupt 70 106 A3
Vyans-le-Val 70 107 F4
Vyt-lès-Belvoir 25 126 B1

W

Waben 62 8 B2
Wacquemoulin 60 34 A1
Wacquinghen 62 2 C3
Wadelincourt 08 21 F3
Wadimont 08 20 C3
Wadonville-en-Woëvre 55 39 D4
Wagnon 08 21 D4
Wahagnies 59 10 B1
Wahlbach 68 108 C3
Wahlenheim 67 67 D2
Wail 62 9 D2
Wailly 62 10 A3
Wailly 80 17 E3
Wailly-Beaucamp 62 8 B2
Walbach 68 88 C3
Walbourg 67 67 E1
La Walck 67 67 D1
Waldersbach 67 88 C1
Waldhambach 67 66 B1
Waldhouse 57 42 C3
Waldighofen 68 108 C3
Waldolwisheim 67 66 C2
Waldweistroff 57 40 C2
Waldwisse 57 40 C1
Walheim 68 108 C3
Walincourt-Selvigny 59 19 D1
Wallers 59 11 D2
Wallers-Trélon 59 12 C4
Wallon-Cappel 59 4 B3
Walschbronn 57 42 C3
Walscheid 57 66 B3
Waltembourg 57 66 B2
Waltenheim 68 108 C3
Waltenheim-sous-Zorn 67 67 D2
Waly 55 62 B1
Wambaix 59 11 D4
Wambercourt 62 8 C2
Wambez 60 32 C1
Wambrechies 59 5 D4
Wamin 62 9 D2
Wanchy-Capval 76 16 A2
Wancourt 62 10 B3

Wandignies-Hamage 59 11 D2
Wanel 80 16 C1
Wangen 67 66 C3
Wangenbourg 67 66 B3
Wannehain 59 10 C1
Wanquetin 62 9 F3
La Wantzenau -67 67 E3
Warcq 55 39 D3
Warcq 08 21 E3
Wardrecques 62 3 F4
Wargemoulin-Hurlus 51 37 F3
Wargnies 80 17 E1
Wargnies-le-Grand 59 11 E3
Wargnies-le-Petit 59 11 E3
Warhem 59 4 B2
Warlaing 59 11 D2
Warlencourt-Eaucourt 62 10 A4
Warlincourt-lès-Pas 62 9 F4
Warloy-Baillon 80 17 F1
Warluis 60 33 E2
Warlus 80 17 D2
Warlus 62 10 A3
Warluzel 62 9 E3
Warmeriville 51 36 C2
Warnécourt 08 21 E3
Warneton 59 5 D3
Warsy 80 18 A4
Warvillers 80 18 A3
Wasigny 08 21 D4
Wasnes-au-Bac 59 10 C3
Wasquehal 59 5 E4
Wasselonne 67 66 C3
Wasserbourg 68 88 C4
Wassigny 02 19 F1
Wassy 52 84 C1
Le Wast 62 2 C3
Watigny 02 20 C2
Watronville 55 39 D3
Watten 59 3 E3
Wattignies 59 10 B1
Wattignies-la-Victoire 59 12 B3
Wattrelos 59 5 E4
Wattwiller 68 108 B1
Wavignies 60 33 E1
Waville 54 39 F4
Wavrans-sur-l'Aa 62 3 E4
Wavrans-sur-Ternoise 62 9 E2
Wavrechain-sous-Denain 59 11 D2
Wavrechain-sous-Faulx 59 10 C3
Wavrille 55 38 C2
Wavrin 59 10 B1
Waziers 59 10 C2

Wickerschwihr 68 89 D3
Wickersheim 67 66 C2
Wicquinghem 62 8 C1
Wicres 59 10 B1
Widehem 62 2 C4
Widensolen 68 89 E3
Wiège-Faty 02 19 F2
Wierre-au-Bois 62 2 C4
Wierre-Effroy 62 2 C3
Wiesviller 57 42 A4
Wignehies 59 20 B1
Wignicourt 08 21 D4
Wihr-au-Val 68 88 C3
Wihr-en-Plaine 68 89 D3
Wildenstein 68 88 B4
Wildersbach 67 88 C1
Willeman 62 9 D2
Willems 59 5 E4
Willencourt 62 9 D3
Willer 68 108 C3
Willer-sur-Thur 68 108 B1
Willeroncourt 55 62 C3
Willerval 62 10 A1
Willerwald 57 41 F4
Willgottheim 67 66 C3
Williers 08 22 B3
Willies 59 12 C4
Wilshausen 67 66 C2
Wilwisheim 67 66 C2
Wimereux 62 2 C3
Wimille 62 2 C3
Wimmenau 67 66 C1
Wimy 02 20 B2
Windstein 67 43 D4
Wingen 67 43 D4
Wingen-sur-Moder 67 66 C1
Wingersheim 67 67 D2
Wingles 62 10 A1
Winkel 68 108 C4
Winnezeele 59 4 B3
Wintersbourg 57 66 B2
Wintershouse 67 67 D2
Wintzenbach 67 43 F4
Wintzenheim 68 88 C3
Wintzenheim-Kochersberg 67 66 C3
Wirwignes 62 2 C4
Wiry-au-Mont 80 16 D1
Wisches 67 66 B3
Wisembach 88 88 C1
Wiseppe 05 38B 1
Wismes 62 3 E3
Wisques (Abbaye St-Paul de) 62 3 E3
Wissant 62 2 C2
Wissembourg 67 43 E4
Wissignicourt 02 35 E1
Wissous 91 57 E3
Witry-lès-Reims 51 36 C2
Wittelsheim 68 108 C2
Wittenheim 68 108 C1
Witternesse 62 4 A4
Witternheim 67 89 E1
Wittersdorf 68 108 C3
Wittersheim 67 67 D2
Wittes 62 4 A4
Wittisheim 67 89 D2
Wittring 57 42 A4
Wiwersheim 67 67 D3
Wizernes 62 3 E3

Wœlfling-lès-Sarreguemines 57 42 A3
Wœllenheim 67 66 C3
Wœrth 67 43 D4
Woignarue 80 8 A4
Woimbey 55 63 D1
Woincourt 80 16 B1
Woinville 55 63 E1
Woippy 57 40 B3
Woirel 80 16 C2
Wolfersdorf 68 108 B3
Wolfgantzen 68 89 E3
Wolfisheim 67 67 D3
Wolfskirchen 67 66 A1
Wolschheim 67 66 C2
Wolschwiller 68 108 C4
Wolxheim 67 66 C3
Wormhout 59 4 B2
Woustviller 57 41 F4
Wuenheim 68 108 B1
Wuisse 57 65 E2
Wulverdinghe 59 3 F3
Wy-dit-Joli-Village 95 32 C4
Wylder 59 4 B2

X

Xaffévillers 88 87 F1
Xaintrailles 47 211 D2
Xaintray 79 130 C4
Xambes 16 162 C2
Xammes 54 63 F1
Xamontarupt 88 87 F3
Xanrey 57 65 D2
Xanton-Chassenon 85 130 B4
Xaronval 88 86 C1
Xermaménil 54 65 D4
Xertigny 88 87 E4
Xeuilley 54 64 B4
Xirocourt 54 86 C1
Xivray-et-Marvoisin 55 63 E2
Xivry-Circourt 54 39 E2
Xocourt 57 64 C1
Xonrupt-Longemer 88 88 B3
Xonville 54 39 E4
Xouaxange 57 66 A3
Xousse 54 65 E3
Xures 54 65 E3

Y

Y 80 18 C3
Yainville 76 31 D1
Yaucourt-Bussus 80 8 C4
Ychoux 40 208 C1
Ydes 15 183 D1
Yébleron 76 14 C4
Yèbles 77 58 B4
Yenne 73 173 D2
Yermenonville 28 56 B4
Yerres 91 58 A3
Yerville 76 15 D4
Yèvre 18 119 E4
Yèvre-le-Châtel 45 80 A3
Yèvre-la-Ville 45 80 A3
Yèvres 28 78 A3
Yèvres-le-Petit 10 83 F1
Yffiniac 22 48 B4
Ygos-St-Saturnin 40 209 D3
Ygrande 03 136 C4
Ymare 76 31 F2
Ymonville 28 79 D3
Yolet 15 199 F1
Yoncq 08 22 A4
Yonne 50,77 89 81 F3
Youx 63 152 A3
Yport 76 14 B3
Ypreville-Biville 76 14 C3

Yquebeuf 76 15 F4
Yquelon 50 50 B2
Yronde-et-Buron 63 168 B3
Yrouerre 89 102 C2
Yser 59 4 B2
Yssac-la-Tourette 63 168 B1
Yssandon 19 180 C2
Yssandon (Puy d') 19 180 C2
Yssingeaux 43 186 B3
Ysson (Puy d') 63 168 B4
Ytrac 15 199 E1
Ytres 62 18 C1
Yutz 57 40 B2
Yvecrique 76 15 D3
Yvernaumont 08 21 E3
Yversay 86 132 A3
Yves 17 145 D4
Les Yveteaux 61 52 C3
Yvetot 76 15 D4
Yvetot-Bocage 50 25 D3
Yvias 22 47 E2
Yviers 16 178 B2
Yvignac 22 72 B1
Yville-sur-Seine 76 31 E2
Yvoire 74 158 B1
Yvoy-le-Marron 41 99 E3
Yvrac 33 194 B1
Yvrac-et-Malleyrand 16 163 D2
Yvrandes 61 51 F3
Yvré-l'Évêque 72 76 B4
Yvré-le-Pôlin 72 96 B2
Yvrench 80 8 C4
Yvrencheux 80 8 C4
Yzengremer 80 16 B1
Yzernay 49 113 E4
Yzeron 69 171 D2
Yzeure 03 137 E4
Yzeures-sur-Creuse 37 133 D2
Yzeux 80 17 D1
Yzosse 40 225 D2

Z

Zaessingue 68 108 C3
Zalana 2b 267 E1
Zarbeling 57 65 D2
Zegerscappel 59 4 A2
Zehnacker 67 66 C3
Zeinheim 67 66 C3
Zellenberg 68 89 D3
Zellwiller 67 89 E1
Zermezeele 59 4 A3
Zérubia 2a 269 D2
Zetting 57 42 A4
Zévaco 2a 267 D4
Zicavo 2a 267 D4
Zigliara 2a 268 C1
Zilia 2b 264 C3
Zilling 57 66 B2
Zillisheim 68 108 C2
Zimmerbach 68 88 C3
Zimmersheim 68 108 C1
Zimming 57 41 D3
Zincourt 88 87 E2
Zinswiller 67 67 D1
Zittersheim 67 66 B1
Zœbersdorf 67 66 C2
Zollingen 67 66 A1
Zommange 57 65 E2
Zonza 2a 269 D2
Zoteux 62 3 D4
Zouafques 62 3 E3
Zouffgen 57 40 B1
Zoza 2a 269 D2
Zuani 2b 267 E1
Zudausques 62 3 E3
Zutkerque 62 3 E3
Zuydcoote 59 4 A1
Zuytpeene 59 4 A3

Distances – France

Distances entre principales villes

Les distances sont comptées à partir du centre-ville et par la route la plus pratique, c'est-à-dire celle qui offre les meilleures conditions de roulage mais qui n'est pas nécessairement la plus courte.

D'une ville française à une ville étrangère

D'une des 42 villes citées au tableau France, ralliez la première ville rouge située sur votre itinéraire. Vous la retrouverez reliée à 38 villes étrangères dans le second tableau

Exemple: **Bordeaux – Paris** 579 Km

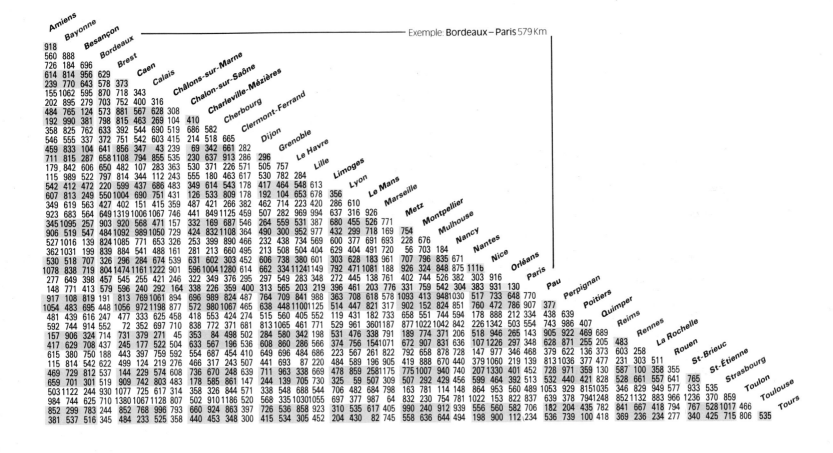